KB035935

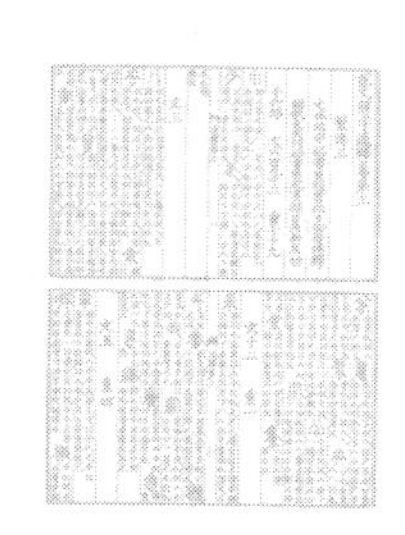

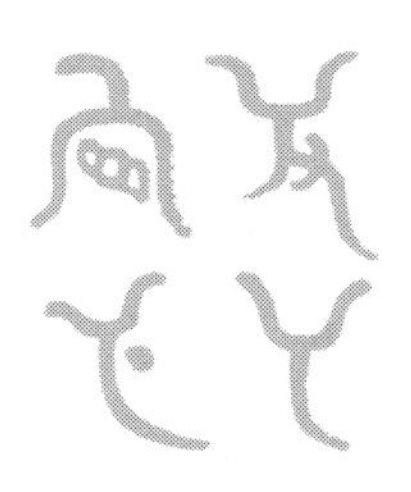

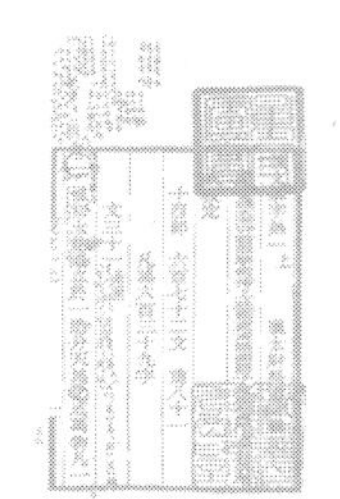

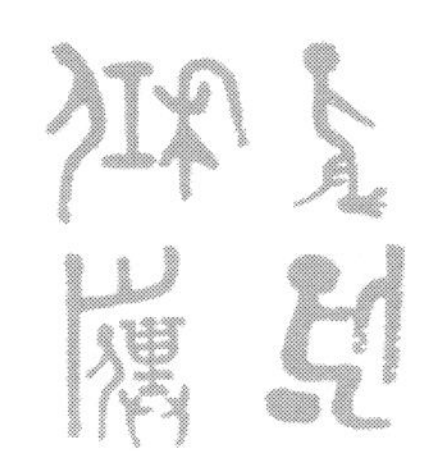

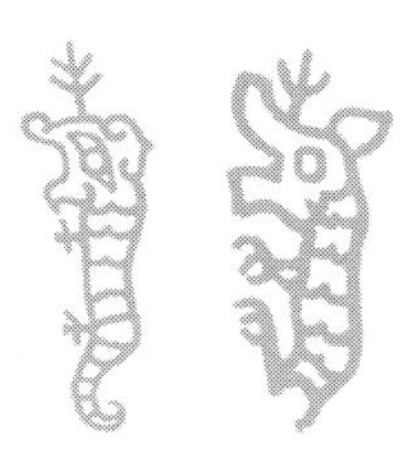

하영삼 교수의

# 완역 설문해자

## 3 (제8권~제11권)

허신 저 · 하영삼 역주

完譯 說文解字

許愼 著 河永三 譯註

도서출판 3

說文解字

한국한자연구소 연구총서 12
**완역 설문해자 3** (제8권~제11권)

초판 1쇄 인쇄 2022년 05월 15일
초판 2쇄 인쇄 2023년 12월 01일

저자 [한] 허신(許愼)
역주 하영삼(河永三)
표지 디자인 김소연
편집 및 교열: 김형준
펴낸이: 정혜정
펴낸곳: 도서출판3

출판등록 2013년 7월 4일 (제2020-000015호)
주소: 부산광역시 금정구 중앙대로1929번길 48
전화 070-7737-6738
팩스 051-751-6738
전자우편 3publication@gmail.com

ISBN: 979-11-87746-67-6 (94710)
979-11-87746-64-5 (세트)


잘못된 책은 구입처에서 교환해 드립니다. 가격은 겉표지에 표시되어 있습니다.

# 제3책

# 목 차

# 540부수 목차

*한어병음은 대표 독음만 제시.

제 8 권

| | | | | | | |
|---|---|---|---|---|---|---|
| 제3권 상 | 61 | | 菐 | 복 | pú | **747** |
| 제3권 상 | 62 | | 収 | 공 | gǒng | **749** |
| 제3권 상 | 63 | | 𠬜 | 반 | pān | **757** |
| 제3권 상 | 64 | | 共 | 공 | gòng | **759** |
| 제3권 상 | 65 | | 異 | 이 | yì | **760** |
| 제3권 상 | 66 | | 舁 | 여 | yú | **761** |
| 제3권 상 | 67 | | 𦥑 | 국 | jú | **763** |
| 제3권 상 | 68 | | 晨 | 신 | chén | **764** |
| 제3권 상 | 69 | | 爨 | 찬 | cān | **766** |
| **제3권 하** | 70 | | 革 | 혁 | gé | **771** |
| 제3권 하 | 71 | | 鬲 | 격·력 | lǐ | **796** |
| 제3권 하 | 72 | | 䰜 | 력 | lì | **802** |
| 제3권 하 | 73 | | 爪 | 조 | zhǎo | **807** |
| 제3권 하 | 74 | | 丮 | 극 | jǐ | **810** |
| 제3권 하 | 75 | | 鬥 | 투·두·각 | dòu | **814** |
| 제3권 하 | 76 | | 又 | 우 | yòu | **819** |
| 제3권 하 | 77 | | 𠂇 | 좌 | zuǒ | **832** |
| 제3권 하 | 78 | | 史 | 사 | shǐ | **834** |
| 제3권 하 | 79 | | 支 | 지 | zhī | **836** |
| 제3권 하 | 80 | | 𦘒 | 녑 | niè | **838** |
| 제3권 하 | 81 | | 聿 | 율 | yù | **840** |
| 제3권 하 | 82 | | 畫 | 화 | huà | **842** |

| 제4권 상 | 105 |  | 鼻 | 비 | bí | 976 |
|---|---|---|---|---|---|---|
| 제4권 상 | 106 |  | 皕 | 벽 | bì | 979 |
| 제4권 상 | 107 |  | 習 | 습 | xí | 981 |
| 제4권 상 | 108 |  | 羽 | 우 | yǔ | 983 |
| 제4권 상 | 109 |  | 隹 | 추 | zhuī | 997 |
| 제4권 상 | 110 |  | 奞 | 순 | suī | 1014 |
| 제4권 상 | 111 |  | 萑 | 환 | huán | 1016 |
| 제4권 상 | 112 |  | 𦫳 | 개 | guǎi | 1019 |
| 제4권 상 | 113 |  | 苜 | 말 | mò | 1021 |
| 제4권 상 | 114 |  | 羊 | 양 | yáng | 1023 |
| 제4권 상 | 115 |  | 羴 | 전 | shān | 1035 |
| 제4권 상 | 116 |  | 瞿 | 구 | jù | 1036 |
| 제4권 상 | 117 |  | 雔 | 수 | chóu | 1038 |
| 제4권 상 | 118 |  | 雥 | 잡 | zá | 1040 |
| 제4권 상 | 119 |  | 鳥 | 조 | niǎo | 1042 |
| 제4권 상 | 120 |  | 烏 | 오 | wū | 1087 |
| 제4권 하 | 121 |  | 華 | 필 | bān | 1091 |
| 제4권 하 | 122 |  | 冓 | 구 | gòu | 1094 |
| 제4권 하 | 123 |  | 幺 | 요 | yāo | 1096 |
| 제4권 하 | 124 |  | 𢆶 | 유 | yōu | 1098 |
| 제4권 하 | 125 |  | 叀 | 전 | zhuān | 1100 |
| 제4권 하 | 126 |  | 玄 | 현 | xuán | 1102 |

| 제5권 상 | 149 | | 巫 | 무 | wū | **1326** |
|---|---|---|---|---|---|---|
| 제5권 상 | 150 | | 甘 | 감 | gān | **1328** |
| 제5권 상 | 151 | | 曰 | 왈 | yuē | **1330** |
| 제5권 상 | 152 | | 乃 | 내 | nǎi | **1334** |
| 제5권 상 | 153 | | 丂 | 교 | kǎo | **1336** |
| 제5권 상 | 154 | | 可 | 가 | kě | **1338** |
| 제5권 상 | 155 | | 兮 | 혜 | xī | **1341** |
| 제5권 상 | 156 | | 号 | 호 | háo | **1343** |
| 제5권 상 | 157 | | 亏 | 우 | yú | **1344** |
| 제5권 상 | 158 | | 旨 | 지 | zhǐ | **1347** |
| 제5권 상 | 159 | | 喜 | 희 | xǐ | **1348** |
| 제5권 상 | 160 | | 壴 | 주 | zhǔ | **1350** |
| 제5권 상 | 161 | | 鼓 | 고 | gǔ | **1353** |
| 제5권 상 | 162 | | 豈 | 기 | qǐ | **1358** |
| 제5권 상 | 163 | | 豆 | 두 | dòu | **1360** |
| 제5권 상 | 164 | | 豊 | 례·풍 | lǐ | **1363** |
| 제5권 상 | 165 | | 豐 | 풍 | fēng | **1365** |
| 제5권 상 | 166 | | 䖒 | 희 | xī | **1366** |
| 제5권 상 | 167 | | 虍 | 호 | hū | **1368** |
| 제5권 상 | 168 | | 虎 | 호 | hū | **1372** |
| 제5권 상 | 169 | | 虤 | 현 | yán | **1379** |
| 제5권 상 | 170 | | 皿 | 명 | mǐn | **1381** |

| | | | | | | |
|---|---|---|---|---|---|---|
| 제5권 하 | 193 | | 畗 | 복 | fú | **1480** |
| 제5권 하 | 194 | | 㐭 | 름 | lǐn | **1481** |
| 제5권 하 | 195 | | 嗇 | 색 | sè | **1483** |
| 제5권 하 | 196 | | 來 | 래 | lái | **1485** |
| 제5권 하 | 197 | | 麥 | 맥 | mài | **1487** |
| 제5권 하 | 198 | | 夊 | 쇠 | suī | **1493** |
| 제5권 하 | 199 | | 舛 | 천 | chuǎn | **1501** |
| 제5권 하 | 200 | | 舜 | 순 | shùn | **1503** |
| 제5권 하 | 201 | | 韋 | 위 | wéi | **1505** |
| 제5권 하 | 202 | | 弟 | 제 | dì | **1513** |
| 제5권 하 | 203 | | 夂 | 치 | zhǐ | **1515** |
| 제5권 하 | 204 | | 久 | 구 | jiǔ | **1518** |
| 제5권 하 | 205 | | 桀 | 걸 | jié | **1519** |
| **제6권 상** | 206 | | 木 | 목 | mù | **1523** |
| 제6권 상 | 207 | | 東 | 동 | dōng | **1689** |
| 제6권 상 | 208 | | 林 | 림 | lín | **1691** |
| 제6권 상 | 209 | | 才 | 재 | cái | **1696** |
| **제6권 하** | 210 | | 叒 | 약 | ruò | **1699** |
| 제6권 하 | 211 | | 之 | 지 | zhī | **1700** |
| 제6권 하 | 212 | | 帀 | 잡 | zā | **1701** |
| 제6권 하 | 213 | | 出 | 출 | chū | **1703** |
| 제6권 하 | 214 | | 𣎵 | 발 | bèi | **1706** |

| 제7권 상 | 237 |  | 月 | 월 | yuè | 1898 |
|---|---|---|---|---|---|---|
| 제7권 상 | 238 |  | 有 | 유 | yǒu | 1903 |
| 제7권 상 | 239 |  | 朙 | 명 | míng | 1905 |
| 제7권 상 | 240 |  | 囧 | 경 | jiǒng | 1906 |
| 제7권 상 | 241 |  | 夕 | 석 | xī | 1908 |
| 제7권 상 | 242 |  | 多 | 다 | duō | 1913 |
| 제7권 상 | 243 |  | 毌 | 관 | guàn | 1915 |
| 제7권 상 | 244 |  | 马 | 함 | hàn | 1917 |
| 제7권 상 | 245 |  | 東 | 함 | hàn | 1920 |
| 제7권 상 | 246 |  | 鹵 | 초 | tiáo | 1921 |
| 제7권 상 | 247 |  | 齊 | 제 | qí | 1923 |
| 제7권 상 | 248 |  | 朿 | 자 | cì | 1924 |
| 제7권 상 | 249 |  | 片 | 편 | piàn | 1926 |
| 제7권 상 | 250 |  | 鼎 | 정 | dǐng | 1930 |
| 제7권 상 | 251 |  | 克 | 극 | kè | 1933 |
| 제7권 상 | 252 |  | 彔 | 록 | lù | 1934 |
| 제7권 상 | 253 |  | 禾 | 화 | hé | 1935 |
| 제7권 상 | 254 |  | 秝 | 력 | lì | 1971 |
| 제7권 상 | 255 |  | 黍 | 서 | shǔ | 1972 |
| 제7권 상 | 256 |  | 香 | 향 | xīang | 1976 |
| 제7권 상 | 257 |  | 米 | 미 | mǐ | 1978 |
| 제7권 상 | 258 |  | 毇 | 훼 | huǐ | 1994 |

| | | | | | | |
|---|---|---|---|---|---|---|
| 제7권 하 | 281 | | 巾 | 건 | jīn | 2139 |
| 제7권 하 | 282 | | 市 | 불 | fú | 2166 |
| 제7권 하 | 283 | | 帛 | 백 | bó | 2168 |
| 제7권 하 | 284 | | 白 | 백 | bái | 2169 |
| 제7권 하 | 285 | | 㡀 | 폐 | bì | 2174 |
| 제7권 하 | 286 | | 黹 | 치 | zhǐ | 2175 |
| 제8권 상 | 287 | | 人 | 인 | rén | 2181 |
| 제8권 상 | 288 | | 匕 | 화 | huà | 2283 |
| 제8권 상 | 289 | | 匕 | 비 | bǐ | 2286 |
| 제8권 상 | 290 | | 从 | 종 | cóng | 2291 |
| 제8권 상 | 291 | | 比 | 비 | bǐ | 2293 |
| 제8권 상 | 292 | | 北 | 북배 | bèi | 2294 |
| 제8권 상 | 293 | | 丘 | 구 | qiū | 2296 |
| 제8권 상 | 294 | | 㐺 | 음 | zhòng | 2299 |
| 제8권 상 | 295 | | 𡈼 | 정 | tǐng | 2301 |
| 제8권 상 | 296 | | 重 | 중 | zhòng | 2304 |
| 제8권 상 | 297 | | 臥 | 와 | wò | 2306 |
| 제8권 상 | 298 | | 身 | 신 | shēn | 2308 |
| 제8권 상 | 299 | | 㐆 | 은의 | yǐn | 2310 |
| 제8권 상 | 300 | | 衣 | 의 | yī | 2311 |
| 제8권 상 | 301 | | 裘 | 구 | qiú | 2355 |
| 제8권 상 | 302 | | 老 | 로 | lǎo | 2356 |

| 제9권 상 | 325 |  | 百 | 수 | shǒu | 2497 |
|---|---|---|---|---|---|---|
| 제9권 상 | 326 |  | 面 | 면 | miàn | 2498 |
| 제9권 상 | 327 |  | 丏 | 면 | miǎn | 2501 |
| 제9권 상 | 328 |  | 首 | 수 | shǒu | 2502 |
| 제9권 상 | 329 |  | 県 | 교 | jiāo | 2504 |
| 제9권 상 | 330 |  | 須 | 수 | xu | 2505 |
| 제9권 상 | 331 |  | 彡 | 삼 | shàn | 2507 |
| 제9권 상 | 332 |  | 彣 | 문 | wén | 2512 |
| 제9권 상 | 333 |  | 文 | 문 | wén | 2513 |
| 제9권 상 | 334 |  | 髟 | 표 | biāo | 2516 |
| 제9권 상 | 335 |  | 后 | 후 | hòu | 2532 |
| 제9권 상 | 336 |  | 司 | 사 | sī | 2533 |
| 제9권 상 | 337 |  | 卮 | 치 | zhī | 2534 |
| 제9권 상 | 338 |  | 卩 | 절 | jié | 2536 |
| 제9권 상 | 339 |  | 印 | 인 | yìn | 2543 |
| 제9권 상 | 340 |  | 色 | 색 | sè | 2544 |
| 제9권 상 | 341 |  | 卯 | 경 | qīng | 2546 |
| 제9권 상 | 342 |  | 辟 | 벽 | bì | 2548 |
| 제9권 상 | 343 |  | 勹 | 포 | bāo | 2550 |
| 제9권 상 | 344 |  | 包 | 포 | bāo | 2556 |
| 제9권 상 | 345 |  | 茍 | 극 | jì | 2558 |
| 제9권 상 | 346 |  | 鬼 | 귀 | guǐ | 2560 |

| 제9권 하 | 369 |  | 象 | 상 | xiàng | 2701 |
|---|---|---|---|---|---|---|
| **제10권 상** | 370 |  | 馬 | 마 | mǎ | 2705 |
| 제10권 상 | 371 |  | 廌 | 치 | zhì | 2750 |
| 제10권 상 | 372 |  | 鹿 | 록 | lù | 2753 |
| 제10권 상 | 373 |  | 麤 | 추 | cū | 2763 |
| 제10권 상 | 374 |  | 㲋 | 착 | chuò | 2764 |
| 제10권 상 | 375 |  | 兔 | 토 | tù | 2766 |
| 제10권 상 | 376 |  | 萈 | 환 | huán | 2769 |
| 제10권 상 | 377 |  | 犬 | 견 | quǎn | 2770 |
| 제10권 상 | 378 |  | 㹜 | 은 | yín | 2803 |
| 제10권 상 | 379 |  | 鼠 | 서 | shǔ | 2805 |
| 제10권 상 | 380 |  | 能 | 능 | néng | 2813 |
| 제10권 상 | 381 |  | 熊 | 웅 | xióng | 2814 |
| 제10권 상 | 382 |  | 火 | 화 | huǒ | 2815 |
| 제10권 상 | 383 |  | 炎 | 염 | yán | 2859 |
| 제10권 상 | 384 |  | 黑 | 흑 | hēi | 2862 |
| **제10권 하** | 385 |  | 囪 | 창·총 | chuāng | 2879 |
| 제10권 하 | 386 |  | 焱 | 염 | yàn | 2881 |
| 제10권 하 | 387 |  | 炙 | 자적 | zhì | 2883 |
| 제10권 하 | 388 |  | 赤 | 적 | chì | 2885 |
| 제10권 하 | 389 |  | 大 | 대 | dà | 2890 |
| 제10권 하 | 390 |  | 亦 | 역 | yì | 2899 |

**제 8 권**

| 제11권 하 | 413 |  | 𡿨 | 견 | quǎn | **3250** |
|---|---|---|---|---|---|---|
| 제11권 하 | 414 |  | 巜 | 괴 | kuài | **3251** |
| 제11권 하 | 415 |  | 川 | 천 | chuān | **3252** |
| 제11권 하 | 416 |  | 泉 | 천 | quán | **3257** |
| 제11권 하 | 417 |  | 灥 | 천 | chuān | **3258** |
| 제11권 하 | 418 |  | 永 | 영 | yǒng | **3259** |
| 제11권 하 | 419 |  | 𠂢 | 파 | pài | **3261** |
| 제11권 하 | 420 |  | 谷 | 곡 | gǔ | **3263** |
| 제11권 하 | 421 |  | 仌 | 빙 | bīng | **3267** |
| 제11권 하 | 422 |  | 雨 | 우 | yǔ | **3274** |
| 제11권 하 | 423 |  | 雲 | 운 | yún | **3294** |
| 제11권 하 | 424 |  | 魚 | 어 | yú | **3296** |
| 제11권 하 | 425 |  | 𩺰 | 어 | yú | **3335** |
| 제11권 하 | 426 |  | 燕 | 연 | yàn | **3336** |
| 제11권 하 | 427 |  | 龍 | 룡 | lóng | **3337** |
| 제11권 하 | 428 |  | 飛 | 비 | fēi | **3340** |
| 제11권 하 | 429 |  | 非 | 비 | fēi | **3342** |
| 제11권 하 | 430 |  | 卂 | 신 | xìn | **3344** |
| **제12권 상** | 431 |  | 乙 | 을 | yǐ | **3347** |
| 제12권 상 | 432 |  | 不 | 불 | bù | **3349** |
| 제12권 상 | 433 |  | 至 | 지 | zhì | **3351** |
| 제12권 상 | 434 |  | 西 | 서 | xī | **3354** |

|  |  |  |  |  |  |  |
|---|---|---|---|---|---|---|
| 제12권 하 | 457 |  | 亾 | 망·무 | wáng | 3632 |
| 제12권 하 | 458 |  | 匸 | 혜 | xǐ | 3635 |
| 제12권 하 | 459 |  | 匚 | 방 | fāng | 3639 |
| 제12권 하 | 460 |  | 曲 | 곡 | qū | 3647 |
| 제12권 하 | 461 |  | 甾 | 치 | zāi | 3649 |
| 제12권 하 | 462 |  | 瓦 | 와 | wǎ | 3651 |
| 제12권 하 | 463 |  | 弓 | 궁 | gōng | 3661 |
| 제12권 하 | 464 |  | 弜 | 강 | jiàng | 3672 |
| 제12권 하 | 465 |  | 弦 | 현 | xuán | 3673 |
| 제12권 하 | 466 |  | 系 | 계 | xì | 3675 |
| 제13권 상 | 467 |  | 糸 | 사멱 | mì | 3679 |
| 제13권 상 | 468 |  | 素 | 소 | sù | 3778 |
| 제13권 상 | 469 |  | 絲 | 사 | sī | 3781 |
| 제13권 상 | 470 |  | 率 | 솔 | shuài | 3783 |
| 제13권 상 | 471 |  | 虫 | 훼·충 | huǐ | 3784 |
| 제13권 상 | 472 |  | 䖵 | 곤 | kūn | 3847 |
| 제13권 하 | 473 |  | 蟲 | 충 | chóng | 3857 |
| 제13권 하 | 474 |  | 風 | 풍 | fēng | 3860 |
| 제13권 하 | 475 |  | 它 | 타사 | tā | 3867 |
| 제13권 하 | 476 |  | 龜 | 구·귀·균 | guī | 3868 |
| 제13권 하 | 477 |  | 黽 | 민·맹 | mǐn | 3870 |
| 제13권 하 | 478 |  | 卵 | 란 | luǎn | 3876 |

| 제14권 하 | 501 | | 𨸏 | 부 | fù | 4170 |
|---|---|---|---|---|---|---|
| 제14권 하 | 502 | | 厽 | 루 | lěi | 4172 |
| 제14권 하 | 503 | | 四 | 사 | sì | 4174 |
| 제14권 하 | 504 | | 宁 | 저 | zhù | 4175 |
| 제14권 하 | 505 | | 叕 | 철 | zhuì | 4177 |
| 제14권 하 | 506 | | 亞 | 아 | yà | 4178 |
| 제14권 하 | 507 | | 五 | 오 | wǔ | 4179 |
| 제14권 하 | 508 | | 六 | 륙 | liù | 4180 |
| 제14권 하 | 509 | | 七 | 칠 | qī | 4181 |
| 제14권 하 | 510 | | 九 | 구 | jiǔ | 4182 |
| 제14권 하 | 511 | | 内 | 유 | róu | 4184 |
| 제14권 하 | 512 | | 嘼 | 축휴 | chù | 4189 |
| 제14권 하 | 513 | | 甲 | 갑 | jiǎ | 4191 |
| 제14권 하 | 514 | | 乙 | 을 | yǐ | 4192 |
| 제14권 하 | 515 | | 丙 | 병 | bǐng | 4195 |
| 제14권 하 | 516 | | 丁 | 정 | dīng | 4196 |
| 제14권 하 | 517 | | 戊 | 무 | wù | 4197 |
| 제14권 하 | 518 | | 己 | 기 | jǐ | 4199 |
| 제14권 하 | 519 | | 巴 | 파 | bā | 4201 |
| 제14권 하 | 520 | | 庚 | 경 | gēng | 4203 |
| 제14권 하 | 521 | | 辛 | 신 | xīn | 4204 |
| 제14권 하 | 522 | | 辡 | 변 | biàn | 4208 |

# 제8권

## (상)

## 제287부수
## 287 ■ 인(人)부수



4926

**卩: 人: 사람 인: 人-총2획: rén**

原文

卩: 天地之性最貴者也. 此籒文. 象臂脛之形. 凡人之屬皆从人. 如鄰切.

飜譯

'천지간의 모든 생물 중에서 가장 귀한 존재(天地之性最貴者)'를 말한다. 이는 주문(籒文)체인데, [사람의] 팔과 다리(臂脛)의 모습을 그렸다.[1] 인(人)부수에 귀속된 글자들은 모두 인(人)이 의미부이다. 독음은 여(如)와 린(鄰)의 반절이다.

4927

**僮: 僮: 아이 동: 人-총14획: tóng**

原文

僮: 未冠也. 从人童聲. 徒紅切.

飜譯

'아직 성인이 되지 않은 아이(未冠)'라는 뜻이다. 인(人)이 의미부이고 동(童)이 소리

---

1) 고문자에서 甲骨文 金文 古陶文 盟書 簡牘文 등으로 그렸다. 『설문해자』에서는 "천지의 성정 중에 가장 귀한 존재"가 바로 사람이라고 하여 만물의 영장이 사람임을 선언했다. 갑골문에서는 서 있는 사람의 측면 모습을 그렸다. 人(사람 인)이 둘 모이면 从(따를 종, 從의 원래 글자), 셋 모이면 众(무리 중·衆의 원래 글자)이 된다. 人은 먼저 사람 그 자체를 지칭하기도 하고, 이 때문에 인칭 대명사를 나타낼 때도 쓰여 일인칭의 余(나 여), 이인칭의 你(너 이, 爾의 파생자), 삼인칭의 他(그 타)와 伊(저 이)를 구성하기도 한다. 둘째, 企(꾀할 기)처럼 인간의 행위를 나타내며, 셋째 信(믿을 신)처럼 인간 행위의 규범성을 나타내기도 한다.

부이다. 독음은 도(徒)와 홍(紅)의 반절이다.

**4928**

**𠈃: 保: 지킬 보: 人-총9획: bǎo**

原文

𠈃: 養也. 从人, 从䌸省. 䌸, 古文孚. 呆, 古文保. 㝉, 古文保不省. 博褎切.

飜譯

'양육하다(養)'라는 뜻이다. 인(人)이 의미부이고, 부(䌸)의 생략된 모습도 의미부인데, 부(䌸)는 부(孚)의 고문체이다.2) 보(呆)는 보(保)의 고문체이다. 보(㝉)도 보(保)의 고문체인데, 생략되지 않은 모습이다. 독음은 박(博)과 포(褎)의 반절이다.

**4929**

**𡰥: 仁: 어질 인: 人-총4획: rén**

原文

𡰥: 親也. 从人从二. 忎, 古文仁从千、心. 𡰥, 古文仁或从尸. 如鄰切.

飜譯

'친(親)과 같아 친애하다'라는 뜻이다. 인(人)이 의미부이고 이(二)도 의미부이다.3)

---

2) 고문자에서 [glyphs] 甲骨文 [glyphs] 金文 [glyphs] 古陶文 [glyphs] 簡牘文 등으로 그렸다. 금문에서 人(사람 인)과 子(아들 자)로 구성되어, 아이(子)를 등에 업은 사람(人)의 모습을 사실적으로 그렸는데 자형이 조금 변해 지금처럼 되었다. 아이를 업고 키우는 모습으로부터 기르다, 보호하다, 보육하다, 보증하다 등의 뜻이 나왔다.

3) 고문자에서 [glyph] 甲骨文 [glyph] 金文 [glyphs] 簡牘文 [glyphs] 古璽文 등으로 그렸다. 二(두 이)가 의미부이고 人(사람 인)이 소리부인데, 二는 두 사람(人) 사이의 관계를 상징한다. 仁의 자형에 관해 지금까지 확인된 가장 이른 자료는 전국시대 때의 중산국(中山國)에서 발견된 네모꼴 병에 새겨진 명문인데, 거기서는 사람이 앉아 있는 모습과 어떤 부호로 보이는 =로 구성되었으며, =는 人人의 생략된 형태로, 仁이란 바로 '사람(人)과 사람(人) 사이의 마음', 즉 사

인(忎)은 인(仁)의 고문체인데, 천(千)과 심(心)으로 구성되었다. 인(𡰥)은 인(仁)의 고문체인데, 간혹 시(尸)로 구성되었다. 독음은 여(如)와 린(鄰)의 반절이다.

**4930**

**企: 企: 꾀할 기: 人-총6획: qǐ**

原文

企: 舉踵也. 从人止聲. 𨀕, 古文企从足. 去智切.

飜譯

'발꿈치를 치켜들고 서다(舉踵)'라는 뜻이다. 인(人)이 의미부이고 지(止)가 소리부이다.[4] 기(𨀕)는 기(企)의 고문체인데, 족(足)으로 구성되었다. 독음은 거(去)와 지(智)의 반절이다.

**4931**

**仞: 仞: 길 인: 人-총5획: rèn**

原文

仞: 伸臂一尋, 八尺. 从人刃聲. 而震切.

飜譯

'팔을 양쪽으로 펼친 거리(伸臂)를 1심(尋)'이라 하는데, 8자(尺)에 해당한다. 인(人)

람이 사람을 대할 때의 마음을 바로 仁이라 해석할 수 있다. 그러나 여기서의 '사람의 마음'이란 바로 다른 사람을 걱정하고 위하는 마음이다. 그래서 맹자도 仁이란 남을 어여삐 여기는 측은지심(惻隱之心)이 바로 그 시작점이라 했던 것이다. 그렇게 볼 때 仁은 사람과 사람 사이에 지켜야 할 관계를 말한다. 『汗簡(한간)』 등 다른 고문자 자료에 의하면 윗부분은 身(몸 신)의 간략화 된 모습, 아랫부분은 心(마음 심)으로 되어 있다. 身은 사람의 몸체를 그렸으며, '사람'을 뜻하고, 여기서는 소리부의 기능도 겸한다. 이후 身이 『설문해자』의 고문체에서 千(일천 천)으로 변해 소리부의 기능을 더 강화했다.

4) 고문자에서 [고문자 자형] 甲骨文 등으로 그렸다. 人(사람 인)이 의미부이고 止(발 지)가 소리부로, 사람(人)이 발돋움(止)을 한 채 무엇인가를 간절히 바라는 모습을 그렸고, 이로부터 발돋움을 하다, 바라보다, 企圖(기도)하다 등의 뜻이 생겼다.

이 의미부이고 인(刃)이 소리부이다. 독음은 이(而)와 진(震)의 반절이다.

**4932**

**仕**: 仕: **벼슬할 사**: 人-**총5획**: shì

原文

仕: 學也. 从人从士. 鉏里切.

飜譯

'배우는 사람(學)'을 말한다. 인(人)이 의미부이고 사(士)도 의미부이다. 독음은 서(鉏)와 리(里)의 반절이다.

**4933**

**佼**: 佼: **예쁠 교**: 人-**총8획**: jiǎo

原文

佼: 交也. 从人从交. 下巧切.

飜譯

'교(交)와 같아 사귀다'라는 뜻이다. 인(人)이 의미부이고 교(交)도 의미부이다. 독음은 하(下)와 교(巧)의 반절이다.

**4934**

**僎**: 僎: **갖출 선**: 人-**총14획**: zhuàn

原文

僎: 具也. 从人巽聲. 士勉切.

飜譯

'[빠짐없이] 갖추다(具)'라는 뜻이다. 인(人)이 의미부이고 손(巽)이 소리부이다. 독음은 사(士)와 면(勉)의 반절이다.

**4935**

**俅: 俅: 공손할 구: 人-총9획: qiú**

原文

俅: 冠飾皃. 从人求聲.『詩』曰:“弁服俅俅.” 巨鳩切.

飜譯

‘관에 장식이 달린 모양(冠飾皃)’을 말한다. 인(人)이 의미부이고 구(求)가 소리부이다.『시·주송·사의(絲衣)』에서 “[제복은 정결하고] 쓴 관은 얌전하네(弁服俅俅)”라고 노래했다.5) 독음은 거(巨)와 구(鳩)의 반절이다.

**4936**

**佩: 佩: 찰 패: 人-총8획: pèi**

原文

佩: 大帶佩也. 从人从凡从巾. 佩必有巾, 巾謂之飾. 蒲妹切.

飜譯

‘큰 허리띠에 매다는 꾸미개(大帶佩)’를 말한다. 인(人)이 의미부이고 범(凡)도 의미부이고 건(巾)도 의미부이다. 매다는 꾸미개(佩)는 반드시 수건(巾)이 포함되어야 한다.6) 그래서 건(巾)이 꾸미개(飾)를 상징한다.7) 독음은 포(蒲)와 매(妹)의 반절이다.

---

5)『단주』에서 이렇게 말했다.『시경·주송(周頌)·사의(絲衣)』에서 “재변구구(載弁俅俅)”라고 했는데,『이아·석훈(釋訓)』에서 “구구(俅俅)는 복종하다는 뜻이다(服也)”라고 했고,『전』에서는 “구구(俅俅)는 공손한 모양을 말한다(恭順皃)”라고 했다. 단옥재 내 생각은 이렇다. 허신의 이상의 글자들은 분명하게 의복(衣)과 관련한 언급이다. 그렇다면 구구(俅俅)도 당연히 관(冠)에 관한 언급이어야 한다. 그래서 여기서는『이아』와『역전(易傳)』의 의미를 사용했던 것이다.

6)『예기·내칙(內則)』에 이런 말이 나온다. “자식이 부모님을 모실 때, 첫닭이 울면 일어나, 모두 세수하고 양치질하며, 머리 빗고 검은 비단으로 머리털을 싸매며 비녀 꽂고 비단으로 묶어서 세우며, 다발머리 위의 먼지를 털어 버리고 갓 쓰고 갓끈을 드리우며, 현단복을 입고 무릎덮개를 착용하며, 큰 띠를 띠고 홀을 꽂는다. 왼쪽과 오른쪽에 여러 가지 작은 도구를 차는데, 왼편에는 물건을 닦는 수건과 손수건과 작은 칼과 숫돌과 작은 뿔송곳과 금수를 차고, 오른편

**4937**

**𠐳: 儒: 선비 유: 人-총16획: rú**

原文

𠐳: 柔也. 術士之偁. 从人需聲. 人朱切.

飜譯

'유(柔)와 같아 품성이 부드러운 사람'이라는 뜻이다. 술사(術士)들을 부르는 말이다. 인(人)이 의미부이고 수(需)가 소리부이다.[8] 독음은 인(人)과 주(朱)의 반절이다.

**4938**

**㑺: 俊: 준걸 준: 人-총9획: jùn**

原文

㑺: 材千人也. 从人夋聲. 子峻切.

飜譯

---

에는 활깍지와 팔찌와 붓통과 칼집과 큰 뿔송곳과 부싯돌을 찬다."

7) 고문자에서 [古文字]金文 [古文字]簡牘文 등으로 그렸다. 人(사람 인)과 凡(무릇 범)과 巾(수건 건)으로 구성되어, 사람(人)의 몸에 차는 수건(巾)처럼 늘어지는 베(凡)로 만든 패찰을 말한다. 이후 몸에 다는 장식물을 통칭하게 되었으며, 주로 옥 장식물을 많이 달았기에 人 대신 玉(옥 옥)을 더해 珮(찰 패)를 만들기도 했다.

8) 人(사람 인)이 의미부고 需(구할 수)가 소리부로, 어떤 필요나 수요(需)를 해결해 줄 수 있는 사람(人)이라는 뜻을 담았다. 갑골문에서 떨어지는 물과 팔을 벌리고 서 있는 사람을 그려 목욕하는 제사장의 모습을 형상화했는데, 제사를 지내기 전 沐浴齋戒(목욕재계)하는 모습이다. 이후 이러한 제사가 주로 祈雨祭(기우제)였던 때문인지 금문에 들어 물이 雨로 바뀌었고, 이후 사람의 모습이 而(말 이을 이)로 잘못 변해 需가 되었다. 이후 제사장이라는 의미를 강조하기 위해 人(사람 인)을 더해 儒가 되면서 지금의 형성구조로 바뀌었다. 제사장은 그 집단의 지도자였으며, 지도자는 여러 경험과 학식을 갖춘 사람이어야 했다. 그래서 이후 儒는 학자나 지식인을 통칭하는 개념으로 쓰였으며, 그러한 사람들의 집단을 儒, 그러한 학파를 儒家(유가), 그러한 학문을 儒學(유학)이라 부르게 되었다. 한국 속자에서는 이러한 인문성을 강조해 人과 文(글월 문)으로 구성된 仗로 쓰기도 한다.

'재주가 천 명을 뛰어 넘는 자(材千人)'를 말한다. 인(人)이 의미부이고 준(夋)이 소리부이다.[9] 독음은 자(子)와 준(峻)의 반절이다.

**4939**

**㑲: 傑: 뛰어날 걸: 人-총12획: jié**

原文

㑲: 傲也. 从人桀聲. 渠列切.

飜譯

'뛰어난 사람(傲)'을 말한다. 인(人)이 의미부이고 걸(桀)이 소리부이다. 독음은 거(渠)와 렬(列)의 반절이다.

**4940**

**倱: 倱: 성씨 혼: 人-총11획: hún, wén**

原文

倱: 人姓. 从人軍聲. 吾昆切.

飜譯

'사람의 성씨(人姓)'이다. 인(人)이 의미부이고 군(軍)이 소리부이다. 독음은 오(吾)와 곤(昆)의 반절이다.

**4941**

**伋: 伋: 속일 급: 人-총6획: jí**

原文

伋: 人名. 从人及聲. 居立切.

---

9) 人(사람 인)이 의미부고 夋(천천히 걷는 모양 준)이 소리부로, 재덕이 뛰어난(夋) 사람(人) 즉 俊傑(준걸)을 말하며, 이로부터 걸출하다, 아름답다는 뜻이 나왔다. 준(儁)과도 같이 쓴다.

飜譯

'사람의 이름(人名)'이다.[10] 인(人)이 의미부이고 급(及)이 소리부이다. 독음은 거(居)와 립(立)의 반절이다.

**4942**

**伉: 伉: 짝 항: 人-총6획: kàng**

原文

伉: 人名. 从人亢聲. 『論語』有陳伉. 苦浪切.

飜譯

'사람의 이름(人名)'이다. 인(人)이 의미부이고 항(亢)이 소리부이다. 『논어·학이(學而)』에 진항(陳伉)[11]이라는 사람이 나온다. 독음은 고(苦)와 랑(浪)의 반절이다.

---

10) 『단주』에서는 단순히 '사람의 이름이다'라고 풀이한 것에 대해 이는 체례에 맞지 않으며 '(깊이) 생각하다'는 뜻이 들어 있을 것이라고 하면서 이렇게 말했다. "옛날에는 사람의 이름과 자 간에는 서로 관련이 있었다. 예컨대 공급(孔伋)의 자가 자사(子思)였는데, 중니(仲尼)의 제자인 연급(燕伋)도 자가 자사(子思)였다. 그렇다면 급(伋)자에 의미가 없는 것이 아니다. 그렇게 볼 때 '사람의 이름이다(人名)'라는 풀이는 『설문』의 옛 모습이 아니다. 순경(荀卿)은 이렇게 말했다. '돌로 된 동굴 속에 사람이 있었는데 그의 이름이 급(觙)이었다. 그는 활을 잘 쏘았는데, 깊이 생각하고 눈과 귀의 욕망을 닫아버리고, 윙윙거리는 모기나 등에 소리도 멀리 하고, 한가하게 기거하면서 생각을 가라앉힌 즉 통하게 되었다. 인(仁)을 생각하는 것도 이렇게 한다면 정말로 미묘한 경지에 이르렀다 할 것이다.(空石之中有人焉, 其名曰觙. 其爲人也善射, 以好思闢耳目之欲. 遠蚊寅之聲, 閑居靜思則通. 思仁若是, 可謂微乎?)' 이는 생각을 깊이 하는 사람을 언급한 것으로, 이로써 이름을 급(觙)이라 한 것이 아니겠는가? 급(觙)은 급(伋)과 독음이나 의미가 비슷하다."

11) 달리 진항(陳亢, B.C. 511~?)으로도 쓴다. 공자의 제자로, 자가 자원(子元), 혹은 자금(子禽)이며, 다른 이름은 원항(原亢)이다. B.C. 511년에 태어나 공자보다 40살 어리다. 몽(蒙, 지금의 安徽 蒙城 서쪽의 黃練溝) 사람이다. 제(齊)나라 대부 진자거(陳子車)의 동생이다. 공자 77명의 제자 중 68번째 제자로 알려졌다. 일찍이 단보(單父, 지금의 산동성 單縣 남쪽)의 재(宰)를 역임했다. 『논어』에는 그와 백어(伯魚), 자공(子貢)과의 대화가 실려 있다. 진항(陳亢)이 재(宰)를 하고 있을 때, 정치를 잘 하여 후인들의 칭송을 들었다 한다. 그의 형이 죽자 순장(殉葬)을 반대했다고 한다. 『공자가어(孔子家語)』(제72, 제자편)에서 "진항(陳亢)은 진(陳)나라 사람으로 자가 자항(子亢)이며 다른 자는 자금(子禽)으로, 공자보다 40살 어렸다."라고 했다.

**4943**

**𠆢白: 伯: 맏 백: 人-총7획: bó**

原文

𠆢白: 長也. 从人白聲. 博陌切.

飜譯

'우두머리(長)'를 말한다. 인(人)이 의미부이고 백(白)이 소리부이다.12) 독음은 박(博)과 맥(陌)의 반절이다.



**4944**

**𠆢中: 仲: 버금 중: 人-총6획: zhòng**

原文

𠆢中: 中也. 从人从中, 中亦聲. 直衆切.

飜譯

'가운데(中)'를 말한다. 인(人)이 의미부이고 중(中)도 의미부인데, 중(中)은 소리부도 겸한다.13) 독음은 직(直)과 중(衆)의 반절이다.

**4945**

**𠆢尹: 伊: 저 이: 人-총6획: yī**

原文

12) 고문자에서 甲骨文 金文 簡牘文 石刻古文 등으로 그렸다. 人(사람 인)이 의미부고 白(흰 백)이 소리부로, 사람(人)에서 첫째(白)인 '맏이'를 말하며, 이로부터 우두머리라는 의미도 나왔다.

13) 고문자에서 金文 古璽文 石刻古文 등으로 그렸다. 人(사람 인)이 의미부고 中(가운데 중)이 소리부로, 사람의 항렬에서 가운데(中)에 속한 사람(人)을 말하며, 이로부터 순서상 가운데를 지칭했다.

𠈌: 殷聖人阿衡, 尹治天下者. 从人从尹. 𠀧, 古文伊从古文死. 於脂切.

飜譯

'은나라 때의 성인(殷聖人)이었던 아형(阿衡)'을 말하는데, 윤(尹)은 천하를 잘 다스렸던 사람이다.[14] 인(人)이 의미부이고 윤(尹)도 의미부이다.[15] 이(𠀧)는 이(伊)의 고문체인데, 사(死)의 고문체로 구성되었다. 독음은 어(於)와 지(脂)의 반절이다.

**4946**

**偰: 偰: 맑을 설: 人-총11획: xiè**

原文

偰: 高辛氏之子, 堯司徒, 殷之先. 从人契聲. 私列切.

飜譯

'고신씨(高辛氏)의 아들로, 요(堯) 임금의 사도(司徒)를 지냈으며, 은(殷)나라의 시조이다.'[16] 인(人)이 의미부이고 설(契)이 소리부이다. 독음은 사(私)와 렬(列)의 반절이다.

---

14) 아형(阿衡)은 보통 '보형(保衡)'이라고도 하며, '아보(阿保)'라고도 쓰는데, 상나라 때의 관직 이름으로, 사보(師保)의 관직에 해당한다. 예컨대, 『사기·범수전(范睢傳)』에서 "깊은 궁궐 속에 살면서 아보의 손을 떠나지 않았다(居深宮之中, 不離阿保之手.)"라고 했다. 원래는 어린 왕자를 교육하고 키우던 관직이었으나 이후 임금을 보좌하는 관직으로 바뀌었다. 『시·상송(商頌)·장발(長發)』에서 "바로 아형 그분이며, 그분이 상나라 임금을 보좌하셨다네.(實維阿衡, 實左右商王.)"라고 노래했고, 『사기·은본기(殷本紀)에서는 "이윤(伊尹)의 이름이 보형(保衡)이다"라고 했다. 『모시』 정현의 주석에서는 아형(阿衡)은 관직 이름이라고 했으며, 유월(俞樾)의 『군경평의(群經平議)』에서는 아(阿)나 보(保)는 모두 관직 이름이고, 형(衡)은 이윤(伊尹)의 자(字)라고 했다. 그러나 청나라 때의 고증학자 최술(崔述)은 『상고신록(商考信錄)』에서 보형(保衡)은 대갑(太甲)이 복위한 이후에 보좌한 사람이므로 이윤(伊尹)이 될 수 없다고 주장했다.

15) 고문자에서 [古文字] 甲骨文 [古文字] 金文 [古文字] 簡牘文 등으로 그렸다. 人(사람 인)과 尹(다스릴 윤)으로 구성되어, 붓을 들고 사무를 보는 행정직에 있는(尹) 사람(人)을 뜻했으며, 갑골문에서는 상나라 초기 때의 재상인 伊尹(이윤)이라는 사람이 등장한다. 이후 '이것'이라는 뜻이 나왔고, 제삼자를 지칭하는 인칭대명사로 주로 쓰였다. 또 '…로부터'라는 의미를 나타내는 문법소로도 쓰였다.

16) '설'로 읽힘에 유의해야 한다. 설(偰)은 달리 설(契)로도 쓰며, 설(卨)로도 쓴다. 제곡(帝嚳)의 아들이고, 제요(帝堯)의 배다른 동생(異母弟)으로, 간적(簡狄)이 생모이며, 상나라 고조(高祖) 조을(祖乙)의 조상이다. 성(姓)이 자(子)로 하남 상구(商丘) 사람이며, 고신(高辛: 지금의 하남

**4947**

**倩: 倩: 예쁠 천: 人-총10획: qiàn**

原文

倩: 人字. 从人青聲. 東齊壻謂之倩. 倉見切.

飜譯

'사람의 자(字)'이다.[17] 인(人)이 의미부이고 청(青)이 소리부이다. 제(東) 동쪽 지역에서는 사위(壻)를 천(倩)이라 한다. 독음은 창(倉)과 견(見)의 반절이다.

**4948**

**伃: 伃: 아름다울 여: 人-총6획: yú**

原文

伃: 婦官也. 从人予聲. 以諸切.

飜譯

'궁중의 여성 관직이름(婦官)'이다.[18] 인(人)이 의미부이고 여(予)가 소리부이다. 독음은 이(以)와 제(諸)의 반절이다.

---

성 商丘市 睢陽區 高辛鎮)에서 태어났다고 알려졌다. 이후 제곡(帝嚳)에 의해 상구(商丘)의 화정(火正)이라는 관리로 임명되었으며, 이 때문에 이후 '알백(閼伯)'이나 '화신(火神)'이라 불렸다.

17) 『단주』에서는 "人美字也(사람을 아름답게 부르는 이름이다)"가 되어야 한다고 하면서 이렇게 말했다. "『운회(韵會)』본에 근거해 '人美字也'로 고친다. 『한서·주읍전(朱邑傳)』에 의하면, 진평(陳平)은 비록 인자하였으나 위천(魏倩, 즉 魏無知)의 도움으로 후진(後進)이 되었다고 했다. 안사고의 주석에서 천(倩)은 선비에 대한 미칭(士之美稱)이라고 했는데, 아마도 『설문』에 근거했을 것이다. 후인들이 인(人)자를 사(士)자로 고쳤고, 자(字)자를 칭(稱)자로 고쳤지만, 사실은 내용은 바뀌지 않았다고 생각한다."

18) 『한서·외척전(外戚傳)』의 주석에 의하면 궁중의 여성 관직(婦官)에는 14등급이 있었다고 했다.

**4949**

**𠈌: 伀: 두려워할 종: 人-총6획: zhōng**

原文

𠈌: 志及眾也. 从人公聲. 職茸切.

飜譯

'뜻이 군중에게까지 미치다(志及眾)'라는 뜻이다. 인(人)이 의미부이고 공(公)이 소리부이다. 독음은 직(職)과 용(茸)의 반절이다.

**4950**

**儇: 儇: 총명할 현: 人-총15획: xuān**

原文

儇: 慧也. 从人瞏聲. 許緣切.

飜譯

'총명하다(慧)'라는 뜻이다. 인(人)이 의미부이고 경(瞏)이 소리부이다. 독음은 허(許)와 연(緣)의 반절이다.

**4951**

**倓: 倓: 고요할 담: 人-총10획: tán**

原文

倓: 安也. 从人炎聲. 讀若談. 𠍲, 倓或从剡. 徒甘切.

飜譯

'편안하다(安)'라는 뜻이다. 인(人)이 의미부이고 염(炎)이 소리부이다. 담(談)과 같이 읽는다. 담(𠍲)은 담(倓)의 혹체자인데, 담(剡)으로 구성되었다. 독음은 도(徒)와 감(甘)의 반절이다.

**4952**

**𠈇: 侚: 재빠를 순: 人-총8획: xùn**

原文

𠈇: 疾也. 从人旬聲. 辝閏切.

飜譯

'빠르다(疾)'라는 뜻이다. 인(人)이 의미부이고 순(旬)이 소리부이다. 독음은 사(辝)와 윤(閏)의 반절이다.



**4953**

**傛: 傛: 불안할 용: 人-총12획: yǒng**

原文

傛: 不安也. 从人容聲. 一曰華. 余隴切.

飜譯

'편안하지 않다(不安)'라는 뜻이다. 인(人)이 의미부이고 용(容)이 소리부이다. 일설에는 '화(華: 궁중의 여성 관직 이름)'를 말한다고도 한다.[19] 독음은 여(余)와 롱(隴)의 반절이다.

**4954**

**僷: 僷: 날씬할 엽: 人-총15획: yè**

原文

僷: 宋衛之間謂華僷僷. 从人葉聲. 與涉切.

飜譯

19) 『단주』에서는 화(華)자 앞에 용(傛)자가 들어가야 하는데 빠졌다고 했다. 용화(傛華)도 궁중의 여성 관직이름이며, 『한서·외척전(外戚傳)』의 주석에 의하면 궁중의 여성 관직(婦官)에는 14등급이 있었는데 제3등급이 용화(傛華)였다고 했다.

‘송(宋)과 위(衛) 사이 지역에서는 용모가 아름다운 것(華)을 엽엽(偞偞)이라고 한다.’ 인(人)이 의미부이고 엽(葉)이 소리부이다. 독음은 여(輿)와 섭(涉)의 반절이다.

**4955**

**佳: 佳: 아름다울 가: 人-총8획: jiā**

原文

佳: 善也. 从人圭聲. 古膎切.

飜譯

‘아름답다(善)’라는 뜻이다. 인(人)이 의미부이고 규(圭)가 소리부이다.[20] 독음은 고(古)와 해(膎)의 반절이다.

**4956**

**侅: 侅: 이상할 해: 人-총8획: kāi**

原文

侅: 奇侅, 非常也. 从人亥聲. 古哀切.

飜譯

‘기해(奇侅)’를 뜻하는데, ‘일상적인 것이 아니다(非常)’라는 뜻이다. 인(人)이 의미부이고 해(亥)가 소리부이다. 독음은 고(古)와 애(哀)의 반절이다.

**4957**

**傀: 傀: 클 괴: 人-총12획: kuǐ, guǐ**

原文

---

20) 人(사람 인)이 의미부이고 圭(홀 규)가 소리부로, 훌륭하다는 뜻인데, 홀(圭)을 지닌 신분 있는 사람(人)이라는 뜻을 담았다. 이로부터 아름답다, 좋다, 만족스럽다, 찬상하다 등의 뜻이 나왔다.

傀: 偉也. 从人鬼聲. 『周禮』曰: "大傀異." 瓌, 傀或从玉裹聲. 公回切.

飜譯

'위(偉)와 같아 기괴하다'라는 뜻이다. 인(人)이 의미부이고 귀(鬼)가 소리부이다. 『주례·춘관·대사악(大司樂)』에서 "크고 기괴한 이상한 일이 일어났다(大傀異)"라고 했다. 괴(瓌)는 괴(傀)의 혹체자인데, 옥(玉)이 의미부이고 회(裹)가 소리부이다. 독음은 공(公)과 회(回)의 반절이다.



**4958**

偉: 偉: **훌륭할 위**: 人-**총11획**: **wěi**

原文

偉: 奇也. 从人韋聲. 于鬼切.

飜譯

'기이하다(奇)'라는 뜻이다. 인(人)이 의미부이고 위(韋)가 소리부이다. 독음은 우(于)와 귀(鬼)의 반절이다.

**4959**

份: 份: **빛날 빈**: 人-**총6획**: **fèn**

原文

份: 文質僣也. 从人分聲. 『論語』曰: "文質份份." 彬, 古文份从彡、林. 林者, 从焚省聲. 臣鉉等曰: 今俗作斌, 非是. 府巾切.

飜譯

'문질빈빈(文質僣: 내용과 형식이 겸비되다)'이라는 뜻이다. 인(人)이 의미부이고 분(分)이 소리부이다. 『논어·옹야(雍也)』에서 "문질빈빈(文質份份)"이라고 했다. 빈(彬)은 빈(份)의 고문체인데, 삼(彡)과 림(林)으로 구성되었다. 림(林)은 분(焚)의 생략된 모습이 소리부이다. 신(臣) 서현 등은 이렇게 생각합니다. "오늘날의 속체에서는 빈(斌)으로 적는데, 이는 잘못된 것입니다." 독음은 부(府)와 건(巾)의 반절이다.

**4960**

**僚: 僚: 동료 료: 人-총14획: liáo**

原文

僚: 好皃. 从人尞聲. 力小切.

飜譯

‘좋은 모양(好皃)’을 말한다. 인(人)이 의미부이고 료(尞)가 소리부이다. 독음은 력(力)과 소(小)의 반절이다.

**4961**

**佖: 佖: 점잖을 필: 人-총7획: bì**

原文

佖: 威儀也. 从人必聲. 『詩』曰 : “威儀佖佖.” 毗必切.

飜譯

‘위엄스런 모습(威儀)’을 말한다. 인(人)이 의미부이고 필(必)이 소리부이다. 『시·소아·빈지초연(賓之初筵)』에서 “위엄과 예의가 허술해지네(威儀佖佖)”라고 노래했다. 독음은 비(毗)와 필(必)의 반절이다.

**4962**

**僝: 僝: 갖출 잔: 人-총11획: zhuàn**

原文

僝: 具也. 从人孨聲. 讀若汝南潺水. 『虞書』曰 : “旁救僝功.” 士戀切.

飜譯

‘갖추다(具)’라는 뜻이다. 인(人)이 의미부이고 전(孨)이 소리부이다. 여남(汝南)군에 있는 잔수(潺水)의 잔(潺)과 같이 읽는다.[21) 『우서(虞書)』[22)에서 “[공공이] 온 사방으로 널리 찾아 성과를 갖추게 되었다(旁救僝功)"라고 했다. 독음은 사(士)와 련(戀)의 반절이다.

**4963**

**𠈌: 儠: 풍신 좋을 렵: 人-총17획: liè**

原文

𠈌: 長壯儠鬣也. 从人巤聲. 『春秋傳』曰: "長儠者相之." 良涉切.

飜譯

'키가 크고 건장하고 늠름하다(長壯儠鬣)'라는 뜻이다. 인(人)이 의미부이고 렵(巤)이 소리부이다. 『춘추전』(『좌전』 소공 7년, B.C. 535)에서 "[위압감을 주려고] 풍채 좋은 사람으로 하여금 손님을 접대하게 했다(長儠者相之)"라고 했다. 독음은 량(良)과 섭(涉)의 반절이다.

**4964**

**𠌲: 儦: 많은 모양 표: 人-총17획: biāo**

原文

𠌲: 行皃. 从人麃聲. 『詩』曰: "行人儦儦." 甫嬌切.

飜譯

'걸어가는 모양(行皃)'을 말한다. 인(人)이 의미부이고 포(麃)가 소리부이다. 『시·제풍·재구(載驅)』에서 "길가는 사람들은 북적북적하네(行人儦儦)"라고 노래했다. 독음은 보(甫)와 교(嬌)의 반절이다.

---

21) 『단주』에서는 "여남(汝南)군의 잔수(潺水)라는 말을 들어보지 못했다. 『설문』 수(水)부수에도 잔(潺)자는 실려 있지 않다."라고 했다.

22) 『단주』에 의하면, "『우서(虞書)』는 『당서(唐書)』가 되어야 한다."라고 했다.

**4965**

**儺: 儺: 역귀 쫓을 나: 人-총21획: nuó**

原文

儺: 行人節也. 从人難聲. 『詩』曰: "佩玉之儺." 諾何切.

飜譯

'절도 있게 걸어가다(行人節)'라는 뜻이다. 인(人)이 의미부이고 난(難)이 소리부이다. 『시·위풍·죽간(竹竿)』에서 "허리에 찬 구슬은 댕그랑거렸네(佩玉之儺)"라고 노래했다. 독음은 낙(諾)과 하(何)의 반절이다.

**4966**

**倭: 倭: 왜국 왜·순한 모양 위: 人-총10획: wō**

原文

倭: 順皃. 从人委聲. 『詩』曰: "周道倭遲." 於爲切.

飜譯

'순종하는 모양(順皃)'을 말한다. 인(人)이 의미부이고 위(委)가 소리부이다. 『시·소아·사모(四牡)』에서 "주나라 도읍으로 가는 길은 꾸불꾸불 끝이 없네(周道倭遲)"라고 노래했다.[23] 독음은 어(於)와 위(爲)의 반절이다.

**4967**

**僓: 僓: 좋을 퇴: 人-총14획: tuǐ**

23) 『단주』에서 이렇게 말했다. 위(倭)는 위(委)와 의미가 비슷하다. 위(委)는 따르다(隨)는 뜻이다. 수(隨)는 따라가다(從)라는 뜻이다. 『광운(廣韵)』에서는 신중한 모양(愼皃)이라고 했는데, 그것은 양(梁)나라 때 피휘(避諱)를 하기 위해 그렇게 설명했을 뿐이다. ……『모전(毛傳)』에서 위지(倭遲)는 까마득히 먼 모양(歷遠之皃)을 말한다고 했다. 내 생각에 위(倭)와 지(遲) 두 글자를 합하여 하나의 성어로 만들었는데, 『한시(韓詩)』에서는 이를 위이(威夷)로 적었다. 그래서 수(須)와 뜻이 다르지만 합치되지 않을 이유도 없다.(故與須訓不同. 而亦無不合也.)

原文

儇: 嫺也. 从人貴聲. 一曰長皃. 吐猥切.

翻譯

'우아하다(嫺)'라는 뜻이다. 인(人)이 의미부이고 귀(貴)가 소리부이다. 일설에는 '기다란 모양(長皃)'을 말한다고도 한다. 독음은 토(吐)와 외(猥)의 반절이다.



**4968**

**僑: 僑: 높을 교: 人-총14획: qiáo**

原文

僑: 高也. 从人喬聲. 巨嬌切.

翻譯

'높다(高)'라는 뜻이다. 인(人)이 의미부이고 교(喬)가 소리부이다.[24] 독음은 거(巨)와 교(嬌)의 반절이다.

**4969**

**俟: 俟: 기다릴 사: 人-총9획: sì**

原文

俟: 大也. 从人矣聲. 『詩』曰 : "伾伾俟俟." 牀史切.

翻譯

'크다(大)'라는 뜻이다. 인(人)이 의미부이고 의(矣)가 소리부이다. 『시·소아·길일(吉

24) 교(喬)는 고문자에서 [古文字]金文 [古文字]盟書 [古文字]古璽文 등으로 썼는데, 高(높을 고)의 생략된 모습이 의미부이고 夭(어릴 요)가 소리부로, 높음(高)을 말한다. 금문에서는 止(발 지)가 의미부이고 高의 생략된 모습이 소리부로, 발(止, 趾의 원래 글자)을 높이(高) 든 모습에서 '높다'는 의미를 그려냈으며, 멀리 옮겨가다는 뜻으로 쓰였는데, 止가 夭(어릴 요)로 변해 지금의 자형이 되었다. 이후 키가 큰 나무(喬木·교목)를 형용하기도 한다. 간화자에서는 아랫부분을 간단하게 줄인 乔로 쓴다.

日)』에서 “뛰는 놈에 서성대는 놈(伾伾俟俟)”이라고 노래했다.[25] 독음은 상(牀)과 사(史)의 반절이다.

**4970**

**侗:** 侗: **무지할 동·클 통**: 人-총8획: dòng, tóng, tǒng

原文

侗: 大皃. 从人同聲. 『詩』曰: “神罔時侗.” 他紅切.

飜譯

‘커다란 모양(大皃)’을 말한다. 인(人)이 의미부이고 동(同)이 소리부이다. 『시·대아·사제(思齊)』에서 “신령들 마음 아픈 일도 없게 되셨네(神罔時侗)”라고 노래했다. 독음은 타(他)와 홍(紅)의 반절이다.

**4971**

**佶:** 佶: **건장할 길**: 人-총8획: jí

原文

佶: 正也. 从人吉聲. 『詩』曰: “旣佶且閑.” 巨乙切.

飜譯

‘바르다(正)’라는 뜻이다. 인(人)이 의미부이고 길(吉)이 소리부이다. 『시·소아·유월(六月)』에서 “건장하고도 길 잘 들었네(旣佶且閑)”라고 노래했다. 독음은 거(巨)와 을(乙)의 반절이다.

**4972**

**俁:** 俁: **얼굴 클 우**: 人-총9획: yǔ

25) 『단주』에서, 『모시』에서는 “표표사사(儦儦俟俟)”로 되었다고 했다.

原文

俁: 大也. 从人吳聲. 『詩』曰 : “碩人俁俁.” 魚禹切.

飜譯

‘크다(大)’라는 뜻이다. 인(人)이 의미부이고 오(吳)가 소리부이다. 『시·패풍·간혜(簡兮)』에서 “키 훤칠한 그이(碩人俁俁)”라고 노래했다. 독음은 어(魚)와 우(禹)의 반절이다.



**4973**

**仜: 仜: 배 클 홍: 人-총5획: hóng**

原文

仜: 大腹也. 从人工聲. 讀若紅. 戶工切.

飜譯

‘[사람의] 배가 크다(大腹)’라는 뜻이다. 인(人)이 의미부이고 공(工)이 소리부이다. 홍(紅)과 같이 읽는다. 독음은 호(戶)와 공(工)의 반절이다.

**4974**

**僤: 僤: 빠를 탄: 人-총14획: dàn**

原文

僤: 疾也. 从人單聲. 『周禮』曰 : “句兵欲無僤.” 徒案切.

飜譯

‘빠르다(疾)’라는 뜻이다. 인(人)이 의미부이고 단(單)이 소리부이다. 『주례·고공기·노인(盧人)』에서 “갈퀴 같은 무기를 사용하는 병사는 빠를 필요가 없다(句兵欲無僤)” 라고 했다. 독음은 도(徒)와 안(案)의 반절이다.

**4975**

**健: 健: 튼튼할 건: 人-총11획: jiàn**

原文

健: 伉也. 从人建聲. 渠建切.

飜譯

‘건장하다(伉)’라는 뜻이다. 인(人)이 의미부이고 건(建)이 소리부이다. 독음은 거(渠)와 건(建)의 반절이다.

**4976**

倞: 倞: **굳셀 경**: 人-**총10획: jìng**

原文

倞: 彊也. 从人京聲. 渠竟切.

飜譯

‘강건하다(彊)’라는 뜻이다. 인(人)이 의미부이고 경(京)이 소리부이다. 독음은 거(渠)와 경(竟)의 반절이다.

**4977**

傲: 傲: **거만할 오**: 人-**총13획: ào**

原文

傲: 倨也. 从人敖聲. 五到切.

飜譯

‘거만하다(倨)’라는 뜻이다. 인(人)이 의미부이고 오(敖)가 소리부이다. 독음은 오(五)와 도(到)의 반절이다.

**4978**

仡: 仡: **날랠 흘**: 人-**총5획: yì**

原文

仡: 勇壯也. 从人气聲. 『周書』曰 : "仡仡勇夫." 魚訖切.

飜譯

'용맹스럽고 건장하다(勇壯)'라는 뜻이다. 인(人)이 의미부이고 기(气)가 소리부이다. 『서·주서(周書)·태서(泰誓)』에서 "팔팔하고 용감한 사람들(仡仡勇夫)"이라고 했다. 독음은 어(魚)와 흘(訖)의 반절이다.



4979

**倨: 倨: 거만할 거: 人-총10획: jù**

原文

倨: 不遜也. 从人居聲. 居御切.

飜譯

'공손하지 않다(不遜)'라는 뜻이다. 인(人)이 의미부이고 거(居)가 소리부이다. 독음은 거(居)와 어(御)의 반절이다.

4980

**儼: 儼: 의젓할 엄: 人-총22획: yǎn**

原文

儼: 昂頭也. 从人嚴聲. 一曰好皃. 魚儉切.

飜譯

'머리를 쳐들다(昂頭)'라는 뜻이다. 인(人)이 의미부이고 엄(嚴)이 소리부이다. 일설에는 '아름다운 모양(好皃)'을 말한다고도 한다. 독음은 어(魚)와 검(儉)의 반절이다.

4981

**僭: 僭: 아리따울 참: 人-총13획: zān**

原文

𠊎: 好皃. 从人参聲. 倉含切.

飜譯

'아름다운 모양(好皃)'을 말한다. 인(人)이 의미부이고 참(参)이 소리부이다. 독음은 창(倉)과 함(含)의 반절이다.

**4982**

𠊎: 俚: **속될 리**: 人-**총9획**: **lǐ**

原文

𠊎: 聊也. 从人里聲. 良止切.

飜譯

'의지하다(聊)'라는 뜻이다. 인(人)이 의미부이고 리(里)가 소리부이다. 독음은 량(良)과 지(止)의 반절이다.

**4983**

𠊎: 伴: **짝 반**: 人-**총7획**: **bàn**

原文

𠊎: 大皃. 从人半聲. 薄滿切.

飜譯

'커다란 모양(大皃)'을 말한다. 인(人)이 의미부이고 반(半)이 소리부이다. 독음은 박(薄)과 만(滿)의 반절이다.

**4984**

𠊎: 俺: **나 엄**: 人-**총10획**: **ǎn**

原文

俺: 大也. 从人奄聲. 於業切.

飜譯

‘크다(大)’라는 뜻이다. 인(人)이 의미부이고 엄(奄)이 소리부이다. 독음은 어(於)와 업(業)의 반절이다.



**4985**

僩: 僩: **노할 한**: 人-**총14획**: xiàn

原文

僩: 武皃. 从人閒聲. 『詩』曰 : “瑟兮僩兮.” 下簡切.

飜譯

‘용맹스런 모양(武皃)’을 말한다. 인(人)이 의미부이고 한(閒)이 소리부이다. 『시·위풍·기오(淇奧)』에서 “묵직하고 위엄 있고(瑟兮僩兮)”라고 노래했다. 독음은 하(下)와 간(簡)의 반절이다.

**4986**

伾: 伾: **힘셀 비**: 人-**총7획**: pī

原文

伾: 有力也. 从人丕聲. 『詩』曰 : “以車伾伾.” 敷悲切.

飜譯

‘힘이 세다(有力)’라는 뜻이다. 인(人)이 의미부이고 비(丕)가 소리부이다. 『시·노송·경(駉)』에서 “수레를 잘 끌고 달리네(以車伾伾)”라고 노래했다. 독음은 부(敷)와 비(悲)의 반절이다.

**4987**

**𠍂: 偲: 굳셀 시: 人-총11획: cāi**

原文

𠍂: 彊力也. 从人思聲. 『詩』曰 : "其人美且偲." 倉才切.

飜譯

'강한 힘(彊力)'을 말한다. 인(人)이 의미부이고 사(思)가 소리부이다. 『시·제풍·노령(盧令)』에서 "그 사람 멋지고 씩씩하기도 하지(其人美且偲)"라고 노래했다.[26] 독음은 창(倉)과 재(才)의 반절이다.

**4988**

**𠎧: 倬: 클 탁: 人-총10획: zhuō**

原文

𠎧: 箸大也. 从人卓聲. 『詩』曰 : "倬彼雲漢." 竹角切.

飜譯

'현저하게 크다(箸大)'라는 뜻이다. 인(人)이 의미부이고 탁(卓)이 소리부이다. 『시·대아·역복(棫樸)』에서 "밝은 저 은하수(倬彼雲漢)"라고 노래했다. 독음은 죽(竹)과 각(角)의 반절이다.

**4989**

**𠈁: 侹: 긴 모양 정: 人-총9획: tǐng**

---

26) 금본에서는 시(偲)가 권(鬈)으로 되었다. 『단주』에서 이렇게 말했다. "「제풍(齊風)·노령(盧令)」에서 '기인미차시(其人美且偲)'라고 했는데, 『전(傳)』에서 시(偲)는 재주가 있다(才也)라는 뜻이라 했고, 『전(箋)』에서 재(才)는 재주가 많다(多才也)라는 뜻이라고 했다. 허신이 힘이 세다(彊力)라고 한 것도 취재(取才)의 의미를 확장시킨 것이다. 재(才)의 본래 의미는 초목이 처음 자라나다는 뜻이다. 그래서 파생의미를 취했다 하겠다. 『논어』의 '붕우절절시시(朋友切切偲偲)'에 대해 마융은 '서로를 위해 철저하게 질책하는 모습(相切責之皃)을 말한다고 했는데, 『모전(毛傳)』에서는 절절(切切)을 절절(節節)로 적었다."

原文

侹: 長皃. 一曰箸地. 一曰代也. 从人廷聲. 他鼎切.

飜譯

‘기다란 모양(長皃)’을 말한다. 일설에는 ‘땅에 들러붙다(箸地)’라는 뜻이라고도 한다. 일설에는 ‘대신하다(代)’라는 뜻이라고도 한다. 인(人)이 의미부이고 정(廷)이 소리부이다. 독음은 타(他)와 정(鼎)의 반절이다.



**4990**

倗: 倗: **부탁할 붕**: 人**−총10획: péng**

原文

倗: 輔也. 从人朋聲. 讀若陪位. 步崩切.

飜譯

‘보좌하다(輔)[돕다]’라는 뜻이다. 인(人)이 의미부이고 붕(朋)이 소리부이다. 배위(陪位)라고 할 때의 배(陪)와 같이 읽는다. 독음은 보(步)와 붕(崩)의 반절이다.

**4991**

傓: 傓: **성할 선**: 人**−총12획: shān**

原文

傓: 熾盛也. 从人扇聲. 『詩』曰 : “豔妻傓方處.” 式戰切.

飜譯

‘치솟는 불길처럼 왕성하다(熾盛)’라는 뜻이다. 인(人)이 의미부이고 선(扇)이 소리부이다. 『시·소아·시월지교(十月之交)』에서 “모두가 요염한 포사와 어울려 지내네(豔妻傓方處)”라고 노래했다. 독음은 식(式)과 전(戰)의 반절이다.

**4992**

: 儆: **경계할 경**: 人-**총15획**: **jǐng**

原文

: 戒也. 从人敬聲.『春秋傳』曰:“儆宮.” 居影切.

飜譯

‘경계하다(戒)’라는 뜻이다. 인(人)이 의미부이고 경(敬)이 소리부이다.『춘추전』(『좌전』 양공 9년, B.C. 564)에서 “궁에서 경계를 섰다(儆宮)”라는 말이 있다. 독음은 거(居)와 영(影)의 반절이다.

**4993**

: 俶: **비롯할 숙**: 人-**총10획**: **chù**

原文

: 善也. 从人叔聲.『詩』曰:“令終有俶.” 一曰始也. 昌六切.

飜譯

‘훌륭하다(善)’라는 뜻이다. 인(人)이 의미부이고 숙(叔)이 소리부이다.『시·대아·기취(旣醉)』에서 “끝내 훌륭함이 대단하시니(令終有俶)”라고 노래했다. 일설에는 ‘시작하다(始)’라는 뜻이라고도 한다. 독음은 창(昌)과 륙(六)의 반절이다.

**4994**

: 傭: **품팔이 용**: 人-**총13획**: **yōng**

原文

: 均直也. 从人庸聲. 余封切.

飜譯

‘균등하고 곧바르다(均直)’라는 뜻이다.[27] 인(人)이 의미부이고 용(庸)이 소리부이다.

---

27)『단주』에서는 “均也. 直也.”가 되어야 한다고 하면서, “각 판본에서는 균(均)자 다음에 야(也)

독음은 여(余)와 봉(封)의 반절이다.

**4995**

僾: **어렴풋할 애**: 人-**총15획**: ài

原文

：仿佛也. 从人愛聲.『詩』曰 : “僾而不見.” 烏代切.

飜譯

‘어렴풋하다(仿佛)’라는 뜻이다. 인(人)이 의미부이고 애(愛)가 소리부이다.『시·패풍·정녀(靜女)』에서 “사랑하면서도 만나지 못하니(僾而不見)”라고 노래했다. 독음은 오(烏)와 대(代)의 반절이다.

**4996**

仿: **헤맬 방**: 人-**총6획**: fǎng

原文

：相似也. 从人方聲. 俩, 籀文仿从丙. 妃罔切.

飜譯

‘비슷하다(相似)’라는 뜻이다. 인(人)이 의미부이고 방(方)이 소리부이다. 방(俩)은 방(仿)의 주문체인데, 병(丙)으로 구성되었다. 독음은 비(妃)와 망(罔)의 반절이다.

**4997**

佛: **부처 불**: 人-**총7획**: fú

原文

---

자가 빠졌는데, 지금 보충해 넣었다.『유편』과『운회』에서 모두 ‘均也. 直也.’라고 했다. 고본에 근거했기 때문일 것이다. 균(均)의 의미로는 설명이 미진했기 때문에 다시 곧바르다(直也)는 뜻이라고 했던 것이다. 직(直)은 왜곡이 없음을 말한다(無枉曲也).”

佛: 見不審也. 从人弗聲. 敷勿切.

飜譯

'분명하게 보이지가 않다(見不審)'라는 뜻이다. 인(人)이 의미부이고 불(弗)이 소리부이다.[28] 독음은 부(敷)와 물(勿)의 반절이다.

**4998**

僁: 僁: **소곤거릴 설**: 人-**총13획**: xiè

原文

僁: 聲也. 从人悉聲. 讀若屑. 私列切.

飜譯

'소리(聲)'라는 뜻이다. 인(人)이 의미부이고 실(悉)이 소리부이다. 설(屑)과 같이 읽는다. 독음은 사(私)와 렬(列)의 반절이다.

**4999**

僟: 僟: **삼갈 기**: 人-**총14획**: zhǎng

原文

僟: 精謹也. 从人幾聲. 『明堂月令』: "數將僟終." 巨衣切.

飜譯

'조심하고 근엄하다(精謹)'라는 뜻이다. 인(人)이 의미부이고 기(幾)가 소리부이다. 『

---

28) '선명하지가 않아 분명하게 보이지 않음'을 말했는데, 분명하게 보이지 않으면 비슷해 보인다. 이로부터 '마치', 방불케 하다 등의 뜻이 나왔으며, 彿(비슷할 불)이나 髴(비슷할 불)과 같이 썼다. 그러나 불교 유입 이후 처음에는 붓다(Buddha, 깨우친 자라는 뜻)의 번역어인 불타(佛陀)를 표현하는 음역어(달리 浮頭, 沒馱, 步他, 馞陀, 復豆, 浮屠, 浮圖 등으로 번역하기도 했다)로 쓰였는데, 이후 타(陀)가 빠지면서 음역자에서 의역자로 변했으며, 사람(人)이되 사람이 아닌(弗) 신의 경지에 오른 존재라는 뜻을 담았다. 보통 仏로 줄여 쓰기도 했고, 유교를 숭상했던 조선시대에는 仸로 쓰기도 했는데, '요상한(夭·요) 사람(人)'이라는 뜻을 담아 불교에 대한 부정적 인식을 반영하기도 했다.

예기·명당월령(明堂月令)』에서 "[365라는 숫자는] 거의 끝에 가까운 숫자이다(數將幾終)[일 년이 거의 끝나려 하네]"라고 했다. 독음은 거(巨)와 의(衣)의 반절이다.



**5000**

: 佗: **다를 타**: 人-**총7획**: tuó

原文

: 負何也. 从人它聲. 徒何切.

飜譯

'짊어지다(負何)'라는 뜻이다. 인(人)이 의미부이고 타(它)가 소리부이다. 독음은 도(徒)와 하(何)의 반절이다.

**5001**

: 何: **어찌 하**: 人-**총7획**: hé

原文

: 儋也. 从人可聲. 一曰誰也. 胡歌切.

飜譯

'어깨에 메다(儋)'라는 뜻이다. 인(人)이 의미부이고 가(可)가 소리부이다.29) 일설에는 '어찌'라는 뜻이라고도 한다.30) 독음은 호(胡)와 가(歌)의 반절이다.

---

29) 고문자에서 甲骨文 金文 古陶文 簡牘文 石刻古文 등으로 그렸다. 人(사람 인)이 의미부고 可(옳을 가)가 소리부인데, 갑골문에서 긴 자루가 달린 괭이를 어깨에 멘 사람(人)의 모습을 그렸는데, 이후 괭이에 입(口·구)이 더해진 可로 변했다. '메다'가 원래 뜻이며, 이로부터 荷重(하중) 등의 뜻이 생겼다. 이후 '어찌'라는 의문사와 부사어로 가차되자 원래 뜻은 艸(풀 초)를 더해 荷(연 하)로 분화했다.

30) 『단주』에서 "수(誰), 하(何), 숙(孰)은 모두 의문사이다"라고 했다.

**5002**

**儋: 儋: 멜 담: 人-총15획: dān**

原文

儋: 何也. 从人詹聲. 都甘切.

飜譯

'어깨에 메다(何)'라는 뜻이다.[31] 인(人)이 의미부이고 첨(詹)이 소리부이다. 독음은 도(都)와 감(甘)의 반절이다.

**5003**

**供: 供: 이바지할 공: 人-총8획: gòng**

原文

供: 設也. 从人共聲. 一曰供給. 俱容切.

飜譯

'진설하다(設)'라는 뜻이다. 인(人)이 의미부이고 공(共)이 소리부이다. 일설에는 '공급하다(供給)'라는 뜻이라고도 한다. 독음은 구(俱)와 용(容)의 반절이다.

**5004**

**偫: 偫: 기다릴 치: 人-총11획: zhī**

原文

偫: 待也. 从人从待. 直里切.

飜譯

'[쌓아두고 쓸 때를] 기다리다(待)'라는 뜻이다. 인(人)이 의미부이고 대(待)도 의미부

---

31) 『국어·제어(齊語)』의 위소(韋昭) 주석에 의하면, 등에 짊어지는 것(背)을 부(負), 어깨에 들쳐 메는 것(肩)을 담(儋), 양팔로 안는 것(任)을 포(抱), 높이 걸어두는 것(何)을 게(揭)라 구분한다고 했다.

이다. 독음은 직(直)과 리(里)의 반절이다.

**5005**

: 儲: **쌓을 저**: 人-총18획: chǔ

原文

: 偫也. 从人諸聲. 直魚切.

飜譯

'[쌓아두고 쓸 때를] 기다리다(偫)'라는 뜻이다. 인(人)이 의미부이고 제(諸)가 소리부이다. 독음은 직(直)과 어(魚)의 반절이다.

**5006**

: 備: **갖출 비**: 人-총12획: bèi

原文

: 愼也. 从人葡聲. , 古文備. 平祕切.

飜譯

'신중하[게 갖추]다(愼)'라는 뜻이다. 인(人)이 의미부이고 비(葡)가 소리부이다.[32] 비()는 비(備)의 고문체이다. 독음은 평(平)과 비(祕)의 반절이다.

**5007**

: 位: **자리 위**: 人-총7획: wèi

---

32) 고문자에서 甲骨文 金文 簡牘文 등으로 그렸다. 소전체에서처럼 人(사람 인)이 의미부고 葡(갖출 비)가 소리부로, 갖추다, 具備(구비)하다는 뜻이다. 갑골문과 금문에서는 葡로 써 화살 통에 화살이 담긴 모습을 그렸으며, 이후 人이 더해 지금의 자형이 되었다. 고대사회에서 화살 통 속의 활(葡)은 사람(人)이 언제라도 갖추고 준비해야 하는 것임을 반영했다. 간화자에서는 줄임 형태인 备로 쓴다. 달리 俻, 偹, 僃 등으로 쓰기도 했다.

原文

位: 列中庭之左右謂之位. 从人、立. 于備切.

飜譯

'조정에서 좌우로 늘어설 때의 자리(列中庭之左右謂之位)'를 말한다. 인(人)과 립(立)이 모두 의미부이다. 독음은 우(于)와 비(備)의 반절이다.

**5008**

儐: 儐: **인도할 빈**: 人-**총16획**: **bīn**

原文

儐: 導也. 从人賓聲. 擯, 儐或从手. 必刃切.

飜譯

'이끌다(導)'라는 뜻이다. 인(人)이 의미부이고 빈(賓)이 소리부이다. 빈(擯)은 빈(儐)의 혹체자인데, 수(手)로 구성되었다. 독음은 필(必)과 인(刃)의 반절이다.

**5009**

偓: 偓: **거리낄 악**: 人-**총11획**: **wò**

原文

偓: 佺也. 从人屋聲. 於角切.

飜譯

'신선 이름(佺)'이다. 인(人)이 의미부이고 옥(屋)이 소리부이다. 독음은 어(於)와 각(角)의 반절이다.

**5010**

佺: 佺: **신선 이름 전**: 人-**총8획**: **quán**

原文

佺: 偓佺, 仙人也. 从人全聲. 此緣切.

‘악전(偓佺)’을 말하는데, ‘신선 이름(仙人)’이다.[33] 인(人)이 의미부이고 전(全)이 소리부이다. 독음은 차(此)와 연(緣)의 반절이다.

**5011**

**懾: 㒤: 믿을 섭: 人-총20획: shè, chè**

原文

懾: 心服也. 从人聶聲. 齒涉切.

飜譯

‘마음으로 복종하다(心服)’라는 뜻이다. 인(人)이 의미부이고 섭(聶)이 소리부이다. 독음은 치(齒)와 섭(涉)의 반절이다.

**5012**

**仢: 仢: 유성 작: 人-총5획: dí**

原文

仢: 約也. 从人勺聲. 徒歷切.

飜譯

‘작약(仢約)’을 말한다. 인(人)이 의미부이고 작(勺)이 소리부이다. 독음은 도(徒)와

---

33) 악전(偓佺)은 전설상의 신선으로 알려졌다. 괴산(槐山)에서 약초를 캐는 사람이었는데, 송실(松實)을 즐겨 먹었고, 몸에는 수 치(寸)나 되는 털이 가득 났고, 두 눈은 방향을 바꾸는데 편리했으며, 날아다닐 수 있어 달리는 말조차도 따라 잡지 못했다고 한다. 잣을 요(堯) 임금에게 전해 주었지만, 요(堯) 임금은 이를 먹을 겨를이 없었다고 한다. 그가 전해 준 잣은 보통의 잣이 아니라 수백 년 이상 자란 잣나무에서 채취한 것으로 이를 먹으면 2~3백 년은 살 수 있다고 한다.(바이두 백과)

력(歷)의 반절이다.

**5013**

**儕: 儕: 동배 제: 人-총16획: chái**

原文

儕: 等輩也. 从人齊聲. 『春秋傳』曰 : "吾儕小人." 仕皆切.

飜譯

'동등한 무리(等輩), 즉 나이나 신분이 서로 같거나 비슷한 사람'을 말한다. 인(人)이 의미부이고 제(齊)가 소리부이다. 『춘추전』(『좌전』 선공 11년, B.C. 598)에서 "오제소인(吾儕小人: 우리 소인들)"이라고 했다. 독음은 사(仕)와 개(皆)의 반절이다.

**5014**

**倫: 倫: 인륜 륜: 人-총10획: lún**

原文

倫: 輩也. 从人侖聲. 一曰道也. 田屯切.

飜譯

'같은 무리(輩)'라는 뜻이다.[34] 인(人)이 의미부이고 륜(侖)이 소리부이다. 일설에는 '도리(道)'라는 뜻이라고도 한다. 독음은 전(田)과 둔(屯)의 반절이다.

**5015**

**侔: 侔: 가지런할 모: 人-총8획: móu**

---

34) 『단주』에서 이렇게 말했다. "군대에서 1백 대의 전차가 출발하는 것(軍發車百兩)을 배(輩)라고 하는데, 의미가 파생되어 같은 무리의 서열(同類之次)을 배(輩)라 하게 되었다. 『곡례(曲禮)』와 『악기(樂記)』의 정현 주에서도 륜(倫)은 유(類: 부류)와 같다고 했으며, 『의례·기석(旣夕)』의 주석에서도 비(比: 나란히 서다)와 같다고 했으며, 『중용(中庸)』의 주석에서도 비(比)와 같다고 했다."

原文

侔: 齊等也. 从人牟聲. 莫浮切.

飜譯

'가지런하다(齊等)'라는 뜻이다. 인(人)이 의미부이고 모(牟)가 소리부이다. 독음은 막(莫)과 부(浮)의 반절이다.

**5016**

偕: 偕: **함께 해**: 人-총11획: xié

原文

偕: 彊也. 从人皆聲. 『詩』曰: "偕偕士子." 一曰俱也. 古諧切.

飜譯

'강하다(彊)'라는 뜻이다. 인(人)이 의미부이고 개(皆)가 소리부이다. 『시·소아·북산(北山)』에서 "튼튼한 벼슬아치(偕偕士子)"라고 노래했다. 일설에는 '함께(俱)'라는 뜻이라고도 한다. 독음은 고(古)와 해(諧)의 반절이다.

**5017**

俱: 俱: **함께 구**: 人-총10획: jū

原文

俱: 偕也. 从人具聲. 舉朱切.

飜譯

'함께하다(偕)'라는 뜻이다. 인(人)이 의미부이고 구(具)가 소리부이다. 독음은 거(舉)와 주(朱)의 반절이다.

**5018**

儹: 儹: **모을 찬**: 人-총21획: zǎn

原文

儹: 最也. 从人贊聲. 作管切.

飜譯

'한 데 모으다(最)'라는 뜻이다. 인(人)이 의미부이고 찬(贊)이 소리부이다. 독음은 작(作)과 관(管)의 반절이다.

**5019**

併: 併: **아우를 병**: 人-**총8획**: bìng

原文

併: 並也. 从人并聲. 卑正切.

飜譯

'나란히 하다(並)'라는 뜻이다. 인(人)이 의미부이고 병(并)이 소리부이다. 독음은 비(卑)와 정(正)의 반절이다.

**5020**

傅: 傅: **스승 부**: 人-**총12획**: fù

原文

傅: 相也. 从人尃聲. 方遇切.

飜譯

'보좌하다(相)'라는 뜻이다. 인(人)이 의미부이고 부(尃)가 소리부이다. 독음은 방(方)과 우(遇)의 반절이다.

**5021**

侙: 侙: **조심할 칙**: 人-**총8획**: chì

原文

侙: 愓也. 从人式聲. 『春秋國語』曰 : “於其心侙然.” 恥力切.

飜譯

‘두려워하다(愓)’라는 뜻이다. 인(人)이 의미부이고 식(式)이 소리부이다. 『춘추국어(春秋國語)·오어(吳語)』에서 “그의 마음은 언제나 두렵고 불안했다(於其心侙然)”라고 했다. 독음은 치(恥)와 력(力)의 반절이다.



**5022**

**俌:** 俌: **도울 보**: 人–총9획: fǔ

原文

俌: 輔也. 从人甫聲. 讀若撫. 芳武切.

飜譯

‘보좌하다(輔)’라는 뜻이다. 인(人)이 의미부이고 보(甫)가 소리부이다. 무(撫)와 같이 읽는다. 독음은 방(芳)과 무(武)의 반절이다.

**5023**

**倚:** 倚: **의지할 의**: 人–총10획: yǐ

原文

倚: 依也. 从人奇聲. 於綺切.

飜譯

‘의지하다(依)[기대다]’라는 뜻이다. 인(人)이 의미부이고 기(奇)가 소리부이다. 독음은 어(於)와 기(綺)의 반절이다.

**5024**

**依:** 依: **의지할 의**: 人–총8획: yī

原文

: 倚也. 从人衣聲. 於稀切.

飜譯

‘기대다(倚)’라는 뜻이다. 인(人)이 의미부이고 의(衣)가 소리부이다. 독음은 어(於)와 희(稀)의 반절이다.

**5025**

: 仍: **인할 잉**: 人-**총4획**: **réng**

原文

: 因也. 从人乃聲. 如乘切.

飜譯

‘기인하다(因)’라는 뜻이다. 인(人)이 의미부이고 내(乃)가 소리부이다. 독음은 여(如)와 승(乘)의 반절이다.

**5026**

: 佽: **도울 차**: 人-**총8획**: **cì**

原文

: 便利也. 从人次聲. 『詩』曰 : “決拾既佽.” 一曰遞也. 七四切.

飜譯

‘편리하다(便利)’라는 뜻이다. 인(人)이 의미부이고 차(次)가 소리부이다. 『시·소아·거공(車攻)』에서 “활깍지와 팔찌 끼고(決拾既佽)”라고 노래했다. 일설에는 ‘갈마들다(遞)’라는 뜻이라고도 한다. 독음은 칠(七)과 사(四)의 반절이다.

**5027**

: 佴: **버금 이**: 人-**총8획**: **èr**

原文

佴: 佽也. 从人耳聲. 仍吏切.

譯註

'차례(佽)'라는 뜻이다. 인(人)이 의미부이고 이(耳)가 소리부이다. 독음은 잉(仍)과 리(吏)의 반절이다.

**5028**

**倢: 倢: 빠를 첩: 人-총10획: jié**

原文

倢: 佽也. 从人疌聲. 子葉切.

譯註

'재빠르다(佽)'라는 뜻이다. 인(人)이 의미부이고 섭(疌)이 소리부이다. 독음은 자(子)와 엽(葉)의 반절이다.

**5029**

**侍: 侍: 모실 시: 人-총8획: shì**

原文

侍: 承也. 从人寺聲. 時吏切.

譯註

'받들어 모시다(承)'라는 뜻이다. 인(人)이 의미부이고 사(寺)가 소리부이다. 독음은 시(時)와 리(吏)의 반절이다.

**5030**

**傾: 傾: 기울 경: 人-총13획: qīng**

原文

: 仄也. 从人从頃, 頃亦聲. 去營切.

飜譯

'기울다(仄)'라는 뜻이다. 인(人)이 의미부이고 경(頃)도 의미부인데, 경(頃)은 소리부도 겸한다. 독음은 거(去)와 영(營)의 반절이다.

**5031**

: 側: **곁 측**: 人-**총11획**: **cè**

原文

: 旁也. 从人則聲. 阻力切.

飜譯

'곁(旁)'이라는 뜻이다. 인(人)이 의미부이고 칙(則)이 소리부이다. 독음은 조(阻)와 력(力)의 반절이다.

**5032**

: 侒: **편안할 안**: 人-**총8획**: **ān**

原文

: 宴也. 从人安聲. 烏寒切.

飜譯

'편안하다(宴)'라는 뜻이다. 인(人)이 의미부이고 안(安)이 소리부이다. 독음은 오(烏)와 한(寒)의 반절이다.

**5033**

: 侐: **고요할 혁**: 人-**총8획**: **xù**

原文

侐: 靜也. 从人血聲. 『詩』曰 : “閟宮有侐.” 況逼切.

飜譯

‘고요하다(靜)’라는 뜻이다. 인(人)이 의미부이고 혈(血)이 소리부이다. 『시·노송·비궁(閟宮)』에서 “강원의 묘 비궁은 고요한데(閟宮有侐)”라고 노래했다.[35] 독음은 황(況)과 핍(逼)의 반절이다.



**5034**

**付: 付: 줄 부: 人-총5획: fù**

原文

付: 與也. 从寸持物對人. 方遇切.

飜譯

‘넘겨주다(與)’라는 뜻이다. 손(寸)으로 물건(物)을 쥐고 다른 사람(人)을 마주 대하는 모습이다. 독음은 방(方)과 우(遇)의 반절이다.

**5035**

**甹: 甹: 비틀거릴 빙: 人-총9획: pīng**

原文

甹: 使也. 从人甹聲. 普丁切.

飜譯

‘제멋대로 내버려두다(使)’라는 뜻이다.[36] 인(人)이 의미부이고 병(甹)이 소리부이다. 독음은 보(普)와 정(丁)의 반절이다.

35) 비궁(閟宮)은 주나라 시조 후직의 어머니인 강원(姜嫄)의 묘당 이름이다.
36) 『단주』에서는 다음의 협(俠)과 호운된 것에 근거해 “俠也(협기를 부리다는 뜻이다)”라고 했다.

**5036**

**𠈃: 俠: 호협할 협: 人-총9획: xiá**

原文

𠈃: 俜也. 从人夾聲. 胡頰切.

飜譯

'재물을 제멋대로 써 호방하다(俜)'라는 뜻이다. 인(人)이 의미부이고 협(夾)이 소리부이다. 독음은 호(胡)와 협(頰)의 반절이다.

**5037**

**儃: 儃: 머뭇거릴 천: 人-총15획: chán**

原文

儃: 儃何也. 从人亶聲. 徒干切.

飜譯

'머뭇거리다(儃何)'라는 뜻이다. 인(人)이 의미부이고 단(亶)이 소리부이다. 독음은 도(徒)와 간(干)의 반절이다.

**5038**

**侁: 侁: 걷는 모양 신: 人-총8획: shēn**

原文

侁: 行皃. 从人先聲. 所臻切.

飜譯

'걸어가는 모양(行皃)'을 말한다. 인(人)이 의미부이고 선(先)이 소리부이다. 독음은 소(所)와 진(臻)의 반절이다.

**5039**

𠌰: 仰: 우러를 앙: 人-총6획: yǎng

原文

𠌰: 擧也. 从人从卬. 魚兩切.

飜譯

'[머리를] 들어 올리다(擧)'라는 뜻이다. 인(人)이 의미부이고 앙(卬)도 의미부이다.37) 독음은 어(魚)와 량(兩)의 반절이다.



**5040**

侸: 侸: 늘어진 모양 두·세울 수: 人-총9획: shù

原文

侸: 立也. 从人豆聲. 讀若樹. 常句切.

飜譯

'세우다(立)'라는 뜻이다. 인(人)이 의미부이고 두(豆)가 소리부이다. 수(樹)와 같이 읽는다. 독음은 상(常)과 구(句)의 반절이다.

**5041**

儽: 儽: 게으를 래: 人-총23획: lèi

原文

儽: 垂皃. 从人纍聲. 一曰嬾解. 落猥切.

飜譯

'축 늘어진 모양(垂皃)'을 말한다. 인(人)이 의미부이고 루(纍)가 소리부이다. 일설에

---

37) 人(사람 인)이 의미부고 卬(나 앙)이 소리부로, 사람(人)을 올려다보는(卬) 것을 말하고, 이로부터 '우러르다', 경모하다, 기대다, 信仰(신앙) 등의 뜻이 나왔다. 원래는 卬(나 앙)으로써, 앉은 사람(卩·절)이 선 사람(人)을 올려다보는 것을 형상화했는데, 卬이 일인칭 대명사로 쓰이자 人을 더해 분화한 글자이다.

는 '게으르다(嬾解)'라는 뜻이라고도 한다. 독음은 락(落)과 외(猥)의 반절이다.

**5042**

**侳: 侳: 욕보일 좌: 人-총9획: cuò**

原文

侳: 安也. 从人坐聲. 則臥切.

飜譯

'편안하게 앉다(安)'라는 뜻이다. 인(人)이 의미부이고 좌(坐)가 소리부이다. 독음은 즉(則)과 와(臥)의 반절이다.

**5043**

**偁: 偁: 들 칭: 人-총11획: chēng**

原文

偁: 揚也. 从人爯聲. 處陵切.

飜譯

'위로 들어 올리다(揚)'라는 뜻이다.38) 인(人)이 의미부이고 칭(爯)이 소리부이다. 독음은 처(處)와 릉(陵)의 반절이다.

**5044**

**伍: 伍: 대오 오: 人-총6획: wǔ**

---

38) 고문자에서는 甲骨文 金文 簡牘文 등으로 써, 어떤 것을 손에 들고서(爯) 무게를 짐작해 보는 모습을 그렸다. 고대 농경사회에서 무게를 달아야 했던 가장 중요한 대상이 곡물(禾·화)이었기에 禾가 더해져 稱(저울 칭)이 되었다. 이후 무게나 가격 등을 부르다는 뜻에서 부르다, 호칭 등의 뜻이 나왔다. 간화자에서는 저울을 뜻할 때에는 爯 대신 平(평평할 평)이 들어가 회의구조로 된 秤(저울 칭)으로, 또 호칭을 뜻할 때에는 爯을 尔(너 이, 爾의 간화자)로 줄인 称(일컬을 칭)으로 쓴다.

原文

伍: 相参伍也. 从人从五. 疑古切.

飜譯

'세 명이나 다섯 명씩 서로 짝을 이루다(相參伍)'라는 뜻이다.39) 인(人)이 의미부이고 오(五)도 의미부이다. 독음은 의(疑)와 고(古)의 반절이다.



**5045**

**什: 什: 열 사람 십: 人-총4획: shí**

原文

什: 相什保也. 从人、十. 是執切.

飜譯

'열 명씩 짝을 지어 서로를 지켜주는 단위(相什保)'를 말한다. 인(人)과 십(十)이 모두 의미부이다.40) 독음은 시(是)와 집(執)의 반절이다.

**5046**

**佰: 佰: 일백 백: 人-총8획: bǎi**

原文

佰: 相什伯也. 从人、百. 博陌切.

飜譯

39) 서개의 『계전』에서는 "세 사람이 함께 섞이는 것을 삼(參), 다섯 사람이 함께 섞이는 것을 오(伍)라 한다고 했다." 『단주』에서도 "삼(參)은 삼(三)을 말하고, 오(伍)는 오(五)를 말한다. 『주례』에서 다섯 명(五人)을 오(伍)라고 한다고 했다. 삼오(參伍)라고 한 것은 모두 여럿이 서로 뒤섞인 것에서 의미를 가져온 것이다(皆謂錯綜以求之)."

40) 고문자에서 什簡牘文 등으로 그렸다. 人(사람 인)이 의미부고 十(열 십)이 소리부로, 옛날 군대에서 사람(人) 열(十) 명이 한 조가 되는 군사 편제를 말했으며, 호적에서는 10家(가)를 1什이라 했다. 또 여럿을 한데 모은 것을 지칭하기도 했으며, 이후 세간이라는 뜻으로도 쓰였다. 현대 중국에서는 '甚麽(심마·무엇)'라고 할 때의 甚의 간화자로도 쓰인다.

'백 명씩 짝을 지어 서로를 지켜주는 단위(相什伯)'를 말한다. 인(人)과 백(百)이 모두 의미부이다. 독음은 박(博)과 맥(陌)의 반절이다.

**5047**

**𠈁: 佸: 힘쓸 괄: 人-총8획: huó**

原文

𠈁: 會也. 从人昏聲. 『詩』曰: "曷其有佸?" 一曰佸佸, 力皃. 古活切.

飜譯

'서로 모이다(會)'라는 뜻이다. 인(人)이 의미부이고 괄(昏)이 소리부이다. 『시·왕풍·군자우역(君子于役)』에서 "언제면 만나게 되려나?(曷其有佸?")라고 노래했다.41) 일설에는 '괄괄(佸佸)은 힘이 센 모양(力皃)'을 말한다고도 한다. 독음은 고(古)와 활(活)의 반절이다.

**5048**

**𠆯: 佮: 합하여 가질 합: 人-총8획: gé**

原文

𠆯: 合也. 从人合聲. 古沓切.

飜譯

'회합하다(合)'라는 뜻이다. 인(人)이 의미부이고 합(合)이 소리부이다. 독음은 고(古)와 답(沓)의 반절이다.

**5049**

**𢼸: 㣲: 묘할 미: 攴-총10획: wēi, wéi**

---

41) 금본에서는 괄(佸)이 괄(括)로 되었다.

原文

𠈿: 妙也. 从人从攴, 豈省聲. 無非切.

飜譯

'작다(妙)'라는 뜻이다.[42] 인(人)이 의미부이고 복(攴)도 의미부이며, 기(豈)의 생략된 모습이 소리부이다. 독음은 무(無)와 비(非)의 반절이다.

**5050**

**𠒎: 傆: 약을 원: 人-총12획: yuàn**

原文

𠒎: 黠也. 从人原聲. 魚怨切.

飜譯

'교활하다(黠)'라는 뜻이다. 인(人)이 의미부이고 원(原)이 소리부이다. 독음은 어(魚)와 원(怨)의 반절이다.

**5051**

**𠈵: 作: 지을 작: 人-총7획: zuò**

原文

𠈵: 起也. 从人从乍. 則洛切.

飜譯

'일으켜 세우다(起)'라는 뜻이다. 인(人)이 의미부이고 사(乍)도 의미부이다.[43] 독음

42) 『단주』에서 "眇也"가 되어야 한다고 하면서 이렇게 말했다. "각 판본에서 묘(妙)로 되었는데, 지금 바로 잡는다. 고대 문헌에서 미묘(散眇)라고 한 것은 모두 오늘날의 미묘(微妙)이다. 묘(眇)는 작다는 뜻이다(小也). 이후 의미가 파생되어 세밀한 것(細)을 지칭하게 되었다. 미(微)는 몰래 따라가다는 뜻이다(隱行也). 이후 미(微)자가 성행하면서 미(散)는 사라졌다. 『옥편(玉篇)』에 미(散)자가 수록되었고, 인용한 문헌에서 우순측미(虞舜側微·우와 순 임금은 출신이 미천하고 빈한했다)라 하였는데, 이 또한 미(散)의 속체이다."

은 즉(則)과 락(洛)의 반절이다.

**5052**

假: 假: **거짓 가**: 人-**총11획**: **jiǎ**

原文

假: 非眞也. 从人叚聲. 一曰至也. 『虞書』曰 : "假于上下." 古疋切.

飜譯

'진실한 실체가 아니다(非眞)'라는 뜻이다. 인(人)이 의미부이고 가(叚)가 소리부이다. 일설에는 '이르다(至)'라는 뜻이라고도 한다. 『서·우서(虞書)·요전(堯典)』에서 "아래 위온 천지에 다 이르다(假于上下)"라고 했다. 독음은 고(古)와 필(疋)의 반절이다.

**5053**

借: 借: **빌 차**: 人-**총10획**: **jiè**

原文

借: 假也. 从人昔聲. 資昔切.

飜譯

'[자신의 것이 아닌 것을] 빌리다(假)'라는 뜻이다. 인(人)이 의미부이고 석(昔)이 소리부이다.44) 독음은 자(資)와 석(昔)의 반절이다.

---

43) 고문자에서 甲骨文 金文 簡牘文 등으로 그렸다. 人(사람 인)이 의미부이고 乍(잠깐 사)가 소리부이지만, 원래는 乍로 썼다. 乍는 옷을 만들고자 베를 깁는 모습에서 '만들다'는 뜻을 그린 글자다. 이후 乍가 '잠깐'이라는 뜻으로 가차되어 쓰이자 옷을 만드는 주체인 사람(人)을 더해 作으로 분화했다. 만들다, 하다, 시작하다는 뜻으로부터 作品(작품), (시나 악곡을) 짓다, 거행하다 등의 뜻이 나왔다.

44) 人(사람 인)이 의미부고 昔(옛 석)이 소리부로, 오래된(昔) 사람(人)이어야만 그로부터 무엇인가를 '빌릴' 수 있음을 그렸으며, 이로부터 빌리다, 빌려주다, 가져오다, 얻다, 이용하다, 사용하다 등의 뜻이 나왔다. 현대 중국에서는 藉(깔개 자)의 간화자로도 쓰인다.

5054

**𠈌: 侵: 침노할 침: 人-총9획: qīn**

原文

𠈌: 漸進也. 从人、又持帚, 若埽之進. 又, 手也. 七林切.

飜譯

'조금씩 나아가다(漸進)'라는 뜻이다. 사람(人)이 손(又)으로 비(帚)를 든 모습을 그렸는데, 빗자루로 쓸면서 나아가듯이 '조금씩 나아가다'라는 뜻이다. 우(又)는 손(手)이라는 뜻이다.[45] 독음은 칠(七)과 림(林)의 반절이다.



5055

**儥: 儥: 팔 육: 人-총17획: yù**

原文

儥: 賣也. 从人𧶠聲. 余六切.

飜譯

'내다 팔다(賣)'라는 뜻이다. 인(人)이 의미부이고 육(𧶠)이 소리부이다. 독음은 여(余)와 륙(六)의 반절이다.

5056

**候: 候: 물을 후: 人-총11획: hòu**

---

45) 고문자에서 甲骨文 金文 帛書 등으로 그렸다. 人(사람 인)과 帚(비 추)와 又(또 우)로 구성되어, 사람(人)이 손(又)에 빗자루(帚)를 든 모습으로, 사당을 청소하는 모습을 그렸는데, 해서 이후 巾(수건 건)이 생략되어 지금의 자형이 되었다. 이로부터 들어가다, 侵入(침입)하다, 侵犯(침범)하다 등의 뜻이 나왔다. 갑골문에서는 간혹 牛(소 우)가 더해져 희생을 사당으로 몰고 가는 모습을 상징적으로 표현했으며, 금문에서는 尸(주검 시)가 더해져 그곳이 조상의 영혼이 있는 곳임을 표현하기도 했다.

原文

�: 伺望也. 从人矦聲. 胡遘切.

飜譯

'엿보다(伺望)'라는 뜻이다. 인(人)이 의미부이고 후(矦)가 소리부이다. 독음은 호(胡)와 구(遘)의 반절이다.

**5057**

**償: 償: 갚을 상: 人-총17획: cháng**

原文

償: 還也. 从人賞聲. 食章切.

飜譯

'되돌려 주다(還)'라는 뜻이다. 인(人)이 의미부이고 상(賞)이 소리부이다. 독음은 식(食)과 장(章)의 반절이다.

**5058**

**僅: 僅: 겨우 근: 人-총13획: jǐn**

原文

僅: 材能也. 从人堇聲. 渠吝切.

飜譯

'재주와 능력(材能)'이라는 뜻이다. 인(人)이 의미부이고 근(堇)이 소리부이다. 독음은 거(渠)와 린(吝)의 반절이다.

**5059**

**代: 代: 대신할 대: 人-총5획: dài**

原文

𠈌: 更也. 从人弋聲. 徒耐切.

飜譯

'바꾸다(更)'라는 뜻이다. 인(人)이 의미부이고 익(弋)이 소리부이다.[46] 독음은 도(徒)와 내(耐)의 반절이다.

**5060**

**儀: 儀: 거동 의: 人-총15획: yí**

原文

儀: 度也. 从人義聲. 魚羈切.

飜譯

'법도(度)'라는 뜻이다. 인(人)이 의미부이고 의(義)가 소리부이다. 독음은 어(魚)와 기(羈)의 반절이다.

**5061**

**傍: 傍: 곁 방: 人-총12획: bàng**

原文

傍: 近也. 从人旁聲. 步光切.

飜譯

'가깝다(近)[곁]'라는 뜻이다. 인(人)이 의미부이고 방(旁)이 소리부이다. 독음은 보(步)와 광(光)의 반절이다.

---

46) 고문자에서 [古文字 字形] 代 簡牘文 등으로 그렸다. 人(사람 인)이 의미부이고 弋(주살 익)이 소리부로, 다른 사람(人)으로 바꾸다는 뜻에서 교체하다, 代身(대신)하다 등의 뜻이 나왔으며, 한 세대 한 세대 바뀌면서 역사가 이어진다는 뜻에서 世代(세대)와 朝代(조대)의 뜻도 나왔다.

**5062**

佀: 佀: **같을 사**: 人-**총7획: sì**

原文

佀: 象也. 从人㠯聲. 詳里切.

飜譯

'서로 닮았다(象)'라는 뜻이다. 인(人)이 의미부이고 이(㠯)가 소리부이다. 독음은 상(詳)과 리(里)의 반절이다.

**5063**

便: 便: **편할 편**: 人-**총9획: pián**

原文

便: 安也. 人有不便, 更之. 从人、更. 房連切.

飜譯

'편안하다(安)'라는 뜻이다. 사람들은 불편한 것이 있으면 바꾸기 마련이다. 인(人)과 경(更)이 모두 의미부이다.[47] 독음은 방(房)과 련(連)의 반절이다.

**5064**

任: 任: **맡길 임**: 人-**총6획: rén**

原文

任: 符也. 从人壬聲. 如林切.

飜譯

---

47) 고문자에서 金文 古陶文 簡牘文 등으로 그렸다. 人(사람 인)과 更(고칠 경·다시 갱)으로 구성되어, 채찍을 말했다. 채찍이란 말 등과 같은 짐승을 인간(人)이 편리하도록 바꾸고(更) 길들이는 도구라는 의미를 담았으며, 이로부터 '편리하다'는 뜻이 나왔다. 그러자 원래 뜻은 革(가죽 혁)을 더하여 鞭(채찍 편)으로 분화했다.

'믿고 맡기다(符)[책임지우다]'라는 뜻이다. 인(人)이 의미부이고 임(壬)이 소리부이다. 독음은 여(如)와 림(林)의 반절이다.

**5065**

**俔**: 俔: **염탐할 현**: 人-총9획: qiàn

原文

俔: 譬諭也. 一曰間見. 从人从見. 『詩』曰 : "俔天之妹." 苦甸切.

飜譯

'비유하다(譬諭)'라는 뜻이다. 일설에는 '틈 사이로 엿보다(間見)'라는 뜻이라고도 한다. 인(人)이 의미부이고 견(見)도 의미부이다. 『시·대아대명(大明)』에서 "하늘의 소녀 같은 분이셨네(俔天之妹)"라고 노래했다. 독음은 고(苦)와 전(甸)의 반절이다.

**5066**

**優**: 優: **넉넉할 우**: 人-총17획: yōu

原文

優: 饒也. 从人憂聲. 一曰倡也. 於求切.

飜譯

'넉넉하다(饒)'라는 뜻이다. 인(人)이 의미부이고 우(憂)가 소리부이다. 일설에는 '광대(倡)'를 말한다고도 한다.[48] 독음은 어(於)와 구(求)의 반절이다.

**5067**

**僖**: 僖: **기쁠 희**: 人-총14획: xī

48) 人(사람 인)이 의미부고 憂(근심할 우)가 소리부로, 풍족하다, 넉넉하다는 뜻이며, 이후 아름답다, 뛰어나다는 뜻도 나왔다. 달리 俳優(배우)를 뜻하기도 한다. 간화자에서는 憂를 尤(더욱 우)로 줄인 优로 쓴다.

原文

: 樂也. 从人喜聲. 許其切.

飜譯

‘즐겁다(樂)’라는 뜻이다. 인(人)이 의미부이고 희(喜)가 소리부이다. 독음은 허(許)와 기(其)의 반절이다.

**5068**

: 偆: **가멸 준**: 人-**총11획**: **chǔn**

原文

: 富也. 从人春聲. 尺允切.

飜譯

‘재물이 많고 넉넉하다(富)’라는 뜻이다. 인(人)이 의미부이고 춘(春)이 소리부이다. 독음은 척(尺)과 윤(允)의 반절이다.

**5069**

: 俒: **완전할 흔**: 人-**총9획**: **hùn**

原文

: 完也. 『逸周書』曰 : “朕實不明, 以俒伯父.” 从人从完. 胡困切.

飜譯

‘완전하다(完)’라는 뜻이다. 『일주서(逸周書)』에서 “저는 확실히 우매하여 큰 아버지의 뜻을 완전하게 지키지를 못하였습니다.(朕實不明, 以俒伯父.)”라고 했다. 인(人)이 의미부이고 완(完)도 의미부이다. 독음은 호(胡)와 곤(困)의 반절이다.

**5070**

: 儉: **검소할 검**: 人-**총15획**: **jiǎn**

原文

儉: 約也. 从人僉聲. 巨險切.

飜譯

'검약하다(約)'라는 뜻이다. 인(人)이 의미부이고 첨(僉)이 소리부이다. 독음은 거(巨)와 험(險)의 반절이다.

**5071**

**偭: 偭: 향할 면: 人-총11획: miǎn**

原文

偭: 鄉也. 从人面聲. 『少儀』曰 : "尊壺者偭其鼻." 彌箭切.

飜譯

'마주 대하다(鄉)'라는 뜻이다.[49] 인(人)이 의미부이고 면(面)이 소리부이다. 『예기·소의(少儀)』에서 "술독과 술 주전자는 모두 상대방의 코와 마주 대해야 한다(尊壺者偭其鼻)."라고 했다. 독음은 미(彌)와 전(箭)의 반절이다.

**5072**

**俗: 俗: 풍속 속: 人-총9획: sú**

原文

---

49) 향(鄉)을 고문자에서 甲骨文 古陶文 簡牘文 說文小篆 등으로 썼는데, 식기를 가운데 두고 손님과 주인이 마주 앉은 모습을 그렸다. 손님에게 식사를 대접하다는 뜻이며, 饗(잔치할 향)의 원래 글자이다. 이후 함께 모여 식사를 함께하는 씨족집단이라는 의미에서 '시골'이나 '고향'을 뜻하게 되었고 말단 행정단위까지 지칭하게 되었다. 그러자 원래 뜻은 食(밥 식)을 더한 饗으로 분화했다. 갑골문의 은 서로 마주하고 식사하는 모습이지만 『설문해자』의 鄉은 낮은 사람의 모습이 읍(邑)으로 변해 "수도에서 떨어진 읍(國離邑)"을 말해 행정단위로 쓰였음을 보여준다. 여기서는 갑골문의 자형처럼 '서로 마주하다'는 원래의 의미로 풀어야 할 것이다.

俗: 習也. 从人谷聲. 似足切.

'익숙해진 것(習) 즉 습속'을 말한다. 인(人)이 의미부이고 곡(谷)이 소리부이다.[50] 독음은 사(似)와 족(足)의 반절이다.

**5073**

**俾: 俾: 더할 비: 人-총10획: bǐ**

原文

俾: 益也. 从人卑聲. 一曰俾, 門侍人. 并弭切.

飜譯

'보탬이 되다(益)'라는 뜻이다. 인(人)이 의미부이고 비(卑)가 소리부이다. 일설에는 '비(俾)는 문지기(門侍人)'를 뜻한다고도 한다. 독음은 병(并)과 미(弭)의 반절이다.

**5074**

**倪: 倪: 어린이 예: 人-총10획: ní**

原文

倪: 俾也. 从人兒聲. 五雞切.

飜譯

'도움이 되다(俾)'라는 뜻이다. 인(人)이 의미부이고 아(兒)가 소리부이다. 독음은 오(五)와 계(雞)의 반절이다.

---

50) 고문자에서 金文 簡牘文 등으로 그렸다. 人(사람 인)이 의미부고 谷(골 곡)이 소리부로, 習俗(습속)이나 風俗(풍속)을 말하는데, 봄이 오면 계곡(谷)에 사람(人)들이 함께 모여 목욕하던 옛날의 습속의 의미를 그렸다. 이로부터 풍속이나 습속 등의 뜻이 나왔고, 이후 일반인들이 즐기던 습속이라 하여 보통의, 대중의, 通俗(통속)적인, 일반적인, 속되다 등의 뜻이 나왔다. 또 불교가 들어 온 후로는 世俗(세속)의 뜻도 가지게 되었다.

**5075**

**𠌯: 億: 억 억: 人-총15획: yì**

原文

𠌯: 安也. 从人意聲. 於力切.

飜譯

'편안하다(安)'라는 뜻이다.[51] 인(人)이 의미부이고 억(意)이 소리부이다. 독음은 어(於)와 력(力)의 반절이다.

**5076**

**𠊊: 使: 하여금 사: 人-총8획: shǐ**

原文

𠊊: 伶也. 从人吏聲. 疏士切.

飜譯

'하도록 시키다(伶)[부리다]'라는 뜻이다. 인(人)이 의미부이고 리(吏)가 소리부이다.[52] 독음은 소(疏)와 사(士)의 반절이다.

**5077**

**𠏹: 傒: 좌우로 볼 계: 人-총11획: kuí**

---

51) 人(사람 인)이 의미부고 意(뜻 의)가 소리부로, 사람(人)의 마음(意)에 들다는 뜻이다. 이로부터 만족하다, 가득하다의 뜻이 나왔으며, 사람이 마음으로 만족하는 최고의 숫자라는 의미를 담게 되었다.『설문해자』당시에는 최고의 숫자를 10만이라고 했으나, 청나라 단옥재의『설문해자주』에서는 1억이라고 했다. 간화자에서는 소리부 意를 乙(새 을)로 바꾸어 亿으로 쓴다.

52) 고문자에서 [glyphs] 甲骨文 [glyphs] 金文 [glyph] 古陶文 [glyphs] 簡牘文 [glyph] 石刻古文 등으로 그렸다. 人(사람 인)이 의미부고 吏(벼슬아치 리)가 소리부로, 붓을 든 사관(史·사)으로 대표되는 관리(吏)에게 일을 맡겨 시킴을 말하며, 이로부터 시키다, 파견하다, 명령하다, 使臣(사신)으로 가다 등의 뜻이 나왔으며, 使役(사역)을 나타내는 동사로도 쓰인다. 혹자는 손에 든 것이 붓이 아니라 글을 쓰는 서판으로 보기도 한다.(허진웅, 2021)

**原文**

傒: 傒, 左右兩視. 从人癸聲. 其季切.

**飜譯**

'계(傒)는 좌우로 이리저리 보다(左右兩視)'라는 뜻이다.[53][54] 인(人)이 의미부이고 계(癸)가 소리부이다. 독음은 기(其)와 계(季)의 반절이다.

**5078**

伶: 伶: **영리할 령**: 人−**총7획**: **líng**

**原文**

伶: 弄也. 从人令聲. 益州有建伶縣. 郎丁切.

**飜譯**

'갖고 놀다(弄)[희롱하다]'라는 뜻이다.[55] 인(人)이 의미부이고 령(令)이 소리부이다. 익주(益州)에 건령현(建伶縣)[56]이 있다. 독음은 랑(郎)과 정(丁)의 반절이다.

**5079**

儷: 儷: **짝 려**: 人−**총21획**: **lì**

**原文**

儷: 棽儷也. 从人麗聲. 呂支切.

---

53) 『설문』의 체례로 볼 때, 계(傒)는 삭제되어야 한다. 『단주』에서도 "계(傒)는 중복열거되어 삭제되어야 하는데 삭제되지 않고 남은 결과이다(傒, 此複擧字之未刪僅存者)"라고 했다.

54) 『단주』에서 "목(目)부수에서 규(睽)는 [눈을 마주치지 않고] 서로 다른 데를 보다는 뜻이다(目不相聽也)라고 했는데, 그렇다면 계(傒)는 계(睽)의 혹체자에 불과하다."라고 했다.

55) 서개(徐鍇)는 영인(伶人)을 임금의 놀이상대가 되는 신하 즉 농신(弄臣)이라고 풀이했다. '명령으로 마음대로 부릴 수 있는 사람임'을 반영했다.

56) 서한 원봉(元封) 2년(B.C. 109)에 설치되었는데, 지금의 운남성 진녕현(晉寧縣) 일대를 말한다. 익주군(益州郡)에 속했으며, 삼국시대 때에는 촉(蜀)에 속했다가 진(晉)나라 때에는 건녕향(建寧郡)에 속했고, 남조(南朝)의 송(宋) 제(齊) 때에는 진녕군(晉寧郡)에 소속되었다가, 양(梁)나라 때 폐지되었다.

飜譯

‘짝(棽儷)’을 말한다.57) 인(人)이 의미부이고 려(麗)가 소리부이다. 독음은 려(呂)와 지(支)의 반절이다.

**5080**

**𠊱: 傳: 전할 전: 人-총13획: zhuàn**

原文

𠊱: 遽也. 从人專聲. 直戀切.

飜譯

‘빠르게 전달하다(遽)’라는 뜻이다.58) 인(人)이 의미부이고 전(專)이 소리부이다.59) 독음은 직(直)과 련(戀)의 반절이다.

**5081**

**倌: 倌: 수레 모는 사람 관: 人-총10획: guān**

原文

倌: 小臣也. 从人从官. 『詩』曰 : “命彼倌人.” 古患切.

飜譯

57) 침려(棽儷)는 나뭇가지가 무성하여 빽빽한 모양을 말했는데(枝條茂密之皃), 이후 위가 덮인 모양이라는 의미로 확장되었다. 『단주』에서도 이렇게 말했다. “임(林)부수의 침(棽)자의 해석에서 나뭇가지가 무성하여 빽빽한 모양을 말하는데(木枝條棽儷也), 거기서 의미를 설명했으므로, 여기서는 단지 [다른 설명 없이] 침려(棽儷)라고만 했다.” 달리 침리(棽離)로 쓰기도 한다.

58) 주준성의 『설문통훈정성』에서는 “수레로 전달하는 것을 전(傳)이라 하고, 말로 전달하는 것을 거(遽)라고 한다.”고 구분했다.

59) 고문자에서 [古文字] 甲骨文 [古文字] 金文 [古文字] 簡牘文 등으로 그렸다. 人(사람 인)이 의미부고 專(오로지 전)이 소리부로, 베 짜기와 같은 전문적인 기술(專)을 다른 사람(人)에게 전해 줌을 말하고, 이로부터 傳受(전수)하다, 전하다, 전달하다, 전설, 전기 등의 뜻이 생겼다. 간화자에서는 專을 专으로 줄인 传으로 쓴다.

‘지위가 낮은 하급 관리(小臣)’를 말한다. 인(人)이 의미부이고 관(官)도 의미부이다. 『시·용풍·정지방중(定之方中)』에서 “수레몰이에게 명하기를(命彼倌人)”이라고 노래했다. 독음은 고(古)와 환(患)의 반절이다.

**5082**

价: 价: **착할 개**: 人-**총6획**: **jiè**

原文

价: 善也. 从人介聲. 『詩』曰 : “价人惟藩.” 古拜切.

飜譯

‘착하다(善)’라는 뜻이다. 인(人)이 의미부이고 개(介)가 소리부이다. 『시·대아·판(板)』에서 “갑옷 입은 착한 군인은 나라의 울타리요(价人惟藩)”라고 노래했다. 독음은 고(古)와 배(拜)의 반절이다.

**5083**

仔: 仔: **자세할 자**: 人-**총5획**: **zī**

原文

仔: 克也. 从人子聲. 子之切.

飜譯

‘어깨에 짊어지고 견뎌내다(克)’라는 뜻이다. 인(人)이 의미부이고 자(子)가 소리부이다. 독음은 자(子)와 지(之)의 반절이다.

**5084**

倂: 倂: **딸려 보낼 잉**: 人-**총9획**: **yìng**

原文

倂: 送也. 从人弅聲. 呂不韋曰: 有侁氏以伊尹倂女. 古文以爲訓字. 以證切.

飜譯

'보내다(送)'라는 뜻이다. 인(人)이 의미부이고 선(灷)이 소리부이다. 여불위(呂不韋)에 의하면, '유신씨(有侁氏)[60]는 이윤(伊尹)에게 딸을 잉첩으로 딸려 보냈다(倂女)'라고 한다. 고문에서는 이를 뜻풀이(訓)로 사용했다. 독음은 이(以)와 증(證)의 반절이다.

**5085**

**徐: 徐: 천천히 걸을 서: 人-총9획: xǔ**

原文

徐: 緩也. 从人余聲. 似魚切.

飜譯

'느긋하다(緩)'라는 뜻이다. 인(人)이 의미부이고 여(余)가 소리부이다. 독음은 사(似)와 어(魚)의 반절이다.

**5086**

**倂: 倂: 물리칠 병: 人-총11획: bìng**

原文

倂: 僻寠也. 从人屏聲. 防正切.

飜譯

'후미져서 예의를 잘 모르는 곳(僻寠)'을 말한다. 인(人)이 의미부이고 병(屏)이 소리부이다. 독음은 방(防)과 정(正)의 반절이다.

**5087**

**伸: 伸: 펼 신: 人-총7획: shēn**

60) 유신(有侁)은 유신(有莘)으로 쓰기도 하는데, 옛날 나라 이름으로 상나라의 탕(湯)임금이 유신씨(有莘氏)의 딸을 아내로 들였다고 했는데, 그녀가 살던 나라를 말한다.

原文

伸: 屈伸. 从人申聲. 失人切.

飜譯

‘굴신(屈伸), 즉 굽히고 펴다’라는 뜻이다. 인(人)이 의미부이고 신(申)이 소리부이다. 독음은 실(失)과 인(人)의 반절이다.

**5088**

**伹:** 伹: **둔할 저**: 人-**총7획: qū**

原文

伹: 拙也. 从人且聲. 似魚切.

飜譯

‘졸렬하다(拙)’라는 뜻이다. 인(人)이 의미부이고 차(且)가 소리부이다. 독음은 사(似)와 어(魚)의 반절이다.

**5089**

**㒄:** 㒄: **쉬울 연**: 人-**총14획: nàng, nèn, rǎn**

原文

㒄: 意膬也. 从人然聲. 人善切.

飜譯

‘의지가 약하다(意膬)’라는 뜻이다. 인(人)이 의미부이고 연(然)이 소리부이다. 독음은 인(人)과 선(善)의 반절이다.

**5090**

**偄:** 偄: **연약할 난**: 人-**총11획: nuàn, nuò**

原文

偄: 弱也. 从人从耎. 奴亂切.

飜譯

'나약하다(弱)'라는 뜻이다. 인(人)이 의미부이고 연(耎)도 의미부이다. 독음은 노(奴)와 란(亂)의 반절이다.



**5091**

**倍: 倍: 곱 배: 人-총10획: bèi**

原文

倍: 反也. 从人咅聲. 薄亥切.

飜譯

'위배하다(反)'라는 뜻이다. 인(人)이 의미부이고 부(咅)가 소리부이다. 독음은 박(薄)과 해(亥)의 반절이다.

**5092**

**傿: 傿: 고을 이름 언: 人-총13획: yàn**

原文

傿: 引爲賈也. 从人焉聲. 於建切.

飜譯

'값을 과장하여 팔다(引爲賈)[값을 부풀려 팔다]'라는 뜻이다. 인(人)이 의미부이고 언(焉)이 소리부이다. 독음은 어(於)와 건(建)의 반절이다.

**5093**

**僭: 僭: 참람할 참: 人-총14획: jiàn**

原文

僭: 假也. 从人朁聲. 子念切.

飜譯

'분수에 넘치게 몹쓸 행동을 하다(假)[분수에 넘쳐 너무 지나치다]'라는 뜻이다. 인(人)이 의미부이고 참(朁)이 소리부이다. 독음은 자(子)와 념(念)의 반절이다.

**5094**

儗: 儗: **의심할 의**: 人-총16획: nǐ

原文

儗: 僭也. 一曰相疑. 从人从疑. 魚已切.

飜譯

'분수에 넘치게 몹쓸 행동을 하다(僭)'라는 뜻이다. 일설에는 '서로 의심하다(相疑)'라는 뜻이라고도 한다. 인(人)이 의미부이고 의(疑)도 의미부이다. 독음은 어(魚)와 이(已)의 반절이다.

**5095**

偏: 偏: **치우칠 편**: 人-총11획: piān

原文

偏: 頗也. 从人扁聲. 芳連切.

飜譯

'편파적이다(頗)[공정하지 못하고 어느 한쪽으로 치우치다]'라는 뜻이다. 인(人)이 의미부이고 편(扁)이 소리부이다. 독음은 방(芳)과 련(連)의 반절이다.

**5096**

倀: 倀: **미칠 창**: 人-총10획: chāng

原文

㑬: 狂也. 从人長聲. 一曰什也. 楮羊切.

飜譯

'미치다(狂)'라는 뜻이다. 인(人)이 의미부이고 장(長)이 소리부이다. 일설에는 '열 명(什)'을 말한다고도 한다.[61] 독음은 저(楮)와 양(羊)의 반절이다.



**5097**

**儚: 儚: 어둘 횡: 人-총19획: hōng**

原文

儚: 惛也. 从人薨聲. 呼肱切.

飜譯

'어리석다(惛)'라는 뜻이다. 인(人)이 의미부이고 홍(薨)이 소리부이다. 독음은 호(呼)와 굉(肱)의 반절이다.

**5098**

**儔: 儔: 짝 주: 人-총16획: chóu**

原文

儔: 翳也. 从人壽聲. 直由切.

飜譯

'은폐하다(翳)[덮어 가리다]'라는 뜻이다. 인(人)이 의미부이고 수(壽)가 소리부이다. 독음은 직(直)과 유(由)의 반절이다.

61) 『단주』에서는 십(什)을 부(仆: 엎어지다)라고 하고서는 "엽초본(葉抄本)에서는 십(什)으로 적었는데 고증이 필요하다."라고 했다.

**5099**

### 侜: 侜: **속일 주**: 人-**총8획**: **zhōu**

原文

侜: 有廱蔽也. 从人舟聲. 『詩』曰 : "誰侜予美?" 張流切.

飜譯

'막아서 가리다(有廱蔽)'라는 뜻이다.62) 인(人)이 의미부이고 주(舟)가 소리부이다. 『시·진풍·방유작소(防有鵲巢)』에서 "누가 남의 임을 꾀었나?(誰侜予美?)"라고 노래했다. 독음은 장(張)과 류(流)의 반절이다.

**5100**

### 俴: 俴: **엷을 천**: 人-**총10획**: **jiān**

原文

俴: 淺也. 从人戔聲. 慈衍切.

飜譯

'얕다(淺)'라는 뜻이다. 인(人)이 의미부이고 전(戔)이 소리부이다. 독음은 자(慈)와 연(衍)의 반절이다.

**5101**

### 佃: 佃: **밭갈 전**: 人-**총7획**: **diàn**

原文

佃: 中也. 从人田聲. 『春秋傳』曰 : "乘中佃." 一轅車. 堂練切.

---

62) 『단주』에서는 이렇게 말했다. "옹(廱)은 오늘날의 옹(壅)자이다. 『진풍(陳風)·방유작소(防有鵲巢)』에서 '수주여미(誰侜予美)'라 노래했다. 『이아』 및 『모전(毛傳)』에서 주장(侜張)은 속이다는 뜻이다(誑也)라고 했는데, 광(誑) 또한 옹폐(壅蔽)의 뜻이다. 허신이 『모전』의 뜻을 사용하지 않은 것은 허신은 주장(侜張)이 『상서(尙書)』의 주장(譸張)의 가차자로, 주(侜)의 본래의미가 아니었기 때문에 그래서 바꾸었던 것이다."

飜譯

'중간 등급의 수레를 타다(㑜)'라는 뜻이다.[63] 인(人)이 의미부이고 전(田)이 소리부이다. 『춘추전』(『좌전』 애공 17년, B.C. 478)에서 "중간 등급의 수레를 타다(乘中佃)"라고 했는데, 끌채가 하나인 수레(一轅車)를 말한다. 독음은 당(堂)과 련(練)의 반절이다.

**5102**

**𠈉: 佌: 작을 사: 人-총8획: cǐ**

原文

𠈉: 小皃. 从人囟聲. 『詩』曰: "佌佌彼有屋." 斯氏切.

飜譯

'작은 모양(小皃)'을 말한다. 인(人)이 의미부이고 신(囟)이 소리부이다. 『시·소아·정월(正月)』에서 "저들은 깨끗한 집 있고(佌佌彼有屋)"라고 노래했다.[64] 독음은 사(斯)와 씨(氏)의 반절이다.

**5103**

**侊: 侊: 성한 모양 광: 人-총8획: guāng**

原文

侊: 小皃. 从人光聲. 『春秋國語』曰: "侊飯不及一食." 古横切.

飜譯

'작은 모양(小皃)'을 말한다.[65] 인(人)이 의미부이고 광(光)이 소리부이다. 『춘추국어

---

63) 끌채 양쪽에 말 한 마리씩, 두 마리 말이 끄는 수레로, 중급에 속하는 수레이다.

64) 『단주』에서는 『소아·정월(正月)』의 시에서 '차차피유옥(佌佌彼有屋)'이라 노래했는데, 『모전』에서 '차차(佌佌)는 작다는 뜻이다(小也)'라고 했다. 허신이 사용한 사(佌)는 달리 사(𡣕)로 적는다고 했다.

65) 소(小)는 대(大)의 잘못으로 보인다. 『단주』에서 이렇게 말했다. "소(小)는 대(大)가 되어야 옳다. 글자를 잘못 쓴 것이다. 보통 광(光)을 소리부로 삼는 글자들은 대부분 밝고 크다(光大)는 뜻을 가진다. 작다(小)는 의미로 뜻풀이한 경우는 없다. 『월어(越語).구천(句踐)』에서 속담

(春秋國語)·월어(越語)』에서 "성대한 밥상이라 해도 간단한 한 끼만 못할 수 있다(侊飯不及一食)."라고 했다. 독음은 고(古)와 횡(橫)의 반절이다.

**5104**

**𠈌: 佻: 방정맞을 조: 人-총8획: tiāo**

原文

𠈌: 愉也. 从人兆聲. 『詩』曰: "視民不佻." 土彫切.

飜譯

'경박하다(愉)'라는 뜻이다. 인(人)이 의미부이고 조(兆)가 소리부이다. 『시·소아·녹명(鹿鳴)』에서 "백성들에게 두터운 애정 보이시니(視民不佻)"라고 노래했다. 독음은 토(土)와 조(彫)의 반절이다.

**5105**

**僻: 僻: 후미질 벽: 人-총15획: pì**

原文

僻: 避也. 从人辟聲. 『詩』曰: "宛如左僻." 一曰从旁牽也. 普擊切.

飜譯

'피하다(避)'라는 뜻이다. 인(人)이 의미부이고 벽(辟)이 소리부이다. 『시·위풍·갈리(葛屨)』에서 "공손히 왼편으로 비켜 다니고(宛如左僻)"라고 노래했다. 일설에는 '옆에서 끌어당기다(从旁牽)'라는 뜻이라고도 한다. 독음은 보(普)와 격(擊)의 반절이다.

---

에 '觥飯不及壺飧(성찬은 아직 다 차려지지 않았는데 허기짐을 기다릴 수가 없네)'라고 했는데 위소의 주석에서 굉(觥)은 크다는 뜻이다(大也)라고 했다. …… 『한시(韓詩)』에서는 굉(觥)은 곽(廓)과 같은 뜻이라고 했다. 허신은 『국어(國語)』에 근거해 광(侊)으로 적었는데, 광(侊)은 굉(觥)과 독음이나 의미가 모두 같은 글자이다. 『광운』(제11 唐운)에서도 광(侊)은 성한 모양을 말한다(盛皃)라고 하여 위소의 주석을 따랐다. 그런데 제12의 경(庚)운에서는 광(侊)은 작은 모양을 말한다(小皃)라고 하면서 『설문』을 인용했다. 『설문』의 오류가 오래되었음을 알 수 있다."

**5106**

: 伭: **매우 현**: 人-**총7획**: **xuán**

原文

: 很也. 从人, 弦省聲. 胡田切.

飜譯

'흉악하다(很)[패려궂다]'라는 뜻이다. 인(人)이 의미부이고, 현(弦)의 생략된 모습이 소리부이다. 독음은 호(胡)와 전(田)의 반절이다.

**5107**

: 伎: **재주 기**: 人-**총6획**: **jì**

原文

: 與也. 从人支聲. 『詩』曰 : "籀人伎忒." 渠綺切.

飜譯

'[당파를 지어] 함께 하는 사람(與)'을 말한다. 인(人)이 의미부이고 지(支)가 소리부이다. 『시·대아·첨앙(瞻卬)』에서 "남의 잘못은 엄격하고 악독하게 따지네(籀人伎忒)"라고 노래했다.66) 독음은 거(渠)와 기(綺)의 반절이다.

**5108**

: 侈: **사치할 치**: 人-**총8획**: **chǐ**

66) 『단주』에서 이렇게 말했다. "『시』에서 말한 국인기특(籀人伎忒)은 『시·대아·첨앙(瞻卬)』의 시이다. 금시(今詩)에서는 기(伎)를 기(忮)로 적었는데, 『모전』에 의하면 기(忮)는 해치다는 뜻이다(害也)라고 했다. 허신은 이들에 근거하여 기(伎)로 썼다. 아마도 『모시(毛詩)』에서는 기(伎)를 빌려 기(忮)의 가차자로 썼을 것이다. 그래서 『모전』과 『국풍·빈풍(邶風)·웅치(雄雉)』[의 '불기불구(不忮不求)']가 같았다. 『모전』에서는 그 가차의미를 말했고 허신은 그 본래의미를 말했다(毛說其假借. 許說其本義也). 금시(今詩)는 학자들이 마음대로 바꾼 결과이다."

原文

: 掩脅也. 从人多聲. 一曰奢也. 尺氏切.

飜譯

'윗사람이 아랫사람을 으르다(掩脅)'라는 뜻이다. 인(人)이 의미부이고 다(多)가 소리부이다. 일설에는 '사치하다(奢)'라는 뜻이라고도 한다. 독음은 척(尺)과 씨(氏)의 반절이다.

**5109**

: 佁: **미련스러울 이**: 人–**총7획**: **yǐ**

原文

: 癡皃. 从人台聲. 讀若騃. 夷在切.

飜譯

'어리석은 모습(癡皃)'을 말한다. 인(人)이 의미부이고 이(台)가 소리부이다. 애(騃)와 같이 읽는다. 독음은 이(夷)와 재(在)의 반절이다.

**5110**

: 傮: **거만할 소**: 人–**총12획**: **sāo**

原文

: 傮, 驕也. 从人蚤聲. 鮮遭切.

飜譯

'소(傮)는 교만하다(驕)'라는 뜻이다. 인(人)이 의미부이고 조(蚤)가 소리부이다. 독음은 선(鮮)과 조(遭)의 반절이다.

**5111**

: 僞: **거짓 위**: 人–**총14획**: **wěi**

原文

: 詐也. 从人爲聲. 危睡切.

飜譯

‘속이다(詐)’라는 뜻이다. 인(人)이 의미부이고 위(爲)가 소리부이다.[67] 독음은 위(危)와 수(睡)의 반절이다.



**5112**

: 伿: **게으를 이**: 人-**총7획**: **yì**

原文

: 隋也. 从人只聲. 以豉切.

飜譯

‘게으르다(隋)’라는 뜻이다. 인(人)이 의미부이고 지(只)가 소리부이다. 독음은 이(以)와 시(豉)의 반절이다.

**5113**

: 佝: **꼽추 구**: 人-**총7획**: **gōu**

原文

: 務也. 从人句聲. 苦候切.

飜譯

‘힘쓰다(務)’라는 뜻이다.[68] 인(人)이 의미부이고 구(句)가 소리부이다. 독음은 고(苦)

---

67) 고문자에서 簡牘文 등으로 그렸다. 人(사람 인)이 의미부고 爲(할 위)가 소리부로, 거짓을 말하는데, 사람(人)이 하는(爲) 일이라는 뜻을 담았다. 사람이 하는 것은 자연적인 것이 아닌 인위적인 것으로 이 모두가 모두 ‘거짓’임을 반영했으며, 이로부터 속이다, 僞裝(위장)하다, 虛僞(허위) 등의 뜻이 나왔다. 간화자에서는 爲를 为로 줄인 伪로 쓴다.

68) 『단주』에서 구무야(佝瞀也)가 되어야 한다고 하면서 이렇게 말했다. “구무야(佝瞀也)를 각 판본에서는 2글자로 된 무야(務也)라고 했으며, 소서본에서는 복야(覆也)라고 썼는데, 모두 오류이다. 그래서 지금 바로 잡는다. 3글자로 된 구무야(佝瞀也)의 경우, 구(佝)는 독음이 구(寇)이

와 후(候)의 반절이다.

5114

**僄: 僄: 가벼울 표: 人-총13획: piào**

原文

僄: 輕也. 从人票聲. 匹妙切.

飜譯

'경박하다(輕)'라는 뜻이다. 인(人)이 의미부이고 표(票)가 소리부이다. 독음은 필(匹)과 묘(妙)의 반절이다.

5115

**倡: 倡: 여광대 창: 人-총10획: chàng, cāng**

原文

倡: 樂也. 从人昌聲. 尺亮切.

飜譯

'노래하는 광대(樂)'를 말한다.[69] 인(人)이 의미부이고 창(昌)이 소리부이다. 독음은 척(尺)과 량(亮)의 반절이다.

---

고, 무(瞀)는 독음이 무(茂)로서, 첩운자이다(疊韵字). 이 두 글자는 이체자가 많은데, 자(子)부수의 구(穀)자에서는 구무(穀瞀)라고 했고, 순경(荀卿)의 「유효(儒效)」에서는 구무(溝瞀), 『한서·오행지(五行志)』에서는 구몽(區霿)이나 구몽(傋霿)으로, 『초사·구변(九辨)』에서는 구무(怐愗), 『옥편』에서는 이를 인용하여 구무(佝愗)로 적었으며, 응소(應劭)의 『한서주』에서는 구몽(嗀霿)으로, 곽박(郭景純)의 『산해경주』에서는 곡무(穀瞀)로 썼다. 모두 독음이 같으며, 의미도 모두 우매하다는 뜻이다(愚蒙也). 다만 『산해경주』의 곡(穀)자는 오류일 것이다." 그렇다면 어리석다(佝瞀)는 뜻이 된다.

69) 『단주』에서 이렇게 말했다. "한나라 때에 황문명창(黃門名倡), 상종창(常從倡), 진창(秦倡) 등이 있었는데, 모두 정나라의 노래(鄭聲)를 말했다. 「동방삭전(東方朔傳)」에 행창(幸倡) 곽사인(郭舍人)이라는 말이 보인다. 그런 즉 창(倡)은 배(俳)와 같은 뜻이다. 경전에서는 모두 창(唱)자로 적었다."

5116

**俳: 俳: 광대 배: 人-총10획: pái**

原文

俳: 戱也. 从人非聲. 步皆切.

飜譯

'광대(戱)'를 말한다. 인(人)이 의미부이고 비(非)가 소리부이다. 독음은 보(步)와 개(皆)의 반절이다.



5117

**僐: 僐: 자태 보일 선: 人-총14획: shān**

原文

僐: 作姿也. 从人善聲. 堂演切.

飜譯

'자태(作姿)'라는 뜻이다. 인(人)이 의미부이고 선(善)이 소리부이다. 독음은 당(堂)과 연(演)의 반절이다.

5118

**儳: 儳: 어긋날 참: 人-총19획: chàn,chān**

原文

儳: 儳互, 不齊也. 从人毚聲. 士咸切.

飜譯

'참호(儳互)를 말하는데, 어긋나 가지런하지 않다(不齊)'라는 뜻이다. 인(人)이 의미부이고 참(毚)이 소리부이다. 독음은 사(士)와 함(咸)의 반절이다.

**5119**

**佚: 佚: 편안할 일: 人-총7획: yì**

原文

佚: 佚民也. 从人失聲. 一曰佚, 忽也. 夷質切.

飜譯

'[도망을 가] 숨어 사는 백성(佚民)'을 말한다. 인(人)이 의미부이고 실(失)이 소리부이다. 일설에는 '일(佚)은 갑자기(忽)'라는 뜻이라고도 한다. 독음은 이(夷)와 질(質)의 반절이다.

**5120**

**俄: 俄: 갑자기 아: 人-총9획: é**

原文

俄: 行頃也. 从人我聲. 『詩』曰: "仄弁之俄." 五何切.

飜譯

'고개를 옆으로 기울이고 걸어가다(行頃)'라는 뜻이다. 인(人)이 의미부이고 아(我)가 소리부이다. 『시·소아·빈지초연(賓之初筵)』에서 "관을 비스듬히 쓰고(仄弁之俄)"라고 노래했다.[70] 독음은 오(五)와 하(何)의 반절이다.

**5121**

**傜: 傜: 기쁠 요: 人-총13획: xiáo, yáo**

---

70) 「단주」에서는 행(行)이 후인들에 의해 잘못 더해진 것이라 하였으며, 이렇게 말했다. "각 판본에서는 행경(行頃)이라 되었는데, 후인들이 잘못 더한 것이므로 지금 바로 잡는다.……『시』에서 '측변지아(仄弁之俄)'라고 했는데, 정현은 아(俄)는 기울어진 모습이다(傾皃)고 했다. 옛날에는 경(頃)과 경(傾)이 통용되었는데, 모두 기울어지다는 뜻이다(仄也). 금본 『시경』에서는 측변(仄弁)을 측변(側弁)이라 적었다."

原文

傜: 喜也. 从人䍃聲. 自關以西, 物大小不同謂之傜. 余招切.

飜譯

'기뻐하다(喜)'라는 뜻이다. 인(人)이 의미부이고 요(䍃)가 소리부이다. 함곡관 서쪽(關西) 지역에서는 '물건의 크기가 한결 같지 않은 것(物大小不同)을 요(傜)라고 한다.'71) 독음은 여(余)와 초(招)의 반절이다.

제 8 권

**5122**

**僪: 㑼: 칠 각: 人-총11획: jué**

原文

㑼: 徼㑼受屈也. 从人卻聲. 其虐切.

飜譯

'지쳐 힘이 빠진 짐승을 잡다(徼㑼受屈)'라는 뜻이다. 인(人)이 의미부이고 각(卻)이 소리부이다. 독음은 기(其)와 학(虐)의 반절이다.

**5123**

**傞: 傞: 취하여 춤추는 모양 사: 人-총12획: suō**

原文

傞: 醉舞皃. 从人差聲. 『詩』曰:"屢舞傞傞." 素何切.

飜譯

'술에 취해 춤추는 모습(醉舞皃)'을 말한다. 인(人)이 의미부이고 차(差)가 소리부이다. 『시·소아·빈지초연(賓之初筵)』에서 "더풀더풀 비틀거리며 계속 춤추네(屢舞傞

71) 『단주』에서는 관서(關西)를 산서(山西)로 보고 이렇게 말했다. "『방언(方言)』에서 피(陂)와 요(傜)는 모두 비끼다는 뜻이며(袤也), 진(陳) 초(楚) 형(荆) 양(揚) 지역에서는 피(陂)라 하고, 산서(山西) 지역에서는 물건의 굵기와 크기가 일정하지 않은 것(物細大不純者)을 요(傜)라고 한다고 했는데, 곽박의 주석에서는 아(俄)는 기울다는 뜻이다(傜也)라고 했다."

傞)"라고 노래했다. 독음은 소(素)와 하(何)의 반절이다.

**5124**

**𠍣: 僛: 취하여 춤추는 모양 기: 人-총14획: qī**

原文

𠍣: 醉舞皃. 从人欺聲. 『詩』曰: "屢舞僛僛." 去其切.

飜譯

'술에 취해 춤추는 모습(醉舞皃)'을 말한다. 인(人)이 의미부이고 기(欺)가 소리부이다. 『시·소아빈지초연(賓之初筵)』에서 "비틀비틀 연이어 춤추네(屢舞僛僛)"라고 노래했다. 독음은 거(去)와 기(其)의 반절이다.

**5125**

**侮: 侮: 업신여길 모: 人-총9획: wǔ**

原文

侮: 傷也. 从人每聲. 㑄, 古文从母. 文甫切.

飜譯

'업신여기다(傷)'라는 뜻이다. 인(人)이 의미부이고 매(每)가 소리부이다. 모(㑄)는 고문체인데, 모(母)로 구성되었다. 독음은 문(文)과 보(甫)의 반절이다.

**5126**

**㑵: 㑵: 시기할 질: 人-총12획: hàn, jí, jié, zhǎ, zí**

原文

㑵: 妎也. 从人疾聲. 一曰毒也. 嫉, 㑵或从女. 秦悉切.

飜譯

'질투하다(妎)'라는 뜻이다.[72] 인(人)이 의미부이고 질(疾)이 소리부이다. 일설에는

'독(毒)'을 말한다고도 한다. 질(𡞞)은 질(嫉)의 혹체자인데, 녀(女)로 구성되었다. 독음은 진(秦)과 실(悉)의 반절이다.

**5127**

**傷: 傷: 업신여길 이: 人-총10획: yì**

原文

傷: 輕也. 从人易聲. 一曰交傷. 以豉切.

飜譯

'가벼이 여기다(輕)'라는 뜻이다. 인(人)이 의미부이고 역(易)이 소리부이다. 일설에는 '교역하다(交傷)'라는 뜻이라고도 한다. 독음은 이(以)와 시(豉)의 반절이다.

**5128**

**俙: 俙: 비슷할 희: 人-총9획: xī**

原文

俙: 訟面相是. 从人希聲. 喜皆切.

飜譯

'송사에서 대질 심문을 하다(訟面相是)'라는 뜻이다. 인(人)이 의미부이고 희(希)가 소리부이다. 독음은 희(喜)와 개(皆)의 반절이다.

**5129**

**僨: 僨: 넘어질 분: 人-총14획: fèn**

---

72) 『초사·이소(離騷)』에 "羌内恕己以量人兮, 各興心而嫉妒.(내가 저 같은 줄 저 혼자 여겨, 괜한 날 두고 시샘을 부리네.)"라는 말이 나온다. 질투(嫉妒)는 질투(嫉妬)로 쓰기도 한다. 왕일(王逸)의 주석에서 "현명한 사람을 해롭게 하는 것을 질(嫉), 예쁜 여자를 해롭게 하는 것을 투(妒)라고 한다.(害賢爲嫉, 害色爲妒.)"라고 했다.

原文

僨: 僵也. 从人賁聲. 匹問切.

飜譯

'넘어지다(僵)'라는 뜻이다. 인(人)이 의미부이고 분(賁)이 소리부이다. 독음은 필(匹)과 문(問)의 반절이다.

**5130**

## 僵: 僵: 쓰러질 강: 人-총15획: jiāng

原文

僵: 僨也. 从人畺聲. 居良切.

飜譯

'넘어지다(僨)'라는 뜻이다. 인(人)이 의미부이고 강(畺)이 소리부이다. 독음은 거(居)와 량(良)의 반절이다.

**5131**

## 仆: 仆: 엎드릴 부: 人-총4획: pū

原文

仆: 頓也. 从人卜聲. 芳遇切.

飜譯

'머리를 땅에 대고 조아리다(頓)'라는 뜻이다.73) 인(人)이 의미부이고 복(卜)이 소리부이다. 독음은 방(芳)과 우(遇)의 반절이다.

---

73) 『단주』에서 이렇게 말했다. "돈(頓)은 머리를 조아리다는 뜻이다(下首也). 머리를 땅에 대고 조아리는 것(以首叩地)을 돈수(頓首)라고 한다. 이후 의미가 파생하여 앞으로 엎어지다(前覆)는 뜻을 갖게 되었다."

**5132**

**傿:** 傿: **쓰러질 언**: 人-**총11획**: yǎn

原文

傿: 僵也. 从人匽聲. 於幰切.

飜譯

'땅에 엎드리다(僵)'라는 뜻이다. 인(人)이 의미부이고 언(匽)이 소리부이다. 독음은 어(於)와 헌(幰)의 반절이다.

**5133**

**傷:** 傷: **상처 상**: 人-**총13획**: shāng

原文

傷: 創也. 从人, 𥏫省聲. 少羊切.

飜譯

'[칼날 등에] 상처를 입다(創)'를 말한다. 인(人)이 의미부이고, 상(𥏫)의 생략된 부분이 소리부이다. 독음은 소(少)와 양(羊)의 반절이다.

**5134**

**俙:** 俙: **찌를 효**: 人-**총10획**: yáo

原文

俙: 刺也. 从人肴聲. 一曰痛聲. 胡茅切.

飜譯

'찌르다(刺)'라는 뜻이다. 인(人)이 의미부이고 효(肴)가 소리부이다. 일설에는 '아파서 내는 소리(痛聲)'를 말한다고도 한다.74) 독음은 호(胡)와 모(茅)의 반절이다.

---

74) 서개는 이렇게 말했다. "해롭게 하는 것을 말한다(疾害也). 『안씨가훈(顏氏家訓)』에서 이렇게 말했다. 『창힐편(蒼頡篇)』에 효(俙)자가 들어 있는데, 뜻풀이를 보면 아파서 소리를 지르다는

**5135**

**侉: 侉: 자랑할 과: 人-총8획: kuǎ**

原文

侉: 憊詞. 从人夸聲. 苦瓜切.

飜譯

'극도로 피곤해서 내는 소리(憊詞)'를 말한다. 인(人)이 의미부이고 과(夸)가 소리부이다. 독음은 고(苦)와 과(瓜)의 반절이다.

**5136**

**催: 催: 재촉할 최: 人-총13획: cuī**

原文

催: 相儔也. 从人崔聲. 『詩』曰: "室人交徧催我." 倉回切.

飜譯

'서로 다그치다(相儔)'라는 뜻이다. 인(人)이 의미부이고 최(崔)가 소리부이다. 『시·패풍·북문(北門)』에서 "집사람들은 번갈아 모두 나를 핀잔하네(室人交徧催我)"라고 노래했다. 독음은 창(倉)과 회(回)의 반절이다.

**5137**

**傭: 傭: 허수아비 용: 人-총9획: yǒng**

原文

---

뜻이다(痛而謼也). 독음은 우(羽)와 죄(罪)의 반절이다. 오늘날 북방 사람들은 아프면 바로 소리를 지른다(今北人痛則呼之). 『성류(聲類)』의 독음은 우(于)와 래(來)의 반절이다. 오늘날 남방 사람들은 아파도 어쩌다 소리를 지른다(今南人痛或呼之)." 『단주』에서는 "一日痛聲"을 "一日毒之"로 고쳤다.

俑: 痛也. 从人甬聲. 他紅切.

飜譯

'통(痛)과 같아 아파하다'라는 뜻이다.[75] 인(人)이 의미부이고 용(甬)이 소리부이다. 독음은 타(他)와 홍(紅)의 반절이다.

**5138**

伏: 伏: **엎드릴 복**: 人-총6획: fú

原文

伏: 司也. 从人从犬. 房六切.

飜譯

'엿보다(司)'라는 뜻이다.[76] 인(人)이 의미부이고 견(犬)도 의미부이다. 독음은 방(房)과 륙(六)의 반절이다.

**5139**

促: 促: **재촉할 촉**: 人-총9획: cù

原文

促: 迫也. 从人足聲. 七玉切.

飜譯

'다그치다(迫)'라는 뜻이다. 인(人)이 의미부이고 족(足)이 소리부이다. 독음은 칠(七)

75) '목우' 즉 쓰는 나무로 만든 사람 모양의 인형이라는 뜻은 파생의미이고, 원래 의미는 '아파하다'이다. 그래서 『단주』에서도 "『예기』와 『맹자』에서 용(俑)은 우인(偶人: 목우)이라 했는데, 용(俑)은 우(偶)의 가차자이다."라고 했다.

76) 서현(徐鉉)의 주석에서 "사(司)를 오늘날에는 사(伺)로 적는다."라고 했다. 『단주』에서는 다음과 같이 말했다. "서현본에서는 '从人犬' 다음에 '견사인야(犬司人也)'라는 4글자가 소서본(小徐本)에는 들어 있다. 견사인(犬司人)은 개가 사람의 눈치를 보면서 짖는 것을 말하는 것(犬伺人而吠之)인데, 이는 이 글자를 회의자로 본 것이다. '从犬人'이라 하지 않고 '从人犬'이라 하고서 인(人)부수에 귀속시킨 것은 사람을 존중했기 때문이다. 복(伏)의 전서체로써 인사(人事)를 밝히려 했던 것이지 개(犬)에 대해 설명하려 했던 것이 아니다."

과 옥(玉)의 반절이다.

**5140**

**䫚:** 例: **법식 례**: 人-**총8획: lì**

原文

䫚: 比也. 从人𠛱聲. 力制切.

飜譯

'[같은 부류끼리] 나열하다(比)'라는 뜻이다. 인(人)이 의미부이고 열(𠛱)이 소리부이다. 독음은 력(力)과 제(制)의 반절이다.

**5141**

**係:** 係: **걸릴 계**: 人-**총9획: xì**

原文

係: 絜束也. 从人从系, 系亦聲. 胡計切.

飜譯

'삼을 묶어 단을 지우다(絜束)'라는 뜻이다.77) 인(人)이 의미부이고 계(系)도 의미부인데, 계(系)는 소리부도 겸한다. 독음은 호(胡)와 계(計)의 반절이다.

**5142**

**伐:** 伐: **칠 벌**: 人-**총6획: fá**

原文

伐: 擊也. 从人持戈. 一曰敗也. 房越切.

---

77) 『단주』에서 이렇게 말했다. "혈(絜)은 삼 한 단을 말한다(麻一耑也). 혈속(絜束)은 끈으로 둘러싸 묶고 단을 지우다는 뜻이다(圍而束之)."

飜譯

‘치다(擊)’라는 뜻이다. 사람(人)이 창(戈)을 잡고 있는 모습이다.[78] 일설에는 ‘깨트리다(敗)’라는 뜻이라고도 한다. 독음은 방(房)과 월(越)의 반절이다.

**5143**

: 俘: **사로잡을 부**: 人-**총9획**: **fú**

原文

: 軍所獲也. 从人孚聲. 『春秋傳』曰 : “以爲俘聝.” 芳無切.

飜譯

‘군대가 사로잡은 포로(軍所獲)’를 말한다. 인(人)이 의미부이고 부(孚)가 소리부이다.[79] 『춘추전』(『좌전』 성공 3년, B.C. 588)에서 “사로잡은 포로의 귀를 벴다(以爲俘聝)”라고 했다. 독음은 방(芳)과 무(無)의 반절이다.

**5144**

: 但: **다만 단**: 人-**총7획**: **dàn**

原文

: 裼也. 从人旦聲. 徒旱切.

---

78) 고문자에서 甲骨文 金文 盟書 簡牘文 帛書 石刻古文 등으로 썼는데, 人(사람 인)과 戈(창 과)로 구성되어, 무기(戈)로 사람(人)의 목을 베는 모습을 그렸고, 이로부터 ‘목을 베다’와 ‘征伐(정벌)하다’, 자르다 등의 뜻이 나왔고, 전공을 자랑하다는 뜻에서 ‘뽐내다’, ‘자랑하다’의 뜻도 나왔다.

79) 고문자에서 甲骨文 金文 簡牘文 등으로 썼고, 『설문』에서는 說文小篆 說文古文 등으로 썼다. 부(孚)는 爪(손톱 조)와 子(아들 자)로 구성되어, 알에서 막 깨어난 새끼(子)를 손끝(爪)으로 ‘들어 올리는’ 모습이다. 고대 사회에서 자식은 자신의 노후를 담보해 주는 가장 ‘미덥고’ 더없이 사랑스러워 보이는 존재였을 것이고, 이로부터 ‘미쁘다’는 뜻이 생긴 것으로 보인다. 그러자 원래 뜻은 卵(알 란)을 더해 孵(알 깔 부)로 분화했다. 이렇게 보면 부(俘)는 어린아이를 손으로 잡아 올리듯 사로잡은 포로를 말한다.

飜譯

'웃통을 벗어 어깨를 드러내다(裼)'라는 뜻이다. 인(人)이 의미부이고 단(旦)이 소리부이다.[80] 독음은 도(徒)와 한(旱)의 반절이다.

**5145**

**傴: 傴: 구부릴 구: 人-총13획: yǔ**

原文

傴: 僂也. 从人區聲. 於武切.

飜譯

'등이 굽은 곱사등이(僂)'를 말한다. 인(人)이 의미부이고 구(區)가 소리부이다. 독음은 어(於)와 무(武)의 반절이다.

**5146**

**僂: 僂: 구부릴 루: 人-총13획: lóu**

原文

僂: 尫也. 从人婁聲. 周公韈僂, 或言背僂. 力主切.

飜譯

'등이 굽은 곱사등이(尫)'를 말한다. 인(人)이 의미부이고 루(婁)가 소리부이다. 주공(周公)은 발등이 불룩했다(韈僂)라고 하는데[81], 혹자는 등이 굽어 그렇게 부른다고도 한다(或言背僂).[82] 독음은 력(力)과 주(主)의 반절이다.

---

80) 고문자에서 [甲骨文 자형]甲骨文 [簡牘文 자형]簡牘文 등으로 그렸다. 人(사람 인)이 의미부이고 旦(아침 단)이 소리부로, 지평선 위로 떠오르는 해(旦)처럼 사람(人)의 어깨가 드러난 상태를 말했는데, 이후 '단지'라는 부사어로 가차되었다. 그러자 원래 뜻은 옷(衣)을 벗어 속살을 드러내다(旦)는 뜻의 袒(웃통 벗을 단)으로 표현했다.

81) 『단주』에서 이렇게 말했다. 말(韈)이라는 것은 버선(足衣)을 말한다. 말루(韈僂)라는 것은 발등이 등이 굽은 곱사등이처럼 볼록 솟아오른 것을 말한다(由足背高隆然如背之僂也). 그런데 이 말이 어디서 나왔는지 알 수 없다.

**5147**

: 僇: **욕보일 륙**: 人-**총13획**: **lù**

原文

: 癡行僇僇也. 从人翏聲. 讀若雡. 一曰且也. 力救切.

飜譯

'병에 걸린 환자가 느릿느릿 걷다(癡行僇僇)'라는 뜻이다. 인(人)이 의미부이고 료(翏)가 소리부이다. 류(雡)와 같이 읽는다. 일설에는 '잠깐(且)'이라는 뜻이라고도 한다. 독음은 력(力)과 구(救)의 반절이다.

**5148**

: 仇: **원수 구**: 人-**총4획**: **qiú**

原文

: 讎也. 从人九聲. 巨鳩切.

飜譯

'원수(讎)'를 말한다.[83] 인(人)이 의미부이고 구(九)가 소리부이다. 독음은 거(巨)와 구(鳩)의 반절이다.

**5149**

: 儡: **영락할 뢰**: 人-**총17획**: **lěi**

---

82) 『단주』에서 이렇게 말했다. 주공(周公)의 등이 굽었다는 것은 『순자(荀卿)』, 『백호통(白虎通)』, 『논형(論衡)』 등과 같은 문헌에 보인다. 『백호통(白虎通)』에서 이르길, 『전(傳)』에서 "주공은 등이 굽었는데, 이는 후대를 강화하기 위함 때문이었고, 주나라의 도를 완성하고, 어린 임금을 보좌하셨네.(周公背僂, 是爲強後. 成就周道, 輔於幼主.)"라고 했는데, 루(僂)와 후(後)와 주(主)자가 압운을 이룬다.

83) 『단주』에서 이렇게 말했다. "수(讎)는 응(應)과 같다. 『좌전』에서 좋은 짝(嘉偶)을 비(妃)라 하고, 원수가 되는 짝(怨偶)을 구(仇)라고 한다 했다."

原文

儡: 相敗也. 从人畾聲. 讀若雷. 魯回切.

飜譯

'얼굴이 상하다(相敗)'라는 뜻이다. 인(人)이 의미부이고 뢰(畾)가 소리부이다. 뢰(雷)와 같이 읽는다. 독음은 로(魯)와 회(回)의 반절이다.

**5150**

**咎: 咎: 허물 구: 口-총8획: jiù**

原文

咎: 災也. 从人从各. 各者, 相違也. 其久切.

飜譯

'재앙(災)'을 말한다. 인(人)이 의미부이고 각(各)도 의미부인데, 각(各)은 '서로 배치된다(相違)'라는 뜻이다.[84] 독음은 기(其)와 구(久)의 반절이다.

**5151**

**仳: 仳: 떠날 비: 人-총6획: pǐ**

原文

仳: 別也. 从人比聲. 『詩』曰 : "有女仳離." 芳比切.

飜譯

'이별하다(別)'라는 뜻이다. 인(人)이 의미부이고 비(比)가 소리부이다. 『시·왕풍·중곡유퇴(中谷有蓷)』에서 "집 떠나온 여인 있네(有女仳離)"라고 노래했다. 독음은 방(芳)과 비(比)의 반절이다.

---

84) 고문자에서 咎 咎 簡牘文 등으로 그렸다. 人(사람 인)과 各(각각 각)으로 구성되어, 사람(人)에게 이르는(各) '재앙'을 말하며, 이로부터 죄를 짓다, 허물 등의 뜻이 나왔다.

**5152**

**[篆]: 傦: 훼방할 구: 人-총10획: jiù**

原文

[篆]: 毁也. 从人咎聲. 其久切.

飜譯

'훼방 놓다(毁)'라는 뜻이다. 인(人)이 의미부이고 구(咎)가 소리부이다. 독음은 기(其)와 구(久)의 반절이다.

**5153**

**[篆]: 倠: 추할 휴: 人-총10획: xū**

原文

[篆]: 仳倠, 醜面. 从人隹聲. 許惟切.

飜譯

'비휴(仳倠)를 말하는데, 추한 얼굴(醜面)이었다.'85) 인(人)이 의미부이고 추(隹)가 소리부이다. 독음은 허(許)와 유(惟)의 반절이다.

**5154**

**[篆]: 値: 값 치: 人-총10획: zhí**

原文

[篆]: 措也. 从人直聲. 直吏切.

飜譯

'어떤 곳에 갖다 두다(措)'라는 뜻이다. 인(人)이 의미부이고 직(直)이 소리부이다.

---

85) 유안(劉安)의 『회남자·수무훈(修務訓)』에서 이렇게 말했다. "비록 분으로 칠을 하고 먹대로 눈썹을 칠한다 해도 미인이 될 수 없는 자가 있는데, 모모(嫫母)와 비휴(仳倠)가 그들이다." 이에 대해 고유(高誘)의 주석에서 "모모(嫫母)와 비휴(仳倠)는 옛날의 못생긴 여성이다."라고 했다.

독음은 직(直)과 리(吏)의 반절이다.

**5155**

**㑼: 侂: 부탁할 탁: 人-총8획: tuō**

原文

㑼: 寄也. 从人厇聲. 厇, 古文宅. 他各切.

飜譯

'기탁하다(寄)'라는 뜻이다. 인(人)이 의미부이고 택(厇)이 소리부이다. 택(厇)은 택(宅)의 고문체이다. 독음은 타(他)와 각(各)의 반절이다.

**5156**

**僔: 僔: 모일 준: 人-총14획: zǔn**

原文

僔: 聚也. 从人尊聲. 『詩』曰: "僔沓背僧." 慈損切.

飜譯

'모이다(聚)'라는 뜻이다. 인(人)이 의미부이고 존(尊)이 소리부이다. 『시·소아시월지교(十月之交)』에서 "모이면 말 많고 등지면 서로 미워하네(僔沓背僧)"라고 노래했다.[86] 독음은 자(慈)와 손(損)의 반절이다.

**5157**

**像: 像: 형상 상: 人-총14획: xiàng**

原文

像: 象也. 从人从象, 象亦聲. 讀若養. 徐兩切.

86) 금본에서는 준(僔)이 준(噂)으로 되었다.

飜譯

'모습(象)'이라는 뜻이다. 인(人)이 의미부이고 상(象)도 의미부인데, 상(象)은 소리부도 겸한다. 양(養)과 같이 읽는다. 독음은 서(徐)와 량(兩)의 반절이다.

**5158**

**𠏉: 倦: 게으를 권: 人-총10획: juàn**

原文

𠏉: 罷也. 从人卷聲. 渠卷切.

飜譯

'피곤하다(罷)'라는 뜻이다. 인(人)이 의미부이고 권(卷)이 소리부이다. 독음은 거(渠)와 권(卷)의 반절이다.

**5159**

**傮: 傮: 마칠 조: 人-총13획: zāo**

原文

傮: 終也. 从人曹聲. 作曹切.

飜譯

'[한 주기를] 끝내다(終)'라는 뜻이다. 인(人)이 의미부이고 조(曹)가 소리부이다. 독음은 작(作)과 조(曹)의 반절이다.

**5160**

**偶: 偶: 짝 우: 人-총11획: ǒu**

原文

偶: 桐人也. 从人禺聲. 五口切.

飜譯

'오동나무로 깎은 인물상(桐人)'을 말한다. 인(人)이 의미부이고 우(禺)가 소리부이다. 독음은 오(五)와 구(口)의 반절이다.

**5161**

**弔: 弔: 조상할 조: 弓-총4획: diào**

原文

弔: 問終也. 古之葬者, 厚衣之以薪. 从人持弓, 會毆禽. 多嘯切.

譯譯

'조문하다(問終)'라는 뜻이다. 옛날에는 장사지낼 때 섶으로 두텁게 덮었다(古之葬者, 厚衣之以薪). 사람(人)이 활(弓)을 쥔 모습인데, 짐승을 몰아낸다는 뜻을 담았다.[87] 독음은 다(多)와 소(嘯)의 반절이다.

**5162**

**佋: 佋: 소목 소: 人-총7획: shào**

原文

佋: 廟佋穆. 父爲佋, 南面. 子爲穆, 北面. 从人召聲. 市招切.

譯譯

'사당(廟)에 배열된 소(佋)와 목(穆)'을 말한다. 아버지 것은 소(佋)가 되어 남쪽을

87) 고문자에서 [glyphs] 甲骨文 [glyphs] 金文 [glyph] 石刻古文 등으로 그렸다. 원래 人(사람 인)과 弓(활 궁)으로 구성되었는데 자형이 조금 변해 지금처럼 되었다. 사람(人)들이 활(弓)을 들고 가 '조문'하던 모습을 그렸는데, 그것은 당시의 장례 습관이 시신을 숲에다 내다 버렸고, 그 때문에 야수들이 시신을 훼손하는 것을 활로써 막아 주던 것이 '조문'이었기 때문이다. 이후 조등을 내 걸다는 뜻도 나왔다. 혹자는 사람과 밧줄로 보고, 시신을 감아놓은 모습이라고 하기도 한다. 이는 중국의 동북 지역에서는 사람이 죽은 다음 몸을 나무에 걸어놓고 새가 육신을 쪼아 먹게 만들고, 육탈이 된 다음 남은 뼈를 수습하여 묻었던 전통을 반영한 것으로 보기도 한다.(허진웅 2021). 弔는 달리 곡소리를 상징하는 口(입 구)와 조등이나 상복을 상징하는 巾(수건 건)으로 구성된 吊(조상할 조)로 쓰기도 하는데, 간화자에서는 吊(조상할 조)에 통합되었다.

향하고(南面), 아들의 것은 목(穆)이 되어 북쪽을 향한다(北面).[88] 인(人)이 의미부이고 소(召)가 소리부이다. 독음은 시(市)와 초(招)의 반절이다.

**5163**

**𠈐: 㑗: 아이 밴 몸 신: 人-총9획: shēn**

原文

𠈐: 神也. 从人身聲. 失人切.

飜譯

'신(神)과 같아 신비하다'라는 뜻이다.[89] 인(人)이 의미부이고 신(身)이 소리부이다. 독음은 실(失)과 인(人)의 반절이다.

**5164**

**僊: 僊: 춤출 선: 人-총13획: xiān**

原文

僊: 長生僊去. 从人从䙴, 䙴亦聲. 相然切.

88) 소목의 제도는 사당(祠堂)에서 신주(神主)를 모시는 차례로 왼쪽 줄의 소(昭), 오른쪽 줄의 목을 통틀어 일컫는 말로, 중국 상고 시대부터 유래된 것인데 주대(周代)에 들어와 주공(周公)이 예(禮)와 악(樂)을 정비하면서 비로소 구체화되었다. 『주례』에 의하면 제1세를 중앙에 모시는데 천자는 소에 2·4·6세, 목에 3·5·7세를 각각 봉안하여 삼소삼목(三昭三穆)의 칠묘(七廟)가 되고, 제후는 소에 2·4세, 목에 3·5세를 각각 봉안하여 이소이목(二昭二穆)의 오묘(五廟)가 되며, 대부(大夫)는 일소일목의 삼묘(三廟)가 된다. 문헌에 의하면 원래 소는 '존경한다' 또는 '밝다'는 뜻으로 북쪽에서 남쪽을 향한 위치를 일컫고, 목은 '순종한다' 또는 '어둡다'는 뜻으로 남쪽에서 북쪽을 향한 위치를 일컫는 것으로 해석된다.(한국민족문화대백과)

89) 『단주』에서는 신(神)은 신(身)이 되어야 한다고 했다. 그렇다면 '임신하다는 뜻이다'로 풀이된다. 그는 이렇게 말했다. "『광아(廣雅)』에서 잉(孕), 중(重), 임(妊), 임(娠), 신(身), 추(媰)는 임신하다는 뜻이다(㑗也)라고 했다. 『옥편(玉篇)』에서도 신(㑗)은 임신하다는 뜻이다(妊身也)라고 했다. 『대아(大雅)』에서 대임유신(大任有身)이라 했는데, 『전』에서 신(身)은 임신하다는 뜻이다(重也)라고 했고, 『전(箋)』에서는 중(重)은 회임을 하다는 뜻이다(懷孕也)라고 했다. 그렇다면 신(身)은 고자(古字)이고 신(㑗)은 금자(今字)이다. 일설에 허신은 신비하다는 뜻이다(神也)라고 했는데, 허신이 어떤 고의(古義)에서 근거했는지 살필 길이 없다."

飜譯

‘장생불로하여 [신선이 되어] 승천하다(長生僊去)’라는 뜻이다. 인(人)이 의미부이고 선(䙴)도 의미부인데, 선(䙴)은 소리부도 겸한다.[90] 독음은 상(相)과 연(然)의 반절이다.

**5165**

**僰: 僰: 오랑캐 북: 人-총14획: bó**

原文

僰: 犍爲蠻夷. 从人棘聲. 蒲北切.

飜譯

‘건(犍)을 말하는데 남쪽 이민족(蠻夷)을 말한다.’[91] 인(人)이 의미부이고 극(棘)이 소리부이다. 독음은 포(蒲)와 북(北)의 반절이다.

**5166**

**仚: 仚: 사람 산 위에 있을 헌: 人-총5획: xiān**

原文

仚: 人在山上. 从人从山. 呼堅切.

飜譯

‘사람이 산위에 있다(人在山上)’라는 뜻이다. 인(人)이 의미부이고 산(山)도 의미부이다. 독음은 호(呼)와 견(堅)의 반절이다.

---

90) 人(사람 인)이 의미부고 䙴(오를 선)이 소리부로, 신선을 말하는데, 오래 살다가 하늘로 올라가(䙴) 영원불멸하는 사람(人)이라는 의미를 그렸다. 이후 䙴이 山(뫼 산)으로 바뀐 仙(신선 선)으로 변해 산(山)에 사는 사람(人)이 신선임을 그렸다. 간화자에서는 仙(신선 선)에 통합되었다.

91) 『한서·지리지(地理志)』에 건위군(犍爲郡)이 있는데, 『주(註)』에서 무제(武帝) 건원(建元) 6년에 설치되었으며 익주(益州)에 있다고 했다.

**5167**

**僥: 僥: 바랄 요: 人-총14획: yáo**

原文

僥: 南方有焦僥. 人長三尺, 短之極. 从人堯聲. 五聊切.

飜譯

'남쪽 지방에 초요라는 사람이 있는데, 키가 3자에 지나지 않아 대단한 난장이이다(南方有焦僥. 人長三尺, 短之極).'[92] 인(人)이 의미부이고 요(堯)가 소리부이다. 독음은 오(五)와 료(聊)의 반절이다.



**5168**

**儯: 儯: 저자 대: 人-총16획: duì**

原文

儯: 帀也. 从人對聲. 都隊切.

飜譯

'바꾸다(帀)'[93]라는 뜻이다. 인(人)이 의미부이고 대(對)가 소리부이다. 독음은 도(都)

---

92) 초요(焦僥)는 고대 전설 속에 나오는 난장이인데, 나라 이름으로도 쓰인다. 『산해경·대황남경(大荒南經)』에서 이렇게 말했다. "난장이들이 사는 나라가 있는데 소요국이라 한다. 성이 기(幾)이고, 좋은 곡식만 먹는다.(有小人名曰焦僥之國, 幾姓, 嘉穀是食.)" 이에 대해 원가(袁珂)의 『교주(校注)』에서 "주요(周饒), 초요(焦僥)는 모두 주유(侏儒, 난장이)를 다르게 표현한 단어들이다(聲轉)." 『순자·부국(富國)』에서 "이를 비유하자면 오획(烏獲: 전국시대 秦나라의 힘센 장사로 任鄙와 孟賁 등과 이름을 나란히 했다)과 초유(焦僥)가 싸움질을 하는 격이다."라고 했는데, 양경(楊倞)의 주석에서 "초요(焦僥)는 난장이로 키가 3자에 지나지 않는다(短人, 長三尺者)."라고 했다. 또 『회남자·수형편(墬形訓)』에서 "서남방에 초요(焦僥)라는 나라가 있다"고 했는데, 고유(高誘)의 주석에서 "초요(焦僥)는 난장이들이 사는 나라로, 키가 3자에 못 미친다.(短人之國也, 長不滿三尺)."라고 했다.

93) '시(市)'의 오류로 보인다. 『단주』에서 이렇게 말했다. "급고각(汲古閣) 『설문』 및 『집운(集韻)』, 『유편(類篇)』에서 모두 잡(帀)으로 적었다. 그러나 송각 섭초본(宋刻葉抄) 및 『광운(廣韻)』에서는 시(市)로 적었다. 내 생각에 시(市)가 더 나을 것 같다. 대(儯)자에 대(對)가 든 것으로 보아 구잡(口匝: 입술)의 뜻은 없다. 아마도 오늘날의 태환(兌換)을 뜻하는 글자일 것이다."

와 대(隊)의 반절이다.

**5169**

**𠈃: 侊: 허둥지둥할 광: 人-총9획: kuàng**

原文

𠈃: 遠行也. 从人狂聲. 居況切.

飜譯

'멀리 가다(遠行)'라는 뜻이다. 인(人)이 의미부이고 광(狂)이 소리부이다. 독음은 거(居)와 황(況)의 반절이다.

**5170**

**件: 件: 사건 건: 人-총6획: jiàn**

原文

件: 分也. 从人从牛. 牛大物, 故可分. 其輦切.

飜譯

'나누다(分)'라는 뜻이다. 인(人)이 의미부이고 우(牛)도 의미부이다. 소(牛)는 커서 나눌 수 있다는 뜻을 담았다. 독음은 기(其)와 련(輦)의 반절이다.

**5171**

**侶: 侶: 짝 려: 人-총9획: lǚ**

原文

侶: 徒侶也. 从人呂聲. 力舉切.

飜譯

'도반(徒侶: 함께 수행하는 벗)'이라는 뜻이다. 인(人)이 의미부이고 려(呂)가 소리부이다. 독음은 력(力)과 거(擧)의 반절이다. [신부]

**5172**

侲: 侲: **동자 진**: 人-**총9획: zhèn**

原文

侲: 僮子也. 从人辰聲. 章刃切.

飜譯

'동자(僮子)'라는 뜻이다. 인(人)이 의미부이고 진(辰)이 소리부이다. 독음은 장(章)과 인(刃)의 반절이다. [신부]

**5173**

倅: 倅: **백 사람 졸·버금 쉬**: 人-**총10획: cuì**

原文

倅: 副也. 从人卒聲. 七內切.

飜譯

'버금(副)'이라는 뜻이다. 인(人)이 의미부이고 졸(卒)이 소리부이다. 독음은 칠(七)과 내(內)의 반절이다. [신부]

**5174**

傔: 傔: **시중들 겸**: 人-**총12획: qiàn**

原文

傔: 從也. 从人兼聲. 苦念切.

飜譯

'따르다(從)'라는 뜻이다. 인(人)이 의미부이고 겸(兼)이 소리부이다. 독음은 고(苦)와 념(念)의 반절이다. [신부]

**5175**

**倜: 倜: 대범할 척: 人-총10획: tì**

原文

倜: 倜儻, 不羈也. 从人从周. 未詳. 他歷切.

飜譯

'척당(倜儻)'을 말하는데, '얽매이지 않다(不羈)'라는 뜻이다. 인(人)이 의미부이고 주(周)도 의미부이다. 왜 그런지는 알 수 없다. 독음은 타(他)와 력(歷)의 반절이다. [신부]

**5176**

**儻: 儻: 빼어날 당: 人-총22획: dǎng**

原文

儻: 倜儻也. 从人黨聲. 他朖切.

飜譯

'척당(倜儻) 즉 얽매이지 않음'을 말한다. 인(人)이 의미부이고 당(黨)이 소리부이다. 독음은 타(他)와 랑(朖)의 반절이다. [신부]

**5177**

**佾: 佾: 춤 일: 人-총8획: yì**

原文

佾: 舞行列也. 从人㐾聲. 夷質切.

飜譯

'줄을 지어 춤을 추다(舞行列)'라는 뜻이다. 인(人)이 의미부이고 일(㐾)이 소리부이다. 독음은 이(夷)와 질(質)의 반절이다. [신부]

**5178**

**𠊱: 倒: 넘어질 도: 人-총10획: dǎo**

原文

𠊱: 仆也. 从人到聲. 當老切.

飜譯

'엎어지다(仆)'라는 뜻이다. 인(人)이 의미부이고 도(到)가 소리부이다. 독음은 당(當)과 로(老)의 반절이다. [신부]

**5179**

**儈: 儈: 거간 쾌: 人-총15획: kuài**

原文

儈: 合市也. 从人、會, 會亦聲. 古外切.

飜譯

'거간(合市)'을 말한다.[94] 인(人)과 회(會)가 모두 의미부인데, 회(會)는 소리부도 겸한다. 독음은 고(古)와 외(外)의 반절이다. [신부]

**5180**

**低: 低: 밑 저: 人-총7획: dī**

94) 호시(互市)라고도 하는데, 중국 여러 왕조와 북·서변 제국과의 육상무역을 말한다. 이에 대해 해상무역은 호시선(互市船)·시선이라 하였다. 주로 북방 유목국가인 흉노(匈奴)·선비(鮮卑)·돌궐(突厥)·위구르 등을 비롯하여 서방의 탕구트·티베트 및 중앙아시아 제국 사이에서 이루어졌다. 당(唐)나라 때까지는 호시를 호시(胡市) 또는 관시(關市)라 하여 북방의 말·양·소·모피에 대해 중국의 견직물·곡류·철기(鐵器) 등이 거래되었다. 그러나 그 수도 적었으며, 오히려 북방 민족의 침입을 조정하기 위해 중국의 왕조가 그들이 원하는 것을 내주는 형식이 되었다. 송(宋)나라 이후에는 변경에 요(遼)·금(金)·서하(西夏)·몽골 등의 강력한 국가 또는 민족이 일어나 시장 수도 많아졌고 무역액도 커졌다. 특히, 송나라와 요·금 나라와의 권장(權場), 명(明)나라와 몽골의 마시(馬市)를 통한 호시활동은 정치·경제·군사상의 필요와 더불어 성행하였다.(『두산백과』)

原文

𠆩: 下也. 从人、氐, 氐亦聲. 都兮切.

飜譯

'아래쪽(下)'이라는 뜻이다. 인(人)과 저(氐)가 모두 의미부인데, 저(氐)는 소리부도 겸한다. 독음은 도(都)와 혜(兮)의 반절이다. [신부]

**5181**

**債: 債: 빚 채: 人-총13획: zhài**

原文

債: 債負也. 从人、責, 責亦聲. 側賣切.

飜譯

'빚을 지다(債負)'라는 뜻이다. 인(人)과 책(責)이 모두 의미부인데, 책(責)은 소리부도 겸한다.[95] 독음은 측(側)과 매(賣)의 반절이다. [신부]

**5182**

**價: 價: 값 가: 人-총15획: jià**

原文

價: 物直也. 从人、賈, 賈亦聲. 古訝切.

飜譯

'사물의 가치(物直)'를 말한다. 인(人)과 가(賈)가 모두 의미부인데, 가(賈)는 소리부도 겸한다.[96] 독음은 고(古)와 아(訝)의 반절이다. [신부]

---

95) 고문자에서 [고문자] 簡牘文 등으로 그렸다. 人(사람 인)이 의미부고 責(꾸짖을 책)이 소리부로, 다른 사람(人)에게 갚아야 할(責) '빚'이나 債務(채무)를 말한다.

96) 人(사람 인)이 의미부이고 賈(값 가)가 소리부로, 물건의 값을 말하는데, 물건의 가격(賈)이란 물건 자체의 절대적 가치보다는 사람(人)에 의해 결정된다는 뜻을 담았다. 이후 몸값이나 명성, 가치 등의 뜻이 나왔는데, 원래의 賈(값 가)에서 人을 더해 분화한 글자이다. 간화자에서

**5183**

**僱: 停: 머무를 정: 人-총11획: tíng**

原文

僱: 止也. 从人亭聲. 特丁切.

飜譯

'그치다(止)'라는 뜻이다. 인(人)이 의미부이고 정(亭)이 소리부이다. 독음은 특(特)과 정(丁)의 반절이다. [신부]



**5184**

**僦: 僦: 빌 추: 人-총14획: jiù**

原文

僦: 賃也. 从人、就, 就亦聲. 即就切.

飜譯

'품을 팔다(賃)'라는 뜻이다. 인(人)과 취(就)가 모두 의미부인데, 취(就)는 소리부도 겸한다. 독음은 즉(即)과 취(就)의 반절이다. [신부]

**5185**

**伺: 伺: 엿볼 사: 人-총7획: sì**

原文

伺: 候望也. 从人司聲. 自低已下六字, 从人, 皆後人所加. 相吏切.

飜譯

'엿보다(候望)'라는 뜻이다. 인(人)이 의미부이고 사(司)가 소리부이다. 저(低)자 다음부터 여섯 글자는 모두 인(人)이 의미부인데, 후세 사람들이 덧보탠 글자들입니다.[97] 독음은

는 价(착할 개)에 통합되었다.

97) 5180-저(低)자부터 5185-사(伺)자까지를 말한다.

상(相)과 리(吏)의 반절이다. [신부]

**5186**

**僧: 僧: 중 승: 人-총14획: sēng**

原文

僧: 浮屠道人也. 从人曾聲. 穌曾切.

飜譯

'스님(浮屠道人)'을 말한다. 인(人)이 의미부이고 증(曾)이 소리부이다. 독음은 소(穌)와 증(曾)의 반절이다. [신부]

**5187**

**佇: 佇: 우두커니 저: 人-총7획: zhù**

原文

佇: 久立也. 从人从宁. 直呂切.

飜譯

'오랫동안 서 있다(久立)'라는 뜻이다. 인(人)이 의미부이고 저(宁)도 의미부이다. 독음은 직(直)과 려(呂)의 반절이다. [신부]

**5188**

**偵: 偵: 정탐할 정: 人-총11획: zhēn**

原文

偵: 問也. 从人貞聲. 丑鄭切.

飜譯

'묻다(問)'라는 뜻이다. 인(人)이 의미부이고 정(貞)이 소리부이다. 독음은 축(丑)과 정(鄭)의 반절이다. [신부]

제288부수
## 288 ■ 화(匕)부수



5189

**匕: 匕: 될 화: 匕-총2획: huà**

原文

匕: 變也. 从到人. 凡匕之屬皆从匕. 呼跨切.

飜譯

'변화하다(變)'라는 뜻이다. 거꾸로 된 인(人·사람)자의 모습이다. 화(匕)부수에 귀속된 글자들은 모두 화(匕)가 의미부이다. 독음은 호(呼)와 과(跨)의 반절이다.

5190

**𣬉: 𣬉: 정치 못할 의: 匕-총9획: yí**

原文

𣬉: 未定也. 从匕吴聲. 吴, 古文矢字. 語期切.

飜譯

'[정착할 곳을] 정하지 못하다(未定)'라는 뜻이다. 비(匕)가 의미부이고 시(吴)가 소리부이다. 시(吴)는 시(矢)의 고문체이다. 독음은 어(語)와 기(期)의 반절이다.

5191

**眞: 眞: 참 진: 目-총10획: zhēn**

原文

眞: 僊人變形而登天也. 从匕从目从乚; 八, 所乘載也. 𡕥, 古文眞. 側鄰切.

飜譯

'신선이 형체를 변화시켜 하늘로 올라가다(僊人變形而登天)'라는 뜻이다. 화(匕)가 의미부이고 목(目)도 의미부이고 은(乚)도 의미부이다. 팔(八)은 '타고 올라가는 기구(所乘載)'를 말한다.[98] 진(𡗜)은 진(眞)의 고문체이다. 독음은 측(側)과 린(鄰)의 반절이다.

**5192**

**𠤎: 化: 될 화: 匕-총4획: huà**

原文

𠤎: 教行也. 从匕从人, 匕亦聲. 呼跨切.

飜譯

'가르치고 실행하다(教行)'라는 뜻이다. 화(匕)가 의미부이고 인(人)도 의미부인데,

---

98) 고문자에서 眞眞眞金文 眞 眞古陶文 眞眞眞 眞簡牘文 등으로 그렸다. 匕(될 화, 化의 생략된 모습)가 의미부이고 鼎(솥 정)의 생략된 모습이 소리부인 것으로 추정된다. 『설문해자』에서는 "眞은 신선이 모습을 변화시켜 승천하는 것을 말한다. 匕와 目(눈 목)과 ㄴ과 八(여덟 팔)로 구성되었는데, 八은 신선의 탈 것을 말한다."라고 했지만, 금문의 자형과 어떤 연계도 지을 수 없다. 眞이 금문에 들어 등장하는 것으로 보아 이의 개념은 전국시대 말부터 유행한 신선사상과 관련 있는 것으로 보이지만 그 근원은 상나라 때의 貞人(정인·점복관)에서부터 찾을 수 있을 것이다. 貞은 갑골문에서 의미부인 卜(점 복)과 소리부인 鼎으로 구성되었지만 이후 鼎이 貝(조개 패)로 잘못 변했다. 卜은 거북점을 칠 때 불로 지져 열에 의해 갈라지는 거북 딱지의 형상이고, 그 갈라진 각도나 모양으로 점괘를 판단한 데서 '점'이라는 뜻이 나왔다. 그래서 貞은 원래 신에게 '물어보다'는 뜻으로 사용되었다. 이후 불에 지져진 거북 딱지가 직선을 그리며 갈라진 데서 '곧다'는 뜻이 나왔고, 지금은 '곧다'는 의미가 주로 쓰인다. 그래서 貞人은 상나라 당시 최고의 점인 거북점을 주관하고 점괘를 판단하던 점복관을 말한다. 때로는 상나라 왕이 직접 貞人의 구실을 한 것으로 보아 그 지위가 대단히 높았음을 알 수 있다. 신과 교통하고 신의 말을 인간세계에 전달해 주던 상나라의 貞人처럼, 주나라에 들면서 천지간의 道(도)를 체득한 仙人(선인)을 부를 다른 명칭이 필요해졌다. 그것은 신탁의 시대로부터 인문의 시대로 역사가 진전했음의 상징이기도 했다. 그래서 貞으로부터 분화된 글자가 眞이고, 이후 眞人(진인)은 이러한 사람의 최고 호칭이 되었다. 그래서 眞은 신의 소리를 듣고자 점복을 행할 때의 몸과 마음가짐처럼 '眞實(진실)됨'과 '참됨', 그리고 眞理(진리)라는 뜻으로까지 확장되었던 것으로 보인다. 간화자에서는 真으로 쓴다.

화(匕)는 소리부도 겸한다.[99] 독음은 호(呼)와 과(跨)의 반절이다.

---

99) 고문자에서 甲骨文 金文 古陶文 簡牘文 등으로 그렸다. 人(사람 인)이 의미부고 匕(될 화, 化의 원래 글자)가 소리부로, 변화하다, 바꾸다는 뜻이다. 匕는 거꾸로 선 사람, 즉 죽은 사람을 뜻하여, 바로 선 사람(人)과 거꾸로 선 사람(匕)의 조합으로 삶과 죽음 간의 끊임없는 轉化(전화)를 그렸다. 이로부터 '변화'의 의미가 나왔으며, 現代化(현대화)에서처럼 그런 의미를 나타내는 명사화 접미사로도 쓰인다. 化로 구성된 다른 글자들은 모두 '變化(변화)'와 의미적 관련을 가지는데, 花(꽃 화), 貨(재화 화), 靴(신 화) 등이 그러하다.

## 제289부수
## 289 ■ 비(匕)부수

**5193**

**匕: 匕: 비수 비: 匕-총2획: bǐ**

原文

匕: 相與比敘也. 从反人. 匕, 亦所以用比取飯, 一名柶. 凡匕之屬皆从匕. 卑履切.

飜譯

'서로 함께 나열하여 순서를 매기다(相與比敘)[서로 견주다]'라는 뜻이다. 뒤집은 모습의 인(人)으로 구성되었다. 비(匕)는 또 밥을 떠먹는 기구이기도 한데, 달리 사(柶, 枱)라고 하기도 한다.[100] 비(匕)부수에 귀속된 글자들은 모두 비(匕)가 의미부이다. 독음은 비(卑)와 리(履)의 반절이다.

**5194**

**匙: 匙: 숟가락 시: 匕-총11획: chí**

原文

匙: 匕也. 从匕是聲. 是支切.

飜譯

'숟가락(匕)'을 말한다. 비(匕)가 의미부이고 시(是)가 소리부이다. 독음은 시(是)와

---

100) 고문자에서 甲骨文 金文 簡牘文 등으로 그렸다. 이의 자원에 대해서는 의견이 분분하다. 갑골문을 보면 손을 앞으로 모으고 선 사람의 모습이 분명해 보인다. 그러나 '숟가락'의 뜻으로 쓰였고, 예서에 오면서 자형도 숟가락을 닮았다. 이 때문에 匕로 구성된 글자들은 대체로 '사람'과 '숟가락'의 두 가지 의미로 나뉜다. 匕首(비수)에서처럼 숟가락처럼 생긴 길이가 짧고 작은 칼을 의미하는데, 그렇게 되자 원래의 뜻은 의미를 더 구체화하기 위해 소리부 是(이 시)를 더한 匙(숟가락 시)로 구분해 사용했다.

지(支)의 반절이다.

5195

**𠂑: 𠂑: 잇닿을 보: 匕-총4획: bǎo**

原文

𠂑: 相次也. 从匕从十. 鴇从此. 博抱切.

飜譯

'서로 차례를 매기다(相次)'라는 뜻이다. 비(匕)가 의미부이고 십(十)도 의미부이다. 보(鴇: 능에)가 이 글자로 구성되었다. 독음은 박(博)과 포(抱)의 반절이다.

5196

**頍: 頍: 기울 기: 支-총6획: qì, qǐ**

原文

頍: 頃也. 从匕支聲. 匕, 頭頃也. 『詩』曰 : "頍彼織女." 去智切.

飜譯

'기울다(頃)'라는 뜻이다. 비(匕)가 의미부이고 지(支)가 소리부이다. 비(匕)는 '머리가 기울다(頭頃)'라는 뜻이다. 『시·소아·대거(大車)』에서 "[밤이 깊어 기울어진] 직녀성을 바라보니(頍彼織女)"라고 노래했다.[101] 독음은 거(去)와 지(智)의 반절이다.

---

101) 기(頍)에 대해 『단주』에서는 이렇게 말했다. "『소아(小雅)·대동(大東)』에서 '기피직녀(跂彼織女)'라 했는데, 『전(傳)』에서 기(跂)는 모퉁이에 치우친 모양(隅皃)을 말한다고 했다. 내 생각에 우(隅)는 굽이진 모퉁이에 치우쳐 바르지 않은 것을 말한다(陬隅不正). '角織女三星成三角'은 바르지 않음을 말한다. 허신은 이에 근거해 기(頍)라고 적었다. 그러나 금본에서는 속자인 기(企)자로 고쳤는데, 독음은 같으나 의미는 다르다."

**5197**

**頃: 頃: 밭 넓이 단위 경: 頁-총11획: qǐng**

原文

頃: 頭不正也. 从匕从頁. 去營切.

譯

'머리가 바르지 않다(頭不正)'라는 뜻이다. 비(匕)가 의미부이고 혈(頁)도 의미부이다.[102] 독음은 거(去)와 영(營)의 반절이다.

**5198**

**𡿺: 𡿺: 두뇌 뇌: 匕-총11획: nǎo**

原文

𡿺: 頭髓也. 从匕; 匕, 相匕著也. 巛象髮, 囟象𡿺形. 奴皓切.

譯

'두뇌(頭髓)'를 말한다. 비(匕)가 의미부인데, 비(匕)는 '서로 나란히 붙어 있다(相匕著)'라는 뜻이다.[103] 천(巛)은 머리칼(髮)을 그렸고, 신(囟)은 머리통(𡿺)의 모습을 그렸다. 독음은 노(奴)와 호(皓)의 반절이다.

**5199**

**卬: 卬: 나 앙: 卩-총4획: yǎng**

原文

102) 고문자에서 頃古陶文 頃 頃簡牘文 등으로 적었다. 소전체처럼 匕(변할 화, 化의 원래 글자)와 頁(머리 혈)로 구성되었는데, 匕는 바로 선 사람(人·인)의 거꾸로 된 모습을 그린 글자이다. 이로부터 머리(頁)를 거꾸로(匕) '기울이다'의 뜻이 나왔고, 잠시 '기울어지다'는 뜻에서 다시 짧은 시간을 지칭하게 되었다. 이후 가차되어 면적의 단위를 지칭하게 되었으며, 그러자 원래의 '기울이다'는 뜻을 나타낼 때에는 다시 人을 더해 傾으로 분화했다.

103) 『단주』에서 비저(匕著)는 비저(匕箸)로 적었고 비저(比箸)와 같다고 했다.

𠨘: 望, 欲有所庶及也. 从匕从卪. 『詩』曰 : "高山卬止." 伍岡切.

飜譯

'망(望)과 같아 바라다'는 뜻인데, 이루고 싶은 바가 있음(欲有所庶及)을 말한다. 비(匕)가 의미부이고 절(卪)도 의미부이다. 『시·소아거할(車舝)』에서 "높은 산은 우러러보고(高山卬止)"라고 노래했다. 독음은 오(伍)와 강(岡)의 반절이다.



**5200**

**𠦝: 卓: 높을 탁: 十−총8획: zhuō**

原文

𠦝: 高也. 早匕爲𠦝, 匕卪爲卬, 皆同義. 𠁽, 古文𠦝. 竹角切.

飜譯

'높다(高)'라는 뜻이다. 조(早)와 비(匕)가 결합하여 탁(𠦝)이 되고, 비(匕)와 절(卪)이 합쳐져 앙(卬)이 되는데, 같은 의미이다.104) 탁(𠁽)은 탁(𠦝)의 고문체이다. 독음은 죽(竹)과 각(角)의 반절이다.

**5201**

**𥃩: 艮: 어긋날 간: 艮−총6획: gèn**

原文

𥃩: 很也. 从匕、目. 匕目, 猶目相匕, 不相下也. 『易』曰: "𥃩其限." 匕目爲𥃩, 匕目爲眞也. 古恨切.

---

104) 고문자에서 [glyphs]金文 등으로 그렸다. 금문에서 人(사람 인)과 早(새벽 조)로 구성되어, 일찍(早) 서는 아이(人)라는 의미를 담았는데, 자형이 변해 지금처럼 되었다. 금문의 다른 자형에서는 早가 子(아이 자)로 바뀌어 일찍 서는 아이임을 더욱 강조하기도 했다. 直立(직립)이 인간을 동물과 구별해 주는 중요한 특징의 하나이듯, 일찍부터 설 수 있다는 것은 조숙함으로, 나아가 뛰어난 것으로 인식되었을 것이다. 이로부터 卓越(탁월)하다, 뛰어나다, 높다 등의 뜻이 생겼다.

飜譯

'서로 어긋나다(很)'라는 뜻이다. 비(匕)와 목(目)이 모두 의미부이다. 비(匕)와 목(目)이 합쳐진 것은 '눈을 서로 나란히 하여 쳐다보지, 서로 아래위로 하여 양보하지 않는다.(目相匕, 不相下.)'라는 뜻이다.[105] 『역·간괘(艮卦)』(구삼효)에서 "간기한(皀其限: 경계에서 멈추다)"이라고 하였다. 비(匕)와 목(目)이 합쳐져 간(皀)이 되고, 화(匕)와 목(目)이 합쳐져 진(眞)이 된다. 독음은 고(古)와 한(恨)의 반절이다.

---

105) 고문자에서 甲骨文 金文 簡牘文 등으로 그렸다. 이의 자원은 명확하지 않지만, 『설문해자』에서는 匕(비수 비)와 目(눈 목)으로 구성되어, "복종하지 않다는 뜻이다. 서로 노려보며 양보하지 않음을 말한다."라고 했다. 갑골문을 보면 크게 뜬 눈으로 뒤돌아보는 모습을 그렸고, 금문에서는 눈을 사람과 분리해 뒤쪽에 배치하여 의미를 더 구체화했으며, 간독문에서는 目이 日(날 일)로 변해 해(日)를 등진 모습으로 변했다. 이들 자형을 종합해 보면, 艮은 '눈을 크게 뜨고 머리를 돌려 노려보는 모습'을 그린 것으로 추정된다. 그래서 艮의 원래 뜻은 부라리며 노려보는 '눈'이다. 그러나 艮이 싸움하듯 '노려보다'는 의미로 확장되자, 원래의 뜻은 目을 더한 眼(눈 안)으로 분화했는데, 眼이 그냥 '눈'이 아니라 眼球(안구)라는 뜻이 있는 것도 이의 반영일 것이다. 그래서 艮에서 파생된 글자 중 '노려보다'는 뜻이 있는 경우가 많으며, 이 때문에 서로 양보하지 않아 일어나는 싸움과 '어긋나다', '거스르다' 등의 뜻이 있으며, 여기서부터 발전하여 '곤란하다'는 뜻을 담기도 한다.

## 제290부수
## 290 ■ 종(从)부수

**5202**

**: 从: 좇을 종: 人-총4획: cóng**

原文

: 相聽也. 从二人. 凡从之屬皆从从. 疾容切.

飜譯

'서로 따르다(相聽)'라는 뜻이다. 두 개의 인(人)으로 구성되었다. 종(从)부수에 귀속된 글자들은 모두 종(从)이 의미부이다. 독음은 질(疾)과 용(容)의 반절이다.

**5203**

**: 從: 좇을 종: 彳-총11획: cóng**

原文

: 隨行也. 从辵、从, 从亦聲. 慈用切.

飜譯

'수행하다(隨行)[따라가다]'라는 뜻이다. 착(辵)과 종(从)이 모두 의미부인데, 종(从)은 소리부도 겸한다.[106] 독음은 자(慈)와 용(用)의 반절이다.

---

106) 고문자에서 甲骨文 金文 古陶文 盟書 簡牘文 등으로 그렸다. 彳(조금 걸을 척)과 止(발 지)가 의미부이고 从(따를 종)이 소리부인데, 원래는 从으로 써, 두 사람(人)이 나란히 따르는 모습으로부터 따르다, 따라가다는 의미를 그렸는데, 이후 길을 뜻하는 彳과 발을 뜻하는 止가 더해져 從이 되었다. 따라가다는 뜻에서 부차적이라는 뜻이 나왔고, 혈연관계에서 사촌을 지칭하기도 했으며, 남의 말을 따르다는 뜻에서 온순하다, 종용하다는 뜻도 나왔다. 간화자에서는 원래의 从으로 되돌아갔다.

**5204**

## 幷: 幷(并=並): 어우를 병: 干-총8획: bìng

原文

幷: 相從也. 从从幵聲. 一曰从持二爲并. 府盈切.

飜譯

'서로 따라가다(相從)'라는 뜻이다. 종(从)이 의미부이고 견(幵)이 소리부이다. 일설에는 '나란히 선 사람(从)이 두 개(二)를 손에 쥔 모습이 병(并)이다'[107]라고 하기도 한다. 독음은 부(府)와 영(盈)의 반절이다.

107) 『단주』에서는 이(二) 다음에 간(干)이 빠졌다고 하면서 『운회(韵會)』에 근거하여 "一曰从持二干爲并"으로 고친다고 했다. 그렇게 되면 "두 개의 간(干)을 쥔 모습이 병(并)이다."라고 했다.

## 제291부수
## 291 ■ 비(比)부수

**5205**

: 比: **견줄 비**: 比-**총4획**: bǐ

原文

: 密也. 二人爲从, 反从爲比. 凡比之屬皆从比. 𠤎𠤎, 古文比. 毗至切.

飜譯

'친밀하다(密)'라는 뜻이다. 두 개의 인(人)으로 구성되면 종(从)이 되고, 종(从)을 반대 방향으로 뒤집으면 비(比)가 된다.[108] 비(比)부수에 귀속된 글자들은 모두 비(比)가 의미부이다. 비(𠤎𠤎)는 비(比)의 고문체이다. 독음은 비(毗)와 지(至)의 반절이다.

**5206**

: 毖: **삼갈 비**: 比-**총9획**: bì

原文

: 愼也. 从比必聲. 『周書』曰 : "無毖于卹." 兵媚切.

飜譯

'신중하다(愼)'라는 뜻이다. 비(比)가 의미부이고 필(必)이 소리부이다. 『서·주서(周書)·대고(大誥)』에서 "[너무 지나치게] 걱정을 하지 마십시오(無毖于卹)"라고 했다. 독음은 병(兵)과 미(媚)의 반절이다.

---

108) 고문자에서 甲骨文 金文 古陶文 簡牘文 등으로 그렸다. 두 개의 匕(비수 비)로 구성되었는데, 갑골문에서는 두 사람(匕)이 나란히 선 모습이다. 나란히 늘어선 사람으로부터 '나란하다'와 '견주다(比較·비교)'의 뜻이 나왔으며, 친근하다, 순종하다, 긴밀하다, 돕다 등의 뜻도 나왔다.

# 제292부수
## 292 ■ 북(北)부수

**5207**

**𠇗: 北: 북녘 북·등 배: 匕-총5획: bèi**

原文

𠇗: 菲也. 从二人相背. 凡北之屬皆从北. 博墨切.

飜譯

'어그러지다(菲)'라는 뜻이다. 두 사람이 서로 등진 모습을 그렸다(从二人相背).109) 북(北)부수에 귀속된 글자들은 모두 북(北)이 의미부이다. 독음은 박(博)과 묵(墨)의 반절이다.

**5208**

**冀: 冀: 바랄 기: 八-총16획: jì**

原文

冀: 北方州也. 从北異聲. 几利切.

飜譯

'북방에 있는 주 이름(北方州)'이다. 북(北)이 의미부이고 이(異)가 소리부이다.110)

---

109) 고문자에서 [illegible] 甲骨文 [illegible] 金文 [illegible] 古陶文 [illegible] 簡牘文 [illegible] 帛書 등으로 그렸다. 두 개의 人(사람 인)으로 구성되어 두 사람(人)이 서로 등진 모습을 그렸고, 이로부터 '등지다'는 의미가 나왔으며, 이후 자형이 조금 변해 지금처럼 되었다. 북반구에서 살았던 중국인들에게 북쪽이 등진 쪽이었으므로 '북쪽', 등지다 등의 뜻이 나왔다. 또 싸움에 져 도망할 때에는 등을 돌리고 달아났기에 '도망하다'는 뜻도 생겼는데, 이때에는 '배'로 읽힘에 유의해야 한다. 그러자 원래의 '등'은 肉(고기 육)을 더한 背(등 배)로 분화했다.

110) 고문자에서 [illegible] 金文 등으로 그렸다. 北(북녘 북)이 의미부이고 異(다를 이)가 소리부로,

독음은 궤(几)와 리(利)의 반절이다.



고대 중국에서 중국을 9개의 주(州)로 나누었을 때 북방 지역인 지금의 하북성 지역을 지칭하던 말이다. 이 때문에 지금도 하북성을 줄여 부르는 말로 쓰인다. 이후 '바라다'나 '희망하다'는 뜻으로 가차되었다.

## 제293부수
## 293 ▪ 구(丘)부수

**5209**

: 丘: **언덕 구**: 一-총5획: qiū

原文

: 土之高也, 非人所爲也. 从北从一. 一, 地也, 人居在丘南, 故从北. 中邦之居, 在崐崘東南. 一曰四方高, 中央下爲丘. 象形. 凡丘之屬皆从丘. (今隸變作丘.) 坖, 古文从土. 去鳩切.

飜譯

'높다란 흙더미(土之高)'를 말하는데, 사람이 쌓은 것이 아닌 자연스레 생긴 것이다(非人所爲也). 북(北)이 의미부이고 일(一)도 의미부인데, 일(一)은 땅을 뜻한다. 사람들이 언덕의 남쪽에 살기 때문에 [언덕이 뒤에 있어서] 북(北)이 의미부이다. 중국(中邦) 사람들이 사는 곳은 곤륜산(崐崘)의 동남쪽이다. 일설에는 사방이 높고(四方高), 중앙이 움푹 들어간 곳(中央下)을 구(丘)라고도 한다. 상형이다.111) 구(丘)부수에 귀속된 글자들은 모두 구(丘)가 의미부이다. [오늘날 예변(隸變)을 거친 후 구(丘)로 쓰게 되었습니다.] 구(坖)는 고문체인데, 토(土)로 구성되었다. 독음은 거(去)와 구(鳩)의 반절이다.

---

111) 고문자에서 甲骨文 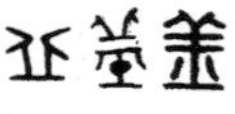金文 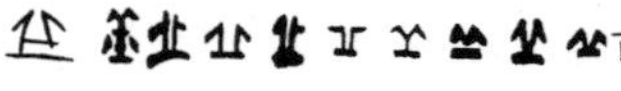古陶文 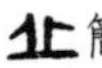簡牘文 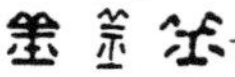古璽文 石刻古文 등으로 그렸다. 갑골문에서 언덕과 언덕 사이의 움푹 들어간 丘陵地(구릉지)를 그려 커다란 언덕을 말했는데, 산봉우리가 두 개 그려져 산봉우리가 세 개인 산지(山)보다 작은 규모의 구릉지임을 반영했다. 이로부터 丘陵(구릉), 무덤, 전답, 거주지 등의 뜻이 나왔다. 또 면적이나 행정 단위로 쓰여, 9夫(부)를 1井(정)이라 하고 4井을 1邑(읍)이라 하며 4邑을 1丘라 했으며 4방 4리 되는 땅을 지칭하기도 했다. 달리 북쪽(北·북)에 자리한 땅[一]이라는 뜻의 㐀로도 쓰며, 의미를 강조하기 위해 土(흙 토)나 阜(언덕 부)를 더해 坵(언덕 구)나 邱(땅이름 구) 등으로 분화했다.

**5210**

**虛: 虛(虛): 빌 허: 虍-총12획: xū**

原文

虛: 大丘也. 崐崘丘謂之崐崘虛. 古者九夫爲井, 四井爲邑, 四邑爲丘. 丘謂之虛. 从丘虍聲. 丘如切.

飜譯

'커다란 언덕(大丘)'을 말한다. 곤륜구(崐崘丘)를 곤륜허(崐崘虛)라고도 부른다. 옛날, 9부(夫)가 1정(井)이고, 4정(井)이 1읍(邑)이고, 4읍(邑)이 1구(丘)였는데, 구(丘)가 바로 허(虛)이다. 구(丘)가 의미부이고 호(虍)가 소리부이다.112) 독음은 구(丘)와 여(如)의 반절이다.

제 8 권

**5211**

**𡰥: 屔: 웅덩이 니: 尸-총10획: ní**

原文

112) 고문자에서 [古文字] 簡牘文 [古文字]古璽文 등으로 그렸다. 소전체에서 의미부인 丘(언덕 구)와 소리부인 虍(호피 무늬 호, 虎의 생략된 모습)로 이루어졌는데, 자형이 조금 변해 지금처럼 되었다. 丘는 갑골문에서 언덕과 언덕 사이의 움푹 들어간 丘陵地(구릉지)를 그려 커다란 언덕을 뜻했으며, 虎(범 호)는 입을 크게 벌리고 울부짖는 호랑이의 모습을 그린 상형자이다. 황토 평원 지역에서 언덕은 동굴 집을 짓기에 대단히 편리한 곳이었으며, 많은 사람이 거기에다 집을 지어 살았다. 『설문해자』에서 "옛날 아홉 집마다 우물 하나를 파고, 우물 네 개마다 邑(읍)을 세웠다. 네 邑이 하나의 丘를 이루었으며, 丘는 달리 虛라고도 했다."라고 한 것으로 보아 虛는 대단히 큰 거주 단위였음을 알 수 있다. 아울러 丘나 虛는 원래 같은 글자였으나 이후 丘는 언덕의 의미로만 쓰이고, 소리부인 虍가 더해진 虛는 '비다'는 뜻으로 쓰이게 되었음도 추정할 수 있다. 그래서 虛는 '커다란 언덕'이 원래 뜻이다. 이후 그곳에 많은 사람이 굴을 뚫어 동굴 집을 만들어 살았으므로, 空虛(공허)와 같이 '비다'는 뜻이 나왔고, 다시 盈虛(영허·차고 이지러짐)처럼 '차지 않다'나 虛僞(허위)와 같이 '거짓' 등의 뜻까지 생겼다. 그러자 원래의 뜻을 나타낼 때에는 土(흙 토)를 더한 墟(폐허 허)를 사용하였다. 간화자에서는 虚로 쓴다.

屔: 反頂受水丘. 从丘, 泥省聲. 奴低切.

飜譯

‘산꼭대기가 거꾸로 선 모양으로 물이 담길 수 있는 언덕(反頂受水丘) 즉 사방이 높고 가운데가 파인 언덕’을 말한다. 구(丘)가 의미부이고, 니(泥)의 생략된 모습이 소리부이다. 독음은 노(奴)와 저(低)의 반절이다.

제294부수

## 294 ■ 중(乑)부수

**5212**

**𠈌: 乑: 나란히 설 음: 人-총6획: zhòng, yín**

原文

𠈌: 衆立也. 从三人. 凡乑之屬皆从乑. 讀若欽崟. 魚音切.

飜譯

'많은 사람이 함께 서 있다(衆立)'라는 뜻이다. 세 개의 인(人)으로 구성되었다. 음(乑)부수에 귀속된 글자들은 모두 음(乑)이 의미부이다. 흠음(欽崟: 산이 높고 험함)이라고 할 때의 음(崟)과 같이 읽는다.113) 독음은 어(魚)와 음(音)의 반절이다.

**5213**

**眾: 眾: 무리 중: 目-총11획: zhòng**

原文

眾: 多也. 从乑、目, 衆意. 之仲切.

飜譯

'많다(多)'라는 뜻이다. 음(乑)과 목(目)이 모두 의미부인데, 많다(衆)라는 뜻이다.114)

---

113) 『단주』에서 이렇게 말했다. "『설문』의 산(山)부수에서 음(崟)은 산이 높고 험한 모양을 말한다(山之岑崟也)고 했는데, 흠음(欽崟)은 바로 잠음(岑崟)을 말한 것일 것이다. 『공양전(公羊傳)』과 「상림부(上林賦)」에도 모두 금암(嶔巖)이라는 단어가 있다. 음(乑)은 음(崟)과 같이 읽는다. 어(魚)와 음(音)의 반절이다."

114) 고문자에서 甲骨文 金文 古陶文 盟書 簡牘文 帛書 古璽文 등으로 그렸다. 血(피 혈)이 의미부이고 乑(무리 중, 衆의 본래 글자)이 소리부로, 피땀(血) 흘려 힘든 노동을 하는 사람들(乑)을 그렸다. 갑

독음은 지(之)와 중(仲)의 반절이다.

**5214**

**: 聚: 모일 취: 耳-총14획: jù**

原文

: 會也. 从乑取聲. 邑落云聚. 才句切.

飜譯

'모으다(會)'라는 뜻이다. 음(乑)이 의미부이고 취(取)가 소리부이다. 읍의 촌락(邑落)을 취(聚)라고 한다.[115] 독음은 재(才)와 구(句)의 반절이다.

**5215**

**: 息: 및 기: 自-총12획: jì**

原文

: 眾詞, 與也. 从乑自聲. 『虞書』曰: "息咎繇." 綦, 古文息. 其冀切.

飜譯

'많음을 나타내는 단어로(眾詞), ~와(與)'라는 뜻이다. 음(乑)이 의미부이고 자(自)가 소리부이다. 『서·우서(虞書)·요전(堯典)』에서 "[직(稷)과 설(契) 및] 고요(皋陶)에게 물려주었다(息咎繇)"라고 했다. 기(綦)는 기(息)의 고문체이다. 독음은 기(其)와 기(冀)의 반절이다.

---

골문에서는 日(날 일)과 사람(人)이 셋 모인 모습인 乑으로 구성되어, 뙤약볕(日) 아래서 무리지어(乑) 힘든 일을 하는 '노예'들을 지칭했다. 이후 금문에 들면서 日이 目(눈 목)으로 바뀌어, 그런 노예들에 대한 감시(目)의 의미가 강조되었으며, 目이 다시 血로 바뀌어 지금처럼 되었다. 이후 일반 大衆(대중)의 의미로 확대되었고, '많다'는 뜻까지 가지게 되었다. 간화자에서는 人이 셋 모인 众으로 표기한다.

115) 고문자에서 簡牘文 帛書 古璽文 등으로 그렸다. 乑(나란히 설 음·무리 중)이 의미부고 取(취할 취)가 소리부로, 사람을 모아서(取) 여럿 세워 놓았다(乑)는 뜻에서 '모이다'는 뜻을 그렸다. 이로부터 대중, 사람들이 모여 사는 촌락(聚落·취락), 모이다, 붕당 등의 뜻이 나왔다.

제295부수

## 295 ■ 정(𡈼)부수

**5216**

𡈼: 𡈼: **좋을 정**: 土-**총4획**: tǐng, tíng

原文

𡈼: 善也. 从人、士. 士, 事也. 一曰象物出地挺生也. 凡𡈼之屬皆从𡈼. 他鼎切.

飜譯

'훌륭하다(善)'라는 뜻이다. 인(人)과 사(士)가 모두 의미부이다. 사(士)는 사(事)와 같아 '일을 하다'라는 뜻이다. 일설에는 '식물이 땅에서 꼿꼿하게 자라나는 모습을 그렸다(象物出地挺生)'라고도 한다. 정(𡈼)부수에 귀속된 글자들은 모두 정(𡈼)이 의미부이다.116) 독음은 타(他)와 정(鼎)의 반절이다.

**5217**

徵: 徵: **부를 징**: 彳-**총15획**: zhēng

原文

徵: 召也. 从微省, 𡈼爲徵. 行於微而文達者, 即徵之. 𢼸, 古文徵. 陟陵切.

飜譯

'[강제로] 불러들이다(召)'라는 뜻이다. 미(微)의 생략된 모습이 의미부이고, 정(𡈼)은 징(徵)과 같다. 소리 없이 몰래 행동하나 바깥까지 명성이 드러난 자(行於微而文達者)라면 초빙되어가는 법이다.117) 징(𢼸)은 징(徵)의 고문체이다. 독음은 척(陟)과 릉

116) 정(𡈼)은 임(壬)과 다른 글자임에 유의해야 한다. 해서에서 전자는 가로획이 짧은 반면 후자는 길다. 성(聖), 정(廷), 청(聽), 망(望) 등이 모두 정(𡈼)으로 구성되었다.

117) 微(작을 미)의 생략된 모습이 의미부이고 𡈼(좋을 정)이 소리부인데, 『설문해자』에 의하면 은밀한(微) 곳에 숨어 살면서 이름이 난 사람(𡈼)을 청해와 '불러내다'는 뜻이라고 했다. 이로

(陵)의 반절이다.

**5218**

**: 朢: 보름 망: 月-총14획: wàng**

原文

: 月滿與日相朢, 以朝君也. 从月从臣从𡈼. 𡈼, 朝廷也. 𦣠, 古文朢省. 無放切.

飜譯

'보름달이 되었을 때 해와 멀리서 마주보듯 신하가 임금을 매일 아침 바라다보다(月滿與日相朢, 以朝君)'라는 뜻이다.118) 월(月)이 의미부이고 신(臣)도 의미부이고 정(𡈼)도 의미부이다. 정(𡈼)은 조정(朝廷)이라는 뜻이다.119) 망(𦣠)은 망(朢)의 고문체인데, 생략된 모습이다. 독음은 무(無)와 방(放)의 반절이다.

**5219**

**: 㸒: 가까이할 음: 爪-총8획: yín**

原文

---

부터 부르다, 구하다, 징험 등의 뜻이 나왔다. 또 오음(궁·상·각·치·우)의 하나를 말하기도 하는데, 이때에는 '치'로 읽힌다. 간화자에서는 征(칠 정)에 통합되었다.

118) 『단주』에서는 "月滿也"라고 했다. 그렇다면 '달이 가득 찰 때를 말한다'로 해석된다. 또 이렇게 말했다. "망(朢)과 망(望)은 다른 글자였다. 망(望)은 망(朢)의 생략된 모습이 소리부인데, 오늘날 망(望)자가 유행하면서 망(朢)자는 폐기되고 말았다."

119) 고문자에서 甲骨文 金文 簡牘文 石刻古文 등으로 그렸다. 月(달 월)과 𡈼(정)이 의미부이고 亡(망할 망)이 소리부인데, 원래는 뒤꿈치를 들고 '보름' 달(月)을 바라보는 사람의 모습을 그렸고 이로부터 바라보다, 기대하다의 뜻이 나왔고, 명성, 명망가 등의 뜻도 나왔다. 또 옛날 산천, 일월, 星辰(성신) 등에게 지내던 제사를 지칭하기도 한다. 이후 소리부인 亡(없을 망)이 더해져 지금처럼 되었으며, 그러자 달(月)을 보며 존재하지 않는(亡) 어떤 것을 渴望(갈망)하고 기원하는 모습이 더욱 구체화 되었다. 달리 朢, 𦣠 등으로 쓰기도 한다.

𤔔: 近求也. 从爪、壬. 壬, 徼幸也. 余箴切.

'가까이서 구하다(近求)'라는 뜻이다. 조(爪)와 정(壬)이 모두 의미부이다. 정(壬)은 '운 좋게 얻다(徼幸)'라는 뜻이다. 독음은 여(余)와 잠(箴)의 반절이다.

## 제296부수
## 296 ■ 중(重)부수

**5220**

**: 重: 무거울 중: 里-총9획: zhòng, chóng**

原文

: 厚也. 从壬東聲. 凡重之屬皆从重. 柱用切.

飜譯

'중후하다(厚)'라는 뜻이다. 정(壬)이 의미부이고 동(東)이 소리부이다.120) 중(重)부수에 귀속된 글자들은 모두 중(重)이 의미부이다. 독음은 주(柱)와 용(用)의 반절이다.

**5221**

**: 量: 헤아릴 량: 里-총12획: liáng**

原文

: 稱輕重也. 从重省, 曏省聲. , 古文量. 呂張切.

飜譯

'무게를 달다(稱輕重)'라는 뜻이다. 중(重)의 생략된 부분이 의미부이고, 향(曏)의 생략된 부분이 소리부이다.121) 랑( )은 량(量)의 고문체이다. 독음은 려(呂)와 장(張)

---

120) 고문자에서 金文 古陶文 盟書 簡牘文 古璽文 石刻古文 등으로 그렸다. 금문에서 人(사람 인)이 의미부이고 東(동녘 동)이 소리부인 구조였으나, 소전체에서는 壬(좋을 정)이 의미부이고 東이 소리부인 구조로 바뀌었으며, 자형이 줄어 지금처럼 되었다. 원래 童(아이 동)에서 분화된 글자로, 그러한 노예(童)들이 짊어져야 하는 힘들고 과중한 노동력을 그렸으며, 이로부터 무겁다, 過重(과중)하다, 힘들다, 심하다, 重視(중시)하다, 重要(중요)하다 등의 뜻이 나왔다.

121) 고문자에서 金文 古陶文 簡牘文 등으로 그렸다. 원래 윗부분이 깔

의 반절이다.



때기(曰·왈)이고 아랫부분이 포대기(東·동)로 곡식을 포대에 담는 모양을 그렸는데, 자형이 변해 지금처럼 되었다. 이로부터 부피의 양을, 다시 부피를 재는 도구를 뜻하게 되었다. 또 부피를 재다는 뜻으로부터 '헤아리다'의 뜻이 나왔다.

## 제297부수
## 297 ■ 와(臥)부수

**5222**

**臥:** 臥(卧): **엎드릴 와**: 臣-**총8획**: **wò**

原文

臥: 休也. 从人、臣, 取其伏也. 凡臥之屬皆从臥. 吾貨切.

飜譯

'[엎드려] 쉬다(休)'라는 뜻이다. 인(人)과 신(臣)이 모두 의미부인데, [신(臣)자에서] 엎드렸다는 의미를 가져왔다.[122] 와(臥)부수에 귀속된 글자들은 모두 와(臥)가 의미부이다. 독음은 오(吾)와 화(貨)의 반절이다.

**5223**

**監:** 監: **볼 감**: 皿-**총14획**: **jiān**

原文

監: 臨下也. 从臥, 衉省聲. 𧩍, 古文監从言. 古銜切.

飜譯

'[위에서] 내려다 보다(臨下)'라는 뜻이다. 와(臥)가 의미부이고, 감(衉)의 생략된 부분이 소리부이다.[123] 감(𧩍)은 감(監)의 고문체인데, 언(言)으로 구성되었다. 독음은

---

122) 고문자에서 [古文字] 簡牘文 등으로 그렸다. 人(사람 인)과 臣(신하 신)으로 구성되어, 책상에 엎드려 머리를 숙인 사람(人)의 눈(臣)을 그려 '눕다'와 '자다'는 의미를 그렸다. 그래서 옛날에는 침대에 누워 자는 것을 寢(잠잘 침), 책상(几·궤)에 기대어 잠시 눈을 붙이는 것을 臥로 구분했다. 간화자에서는 人을 卜(점 복)으로 바꾼 卧로 쓴다.

123) 고문자에서 [古文字] 甲骨文 [古文字] 金文 [古文字] 古陶文 [古文字] 簡牘文 [古文字] 石刻古文 등으로 그렸다. 皿(그릇 명)이 의미부이고 覽(볼 람)의 생략된 부분이 소리부로, 그릇(皿)에 물을 담고 그 위로 얼굴을 비추어 보는(覽) 모습을 그렸다. 이로부터 거울의 뜻이, 다시 보다, 監視(감시)

고(古)와 함(銜)의 반절이다.

**5224**

**臨: 臨: 임할 림: 臣-총17획: lín**

臨: 監臨也. 从臥品聲. 力尋切.

'가까이 가서 감시하다(監臨)'라는 뜻이다. 와(臥)가 의미부이고 품(品)이 소리부이다.[124] 독음은 력(力)과 심(尋)의 반절이다.

**5225**

**饕: 饕: 깨지락거리며 먹을 녁: 食-총17획: nè**

饕: 楚謂小兒嬾饕. 从臥、食. 尼見切.

'초(楚) 지역에서 어린이가 깨지락거리며 먹는 것(小兒嬾饕)을 두고 하는 말이다.' 와(臥)와 식(食)이 의미부이다. 독음은 니(尼)와 견(見)의 반절이다.

---

하다의 뜻이 나왔다. 이후 '보다'는 뜻으로 자주 쓰이자 거울은 청동기를 뜻하는 金(쇠 금)을 더한 鑑(鑒·거울 감)으로 분화했다. 또 태자나 원로대신이 국정을 대신 장악하는 것을 뜻하기도 했고, 國子監(국자감)처럼 관청의 이름으로도 쓰였다. 간화자에서는 윗부분을 줄여 监으로 쓴다.

124) 고문자에서 金文 古陶文 簡牘文 石刻古文 등으로 그렸다. 소전체에서처럼 臣(신하 신)과 人(사람 인)이 의미부이고 品(물건 품)이 소리부로, 눈(臣)으로 물품(品)을 '살피는' 사람(人)을 그렸다. 이로부터 높은 곳에서 아래를 살피다는 뜻이, 다시 監視(감시)하다와 다스리다의 뜻이 나왔으며, 만나다, 기대다 등의 뜻도 나왔다. 간화자에서는 臣과 品을 간단하게 줄여 临으로 쓴다.

## 제298부수
## 298 ■ 신(身)부수

**5226**

**身: 身: 몸 신: 身-총7획: shēn**

原文

身: 躳也. 象人之身. 从人厂聲. 凡身之屬皆从身. 失人切.

飜譯

'몸(躳)'이라는 뜻이다. 사람의 몸 모습(人之身)을 그렸다. 인(人)이 의미부이고 예(厂)가 소리부이다.125) 신(身)부수에 귀속된 글자들은 모두 신(身)이 의미부이다. 독음은 실(失)과 인(人)의 반절이다.

**5227**

**軀: 軀: 몸 구: 身-총18획: qū**

原文

軀: 體也. 从身區聲. 豈俱切.

125) 고문자에서 甲骨文 金文 盟書 簡牘文 古璽文 등으로 그렸다. '몸'을 그렸다. 금문에서는 임신해 배가 불룩한 모습을 그렸는데, 배에 그려진 점은 '아이'의 상징으로, 아직 구체적 형태가 만들어지지 않은 상태를 말한다. 이후 머리가 형성되면 巳(여섯째 지지 사)로, 두 팔까지 생기면 子(아이 자)가 된다. 간혹 다른 자형에서는 뱃속에 든 것이 '아이'임을 더 구체화하기 위해 점 대신 머리와 두 팔이 자란 아이(子)를 넣은 경우도 보인다. 이처럼 身은 '임신하다'가 원래 뜻이며, 나아가 머리 아래부터 발 위까지의 '신체'를 지칭하게 되었는데, "사람의 몸을 그렸다"라고 한 『설문해자』의 해석은 이를 반영한다. 이후 사물의 주체나 자기 자신을 뜻했고, 自身(자신)이 '몸소' 하는 것을 말하기도 했다. 그래서 身으로 구성된 한자들은 모두 '몸'과 관련된 의미를 가진다.

'신체(體)'라는 뜻이다. 신(身)이 의미부이고 구(區)가 소리부이다. 독음은 기(豈)와 구(俱)의 반절이다.

## 제299부수
## 299 ■ 은(㐆)부수

**5228**

**㐆**: 㐆: **돌아갈 은·의**: 丿-**총6획**: **yǐn**

原文

㐆: 歸也. 从反身. 凡㐆之屬皆从㐆. 於機切.

飜譯

'돌아가다(歸)'라는 뜻이다. 신(身)자를 뒤집은 모습이다. 은(㐆)부수에 귀속된 글자들은 모두 은(㐆)이 의미부이다. 독음은 어(於)와 기(機)의 반절이다.

**5229**

**殷**: 殷: **성할 은**: 殳-**총10획**: **yīn**

原文

殷: 作樂之盛稱殷. 从㐆从殳. 『易』曰: "殷薦之上帝." 於身切.

飜譯

'성대한 음악을 만들어 바치는 것(作樂之盛)'을 은(殷)이라 한다. 은(㐆)이 의미부이고 수(殳)도 의미부이다.[126] 『역·예괘(豫卦)』(象傳)에서 "이 성대한 음악을 만들어 상제께 바치네(殷薦之上帝)"라고 하였다. 독음은 어(於)와 신(身)의 반절이다.

---

126) 고문자에서 [金文 자형] 金文 [石刻文 자형] 石刻文 등으로 그렸다. 원래 침을 들고(殳) 불룩한 배(身·신)를 치료하는 모습을 그렸는데, 자형이 변해 지금처럼 되었고, 이로부터 병세가 대단히 '심각함'을, 다시 '크다'와 '성대하다'는 뜻이 나왔다. 그러자 원래 뜻은 또 心(마음 심)을 더하여 慇(괴로워할 은)으로 분화했다.

## 제300부수
## 300 ■ 의(衣)부수

**5230**

**𧘇: 衣: 옷 의: 衣-총6획: yī**

原文

𧘇: 依也. 上曰衣, 下曰裳. 象覆二人之形. 凡衣之屬皆从衣. 於稀切.

飜譯

'의(依)와 같아 의지하다'라는 뜻이다. 웃옷을 의(衣)라 하고, 아래옷을 상(裳)이라 한다. 인(人)자가 두 개의 인(人)자를 덮은 모습을 그렸다.127) 의(衣)부수에 귀속된 글자들은 모두 의(衣)가 의미부이다. 독음은 어(於)와 희(稀)의 반절이다.

**5231**

**裁: 裁: 마를 재: 衣-총12획: cái**

原文

裁: 制衣也. 从衣𢦏聲. 昨哉切.

飜譯

'옷을 짓다(制衣)'라는 뜻이다. 의(衣)가 의미부이고 재(𢦏)가 소리부이다. 독음은 작(昨)과 재(哉)의 반절이다.

---

127) 고문자에서 [字形] 甲骨文 [字形] 金文 [字形] 古陶文 [字形] 簡牘文 등으로 그렸다. 웃옷을 그렸다. 윗부분은 목둘레를 따라 만들어진 옷깃(領·령)을 그렸고, 아랫부분에서 양쪽은 소매(袂·메)를, 나머지 중간 부분은 옷섶(衽·임)인데, 안섶이 왼쪽으로 겉섶이 오른쪽으로 가도록 여며진 모습이다. 그래서 衣는 치마(裳·상)에 대칭되는 '웃옷'이 원래 뜻이며, 여기서 옷감이나 의복을, 다시 사물의 외피를 뜻하게 되었고, 싸다, 덮다, 입다 등의 뜻까지 생겼다.

**5232**

**𧛊: 衮(衮): 곤룡포 곤: 衣-총10획: gǔn**

原文

𧛊: 天子享先王, 卷龍繡於下幅, 一龍蟠阿上鄉. 从衣公聲. 古本切.

飜譯

'천자가 선왕께 제사드릴 때 [입는 옷인데] 옷의 아랫부분에 몸을 감은 용을 수놓는데, 몸을 감은 용이 위를 향해 머리를 쳐든 모습을 했다.(天子享先王, 卷龍繡於下幅, 一龍蟠阿上鄉.)' 의(衣)가 의미부이고 공(公)이 소리부이다. 독음은 고(古)와 본(本)의 반절이다.

**5233**

**襢: 襢: 붉은 저사 옷 전: 衣-총18획: zhàn**

原文

襢: 丹縠衣. 从衣㠭聲. 知扇切.

飜譯

'붉은 색의 가는 비단으로 만든 옷(丹縠衣)'을 말한다. 의(衣)가 의미부이고 전(㠭)이 소리부이다. 독음은 지(知)와 선(扇)의 반절이다.

**5234**

**褕: 褕: 고울 유·황후 옷 요: 衣-총14획: yú**

原文

褕: 翟, 羽飾衣. 从衣俞聲. 一曰直裾謂之襜褕. 羊朱切.

飜譯

'요적(褕翟)'[128]을 말하는데, 깃으로 만든 옷 장식(羽飾衣)이다. 의(衣)가 의미부이고 유(俞)가 소리부이다. 일설에는 '짧은 옷(直裾)을 첨유(襜褕)라고 한다'고도 한다. 독음은 양(羊)과 주(朱)의 반절이다.

**5235**

**袗: 袗: 홑옷 진: 衣-총10획: zhěn**

原文

袗: 玄服. 从衣㐱聲. 裖, 袗或从辰. 之忍切.

飜譯

'검은 색의 옷(玄服)'을 말한다. 의(衣)가 의미부이고 진(㐱)이 소리부이다. 진(裖)은 진(袗)의 혹체자인데, 진(辰)으로 구성되었다. 독음은 지(之)와 인(忍)의 반절이다.

**5236**

**表: 表: 겉 표: 衣-총10획: biǎo**

原文

表: 上衣也. 从衣从毛. 古者衣裘, 以毛爲表. 襮, 古文表从麃. 陂矯切.

飜譯

'웃옷(上衣)'을 말한다. 의(衣)가 의미부이고 모(毛)도 의미부이다. 옛날에는 갖옷을 입을 때 털이 바깥으로 드러나도록 했다(古者衣裘, 以毛爲表). 표(襮)는 표(表)의 고문체인데, 포(麃)로 구성되었다. 독음은 피(陂)와 교(矯)의 반절이다.

**5237**

**裏: 裏: 속 리: 衣-총13획: lǐ**

原文

128) 꿩의 깃으로 장식한 오채(五彩) 찬란한 예복으로 황후나 왕후가 입었다. 왕비를 가리키는 말로 쓰이기도 한다. 달리 요적(褕狄)나 휘적(褘翟)이라 하기도 한다.(『한국고전용어사전』)

裏: 衣内也. 从衣里聲. 良止切.

‘옷의 속(衣内)’을 말한다. 의(衣)가 의미부이고 리(里)가 소리부이다. 독음은 량(良)과 지(止)의 반절이다.

**5238**

襁: 襁: **포대기 강**: 衣-**총16획**: **qiǎng**

原文

襁: 負兒衣. 从衣强聲. 居兩切.

飜譯

‘아이를 업도록 만든 옷(負兒衣) 즉 포대기’를 말한다. 의(衣)가 의미부이고 강(强)이 소리부이다.[129] 독음은 거(居)와 량(兩)의 반절이다.

**5239**

襋: 襋: **옷깃 극**: 衣-**총17획**: **jí**

原文

襋: 衣領也. 从衣棘聲. 『詩』曰: “要之襋之.” 己力切.

飜譯

‘옷의 깃(衣領)’을 말한다. 의(衣)가 의미부이고 극(棘)이 소리부이다. 『시·위풍·갈리(葛屨)』에서 “바지허리 달고 저고리 달아(要之襋之)”라고 노래했다. 독음은 기(己)와 력(力)의 반절이다.

129) 衣(옷 의)가 의미부이고 强(굳셀 강)이 소리부로, 아이를 업을 때 쓰는 ‘포대기’를 말하는데, 단단하게(强) 동여매어야 하는 이불(衣)이라는 뜻을 반영했다.

**5240**

**襮: 襮: 수놓은 깃 박: 衣-총20획: bó**

原文

襮: 黼領也. 从衣暴聲.『詩』曰:“素衣朱襮.” 蒲沃切.

飜譯

‘흑백으로 수를 놓은 옷깃(黼領)’을 말한다. 의(衣)가 의미부이고 박(暴)이 소리부이다.『시·당풍·양지수(揚之水)』에서 “흰 옷에 붉은 수놓은 깃 달아(素衣朱襮)”라고 노래했다. 독음은 포(蒲)와 옥(沃)의 반절이다.



**5241**

**衽: 衽: 옷깃 임: 衣-총9획: rèn**

原文

衽: 衣裣也. 从衣壬聲. 如甚切.

飜譯

‘옷섶(衣裣)’을 말한다. 의(衣)가 의미부이고 임(壬)이 소리부이다. 독음은 여(如)와 심(甚)의 반절이다.

**5242**

**褸: 褸: 남루할 루: 衣-총16획: lǔ**

原文

褸: 衽也. 从衣婁聲. 力主切.

飜譯

‘옷섶(衽)’을 말한다. 의(衣)가 의미부이고 루(婁)가 소리부이다. 독음은 력(力)과 주(主)의 반절이다.

**5243**

**褽: 褽: 옷깃 외: 衣-총16획: wèi**

原文

褽: 衽也. 从衣尉聲. 於胃切.

飜譯

'옷깃(衽)'을 말한다. 의(衣)가 의미부이고 위(尉)가 소리부이다. 독음은 어(於)와 위(胃)의 반절이다.

**5244**

**䙝: 䙝: 옷깃의 가장자리 집: 衣-총14획: qì, shà, qiè**

原文

䙝: 裣緣也. 从衣疌聲. 七入切.

飜譯

'옷깃의 가장자리(裣緣)'를 말한다. 의(衣)가 의미부이고 섭(疌)이 소리부이다. 독음은 칠(七)과 입(入)의 반절이다.

**5245**

**裣: 裣: 옷깃 금: 衣-총14획: jīn**

原文

裣: 交衽也. 从衣金聲. 居音切.

飜譯

'안과 밖의 서로 교차하는 옷깃(交衽)'을 말한다. 의(衣)가 의미부이고 금(金)이 소리부이다. 독음은 거(居)와 음(音)의 반절이다.

**5246**

**𧜼: 褘: 아름다울 위·폐슬 휘: 衣-총14획: huī**

原文

𧜼: 蔽厀也. 从衣韋聲. 『周禮』曰 : "王后之服褘衣." 謂畫袍. 許歸切.

飜譯

'폐슬(蔽厀) 즉 무릎 가리개'를 말한다. 의(衣)가 의미부이고 위(韋)가 소리부이다. 『주례·천관·내사복(內司服)』에서 "황후께서 입는 위의(王后之服褘衣)"라고 했는데, 무늬를 넣은 핫옷(畫袍)을 말한다. 독음은 허(許)와 귀(歸)의 반절이다.



**5247**

**𧙕: 袂: 앞섶 부: 衣-총9획: fū**

原文

𧙕: 襲袂也. 从衣夫聲. 甫無切.

飜譯

'앞섶(襲袂) 즉 옷의 앞자락에 대는 섶'을 말한다. 의(衣)가 의미부이고 부(夫)가 소리부이다. 독음은 보(甫)와 무(無)의 반절이다.

**5248**

**襲: 襲: 엄습할 습: 衣-총22획: xí**

原文

襲: 左衽袍. 从衣, 龖省聲. 𧞤, 籒文襲不省. 似入切.

飜譯

'[죽은 사람에게 입히는] 왼쪽으로 여민 핫옷(左衽袍)'을 말한다. 의(衣)가 의미부이고, 답(龖)의 생략된 부분이 소리부이다.[130] 습(𧞤)은 습(襲)의 주문체인데, 생략되지 않은 모습이다. 독음은 사(似)와 입(入)의 반절이다.

**5249**

**: 袍: 핫옷 포: 衣-총10획: páo**

原文

: 襺也. 从衣包聲. 『論語』曰 : “衣弊縕袍.” 薄褒切.

飜譯

‘솜을 넣어 지은 옷(襺)’을 말한다. 의(衣)가 의미부이고 포(包)가 소리부이다. 『논어·자한(子罕)』에서 “낡은 솜옷을 입었다(衣弊縕袍)”라고 했다. 독음은 박(薄)과 포(褒)의 반절이다.

**5250**

**: 襺: 솜옷 견: 衣-총24획: jiǎn**

原文

: 袍衣也. 从衣繭聲. 以絮曰襺, 以縕曰袍. 『春秋傳』曰 : “盛夏重襺.” 古典切.

飜譯

‘포의(袍衣) 즉 새 솜을 넣어 만든 옷’을 말한다. 의(衣)가 의미부이고 견(繭)이 소리부이다. 새 솜을 넣어 만든 것(絮)을 견(襺)이라 하고, 헌 솜을 넣어 만든 것(縕)을 포(袍)라고 한다. 『춘추전』(『좌전』 양공 21년, B.C. 552)에서 “한 여름에 새 솜을 두 겹으로 넣은 핫옷을 입었다(盛夏重襺)”라고 했다. 독음은 고(古)와 전(典)의 반절이다.

130) 고문자에서 金文 簡牘文 등으로 그렸다. 衣(옷 의)가 의미부고 龖(두 마리의 용 답·삽)의 생략된 모습이 소리부로, 왼쪽으로 옷깃을 여민 옷(衣)이 원래 뜻으로 죽은 사람에게 입히는 옷을 말했다. 죽은 사람에게 여러 겹의 옷을 입힌다는 뜻에서 중복되다, 반복하다의 뜻이 나왔고, 또 습관, 世襲(세습), 因襲(인습) 등의 뜻이 나왔다. 이후 준비되지 않은 상태에서 공격하다는 襲擊(습격)의 뜻으로 가차되었다. 간화자에서는 龍(용 룡)을 龙으로 줄인 袭으로 쓴다.

5251

**褋: 褋: 홑옷 첩: 衣-총19획: dié**

原文

褋: 南楚謂禪衣曰褋. 从衣枼聲. 徒叶切.

飜譯

'남쪽의 초(南楚) 지역에서는 홑옷(禪衣)을 첩(褋)이라 한다.' 의(衣)가 의미부이고 엽(枼)이 소리부이다. 독음은 도(徒)와 협(叶)의 반절이다.



5252

**袤: 袤: 길이 무: 衣-총11획: mào**

原文

袤: 衣帶以上. 从衣矛聲. 一曰南北曰袤, 東西曰廣. 𧜟, 籒文袤从楙. 莫候切.

飜譯

'옷의 허리띠 윗부분(衣帶以上)'을 말한다. 의(衣)가 의미부이고 모(矛)가 소리부이다. 일설에는 '남북 사이의 거리 즉 세로 거리(南北)를 무(袤)라 하고, 동서 사이의 거리 즉 가로 거리(東西)를 광(廣)이라 한다.'고도 한다. 무(𧜟)는 무(袤)의 주문체인데, 무(楙)로 구성되었다. 독음은 막(莫)과 후(候)의 반절이다.

5253

**襘: 襘: 띠 매듭 괴: 衣-총18획: guì**

原文

襘: 帶所結也. 从衣會聲. 『春秋傳』曰: "衣有襘." 古外切.

飜譯

'띠를 매는 곳(帶所結)'을 말한다. 의(衣)가 의미부이고 회(會)가 소리부이다. 『춘추전』(『좌전』 소공 11년, B.C. 531)에서 "[옷에는 깃이 교차되는 곳이 있듯] 긴 옷에는 띠를 매는 곳이 있다(衣有襘)"라고 했다. 독음은 고(古)와 외(外)의 반절이다.

**5254**

**褧: 褧: 홑옷 경: 衣-총16획: jiǒng**

原文

褧: 檾也. 『詩』曰: "衣錦褧衣." 示反古. 从衣耿聲. 去穎切.

飜譯

'삼베로 만든 홑옷(檾)'을 말한다. 『시·위풍·석인(碩人)』에서 "비단 옷 위에 옅은 겉옷 입으셨네(衣錦褧衣)"라고 노래했다. 옛것으로 돌아간다는 의미를 보인 것이다(示反古). 의(衣)가 의미부이고 경(耿)이 소리부이다. 독음은 거(去)와 영(穎)의 반절이다.

**5255**

**祗: 祗: 속적삼 저: 衣-총10획: dī**

原文

祗: 祗裯, 短衣. 从衣氐聲. 都兮切.

飜譯

'저주(祗裯)'를 말하는데, '안에 입는 짧은 옷(短衣)'이다. 의(衣)가 의미부이고 저(氐)가 소리부이다. 독음은 도(都)와 혜(兮)의 반절이다.

**5256**

**裯: 裯: 홑이불 주·속적삼 도: 衣-총13획: dāo**

原文

裯: 衣袂, 祗裯. 从衣周聲. 都牢切.

飜譯

'속에 입는 짧은 옷(衣袂), 즉 저주(祗裯)를 말한다.' 의(衣)가 의미부이고 주(周)가 소리부이다. 독음은 도(都)와 뢰(牢)의 반절이다.

5257

**襤: 누더기 람: 衣-총19획: lán**

原文

襤: 裯謂之襤褸. 襤, 無緣也. 从衣監聲. 魯甘切.

飜譯

'낡은 속옷(裯)을 남루(襤褸)라고 한다.' 람(襤)은 '닳아 가장자리가 없다(無緣)'라는 뜻이다. 의(衣)가 의미부이고 감(監)이 소리부이다. 독음은 로(魯)와 감(甘)의 반절이다.



5258

**褙: 소매 없는 옷 타: 衣-총15획: duò, kuò, pán, ruán**

原文

褙: 無袂衣謂之褙. 从衣, 惰省聲. 徒臥切.

飜譯

'소매가 없는 옷(無袂衣)을 타(褙)'라고 한다. 의(衣)가 의미부이고, 타(惰)의 생략된 부분이 소리부이다. 독음은 사(徒)와 와(臥)의 반절이다.

5259

**裻: 등솔기 독: 衣-총15획: dú**

原文

裻: 衣躬縫. 从衣毒聲. 讀若督. 冬毒切.

飜譯

'옷의 등솔기(衣躬縫)'를 말한다. 의(衣)가 의미부이고 독(毒)이 소리부이다. 독(督)과 같이 읽는다. 독음은 동(冬)과 독(毒)의 반절이다.

**5260**

**袪: 袪: 소매 거: 衣-총10획: qū**

原文

袪: 衣袂也. 从衣去聲. 一曰袪, 褢也. 褢者, 裦也. 袪, 尺二寸. 『春秋傳』曰: "披斬其袪." 去魚切.

飜譯

'옷의 소매(衣袂)'를 말한다. 의(衣)가 의미부이고 거(去)가 소리부이다. 일설에는 '거(袪)는 회(褢)를 말한다'라고도 하는데, 회(褢)는 주머니(裦)를 말한다. 소매(袪)는 1자(尺) 2촌(寸)의 길이로 한다. 『춘추전』(『좌전』 희공 5년, B.C. 655)에서 "환관 피(披)가 자신의 옷소매를 잘라버렸다(披斬其袪)"라고 했다. 독음은 거(去)와 어(魚)의 반절이다.

**5261**

**褎: 褎: 우거질 유·소매 수: 衣-총15획: xiù**

原文

褎: 袂也. 从衣𥤚聲. 袖, 俗褎从由. 似又切.

飜譯

'옷의 소매(袂)'를 말한다. 의(衣)가 의미부이고 수(𥤚)가 소리부이다. 유(袖)는 유(褎)의 속체인데, 유(由)로 구성되었다. 독음은 사(似)와 우(又)의 반절이다.

**5262**

**袂: 袂: 소매 몌: 衣-총9획: mèi**

原文

袂: 袖也. 从衣夬聲. 彌弊切.

飜譯

'옷의 소매(袖)'를 말한다. 의(衣)가 의미부이고 쾌(夬)가 소리부이다. 독음은 미(彌)와 폐(弊)의 반절이다.

**5263**

**褢: 褢: 품을 회: 衣-총16획: huí**

原文

褢: 袖也. 一曰藏也. 从衣鬼聲. 戶乖切.

翻譯

'옷의 소매(袖)'를 말한다. 일설에는 '감추다(藏)'라는 뜻이라고도 한다. 의(衣)가 의미부이고 귀(鬼)가 소리부이다. 독음은 호(戶)와 괴(乖)의 반절이다.

**5264**

**褱: 褱: 품을 회: 衣-총16획: huí**

原文

褱: 俠也. 从衣眔聲. 一曰橐. 戶乖切.

翻譯

'사이로 품다(俠)'라는 뜻이다. 의(衣)가 의미부이고 답(眔)이 소리부이다. 일설에는 '자루(橐)'를 말한다고도 한다. 독음은 호(戶)와 괴(乖)의 반절이다.

**5265**

**袌: 袌: 주머니 포: 衣-총11획: bào**

原文

袌: 褱也. 从衣包聲. 薄保切.

翻譯

'품다(褱)'라는 뜻이다. 의(衣)가 의미부이고 포(包)가 소리부이다. 독음은 박(薄)과 보(保)의 반절이다.

**5266**

**襜: 襜: 행주치마 첨: 衣-총18획: chān**

原文

襜: 衣蔽前. 从衣詹聲. 處占切.

飜譯

'옷의 앞을 가리는 폐슬(衣蔽前)'을 말한다. 의(衣)가 의미부이고 첨(詹)이 소리부이다. 독음은 처(處)와 점(占)의 반절이다.

**5267**

**袥: 袥: 앞 트일 탁: 衣-총11획: tuō**

原文

袥: 衣衸. 从衣石聲. 他各切.

飜譯

'치마의 중간에 옷섶이 갈라지는 곳(衣衸)'을 말한다. 의(衣)가 의미부이고 석(石)이 소리부이다. 독음은 타(他)와 각(各)의 반절이다.

**5268**

**衸: 衸: 행정 개: 衣-총9획: xiè**

原文

衸: 袥也. 从衣介聲. 胡介切.

飜譯

'치마의 중간에 옷섶이 갈라지는 곳(袥)'을 말한다. 의(衣)가 의미부이고 개(介)가 소리부이다. 독음은 호(胡)와 개(介)의 반절이다.

**5269**

**襗: 襗: 속고의 탁: 衣-총18획: duó**

原文

襗: 絝也. 从衣睪聲. 徒各切.

飜譯

'바지(絝)'를 말한다. 의(衣)가 의미부이고 역(睪)이 소리부이다. 독음은 도(徒)와 각(各)의 반절이다.

**5270**

**袉: 袉: 옷자락 타: 衣-총10획: tuó**

原文

袉: 裾也. 从衣它聲. 『論語』曰 : "朝服, 袉紳." 唐左切.

飜譯

'옷자락(裾)'을 말한다. 의(衣)가 의미부이고 타(它)가 소리부이다. 『논어·향당(鄉黨)』에서 "조회 복을 걸치고 띠를 맨다(朝服, 袉紳.)"라고 했다. 독음은 당(唐)과 좌(左)의 반절이다.

**5271**

**裾: 裾: 옷자락 거: 衣-총13획: jū**

原文

裾: 衣袍也. 从衣居聲. 讀與居同. 九魚切.

飜譯

'옷의 앞자락(衣袍)'을 말한다. 의(衣)가 의미부이고 거(居)가 소리부이다. 거(居)와 같이 읽는다. 독음은 구(九)와 어(魚)의 반절이다.

**5272**

衧: 衧: **소매 큰 옷 우**: 衣-**총8획**: **yú**

原文

衧: 諸衧也. 从衣于聲. 羽俱切.

飜譯

'제우(諸衧), 즉 소매가 큰 헐렁한 옷'을 말한다. 의(衣)가 의미부이고 우(于)가 소리부이다. 독음은 우(羽)와 구(俱)의 반절이다.

**5273**

褰: 褰: **출 건**: 衣-**총16획**: **qiān**

原文

褰: 絝也. 从衣, 寒省聲. 『春秋傳』曰 : "徵褰與襦." 去虔切.

飜譯

'바지(絝)'를 말한다. 의(衣)가 의미부이고, 한(寒)의 생략된 부분이 소리부이다. 『춘추전』(『좌전』 소공 25년, B.C. 517)에서 "바지와 저고리를 구한다(徵褰與襦)"라고 했다. 독음은 거(去)와 건(虔)의 반절이다.

**5274**

襱: 襱: **바짓가랑이 롱**: 衣-**총21획**: **lóng**

原文

襱: 絝踦也. 从衣龍聲. 襩, 襱或从賣. 丈冢切.

飜譯

'바짓가랑이(絝踦)'를 말한다. 의(衣)가 의미부이고 롱(龍)이 소리부이다. 롱(襩)은 롱(襱)의 혹체자인데, 육(賣)으로 구성되었다. 독음은 장(丈)과 총(冢)의 반절이다.

**5275**

**袑: 袑: 바지 소: 衣-총10획: shào**

原文

袑: 絝上也. 从衣召聲. 市沼切.

飜譯

'바지의 윗부분(絝上)'을 말한다. 의(衣)가 의미부이고 소(召)가 소리부이다. 독음은 시(市)와 소(沼)의 반절이다.

**5276**

**襑: 襑: 옷 품 넉넉할 심: 衣-총17획: xín**

原文

襑: 衣博大. 从衣尋聲. 他感切.

飜譯

'옷의 품이 넉넉하다(衣博大)'라는 뜻이다. 의(衣)가 의미부이고 심(尋)이 소리부이다. 독음은 타(他)와 감(感)의 반절이다.

**5277**

**褎: 褎: 기릴 포: 衣-총17획: bāo**

原文

褎: 衣博裾. 从衣, 𤓽省聲. 𤓽, 古文保. 博毛切.

飜譯

'웃옷의 커다란 옷깃(衣博裾)'을 말한다. 의(衣)가 의미부이고, 보(𤓽)의 생략된 부분이 소리부이다. 보(𤓽)는 보(保)의 고문체이다. 독음은 박(博)과 모(毛)의 반절이다.

**5278**

**襛: 褅: 포대기 체: 衣-총18획: tì**

原文

襛: 緥也. 从衣啻聲. 『詩』曰: "載衣之褅." 他計切.

飜譯

'포대기(緥)'를 말한다. 의(衣)가 의미부이고 시(啻)가 소리부이다. 『시·소아사간(斯干)』에서 "포대기로 싸주며(載衣之褅)"라고 노래했다.[131] 독음은 타(他)와 계(計)의 반절이다.

**5279**

**褍: 褍: 풍신할 단: 衣-총15획: duān**

原文

褍: 衣正幅. 从衣耑聲. 多官切.

飜譯

'옷의 정면 폭(衣正幅)'을 말한다. 의(衣)가 의미부이고 단(耑)이 소리부이다. 독음은 다(多)와 관(官)의 반절이다.

**5280**

**襛: 褘: 옷을 포갠 모양 위: 衣-총18획: wéi**

原文

褘: 重衣皃. 从衣圍聲. 『爾雅』曰: "褘褘潰潰." 羽非切.

飜譯

'옷이 포개진 모양(重衣皃)'을 말한다. 의(衣)가 의미부이고 위(圍)가 소리부이다. 『이아』에서 "위위(褘褘)는 궤궤(潰潰)와 같아 어지럽다는 뜻이다"라고 했다.[132] 독음

131) "載衣之褅"를 금본에서는 "載衣之裼"로 썼다.
132) 『단주』에서 이렇게 말했다. "오늘날의 『이아』에는 이런 말이 보이지 않는다. 다만 「석훈(釋

은 우(羽)와 비(非)의 반절이다.

**5281**

**𧝗: 複: 겹옷 복: 衣-총14획: fù**

原文

𧝗: 重衣皃. 从衣复聲. 一曰褚衣. 方六切.

飜譯

'옷이 포개진 모양(重衣皃)'을 말한다. 의(衣)가 의미부이고 복(复)이 소리부이다. 일설에는 '저의(褚衣) 즉 솜옷'을 말한다고도 한다. 독음은 방(方)과 륙(六)의 반절이다.

**5282**

**𧛛: 褆: 옷 두툼할 제·옷 고울 시: 衣-총14획: tí**

原文

𧛛: 衣厚褆褆. 从衣是聲. 杜兮切.

飜譯

'옷이 두툼한 모양(衣厚褆褆)'을 말한다. 의(衣)가 의미부이고 시(是)가 소리부이다. 독음은 두(杜)와 혜(兮)의 반절이다.

**5283**

**𧞤: 襛: 옷 두툼할 농: 衣-총18획: nóng**

---

訓)』에서 '회회(洄洄)는 어지럽다는 뜻이다(惛也)'라고 했다. 『경전석문(釋文)』에서 회(洄)는 원래 귁(幗)으로 적었다고 했는데, 『자림(字林)』을 인용하여 귁(幗)은 옷이 중첩된 모양을 말한다(重衣皃)고 했다. 『옥편(玉篇)』에서 회회(佪佪)는 어지럽다는 뜻이다(惛也)고 했다. 『잠부론(潛夫論)』에 회회(佪佪)는 궤궤(潰潰)와 같다는 말이 보인다. 아마도 『이아』의 단어를 사용했을 것인데, 『자림』에서 말한 귁(幗)은 바로 위(襴)자이다. 『잠부론』에 근거하면 『이아』에는 궤궤(潰潰)라는 단어가 있었다. 허신이 『이아』의 이 궤(潰)자를 보고서 귀(襀)로 적었을 것이다. 귀(襀)자는 『주례·하채직(夏采職)』의 옛날 책에 보이는데, 두자춘(杜子春)이 이를 수(綏)자로 바꾸었다. 허신은 옛 책을 따르지 않았기에 궤(襀)의 전서체가 실리지 않았다."

原文

䙝: 衣厚皃. 从衣農聲. 『詩』曰 : "何彼襛矣." 汝容切.

飜譯

'옷이 두꺼운 모양(衣厚皃)'을 말한다. 의(衣)가 의미부이고 농(農)이 소리부이다. 『시·소남·하피농의(何彼襛矣)』에서 "어쩌면 저렇게도 고울까?(何彼襛矣?)"라고 노래했다. 독음은 여(汝)와 용(容)의 반절이다.

**5284**

**裻: 裻: 등솔기 독: 衣-총14획: dǔ**

原文

裻: 新衣聲. 一曰背縫. 从衣叔聲. 冬毒切.

飜譯

'새 옷을 입었을 때 나는 [와삭거리는] 소리(新衣聲)'를 말한다. 일설에는 '등의 솔기(背縫)'를 말한다고도 한다. 의(衣)가 의미부이고 숙(叔)이 소리부이다. 독음은 동(冬)과 독(毒)의 반절이다.

**5285**

**袳: 袳: 땅 이름 치·옷 풀어헤칠 계: 衣-총12획: chǐ**

原文

袳: 衣張也. 从衣多聲. 『春秋傳』曰 : "公會齊侯于袳." 尺氏切.

飜譯

'옷이 풀어지다(衣張)'라는 뜻이다. 의(衣)가 의미부이고 다(多)가 소리부이다. 『춘추전』(『좌전』 환공 15년, B.C. 697)에서 "공께서 제나라 임금을 치 땅에서 만나셨다(公會齊侯于袳)"라고 했다. 독음은 척(尺)과 씨(氏)의 반절이다.

**5286**

**裔: 裔: 후손 예: 衣-총13획: yì**

原文

裔: 衣裾也. 从衣㕯聲. 𧙍, 古文裔. 余制切.

飜譯

'옷의 자락(衣裾)'을 말한다. 의(衣)가 의미부이고 열(㕯)이 소리부이다.133) 예(𧙍)는 예(裔)의 고문체이다. 독음은 여(余)와 제(制)의 반절이다.

**5287**

**衯: 衯: 옷 치렁치렁할 분: 衣-총9획: fēn**

原文

衯: 長衣皃. 从衣分聲. 撫文切.

飜譯

'옷이 긴 모양(長衣皃)'을 말한다. 의(衣)가 의미부이고 분(分)이 소리부이다. 독음은 무(撫)와 문(文)의 반절이다.

**5288**

**袁: 袁: 옷 길 원: 衣-총10획: yuán**

原文

袁: 長衣皃. 从衣, 叀省聲. 羽元切.

飜譯

'옷이 긴 모양(長衣皃)'을 말한다. 의(衣)가 의미부이고 전(叀)의 생략된 부분이 소리

---

133) 고문자에서 裔金文 등으로 그렸다. 소전체에서처럼 衣(옷 의)가 의미부고 冏(빛날 경)이 소리부로, 의복(衣)의 가장자리를 말했고, 이후 가장자리라는 뜻에서 변방이나 먼 곳을 의미했다. 이로부터 먼 곳으로 퍼져나가 사는 후대나 후손의 뜻이 나왔다.

부이다.[134] 독음은 우(羽)와 원(元)의 반절이다.

**5289**

**褵: 裑: 짧은 옷 조: 衣-총17획: diǎo**

原文

裑: 短衣也. 从衣鳥聲. 『春秋傳』曰 : "有空裑." 都僚切.

飜譯

'짧은 옷(短衣)'을 말한다. 의(衣)가 의미부이고 조(鳥)가 소리부이다. 『춘추전』에서 "공조라는 사람이 있었다(有空裑)"라고 했다.[135] 독음은 도(都)와 료(僚)의 반절이다.

**5290**

**褺: 褺: 겹옷 첩: 衣-총17획: diē**

原文

褺: 重衣也. 从衣執聲. 巴郡有褺虹縣. 徒叶切.

飜譯

'이중으로 된 옷(重衣)[겹옷]'을 말한다. 의(衣)가 의미부이고 집(執)이 소리부이다. 파군(巴郡)에 첩홍현(褺虹縣)이 있다. 독음은 도(徒)와 협(叶)의 반절이다.

---

134) 소전체에서 가운데는 장식 술이 달렸고 중간에 둥근 璧玉(벽옥)으로 치장된 옷(衣)의 모습을 그렸는데, 자형이 조금 변해 지금처럼 되었다. 길게 늘어뜨린 옷이라는 뜻인데, 지금은 주로 성씨로 쓰인다. 『단주』에서도 이렇게 말했다 "옷이 긴 모양(長衣皃)은 원(袁)자의 본래 뜻이다. 그런데 지금은 성(姓)으로만 쓰이고 본래 의미는 사라졌다. 옛날에는 원(爰)과도 통용되었다. 예컨대, 원앙(袁盎)을 『한서』에서는 원앙(爰盎)으로 적은 것이 예이다."

135) 오늘날의 『좌전』에는 이런 말이 보이지 않는다. 『소공(昭公)』 25년 조에 나오는 계공조(季公鳥)를 말한 것으로 보인다. 계공조는 희(姬)성으로 이름이 조(鳥)이며, 춘추시기 노(魯)나라의 삼환(三桓)씨 중 계무자(季武子)의 아들로, 계공해(季公亥)의 형이며, 계평자(季平子, 즉 季孫意如)의 배다른 숙부였다.

**5291**

**裵: 裵: 옷 치렁치렁할 배: 衣-총14획: péi**

原文

裵: 長衣皃. 从衣非聲. 薄回切.

飜譯

'옷이 긴 모양(長衣皃)'을 말한다. 의(衣)가 의미부이고 비(非)가 소리부이다. 독음은 박(薄)과 회(回)의 반절이다.



**5292**

**襡: 襡: 긴 속옷 촉: 衣-총18획: shǔ**

原文

襡: 短衣也. 从衣蜀聲. 讀若蜀. 市玉切.

飜譯

'짧은 옷(短衣)'을 말한다. 의(衣)가 의미부이고 촉(蜀)이 소리부이다. 촉(蜀)과 같이 읽는다. 독음은 시(市)와 옥(玉)의 반절이다.

**5293**

**䙅: 䙅: 옷 질질 끌릴 착: 衣-총20획: zhuó**

原文

䙅: 衣至地也. 从衣斲聲. 竹角切.

飜譯

'옷이 땅에까지 닿다(衣至地)'라는 뜻이다. 의(衣)가 의미부이고 착(斲)이 소리부이다. 독음은 죽(竹)과 각(角)의 반절이다.

**5294**

**襦: 襦: 저고리 유: 衣-총19획: rú**

原文

襦: 短衣也. 从衣需聲. 一曰㬷衣. 人朱切.

飜譯

'짧은 옷(短衣)'을 말한다. 의(衣)가 의미부이고 수(需)가 소리부이다. 일설에는 '난의(㬷衣) 즉 따뜻한 옷'을 말한다고도 한다. 독음은 인(人)과 주(朱)의 반절이다.

**5295**

**褊: 褊: 좁을 편: 衣-총14획: biǎn**

原文

褊: 衣小也. 从衣扁聲. 方沔切.

飜譯

'옷이 [몸에] 작다(衣小)'라는 뜻이다. 의(衣)가 의미부이고 편(扁)이 소리부이다. 독음은 방(方)과 면(沔)의 반절이다.

**5296**

**袷: 袷: 동구래깃 겹·겹옷 겹: 衣-총11획: jiá, jié, qiā**

原文

袷: 衣無絮. 从衣合聲. 古洽切.

飜譯

'솜을 넣지 않은 옷(衣無絮)'을 말한다. 의(衣)가 의미부이고 합(合)이 소리부이다. 독음은 고(古)와 흡(洽)의 반절이다.

**5297**

**襌: 襌: 홑옷 단: 衣-총17획: dān**

原文

襌: 衣不重. 从衣單聲. 都寒切.

飜譯

'겹으로 되지 않은 옷(衣不重) 즉 홑옷'을 말한다. 의(衣)가 의미부이고 단(單)이 소리부이다. 독음은 도(都)와 한(寒)의 반절이다.

**5298**

**褱: 褱: 도울 양: 衣-총17획: xiāng**

原文

褱: 漢令: 解衣耕謂之褱. 从衣𤅢聲. 𡑣, 古文褱. 息良切.

飜譯

'한나라 때의 법령(漢令)에 의하면, 옷을 벗고 밭갈이 하는 것(解衣耕)을 양(褱)이라고 한다.' 의(衣)가 의미부이고 녕(𤅢)이 소리부이다.[136] 양(𡑣)은 양(褱)의 고문체이다. 독음은 식(息)과 량(良)의 반절이다.

---

136) 고문자에서 金文 古陶文 簡牘文 石刻古文 등으로 썼다. 『설문해자』의 설명처럼 衣(옷 의)가 의미부고 녕(𤅢)이 소리부로, 옷(衣)을 벗고 밭을 가는 것을 말한다. 하지만, 갑골문에 의하면 소가 끄는 쟁기를 두 손으로 잡은 모습과 쟁기에 의해 흙이 일어나는 모습을 그려, 쟁기로 흙을 뒤집는 모습을 형상화했다. 그래서 이는 解衣耕(해의경)이라는 경작법을 반영한 것으로 추정된다. 즉 날이 가물 때 파종을 하려면 표층을 걷어내고 그 속의 습윤한 땅에 씨를 뿌리고 다시 마른 흙을 덮어 수분을 보존하게 하는데 이러한 경작법을 褱이라 불렀으며, 달리 解衣耕이라 했다. 땅의 표피 흙을 걷어낸다는 뜻에서 양보의 뜻이 나왔는데, 이후 言(말씀 언)을 더한 讓(사양할 양)으로 분화했다. 또 마른 흙을 걷어내면 부드러운 흙이 나온다는 뜻에서 '부드럽다'는 뜻도 나왔는데, 이후 土(흙 토)를 더한 壤(흙 양)으로 분화했다. 그리고 '걷어내다'는 뜻은 手(손 수)를 더한 攘(물리칠 양)으로 분화했다.

**5299**

: 被: **이불 피**: 衣–**총10획**: **bèi**

原文

: 寝衣, 長一身有半. 从衣皮聲. 平義切.

飜譯

'이불(寑衣)'을 말하는데, 길이는 신체의 한 배 반이다(長一身有半). 의(衣)가 의미부이고 피(皮)가 소리부이다. 독음은 평(平)과 의(義)의 반절이다.

**5300**

: 衾: **이불 금**: 衣–**총10획**: **qīn**

原文

: 大被. 从衣今聲. 去音切.

飜譯

'큰 이불(大被)'을 말한다. 의(衣)가 의미부이고 금(今)이 소리부이다. 독음은 거(去)와 음(音)의 반절이다.

**5301**

: 襐: **수식 상**: 衣–**총17획**: **xiàng**

原文

: 飾也. 从衣象聲. 徐兩切.

飜譯

'장식(飾)'을 말한다.[137] 의(衣)가 의미부이고 상(象)이 소리부이다. 독음은 서(徐)와

137) 『단주』에서는 여기에 상(襐)자가 탈락되었으며, "상식(襐飾)"이 되어야 옳다고 했다. 『광운(廣韻)』에 의하면, 상(襐)은 계례나 관례를 치르지 않은 미성년자가 하는 머리 수식을 말한다(未笄冠者之首飾)고 했다.

량(兩)의 반절이다.

**5302**

**衵: 衵: 속속곳 일: 衣-총9획: rì**

原文

衵: 日日所常衣. 从衣从日, 日亦聲. 人質切.

飜譯

'날마다 입는 일상복(日日所常衣)'을 말한다. 의(衣)가 의미부이고 일(日)도 의미부인데, 일(日)은 소리부도 겸한다. 독음은 인(人)과 질(質)의 반절이다.

**5303**

**褻: 褻: 더러울 설: 衣-총17획: xiè**

原文

褻: 私服. 从衣埶聲. 『詩』曰: "是褻袢也." 私列切.

飜譯

'사복(私服) 즉 [평소에] 집에서 입는 옷'을 말한다. 의(衣)가 의미부이고 예(埶)가 소리부이다. 『시·용풍·군자해로(君子偕老)』에서 "여름 속적삼일세(是褻袢也)"라고 노래했다. 독음은 사(私)와 렬(列)의 반절이다.

**5304**

**衷: 衷: 속마음 충: 衣-총10획: zhōng**

原文

衷: 裏褻衣. 从衣中聲. 『春秋傳』曰: "皆衷其衵服." 陟弓切.

飜譯

'속에 입는 사복(裏褻衣)'을 말한다. 의(衣)가 의미부이고 중(中)이 소리부이다.[138] 『

춘추전』(『좌전』 선공 9년, B.C. 601)에서 "[진(陳)나라 영공과 공녕(孔寧)과 의행보(儀行父) 등이] 모두 [하희(夏姬)[139]의] 속옷을 입었다(皆衷其衵服)"라고 했다. 독음은 척(陟)과 궁(弓)의 반절이다.

**5305**

**袾: 袾: 붉은 옷 주: 衣-총11획: zhū**

原文

袾: 好, 佳也. 从衣朱聲. 『詩』曰: "靜女其袾." 昌朱切.

飜譯

'좋다(好), 훌륭하다(佳)'라는 뜻이다. 의(衣)가 의미부이고 주(朱)가 소리부이다. 『시·패풍·정녀(靜女)』에서 "아리따운 얌전한 아가씨(靜女其袾)"라고 노래했다.[140] 독음은

---

138) 衣(옷 의)가 의미부고 中(가운데 중)이 소리부로, 속(中)에 입는 옷(衣)을 말했으며, 이후 衷心(충심)에서처럼 '속마음'이라는 의미가 있게 되었다.

139) 정나라 목공(穆公, B.C. 627~B.C. 606 재위)의 딸로 절세의 미인이자 천하에 둘도 없는 음녀(淫女)였다. 결혼하기 전부터 행실이 나빠 이복 오빠인 공자 만(蠻)과 깊은 관계를 가졌으며, 진(陳)나라 대부 하어숙(夏御叔)에게 출가하여 아들 징서(徵舒)만을 둔 채 과부가 된 후에는 더욱 문란해졌다. 진나라의 간신 공영(孔寧)·의행보(儀行父)·진영공(陳靈公)과 동시 상관하는 추잡한 짓을 저지른 것이 빌미가 되어 그를 참다못한 아들 하징서(夏徵舒)가 영공을 시해하는 비극을 저지르게 만들었다. 이를 구실로 삼아 초나라의 장왕(莊王)이 하징서를 능지처참하고 진나라를 멸국치현했다가 신숙시의 간언에 의해 치현(置縣)을 취소하는 우여곡절을 겪었다. 이때 하희는 장왕의 명령에 의해 연윤 양노(襄老)에게 출가했는데, 바로 그해에 양노가 필(邲) 전투에 참전하자 의붓아들인 흑요(黑要)와 통정했고 양노가 전사하자 세인의 지탄을 받아 고향인 정나라로 도망쳤다. 그 후 진나라를 멸국했을 때부터 하희에게 흑심을 품어왔던 초나라 대부 굴무(屈巫)가 나라를 배반하면서까지 정나라로 도망쳐 와 하희와 결혼했다. 이로 인해 굴씨 집안도 온통 도륙을 당했는데, 이처럼 한 나라를 뒤집어엎고 한 제후와 세 가문을 패가망신시킨 전력을 볼 때 경국지색(傾國之色)의 대표라고 할 만하다.(『열국지사전』)

140) 『단주』에서는 이렇게 말했다. 이는 "호가야(好佳也)가 되어야 한다. 호(好)자 다음에 야(也)자가 빠졌다. 호(好)는 아름답다(美)는 뜻이고, 가(佳)는 좋다(善)는 뜻이다. 『광운(廣韻)』에서는 붉은색 옷이다(朱衣也)라고 했다. 내 생각에 『광운』은 『설문』의 고본을 사용했을 것이고, 그래서 이 글자가 주(朱)와 의(衣)로 구성되었다. 거기서 인용한 『시(詩)』에서는 주(袾)를 주(姝: 예쁘다)의 뜻으로 가차하여 사용했다.……『시』에서 '정녀기주(靜女其袾)'라고 했는데, 「빈풍(邶風)·정녀(靜女)」의 시인데, 금본에서는 주(姝)로 적었다."

창(昌)과 주(朱)의 반절이다.

**5306**

袓: 袓: **좋아할 저**: 衣-**총10획**: **jŭ**

原文

袓: 事好也. 从衣且聲. 才與切.

飜譯

'일을 좋아하다(事好)'라는 뜻이다. 의(衣)가 의미부이고 차(且)가 소리부이다. 독음은 재(才)와 여(與)의 반절이다.



**5307**

裨: 裨: **도울 비**: 衣-**총13획**: **bì**

原文

裨: 接益也. 从衣卑聲. 府移切.

飜譯

'만나 도움이 되다(接益)'라는 뜻이다.141) 의(衣)가 의미부이고 비(卑)가 소리부이다. 독음은 부(府)와 이(移)의 반절이다.

**5308**

袢: 袢: **속옷 번**: 衣-**총10획**: **pàn**

原文

袢: 無色也. 从衣半聲. 一曰『詩』曰 : "是紲袢也." 讀若普. 博幔切.

141) 『단주』에서는 『옥편』에 근거하여 야(也)자를 보충해 넣었고, "接也, 益也.(만나다는 뜻이다. 또 도움을 주다는 뜻이다.)"가 되어야 한다고 했다.

飜譯

'색깔이 들지 않았다(無色)'라는 뜻이다. 의(衣)가 의미부이고 반(半)이 소리부이다. 일설에는 『시·용풍·군자해로(君子偕老)』에서 "시설반야(是紲袢也: 여름 속적삼일세)"라고 노래한 반(袢)의 뜻이라고도 한다. 보(普)와 같이 읽는다. 독음은 박(博)과 만(幔)의 반절이다.

**5309**

**𧝎: 雜: 섞일 잡: 隹-총18획: zá**

原文

𧝎: 五彩相會. 从衣集聲. 徂合切.

飜譯

'각종 색깔이 서로 섞이다(五彩相會)'라는 뜻이다. 의(衣)가 의미부이고 집(集)이 소리부이다.[142] 독음은 조(徂)와 합(合)의 반절이다.

**5310**

**裕: 裕: 넉넉할 유: 衣-총12획: yù**

原文

裕: 衣物饒也. 从衣谷聲. 『易』曰 : "有孚, 裕無咎." 羊孺切.

飜譯

'의복이 풍요롭다(衣物饒)'라는 뜻이다. 의(衣)가 의미부이고 곡(谷)이 소리부이다.[143] 『역』에서 "有孚, 裕無咎.(믿어주지 않더라도 여유가 있으면 허물이 없는 법이다)"라

---

142) 고문자에서 𧝎 𧝎 簡牘文 등으로 그렸다. 원래 衣(옷 의)가 의미부고 集(모일 집)이 소리부인 襍(섞일 잡)으로 썼는데, 자형이 조금 변해 지금처럼 되었다. 여러 색이 함께 모여(集) '뒤섞인' 옷(衣)을 말했다. 이후 '뒤섞이다'는 뜻으로 확장되었다. 달리 襍으로 쓰기도 하고, 간화자에서는 초서체로 간단하게 줄여 杂으로 쓴다.

143) 『설문』의 해설처럼 衣(옷 의)와 谷(골 곡)으로 구성되어, 입을 옷(衣)이 골짜기(谷)처럼 커 '餘裕(여유)가 있음'을 말하며, 이로부터 넉넉하다, 풍족하다, 충분하다, 관대하다 등의 뜻이

고 했다.[144] 독음은 양(羊)과 유(孺)의 반절이다.

5311

**襞: 襞: 주름 벽: 衣-총19획: bì**

原文

襞: 韏衣也. 从衣辟聲. 必益切.

飜譯

'옷에 주름을 넣다(韏衣)'라는 뜻이다. 의(衣)가 의미부이고 벽(辟)이 소리부이다. 독음은 필(必)과 익(益)의 반절이다.

5312

**衦: 衦: 옷의 주름을 펼 간: 衣-총9획: gǎn**

原文

衦: 摩展衣. 从衣干聲. 古案切.

飜譯

'[다림질 등으로] 옷의 주름을 펴다(摩展衣)'라는 뜻이다. 의(衣)가 의미부이고 간(干)이 소리부이다. 독음은 고(古)와 안(案)의 반절이다.

5313

**裂: 裂: 찢을 렬: 衣-총12획: liè**

原文

裂: 繒餘也. 从衣列聲. 良辥切.

---

나왔다.

144) "有孚, 裕無咎."라는 말은 보이지 않는다. 『단주』에서도 "이는 진(晉)괘의 초육(初六) 효사(爻辭)인데, 오늘날 판본에서는 망(罔)으로 적었다."고 했다.

'쓰고 남은 자투리 비단(繒餘)'을 말한다. 의(衣)가 의미부이고 열(列)이 소리부이다. 독음은 량(良)과 설(辥)의 반절이다.

**5314**

**:** 䘫: **해진 옷 나**: 衣-**총11획: ná**

原文

: 弊衣. 从衣奴聲. 女加切.

飜譯

'해진 옷(弊衣)'을 말한다. 의(衣)가 의미부이고 노(奴)가 소리부이다. 독음은 녀(女)와 가(加)의 반절이다.

**5315**

**:** 袒: **웃통 벗을 단**: 衣-**총10획: tǎn**

原文

: 衣縫解也. 从衣旦聲. 丈莧切.

飜譯

'옷의 솔기가 터지다(衣縫解)'라는 뜻이다. 의(衣)가 의미부이고 단(旦)이 소리부이다. 독음은 장(丈)과 현(莧)의 반절이다.

**5316**

**:** 補: **기울 보**: 衣-**총12획: bǔ**

原文

: 完衣也. 从衣甫聲. 博古切.

飜譯

'옷을 [기워] 보완하다(完衣)'라는 뜻이다. 의(衣)가 의미부이고 보(甫)가 소리부이다. 독음은 박(博)과 고(古)의 반절이다.

**5317**

䘻: 䘻: **옷 꿰맬 치**: 衣-총18획: zhǐ

原文

䘻: 紩衣也. 从衣、黹, 黹亦聲. 豬几切.

飜譯

'옷을 꿰매다(紩衣)'라는 뜻이다. 의(衣)와 치(黹)가 모두 의미부인데, 치(黹)는 소리부도 겸한다. 독음은 저(豬)와 궤(几)의 반절이다.

**5318**

褫: 褫: **빼앗을 치**: 衣-총15획: chǐ

原文

褫: 奪衣也. 从衣虒聲. 讀若池. 直离切.

飜譯

'옷을 벗기다(奪衣)'라는 뜻이다. 의(衣)가 의미부이고 사(虒)가 소리부이다. 지(池)와 같이 읽는다. 독음은 직(直)과 리(离)의 반절이다.

**5319**

嬴: 嬴: **벌거숭이 라**: 衣-총19획: luǒ

原文

嬴: 袒也. 从衣𣎆聲. 倮, 嬴或从果. 郎果切.

飜譯

'웃통을 벗어제끼다(袒)'라는 뜻이다. 의(衣)가 의미부이고 라(赢)가 소리부이다. 라(裸)는 라(臝)의 혹체자인데, 과(果)로 구성되었다. 독음은 랑(郎)과 과(果)의 반절이다.

**5320**

**䄇: 裎: 벌거숭이 정: 衣−총12획: chéng**

原文

䄇: 袒也. 从衣呈聲. 丑郢切.

飜譯

'웃통을 벗어제끼다(袒)'라는 뜻이다. 의(衣)가 의미부이고 정(呈)이 소리부이다. 독음은 축(丑)과 영(郢)의 반절이다.

**5321**

**䙅: 裼: 웃통 벗을 석: 衣−총13획: xī, tì**

原文

䙅: 袒也. 从衣易聲. 先擊切.

飜譯

'웃통을 벗어제끼다(袒)'라는 뜻이다. 의(衣)가 의미부이고 역(易)이 소리부이다. 독음은 선(先)과 격(擊)의 반절이다.

**5322**

**衺: 衺: 사특할 사: 衣−총10획: xié**

原文

衺: 㥶也. 从衣牙聲. 𢪠, 𧙃或从手. 似嗟切.

飜譯

'사특하다(㥶)'라는 뜻이다. 의(衣)가 의미부이고 아(牙)가 소리부이다. 사(𢪠)는 사

(襭)의 혹체자인데, 수(手)로 구성되었다. 독음은 사(似)와 차(嗟)의 반절이다.

5323

襭: 襭: **옷자락 꽂을 힐**: 衣-총20획: xié

原文

襭: 以衣衽扱物謂之襭. 从衣頡聲. 胡結切.

飜譯

'옷의 깃으로 물체를 거두는 것(以衣衽扱物)을 힐(襭)이라 한다.' 의(衣)가 의미부이고 힐(頡)이 소리부이다. 독음은 호(胡)와 결(結)의 반절이다.

5324

袺: 袺: **옷섶 잡을 결**: 衣-총11획: jié

原文

袺: 執衽謂之袺. 从衣吉聲. 格八切.

飜譯

'옷섶을 잡는 것(執衽)을 결(袺)이라 한다. 의(衣)가 의미부이고 길(吉)이 소리부이다. 독음은 격(格)과 팔(八)의 반절이다.

5325

褿: 褿: **포대기 조**: 衣-총17획: cáo

原文

褿: 帴也. 从衣曹聲. 昨牢切.

飜譯

'포대기(帴)'를 말한다. 의(衣)가 의미부이고 조(曹)가 소리부이다. 독음은 작(昨)과 뢰(牢)의 반절이다.

**5326**

**䊤: 裝: 꾸밀 장: 衣-총13획: zhuāng**

原文

䊤: 裹也. 从衣壯聲. 側羊切.

飜譯

'보자기로 싸다(裹)'라는 뜻이다. 의(衣)가 의미부이고 장(壯)이 소리부이다. 독음은 측(側)과 양(羊)의 반절이다.

**5327**

**裹: 裹: 쌀 과: 衣-총14획: guǒ**

原文

裹: 纏也. 从衣果聲. 古火切.

飜譯

'실로 묶다(纏)'라는 뜻이다. 의(衣)가 의미부이고 과(果)가 소리부이다. 독음은 고(古)와 화(火)의 반절이다.

**5328**

**裛: 裛: 향내 밸 읍: 衣-총13획: yì**

原文

裛: 書囊也. 从衣邑聲. 於業切.

飜譯

'책을 넣는 주머니(書囊)'를 말한다. 의(衣)가 의미부이고 읍(邑)이 소리부이다. 독음은 어(於)와 업(業)의 반절이다.

**5329**

**𧝁: 襹: 꿰맬 자: 齊-총20획: zī**

原文

𧝁: 緶也. 从衣齊聲. 卽夷切.

飜譯

'[옷을] 꿰매다(緶)'라는 뜻이다. 의(衣)가 의미부이고 제(齊)가 소리부이다. 독음은 즉(卽)과 이(夷)의 반절이다.



**5330**

**裋: 裋: 해진 옷 수: 衣-총12획: shù**

原文

裋: 豎使布長襦. 从衣豆聲. 常句切.

飜譯

'어린 종이 입는, 일반적인 짧은 옷보다는 긴 거친 베 옷(豎使布長襦)'을 말한다. 의(衣)가 의미부이고 두(豆)가 소리부이다. 독음은 상(常)과 구(句)의 반절이다.

**5331**

**褔: 褔: 턱받이 구: 衣-총17획: yǔ**

原文

褔: 編枲衣. 从衣區聲. 一曰頭褔. 一曰次裹衣. 於武切.

飜譯

'거친 베로 짠 옷(編枲衣)'을 말한다. 의(衣)가 의미부이고 구(區)가 소리부이다. 일설에는 '턱받이(頭褔)'를 말한다고도 한다. 또 일설에는 '침 흘리는 것을 받는 어린 이용 턱받이(次裹衣)'라고도 한다. 독음은 어(於)와 무(武)의 반절이다.

**5332**

**䙡: 褐: 털옷 갈: 衣-총14획: hè**

原文

䙡: 編枲韤. 一曰粗衣. 从衣曷聲. 胡葛切.

飜譯

'베로 짠 버선(編枲韤)'을 말한다. 일설에는 '거친 베 옷(粗衣)'을 말한다고도 한다. 의(衣)가 의미부이고 갈(曷)이 소리부이다. 독음은 호(胡)와 갈(葛)의 반절이다.

**5333**

**褗: 褗: 옷깃 언: 衣-총14획: yǎn**

原文

褗: 褔領也. 从衣匽聲. 於幰切.

飜譯

'옷깃(褔領)'을 말한다. 의(衣)가 의미부이고 언(匽)이 소리부이다. 독음은 어(於)와 헌(幰)의 반절이다.

**5334**

**裺: 裺: 여물 주머니 암: 衣-총13획: ān, yàn**

原文

裺: 褗謂之裺. 从衣奄聲. 依檢切.

飜譯

'옷깃(褗)을 암(裺)이라 부른다.' 의(衣)가 의미부이고 엄(奄)이 소리부이다. 독음은 의(依)와 검(檢)의 반절이다.

**5335**

**𧘝: 衰: 쇠할 쇠: 衣-총10획: shuāi, cuī**

原文

𧘝: 艸雨衣. 秦謂之萆. 从衣, 象形. 𧘝, 古文衰. 穌禾切.

飜譯

'풀로 만든 비옷(艸雨衣)'을 말한다. 진(秦) 지역에서는 비(萆)라 한다. 의(衣)가 의미부이고, 상형이다.145) 쇠(𧘝)는 쇠(衰)의 고문체이다. 독음은 소(穌)와 화(禾)의 반절이다.

**5336**

**卒: 卒: 군사 졸: 十-총8획: zú**

原文

卒: 隸人給事者衣爲卒. 卒, 衣有題識者. 臧沒切.

飜譯

'노예나 급사들이 입는 옷(隸人給事者衣)을 졸(卒)이라 한다.' 졸(卒)은 옷에 [신분을 나타내주는 어떤] 표식부호가 있다는 말이다(衣有題識者).146) 독음은 장(臧)과 몰(沒)

---

145) 고문자에서 金文, 簡牘文 등으로 그렸다. 원래 도롱이처럼 풀이나 짚으로 엮은 비옷을 말했는데, 이후 풀이나 짚으로 만든 상복(衣)을 뜻하게 되었다. 상복은 죽은 사람을 애도할 때 입는 옷이므로 쇠약하다, 老衰(노쇠)하다, 쇠퇴하다 등의 뜻이 나왔을 것이다. 그러자 원래의 뜻은 艸(풀 초)나 糸(가는 실 멱)을 더해 蓑(도롱이 사)와 縗(상복이름 최) 등으로 분화했다.

146) 고문자에서 甲骨文 金文 古陶文 簡牘文 石刻古文 등으로 그렸다. 원래 ×나 ノ같은 표시가 더해진 웃옷(衣·의)을 그렸는데, 자형이 변해 지금처럼 되었다. 『설문해자』에서는 "노역에 종사하는 노예들이 입는 옷을 卒이라 하였는데, 옛날에는 옷에 색깔을 넣어 이들이 兵卒(병졸)임을 나타냈다."라고 했다. 이처럼 卒의 원래 뜻은 兵卒, 士卒(사졸)에서 그 뿌리를 찾아야 하며, 이 때문에 卒은 군대 편제의 단위가 되어, 1백 명을 1卒이라 부르기도 했다. 말단의 兵卒들이 전쟁에서 가장 죽기 쉬웠던 존재였던지 卒에 '죽다'는 뜻이 생겼고, 그로부터 '끝내', '마침내', 마치다 등의 뜻도 나왔다. 달리 卆(군사 졸)로 쓰

의 반절이다.

**5337**

**䙒: 褚: 솜옷 저: 衣-총14획: chǔ**

原文

䙒: 卒也. 从衣者聲. 一曰製衣. 丑呂切.

飜譯

'노예나 급사들이 입는 옷(卒)'을 말한다. 의(衣)가 의미부이고 자(者)가 소리부이다. 일설에는 '옷을 만들다(製衣)'라는 뜻이라고도 한다.[147] 독음은 축(丑)과 려(呂)의 반절이다.

**5338**

**製: 製: 지을 제: 衣-총14획: zhì**

原文

製: 裁也. 从衣从制. 征例切.

飜譯

'옷을 [마름질하여] 짓다(裁)'라는 뜻이다. 의(衣)가 의미부이고 제(制)도 의미부이다.[148] 독음은 정(征)과 례(例)의 반절이다.

**5339**

**䘣: 袚: 오랑캐 옷 발: 衣-총10획: bō**

---

기도 한다.

147) 『단주』에서는 『옥편』이나 『광운』에 근거해 볼 때, 제(製)는 장(裝)이 되어야 한다고 했다. 그렇게 되면 "옷에 솜을 넣다"는 뜻이 된다.

148) 衣(옷 의)가 의미부고 制(마를 제)가 소리부로, 옷감(衣)을 마름질(制)하는 모습을 그렸고, 이로부터 '만들다'는 일반적 의미를 뜻하게 되었다. 간화자에서는 制(마를 제)에 통합되었다.

原文

祓: 蠻夷衣. 从衣犮聲. 一曰蔽厀. 北末切.

飜譯

'남방이나 동방의 이민족이 입는 옷(蠻夷衣)'을 말한다. 의(衣)가 의미부이고 발(犮)이 소리부이다. 일설에는 '폐슬(蔽厀)'을 말한다고도 한다. 독음은 북(北)과 말(末)의 반절이다.



**5340**

**襚: 襚: 수의 수: 衣-총18획: suì**

原文

襚: 衣死人也. 从衣遂聲. 『春秋傳』曰: "楚使公親襚." 徐醉切.

飜譯

'죽은 사람에게 입히는 옷(衣死人)'을 말한다. 의(衣)가 의미부이고 수(遂)가 소리부이다. 『춘추전』(『좌전』 양공 29년, B.C. 546)에서 "초나라 사람들이 노나라 양공을 시켜 직접 초나라 왕에게 수의를 입히도록 했다(楚使公親襚)"라고 했다. 독음은 서(徐)와 취(醉)의 반절이다.

**5341**

**袓: 袓: 관 속에 까는 비단 조: 衣-총10획: diāo**

原文

袓: 棺中縑裏. 从衣、弔. 讀若雕. 都僚切.

飜譯

'관 속에 까는 합사비단(棺中縑裏)'을 말한다. 의(衣)와 조(弔)가 모두 의미부이다. 조(雕)와 같이 읽는다. 독음은 도(都)와 료(僚)의 반절이다.

**5342**

**[seal script]: 裞: 수의 세: 衣-총12획: shuì**

原文

[seal script]: 贈終者衣被曰裞. 从衣兌聲. 輸芮切.

飜譯

'죽은 사람에게 주는 옷과 이불(贈終者衣被)을 세(裞)라고 한다.' 의(衣)가 의미부이고 태(兌)가 소리부이다. 독음은 수(輸)와 예(芮)의 반절이다.

**5343**

**[seal script]: 褮: 수의 영: 衣-총16획: yíng**

原文

[seal script]: 鬼衣. 从衣, 熒省聲. 讀若『詩』曰"葛藟縈之". 一曰若"靜女其袾"之袾. 於營切.

飜譯

'죽은 사람의 얼굴을 덮는 베(鬼衣)'를 말한다. 의(衣)가 의미부이고 형(熒)의 생략된 부분이 소리부이다. 『시·주남·규목(樛木)』에서 노래한 "갈류영지(葛藟縈之: 칡넝쿨이 감겨있네)"의 영(縈)과 같이 읽는다. 일설에는 "정녀기주(靜女其袾: 아리따운 얌전한 아가씨)"의 주(袾)와 같이 읽는다고도 한다. 독음은 어(於)와 영(營)의 반절이다.

**5344**

**[seal script]: 裻: 수레덮개 선·연: 衣-총14획: shān**

原文

[seal script]: 車溫也. 从衣延聲. 式連切.

飜譯

'보온용 수레 덮개(車溫)'를 말한다. 의(衣)가 의미부이고 연(延)이 소리부이다. 독음은 식(式)과 련(連)의 반절이다.

**5345**

: 褭: **낭창거릴 뇨**: 衣-**총16획**: niǎo

原文

: 以組帶馬也. 从衣从馬. 奴鳥切.

飜譯

'끈으로 말을 묶다(以組帶馬)'라는 뜻이다. 의(衣)가 의미부이고 마(馬)도 의미부이다. 독음은 노(奴)와 조(鳥)의 반절이다.

**5346**

: 袨: **나들이 옷 현**: 衣-**총10획**: xiàn

原文

: 盛服也. 从衣玄聲. 黃絢切.

飜譯

'성장할 때 입는 옷(盛服)'을 말한다. 의(衣)가 의미부이고 현(玄)이 소리부이다. 독음은 황(黃)과 현(絢)의 반절이다. [신부]

**5347**

: 衫: **적삼 삼**: 衣-**총8획**: shān

原文

: 衣也. 从衣彡聲. 所銜切.

飜譯

'옷의 일종(衣)[적삼]'이다. 의(衣)가 의미부이고 삼(彡)이 소리부이다. 독음은 소(所)와 함(銜)의 반절이다. [신부]

**5348**

**𧞝: 襖: 웃옷 오: 衣-총18획: ǎo**

原文

𧞝: 裘屬. 从衣奥聲. 烏皓切.

飜譯

'갓옷의 일종(裘屬)'이다. 의(衣)가 의미부이고 오(奥)가 소리부이다. 독음은 오(烏)와 호(皓)의 반절이다. [신부]

## 제301부수
## 301 ■ 구(裘)부수



**5349**

**𧚍: 裘: 갓옷 구: 衣-총13획: qiú**

原文

𧚍: 皮衣也. 从衣求聲. 一曰象形, 與衰同意. 凡裘之屬皆从裘. 求, 古文省衣. 巨鳩切.

譯

'가죽으로 만든 옷(皮衣)'을 말한다. 의(衣)가 의미부이고 구(求)가 소리부이다.[149] 일설에는 상형으로, 쇠(衰: 비옷)와 같은 뜻이라고도 한다.[150] 구(裘)부수에 귀속된 글자들은 모두 구(裘)가 의미부이다. 구(求)는 고문체인데, 의(衣)가 생략된 모습이다. 독음은 거(巨)와 구(鳩)의 반절이다.

**5350**

**䙷: 䙷: 갓 속옷 객: 鬲-총23획: kè**

原文

䙷: 裘裏也. 从裘鬲聲. 讀若擊. 楷革切.

譯

'가죽옷의 속(裘裏)'을 말한다. 구(裘)가 의미부이고 격(鬲)이 소리부이다. 격(擊)과 같이 읽는다. 독음은 해(楷)와 혁(革)의 반절이다.

---

149) 고문자에서 [고문자] 甲骨文 [고문자] 金文 [고문자] 簡牘文 등으로 그렸다. 衣(옷 의)가 의미부이고 求(구할 구)가 소리부로, 털이 삐져나온(求) 옷(衣) 즉 갓 옷을 말했다. 원래는 求로 썼는데, 의미를 강화하기 위해 衣를 더해 분화한 글자이다.

150) 의(衣) 부수의 5335-쇠(衰)자 해설과 주석을 참조하라.

## 제302부수
## 302 ■ 로(老)부수

**5351**

**耂：** 老: **늙은이 로: 老-총6획: lǎo**

原文

耂: 考也. 七十曰老. 从人、毛、匕. 言須髮變白也. 凡老之屬皆从老. 盧皓切.

飜譯

'고(考)와 같아 노인'을 말한다. 70세 된 노인을 로(老)라고 한다. 인(人)과 모(毛)와 화(匕)가 모두 의미부이다. 수염과 머리칼이 하얗게 변했다는 의미이다.151) 로(老)부수에 귀속된 글자들은 모두 로(老)가 의미부이다. 독음은 로(盧)와 호(皓)의 반절이다.

---

151) 고문자에서 甲骨文 金文 古陶文 簡牘文 등으로 그렸다. 갑골문에서 긴 머리칼과 굽은 몸, 내민 손에 지팡이를 든 모습이 상세히 그려졌다. 금문부터는 지팡이가 匕(될 화)로 변했는데, 이는 化(될 화)의 생략된 모습이며 '머리칼'이 하얗게 변했다는 의미를 담고 있다고 풀이할 수 있다. 나이가 들다가 원래 뜻이고, 이로부터 늙다, 老鍊(노련)하다, '경험이 많다'의 뜻이, 다시 오랜 시간, 언제나 등의 뜻이 나왔다. 현대 후기 산업사회에서 노인은 생산력을 상실한, 그래서 사회의 구성에 부담을 주는 존재로 전락하고 있지만, 정착 농경사회를 살았던 고대 중국에서 老人(노인)은 지혜의 원천이었다. 축적된 경험이 곧 지식이었던 그 사회에서는 풍부한 경험을 확보한 노인이 그 사회의 지도자였고 대소사를 판단하는 준거를 제공했다. 그래서 노인은 존경의 대상이었으며, 그 때문에 노인에 대한 구분도 상세하게 이루어졌다. 노인(老)을 몇 살부터 규정했는가에 대해서는 의견이 분분하지만, 일반적으로는 쉰 이상을 부른 것으로 알려졌다. 나이 쉰이 되면 신체가 쇠약해지며, 예순이 되면 노역이 면제되는 대신 국가에서 받았던 농지도 반환해야 했으며, 일흔이 되면 모든 일에서 은퇴하는 것이 고대 중국의 관습이었다. 老는 나이 든 모든 노인을 포괄하는 통칭이었다. 이러한 노인들은 개인은 물론 국가에서도 모시고 봉양해야만 하는 대상이었으며, 노인을 모시는 '孝(효)'는 국가를 지탱하는 중심 이념으로 설정되기도 했다.

**5352**

**耋: 耋: 팔십 늙은이 질: 老-총10획: dié**

原文

耋: 年八十曰耋. 从老省, 从至. 徒結切.

飜譯

'80세 된 노인을 질(耋)이라 한다.' 로(老)의 생략된 모습이 의미부이고, 지(至)도 의미부이다. 독음은 도(徒)와 결(結)의 반절이다.



**5353**

**薹: 薹: 구십 늙은이 모: 艸-총15획: mào**

原文

薹: 年九十曰薹. 从老, 从蒿省. 莫報切.

飜譯

'90세 된 노인을 모(薹)라고 한다.' 로(老)가 의미부이고, 호(蒿)의 생략된 모습도 의미부이다. 독음은 막(莫)과 보(報)의 반절이다.

**5354**

**耆: 耆: 늙은이 기: 老-총10획: qí**

原文

耆: 老也. 从老省, 旨聲. 渠脂切.

飜譯

'노인(老)'을 말한다. 로(老)의 생략된 모습이 의미부이고, 지(旨)가 소리부이다. 독음은 거(渠)와 지(脂)의 반절이다.

**5355**

**耇: 耇: 노인 얼굴에 기미 낄 구: 老-총9획: gǒu**

原文

耇: 老人面凍黎若垢. 从老省, 句聲. 古厚切.

飜譯

'노인의 얼굴에 검은 기미가 끼다(老人面凍黎若垢)'라는 뜻이다. 로(老)의 생략된 모습이 의미부이고, 구(句)가 소리부이다. 독음은 고(古)와 후(厚)의 반절이다.

**5356**

**耇: 耂占: 검버섯 점: 老-총9획: diǎn**

原文

耂占: 老人面如點也. 从老省, 占聲. 讀若耿介之耿. 丁念切.

飜譯

'노인의 얼굴에 검버섯이 생기다(老人面如點)'라는 뜻이다. 로(老)의 생략된 모습이 의미부이고, 점(占)이 소리부이다. 경개(耿介)라고 할 때의 경(耿)과 같이 읽는다. 독음은 정(丁)과 념(念)의 반절이다.

**5357**

**耂易: 耂易: 늙은이 겨우 따라 갈 수: 老-총8획: shù**

原文

耂易: 老人行才相逮. 从老省, 易省, 行象. 讀若樹. 常句切.

飜譯

'노인이 걸어감에 겨우 따라잡다(老人行才相逮)'라는 뜻이다. 로(老)의 생략된 모습과 이(易)의 생략된 모습이 의미부인데, 걸어가는 모습을 형상했다. 수(樹)와 같이 읽는다. 독음은 상(常)과 구(句)의 반절이다.

5358

**[seal]: 壽: 목숨 수: 士-총14획: shòu**

原文

[seal]: 久也. 从老省, 𠷎聲. 殖酉切.

飜譯

'오래가다(久)'라는 뜻이다. 로(老)의 생략된 모습이 의미부이고, 주(𠷎)가 소리부이다. 독음은 식(殖)과 유(酉)의 반절이다.

5359

**[seal]: 考: 상고할 고: 老-총6획: kǎo**

原文

[seal]: 老也. 从老省, 丂聲. 苦浩切.

飜譯

'로(老)와 같아 늙은이'를 말한다. 로(老)의 생략된 모습이 의미부이고, 교(丂)가 소리부이다.[152] 독음은 고(苦)와 호(浩)의 반절이다.

5360

**[seal]: 孝: 효도 효: 子-총7획: xiào**

---

152) 고문자에서 [glyphs] 甲骨文 [glyphs] 金文 [glyphs] 簡牘文 등으로 그렸다. 老(늙을 로)의 생략된 모습이 의미부이고 丂(공교할 교)가 소리부로, 머리를 풀어헤친 채 지팡이를 짚고 서 있는 모습의 '노인'을 형상화했다. 노인이라는 뜻으로부터 돌아가신 아버지라는 뜻이 나오기도 하였고, 경험이 많은 노인처럼 깊이 생각하다는 뜻에서 '詳考(상고)하다', 깊이 살피다 등의 뜻이 나왔다. 『설문해자』에서는 老와 같은 뜻이라고 했는데, 老와 考의 고대 한자음은 같았을 것으로 추정된다.

原文

孝: 善事父母者. 从老省, 从子. 子承老也. 呼教切.

飜譯

'부모를 잘 모시는 자(善事父母者)'를 말한다. 로(老)의 생략된 모습이 의미부이고, 자(子)도 의미부이다. '자식(子)이 노인(老)을 받들다'라는 뜻이다.[153] 독음은 호(呼)와 교(教)의 반절이다.

---

153) 고문자에서 甲骨文 金文 簡牘文 등으로 그렸다. 老(늙을 로)의 생략된 모습과 子(아들 자)로 구성되어, 자식(子)이 늙은이(老)를 등에 업은 모습으로, '효'의 개념을 그렸다. '효'는 유교권 국가에서 국가를 지탱하는 중심 이념으로 설정하기도 했는데, 이 글자는 노인을 봉양하고 부모를 모시는 孝가 어떤 것인지를 매우 형상적으로 보여준다.

## 제303부수
## 303 ■ 모(毛)부수

**5361**

**毛: 毛: 털 모: 毛-총4획: máo**

原文

毛: 眉髮之屬及獸毛也. 象形. 凡毛之屬皆从毛. 莫袍切.

飜譯

'눈썹과 머리칼 등을 비롯해 짐승의 털(眉髮之屬及獸毛)'을 말한다. 상형이다.154) 모(毛)부수에 귀속된 글자들은 모두 모(毛)가 의미부이다. 독음은 막(莫)과 포(袍)의 반절이다.

**5362**

**毴: 毴: 털 성할 용: 毛-총14획: rǒng**

原文

毴: 毛盛也. 从毛隼聲. 『虞書』曰: "鳥獸毴髦." 而尹切.

飜譯

'털이 무성하다(毛盛)'라는 뜻이다. 모(毛)가 의미부이고 준(隼)이 소리부이다. 『서·우

---

154) 고문자에서 金文 古陶文 簡牘文 등으로 그렸다. 『설문해자』에서 '눈썹이나 머리칼 및 짐승의 털'이라고 했는데, 毛髮(모발)은 바로 이런 뜻이다. 毛의 가운데 선의 아랫부분은 털의 뿌리(毛根·모근)를, 중간은 줄기(毛幹·모간)를, 윗부분은 끝자락(毛梢·모초)을 그렸고, 양쪽으로 갈라진 획은 펼쳐진 털의 모습이다. 머리칼이나 짐승의 털은 대단히 가늘다. 지금은 '나노 섬유(nano fiber)'처럼 10억분의 1미터 두께라는 상상하기조차 어려운 가늘고 섬세한 섬유가 개발되었지만, 그전에는 인간이 볼 수 있는 가장 가는 존재가 바로 이런 털이었을 것이다. 이로부터 毛에는 '털'과 모직물은 물론 대단히 작다는 의미가 담겼다.

서(虞書)·요전(堯典)』에서 "[털갈이를 하여] 새와 짐승의 털이 수북해졌구나(鳥獸氄髦)"라고 했다. 독음은 이(而)와 윤(尹)의 반절이다.

**5363**

**𣰫: 𣰫: 갈기 한: 毛-총14획: hàn, hě**

原文

𣰫: 獸豪也. 从毛倝聲. 侯幹切.

飜譯

'짐승의 갈기 털(獸豪)'을 말한다. 모(毛)가 의미부이고 간(倝)이 소리부이다. 독음은 후(侯)와 간(幹)의 반절이다.

**5364**

**毨: 毨: 털 갈 선: 毛-총10획: xiǎn**

原文

毨: 仲秋, 鳥獸毛盛, 可選取以爲器用. 从毛先聲. 讀若選. 穌典切.

飜譯

'중추(仲秋) 즉 음력 8월이 되면 새나 짐승의 털이 무성해져(鳥獸毛盛), 잡아 기물로 사용할 수 있게 된다(可選取以爲器用).' 모(毛)가 의미부이고 선(先)이 소리부이다. 선(選)과 같이 읽는다. 독음은 소(穌)와 전(典)의 반절이다.

**5365**

**𣯱: 𣯱: 담요 문: 毛-총15획: mén**

原文

𣯱: 以毳爲罽, 色如虋. 故謂之𣯱. 虋, 禾之赤苗也. 从毛㒼聲. 『詩』曰: "毳衣如𣯱." 莫奔切.

飜譯

'짐승의 솜털로 짠 [서역 지역의] 담요(以毳爲罽)'를 말하는데, 붉은 차조 색깔(色如虋)이다. 그래서 만(𣰴)이라 부른다. 문(虋)은 붉은 색의 벼(禾之赤苗)를 말한다. 모(毛)가 의미부이고 만(㒼)이 소리부이다. 『시·왕풍·대거(大車)』에서 "부드러운 붉은 옥빛 털옷 입은 이 타고 가네(毳衣如𣰴)"라고 노래했다. 독음은 막(莫)과 분(奔)의 반절이다.



**5366**

**氈: 氈: 양탄자 전: 毛-총17획: zhān**

原文

氈: 撚毛也. 从毛亶聲. 諸延切.

飜譯

'털을 꼬[아서 모직물을 짜]다(撚毛)'라는 뜻이다. 모(毛)가 의미부이고 단(亶)이 소리부이다. 독음은 제(諸)와 연(延)의 반절이다.

**5367**

**毦: 毦: 삭모 이: 毛-총10획: èr**

原文

毦: 羽毛飾也. 从毛耳聲. 仍吏切.

飜譯

'기(旗)나 창(槍) 따위의 머리에 술이나 이삭 모양으로 만들어 다는 붉은 빛깔의 가는 털(羽毛飾)'을 말한다. 모(毛)가 의미부이고 이(耳)가 소리부이다. 독음은 잉(仍)과 리(吏)의 반절이다. [신부]

**5368**

**氍: 氍: 모직물 구: 毛-총22획: qū**

原文

氍: 氍毹、毾㲪, 皆氈緂之屬, 蓋方言也. 从毛瞿聲. 其俱切.

飜譯

'구유(氍毹)와 탑등(毾㲪)'을 말하는데, 모두 양탄자(氈緂)의 일종으로, 방언(方言) 어휘이다. 모(毛)가 의미부이고 구(瞿)가 소리부이다. 독음은 기(其)와 구(俱)의 반절이다. [신부]

**5369**

毹: 毹: **담요 유**: 毛-**총13획**: **yū**

原文

毹: 氍毹也. 从毛俞聲. 羊朱切.

飜譯

'구유(氍毹) 즉 양탄자'를 말한다. 모(毛)가 의미부이고 유(俞)가 소리부이다. 독음은 양(羊)과 주(朱)의 반절이다. [신부]

**5370**

毾: 毾: **담요 탑**: 毛-**총14획**: **tà**

原文

毾: 毾㲪也. 从毛𦐇聲. 土盍切.

飜譯

'탑등(毾㲪) 즉 양탄자'를 말한다. 모(毛)가 의미부이고 탑(𦐇)이 소리부이다. 독음은 토(土)와 합(盍)의 반절이다. [신부]

**5371**

㲪: 㲪: **모직물 등**: 毛-**총16획**: **dēng**

原文

𣯛: 毾㲪也. 从毛登聲. 都滕切.

飜譯

'탑등(毾㲪) 즉 양탄자'를 말한다. 모(毛)가 의미부이고 등(登)이 소리부이다. 독음은 도(都)와 등(滕)의 반절이다. [신부]



**5372**

**𣯡: 毬: 공 구: 毛-총11획: qiú**

原文

𣯡: 鞠丸也. 从毛求聲. 巨鳩切.

飜譯

'환 모양으로 생긴 공(鞠丸)'을 말한다. 모(毛)가 의미부이고 구(求)가 소리부이다.[155] 독음은 거(巨)와 구(鳩)의 반절이다. [신부]

**5373**

**氅: 氅: 새털 창: 毛-총16획: chǎng**

原文

氅: 析鳥羽爲旗纛之屬. 从毛敞聲. 昌兩切.

飜譯

'새 깃을 쪼개서 기나 창(槍) 따위의 머리에 다는 장식의 일종(析鳥羽爲旗纛之屬)'이다. 모(毛)가 의미부이고 창(敞)이 소리부이다. 독음은 창(昌)과 량(兩)의 반절이다. [신부]

155) 『설문』의 해석처럼 毛(털 모)가 의미부이고 求(구할 구)가 소리부로, 털(毛)을 짜서 둥글게 만든 '공'을 말한다. 간화자에서는 球(공 구)에 통합되었다.

## 제304부수
## 304 ■ 취(毳)부수

**5374**

毳: 毳: **솜털 취**: 毛-**총12획**: cuì

原文

毳: 獸細毛也. 从三毛. 凡毳之屬皆从毳. 此芮切.

飜譯

'짐승의 솜털(獸細毛)'을 말한다. 세 개의 모(毛)로 구성되었다. 취(毳)부수에 귀속된 글자들은 모두 취(毳)가 의미부이다. 독음은 차(此)와 예(芮)의 반절이다.

**5375**

靟: 靟: **털 엉킬 비**: 非-**총20획**: fēi

原文

靟: 毛紛紛也. 从毳非聲. 甫微切.

飜譯

'가는 털이 엉켜 어지럽다(毛紛紛)'라는 뜻이다. 취(毳)가 의미부이고 비(非)가 소리부이다. 독음은 보(甫)와 미(微)의 반절이다.

## 제305부수
## 305 ■ 시(屍)부수

**5376**

**: 尸: 주검 시: 尸-총3획: shī**

原文

: 陳也. 象臥之形. 凡尸之屬皆从尸. 式脂切.

飜譯

'진열하다(陳)'라는 뜻이다. 누워있는 모습을 형상했다. 시(尸)부수에 귀속된 글자들은 모두 시(尸)가 의미부이다.156) 독음은 식(式)과 지(脂)의 반절이다.

**5377**

**: 屢: 기다릴 전·거듭할 정: 尸-총15획: diàn**

原文

: 偫也. 从尸奠聲. 堂練切.

---

156) 고문자에서 甲骨文 金文 古陶文 簡牘文 등으로 그렸다. 『설문해자』에서는 "누운 사람의 모습"이라 했지만, 갑골문을 보면 다리를 구부린 사람의 모습이 분명하다. 혹자는 이를 책상다리하고 앉은 것이라고도 하지만, 우리나라 남부의 돌무덤에서 자주 발견되는 매장법의 하나인 '굽혀묻기(屈葬·굴장)'를 형상화한 것으로 보이며, 그것은 시신을 태어날 때의 모습으로 되돌림으로써 내세에서의 환생을 기원한 것이라고 한다. 그래서 尸는 '시체'가 원래 뜻이며, 이후 '주례'에서의 설명처럼 제사 때 신위 대신 그 자리에 앉혀 조상의 영혼을 대신하던 아이(尸童·시동)를 말했다. 여기서 '진열하다'의 뜻이, 다시 진열하는 장소인 '집'을 뜻하게 되었다. 따라서 尸는 산 사람보다는 죽은 사람을, 그래서 현재보다는 조상 대대로 살아온 '집'을 뜻한다. 해서체 이후로는 人(사람 인)과 尸가 혼용되어 사용된 경우도 보인다. 따라서 屈(굽을 굴), 屍(주검 시) 등은 모두 '시체'와 관련되어 있다. 屈은 시신(尸)의 '굽혀묻기'와 직접 관련되어 있고, 屍는 尸에 死(죽을 사)를 더해 의미를 더욱 구체화했다.

飜譯

'[갖추어 놓고] 기다리다(偫)'라는 뜻이다. 시(尸)가 의미부이고 전(奠)이 소리부이다. 독음은 당(堂)과 련(練)의 반절이다.

**5378**

**居: 居: 있을 거: 尸-총8획: jū**

原文

居: 蹲也. 从尸古者, 居从古. 踞, 俗居从足. 九魚切.

飜譯

'웅크리고 앉다(蹲)'라는 뜻이다. 시(尸)와 고(古)가 모두 의미부인데 그것은 '옛날부터 기거해 왔기(居)' 때문이다.[157] 거(踞)는 거(居)의 속체인데, 족(足)으로 구성되었다. 독음은 구(九)와 어(魚)의 반절이다.

**5379**

**屓: 屓: 코를 골 해·장대한 모양 희: 尸-총9획: xì, xiè**

原文

屓: 臥息也. 从尸、自. 許介切.

飜譯

'자면서 코를 골다(臥息)'라는 뜻이다. 시(尸)와 자(自)가 모두 의미부이다. 독음은 허(許)와 개(介)의 반절이다.

---

157) 고문자에서 [금문 자형] 金文 [고도문 자형] 居古陶文 [간독문 자형] 簡牘文 등으로 그렸다. 尸(주검 시)가 의미부이고 古(옛 고)가 소리부로, 居住(거주)하다는 뜻인데, 예로(古)부터 조상 대대로 寄居(기거)하며 살아온 조상의 주검(尸)이 모셔진 곳이라는 의미를 담았다. 이로부터 앉다, 살다, 사는 곳 등의 뜻이 나왔다.

**5380**

**屑: 屑: 달갑게 여길 설: 尸-총9획: xiè**

原文

屑: 動作切切也. 从尸佾聲. 私列切.

譯解

'동작 하나하나가 불안함(動作切切)'을 말한다. 시(尸)가 의미부이고 흘(佾)이 소리부이다. 독음은 사(私)와 렬(列)의 반절이다.

**5381**

**展: 展: 펼 전: 尸-총10획: zhǎn**

原文

展: 轉也. 从尸, 襄省聲. 知衍切.

譯解

'전(轉)과 같아 굴리다'라는 뜻이다.158) 시(尸)가 의미부이고, 전(襄)의 생략된 부분이 소리부이다.159) 독음은 지(知)와 연(衍)의 반절이다.

**5382**

**届: 届: 이를 계: 尸-총8획: jiè**

原文

---

158) 『단주』에서는 "전(展)은 바퀴가 막 굴러가려 하는 상태를 말한다(未轉而將轉也)"라고 하였다.

159) 展의 경우, 소전체에서 㞡으로 써 尸(주검 시)와 衣(옷 의)가 의미부고 𠀇(펼 전)이 소리부인 구조였는데, 자형이 조금 변해 지금처럼 되었다. 시신(尸)을 '돌려가며' 수의(衣)를 입히고 입과 귀와 코 등을 옥으로 채워(𠀇) 막는 데서부터 '돌리다'의 뜻이 나왔으며, (시신을) 진설하다, 전시하다, 두루 내보이다 등의 뜻도 나왔다. 𠀇은 『옥편』에서 展의 원래 글자라 했고, 시라카와 시즈카(白川静)는 이를 시신의 구멍을 옥으로 막을 때 쓰던 주술 도구라고 풀이하기도 했다.

屆: 行不便也. 一曰極也. 从尸凷聲. 古拜切.

'걸음걸이가 불편함(行不便)'을 말한다. 일설에는 '극한(極)'을 말한다고도 한다. 시(尸)가 의미부이고 괴(凷)가 소리부이다.[160] 독음은 고(古)와 배(拜)의 반절이다.

**5383**

**尻: 尻: 꽁무니 고: 尸-총5획: kāo**

原文

尻: 脽也. 从尸九聲. 苦刀切.

'엉덩이(脽)[꽁무니]'를 말한다. 시(尸)가 의미부이고 구(九)가 소리부이다. 독음은 고(苦)와 도(刀)의 반절이다.

**5384**

**屍: 屍: 넓적다리 둔: 尸-총8획: tún**

原文

屍: 髀也. 从尸下丌居几. 脽, 屍或从肉、隼. 臀, 屍或从骨殿聲. 徒魂切.

飜譯

'넓적다리(髀)'를 말한다. 시(尸) 아래에 기(丌)가 궤(几) 위에 놓인 모습이다.[161] 둔(脽)은 둔(屍)의 혹체자인데, 육(肉)과 준(隼)으로 구성되었다. 둔(臀)도 둔(屍)의 혹체자인데, 골(骨)이 의미부이고 전(殿)이 소리부이다. 독음은 도(徒)와 혼(魂)의 반절

160) 『설문』의 해석처럼 尸(주검 시)가 의미부이고 凷(흙덩이 괴)가 소리부로, 굳은 시신(尸)이나 흙덩이(凷)처럼 굳어 걸음걸이나 행동이 불편함을 말한다. 이외에도 '극한'이라는 뜻이 있고, '이르다'의 뜻으로도 쓰여 '차례'를 나타내기도 한다. 간화자 등에서는 아랫부분을 줄여 届(이를 계)로 쓰기도 한다.

161) 『단주』에서 이렇게 말했다. "각 판본에서 거(居)로 적었는데, 이는 잘못이다. 지금 거(凥)로 바로 잡는다. 기(丌)는 기초터를 말한다(下基也)."

이다.

5385

**𡰝: 屆: 볼기 기·계: 尸-총9획: qǐ, qì**

原文

𡰝: 尻也. 从尸旨聲. 詰利切.

翻譯

'꽁무니(尻)'를 말한다. 시(尸)가 의미부이고 지(旨)가 소리부이다. 독음은 힐(詰)과 리(利)의 반절이다.

5386

**𡰥: 尼: 중 니: 尸-총5획: ní**

原文

𡰥: 從後近之. 从尸匕聲. 女夷切.

翻譯

'뒤에서부터 가까이 다가가다(從後近之)'라는 뜻이다. 시(尸)가 의미부이고 비(匕)가 소리부이다.[162] 독음은 녀(女)와 이(夷)의 반절이다.

5387

**𡲔: 屆: 뒤따를 칩·잡: 尸-총12획: qì, zhǎ**

原文

162) 고문자에서 𡰥古陶文 𡰥 𡰥盟書 등으로 그렸다. 尸(주검 시)와 匕(변할 화·化의 원래 글자)로 구성되어, 사람(匕)이 사람(尸)을 등에 업은 모습에서 서로 '친밀하다'는 뜻을 그렸다. 『설문』에서는 뒤에서 접근하다는 뜻이라고 했다. 이후 불교의 유입으로 '중'을 뜻하게 되었는데, 팔리어에서의 '비쿠니(bhikkuni)'의 음역어로 쓰였다.

: 從後相臿也. 从尸从臿. 楚洽切.

'뒤에서 서로를 줄줄이 따라가다(從後相臿)'라는 뜻이다. 시(尸)가 의미부이고 삽(臿)도 의미부이다. 독음은 초(楚)와 흡(洽)의 반절이다.

**5388**

: 𡲕: **말을 이을 칩·잇달릴 겁**: 尸–**총8획**: **zhé**

: 𡳐𡲕也. 从尸乏聲. 直立切.

'칩칩(𡳐𡲕) 즉 뒤에서 서로를 줄줄이 따라가다'라는 뜻이다. 시(尸)가 의미부이고 핍(乏)이 소리부이다. 독음은 직(直)과 립(立)의 반절이다.

**5389**

: 㞋: **부드러운 가죽 년**: 尸–**총6획**: **niǎn**

原文

: 柔皮也. 从申尸之後. 尸或从又. 人善切.

飜譯

'[무두질로] 부드럽게 만든 가죽(柔皮)'을 말한다. 신(申)이 시(尸)의 뒤쪽에 놓인 모습을 그렸다. 시(尸)는 간혹 우(又)로 구성되기도 한다. 독음은 인(人)과 선(善)의 반절이다.

**5390**

: 屒: **엎드린 모양 진·두꺼운 입술 신**: 尸–**총10획**: **chén**

原文

㞳: 伏皃. 从尸辰聲. 一曰屋宇. 珍忍切.

飜譯

'엎드린 모양(伏皃)'을 말한다. 시(尸)가 의미부이고 진(辰)이 소리부이다. 일설에는 '집의 처마(屋宇)'를 말한다고도 한다. 독음은 진(珍)과 인(忍)의 반절이다.



**5391**

**𡱼: 屖: 쉴 서: 尸-총10획: xī**

原文

𡱼: 屖遅也. 从尸辛聲. 先稽切.

飜譯

'서지(屖遅) 즉 천천히 쉬다'라는 뜻이다. 시(尸)가 의미부이고 신(辛)이 소리부이다. 독음은 선(先)과 계(稽)의 반절이다.

**5392**

**屝: 屝: 짚신 비: 尸-총11획: fèi**

原文

屝: 履也. 从尸非聲. 扶沸切.

飜譯

'신발(履)'을 말한다. 시(尸)가 의미부이고 비(非)가 소리부이다. 독음은 부(扶)와 비(沸)의 반절이다.

**5393**

**屍: 屍: 주검 시: 尸-총9획: shī**

原文

屍: 終主. 从尸从死. 式脂切.

飜譯

'막 죽어 [죽은 사람의] 시신을 신주로 삼다(終主)'라는 뜻이다. 시(尸)가 의미부이고 사(死)도 의미부이다.163) 독음은 식(式)과 지(脂)의 반절이다.

**5394**

**屠: 屠: 잡을 도: 尸-총12획: tú**

原文

屠: 刳也. 从尸者聲. 同都切.

飜譯

'도려내다(刳)'라는 뜻이다. 시(尸)가 의미부이고 자(者)가 소리부이다.164) 독음은 동(同)과 도(都)의 반절이다.

**5395**

**屟: 屟: 나막신 섭: 尸-총12획: xiè**

原文

屟: 履中薦也. 从尸枼聲. 穌叶切.

---

163) 『단주』에서 이렇게 말했다. "종주(終主)라는 것은 방금 막 죽은 바람에 신주를 만들지 못해 시신을 신주로 삼는다는 말이다.(方死無所主, 以是爲主也.) 『곡례(曲禮)』에서 시신이 침상위에 놓인 상태를 시(屍)라고 하는데, 금본 경전에서는 주로 시(尸)로 쓴다. 동음에 의한 가차이다. 그러나 아직 시(屍)로 쓴 경우도 있다." 屍는 死(죽을 사)가 의미부고 尸(주검 시)가 소리부로, 죽어(死) 무릎을 굽힌 시신(尸)을 말하며, 이로부터 시체의 뜻이 나왔다. 간화자에서는 尸에 통합되었다.

164) 고문자에서 [古文字]簡牘文 등으로 그렸다. 尸(주검 시)가 의미부이고 者(놈 자)가 소리부로, 짐승의 시체(尸)를 솥에 삶아(者, 煮의 본래 글자) '잡다'는 뜻을 그렸으며, 이로부터 屠殺(도살)하다, 갈기갈기 찢다 등의 뜻이 나왔다.

飜譯

'신 안에 까는 자리(履中薦)'를 말한다. 시(尸)가 의미부이고 엽(枼)이 소리부이다. 독음은 소(穌)와 협(叶)의 반절이다.

**5396**

**屋: 屋: 집 옥: 尸-총9획: wū**

原文

屋: 居也. 从尸. 尸, 所主也. 一曰尸, 象屋形. 从至. 至, 所至止. 室、屋皆从至. 㞿, 籒文屋从厂. 𡱜, 古文屋. 烏谷切.

飜譯

'[사람이] 거처하는 곳(居)'을 말한다. 시(尸)가 의미부인데, 시(尸)는 사는 곳(所主)을 뜻한다. 일설에는 시(尸)는 집(屋)의 모습을 본떴다고도 한다. 지(至)도 의미부인데, 지(至)는 이르러 머무는 곳(所至止)을 뜻한다. 실(室)과 옥(屋)자는 모두 지(至)를 의미부로 삼는다.165) 옥(㞿)은 옥(屋)의 주문체인데, 엄(厂)으로 구성되었다. 옥(𡱜)은 옥(屋)의 고문체이다. 독음은 오(烏)와 곡(谷)의 반절이다.

**5397**

**屛: 屏: 병풍 병: 尸-총9획: píng**

原文

屛: 屏蔽也. 从尸并聲. 必郢切.

---

165) 고문자에서 屋 屋 簡牘文 등으로 그렸다. 尸(주검 시)와 至(이를 지)로 구성되어, 시신(尸)으로 대표되는 조상의 영혼이 이르는(至) 곳을 말했는데, 이후 '집'의 일반적인 명칭으로 변했고, 또 '방'을 뜻하게 되었다. 그래서 屋은 사람이 사는 室과는 달리 주로 시신을 안치했던 곳을 말하며, 그곳은 주로 지붕 없이 선반처럼 만들어졌고 위를 장막으로 둘러쳤다. 이로부터 屋에 '덮개'라는 뜻도 생겼고, 이를 더욱 분명하게 하고자 巾(수건 건)을 더해 幄(휘장 악)을 만들었다.

飜譯

'병풍으로 가리다(屏蔽)'라는 뜻이다. 시(尸)가 의미부이고 병(并)이 소리부이다. 독음은 필(必)과 영(郢)의 반절이다.

**5398**

**層: 層: 층 층: 尸-총15획: céng**

原文

層: 重屋也. 从尸曾聲. 昨稜切.

飜譯

'중층으로 지어진 집(重屋)'을 말한다. 시(尸)가 의미부이고 증(曾)이 소리부이다.[166] 독음은 작(昨)과 릉(稜)의 반절이다.

**5399**

**屢: 屢: 창 루: 尸-총14획: lǚ**

原文

屢: 數也. 案 : 今之婁字本是屢空字, 此字後人所加. 从尸, 未詳. 丘羽切.

飜譯

'여러 겹(數)'이라는 뜻이다. 저(서현)의 생각은 이렇습니다. 오늘날의 루(婁)자는 원래 누공(屢空)이라고 할 때의 루(屢)자였으며, 이 글자는 이후 사람들이 보탠 글자입니다. 시(尸)로 구성되었는데, 상세한 것은 알 수 없습니다.[167] 독음은 구(丘)와 우(羽)의 반절이다. [신부]

---

166) 尸(주검 시)가 의미부고 曾(일찍 증)이 소리부로, 시루(曾, 甑의 원래 글자)처럼 층층이 포개서 쌓은 집(尸)을 말하며, 이로부터 중첩되다, 포개다, 높다, 깊다 등의 뜻이 나왔다. 간화자에서는 曾을 云(이를 운)으로 간단하게 줄인 层으로 쓴다.

167) 尸(주검 시)가 의미부이고 婁(별 이름 루)가 소리부로, 집(尸)에 층층이(婁) 만들어 놓은 '창문'을 뜻했고, 이로부터 여러 차례, 자주 등의 뜻이 나왔다. 간화자에서는 婁를 娄로 줄인 屡로 쓴다.

# 제8권

## (하)

## 제306부수
## 306 ■ 척(尺)부수

**5400**

**尺: 尺: 자 척: 尸-총4획: chǐ**

原文

尺: 十寸也. 人手卻十分動脈爲寸口. 十寸爲尺. 尺, 所以指尺規榘事也. 从尸从乙. 乙, 所識也. 周制, 寸、尺、咫、尋、常、仞諸度量, 皆以人之體爲法. 凡尺之屬皆从尺. 昌石切.

飜譯

'10치(寸)의 길이'를 말한다. 사람의 손에서 뒤로 10푼 되는 지점의 동맥이 있는 곳(人手卻十分動脈)이 촌구(寸口)이다. 10치(寸)가 1자(尺)이다. 척(尺)이라는 길이는 네모나 동그라미 등과 관련된 일을 할 때의 척도가 된다(所以指尺規榘事)라는 뜻을 담았다. 시(尸)가 의미부이고 을(乙)도 의미부인데, 을(乙)은 '표지(所識)'라는 뜻이다. 주나라 때의 제도(周制)에 있던 촌(寸), 척(尺), 지(咫), 심(尋), 상(常), 인(仞) 등과 같은 길이 단위는 모두 사람의 신체를 표준으로 삼았다.[168] 척(尺)부수에 귀속된 글자들은 모두 척(尺)이 의미부이다. 독음은 창(昌)과 석(石)의 반절이다.

**5401**

**咫: 咫: 길이 지: 口-총9획: zhǐ**

---

168) 고문자에서 金文 簡牘文 등으로 그렸다. 손가락을 벌렸을 때의 엄지와 검지 사이의 거리 즉 한 뼘을 말하는데, 옛날에는 한 뼘을 한 자의 단위로 사용했다. 그래서 현존하는 상나라 때의 상아로 만든 자(尺)의 길이는 약 15.8센티미터로 알려졌다. 하지만, 이후 한 자의 단위는 시대에 따라 변했는데, 한나라에 들어서는 엄지와 중지 사이의 거리를 말하였기 때문인지 1척이 약 22센티미터 정도 되었다.

原文

𣅀: 中婦人手長八寸, 謂之咫. 周尺也. 从尺只聲. 諸氏切.

飜譯

'보통의 부인의 손은 길이가 8치(中婦人手長八寸)인데, 이를 지(咫)라 한다.' 주(周)나라 때 사용하던 단위(尺)이다. 척(尺)이 의미부이고 지(只)가 소리부이다. 독음은 제(諸)와 씨(氏)의 반절이다.

## 제307부수
## 307 ■ 미(尾)부수



**5402**

**尾: 尾: 꼬리 미: 尸-총7획: wěi**

原文

尾: 微也. 从到毛在尸後. 古人或飾系尾, 西南夷亦然. 凡尾之屬皆从尾. (今隸變作尾.) 無斐切.

飜譯

'미(微)와 같아 미세하다는 뜻이다.' 거꾸로 된 꼬리가 시(尸)의 뒤에 놓인 모습이다. 옛사람들은 간혹 장식으로 꼬리를 달기도 했는데, 서남쪽의 이민족들이 그러했다.[169] 미(尾)부수에 귀속된 글자들은 모두 미(尾)가 의미부이다. [오늘날에는 예변(隸變)을 거쳐 미(尾)로 씁니다.] 독음은 무(無)와 비(斐)의 반절이다.

**5403**

**屬: 屬: 엮을 속·이을 촉: 尸-총21획: zhǔ**

原文

屬: 連也. 从尾蜀聲. 之欲切.

飜譯

'이어지다(連)'라는 뜻이다. 미(尾)가 의미부이고 촉(蜀)이 소리부이다.[170] 독음은 지

---

169) 고문자에서 [甲骨文 자형]甲骨文 [簡牘文 자형]簡牘文 등으로 그렸다. 尸(주검 시)와 毛(털 모)로 구성되어, 사람의 엉덩이(尸) 부분에 꼬리 장식(毛)이 달린 모습인데, 원시 축전 때 동물 모양을 흉내 내며 춤추던 모습을 그린 것으로 추정된다. 이후 '꼬리'로부터 '끝'이나 '뒤를 따라가다'라는 의미까지 갖게 되었다.

170) 고문자에서 [簡牘文 자형]簡牘文 등으로 그렸다. 소전체에서 尾(꼬리 미)가 의미부고 蜀(나라 이름

(之)와 욕(欲)의 반절이다.

**5404**

**屈: 屈: 굽을 굴: 尸-총8획: qū**

原文

屈: 無尾也. 从尾出聲. 九勿切.

飜譯

'꼬리가 없[어 보일만큼 짧]다(無尾)'라는 뜻이다. 미(尾)가 의미부이고 출(出)이 소리부이다.[171] 독음은 구(九)와 물(勿)의 반절이다.

**5405**

**尿: 尿: 오줌 뇨: 尸-총7획: niào**

原文

尿: 人小便也. 从尾从水. 奴弔切.

飜譯

'사람이 소변을 보다(人小便)'라는 뜻이다. 미(尾)가 의미부이고 수(水)도 의미부이다.[172] 독음은 노(奴)와 조(弔)의 반절이다.

---

촉)이 소리부로, 몸통과 '이어진' 부분이 꼬리(尾)라는 의미에서 '이어지다'는 뜻이, 몸통에 붙어 있는 것이라는 의미에서 '속하다'는 뜻이 나왔다. 간화자에서는 의미부 尾를 尸(주검 시)로 줄이고 소리부 蜀을 禹(하우씨 우)로 바꾼 属으로 쓴다.

171) 고문자에서 [古文字] 金文 [古文字] 古陶文 [古文字] 簡牘文 등으로 그렸다. 尸(주검 시)가 의미부이고 出(날 출)이 소리부로, 집을 나설 때(出) 몸을 굽힌 시신(尸)처럼 몸체를 굽히다는 뜻에서부터 굽다, 굽히다는 뜻이 나왔고, 다시 屈服(굴복)하다, 위축되다 등의 뜻도 나왔다. 금문 등에서는 尾(꼬리 미)가 의미부였는데, 이후 尸로 변해 지금의 자형이 되었다.

172) 고문자에서 [古文字] 『汗簡』古文字 등으로 그렸다. 尸(주검 시)와 水(물 수)로 구성되어, 오줌(水) 누는 사람(尸)의 모습을 그렸으며, 이로부터 오줌, 오줌을 누다는 뜻이 나왔다. 『설문해자』에서는 尸 대신 尾(꼬리 미)로 구성되기도 했다.

## 제308부수
## 308 ■ 리(履)부수

**5406**

**履: 履: 신 리: 尸-총15획: lǚ**

原文

履: 足所依也. 从尸从彳从夂, 舟象履形. 一曰尸聲. 凡履之屬皆从履. 𩟑, 古文履从頁从足. 良止切.

飜譯

'발이 의탁하는 도구(足所依) 즉 신발'을 말한다. 시(尸)가 의미부이고 척(彳)도 의미부이고 쇠(夂)도 의미부이며, 주(舟)는 신발(履)을 그렸다. 일설에는 시(尸)가 소리부라고도 한다.[173] 리(履)부수에 귀속된 글자들은 모두 리(履)가 의미부이다. 리(𩟑)는 리(履)의 고문체인데, 혈(頁)도 의미부이고 족(足)도 의미부이다. 독음은 량(良)과 지(止)의 반절이다.

**5407**

**屨: 屨: 신 구: 尸-총17획: jù**

原文

屨: 履也. 从履省, 婁聲. 一曰鞮也. 九遇切.

飜譯

'신발(履)'을 말한다. 리(履)의 생략된 모습이 의미부이고, 루(婁)가 소리부이다. 일설

---

173) 고문자에서 履 履 履 簡牘文 등으로 그렸다. 復(돌아올 복)이 의미부이고 尸(주검 시)가 소리부로, 신발을 말하는데, 발에 착용하고 왔다 갔다(復) 할 수 있게 하는 물건이라는 뜻이다. 소전체에서는 舟(배 주)가 더해져, 비 올 때 신는 신발이 배(舟) 같은 효용을 가짐을 강조하였다.

에는 '가죽신(鞮)'을 말한다고도 한다. 독음은 구(九)와 우(遇)의 반절이다.

**5408**

**䟏: 屧: 신바닥 력: 尸-총22획: lì**

原文

䟏: 履下也. 从履省, 歷聲. 郎擊切.

飜譯

'신발 바닥(履下)'을 말한다. 리(履)의 생략된 부분이 의미부이고, 력(歷)이 소리부이다. 독음은 랑(郎)과 격(擊)의 반절이다.

**5409**

**屖: 屖: 신 서: 尸-총10획: xù**

原文

屖: 履屬. 从履省, 予聲. 徐呂切.

飜譯

'신발의 일종(履屬)'이다. 리(履)의 생략된 부분이 의미부이고, 여(予)가 소리부이다. 독음은 서(徐)와 려(呂)의 반절이다.

**5410**

**屩: 屩: 신 교·갹: 尸-총18획: juē**

原文

屩: 屐也. 从履省, 喬聲. 居勺切.

飜譯

'나막신(屐)'을 말한다. 리(履)의 생략된 부분이 의미부이고, 교(喬)가 소리부이다. 독음은 거(居)와 작(勺)의 반절이다.

**5411**

**𡳐: 屐: 나막신 극: 尸-총10획: jī**

原文

𡳐: 屩也. 从履省, 支聲. 奇逆切.

飜譯

'나막신(屩)'을 말한다. 리(履)의 생략된 부분이 의미부이고, 지(支)가 소리부이다. 독음은 기(奇)와 역(逆)의 반절이다.

## 제309부수
## 309 ■ 주(舟)부수

**5412**

**舟**: 舟: **배 주**: 舟-**총6획**: zhōu

原文

舟: 船也. 古者, 共鼓、貨狄, 刳木爲舟, 剡木爲楫, 以濟不通. 象形. 凡舟之屬皆从舟. 職流切.

飜譯

'배(船)'를 말한다. 먼 옛날, 공고(共鼓)와 화적(貨狄)이라는 두 사람이 나무를 파내서 배를 만들었고, 나무를 깎아 노를 만들어, 다닐 수 없는 물길을 건너게 했다. 상형이다.[174] 주(舟)부수에 귀속된 글자들은 모두 주(舟)가 의미부이다. 독음은 직(職)과 류(流)의 반절이다.

**5413**

**俞**: 俞(兪): **성씨 유**: 人-**총9획**: yú

原文

---

174) 고문자에서 甲骨文 金文 簡牘文 등으로 그렸다. "중국의 배는 매우 독특하다. 바닥은 평평하거나 원형이고, 용골(keel)도 없이 단지 튼튼한 노만 하나 있을 뿐이다. 이물(船頭·선두)과 고물(船尾·선미)은 직선을 이루고, 약간 위쪽을 향해 치켜들었다. 뱃전(舷·현)의 위쪽 가장자리부터 배의 바닥까지지는 배를 다른 부분과 갈라주는 견실한 방수벽으로 돼 있다. 이런 구조는 세계의 어느 곳에서도 찾아볼 수 없다." 중국의 과학사에 평생을 바쳤던 세계적 석학 조지프 니덤(Joseph Needham, 1900~1995)이 중국의 배를 두고 한 말이다. 갑골문에서의 舟는 독특한 구조의 중국 배를 너무나 사실적으로 그렸다. 소위 平底船(평저선)이라는 것인데, 이러한 배는 아직도 중국의 전역에서 강과 강을 오가며 물자를 실어 나르고 있으며, 수송의 주요 수단이 되고 있다.

兪: 空中木爲舟也. 从亼从舟从巜. 巜, 水也. 羊朱切.

飜譯

'나무의 속을 파내서 배를 만들다(空中木爲舟)'라는 뜻이다. 집(亼)이 의미부이고 주(舟)도 의미부이고 괴(巜)도 의미부인데, 괴(巜)는 물(水)을 뜻한다.[175] 독음은 양(羊)과 주(朱)의 반절이다.



**5414**

**船: 船: 배 선: 舟-총11획: chuán**

原文

船: 舟也. 从舟, 鉛省聲. 食川切.

飜譯

'배(舟)'를 말한다. 주(舟)가 의미부이고, 연(鉛)의 생략된 부분이 소리부이다.[176] 독음은 식(食)과 천(川)의 반절이다.

**5415**

**舦: 舦: 배 다닐 침: 舟-총9획: chēn**

---

175) 고문자에서 金文 盟書 簡牘文 등으로 그렸다. 원래 亼(모일 집)과 舟(배 주)와 巜(큰 도랑 괴)로 구성되어, 배(舟)들이 모여(亼) 강(巜)을 항해하는 모습으로부터 '배가 나아가다'는 의미를 그렸는데, 舟가 예서 이후 月(달 월)로 변해 지금처럼 되었다. 배(舟)가 물살을 헤치고(巜) 앞으로 '나아가는' 모습을 그렸고, 이로부터 '변화'와 '긍정'의 의미가 나왔으며, 동의나 허락을 나타내는 어기사로도 쓰였다. 여기서 파생된 逾(건널 유)와 踰(넘을 유)는 辵(쉬엄쉬엄 갈 착)과 足(발 족)을 더해 그런 동작을 강조해 표현했고, 輸(나를 수)는 車(수레 거·차)를 더해 수레에 의한 수송 수단임을 더했고, 愈(나을 유)와 愉(즐거울 유)는 心(마음 심)을 더해 심리적 치유를 강조했다.

176) 고문자에서 金文 古陶文 簡牘文 등으로 그렸다. 舟(배 주)가 의미부고 鉛(납 연)의 생략된 모습이 소리부로, 배(舟)를 뜻하는데, 이후 飛行船(비행선)에서처럼 운반하는 도구의 통칭으로 쓰였다. 『방언』에 의하면, '배'를 "함곡관 서쪽 지역에서는 船, 함곡관 동쪽 지역에서는 舟나 航(배 항)이라 불렀다."라고 한다. 달리 舩으로 쓰기도 한다.

原文

䑣: 船行也. 从舟彡聲. 丑林切.

飜譯

'배가 다니다(船行)'라는 뜻이다. 주(舟)가 의미부이고 삼(彡)이 소리부이다. 독음은 축(丑)과 림(林)의 반절이다.

**5416**

**舳: 舳: 고물 축: 舟-총11획: zhú**

原文

舳: 艫也. 从舟由聲. 漢律名船方長爲舳艫. 一曰舟尾. 直六切.

飜譯

'뱃머리(艫)'라는 뜻이다. 주(舟)가 의미부이고 유(由)가 소리부이다. 한나라 때의 법률(漢律)에 의하면, 직사각형으로 생긴 배(船方長)를 축로(舳艫)라 했다. 일설에는 '배의 고물(舟尾) 즉 배의 꼬리'를 말한다고도 한다. 독음은 직(直)과 륙(六)의 반절이다.

**5417**

**艫: 艫: 뱃머리 로: 舟-총22획: lù**

原文

艫: 舳艫也. 一曰船頭. 从舟盧聲. 洛乎切.

飜譯

'축로(舳艫) 즉 직사각형 모양의 배'를 말한다. 일설에는 '뱃머리(船頭)'를 말한다고도 한다. 주(舟)가 의미부이고 로(盧)가 소리부이다. 독음은 락(洛)과 호(乎)의 반절이다.

5418

**舠: 舠: 배 까불 올: 舟-총8획: wù**

原文

舠: 船行不安也. 从舟, 从刖省. 讀若兀. 五忽切.

飜譯

'배가 흔들리며 불안하게 가다(船行不安)'라는 뜻이다. 주(舟)가 의미부이고, 월(刖)의 생략된 모습도 의미부이다. 올(兀)과 같이 읽는다. 독음은 오(五)와 홀(忽)의 반절이다.



5419

**艐: 艐: 배 모래에 박힐 종: 舟-총15획: zōng**

原文

艐: 船著不行也. 从舟嵏聲. 讀若荤. 子紅切.

飜譯

'배가 [모래에 박혀] 멈추어 나아가지 못하다(船著不行)'라는 뜻이다. 주(舟)가 의미부이고 종(嵏)이 소리부이다. 자(荤)와 같이 읽는다. 독음은 자(子)와 홍(紅)의 반절이다.

5420

**朕: 朕: 나 짐: 月-총10획: zhèn**

原文

朕: 我也. 闕. 直禁切.

飜譯

'나(我)'라는 뜻이다. 왜 그런지는 알 수 없어 비워 둔다(闕).[177] 독음은 직(直)과 금(禁)의 반절이다.

**5421**

## 舫: 舫: 배 방: 舟-총10획: fǎng

原文

舫: 船師也. 『明堂月令』曰"舫人". 習水者. 从舟方聲. 甫妄切.

飜譯

'배 만드는 사람(船師)'을 말한다. 『명당월령(明堂月令)』(즉 『예기·월령』)에서 "방인(舫人)"이라고 불렀다. 물에 익숙한 사람이다(習水者). 주(舟)가 의미부이고 방(方)이 소리부이다. 독음은 보(甫)와 망(妄)의 반절이다.

**5422**

## 般: 般: 돌 반: 舟-총10획: pán

原文

般: 辟也. 象舟之旋, 从舟. 从殳, 殳, 所以旋也. 鵧, 古文般从支. 北潘切.

飜譯

'[피해서] 돌아서다(辟)'라는 뜻이다.178) 배가 회전하는 모습을 그렸다. 주(舟)가 의미

---

177) 고문자에서 甲骨文 金文 등으로 그렸다. 갑골문에서 배를 그린 舟(배 주)와 두 손으로 무엇인가를 든 모습을 그렸다. 손에 든 것을 두고 불, 도끼, 祭器(제기), 상앗대라는 다양한 주장이 있다. 소전체에서 두 손으로 불을 든(弁·선) 모습으로 변했고, 예서 이후 지금의 자형이 되었다. 갑골문 때부터 朕은 이미 商(상)나라 왕 자신을 지칭하거나 '나'·'우리' 등의 의미로만 쓰였기 때문에 이의 정확한 자원을 살피기가 쉽지 않아, '우리'를 가차 의미로 보는 것이 일반적이다. 하지만, 朕에 배에 난 구멍이라는 뜻이 있고, 두 손에 불을 들고(弁) 배(舟)를 고치는 모습이거나 배가 순항할 수 있도록 제사를 지내는 모습을 그린 것이라 볼 때, 배의 항로나 그 안전을 책임지는 자는 바로 배의 주인인 '자신', 혹은 자신이 속한 '우리'일 수밖에 없다는 의미에서 朕이 일인칭 대명사, 특히 존중의 의미가 포함된 의미로 사용되었을 가능성도 배제할 수 없다.

178) 『예기·투호(投壺)』에 이런 말이 있다. "손님이 두 번 절하고 (막대를) 받으면 주인이 주변을 빙 돌고서 말하기를 '벽(辟: 돌아서세요!)'이라고 하고, 주인은 섬돌위로 올라가 절을 하고 보

부이다. 수(殳)도 의미부인데, 수(殳)는 '돌게 하는 도구(所以旋)'라는 뜻이다.179) 반(舟支)은 반(般)의 고문체인데, 지(支)로 구성되었다. 독음은 북(北)과 반(潘)의 반절이다.

**5423**

**艆: 服: 옷 복: 月-총8획: fú**

原文

艆: 用也. 一曰車右騑, 所以舟旋. 从舟𠬝聲. 䑑, 古文服从人. 房六切.

飜譯

'사용하다(用)'라는 뜻이다. 일설에는 '수레의 오른쪽 곁마(車右騑)'를 말한다고도 하는데, [수레를 돌게 하듯] 배를 돌게 만드는 장치이다(所以舟旋). 주(舟)가 의미부이고 복(𠬝)이 소리부이다.180) 복(䑑)은 복(服)의 고문체인데, 인(人)으로 구성되었다. 독음은 방(房)과 륙(六)의 반절이다.

**5424**

**舸: 舸: 큰 배 가: 舟-총11획: gě**

---

낸다.(賓再拜受, 主人般旋曰辟. 主人阼階上拜送.) 손님도 반선하여 '벽'이라고 한다.(賓般旋曰辟)." 『단주』에서 "반벽(般辟)은 중국인들의 말로, 뒤로 물러서서 도는 모습을 말한다.(般辟, 漢人語, 謂退縮旋轉之皃也.)"라고 했다.

179) 고문자에서 [고문자] 甲骨文 [고문자] 金文 등으로 그렸다. 舟(배 주)와 殳(창 수)로 구성되어, 상앗대를 손으로 잡고(攴·복) 배(舟)를 '돌리는' 모습이었는데, 攴이 殳(창 수)로 변해 지금의 자형이 되었다. 돌리다가 원래 뜻이고, 이로부터 회전하다, 실어 나르다, 놀다 등의 뜻이 나왔다. 또 般若(반야)에서처럼 불교의 음역자로도 쓰였다.

180) 고문자에서 [고문자] 甲骨文 [고문자] 金文 [고문자] 簡牘文 [고문자] 石刻古文 등으로 그렸다. 月(달 월)이 의미부이고 𠬝(다스릴 복)이 소리부인 구조이다. 원래는 舟(배 주)가 의미부로 되어, 사람을 꿇어 앉혀(𠬝) 배(舟)에 태우는 모습으로부터 屈服(굴복)시키다는 의미를 그렸고, 이로부터 '일을 시키다', 음식이나 약 등을 服用(복용)하다의 의미가 나왔다. 이후 舟가 月(달 월)로 잘못 변해 지금의 자형이 되었다. 또 옷이라는 뜻도 가지게 되었는데, 옷은 외양으로 사람의 행동거지를 제어하는 것이라는 의미를 담았다.

原文

舸: 舟也. 从舟可聲. 古我切.

飜譯

'배(舟)'를 말한다. 주(舟)가 의미부이고 가(可)가 소리부이다. 독음은 고(古)와 아(我)의 반절이다.

**5425**

**艇: 艇: 거룻배 정: 舟-총13획: tǐng**

原文

艇: 小舟也. 从舟廷聲. 徒鼎切.

飜譯

'작은 배(小舟)'를 말한다. 주(舟)가 의미부이고 정(廷)이 소리부이다. 독음은 도(徒)와 정(鼎)의 반절이다.

**5426**

**艅: 艅: 배 이름 여: 舟-총13획: yú**

原文

艅: 艅艎, 舟名. 从舟余聲. 經典通用餘皇. 以諸切.

飜譯

'여황(艅艎)이라는 배를 말하는데, 배 이름이다(舟名).'[181] 주(舟)가 의미부이고 여(余)가 소리부이다. 경전에서는 여황(餘皇)으로 통용된다. 독음은 이(以)와 제(諸)의 반절이다.

181) 원래는 오(吳)나라 왕이 쓰던 큰 군함을 말했는데, 이후 큰 배나 대형 전함을 지칭하게 되었다.

**5427**

**艎: 艎: 큰 배 황: 舟-총15획: huáng**

原文

艎: 艅艎也. 从舟皇聲. 胡光切.

飜譯

'여황(艅艎)이라는 배'를 말한다. 주(舟)가 의미부이고 황(皇)이 소리부이다. 독음은 호(胡)와 광(光)의 반절이다.

## 제310부수
## 310 ■ 방(方)부수

**5428**

**方: 方: 모 방: 方-총4획: fāng**

原文

方: 併船也. 象兩舟省、總頭形. 凡方之屬皆从方. 汸, 方或从水. 府良切.

飜譯

'연결하여 묶어 놓은 배(併船)'라는 뜻이다. [아랫부분은] 배 두 척의 생략된 모습(兩舟省)을, [윗부분은] 머리를 묶은 모습(總頭形)을 그렸다.182) 방(方)부수에 귀속된 글자들은 모두 방(方)이 의미부이다. 방(汸)은 방(方)의 혹체자인데, 수(水)로 구성되었다. 독음은 부(府)와 량(良)의 반절이다.

**5429**

**斻: 斻: 배 아울러 맬 항: 方-총8획: háng**

---

182) 고문자에서 甲骨文 金文 古陶文 簡牘文 帛書 石刻古文 등으로 그렸다. 이의 자원은 확실치 않으며 학자에 따라 의견이 분분하다. 『설문해자』는 '배(舟·주)를 둘 합쳐 놓은 것'이라고 했지만, 갑골문을 보면 쟁기가 분명하다. 위는 손잡이를 중간은 발판을 아래는 갈라진 날을 그린 碎土(쇄토)형 쟁기이다. 쟁기는 흙을 갈아엎는 유용한 농기구로, 중국의 쟁기는 세계의 다른 지역보다 수백 년이나 앞서 발명되고 응용되었을 정도로 선진적인 농업의 상징이기도 했다. 쟁기로 밭을 갈면 보습에 의해 각진 흙덩이가 올라오게 되는데, 이로부터 여러 뜻이 생겨났다. 흙은 땅의 상징이며, 농경을 주로 했던 중국에서 땅은 '나라' 그 자체였다. 게다가 하늘은 둥근 반면 땅은 네모졌다고 생각했기에 '네모'나 땅의 '가장자리'까지 뜻하게 되었다. 그래서 方에는 '나라'는 물론 地方(지방)에서처럼 땅, 方向(방향), 다시 方正(방정)에서처럼 '각짐'과 '정직함'이나 입방체, 네모꼴로 된 종이에 처방(處方)을 내린다고 해서 '방법', 방식 등의 뜻까지 생겼다.

原文

斻: 方舟也. 从方亢聲. 禮: 天子造舟, 諸矦維舟, 大夫方舟, 士特舟. 胡郎切.

飜譯

'나란히 맨 두 척의 배(方舟)'라는 뜻이다. 방(方)이 의미부이고 항(亢)이 소리부이다. 예법에 의하면, '[강을 건널 때] 천자는 물 끝까지 배를 연결하고(造舟), 제후는 네 척의 배를 연결하며(維舟), 대부는 두 척의 배를 연결하며(方舟), 선비는 단독으로 된 배(特舟)를 사용한다.'라고 했다. 독음은 호(胡)와 랑(郞)의 반절이다.

## 제311부수
## 311 ■ 아(兒)부수

**5430**

**𠑹: 儿: 사람 인: 儿-총2획: rén**

原文

𠑹: 仁人也. 古文奇字人也. 象形. 孔子曰: "在人下, 故詰屈." 凡儿之屬皆从儿. 如鄰切.

譯譯

'인자스런 사람(仁人)'을 말한다. 인(人)의 고문(古文)체의 기자(奇字)이다.[183] 상형이다. 공자(孔子)에 의하면, "인(人)자의 아랫부분에 있기 때문에, 그래서 굽혀진 모습이다(詰屈)."라고 했다.[184] 인(儿)부수에 귀속된 글자들은 모두 인(儿)이 의미부이다.

---

183) 『설문』 제15권에 실린 「서」에서 이렇게 말했다. "왕망(王莽)이 신(新)나라를 세워 섭정하던 때에 이르러, ……당시에는 여섯 가지의 글자체가 있었다. 첫째 고문(古文)이라는 것인데, 공자 댁의 벽속에서 나온 책(壁中書)에 쓰인 글자체이다. 둘째 기자(奇字)라는 것인데, 이는 고문(古文)이지만, 그 형체가 특이한 것을 말한다. 셋째 전서(篆書)라는 것인데, 바로 소전(小篆)을 말한다. 넷째 좌서(左書)라는 것인데, 바로 진(秦)나라 때의 예서(隸書)를 말하며, 진시황이 하두(下杜) 출신의 정막(程邈)을 시켜 만들게 한 것이다. 다섯째 무전(繆篆)이라는 것인데, 인장(印章)에 새기던 글자체를 말한다. 여섯째 조충서(鳥蟲書)라는 것인데, 깃발이나 부절(符節)에 쓰던 글자체를 말한다."

184) 儿은 원래 사람의 측면을 그린 人(사람 인)과 같은 글자였으나 이후 형체를 조금 바꾸어 분화되었고, 주로 합성자에서 글자의 아래쪽에 쓰였다. 그래서 儿은 人과 뜻이 같고 모두 '사람'과 의미적 관련을 맺는다. 예컨대, 元(으뜸 원)은 갑골문에서 사람의 측면 모습에 머리를 크게 키워 그렸고, 머리가 사람의 가장 위쪽에 자리함으로써 壯元(장원)에서처럼 '으뜸'이나 '처음'의 뜻이 생겼다. 이와 같은 자원을 가진 兀(우뚝할 올)도 같은 이치에서 '우뚝하다'는 뜻이 나왔다. 또 兄(맏 형)은 입(口·구)을 벌리고 꿇어앉은 사람으로, 제단에서 축원하는 모습을 그렸고, 제사를 드려 축원하는 것은 장자의 몫이었기에 '형'이라는 뜻이 생겼다. 그런가 하면 允(진실로 윤)은 머리를 앞으로 구부린 모습에서 공손함과 진실함을 그렸으며, 充(찰 충)은 『설문해자』에서 儿과 育(낳을 육)의 생략된 모습이 결합한 구조로 사람이 태어나 자라 '充滿(충만)해 가는' 모습을 그렸다고 했다. 현대 중국에서는 兒(아이 아)의 간화자로도 쓰인다.

독음은 여(如)와 린(鄰)의 반절이다.

**5431**

**: 兀: 우뚝할 올: 儿-총3획: wù**

原文

: 高而上平也. 从一在人上. 讀若夐. 茂陵有兀桑里. 五忽切.

飜譯

'높고 위가 평평한 곳(高而上平)'을 말한다. 일(一)이 인(人) 위에 놓인 모습이다.[185] 현(夐)과 같이 읽는다. 무릉(茂陵)현에 올상리(兀桑里)가 있다.[186] 독음은 오(五)와 홀(忽)의 반절이다.



**5432**

**: 兒: 아이 아: 儿-총8획: ér**

原文

: 孺子也. 从儿, 象小兒頭囟未合. 汝移切.

飜譯

'어린 아이(孺子)'를 말한다. 인(儿)이 의미부이고, 아이 머리의 정수리가 아직 완전히 결합되지 않은 모습을 그렸다.[187] 독음은 여(汝)와 이(移)의 반절이다.

---

185) 고문자에서 甲骨文 金文 등으로 그렸다. 儿(사람 인) 위에 가로획(一)이 더해져, 서 있는 사람(儿)의 머리 부분(一)을 그려, 높고 우뚝한 모습을 말했으며, 이로부터 오뚝하다, 대머리, 무지한 모습 등의 뜻도 나왔다.

186) 무릉(茂陵)현은 섬서성 흥평현(興平縣)에 있는데, 한 무제(武帝) 건원(建元) 2년(B.C. 139)에 설치되었다. 무제의 능(茂陵) 때문에 그렇게 이름이 붙여졌다. 정확한 위치는 흥평현(興平縣) 동북쪽 10킬로미터 지점의 도장촌(道張村)에 있다. 신망(新莽) 때 선성현(宣城縣)으로 이름을 바꾸었고, 동한 초기에 무릉현(茂陵縣)의 이름을 회복했으나, 조위(曹魏) 황초(黃初) 원년(220)에 폐기되었다.

187) 고문자에서 甲骨文 金文 簡牘文 등으로 그렸다. 정수리가

**5433**

**: 允: 진실로 윤: 儿-총4획: yǔn**

原文

: 信也. 从儿㠯聲. 樂準切.

飜譯

'믿음이 있다(信)'라는 뜻이다. 인(儿)이 의미부이고 이(㠯)가 소리부이다.[188] 독음은 악(樂)과 준(準)의 반절이다.

**5434**

**: 兌: 빛날 태: 儿-총7획: duì**

原文

: 說也. 从儿㕣聲. 大外切.

飜譯

'기뻐하다(說)'라는 뜻이다. 인(儿)이 의미부이고 연(㕣)이 소리부이다.[189] 독음은 대(大)와 외(外)의 반절이다.

---

아직 완전히 봉합되지 않은 아이의 모습을 그렸는데, 머리가 크게 그려져 머리가 몸체보다 큰 아이들의 비대칭 구조를 형상화했고 위쪽이 빈 것은 숨골을 상징한다. 어린 아이가 원래 뜻이고, 특별히 남자 아이를 지칭하기도 했으며, 자식들이 부모 앞에서 자신을 부르거나 부모가 자식을 부르던 말로도 쓰였다. 간화자에서는 아랫부분만 남긴 儿(사람 인)으로 쓴다.

188) 고문자에서 甲骨文 金文 簡牘文 石刻古文 등으로 그렸다. 갑골문에서 머리를 앞으로 공손하게 구부린 사람의 모습을 그렸는데, 이로부터 공손함과 '진실됨'의 의미를 그렸고, 이후 허락하다, 공평하다 등의 뜻이 나왔다.

189) 고문자에서 甲骨文 金文 古陶文 簡牘文 등으로 그렸다. 儿(사람 인)과 口(입 구)와 八(여덟 팔)로 구성되어, 사람(儿)의 벌린 입(口)에서 웃음이 퍼져나가는(八) 모습을 형상적으로 그렸으며, 이로부터 웃다, 기쁘다의 뜻이 나왔다. 이후 기쁘다는 심리 상태를 강화하기 위해 心(마음 심)을 더한 悅(기쁠 열)로 분화했다.

**5435**

### : 充: **찰 충**: 儿-**총5획**: chōng

原文

: 長也. 高也. 从儿, 育省聲. 昌終切.

飜譯

'길다(長)'는 뜻이다. '높다(高)'는 뜻이다. 인(儿)이 의미부이고, 육(育)의 생략된 부분이 소리부이다.[190] 독음은 창(昌)과 종(終)의 반절이다.



---

190) 『설문해자』에서 儿(사람 인) 과 育(낳을 육)의 생략된 모습이 결합한 구조라고 했는데, 사람이 태어나 '자라고' '充滿(충만)해 가는' 모습을 그렸다. 이로부터 가득하다, 充足(충족)하다, 살찌다, 많다, 기르다 등의 뜻이 나왔다. 혹자는 머리에 비녀를 꽂은 성인 남성의 모습을 그렸으며, 이미 다 성장한 성인이라는 의미에서 '충분하다'는 뜻이 나왔다고 풀이하기도 한다.(허진웅, 2021)

## 제312부수
## 312 ■ 형(兄)부수

**5436**

**兄: 兄: 맏 형: 儿-총5획: xiōng**

原文

兄: 長也. 从儿从口. 凡兄之屬皆从兄. 許榮切.

飜譯

'장자(長)'를 말한다.[191] 인(儿)이 의미부이고 구(口)도 의미부이다.[192] 형(兄)부수에 귀속된 글자들은 모두 형(兄)이 의미부이다. 독음은 허(許)와 영(榮)의 반절이다.

**5437**

**兢: 兢: 삼갈 긍: 儿-총18획: jīng**

---

191) 『단주』에서는 장(長)에는 자라다(滋長)와 장유(長幼)의 두 가지 뜻이 있는데, 형(兄)을 장(長)으로 풀이한 것은 첩운(疊韵)으로 뜻풀이한 것이라고 했다. 그리고 『소아(小雅)』의 '兄也永歎(그저 긴 탄식이나 해 줄 뿐이네. 兄은 금본에서 况으로 되었다.)'에 대한 『전(傳)』에서 형(兄)은 자(茲)라는 뜻이라고 한 것과 『대아(大雅)』의 '倉兄塡兮(병이 나 가슴 아픈데)'에 대한 『전』에서 형(兄)은 자(滋)라는 뜻이라고 한 것 등에 근거해 '자라다'는 뜻으로 풀었다. 또 『이아』를 인용하여 "먼저 태어난 남자를 형이라 하고 뒤에 태어난 남자를 제라고 한다(男子先生爲兄, 後生爲弟.) 먼저 태어난 형의 나이가 뒤에 태어난 동생의 나이보다 많기 때문에 형이라 이름 붙였다."고 했다. 그러나 제단 앞에서 입을 크게 벌려 축도를 드리는 모습을 형상한 축(祝)자 등과 연계해 볼 때 형은 그런 일을 하는 '장자'를 뜻했다고 보는 것이 더 합리적이다.

192) 고문자에서 [古文字] 甲骨文 [古文字] 金文 [古文字] 盟書 [古文字] 簡牘文 [古文字] 石刻古文 등으로 그렸다. 儿(사람 인)과 口(입 구)로 구성되어, 입(口)을 벌리고 꿇어앉은 사람(儿)이 제단에서 축원하는 모습을 그렸다. 제사를 드려 축원하는 사람은 장자의 몫이었기에 '형'이라는 뜻이 생겼으며, 상대를 존중할 때 쓰는 말로도 쓰였다. 그러자 원래 뜻은 示(제사 시)를 더한 祝(빌 축)으로 분화했다.

原文

兢: 競也. 从二兄. 二兄, 競意. 从丰聲. 讀若矜. 一曰兢, 敬也. 居陵切.

解譯

'강하게 겨루다(競)'라는 뜻이다. 두 개의 형(兄)으로 구성되었다. 두 개의 형(兄)은 다투다(競)는 의미를 나타낸다. 개(丰)가 소리부이다. 긍(矜)과 같이 읽는다. 일설에는 '경(兢)은 공경하다(敬)'라는 뜻이라고도 한다. 독음은 거(居)와 릉(陵)의 반절이다.

## 제313부수
## 313 ■ 잠(兂)부수

**5438**

**兂:** 兂: **비녀 잠**: 儿-**총4획: zān**

原文

兂: 首笄也. 从人, 匕象簪形. 凡兂之屬皆从兂. 簪, 俗兂从竹从朁. 側岑切.

飜譯

'머리에 꽂는 비녀(首笄)'를 말한다. 인(人)이 의미부이고, 비(匕)는 비녀의 모습을 그렸다. 잠(兂)부수에 귀속된 글자들은 모두 잠(兂)이 의미부이다. 잠(簪)은 잠(兂)의 속체인데, 죽(竹)도 의미부이고 잠(朁)도 의미부이다. 독음은 측(側)과 잠(岑)의 반절이다.

**5439**

**兟:** 兟: **날카로울 침**: 儿-**총8획: jīn**

原文

兟: 朁朁, 銳意也. 从二兂. 子林切.

飜譯

'침침(朁朁)은 예리하다(銳)'라는 뜻이다. 두 개의 잠(兂)으로 구성되었다. 독음은 자(子)와 림(林)의 반절이다.

## 제314부수
## 314 ■ 모(皃)부수



**5440**

**皃: 皃: 얼굴 모: 白-총7획: mào**

原文

皃: 頌儀也. 从人, 白象人面形. 凡皃之屬皆从皃. 貌, 皃或从頁, 豹省聲. 貌, 籒文皃从豹省. 莫教切.

飜譯

'용모(頌儀)'라는 뜻이다. 인(人)이 의미부이고, 백(白)은 사람 얼굴의 모습을 그렸다.193) 모(皃)부수에 귀속된 글자들은 모두 모(皃)가 의미부이다. 모(貌)는 모(皃)의 혹체자인데, 혈(頁)이 의미부이고 표(豹)의 생략된 모습이 소리부이다. 모(貌)는 모(皃)의 주문체인데, 표(豹)의 생략된 모습으로 구성되었다. 독음은 막(莫)과 교(教)의 반절이다.

**5441**

**覍: 覍: 고깔 변: 見-총10획: biàn**

原文

覍: 冕也. 周曰覍, 殷曰吁, 夏曰收. 从皃, 象形. 弁, 籒文覍从廾, 上象形. 弁, 或覍字. 皮變切.

飜譯

193) 貌(모양 모)의 원래 글자로, 白(흰 백)과 儿(사람 인)으로 구성되었는데, 윗부분은 머리를 묶어 올린 밝은 얼굴(白)을 그렸고 아랫부분은 사람의 측면 모습(儿)을 형상화했으며, 이로부터 얼굴과 容貌(용모)라는 뜻이 만들어졌다. 이후 의미를 강화하고자 豸(발 없는 벌레 치)를 더해 貌로 분화했다. 현대 중국에서는 貌(모양 모)의 간화자로도 쓰인다.

'모자(冕)'를 말한다. 주(周)나라 때에는 변(覍), 은(殷)나라 때에는 우(吁), 하(夏)나라 때에는 수(收)라고 했다. 모(皃)가 의미부이고, 상형이다. 변(𢍜)은 변(覍)의 주문체인데, 공(廾)으로 구성되었고, 윗부분은 상형이다. 변(弁)은 변(覍)의 혹체자이다. 독음은 피(皮)와 변(變)의 반절이다.

## 제315부수
## 315 ■ 고(兜)부수

**5442**

兜: 兜: **가릴 고**: 儿−**총6획**: **gǔ**

原文

兜: 廱蔽也. 从人, 象左右皆蔽形. 凡兜之屬皆从兜. 讀若瞽. 公戶切.

飜譯

'옹벽을 쌓아 가리다(廱蔽)'라는 뜻이다. 인(人)이 의미부이고, 좌우가 모두 가려진 모습을 그렸다. 고(兜)부수에 귀속된 글자들은 모두 고(兜)가 의미부이다. 고(瞽)와 같이 읽는다. 독음은 공(公)과 호(戶)의 반절이다.

**5443**

兜: 兜: **투구 두**: 儿−**총11획**: **dōu**

原文

兜: 兜鍪, 首鎧也. 从兜, 从皃省. 皃象人頭也. 當侯切.

飜譯

'투구(兜鍪)'를 말하는데, '머리에 쓰는 갑옷의 일종(首鎧)'이다. 고(兜)가 의미부이고, 모(皃)의 생략된 모습도 의미부이다. 모(皃)는 사람의 머리를 형상했다.194) 독음은 당(當)과 후(侯)의 반절이다.

---

194) 소전체에서 皃(얼굴 모)에 양쪽으로 덮개를 씌운 모양인데, 투구를 쓴 모습을 그렸으며, 이로부터 '투구'라는 뜻이 나왔다. 투구처럼 생긴 모자나 포대기처럼 생긴 것을 지칭하며, 덮어 쓰다는 뜻도 생겼다.

## 제316부수
## 316 ■ 선(先)부수

**5444**

: 先: **먼저 선**: 儿-**총6획: xiān**

原文

: 前進也. 从儿从之. 凡先之屬皆从先. 穌前切.

飜譯

'앞으로 나아가다(前進)'라는 뜻이다. 인(儿)이 의미부이고 지(之)도 의미부이다.195) 선(先)부수에 귀속된 글자들은 모두 선(先)이 의미부이다. 독음은 소(穌)와 전(前)의 반절이다.

**5445**

: 兟: **나아갈 신**: 儿-**총12획: xīn**

原文

: 進也. 从二先. 贊从此. 闕. 所臻切.

飜譯

'나아가다(進)'라는 뜻이다. 두 개의 선(先)으로 구성되었다. 찬(贊)자가 이 글자로 구성되었다. 왜 그런지는 알 수 없어 비워 둔다(闕). 독음은 소(所)와 진(臻)의 반절이다.

---

195) 고문자에서 甲骨文 金文 盟書 簡牘文 石刻古文 등으로 그렸다. 갑골문에서 발(止·지)과 사람을 그려 발(止)이 사람(人)의 앞(先)으로 나갔음으로부터 '앞'의 의미를 그렸고, 다시 '이전'의 의미가 생겼는데, 공간개념에서 시간개념으로 확장되는 과정을 잘 보여준다. 이후 앞서 나가다, 먼저 차지하다, 이끌다, 초월하다, 처음으로 시작하다, 소개하다 등의 뜻도 나왔다.

## 제317부수
## 317 ■ 독(禿)부수



5446

**禿: 禿: 대머리 독: 禾-총7획: tū**

原文

禿: 無髮也. 从人, 上象禾粟之形, 取其聲. 凡禿之屬皆从禿. 王育說: 蒼頡出見禿人伏禾中, 因以制字. 未知其審. 他谷切.

飜譯

'머리칼이 없다(無髮)'라는 뜻이다. 인(人)이 의미부이다. 윗부분은 곡식 이삭(禾粟)의 모습을 본떴으며, 동시에 소리부를 나타내기도 한다.196) 독(禿)부수에 귀속된 글자들은 모두 독(禿)이 의미부이다. 왕육(王育)의 해설에 의하면, [한자를 창제했다고 전해지는] 창힐(蒼頡)이 대머리인 사람이 곡식밭에 엎드려 있는 모습을 보고서, [인(儿)과 화(禾)로 구성된] 이 글자를 만들었다고 한다. 그러나 상세한 사항에 대해서는 알 길이 없다. 독음은 타(他)와 곡(谷)의 반절이다.

5447

**穨: 穨: 쇠퇴할 퇴: 禾-총19획: tuì**

原文

穨: 禿皃. 从禿貴聲. 杜回切.

飜譯

196) 禾(벼 화)와 儿(사람 인)으로 구성되어, 대머리를 말하는데, 사람(儿)의 머리칼이 벼(禾) 심은 것처럼 드문드문하다는 뜻을 담았다. 이후 초목이 없는 민둥산을 지칭하였고, 떨어지다, 벗겨지다 등의 뜻도 나왔다. 간화자에서는 秃으로 쓴다. 또 일부 이체자에서는 이를 질병(疒·녁)으로 여겨 瘬으로 쓰기도 한다.

‘머리칼이 없는 모양(秃皃)’을 말한다. 독(秃)이 의미부이고 귀(貴)가 소리부이다. 독음은 두(杜)와 회(回)의 반절이다.

## 제318부수
## 318 ■ 견(見)부수

**5448**

**見: 見: 볼 견: 見-총7획: jiàn**

原文

見: 視也. 从儿从目. 凡見之屬皆从見. 古甸切.

飜譯

'보다(視)'라는 뜻이다. 인(儿)이 의미부이고 목(目)도 의미부이다.197) 견(見)부수에 귀속된 글자들은 모두 견(見)이 의미부이다. 독음은 고(古)와 전(甸)의 반절이다.

**5449**

**視: 視: 볼 시: 見-총12획: shì**

原文

視: 瞻也. 从見、示. 眂, 古文視. 眎, 亦古文視. 神至切.

飜譯

'쳐다보다(瞻)'라는 뜻이다. 견(見)과 시(示)가 모두 의미부이다.198) 시(眂)는 시(視)

---

197) 고문자에서 甲骨文 金文 古陶文 盟書 簡牘文 帛書 등으로 그렸다. 눈(目·목)을 크게 뜬 사람(儿·인)을 그려, 대상물을 보거나 눈에 들어옴을 형상화했으며, 이로부터 보다, 만나다, 드러나다 등을 뜻이 나왔다. 다만 '드러나다'나 '나타나다' 등의 뜻으로 쓰일 때에는 '현'으로 구분해 읽는다.

198) 고문자에서 甲骨文 金文 簡牘文 등으로 그렸다. 『설문』의 해설처럼 見(볼 견)이 의미부고 示(보일 시)가 소리부로, 눈을 크게 뜨고(見) 보다는 뜻이며, 이로부터 관찰하다, 監視(감시)하다 등의 뜻이 나왔다. 달리 眎나 眂로 쓰기도

의 고문체이다. 시(眡)도 시(視)의 고문체이다. 독음은 신(神)과 지(至)의 반절이다.

**5450**

**覼:** 覼: **찾아볼 리**: 見-**총26획**: lì, luán

原文

覼: 求也. 从見麗聲. 讀若池. 郎計切.

飜譯

'구하[려고 자세히 살피]다(求)'라는 뜻이다. 견(見)이 의미부이고 려(麗)가 소리부이다. 지(池)와 같이 읽는다. 독음은 랑(郎)과 계(計)의 반절이다.

**5451**

**覣:** 覣: **좋게 볼 위**: 見-**총15획**: wēi

原文

覣: 好視也. 从見委聲. 於爲切.

飜譯

'호감을 가지고 보다(好視)'라는 뜻이다. 견(見)이 의미부이고 위(委)가 소리부이다. 독음은 어(於)와 위(爲)의 반절이다.

**5452**

**䚘:** 䚘: **흘겨볼 예**: 見-**총15획**: nì

原文

䚘: 旁視也. 从見兒聲. 五計切.

飜譯

---

한다.

'옆으로 흘겨보다(覫視)'라는 뜻이다. 견(見)이 의미부이고 아(兒)가 소리부이다. 독음은 오(五)와 계(計)의 반절이다.

**5453**

**覶: 覶: 자세할 라: 見-총19획: luó**

原文

覶: 好視也. 从見𤔔聲. 洛戈切.

飜譯

'호감을 가지고 보다(好視)'라는 뜻이다. 견(見)이 의미부이고 란(𤔔)이 소리부이다. 독음은 락(洛)과 과(戈)의 반절이다.

**5454**

**覼: 覼: 웃으며 볼 록: 見-총15획: lù**

原文

覼: 笑視也. 从見录聲. 力玉切.

飜譯

'웃으며 보다(笑視)'라는 뜻이다. 견(見)이 의미부이고 록(录)이 소리부이다. 독음은 력(力)과 옥(玉)의 반절이다.

**5455**

**覹: 覹: 눈 크게 뜨고 볼 훤: 見-총16획: huǎn**

原文

覹: 大視也. 从見爰聲. 況晚切.

飜譯

'눈을 크게 뜨고 보다(大視)'라는 뜻이다. 견(見)이 의미부이고 원(爰)이 소리부이다.

독음은 황(況)과 만(晩)의 반절이다.

**5456**

**䙺: 覝: 볼 렴: 見-총14획: lián**

原文

䙺: 察視也. 从見炗聲. 讀若鎌. 力鹽切.

譯註

'살피며 보다(察視)'라는 뜻이다. 견(見)이 의미부이고 점(炗)이 소리부이다. 겸(鎌)과 같이 읽는다. 독음은 력(力)과 염(鹽)의 반절이다.

**5457**

**覞: 覞: 어질어질할 운: 見-총17획: yùn**

原文

覞: 外博眾多視也. 从見員聲. 讀若運. 王問切.

譯註

'보이는 사물이 너무 많아서 눈이 어질어질하다(外博眾多視)'라는 뜻이다. 견(見)이 의미부이고 원(員)이 소리부이다. 운(運)과 같이 읽는다. 독음은 왕(王)과 문(問)의 반절이다.

**5458**

**觀: 觀: 볼 관: 見-총25획: guān**

原文

觀: 諦視也. 从見雚聲. 䙿, 古文觀从囧. 古玩切.

譯註

'자세히 살펴보다(諦視)'라는 뜻이다. 견(見)이 의미부이고 관(雚)이 소리부이다.[199] 관

(𥌬)은 관(觀)의 고문체인데, 경(囧)으로 구성되었다. 독음은 고(古)와 완(玩)의 반절이다.

**5459**

**𣝁: 㝵: 얻을 득: 見-총10획: dé, zhé**

原文

𣝁: 取也. 从見从寸. 寸, 度之, 亦手也. 多則切.

飜譯

'가져오다(取)'라는 뜻이다. 견(見)이 의미부이고 촌(寸)도 의미부인데, 촌(寸)은 헤아리다(度)라는 뜻이며, 역시 손(手)을 뜻한다.[200] 독음은 다(多)와 칙(則)의 반절이다.

**5460**

**覽: 覽: 볼 람: 見-총21획: lǎn**

原文

覽: 觀也. 从見、監, 監亦聲. 盧敢切.

飜譯

---

199) 고문자에서 [字形]甲骨文 [字形]金文 [字形]簡牘文 등으로 그렸다. 見(볼 견)이 의미부이고 雚(황새 관)이 소리부로, 큰 눈을 가진 수리부엉이(雚)가 목표물을 응시하듯 뚫어지게 바라다봄을 말하며, 이로부터 觀察(관찰)하다, 본 모습, 사물에 대한 인식이나 觀點(관점), 觀念(관념)의 뜻이 나왔고, 도교사원을 지칭하기도 했다. 간화자에서는 雚을 간단한 부호로 又(또 우)로 줄인 观으로 쓴다.

200) 고문자에서 [字形]甲骨文 [字形]金文 [字形]古陶文 [字形]簡牘文 [字形]帛書 [字形]石刻古文 등으로 그렸다. 원래 貝(조개 패)와 寸(마디 촌)으로 이루어져 조개 화폐(貝)를 손(寸)으로 줍는 모습을 그렸는데, 이후 그러한 행위가 길거리에서 행해졌음을 강조하기 위해 彳(조금 걸을 척)을 더해 의미를 강화했고, 자형이 줄어 지금처럼 되었다. 줍다, 얻다는 뜻으로부터 가능하다, 적합하다, 만족하다의 뜻이 나왔고, 현대 중국어에서는 괜찮다, 됐다 등의 뜻으로도 쓰인다.

'자세히 살펴보다(觀)'라는 뜻이다. 견(見)과 감(監)이 모두 의미부인데, 감(監)은 소리부도 겸한다.[201] 독음은 로(盧)와 감(敢)의 반절이다.

**5461**

**𧢈: 覫: 들여다볼 래: 見-총15획: lái, lài**

原文

𧢈: 内視也. 从見來聲. 洛代切.

飜譯

'안쪽을 살피다(內視)'라는 뜻이다. 견(見)이 의미부이고 래(來)가 소리부이다. 독음은 락(洛)과 대(代)의 반절이다.

**5462**

**𧢖: 題: 나타날 제: 見-총16획: tí**

原文

𧢖: 顯也. 从見是聲. 杜兮切.

飜譯

'드러나다(顯)'라는 뜻이다. 견(見)이 의미부이고 시(是)가 소리부이다. 독음은 두(杜)와 혜(兮)의 반절이다.

**5463**

**䚈: 䚈: 밝게 살펴볼 표: 見-총18획: piǎo**

---

201) 見(볼 견)이 의미부이고 監(볼 감)이 소리부로, '보다'는 뜻이다. 원래는 큰 그릇에 물을 담아 얼굴을 비추어 보는 모습을 그린 監으로 썼으나, 監이 '監視(감시)'의 뜻으로 쓰이게 되자, 다시 見을 더해 '보다'는 의미를 강조한 글자이다. 이후 높은 곳에서 먼 곳을 바라보다, 현시하다, 열독하다, 조망하다, 시선 등의 뜻이 나왔다. 간화자에서는 監을 간단하게 줄여 览으로 쓴다.

原文

[illegible]: 目有察省見也. 从見票聲. 方小切.

飜譯

'두 눈을 자세히 뜨고 살펴보아 보이는 게 있다(目有察省見)'라는 뜻이다. 견(見)이 의미부이고 표(票)가 소리부이다. 독음은 방(方)과 소(小)의 반절이다.



**5464**

䚁: 䚁: **엿 볼 자**: 見-**총12획**: cī

原文

䚁: 䚁覰, 闚觀也. 从見朿聲. 七四切.

飜譯

'자처(䚁覰)'를 말하는데, '엿보다(闚觀)'라는 뜻이다. 견(見)이 의미부이고 자(朿)가 소리부이다. 독음은 칠(七)과 사(四)의 반절이다.

**5465**

覰: 覰: **엿볼 처**: 見-**총18획**: qù

原文

覰: 拘覰, 未致密也. 从見虘聲. 七句切.

飜譯

'구처(拘覰)'를 말하는데, '치밀하지 못하다(未致密)'라는 뜻이다. 견(見)이 의미부이고 차(虘)가 소리부이다. 독음은 칠(七)과 구(句)의 반절이다.

**5466**

覭: 覭: **볼 명**: 見-**총17획**: míng

原文

䁾: 小見也. 从見冥聲. 『爾雅』曰 : "覭髳, 弗離." 莫經切.

飜譯

'희미하게 보이다(小見)'라는 뜻이다. 견(見)이 의미부이고 명(冥)이 소리부이다. 『이아석고(釋詁)』에서 "명모(覭髳)는 불리(弗離)와 같은데, 희미하게 보이다는 뜻이다." 라고 했다.202) 독음은 막(莫)과 경(經)의 반절이다.

**5467**

**䚁: 覘: 들여다 볼 탐: 見-총16획: dān, dàn**

原文

䚁: 内視也. 从見甚聲. 丁含切.

飜譯

'속을 들여다 보다(内視)'라는 뜻이다. 견(見)이 의미부이고 심(甚)이 소리부이다. 독음은 정(丁)과 함(含)의 반절이다.

**5468**

**覯: 覯: 만날 구: 見-총17획: gòu**

原文

覯: 遇見也. 从見冓聲. 古后切.

飜譯

'우연히 만나다(遇見)'라는 뜻이다. 견(見)이 의미부이고 구(冓)가 소리부이다.203) 독

202) 『이아주』에서 "풀이나 나무가 무성하여 덮어 가리는 것을 말한다. 불리(弗離)는 미리(彌離)와 같은 말인데, 미리(彌離)는 몽롱(蒙蘢) 즉 몽롱(朦朧)과 같다."라고 했다. 그렇다면 명(覭)은 풀이나 나무가 무성하게 가려 잘 보이지 않고 어렴풋이 보이는 것을 말한다.

203) 見(볼 견)이 의미부이고 冓(짤 구)가 소리부로, 대나무 등을 얽어 놓은 구조물(冓)처럼 서로 만나서 보는(見) 것을 말한다. 간화자에서는 觏로 쓴다. 冓로 구성된 합성자는 모두 '얽히다'는 뜻을 가진다.

음은 고(古)와 후(后)의 반절이다.

**5469**

𧢦: 𧢦: **눈여겨 볼 규**: 見—**총25획**: kuī, kuí, guì

原文

𧢦: 注目視也. 从見歸聲. 渠追切.

飜譯

'눈여겨보다(注目視)'라는 뜻이다. 견(見)이 의미부이고 귀(歸)가 소리부이다. 독음은 거(渠)와 추(追)의 반절이다.

**5470**

覘: 覘: **엿볼 첨·점**: 見—**총12획**: hān

原文

覘: 窺也. 从見占聲. 『春秋傳』曰 : "公使覘之, 信." 救黶切.

飜譯

'엿보다(窺)'라는 뜻이다. 견(見)이 의미부이고 점(占)이 소리부이다. 『춘추전』(『좌전』 성공 17년, B.C. 574)에서 "[진나라] 여공께서 사람을 보내 엿보게 했더니, 정말로 그러했다(公使覘之, 信)."라고 했다. 독음은 구(救)와 염(黶)의 반절이다.

**5471**

覹: 覹: **엿볼 미**: 見—**총20획**: wéi

原文

覹: 司也. 从見微聲. 無非切.

飜譯

'엿보다(司)'라는 뜻이다. 견(見)이 의미부이고 미(微)가 소리부이다. 독음은 무(無)와 비(非)의 반절이다.

**5472**

**覢: 覢: 언뜻 볼 섬: 見-총15획: shǎn**

原文

覢: 暫見也. 从見炎聲. 『春秋公羊傳』曰: "覢然公子陽生." 失冉切.

飜譯

'갑자기 보이다(暫見)'라는 뜻이다. 견(見)이 의미부이고 염(炎)이 소리부이다. 『춘추공양전』(애공 6년, B.C. 489)에서 "공자 양생이 갑자기 보였다(覢然公子陽生)"라고 했다. 독음은 실(失)과 염(冉)의 반절이다.

**5473**

**覶: 覶: 잠깐 볼 빈: 見-총21획: bìn**

原文

覶: 暫見也. 从見賓聲. 必刃切.

飜譯

'잠깐 보이다(暫見)'라는 뜻이다. 견(見)이 의미부이고 빈(賓)이 소리부이다. 독음은 필(必)과 인(刃)의 반절이다.

**5474**

**覣: 覣: 잠깐 볼 번: 見-총22획: fán**

原文

覣: 覻覣也. 从見樊聲. 讀若幡. 附袁切.

飜譯

'잠깐 보다(覻覣)'라는 뜻이다. 견(見)이 의미부이고 번(樊)이 소리부이다. 번(幡)과 같이 읽는다. 독음은 부(附)와 원(袁)의 반절이다.

**5475**

**䀸: 覭: 병든 사람이 볼 미: 見-총12획: mí**

原文

䀸: 病人視也. 从見氐聲. 讀若迷. 莫兮切.

飜譯

'병든 사람이 보듯 혼미하다(病人視)'라는 뜻이다. 견(見)이 의미부이고 저(氐)가 소리부이다. 미(迷)와 같이 읽는다. 독음은 막(莫)과 혜(兮)의 반절이다.

**5476**

**覰: 覰: 뚫어져라 하고 내려다 볼 유: 見-총17획: yóu**

原文

覰: 下視深也. 从見卣聲. 讀若攸. 以周切.

飜譯

'아래로 뚫어지게 보다(下視深)'라는 뜻이다. 견(見)이 의미부이고 유(卣)가 소리부이다. 유(攸)와 같이 읽는다. 독음은 이(以)와 주(周)의 반절이다.

**5477**

**覙: 覙: 가만히 머리 내밀고 볼 침: 見-총16획: chēn**

原文

覙: 私出頭視也. 从見彡聲. 讀若郴. 丑林切.

飜譯

'가만히 머리를 내밀고 보다(私出頭視)'라는 뜻이다. 견(見)이 의미부이고 침(彡)이 소리부이다. 침(郴)과 같이 읽는다. 독음은 축(丑)과 림(林)의 반절이다.

**5478**

**冐: 冐: 돌진할 몽: 見-총10획: mào**

原文

冐: 突前也. 从見、冃. 莫紅切.

飜譯

'막무가내 앞으로 나가다(突前)'라는 뜻이다. 견(見)과 모(冃)가 모두 의미부이다. 독음은 막(莫)과 홍(紅)의 반절이다.

**5479**

**覬: 覬: 바랄 기: 見-총17획: jì**

原文

覬: 钦幸也. 从見豈聲. 几利切.

飜譯

'희망하다(钦幸)'라는 뜻이다. 견(見)이 의미부이고 기(豈)가 소리부이다. 독음은 궤(几)와 리(利)의 반절이다.

**5480**

**覦: 覦: 넘겨다 볼 유: 見-총16획: yú**

原文

覦: 欲也. 从見俞聲. 羊朱切.

飜譯

'욕망하다(欲)'라는 뜻이다. 견(見)이 의미부이고 유(俞)가 소리부이다. 독음은 양(羊)과 주(朱)의 반절이다.

**5481**

**䚒: 䚒: 어두울 창: 見-총18획: chuāng**

原文

䚒: 視不明也. 一曰直視. 从見舂聲. 丑尨切.

飜譯

'희미하게 보이다(視不明)'라는 뜻이다. 일설에는 '똑바로 보다(直視)'라는 뜻이라고도 한다. 견(見)이 의미부이고 용(舂)이 소리부이다. 독음은 축(丑)과 방(尨)의 반절이다.

**5482**

**覦: 覦: 잘못 볼 요: 見-총24획: yào**

原文

覦: 視誤也. 从見龠聲. 弋笑切.

飜譯

'잘못 보다(視誤)'라는 뜻이다. 견(見)이 의미부이고 약(龠)이 소리부이다. 독음은 익(弋)과 소(笑)의 반절이다.

**5483**

**覺: 覺: 깨달을 각: 見-총20획: jué**

原文

覺: 寤也. 从見, 學省聲. 一曰發也. 古岳切.

飜譯

'잠에서 깨다(寤)'라는 뜻이다. 견(見)이 의미부이고, 학(學)의 생략된 모습이 소리부이다. 일설에는 '발각되다(發)'라는 뜻이라고도 한다. 독음은 고(古)와 악(岳)의 반절이다.

**5484**

**䚓: 䚓: 눈을 붉힐 적: 見-총19획: jí**

原文

䚓: 目赤也. 从見, [illegible]省聲. 才的切.

飜譯

'눈이 벌겋게 되다(目赤)'라는 뜻이다. 견(見)이 의미부이고, 지([illegible])의 생략된 모습이 소리부이다. 독음은 재(才)와 적(的)의 반절이다.

**5485**

**靚: 靚: 단장할 정: 靑-총15획: jìng**

原文

靚: 召也. 从見青聲. 疾正切.

飜譯

'[임금이나 윗사람이] 불러서 보다(召)'라는 뜻이다. 견(見)이 의미부이고 청(青)이 소리부이다. 독음은 질(疾)과 정(正)의 반절이다.

**5486**

**親: 親: 친할 친: 見-총16획: qīn**

原文

親: 至也. 从見亲聲. 七人切.

飜譯

'지극하다(至)'라는 뜻이다. 견(見)이 의미부이고 친(亲)이 소리부이다.[204] 독음은 칠

---

204) 고문자에서 金文 등으로 그렸다. 금문에서 見(볼 견)이 의미부이고 辛(매울 신)이 소리부인 구조였는데, 辛이 立(설 립)으로 잘못 변하고 木(나무 목)이 들어가 지금의 자형이

(七)과 인(人)의 반절이다.

5487

**䙲: 覲: 뵐 근: 見-총18획: jìn**

原文

䙲: 諸矦秋朝曰覲, 勞王事. 从見堇聲. 渠吝切.

飜譯

'제후가 가을에 천자를 뵙는 것(諸矦秋朝)을 근(覲)이라 하는데, 왕의 노고를 격려하기 위함이다(勞王事).' 견(見)이 의미부이고 근(堇)이 소리부이다. 독음은 거(渠)와 린(吝)의 반절이다.

5488

**䚀: 覜: 뵐 조: 見-총13획: tiào**

原文

䚀: 諸矦三年大相聘曰覜. 覜, 視也. 从見兆聲. 他弔切.

飜譯

'제후는 삼 년에 한 번씩 크게 서로를 초빙하는데(諸矦三年大相聘) 이를 조(覜)라고 한다.'[205] 조(覜)는 '보다(視)'라는 뜻이다. 견(見)이 의미부이고 조(兆)가 소리부이다.

---

되었다. "나무(木) 위에 올라서서(立) 멀리 떠나는 자식을 안타까운 마음으로 바라다보는 것이 부모(親)"라고 풀이하기도 하지만, 서로 붙어서 자라는 가시나무(亲)처럼 친근하게 서로 보살펴주다(見)가 親의 원래 뜻이다. 여기에서 가장 가까이서 보살펴주는 부모라는 뜻이 생겼고, 다시 親戚(친척)과 같이 혈통이나 혼인 관계와 관련된 지칭으로도 쓰이게 되었다. 간화자에서는 見을 생략한 亲으로 줄여 쓴다.

205) 『단주』에서 이렇게 말했다. "『예기·왕제(王制)』에서 제후들이 천자를 알현하는데, 매년 한 번씩 소빙(小聘)을 하고 3년에 한 번씩 대빙(大聘)을 하고 5년에 한 번씩 조(朝)를 한다고 했는데, 정현의 주석에서는 여기서 말한 대빙(大聘)과 조(朝)는 진(晉) 문공(文公)이 패자이던 시절 행하던 제도라고 했다. 『이의(異義)』에서는 『공양전(公羊傳)』에서는 제후는 매년 한 번씩 소빙(小聘)을 하고 3년에 한 번씩 대빙(大聘)을 하며, 5년에 한 번씩 천자를 알현한다(朝天子)

독음은 타(他)와 조(弔)의 반절이다.

**5489**

: 覒: **가릴 모**: 見-**총11획**: máo

原文

: 擇也. 从見毛聲. 讀若苗. 莫袍切.

飜譯

'선택하다(擇)'라는 뜻이다. 견(見)이 의미부이고 모(毛)가 소리부이다. 묘(苗)와 같이 읽는다. 독음은 막(莫)과 포(袍)의 반절이다.

**5490**

: 覕: **언뜻 볼 별**: 見-**총12획**: bié

原文

: 蔽不相見也. 从見必聲. 莫結切.

飜譯

'가려서 서로 보이지 않음(蔽不相見)'을 말한다. 견(見)이 의미부이고 필(必)이 소리부이다. 독음은 막(莫)과 결(結)의 반절이다.

**5491**

: 覗: **살필 시**: 見-**총12획**: shī

原文

: 司人也. 从見它聲. 讀若馳. 式支切.

---

라고 했다. 『좌전』에 의하면 12년 사이에 8번의 빙(聘)과 4번의 조(朝)가 있었고, 두 번의 회(會)와 한 번의 맹(盟)이 있었다고 했다. 허신은 매우 신중하게 살폈다. 『공양전』의 해설은 하나라 제도이고, 『좌전』의 해설은 주나라 때의 제도이다."

飜譯

'모시는 사람(司人)'을 말한다. 견(見)이 의미부이고 타(它)가 소리부이다. 지(馳)와 같이 읽는다. 독음은 식(式)과 지(支)의 반절이다.

**5492**

**覴: 覴: 눈곱 낄 두: 見-총17획: dōu**

原文

覴: 目蔽垢也. 从見豆聲. 讀若兜. 當侯切.

飜譯

'눈곱(目蔽垢)'을 말한다. 견(見)이 의미부이고 두(豆)가 소리부이다. 고(兜)와 같이 읽는다.[206] 독음은 당(當)과 후(侯)의 반절이다.

**5493**

**覿: 覿: 볼 적: 見-총22획: dí**

原文

覿: 見也. 从見賣聲. 徒歷切.

飜譯

'보다(見)라는 뜻이다. 견(見)이 의미부이고 육(賣)이 소리부이다. 독음은 도(徒)와 력(歷)의 반절이다. [신부]

206) 고(兜)의 독음을 『당운』에서는 공(公)과 호(戶)의 반절, 『집운』에서는 과(果)와 호(戶)의 반절이며 독음은 고(古)라고 했다.

## 제319부수
## 319 ■ 요(覞)부수

**5494**

覞: 覞: **아울러 볼 요**: 見-**총14획**: **yào**

原文

覞: 竝視也. 从二見. 凡覞之屬皆从覞. 弋笑切.

飜譯

'서로 상대하여 마주보다(竝視)'라는 뜻이다. 두 개의 견(見)으로 구성되었다. 요(覞) 부수에 귀속된 글자들은 모두 요(覞)가 의미부이다. 독음은 익(弋)과 소(笑)의 반절이다.

**5495**

覵: 覵: **패려궂게 볼 간**: 見-**총22획**: **qiān**

原文

覵: 很視也. 从覞肩聲. 齊景公之勇臣有成覵者. 苦閑切.

飜譯

'험악하게 쳐다보다(很視)'라는 뜻이다. 요(覞)가 의미부이고 견(肩)이 소리부이다. 제(齊)나라 경공(景公)의 용감한 신하 중에 성간(成覵)이라는 자가 있었다. 독음은 고(苦)와 한(閑)의 반절이다.

**5496**

䨘: 䨘: **비를 피할 희**: 雨-**총22획**: **xì**

原文

䨘: 見雨而比息. 从覞从雨. 讀若欷. 虛器切.

飜譯

'비를 만나 [피하느라 가팔라진] 숨을 가다듬다(見雨而比息)'라는 뜻이다. 요(覞)가 의미부이고 우(雨)도 의미부이다. 희(欷)와 같이 읽는다. 독음은 허(虛)와 기(器)의 반절이다.

## 제320부수
## 320 ■ 흠(欠)부수

**5497**

**欠:** 欠: **하품 흠**: 欠-**총4획**: **qiàn**

原文

欠: 張口气悟也. 象气从人上出之形. 凡欠之屬皆从欠. 去劒切.

飜譯

'입을 크게 벌려 기운이 밖으로 쏟아져 나오다(張口气悟)[하품하다]'라는 뜻이다. 기운(气)이 사람(人)의 위쪽으로 나오는 모습을 그렸다.207) 흠(欠)부수에 귀속된 글자들은 모두 흠(欠)이 의미부이다. 독음은 거(去)와 검(劒)의 반절이다.

**5498**

**欽:** 欽: **공경할 흠**: 欠-**총12획**: **qīn**

原文

欽: 欠皃. 从欠金聲. 去音切.

飜譯

'하품을 하는 모습(欠皃)'을 말한다. 흠(欠)이 의미부이고 금(金)이 소리부이다. 독음은 거(去)와 음(音)의 반절이다.

---

207) 고문자에서 [甲骨文 자형] 甲骨文 등으로 그렸다. 갑골문에서 입을 크게 벌린 형상이며, 입에서 나오는 무엇인가를 강조하기 위해 점이 더해지기도 했다. 그래서 欠(하품 흠)은 '말하기'를 제외한 마시며, 노래하고, 호흡을 가다듬는 등 입과 관련된 수많은 행위를 나타낸다. 나아가 欲(하고자 할 욕)에서처럼 부러워함과 欠缺(흠결)처럼 아무리 많아도 '부족함'까지 뜻하기도 한다. 다만, 말과 관련된 행위는 주로 口(입 구)나 言(말씀 언)으로 표현되었다.

**5499**

**: 欒欠: 하품하는 모양 란: 欠-총23획: luán**

原文

: 欠皃. 从欠䜌聲. 洛官切.

飜譯

'하품을 하는 모습(欠皃)'을 말한다. 흠(欠)이 의미부이고 련(䜌)이 소리부이다. 독음은 락(洛)과 관(官)의 반절이다.

**5500**

**: 欯: 기뻐할 힐: 欠-총10획: xí**

原文

: 喜也. 从欠吉聲. 許吉切.

飜譯

'기뻐하다(喜)'라는 뜻이다. 흠(欠)이 의미부이고 길(吉)이 소리부이다. 독음은 허(許)와 길(吉)의 반절이다.

**5501**

**: 吹: 불 취: 口-총7획: chuī**

原文

: 出气也. 从欠从口. 昌垂切.

飜譯

'[입으로] 불다(出气)'라는 뜻이다. 흠(欠)이 의미부이고 구(口)도 의미부이다.[208] 독음

---

208) 고문자에서 甲骨文 金文 등으로 그렸다. 口(입 구)와 欠(하품 흠)으로 구성되어, 입(口)을 크게 벌리고(欠) 바람을 부는 모습으로부터 '불다'는 뜻을 그렸으며, 입으로 부는 악기를 지칭하였다. 또 공기를 불어 넣어 물체를 불리다는 뜻으로부터 '과장하다'의 뜻도

은 창(昌)과 수(垂)의 반절이다.

**5502**

**欨: 欨: 불 구: 欠-총9획: xū**

原文

欨: 吹也. 一曰笑意. 从欠句聲. 況于切.

飜譯

'[입으로] 불다(吹)'라는 뜻이다. 일설에는 '웃다(笑)'는 뜻이라고도 한다. 흠(欠)이 의미부이고 구(句)가 소리부이다. 독음은 황(況)과 우(于)의 반절이다.

**5503**

**歑: 歑: 숨 길게 내쉴 호: 欠-총15획: hū**

原文

歑: 溫吹也. 从欠虖聲. 虎烏切.

飜譯

'온기를 불어넣다(溫吹)'라는 뜻이다. 흠(欠)이 의미부이고 호(虖)가 소리부이다. 독음은 호(虎)와 오(烏)의 반절이다.

**5504**

**㰲: 㰲: 숨을 내쉴 욱·입김 불 혁: 欠-총12획: xù, yù**

原文

㰲: 吹气也. 从欠或聲. 於六切.

飜譯

---

나왔다.

'기운을 불어넣다(吹气)'라는 뜻이다. 흠(欠)이 의미부이고 혹(或)이 소리부이다. 독음은 어(於)와 륙(六)의 반절이다.

**5505**

**歟: 歟: 어조사 여: 欠-총18획: yú**

原文

歟: 安气也. 从欠與聲. 以諸切.

飜譯

'편안한 어기를 나타낸다(安气)'. 흠(欠)이 의미부이고 여(與)가 소리부이다. 독음은 이(以)와 제(諸)의 반절이다.

**5506**

**歙: 歙: 호흡 맞을 협: 欠-총14획: xié**

原文

歙: 翕气也. 从欠脅聲. 虛業切.

飜譯

'호흡을 맞추다(翕气)'라는 뜻이다. 흠(欠)이 의미부이고 협(脅)이 소리부이다. 독음은 허(虛)와 업(業)의 반절이다.

**5507**

**歕: 歕: 불 분: 欠-총17획: pēn**

原文

歕: 吹气也. 从欠賁聲. 普魂切.

飜譯

'기운을 불다(吹气)'라는 뜻이다. 흠(欠)이 의미부이고 분(賁)이 소리부이다. 독음은 보(普)와 혼(魂)의 반절이다.

**5508**

: 歇: **쉴 헐**: 欠**-총13획**: xiē

原文

歇: 息也. 一曰气越泄. 从欠曷聲. 許謁切.

飜譯

'쉬다(息)'라는 뜻이다. 일설에는 '기운이 넘쳐 발산하다(气越泄)'라는 뜻이라고도 한다. 흠(欠)이 의미부이고 갈(曷)이 소리부이다.[209] 독음은 허(許)와 알(謁)의 반절이다.

**5509**

: 歡: **기뻐할 환**: 欠**-총22획**: huān

原文

歡: 喜樂也. 从欠雚聲. 呼官切.

飜譯

'기뻐하다(喜樂)'라는 뜻이다. 흠(欠)이 의미부이고 관(雚)이 소리부이다.[210] 독음은 호(呼)와 관(官)의 반절이다.

---

209) 고문자에서 古璽文 등으로 그렸다. 欠(하품 흠)이 의미부고 曷(어찌 갈)이 소리부로, 입을 크게 벌리고(曷) 숨을 가다듬으며(欠) 쉬는 것을 말하며, 이로부터 잠자다, 짧은 시간, 잠시 등의 뜻도 나왔다.

210) 고문자에서 古璽文 簡牘文 등으로 그렸다. 欠(하품 흠)이 의미부고 雚(황새 관)이 소리부로, 눈을 동그랗게 뜨고(雚) 입을 크게 벌려(欠) 좋아할 만큼 기쁘고 즐거움을 말한다. 달리 심리적 상태를 강조한 懽(기뻐할 환)이나, 기쁨을 강조한 讙(시끄러울 환) 등으로 쓰기도 하며, 간화자에서는 雚을 간단한 부호 又(또 우)로 줄여 欢으로 쓴다.

**5510**

: 欣: **기뻐할 흔**: 欠–**총8획**: **xīn**

原文

: 笑喜也. 从欠斤聲. 許斤切.

飜譯

'웃으며 즐거워하다(笑喜)'라는 뜻이다. 흠(欠)이 의미부이고 근(斤)이 소리부이다.[211] 독음은 허(許)와 근(斤)의 반절이다.

**5511**

: 弞: **싱긋 웃을 신**: 弓–**총7획**: **shěn**

原文

: 笑不壞顏曰弞. 从欠, 引省聲. 式忍切.

飜譯

'웃되 얼굴에 변화가 없는 것(笑不壞顏)[표정변화 없이 살짝 웃는 것]을 신(弞)이라 한다.' 흠(欠)이 의미부이고, 인(引)의 생략된 부분이 소리부이다. 독음은 식(式)과 인(忍)의 반절이다.

**5512**

: 款: **정성 관**: 欠–**총12획**: **kuǎn**

原文

: 意有所欲也. 从欠, 窾省. 款, 歀或从柰. 苦管切.

飜譯

'하고자 하는 마음이 있다(意有所欲)'라는 뜻이다. 흠(欠)과 관(窾)의 생략된 모습이

---

211) 欠(하품 흠)이 의미부고 斤(도끼 근)이 소리부로, 입을 크게 벌리고(欠) 기뻐하는 모습을 담았고, 이로부터 기뻐하다, 즐거이 추대하다 등의 뜻이 나왔다. 달리 흔(忻)으로 쓰기도 한다.

모두 의미부이다. 관(歀)은 관(款)의 혹체자인데, 내(柰)로 구성되었다. 독음은 고(苦)와 관(管)의 반절이다.

**5513**

**: 欥: 바랄 기: 欠-총7획: jì**

原文

: 𡬶也. 从欠气聲. 一曰口不便言. 居气切.

飜譯

'바라다(𡬶)'라는 뜻이다. 흠(欠)이 의미부이고 기(气)가 소리부이다. 일설에는 '말을 어눌하게 하다(口不便言)'라는 뜻이라고도 한다. 독음은 거(居)와 기(气)의 반절이다.

**5514**

**: 欲: 하고자 할 욕: 欠-총11획: yù**

原文

: 貪欲也. 从欠谷聲. 余蜀切.

飜譯

'탐욕(貪欲) 즉 지나치게 탐하는 욕심'을 말한다. 흠(欠)이 의미부이고 곡(谷)이 소리부이다.212) 독음은 여(余)와 촉(蜀)의 반절이다.

---

212) 고문자에서 簡牘文 古璽文 등으로 그렸다. 欠(하품 흠)이 의미부고 谷(골 곡)이 소리부로, 입을 크게 벌리고(欠) 텅 빈 계곡(谷)처럼 끝없이 바라는 것이 바로 '욕심'임을 그렸으며, 이로부터 '하고자 하다', 욕심, 수요, 필요 등의 뜻이 나왔으며, 그런 의미를 나타내는 조동사로도 쓰였다. 이후 慾望(욕망)이나 慾心(욕심)을 나타낼 때에는 그것이 마음에서부터 나온다고 해서 心(마음 심)을 더하여 慾(욕심 욕)으로 분화했다. 현대 중국에서는 慾(욕심 욕)의 간화자로도 쓰인다.

5515

**歌: 歌: 노래 가: 欠-총14획: gē**

原文

歌: 詠也. 从欠哥聲. 謌, 謌或从言. 古俄切.

飜譯

'노래를 부르다(詠)'라는 뜻이다. 흠(欠)이 의미부이고 가(哥)가 소리부이다.213) 가(謌)는 가(謌)의 혹체자인데, 언(言)으로 구성되었다. 독음은 고(古)와 아(俄)의 반절이다.

5516

**歂: 歂: 성 천: 欠-총13획: chuǎn**

原文

歂: 口气引也. 从欠耑聲. 讀若車輇. 市緣切.

飜譯

'입에서 기운이 길게 나오다(口气引)'라는 뜻이다. 흠(欠)이 의미부이고 단(耑)이 소리부이다. 거전(車輇)이라고 할 때의 전(輇)과 같이 읽는다. 독음은 시(市)와 연(緣)의 반절이다.

5517

**歍: 歍: 토할 오: 欠-총14획: wū**

原文

---

213) 고문자에서 [금문자형]金文 [간독문자형]簡牘文 [고새문자형]古璽文 등으로 그렸다. 欠(하품 흠)이 의미부이고 哥(노래 가)가 소리부로, 입을 벌려(欠) 부르는 '노래(哥)'를 말하며, 이로부터 '노래하다', '찬미하다'의 뜻이 나왔다. 또 시의 형식의 하나를 지칭하기도 한다. 원래는 謌(노래 가)로 썼으며, 달리 哥(꾸짖을 가)로 쓰기도 한다.

歍: 心有所惡, 若吐也. 从欠烏聲. 一曰口相就. 哀都切.

飜譯

'마음에 싫어하는 바가 있어 토할 듯하다(心有所惡, 若吐)'라는 뜻이다. 흠(欠)이 의미부이고 오(烏)가 소리부이다. 일설에는 '입을 서로 맞추다(口相就)'라는 뜻이라고도 한다. 독음은 애(哀)와 도(都)의 반절이다.

**5518**

**𪯏: 𪯏: 입 맞출 축: 欠-총22획: zú, zā, zǎn**

原文

𪯏: 歍𪯏也. 从欠鼀聲. 噈, 俗𪯏从口从就. 才六切.

飜譯

'오축(歍𪯏) 즉 입과 입이 맞닿다'라는 뜻이다. 흠(欠)이 의미부이고 축(鼀)이 소리부이다. 축(噈)은 축(𪯏)의 속체인데, 구(口)도 의미부이고 취(就)도 의미부이다. 독음은 재(才)와 륙(六)의 반절이다.

**5519**

**𣢐: 𣢐: 근심할 축: 欠-총10획: zú**

原文

𣢐: 愁然也. 从欠赤聲. 『孟子』曰: "曾西𣢐然." 才六切.

飜譯

'근심스럽다(愁然)'라는 뜻이다. 흠(欠)이 의미부이고 숙(赤)이 소리부이다. 『맹자·공손추(公孫丑)』에서 "증서가 불안한 모습을 드러냈다(曾西𣢐然)"라고 했다.214) 독음은

214) 증서(曾西)는 공자의 유명한 제자인 증자의 아들이다. 그러나 조기와 주희는 증서를 증자의 손자라고 하여 의견이 분분하다. 『맹자·공손추』(상)의 제1장에서 공손추가 스승께서 만일 제나라에서 정치를 담당한다면 관중(管仲)과 안자(晏子)가 그랬듯이 패업을 이루게 할 수 있느냐고 묻자, 맹자는 공손추가 일국의 지역주의 관점만 취한다고 비판했다. 그러면서 맹자는 증자

재(才)와 륙(六)의 반절이다.

**5520**

**㰼: 欦: 빙그레 웃을 함: 欠-총8획: qiān**

原文

㰼: 含笑也. 从欠今聲. 丘嚴切.

飜譯

'웃음을 머금다(含笑)'라는 뜻이다. 흠(欠)이 의미부이고 금(今)이 소리부이다. 독음은 구(丘)와 엄(嚴)의 반절이다.

**5521**

**歋: 歋: 서로 웃을 이: 欠-총14획: yí**

原文

歋: 人相笑相歋瘉. 从欠虒聲. 以支切.

飜譯

'손으로 다른 사람들을 가리키며 서로 비웃다(人相笑相歋瘉)[서로 야유를 퍼붓다]'라는 뜻이다. 흠(欠)이 의미부이고 사(虒)가 소리부이다. 독음은 이(以)와 지(支)의 반절이다.

---

(曾子)의 아들인 증서(曾西)가 어떤 사람과 나눈 대화를 인용해서, 관중과 안자에 대한 자신의 관점을 간접적으로 드러낸 바 있다. 내용은 이렇다.
"어떤 사람이 증서에게 '선생님과 자로 중 누가 더 뛰어납니까?'라고 물었다. 그러자 증서가 불편한 기색을 띠며 '그분은 조부께서 존경하던 분이시다'라고 말했다. 그가 계속해서 '그럼, 선생님과 관중 중 누가 더 뛰어납니까?'라고 물었다. 그러자 증서가 기분이 상해 얼굴이 붉어지며 '네 어찌 감히 나를 관중과 비교하느냐? 관중은 제후의 두터운 [신임을] 받으면서 아주 오랫동안 나라를 다스렸다. 그런데도 그의 [최종] 업적은 너무도 미미했다. 어째서 나를 그와 비교하느냐?'라고 말했다."(제임스 레게, 『맹자』)

**5522**

**䕧:** 歊: **김이 오를 효**: 欠−**총14획: xiāo**

原文

䕧: 歊歊, 气出皃. 从欠、高, 高亦聲. 許嬌切.

飜譯

'효효(歊歊)'를 말하는데, '기운이 [밖으로] 나오는 모양(气出皃)'을 말한다. 흠(欠)과 고(高)가 모두 의미부인데, 고(高)는 소리부도 겸한다. 독음은 허(許)와 교(嬌)의 반절이다.

**5523**

**䕧:** 欻: **문득 훌**: 欠−**총12획: xū**

原文

䕧: 有所吹起. 从欠炎聲. 讀若忽. 許物切.

飜譯

'갑자기 바람이 불어 이는 것(有所吹起)'을 말한다. 흠(欠)이 의미부이고 염(炎)이 소리부이다. 훌(忽)과 같이 읽는다. 독음은 허(許)와 물(物)의 반절이다.

**5524**

**䕧:** 欪: **희롱하며 웃는 모양 희**: 欠−**총8획: xī**

原文

䕧: 欪欪, 戲笑皃. 从欠之聲. 許其切.

飜譯

'희희(欪欪)'를 말하는데, '희롱질하며 비웃는 모습(戲笑皃)'을 말한다. 흠(欠)이 의미부이고 지(之)가 소리부이다. 독음은 허(許)와 기(其)의 반절이다.

**5525**

**䌛: 䌛: 숨 내쉴 요: 欠-총14획: yáo**

原文

䌛: 䌛䌛, 气出皃. 从欠䍃聲. 余招切.

飜譯

'요요(䌛䌛)'를 말하는데, '기운이 [밖으로] 나오는 모양(气出皃)'을 말한다. 흠(欠)이 의미부이고 요(䍃)가 소리부이다. 독음은 여(余)와 초(招)의 반절이다.

**5526**

**歗: 歗: 휘파람 소: 欠-총16획: xiào**

原文

歗: 吟也. 从欠肅聲. 『詩』曰: "其歗也謌." 穌弔切.

飜譯

'읊조리다(吟)'라는 뜻이다. 흠(欠)이 의미부이고 숙(肅)이 소리부이다. 『시·소남·강유사(江有汜)』에서 "결국 탄식하며 슬픈 노래 부르게 되리라(其歗也謌)"라고 노래했다.[215] 독음은 소(穌)와 조(弔)의 반절이다.

**5527**

**歎: 歎: 읊을 탄: 欠-총15획: tàn**

原文

歎: 吟也. 从欠, 鷬省聲. 𣤶, 籒文歎不省. 池案切.

飜譯

'읊조리다(吟)'라는 뜻이다. 흠(欠)이 의미부이고, 난(鷬)의 생략된 부분이 소리부이다.[216] 탄(𣤶)은 탄(歎)의 주문체인데, 생략되지 않은 모습이다. 독음은 지(池)와 안

215) 금본에서는 가(謌)가 가(歌)로 되었다.

(案)의 반절이다.

**5528**

**歖:** 歖: **갑자기 기뻐할 희**: 欠-**총16획: xī**

原文

歖: 卒喜也. 从欠从喜. 許其切.

飜譯

'졸지에 생긴 기쁨(卒喜)'을 말한다. 흠(欠)이 의미부이고 희(喜)도 의미부이다. 독음은 허(許)와 기(其)의 반절이다.

**5529**

**欸:** 欸: **한숨 쉴 애**: 欠-**총11획: āi, ēi**

原文

欸: 訾也. 从欠矣聲. 凶戒切.

飜譯

'헐뜯다(訾)'라는 뜻이다. 흠(欠)이 의미부이고 의(矣)가 소리부이다. 독음은 흉(凶)과 계(戒)의 반절이다.

**5530**

**㰣:** 㰣: **토할 자**: 欠-**총10획: zì**

原文

---

216) 欠(하품 흠)이 의미부고 堇(노란 진흙 근)이 소리부로, 입을 크게 벌리고(欠) 하늘에 도와달라고 탄식하는(堇) 모습을 그렸다. 이로부터 탄식하다, 찬미하다, 읊조리다, 노래 부르다 등의 뜻도 나왔다. 달리 欠 대신 口(입 구)가 들어간 嘆으로 쓰기도 했다. 달리 嘆으로 쓰기도 한다. 간화자에서는 堇을 간단한 부호 又(또 우)로 바꾸어 叹으로 쓴다.

歠: 歐也. 从欠此聲. 前智切.

飜譯

'토하다(歐)'라는 뜻이다. 흠(欠)이 의미부이고 차(此)가 소리부이다. 독음은 전(前)과 지(智)의 반절이다.

**5531**

**歐: 歐: 토할 구: 欠-총15획: ōu**

原文

歐: 吐也. 从欠區聲. 烏后切.

飜譯

'토하다(吐)'라는 뜻이다. 흠(欠)이 의미부이고 구(區)가 소리부이다. 독음은 오(烏)와 후(后)의 반절이다.

**5532**

**歔: 歔: 흐느낄 허: 欠-총16획: xū**

原文

歔: 欷也. 从欠虛聲. 一曰出气也. 朽居切.

飜譯

'흐느끼다(欷)'라는 뜻이다. 흠(欠)이 의미부이고 허(虛)가 소리부이다. 일설에는 '숨을 내쉬다(出气)'라는 뜻이라고도 한다. 독음은 후(朽)와 거(居)의 반절이다.

**5533**

**欷: 欷: 흐느낄 희: 欠-총11획: xī**

原文

欷: 歔也. 从欠, 稀省聲. 香衣切.

'흐느끼다(歔)'라는 뜻이다. 흠(欠)이 의미부이고, 희(稀)의 생략된 부분이 소리부이다. 독음은 향(香)과 의(衣)의 반절이다.

**5534**

: 歜: **화낼 촉**: 欠—**총17획**: **chù**

原文

: 盛气怒也. 从欠蜀聲. 尺玉切.

飜譯

'성기(盛气) 즉 화를 내다(怒)'라는 뜻이다. 흠(欠)이 의미부이고 촉(蜀)이 소리부이다. 독음은 척(尺)과 옥(玉)의 반절이다.

**5535**

: 歋: **말 하려할 유**: 欠—**총14획**: **yǒu**

原文

: 言意也. 从欠从卣, 卣亦聲. 讀若酉. 與久切.

飜譯

'곧 말을 하려고 하다(言意)'라는 뜻이다. 흠(欠)이 의미부이고 유(卣)도 의미부인데, 유(卣)는 소리부도 겸한다. 유(酉)와 같이 읽는다. 독음은 여(與)와 구(久)의 반절이다.

**5536**

: 潵: **목마를 갈**: 水—**총16획**: **kě, luǒ**

原文

: 欲歠歠. 从欠渴聲. 苦葛切.

飜譯

'목이 말라 물을 마시고 싶어 하다(欲歠歠)'라는 뜻이다. 흠(欠)이 의미부이고 갈(渴)이 소리부이다. 독음은 고(苦)와 갈(葛)의 반절이다.

**5537**

敫: 敫: **노래할 교**: 攴-**총13획**: jiào

原文

敫: 所, 謌也.217) 从欠, 噭省聲. 讀若叫呼之叫. 古弔切.

飜譯

'교소(敫所)'를 말하는데, '노래하다(謌)'라는 뜻이다. 흠(欠)이 의미부이고, 교(噭)의 생략된 부분이 소리부이다. 규호(叫呼)라고 할 때의 규(叫)와 같이 읽는다. 독음은 고(古)와 조(弔)의 반절이다.

**5538**

歚: 歚: **두려워할 색**: 欠-**총17획**: sè, xì



---

217) 『단주』에서는 이렇게 말했다. "所謌(歌)也"의 경우 『광운(廣韵)』에는 소(所)자가 없이 가야(謌也)로만 되었다. 그래서 '소가야(所歌也)'는 '교초가야(敫楚歌也)'가 되어야 한다. 「상림부(上林賦)」에서 '격초결풍(激楚結風)'이라 했는데, 곽박(郭璞)은 여기서의 격초(激楚)는 가곡을 말한다(歌曲也)고 했다. 문영(文穎)은 이렇게 말했다. '초나라 지역의 풍기는 본래 격하고 빠르다. 그곳의 노래는 도리어 다시 그 격분하고 급한 기풍을 마디로 삼고 있으며, 음악은 빠르고 급하며 애절하다.(楚地風氣本自漂疾. 歌樂者猶復依激結之急風爲節. 其樂促迅哀切也.)' 내 생각은 이렇다. 격초(激楚)를 옛날에는 아마도 교초(敫楚)라 적었을 것이다. 초작소(楚作所)라는 것은 독음의 오류인데, 천박한 사람들이 다시 교(敫)자까지 삭제해 버렸다. 흠(欠)이 의미부이고 교(噭)의 생략된 모습이 소리부이다. 교(噭)는 당연히 교(敫)로 적어야 한다. 교호(噭呼)와 같이 읽는다. 구(口)부수에서 교(噭)는 숨을 내쉬다는 뜻이다(呼也)라고 했는데, 호(呼)는 또 호(嘑)로 적어야 옳다. 이것은 교(敫)의 독음이 교(噭)와 같다는 것을 말해준다."
만약 이대로라면 "所謌(歌)也"에서 소(所)는 옛날 독음이 같았던 초(楚)가 되어야 하고, 일반 사람들이 잘 몰라 교(敫)자까지 삭제해 버렸으니, 사실은 '교초가야(敫楚歌也)'가 되어야 한다는 말이다 그렇다면, '격분하고 비통스러운 음악을 말한다'로 해석되어야 한다는 취지이다.

原文

𣤩: 悲意. 从欠嗇聲. 火力切.

飜譯

'슬프다는 의미(悲意)'이다. 흠(欠)이 의미부이고 색(嗇)이 소리부이다. 독음은 화(火)와 력(力)의 반절이다.

**5539**

**𣤩: 㰎: 술 훌쩍 다 들이마실 초: 欠-총22획: jiào**

原文

𣤩: 盡酒也. 从欠糕聲. 子肖切.

飜譯

'술을 다 들이켜 마시다(盡酒)'라는 뜻이다. 흠(欠)이 의미부이고 착(糕)이 소리부이다. 독음은 자(子)와 초(肖)의 반절이다.

**5540**

**𣤩: 㰝: 뜻 굳게 가질 겸: 欠-총19획: jiān**

原文

𣤩: 監持意. 口閉也. 从欠緘聲. 古咸切.

飜譯

'뜻을 굳게 가지다(監持意)'는 뜻이다. 또 '입을 닫아버리다(口閉)'라는 뜻이다. 흠(欠)이 의미부이고 함(緘)이 소리부이다. 독음은 고(古)와 함(咸)의 반절이다.

**5541**

**𣤩: 欭: 가리키며 웃을 신: 欠-총11획: shèn**

原文

㞋: 指而笑也. 从欠辰聲. 讀若蜃. 時忍切.

飜譯

'손가락질 하며 비웃다(指而笑)'라는 뜻이다. 흠(欠)이 의미부이고 진(辰)이 소리부이다. 신(蜃)과 같이 읽는다. 독음은 시(時)와 인(忍)의 반절이다.



**5542**

**歟: 䵎: 알기 어려울 곤: 欠-총25획: kūn**

原文

歟: 昆干, 不可知也. 从欠鰥聲. 古渾切.

飜譯

'곤간(昆干)'을 말하는데, '알 수 없다(不可知)'라는 뜻이다. 흠(欠)이 의미부이고 환(鰥)이 소리부이다. 독음은 고(古)와 혼(渾)의 반절이다.

**5543**

**歃: 歃: 마실 삽: 欠-총13획: shà**

原文

歃: 歠也. 从欠臿聲.『春秋傳』曰: "歃而忘." 山洽切.

飜譯

'들이마시다(歠)'라는 뜻이다. 흠(欠)이 의미부이고 삽(臿)이 소리부이다.『춘추전』(『좌전』 은공 7년, B.C. 716)에서 "맹서의 피를 나누어 마시고서는 그 정신을 잊어버렸다(歃而忘)"라고 했다. 독음은 산(山)과 흡(洽)의 반절이다.

**5544**

**欶: 欶: 기침할 수·빨아들일 삭: 欠-총11획: shuò**

原文

欶: 吮也. 从欠束聲. 所角切.

飜譯

'빨다(吮)'라는 뜻이다. 흠(欠)이 의미부이고 속(束)이 소리부이다. 독음은 소(所)와 각(角)의 반절이다.

**5545**

**歁:** 歁: **음식 나쁠 감**: 欠-**총13획: kǎn**

原文

歁: 食不滿也. 从欠甚聲. 讀若坎. 苦感切.

飜譯

'배불리 먹지 못하다(食不滿)'라는 뜻이다. 흠(欠)이 의미부이고 심(甚)이 소리부이다. 감(坎)과 같이 읽는다. 독음은 고(苦)와 감(感)의 반절이다.

**5546**

**欿:** 欿: **시름겨울 감**: 欠-**총12획: kǎn**

原文

欿: 欲得也. 从欠臽聲. 讀若貪. 他含切.

飜譯

'얻고자 하다(欲得)'라는 뜻이다. 흠(欠)이 의미부이고 함(臽)이 소리부이다. 탐(貪)과 같이 읽는다. 독음은 타(他)와 함(含)의 반절이다.

**5547**

**欱:** 欱: **들이마실 합**: 欠-**총10획: hē**

原文

歙: 歠也. 从欠合聲. 呼合切.

飜譯

'들이마시다(歠)'라는 뜻이다. 흠(欠)이 의미부이고 합(合)이 소리부이다. 독음은 호(呼)와 합(合)의 반절이다.



**5548**

**歉: 歉: 흉년 들 겸: 欠-총14획: qiàn**

原文

歉: 歉食不滿. 从欠兼聲. 苦簟切.

飜譯

'식량이 부족해 배불리 먹지 못하다(歉食不滿)'라는 뜻이다. 흠(欠)이 의미부이고 겸(兼)이 소리부이다. 독음은 고(苦)와 점(簟)의 반절이다.

**5549**

**歇: 歇: 숨막힐 알: 骨-총14획: yà, wā**

原文

歇: 咽中息不利也. 从欠骨聲. 烏八切.

飜譯

'목구멍 속에서 호흡이 순조롭지 못하다(咽中息不利)'라는 뜻이다. 흠(欠)이 의미부이고 골(骨)이 소리부이다. 독음은 오(烏)와 팔(八)의 반절이다.

**5550**

**欭: 欭: 말 울 인·탄식할 의·울 이: 欠-총10획: yīn**

原文

𣢟: 㥶也. 从欠因聲. 乙兾切.

飜譯

'탄식하다(㥶)'라는 뜻이다.[218] 흠(欠)이 의미부이고 인(因)이 소리부이다. 독음은 을(乙)과 기(兾)의 반절이다.

**5551**

**欬: 欬: 기침 해: 欠-총10획: kài**

原文

欬: 屰气也. 从欠亥聲. 苦蓋切.

飜譯

'기운이 거꾸로 올라오다(屰气)[기침하다]'라는 뜻이다. 흠(欠)이 의미부이고 해(亥)가 소리부이다. 독음은 고(苦)와 개(蓋)의 반절이다.

**5552**

**歒: 歒: 다시 침 뱉는 소리 혁: 欠-총17획: xì**

原文

歒: 且唾聲. 一曰小笑. 从欠毄聲. 許壁切.

飜譯

'침을 뱉으려하는 소리(且唾聲)'를 말한다. 일설에는 '작은 미소(小笑)'를 말한다고도 한다. 흠(欠)이 의미부이고 격(毄)이 소리부이다. 독음은 허(許)와 벽(壁)의 반절이다.

**5553**

**歙: 歙: 줄일 흡: 欠-총16획: xī**

---

218) 『광운(廣韵)』에서 음(喑)과 의(欭)는 탄식하다는 뜻이다(歎也)고 했다.

原文

𣤶: 縮鼻也. 从欠翕聲. 丹陽有歙縣. 許及切.

飜譯

'코를 오그라들게 하[여 숨을 들이쉬]다(縮鼻)'라는 뜻이다. 흠(欠)이 의미부이고 흡(翕)이 소리부이다. 단양(丹陽)군[219]에 흡현(歙縣)이 있다. 독음은 허(許)와 급(及)의 반절이다.



**5554**

𣤶: 欲: **토할 구·코를 찡그릴 유**: 欠–총12획: yǒu

原文

𣤶: 蹴鼻也. 从欠咎聲. 讀若『爾雅』曰"麔貑短脰". 於糾切.

飜譯

'코를 찡그리[고 숨을 들이쉬]다(蹴鼻)'라는 뜻이다. 흠(欠)이 의미부이고 구(咎)가 소리부이다. 『이아·석수(釋獸)』에서의 "구가단두(麔貑短脰: 사불상의 수컷과 수사슴은 목이 짧다)"라고 할 때의 구(麔)와 같이 읽는다. 독음은 어(於)와 규(糾)의 반절이다.

**5555**

𣢓: 𣢓: **근심스러운 모양 유**: 欠–총9획: yǒu, yōu

原文

𣢓: 愁皃. 从欠幼聲. 於虯切.

飜譯

'근심하는 모양(愁皃)'을 말한다. 흠(欠)이 의미부이고 유(幼)가 소리부이다. 독음은 어(於)와 규(虯)의 반절이다.

219) 한(漢) 무제(武帝) 건원(建元) 2년(B.C. 141)에 진장군(秦鄣郡)을 단양군(丹陽郡)으로 바꾸었는데, 경내에 있던 단양현(丹陽縣)(지금의 안휘성 當塗) 때문에 붙여진 이름이다.

**5556**

**: 欪: 웃을 출·훌: 欠–총9획: chù**

原文

: 咄欪, 無慙. 一曰無腸意. 从欠出聲. 讀若卉. 丑律切.

飜譯

'돌출(咄欪)'을 말하는데, '부끄러울 일이 없다(無慙)'라는 뜻이다. 일설에는 '마음이 없다는 뜻(無腸意)'이라고도 한다. 흠(欠)이 의미부이고 출(出)이 소리부이다. 훼(卉)와 같이 읽는다. 독음은 축(丑)과 률(律)의 반절이다.

**5557**

**: 欥: 기뻐할 일: 欠–총8획: yì**

原文

: 詮詞也. 从欠从曰, 曰亦聲. 『詩』曰 : "欥求厥寧." 余律切.

飜譯

'[문장에서] 설명하는 말(詮詞)'을 말한다. 흠(欠)이 의미부이고 왈(曰)도 의미부인데, 왈(曰)은 소리부도 겸한다. 『시·대아·문왕유성(文王有聲)』에서 "세상의 안녕을 추구하여(欥求厥寧)"라고 노래했다.[220] 독음은 여(余)와 률(律)의 반절이다.

**5558**

**: 次: 버금 차: 欠–총6획: cì**

---

220) 『단주』에서 이렇게 말했다. "『시(詩)』에서 일구궐영(欥求厥寧: 세상의 안녕 추구하여)이라 했는데, 오늘날의 「대아(大雅)」에서는 일(欥)을 휼(遹)로 적었다. 반고(班固)의 「유통부(幽通賦)」에서 일중화위서기혜(欥中龢爲庶幾兮)라고 했는데, 『문선(文選)』에서는 일(欥)을 율(聿)로 적었다. 『시(詩)』에서 '왈상궐국(曰喪厥國: 나라가 망할 지경이 되었네)'(「대아」), '견현왈소(見晛曰消: 햇빛만 나면 녹네)', '견현왈류(見晛曰流: 햇빛만 나면 녹네)'(「소아」)라고 했는데, 『한시(韓詩)』에서는 모두 현(晛)을 율(聿)로 적었다."

原文

𣢇: 不前, 不精也. 从欠二聲. 𣢕, 古文次. 七四切.

飜譯

'나아가지 못하다(不前)'라는 뜻이다. '정교하지 못하다(不精)'라는 뜻이다. 흠(欠)이 의미부이고 이(二)가 소리부이다.221) 차(𣢕)는 차(次)의 고문체이다. 독음은 칠(七)과 사(四)의 반절이다.



**5559**

**𣤌: 歑: 굶주릴 강: 欠-총15획: kāng**

原文

𣤌: 飢虛也. 从欠康聲. 苦岡切.

飜譯

'허기가 지다(飢虛)'라는 뜻이다. 흠(欠)이 의미부이고 강(康)이 소리부이다. 독음은 고(苦)와 강(岡)의 반절이다.

**5560**

**𣢾: 欺: 속일 기: 欠-총12획: qī**

原文

𣢾: 詐欺也. 从欠其聲. 去其切.

---

221) 고문자에서 [甲骨文] 甲骨文 [金文] 金文 [簡牘文] 簡牘文 등으로 그렸다. 欠(하품 흠)과 冫(얼음 빙)으로 구성되었는데, 欠은 입을 크게 벌린 사람의 모습을, 冫은 두 점을 상징하여, 침을 튀기며 이야기하거나 재채기를 하여 침이 튕기는 모습을 그렸다. 이야기를 할 때 침을 튀기거나 다른 사람 앞에서 재채기하는 것은 예의에 어긋난 放恣(방자)한 행동이 아닐 수 없다. 그래서 次는 放恣한 행동과 같이 '제멋대로 하다'가 원래 뜻이다. 하지만 소전체에 들면서 冫이 二(두 이)로 변했으며, 의미도 순서상 첫 번째의 다음(二)이라는 뜻이 나왔으며, 이로부터 버금가다, 질이 떨어지다 등의 뜻이 나왔다. 그러자 원래 의미는 心(마음 심)을 더한 恣(방자할 자)로 분화했다.

飜譯

'속이다(詐欺)'라는 뜻이다. 흠(欠)이 의미부이고 기(其)가 소리부이다.[222] 독음은 거(去)와 기(其)의 반절이다.

**5561**

**䶄: 歆: 받을 흠: 欠-총13획: xīn**

原文

䶄: 神食气也. 从欠音聲. 許今切.

飜譯

'신이 제사음식의 향기를 받다(神食气)'라는 뜻이다. 흠(欠)이 의미부이고 음(音)이 소리부이다.[223] 독음은 허(許)와 금(今)의 반절이다.

**5562**

**歈: 歈: 노래 유: 欠-총13획: yú**

原文

歈: 歌也. 从欠俞聲. 『切韻』云:"巴歈, 歌也." 案:『史記』: 渝水之人善歌舞, 漢高祖采其聲. 後人因加此字. 羊朱切.

飜譯

'노래하다(歌)'라는 뜻이다. 흠(欠)이 의미부이고 유(俞)가 소리부이다. 『절운(切韻)』에서 "파유(巴歈)는 노래하다(歌)라는 뜻이다"라고 했습니다. 저 서현의 생각은 이렇습니다. 『사기(史記)』에서 유수(渝水) 지역의 사람들은 노래와 춤에 뛰어났는데, 한(漢)나라 고조(高祖)가 그 소리들을 채록했다고 했습니다. 후세 사람들이 이 때문에 이 글자를 추가했습니다. 독음은 양(羊)과 주(朱)의 반절이다. [신부]

222) 欠(하품 흠)이 의미부이고 其(그 기)가 소리부로, 입을 크게 벌려 침을 튀기며(欠) 말을 하는 모습에서 '속이다'는 뜻을 그렸으며, 이로부터 은폐하다의 뜻도 나왔다.
223) 音(소리 음)이 의미부고 欠(하품 흠)이 소리부로, 제사에서 사용되는 음악(音)을 입을 벌리고(欠) 마음껏 받아들이는 신의 모습을 형상화 해 '歆饗(흠향: 신이 제물을 받아들임)'의 뜻을 그렸다.

## 제321부수
## 321 ■ 음(㱃)부수

**5563**

**㱃: 㱃: 마실 음: 欠-총15획: yǐn**

原文

㱃: 歠也. 从欠酓聲. 凡㱃之屬皆从㱃. 𣝤, 古文㱃从今、水. 𩚜, 古文㱃从今、食. 於錦切.

飜譯

'들이 마시다(歠)'라는 뜻이다. 흠(欠)이 의미부이고 염(酓)이 소리부이다. 음(㱃)부수에 귀속된 글자들은 모두 음(㱃)이 의미부이다.224) 음(𣝤)은 음(㱃)의 고문체인데, 금(今)과 수(水)로 구성되었다. 음(𩚜)도 음(㱃)의 고문체인데, 금(今)과 식(食)으로 구성되었다. 독음은 어(於)와 금(錦)의 반절이다.

**5564**

**歠: 歠: 마실 철: 欠-총19획: tiě**

原文

歠: 㱃也. 从㱃省, 叕聲. 吷, 歠或从口从夬. 昌說切.

---

224) 고문자에서 [古文字形] 甲骨文 [古文字形] 金文 [古文字形] 古陶文 [古文字形] 簡牘文 [古文字形] 古璽 등으로 그렸다. 食(밥 식)이 의미부이고 欠(하품 흠)이 소리부로, 입을 크게 벌려(欠) 먹을 것(食)을 마시다는 뜻을 그렸다. 원래는 술독(酉·유)과 대로 만든 빨대(今·금)와 벌린 입(欠)으로 구성된 㱃(마실 음)으로 써, 혀를 내밀어 '술을 마시는 모습'을 그렸다. 그래서 '술을 마시다'가 원래 뜻이다. 이후 지금의 食과 欠으로 된 구조로 바뀌었고, 뜻도 술을 마시는 것에서 일반적인 의미로 확장되었고, 술 뿐 아니라 음료수 전체를 지칭하게 되었으며, 분을 삼키다 등의 뜻도 나왔다.

'들이 마시다(㱃)라는 뜻이다. 음(㱃)의 생략된 모습이 의미부이고, 철(叕)이 소리부이다. 철(吷)은 철(歠)의 혹체자인데, 구(口)도 의미부이고 쾌(夬)도 의미부이다. 독음은 창(昌)과 설(說)의 반절이다.

# 제322부수
## 322 ■ 연(㳄)부수

**5565**

**㳄: 㳄: 침 연·선: 水-총7획: xián**

原文

㳄: 慕欲口液也. 从欠从水. 凡㳄之屬皆从㳄. [illegible], 㳄或从侃. [illegible], 籒文㳄. 叙連切.

飜譯

'흠모나 욕망 때문에 침을 흘리다(慕欲口液)'라는 뜻이다. 흠(欠)이 의미부이고 수(水)도 의미부이다. 연(㳄)부수에 귀속된 글자들은 모두 연(㳄)이 의미부이다. 연([illegible])은 연(㳄)의 혹체자인데, 간(侃)으로 구성되었다. 연([illegible])은 연(㳄)의 주문체이다. 독음은 서(叙)와 련(連)의 반절이다.

**5566**

**羨: 羨: 부러워할 선: 羊-총13획: xiàn**

原文

羨: 貪欲也. 从㳄, 从羑省. 羑呼之羑, 文王所拘羑里. 似面切.

飜譯

'탐욕(貪欲) 즉 지나치게 탐하는 욕심'을 말한다. 연(㳄)이 의미부이고, 유(羑)의 생략된 모습도 의미부이다.[225] 유호(羑呼)라고 할 때의 유(羑)인데, 문왕(文王)이 갇혔던 곳이 유리(羑里)의 유(羑)이다. 독음은 사(似)와 면(面)의 반절이다.

---

225) 羊(양 양)이 의미부고 㳄(침 연·선)이 소리부로, 부러워한다는 뜻인데, 양고기(羊)에 군침을 흘리는(㳄) 모습을 그렸다. 이로부터 부러워하다, 흠모하다, 여유가 있다, 풍족하다의 뜻도 나왔다. 간화자에서는 㳄을 次(버금 차)로 줄인 羡으로 쓴다.

**5567**

**: 㕲: 훅 들이 마실 이: 厂-총9획: yí**

原文

: 歠也. 从㳄厂聲. 讀若移. 以支切.

飜譯

'들이 마시다(歠)'라는 뜻이다. 연(㳄)이 의미부이고 엄(厂)이 소리부이다. 치(移)와 같이 읽는다. 독음은 이(以)와 지(支)의 반절이다.

**5568**

**: 盜: 훔칠 도: 皿-총12획: dào**

原文

: 私利物也. 从㳄, 㳄欲皿者. 徒到切.

飜譯

'편리한 물건을 자기 것으로 만들다(私利物)'라는 뜻이다. 연(㳄)이 의미부인데, 다른 사람들의 기물을 탐하는 자(㳄欲皿者)를 말한다.[226] 독음은 도(徒)와 도(到)의 반절이다.

226) 고문자에서 簡牘文 등으로 그렸다. 㳄(입 벌린 채 침을 흘릴 연)과 皿(그릇 명)으로 구성되어, 값비싼 청동 그릇(皿)을 탐하다(㳄)는 의미를 그렸고, 이로부터 훔치다는 뜻이 나왔다. 이후 부정한 방법으로 취하다, 겁탈하다 등의 뜻도 나왔고, 도둑이나 침입자를 지칭하기도 했다. 간화자에서는 㳄을 次(버금 차)로 줄인 盗로 쓴다.

## 제323부수
## 323 ■ 기(旡)부수

**5569**

**旡:** 旡: **목멜 기**: 无-**총4획**: jì

原文

旡: 歙食气屰不得息曰旡. 从反欠. 凡旡之屬皆从旡. (今變隸作旡.) 㒫, 古文旡. 居未切.

飜譯

'들이 마시거나 음식을 먹을 때, 기가 역류하여 숨을 쉴 수 없는 것(歙食气屰不得息)을 기(旡)라고 한다.' 흠(欠)의 뒤집은 모습이다. 기(旡)부수에 귀속된 글자들은 모두 기(旡)가 의미부이다. [오늘날에는 예변(變隸)을 거쳐 기(旡)로 쓴다.] 기(㒫)는 기(旡)의 고문체이다. 독음은 거(居)와 미(未)의 반절이다.

**5570**

**𣄼:** 𣄼: **재앙 화**: 无-**총13획**: huò

原文

𣄼: 屰惡驚詞也. 从旡咼聲. 讀若楚人名多夥. 乎果切.

飜譯

'거스르거나 싫어하는 것 때문에 놀라 내는 말(屰惡驚詞)'을 말한다. 기(旡)가 의미부이고 괘(咼)가 소리부이다. 초(楚)나라 사람의 이름인 다과(多夥)의 과(夥)와 같이 읽는다. 독음은 호(乎)와 과(果)의 반절이다.

**5571**

**䛫: 䛫: 좋지 못할 량: 无-총12획: liàng**

原文

䛫: 事有不善言䛫也. 『爾雅』: "䛫, 薄也." 从旡京聲. 力讓切.

飜譯

'좋지 못한 일에 대해서 깔보는 말(事有不善言䛫)'을 말한다. 『이아(爾雅)』에서[227] "량(䛫)은 박(薄)과 같아 깔보다는 뜻이다"라고 했다. 기(旡)가 의미부이고 경(京)이 소리부이다. 독음은 력(力)과 양(讓)의 반절이다.

227) 단옥재에 의하면, 오늘날의 판본에는 이 내용이 없다고 했다.

# 제9권
## (상)

# 제324부수
## 324 ■ 혈(頁)부수

**5572**

**頁: 頁: 머리 혈: 頁-총9획: yè**

原文

頁: 頭也. 从百从儿. 古文䭫首如此. 凡頁之屬皆从頁. 百者, 䭫首字也. 胡結切.

飜譯

'머리(頭)'를 말한다. 수(百)가 의미부이고 인(儿)도 의미부이다. 고문체에서 계수(䭫首: 머리를 조아리다)라고 할 때의 수(首)가 이런 모습이다.1) 혈(頁)부수에 귀속된 글자들은 모두 혈(頁)이 의미부이다. 수(百)는 계수(䭫首)라고 할 때의 수(首)자이다. 독음은 호(胡)와 결(結)의 반절이다.

**5573**

**頭: 頭: 머리 두: 頁-총16획: tóu**

原文

頭: 首也. 从頁豆聲. 度侯切.

---

1) 고문자에서 甲骨文 金文 簡牘文 등으로 그렸다. 갑골문에서 사람의 머리를 형상적으로 그렸는데, 위의 首(머리 수)와 아래의 儿(사람 인)으로 이루어졌다. 소전체에 들면서 首의 윗부분을 구성하는 머리칼이 없어지면서 지금의 모습이 되었다. 그래서 頁은 '머리'가 원래 뜻이며, 이후 '얼굴'이나 얼굴 부위의 명칭이나 이와 관련된 의미가 있다. 하지만, 頁이 책의 '쪽(페이지)'이라는 뜻으로 가차되면서 豆(콩 두)를 더한 頭(머리 두)가 만들어졌는데, 豆는 굽이 높고 위가 둥그런 제사 그릇을 그려 사람의 머리를 연상하게 한다. 頁로 구성된 글자들을 보면 머리나 얼굴의 여러 부위를 나타내거나 머리와 관련된 속성을 말한다. 간화자에서는 页로 줄여 쓴다.

飜譯

'머리(首)'를 말한다. 혈(頁)이 의미부이고 두(豆)가 소리부이다.2) 독음은 도(度)와 후(侯)의 반절이다.

**5574**

**顏: 顔: 얼굴 안: 頁-총18획: yán**

原文

顏: 眉目之閒也. 从頁彥聲. 顏, 籒文. 五姦切.

飜譯

'양 눈썹 사이 즉 미간을 말한다(眉目3)之閒).' 혈(頁)이 의미부이고 언(彥)이 소리부이다.4) 안(顏)은 주문체이다. 독음은 오(五)와 간(姦)의 반절이다.

**5575**

**頌: 頌: 기릴 송: 頁-총13획: sòng**

原文

頌: 皃也. 从頁公聲. 額, 籒文. 余封切.

飜譯

'용모(皃)'를 말한다. 혈(頁)이 의미부이고 공(公)이 소리부이다.5) 송(額)은 주문체이

---

2) 고문자에서 [古字] 金文 [古字] 簡牘文 [古字] [古字] 古璽文 등으로 그렸다. 頁(머리 혈)이 의미부이고 豆(콩 두)가 소리부로, 사람의 가장 높은(豆) 부분에 있는 머리(頁)를 말하며, 머리칼을 뜻하기도 한다. 사람의 머리가 가장 위쪽에 위치하므로, 사물의 첫 부분이나 가장 앞부분, 최고 등을 뜻하기도 한다. 간화자에서는 초서체로 줄여 쓴 头로 쓴다.

3) 『단주』에서 목(目)은 삭제되어야 한다고 했다.

4) 고문자에서 [古字] [古字] 金文 [古字] 簡牘文 등으로 그렸다. 頁(머리 혈)이 의미부고 彥(선비 언)이 소리부로, 얼굴(頁)의 두 눈썹 사이 부분(彥)을 지칭했는데, 이후 '얼굴' 전체를 뜻하게 되었다. 이후 이로부터 다시 顏色(안색), 색깔, 용모, 체면 등의 뜻이 나왔다. 『설문해자』의 주문에서는 頁 대신 首(머리 수)가 들어간 䪼으로 쓰기도 했다.

다. 독음은 여(余)와 봉(封)의 반절이다.

5576

**頊: 머리뼈 독: 頁-총12획: duó**

原文

頊: 顱也. 从頁乇聲. 徒谷切.

飜譯

'머리뼈(顱)'를 말한다. 혈(頁)이 의미부이고 탁(乇)이 소리부이다. 독음은 도(徒)와 곡(谷)의 반절이다.

5577

**顱: 머리뼈 로: 頁-총25획: lú**

原文

顱: 頊顱, 首骨也. 从頁盧聲. 洛乎切.

飜譯

'독로(頊顱)'를 말하는데, '머리의 뼈(首骨)'라는 뜻이다. 혈(頁)이 의미부이고 로(盧)가 소리부이다. 독음은 락(洛)과 호(乎)의 반절이다.

5578

**顚: 꼭대기 원: 頁-총24획: yuàn**

原文

5) 고문자에서 金文 古陶文 簡牘文 등으로 그렸다. 頁(머리 혈)이 의미부고 公(공변될 공)이 소리부로, 머리(頁)를 조아리며 稱頌(칭송)하다는 뜻인데, 그러한 칭송은 언제나 공정한(公) 것이어야지 사사로워서는 아니 됨을 반영했다. 주나라 때 제사에 사용하던 무곡을 말했으며, 이후 수용, 관용 등의 뜻도 나왔다.

䫻: 顚頂也. 从頁㬎聲. 魚怨切.

'머리의 꼭대기(顚頂)'를 말한다. 혈(頁)이 의미부이고 언(㬎)이 소리부이다. 독음은 어(魚)와 원(怨)의 반절이다.

**5579**

**顚: 顚: 꼭대기 전: 頁-총19획: diān**

原文

顚: 頂也. 从頁眞聲. 都季切.

飜譯

'정수리(頂)'를 말한다. 혈(頁)이 의미부이고 진(眞)이 소리부이다.[6] 독음은 도(都)와 년(季)의 반절이다.

**5580**

**頂: 頂: 정수리 정: 頁-총11획: dǐng**

原文

頂: 顚也. 从頁丁聲. 𩑓, 或从𩠐作. 𪔐, 籒文从鼎. 都挺切.

飜譯

'정수리(顚)'를 말한다. 혈(頁)이 의미부이고 정(丁)이 소리부이다.[7] 정(𩑓)은 혹체자

---

6) 고문자에서 古陶文 등으로 그렸다. 頁(머리 혈)이 의미부고 眞(참 진)이 소리부로, 머리 위의 숨구멍이 있는 자리를 말하는데, 머리(頁) 중에서도 진짜(眞) 중요한 부분이라는 뜻을 담았다.

7) 고문자에서 金文 등으로 그렸다. 頁(머리 혈)이 의미부고 丁(넷째 천간 정)이 소리부로, 못(丁, 釘의 원래 글자)의 핵심인 머리 부분처럼 머리(頁)의 가장 윗부분인 '정수리'를 말하며, 최고, 극점, 頂點(정점), 대단히 등의 뜻이 나왔다. 이후 물건을 지탱하다, 담당하다, 부딪히다, 맞닥뜨리다 등의 뜻이 나왔다.

인데, 혈(絃)로 구성되었다. 정(鼑)은 주문체인데, 정(鼎)으로 구성되었다. 독음은 도(都)와 정(挺)의 반절이다.

**5581**

**顙**: 顙: **이마 상**: 頁-총19획: sǎng

原文

顙: 頟也. 从頁桑聲. 蘇朗切.

飜譯

'이마(頟)'를 말한다. 혈(頁)이 의미부이고 상(桑)이 소리부이다. 독음은 소(蘇)와 랑(朗)의 반절이다.

**5582**

**題**: 題: **표제 제**: 頁-총18획: tí

原文

題: 頟也. 从頁是聲. 杜兮切.

飜譯

'이마(頟)'를 말한다. 혈(頁)이 의미부이고 시(是)가 소리부이다.[8] 독음은 두(杜)와 혜(兮)의 반절이다.

**5583**

**頟**: 頟: **이마 액**: 頁-총15획: é

原文

頟: 顙也. 从頁各聲. 五陌切.

---

8) 頁(머리 혈)이 의미부고 是(옳을 시)가 소리부로, 얼굴(頁)의 바로 정면(是)인 이마를 말했는데, 題目(제목)에서처럼 '드러나다', 問題(문제), 署名(서명) 등의 뜻까지 갖게 되었다.

飜譯

'이마(顙)'를 말한다. 혈(頁)이 의미부이고 각(各)이 소리부이다.[9] 독음은 오(五)와 맥(陌)의 반절이다.

5584

**𩔳: 頞: 콧마루 알: 頁-총15획: è**

原文

𩔳: 鼻莖也. 从頁安聲. 齃, 或从鼻、曷. 烏割切.

飜譯

'콧등(鼻莖)'을 말한다. 혈(頁)이 의미부이고 안(安)이 소리부이다. 알(齃)은 혹체자인데, 비(鼻)와 갈(曷)로 구성되었다. 독음은 오(烏)와 할(割)의 반절이다.

5585

**𩕐: 頯: 광대뼈 규: 頁-총16획: kuí**

原文

𩕐: 權也. 从頁𠌶聲. 渠追切.

飜譯

'광대뼈(權)'를 말한다.[10] 혈(頁)이 의미부이고 귀(𠌶)가 소리부이다. 독음은 거(渠)와 추(追)의 반절이다.

5586

**𩔼: 頰: 뺨 협: 頁-총16획: jiá**

9) 頁(머리 혈)이 의미부고 客(손 객)이 소리부로, 얼굴(頁)에서의 '이마'를 말하며, 이마가 얼굴의 윗부분에 있음으로써 '높다', '편액' 등을 뜻하였고, 다시 일정한 額數(액수) 등의 뜻도 나왔다. 달리 客을 各(각각 각)으로 바꾼 頟으로 쓰기도 한다.

10) 『단주』에서 "권(權)은 오늘날 권(顴)자이다"라고 하여 권(權)을 권(顴)의 본래 글자로 보았다.

原文

頰: 面旁也. 从頁夾聲. 頰, 籒文頰. 古叶切.

飜譯

'얼굴의 좌우 뺨(面旁)'을 말한다. 혈(頁)이 의미부이고 협(夾)이 소리부이다. 협(頰)은 협(頰)의 주문체이다. 독음은 고(古)와 협(叶)의 반절이다.

**5587**

**頣: 顋: 뺨 뒤 간: 頁-총16획: gěn**

原文

頣: 頰後也. 从頁㫐聲. 古恨切.

飜譯

'뺨의 뒷부분(頰後)'을 말한다. 혈(頁)이 의미부이고 간(㫐)이 소리부이다. 독음은 고(古)와 한(恨)의 반절이다.

**5588**

**頜: 頜: 아래턱 합: 頁-총15획: gé, hé**

原文

頜: 顄也. 从頁合聲. 胡感切.

飜譯

'턱(顄)'을 말한다. 혈(頁)이 의미부이고 합(合)이 소리부이다. 독음은 호(胡)와 감(感)의 반절이다.

**5589**

**顄: 顄: 턱 함: 頁-총19획: hán**

原文

顄: 頤也. 从頁圅聲. 胡男切.

飜譯

'턱(頤)'을 말한다. 혈(頁)이 의미부이고 함(圅)이 소리부이다. 독음은 호(胡)와 남(男)의 반절이다.

**5590**

**頸: 頸: 목 경: 頁-총16획: jǐng**

原文

頸: 頭莖也. 从頁巠聲. 居郢切.

飜譯

'목 줄기(頭莖)'를 말한다. 혈(頁)이 의미부이고 경(巠)이 소리부이다. 독음은 거(居)와 영(郢)의 반절이다.

**5591**

**領: 領: 옷깃 령: 頁-총14획: lǐng**

原文

領: 項也. 从頁令聲. 良郢切.

飜譯

'목(項)'을 말한다. 혈(頁)이 의미부이고 령(令)이 소리부이다.[11] 독음은 량(良)과 영(郢)의 반절이다.

---

11) 고문자에서 領簡牘文 등으로 그렸다. 頁(머리 혈)이 의미부이고 令(우두머리 령)이 소리부로, 저고리나 두루마기에서 머리(頁)와 맞닿은 목에 둘러대어 앞에서 여밀 수 있도록 한 부분을 말했는데, '옷깃'은 옷 전체 중심이 되므로 명령(令)을 내릴 수 있는 '지도자', 통솔하다, 이끌다는 뜻이 나왔다.

5592

**項**: 項: **목 항**: 頁-**총12획**: **xiàng**

原文

項: 頭後也. 从頁工聲. 胡講切.

飜譯

'목의 뒤쪽(頭後)'를 말한다. 혈(頁)이 의미부이고 공(工)이 소리부이다. 독음은 호(胡)와 강(講)의 반절이다.

5593

**煩**: 煩: **뒤통수뼈 침·추할 담**: 頁-**총13획**: **zhěn**

原文

煩: 項枕也. 从頁冘聲. 章衽切.

飜譯

'뒤통수의 뼈 즉 항침(項枕)'을 말한다. 혈(頁)이 의미부이고 유(冘)가 소리부이다. 독음은 장(章)과 임(衽)의 반절이다.

5594

**顀**: 顀: **내민 이마 추**: 頁-**총17획**: **chuí**

原文

顀: 出頟也. 从頁隹聲. 直追切.

飜譯

'튀어나온 이마(出頟)'를 말한다. 혈(頁)이 의미부이고 추(隹)가 소리부이다. 독음은 직(直)과 추(追)의 반절이다.

제9권

**5595**

: 頛: **주걱턱 배**: 頁-**총13획: péi, bāi**

原文

: 曲頤也. 从頁不聲. 薄回切.

飜譯

'굽은 턱 즉 주걱턱(曲頤)'을 말한다. 혈(頁)이 의미부이고 부(不)가 소리부이다. 독음은 박(薄)과 회(回)의 반절이다.

**5596**

: 顩: **하관 빨 엄**: 頁-**총22획: yǎn**

原文

: 𪘾皃. 从頁僉聲. 魚檢切.

飜譯

'이빨이 튀어나와 가지런하지 않음(𪘾皃)'을 말한다. 혈(頁)이 의미부이고 첨(僉)이 소리부이다. 독음은 어(魚)와 검(檢)의 반절이다.

**5597**

: 頵: **얼굴 비뚤어진 모양 윤**: 頁-**총13획: yǔn**

原文

: 面目不正皃. 从頁尹聲. 余準切.

飜譯

'얼굴이 비뚤어진 모양(面目不正皃)'을 말한다. 혈(頁)이 의미부이고 윤(尹)이 소리부이다. 독음은 여(余)와 준(準)의 반절이다.

**5598**

: 頵: **머리 큰 군**: 頁-**총16획: jūn**

原文

: 頭頵頵大也. 从頁君聲. 於倫切.

飜譯

'머리가 크다(頭頵頵大)'라는 뜻이다. 혈(頁)이 의미부이고 군(君)이 소리부이다. 독음은 어(於)와 륜(倫)의 반절이다.

**5599**

: 顐: **둥글 운·혼**: 頁-**총19획: hùn**

原文

: 面色顚顐皃. 从頁員聲. 讀若隕. 于閔切.

飜譯

'얼굴색이 퇴색한 모습(面色顚顐皃)'을 말한다. 혈(頁)이 의미부이고 원(員)이 소리부이다. 운(隕)과 같이 읽는다. 독음은 우(于)와 민(閔)의 반절이다.

**5600**

: 顩: **머리는 좁고 얼굴이 길 암**: 頁-**총19획: qiàn, yán**

原文

: 頭頰長也. 从頁兼聲. 五咸切.

飜譯

'머리가 갸름하고 얼굴이 길다(頭頰長)'라는 뜻이다. 혈(頁)이 의미부이고 겸(兼)이 소리부이다. 독음은 오(五)와 함(咸)의 반절이다.

**5601**

**碩: 碩: 클 석: 石-총14획: shuò**

原文

碩: 頭大也. 从頁石聲. 常隻切.

飜譯

'머리가 크다(頭大)'라는 뜻이다. 혈(頁)이 의미부이고 석(石)이 소리부이다.[12] 독음은 상(常)과 척(隻)의 반절이다.

**5602**

**頒: 頒: 나눌 반: 頁-총13획: bān**

原文

頒: 大頭也. 从頁分聲. 一曰鬢也. 『詩』曰: "有頒其首." 布還切.

飜譯

'큰 머리(大頭)'를 말한다. 혈(頁)이 의미부이고 분(分)이 소리부이다. 일설에는 '귀밑털(鬢)'을 말한다고도 한다. 『시·소아어조(魚藻)』에서 "머리가 큼지막하네(有頒其首)"라고 노래했다. 독음은 포(布)와 환(還)의 반절이다.

**5603**

**顒: 顒: 공경할 옹: 頁-총18획: yóng**

原文

顒: 大頭也. 从頁禺聲. 『詩』曰: "其大有顒." 魚容切.

---

12) 고문자에서 [金文 자형] 金文 등으로 그렸다. 頁(머리 혈)이 의미부고 石(돌 석)이 소리부로, 머리통(頁)이 바위(石)처럼 '큰' 것을 말한다. 옛날에는 머리통이 크면 두뇌가 발달하여 여러 지식을 담을 수 있다고 생각했기에, 碩에는 碩學(석학)에서처럼 박식하고 슬기롭고 총명하다는 뜻이 담기게 되었다.

飜譯

'큰 머리(大頭)'를 말한다. 혈(頁)이 의미부이고 우(禺)가 소리부이다. 『시·소아·유월(六月)』에서 "덩치가 큼지막하네(其大有顒)"라고 노래했다. 독음은 어(魚)와 용(容)의 반절이다.

**5604**

**顤**: 顤: **큰 머리 효·많을 분**: 頁-총19획: ráo, qiāo

原文

顤: 大頭也. 从頁羔聲. 口幺切.

飜譯

'큰 머리(大頭)'를 말한다. 혈(頁)이 의미부이고 고(羔)가 소리부이다. 독음은 구(口)와 요(幺)의 반절이다.

**5605**

**顝**: 顝: **혼자 골**: 頁-총19획: kū

原文

顝: 大頭也. 从頁骨聲. 讀若魁. 苦骨切.

飜譯

'큰 머리(大頭)'를 말한다. 혈(頁)이 의미부이고 골(骨)이 소리부이다. 괴(魁)와 같이 읽는다. 독음은 고(苦)와 골(骨)의 반절이다.

**5606**

**願**: 願: **원할 원**: 頁-총19획: yuàn

原文

願: 大頭也. 从頁原聲. 魚怨切.

飜譯

'큰 머리(大頭)'를 말한다. 혈(頁)이 의미부이고 원(原)이 소리부이다.[13] 독음은 어(魚)와 원(怨)의 반절이다.

**5607**

**顤: 顤: 높고 긴 머리 효: 頁-총21획: xiāo**

原文

顤: 高長頭. 从頁堯聲. 五弔切.

飜譯

'높고 긴 머리(高長頭)'를 말한다. 혈(頁)이 의미부이고 요(堯)가 소리부이다. 독음은 오(五)와 조(弔)의 반절이다.

**5608**

**顮: 顮: 높을 오: 頁-총20획: ào**

原文

顮: 顮顤, 高也. 从頁敖聲. 五到切.

飜譯

'오효(顮顤)'를 말하는데, '머리가 높다(高)'라는 뜻이다. 혈(頁)이 의미부이고 오(敖)가 소리부이다. 독음은 오(五)와 도(到)의 반절이다.

**5609**

**顎: 顎: 눈앞 악: 頁-총17획: yuè**

13) 頁(머리 혈)이 의미부고 原(근원 원)이 소리부로, 원래는 머리(頁)가 큰(原) 것을 말했는데, 이후 願望(원망)에서처럼 '바라다'는 뜻으로 쓰였다. 간화자에서는 상하구조로 된 愿(삼갈 원)에 통합되었다.

原文

䫠: 面前岳岳也. 从頁岳聲. 五角切.

飜譯

'이마가 우락부락하다(面前岳岳)'라는 뜻이다. 혈(頁)이 의미부이고 악(岳)이 소리부이다. 독음은 오(五)와 각(角)의 반절이다.

**5610**

䫤: 䫤: **어둘 매**: 頁-총16획: huì

原文

䫤: 昧前也. 从頁㷀聲. 讀若昧. 莫佩切.

飜譯

'얼굴을 씻다(昧前)[14]'라는 뜻이다. 혈(頁)이 의미부이고 율(㷀)이 소리부이다. 매(昧)와 같이 읽는다. 독음은 막(莫)과 패(佩)의 반절이다.

**5611**

䯁: 䯁: **땅 이름 령**: 頁-총26획: líng

原文

䯁: 面瘦淺䯁䯁也. 从頁霝聲. 郎丁切.

飜譯

'얼굴이 야위고 얕다(面瘦淺䯁䯁)'라는 뜻이다. 혈(頁)이 의미부이고 령(霝)이 소리부이다. 독음은 랑(郎)과 정(丁)의 반절이다.

---

14) 『단주』에서는 "매(昧)는 매(昧)가 되어야 한다."라고 했고, 뉴수옥의 『교록』에서는 '낯을 씻다'라는 뜻의 매(沬)의 오자라고 추정했다.

**5612**

**顡: 顡: 머리 가릴 외: 頁-총18획: wài**

原文

顡: 頭蔽顡也. 从頁豙聲. 五怪切.

飜譯

'머리가 가리다(頭蔽顡)'라는 뜻이다. 혈(頁)이 의미부이고 수(豙)가 소리부이다. 독음은 오(五)와 괴(怪)의 반절이다.

**5613**

**頑: 頑: 완고할 완: 頁-총13획: wán**

原文

頑: 棞頭也. 从頁元聲. 五還切.

飜譯

'통나무처럼 생긴 머리(棞頭)'를 말한다. 혈(頁)이 의미부이고 원(元)이 소리부이다.[15] 독음은 오(五)와 환(還)의 반절이다.

**5614**

**頍: 頍: 작은 미끼 규: 頁-총17획: guī**

原文

頍: 小頭頍頍也. 从頁枝聲. 讀若規. 已恚切.

飜譯

'작고 둥글게 생긴 머리(小頭頍頍)'를 말한다. 혈(頁)이 의미부이고 지(枝)가 소리부

15) 頁(머리 혈)이 의미부고 元(으뜸 원)이 소리부로, 제거해 내기 어려운 나무의 옹이가 원래 뜻인데, 커다란(元) 머리(頁) 모양의 덩어리라는 뜻을 담았다. 이로부터 단단하다, 고집스럽다, 頑固(완고)하다 등의 뜻이 나왔다.

이다. 규(規)와 같이 읽는다. 독음은 이(已)와 에(恚)의 반절이다.[16]

**5615**

**顆: 顆: 낟알 과: 頁-총17획: kē**

原文

顆: 小頭也. 从頁果聲. 苦惰切.

飜譯

'작은 머리(小頭)'를 말한다. 혈(頁)이 의미부이고 과(果)가 소리부이다.[17] 독음은 고(苦)와 타(惰)의 반절이다.

**5616**

**頢: 頢: 짤막한 얼굴 괄: 頁-총15획: guā**

原文

頢: 短面也. 从頁昏聲. 五活切.

飜譯

'아래 위가 짧은 얼굴(短面)'을 말한다. 혈(頁)이 의미부이고 괄(昏)이 소리부이다. 독음은 오(五)와 활(活)의 반절이다.

**5617**

**頲: 頲: 곧을 정: 頁-총16획: chēng**

---

16) 『단주』에 의하면, 본문에서 "규(規)와 같이 읽는다"고 했는데, 규(規)의 독음은 거(居)와 수(隨)의 반절이다. 그렇다면 기(已)와 에(恚)의 반절은 서개가 제시한 독음으로, '규(規)'라는 독음 외에도 이 독음이 있었다는 말이다.

17) 頁(머리 혈)이 의미부이고 果(열매 과)가 소리부로, 작고 둥근(頁) 열매(果) 모양의 '낟알'을 말하며, 낟알을 헤아리는 양사로도 쓰인다.

原文

䫖: 狹頭頲也. 从頁廷聲. 他挺切.

飜譯

'좁고 곧게 생긴 머리(狹頭頲)'를 말한다. 혈(頁)이 의미부이고 정(廷)이 소리부이다. 독음은 타(他)와 정(挺)의 반절이다.

**5618**

**頠: 頠: 조용할 외: 頁-총15획: wěi**

原文

頠: 頭閑習也. 从頁危聲. 語委切.

飜譯

'우아하게 생긴 머리(頭閑習[18])'를 말한다. 혈(頁)이 의미부이고 위(危)가 소리부이다. 독음은 어(語)와 위(委)의 반절이다.

**5619**

**顄: 頷: 턱 함: 頁-총16획: hàn**

原文

顄: 面黃也. 从頁含聲. 胡感切.

飜譯

'얼굴색이 누렇다(面黃)'라는 뜻이다.[19] 혈(頁)이 의미부이고 함(含)이 소리부이다. 독음은 호(胡)와 감(感)의 반절이다.

---

18) 『단주』에서 이렇게 말했다. "한(閑)은 당연히 한(嫻)으로 적어야 한다. 글자의 오류이다. 이후 한습(嫻習·숙련되다)이라는 말로 파생되었다. 『이아·석고(釋詁)』에서 외(頠)는 고요하다는 뜻이다(靜也)라고 했다. 외(頠)자와 여(女)부수의 궤(姽)자는 의미가 비슷하다."

19) 왕균의 『구두』에서 "얼굴이 누렇다는 말은 천성적인 체질을 두고 한 말일 것이다."라고 하였는데, 영양실조에 의한 것으로 보인다.

**5620**

䫇: **얼굴 비뚤어질 원**: 頁-**총18획**: **yuǎn**

原文

: 面不正也. 从頁爰聲. 于反切.

飜譯

'바르지 않고 비뚤어진 얼굴(面不正)'을 말한다. 혈(頁)이 의미부이고 원(爰)이 소리부이다. 독음은 우(于)와 반(反)의 반절이다.



**5621**

頍: **머리 들 규**: 頁-**총13획**: **kuǐ**

原文

: 舉頭也. 从頁支聲. 『詩』曰 : "有頍者弁." 丘弭切.

飜譯

'머리를 들다(舉頭)'라는 뜻이다. 혈(頁)이 의미부이고 지(支)가 소리부이다. 『시·소아·규변(頍弁)』에서 "점잖은 관(有頍者弁)"이라고 노래했다. 독음은 구(丘)와 미(弭)의 반절이다.

**5622**

𩑶: **머리를 물 속에 넣을 몰**: 頁-**총13획**: **mò**

原文

: 内頭水中也. 从頁、𠬛, 𠬛亦聲. 烏没切.

飜譯

'머리를 물속에 집어넣다(内頭水中)'라는 뜻이다. 혈(頁)과 몰(𠬛)이 의미부인데, 몰(𠬛)은 소리부도 겸한다. 독음은 오(烏)와 몰(没)의 반절이다.

**5623**

**顧: 顧: 돌아볼 고: 頁-총21획: gù**

原文

顧: 還視也. 从頁雇聲. 古慕切.

飜譯

'머리를 돌려 보다(還視)'라는 뜻이다. 혈(頁)이 의미부이고 고(雇)가 소리부이다.[20] 독음은 고(古)와 모(慕)의 반절이다.

**5624**

**順: 順: 순할 순: 頁-총12획: shùn**

原文

順: 理也. 从頁从巛. 食閏切.

飜譯

'머리칼을 정리하다(理)'라는 뜻이다. 혈(頁)이 의미부이고 천(巛)도 의미부이다.[21] 독음은 식(食)과 윤(閏)의 반절이다.

**5625**

**𩒹: 𩒹: 삼갈 진: 頁-총14획: mí, zhěn**

---

20) 고문자에서 金文 簡牘文 등으로 그렸다. 頁(머리 혈)이 의미부이고 雇(품 살 고)가 소리부로, 머리(頁)를 돌려(雇) 되돌아봄을 말하며, 이로부터 살피다, 생각하다, 반성하다 등의 뜻이 나왔다. 간화자에서는 顾로 쓴다.

21) 고문자에서 金文 古陶文 簡牘文 등으로 그렸다. 頁(머리 혈)이 의미부고 川(내 천)이 소리부로, 물의 흐름(川)처럼 순조롭게 머리(頁)를 조아림을 말해, 順應(순응)하다는 뜻이 나왔다. 이로부터 다시 순조롭다, 도리, 유순하다 등의 뜻이 나왔고, '…을 따라서', '…하는 김에' 등의 뜻도 나왔다.

原文

: 顏色𩑺䫐, 愼事也. 从頁参聲. 之忍切.

飜譯

'얼굴색을 감추어 일에 신중하게 대하다(顏色𩑺䫐, 愼事)'라는 뜻이다. 혈(頁)이 의미부이고 진(参)이 소리부이다. 독음은 지(之)와 인(忍)의 반절이다.

**5626**

: 䫐: **머리숱이 적을 린**: 頁-**총21획**: **lìn, lǐn**

原文

: 𩑺䫐也. 从頁粦聲. 一曰頭少髮. 良忍切.

飜譯

'얼굴색을 감추어 일에 신중하게 대하다(𩑺䫐)'라는 뜻이다. 혈(頁)이 의미부이고 린(粦)이 소리부이다. 일설에는 '머리숱이 적다(頭少髮)'라는 뜻이라고도 한다. 독음은 량(良)과 인(忍)의 반절이다.

**5627**

: 顓: **전단할 전**: 頁-**총18획**: **zhuān**

原文

: 頭顓顓謹皃. 从頁耑聲. 職緣切.

飜譯

'머리를 단정하게 하여 삼가는 모습(頭顓顓謹皃)'을 말한다. 혈(頁)이 의미부이고 단(耑)이 소리부이다. 독음은 직(職)과 연(緣)의 반절이다.

**5628**

: 頊: **삼갈 욱**: 頁-**총13획**: **xū**

原文

頊: 頭頊頊謹皃. 从頁玉聲. 許玉切.

飜譯

'머리를 단정하게 하여 삼가는 모습(頭頊頊謹皃)을 말한다. 혈(頁)이 의미부이고 옥(玉)이 소리부이다. 독음은 허(許)와 옥(玉)의 반절이다.

**5629**

**顉: 顉: 주걱턱 금·끄덕일 암: 頁-총17획: qīn, qǐn**

原文

顉: 低頭也. 从頁金聲. 『春秋傳』曰: "迎于門, 顉之而已." 五感切.

飜譯

'머리를 숙이다(低頭)'라는 뜻이다. 혈(頁)이 의미부이고 금(金)이 소리부이다. 『춘추전』(『좌전』 양공 26년, B.C. 547)에서 "문에서 영접을 하면서 머리를 숙여 끄덕였을 뿐이다(迎于門, 顉之而已.)"라고 했다. 독음은 오(五)와 감(感)의 반절이다.

**5630**

**頓: 頓: 조아릴 돈: 頁-총13획: dùn**

原文

頓: 下首也. 从頁屯聲. 都困切.

飜譯

'머리를 아래로 숙여 조아리다(下首)'라는 뜻이다. 혈(頁)이 의미부이고 둔(屯)이 소리부이다. 독음은 도(都)와 곤(困)의 반절이다.

**5631**

**頫: 頫: 머리 숙일 부: 頁-총15획: fǔ**

---

**2482** 완역 『설문해자』

原文

頫: 低頭也. 从頁, 逃省. 太史卜書, 頫仰字如此. 楊雄曰: 人面頫. 俛, 頫或从人、免. 方矩切.

譯譯

'머리를 숙이다(低頭)'라는 뜻이다. 혈(頁)과 도(逃)의 생략된 모습이 의미부이다. 태사(太史)가 점을 칠 때, 머리를 숙여 살필 때의 모습이다. [그래서 혈(頁)이 의미부가 되었다.] 양웅(楊雄)[22]은 '사람이 얼굴을 숙인 것(人面頫)'을 말한다고 했다. 부(俛)는 부(頫)의 혹체자인데, 인(人)과 면(免)으로 구성되었다. 독음은 방(方)과 구(矩)의 반절이다.



**5632**

**顊: 顊: 눈 크게 뜨고 볼 신: 頁-총15획: shěn**

原文

顊: 舉目視人皃. 从頁臣聲. 式忍切.

譯譯

'머리를 들어 사람을 쳐다보는 모습(舉目視人皃)'을 말한다. 혈(頁)이 의미부이고 신(臣)이 소리부이다. 독음은 식(式)과 인(忍)의 반절이다.

---

22) 양웅(B.C. 53~A.D. 18)은 전한 촉군(蜀郡, 사천성) 성도(成都) 사람으로, 자운(子雲)이다. 어릴 때부터 배우기를 좋아했고, 많은 책을 읽었으며, 사부(辭賦)에도 뛰어났다. 청년시절에 동향의 선배인 사마상여(司馬相如)의 작품을 통해 배운 문장력을 인정받아, 성제(成帝) 때 궁정문인의 한 사람이 되었다. 40여 살 때 처음으로 경사(京師)에 가서 문장으로 부름을 받아, 성제의 여행에 수행하며 쓴 「감천부(甘泉賦)」와 「하동부(河東賦)」, 「우렵부(羽獵賦)」, 「장양부(長楊賦)」 등을 썼는데, 화려한 문장이면서도 성제의 사치를 꼬집는 풍자도 잊지 않았다. 급사황문시랑(給事黃門侍郎)에 임명되었다. 나중에 왕망(王莽) 밑에서도 일해 대부(大夫)가 되었다. 천록각(天祿閣)에서 책을 교정했다. 시대에 적응하지 못한 자신의 불우한 원인을 묘사한 「해조(解嘲)」와 「해난(解難)」도 독특한 여운을 주는 산문이다. 학자로서 각 지방의 언어를 집성한 『방언(方言)』과 『역경(易經)』에 기본을 둔 철학서 『태현경(太玄經)』, 『논어』의 문체를 모방한 『법언(法言)』, 『훈찬편(訓纂篇)』 등을 저술했다.(『중국역대인명사전』)

**5633**

**顫: 顫: 거만하게 사람 볼 선: 頁-총21획: zhăn**

原文

顫: 倨視人也. 从頁善聲. 旨善切.

飜譯

'거만스레 다른 사람을 쳐다보다(倨視人)'라는 뜻이다. 혈(頁)이 의미부이고 선(善)이 소리부이다. 독음은 지(旨)와 선(善)의 반절이다.

**5634**

**頡: 頡: 곧은 목 힐: 頁-총15획: xié**

原文

頡: 直項也. 从頁吉聲. 胡結切.

飜譯

'곧은 목(直項)'을 말한다.[23] 혈(頁)이 의미부이고 길(吉)이 소리부이다. 독음은 호(胡)와 결(結)의 반절이다.

**5635**

**頔: 頔: 광대뼈 절: 頁-총14획: zhuō**

原文

頔: 頭頡頔也. 从頁出聲. 讀又若骨. 之出切.

飜譯

'고개를 숙여 목이 굽은 모양(頭頡頔[24])'을 말한다. 혈(頁)이 의미부이고 출(出)이

---

23) 직항(直項)은 목을 똑바로 세우고 굽히지 않음을 뜻해, 강직함의 상징으로 쓰인다.
24) 『단주』에서 이렇게 말했다. "힐(頡)과 절(頔)은 첩운(疊韵)자이다. 고어에서는 머리가 버섯처럼 짧고 굽은 모습(頭菌蠢皃)을 말하는데, '고조의 우뚝 선 콧마루와 같이(若高祖隆準)' 등이

소리부이다. 또 골(骨)과 같이 읽기도 한다. 독음은 지(之)와 출(出)의 반절이다.

**5636**

**顥: 顥: 클 호: 頁-총21획: hào**

原文

顥: 白皃. 从頁从景. 『楚詞』曰: "天白顥顥." 南山四顥, 白首人也. 胡老切.

翻譯

'머리가 흰 모습(白皃)'을 말한다. 혈(頁)이 의미부이고 경(景)도 의미부이다. 『초사 대초(大招)』에서 "하늘은 높고 높아 희기 그지없구나(天白顥顥)."라고 노래했다. 진나라 때의 덕행이 높았던 남산사호(南山四顥)[25] 등은 모두 머리가 흰 사람들이었다. 독음은 호(胡)와 로(老)의 반절이다.



**5637**

**蘩頁: 顃: 매우 추한 모양 번: 頁-총24획: fán**

原文

蘩頁: 大醜皃. 从頁樊聲. 附袁切.

翻譯

'몹시 추하게 생긴 모습(大醜皃)'을 말한다. 혈(頁)이 의미부이고 번(樊)이 소리부이다. 독음은 부(附)와 원(袁)의 반절이다.

---

그 예이다." 힐절(頡頗)은 힐굴(頡詘)과 같다.

25) 달리 상산사호(商山四皓)라고도 한다. 진(秦)나라 때의 은사(隱士)로 한나라의 유민(逸民)이 되었던 사람들이다. 섬서성 상산(商山)의 깊은 곳에 숨어 살던 머리가 흰 네 사람으로, 덕행이 높고 고결하여 대중들의 존중을 받았다. 구체적으로는 소주(蘇州) 태호(太湖)의 녹리선생(甪里先生) 주술(周術), 하남성 상구(商丘)의 동원공(東園公) 당병(唐秉), 호북성 통성(通城)의 기리계(綺里季) 오실(吳實), 절강성 영파(寧波)의 하황공(夏黃公) 최광(崔廣)을 말한다.

5638

**䞓: 䞓: 아름다운 모양 정: 頁-총17획: jìng**

原文

䞓: 好皃. 从頁爭聲. 『詩』所謂"䞓首". 疾正切.

飜譯

'아름다운 모습(好皃)'을 말한다. 혈(頁)이 의미부이고 쟁(爭)이 소리부이다. 『시·위풍·석인(碩人)』에서 말한 "정수(䞓首: 매미 이마)"라고 할 때의 정(䞓)과 같은 뜻이다.[26] 독음은 질(疾)과 정(正)의 반절이다.

5639

**䪻: 䪻: 머리 고울 편: 頁-총15획: piān, xuān**

原文

䪻: 頭姸也. 从頁, 翩省聲. 讀若翩. 王矩切.

飜譯

'두형이 아름답다(頭姸)'라는 뜻이다. 혈(頁)이 의미부이고, 편(翩)의 생략된 모습이 소리부이다. 편(翩)과 같이 읽는다. 독음은 왕(王)과 구(矩)의 반절이다.

5640

**顗: 顗: 근엄할 의: 頁-총19획: yǐ**

原文

顗: 謹莊皃. 从頁豈聲. 魚豈切.

---

26) 『단주』에서 이렇게 말했다. "『시』에는 소위 정수(䞓首)라는 말이 나오지 않는다. 정수(䞓首)는 진수(螓首)가 되어야 옳다. 「위풍(衛風)·석인(碩人)」에 나오는 말이다." 「석인(碩人)」에 대해 제2연에서 이렇게 노래했다. "손은 부드러운 삘기 같고, 살갗은 엉긴 기름처럼 매끄럽고, 목은 흰 나무벌레 같고, 이는 박의 씨 같으며, 매미 이마에다 나방의 수염 눈썹, 생긋 웃을 때의 어여쁜 입모습, 아름다운 눈은 맑기도 하네."

飜譯

‘근엄하고 장엄한 모습(謹莊皃)’을 말한다. 혈(頁)이 의미부이고 기(豈)가 소리부이다. 독음은 어(魚)와 기(豈)의 반절이다.

**5641**

**顅: 顅: 털 적을 간: 頁-총17획: qiān**

原文

顅: 頭鬢少髮也. 从頁肩聲. 『周禮』: “數目顅脰.” 苦閑切.

飜譯

‘머리털과 귀밑털이 적다(頭鬢少髮)’라는 뜻이다. 혈(頁)이 의미부이고 견(肩)이 소리부이다. 『주례·고공기·재인(宰人)』에서 “작은 눈과 기다란 목(數目顅脰)”이라고 했다. 독음은 고(苦)와 한(閑)의 반절이다.

**5642**

**顐: 顐: 대머리 곤: 頁-총17획: kūn**

原文

顐: 無髮也. 一曰耳門也. 从頁困聲. 苦昆切.

飜譯

‘머리칼이 없다(無髮)’라는 뜻이다. 일설에는 이문(耳門) 즉 귓문(귓구멍의 바깥쪽으로 열려 있는 곳)을 말한다고도 한다. 혈(頁)이 의미부이고 균(困)이 소리부이다. 독음은 고(苦)와 곤(昆)의 반절이다.

**5643**

**頊: 頊: 대머리 굴: 頁-총12획: kū, yà**

原文

제9권

[illegible]: 禿也. 从頁气聲. 苦骨切.

飜譯

'대머리(禿)'를 말한다. 혈(頁)이 의미부이고 기(气)가 소리부이다. 독음은 고(苦)와 골(骨)의 반절이다.

**5644**

頪: 頪: **머리 기울 뢰**: 頁-**총15획**: lèi

原文

頪: 頭不正也. 从頁从耒. 耒, 頭傾也. 讀又若『春秋』陳夏齧之齧. 盧對切.

飜譯

'머리가 기울어져 비뚤다(頭不正)'라는 뜻이다. 혈(頁)이 의미부이고 뢰(耒)도 의미부이다. 뢰(耒)는 '비뚤어진 머리(頭傾)'라는 뜻이다. 또 『춘추전』(『좌전』 소공 23년, B.C. 519)에서 말한 진(陳)나라 하설(夏齧)의 설(齧)과 같이 읽기도 한다. 독음은 로(盧)와 대(對)의 반절이다.

**5645**

顊: 顊: **머리를 기울일 비**: 頁-**총17획**: pǐ

原文

顊: 傾首也. 从頁卑聲. 匹米切.

飜譯

'머리를 옆으로 기울이다(傾首)'라는 뜻이다. 혈(頁)이 의미부이고 비(卑)가 소리부이다. 독음은 필(匹)과 미(米)의 반절이다.

**5646**

[illegible]: [illegible]: **남을 엿볼 계·짧을 결**: 頁-**총18획**: qì, qiè, xì

原文

䫔: 司人也. 一曰恐也. 从頁契聲. 讀若禊. 胡計切.

飜譯

'남을 엿보는 사람 즉 탐정(司人)'을 말한다. 일설에는 '두려워하다(恐)'라는 뜻이라고도 한다. 혈(頁)이 의미부이고 계(契)가 소리부이다. 설(禊)과 같이 읽는다. 독음은 호(胡)와 계(計)의 반절이다.

**5647**

**䫥:** 䫥: **큰 머리 외**: 頁-**총19획: kuǐ, wěi**

原文

䫥: 頭不正也. 从頁鬼聲. 口猥切.

飜譯

'머리가 기울어져 비뚤다(頭不正)'라는 뜻이다. 혈(頁)이 의미부이고 귀(鬼)가 소리부이다. 독음은 구(口)와 외(猥)의 반절이다.

**5648**

**頗:** 頗: **자못 파**: 頁-**총14획: pō**

原文

頗: 頭偏也. 从頁皮聲. 滂禾切.

飜譯

'머리가 한쪽으로 치우치다(頭偏)'라는 뜻이다. 혈(頁)이 의미부이고 피(皮)가 소리부이다.[27] 독음은 방(滂)과 화(禾)의 반절이다.

---

27) 고문자에서 [古文字形] 古陶文 등으로 그렸다. 頁(머리 혈)이 의미부고 皮(가죽 피)가 소리부로, 머리(頁)가 한쪽으로 치우침을 말했는데, 이로부터 偏頗(편파)적이나 불완전함이라는 뜻이 나왔으며, 이로부터 자못, 상당히 등의 뜻도 갖게 되었다.

**5649**

**頄: 頄: 머리 흔들 우: 頁-총13획: yòu**

原文

頄: 顫也. 从頁尤聲. 疣, 頄或从疒. 于救切.

飜譯

'머리를 흔들다(顫)'라는 뜻이다. 혈(頁)이 의미부이고 우(尤)가 소리부이다. 우(疣)는 우(頄)의 혹체자인데, 녁(疒)으로 구성되었다. 독음은 우(于)와 구(救)의 반절이다.

**5650**

**顫: 顫: 떨릴 전: 頁-총22획: chàn**

原文

顫: 頭不正也. 从頁亶聲. 之繕切.

飜譯

'머리를 떨어 불안정하다(頭不正)[28]'라는 뜻이다. 혈(頁)이 의미부이고 단(亶)이 소리부이다. 독음은 지(之)와 선(繕)의 반절이다.

**5651**

**顩: 顩: 주릴 함·부황 들 황: 頁-총18획: xián**

原文

---

28) 『단주』에서 정(正)은 정(定)이 되어야 옳다고 하면서 이렇게 말했다. "두부정야(頭不定也)의 부정(不定)을 각 판본에서는 부정(不正)으로 썼는데, 지금 바로 잡는다. 전(顫)과 우(頄)는 모두 불안한 모습이다(不寧之皃). 앞의 뢰(頛)에서부터 파(頗)까지의 4글자가 모두 머리가 기울어 비뚤어진 것(言頭不正)에 대해 이야기 했으므로, 이 글자는 다른 의미일 것이다. 그래서 두부정(頭不定)이라는 해설을 따른다. 이후 안정되지 않은(不定) 모든 것을 지칭하게 되었다." 또 주준성의 『통훈정성』에 의하면, "머리가 떨려 안정하지 못하는 것을 말한다."

顑: 飯不飽, 面黃起行也. 从頁咸聲. 讀若戇. 下感切.

飜譯

'제대로 먹지 못해 얼굴에 황달기가 생기기 시작하다(飯不飽, 面黃起行)'라는 뜻이다. 혈(頁)이 의미부이고 함(咸)이 소리부이다. 장(戇)과 같이 읽는다. 독음은 하(下)와 감(感)의 반절이다.

**5652**

**顲: 顲: 부황 들 람: 頁-총25획: lǎn**

原文

顲: 面顑顲皃. 从頁㐭聲. 盧感切.

飜譯

'얼굴에 황달기가 생긴 모양(面顑顲皃)'을 말한다. 혈(頁)이 의미부이고 임(㐭)[29]이 소리부이다. 독음은 로(盧)와 감(感)의 반절이다.

**5653**

**煩: 煩: 괴로워할 번: 火-총13획: fán**

原文

煩: 熱頭痛也. 从頁从火. 一曰焚省聲. 附袁切.

飜譯

'열이 나 머리가 아프다(熱頭痛)'라는 뜻이다. 혈(頁)이 의미부이고 화(火)도 의미부이다. 일설에는 '분(焚)의 생략된 모습이 소리부'라고도 한다.[30] 독음은 부(附)와 원

---

29) 독음에 대해 『당운(唐韻)』에서는 력(力)과 임(荏)의 반절, 『광운(廣韻)』에서는 력(力)과 임(稔)의 반절, 『집운(集韻)』에서는 력(力)과 금(錦)의 반절로 름(廩)과 같이 읽는다고 했다. 『설문』에서는 침입하다는 뜻(侵也)이며 염(炎)이 의미부이고 름(㐭)이 소리부이라고 했다.

30) 고문자에서 [古文字] 簡牘文 등으로 그렸다. 頁(머리 혈)과 火(불 화)로 구성되어, 머리(頁)에 열(火)이 남을 뜻했는데, 이후 가슴이 답답함과 煩悶(번민)을 그렸고, 괴로움과 번거로움까지 말하게

(袁)의 반절이다.

**5654**

**顡: 顡: 멍청이 의: 頁-총23획: wài**

原文

顡: 癡, 不聰明也. 从頁豙聲. 五怪切.

飜譯

'치(癡)와 같아, 멍청하다(不聰明)'라는 뜻이다. 혈(頁)이 의미부이고 의(豙)가 소리부이다. 독음은 오(五)와 괴(怪)의 반절이다.

**5655**

**頪: 頪: 빠를 뢰: 頁-총15획: lèi**

原文

頪: 難曉也. 从頁、米. 一曰鮮白皃. 从粉省. 盧對切.

飜譯

'구분하기 어렵다(難曉)'라는 뜻이다. 혈(頁)과 미(米)가 모두 의미부이다. 일설에는 '매우 흰 모양(鮮白皃)'을 말한다고도 하는데, 분(粉)의 생략된 모습을 따랐다. 독음은 로(盧)와 대(對)의 반절이다.

**5656**

**顦: 顦: 파리할 초: 頁-총21획: qiáo**

原文

顦: 顦顇也. 从頁焦聲. 昨焦切.

---

되었다.

---

飜譯

'야위어 초췌하다(顦顇)'라는 뜻이다. 혈(頁)이 의미부이고 초(焦)가 소리부이다. 독음은 작(昨)과 초(焦)의 반절이다.

**5657**

顇: 顇: **파리할 췌**: 頁—**총17획**: cuì

原文

顇: 顦顇也. 从頁卒聲. 秦醉切.

飜譯

'야위어 초췌하다(顦顇)'라는 뜻이다. 혈(頁)이 의미부이고 졸(卒)이 소리부이다. 독음은 진(秦)과 취(醉)의 반절이다.

**5658**

顐: 顐: **어리석을 문**: 頁—**총17획**: mén

原文

顐: 繫頭殟也. 从頁昏聲. 莫奔切.

飜譯

'머리를 싸맬 정도로 아픈 역병(繫頭殟)'을 말한다. 혈(頁)이 의미부이고 혼(昏)이 소리부이다. 독음은 막(莫)과 분(奔)의 반절이다.

**5659**

頦: 頦: **턱 해**: 頁—**총15획**: kē, ké

原文

頦: 醜也. 从頁亥聲. 戶來切.

飜譯

'추악하게 생기다(醜)'라는 뜻이다. 혈(頁)이 의미부이고 해(亥)가 소리부이다. 독음은 호(戶)와 래(來)의 반절이다.

**5660**

**䫏:** 䫏: **추할 기**: 頁-총17획: qī

原文

䫏: 醜也. 从頁其聲. 今逐疫有䫏頭. 去其切.

飜譯

'추악하게 생기다(醜)'라는 뜻이다. 혈(頁)이 의미부이고 기(其)가 소리부이다. 오늘날 역병을 쫓아내는 데 쓰는 '기두(䫏頭)'[31]라는 것이 있다. [역병을 쫓아내는 귀신이 그런 모습을 하였다.] 독음은 거(去)와 기(其)의 반절이다.

**5661**

**籲:** 籲: **부르짖을 유**: 竹-총32획: yù

原文

籲: 呼也. 从頁籥聲. 讀與籥同. 『商書』曰 : "率籲衆戚." 羊戍切.

飜譯

'부르짖다(呼)'라는 뜻이다. 혈(頁)이 의미부이고 약(籥)이 소리부이다. 약(籥)과 똑같이 읽는다. 『서·상서(商書)·반경(盤庚)』에서 "여러 근심하는 사람들을 모아 놓고 [호소하는 말을 하였다](率籲衆戚)"라고 했다. 독음은 양(羊)과 수(戍)의 반절이다.

**5662**

**顯:** 顯: **나타날 현**: 頁-총23획: xiǎn

31) 눈이 네 개나 달린, 귀신을 내몰 때 쓰던 방상시 같은 몹시 추한 모습을 한 가면의 일종이다.

原文

𩕁: 頭明飾也. 从頁㬎聲. 呼典切.

飜譯

'밝게 빛나는 머리 장식물(頭明飾)'을 말한다. 혈(頁)이 의미부이고 습(㬎)이 소리부이다.[32] 독음은 호(呼)와 전(典)의 반절이다.

**5663**

**顨: 䪻: 갖출 찬: 頁-총18획: zhuàn**

原文

顨: 選具也. 从二頁. 士戀切.

飜譯

'선별하여 자리에 놓아두다(選具)'라는 뜻이다. 두 개의 혈(頁)로 구성되었다. 독음은 사(士)와 련(戀)의 반절이다.

**5664**

**預: 預: 미리 예: 頁-총13획: yù**

原文

預: 安也. 案: 經典通用豫. 从頁, 未詳. 羊洳切.

飜譯

'편안하다(安)'라는 뜻이다. 내 생각은 이렇습니다. 경전에서는 예(豫)와 통용되는데, 혈(頁)

---

32) 고문자에서 [古文字形] 金文 [古文字形] 盟書 [古文字形] 簡牘文 등으로 그렸다. 頁(머리 혈)이 의미부고 㬎(드러날 현)이 소리부로, 머리(頁)를 드러내(㬎) 살피다는 뜻을 그렸다. 『설문해자』에서는 '머리의 장식물을 드러내다'는 뜻으로 해석했지만, 금문을 보면 햇볕(日·일)에 실(絲·사)을 말리면서 얼굴(頁)을 내밀어 살피는 모습을 그린 것이 분명해 보인다. 실은 가늘어서 햇빛 아래서 보면 잘 '드러나기'에 '드러내다', '밝다' 등의 뜻이 나왔다. 간화자에서는 显으로 줄여 쓴다.

이 의미부이나, 상세한 뜻은 알 수 없다.[33] 독음은 양(羊)과 여(洳)의 반절이다.

33) 頁(머리 혈)이 의미부고 予(나 여)가 소리부로, 베를 짜는 북(予)처럼 머리(頁)를 왔다갔다 이리저리 흔들며 앞으로 일어날 일을 豫想(예상·미리 생각함)하다는 뜻을 그렸다. 이로부터 미리, 참여하다, 간여하다 등의 뜻이 나왔다.

# 제325부수
# 325 ■ 수(首)부수

**5665**

**𦣻: 首: 머리 수: 自-총7획: shǒu, bǎi**

原文

𦣻: 頭也. 象形. 凡首之屬皆从首. 書九切.

飜譯

'머리(頭)'를 말한다. 상형이다. 수(首)부수에 귀속된 글자들은 모두 수(首)가 의미부이다. 독음은 서(書)와 구(九)의 반절이다.

**5666**

**脜: 脜: 안색이 부드러울 유: 肉-총11획: yǒu**

原文

脜: 面和也. 从首从肉. 讀若柔. 耳由切.

飜譯

'얼굴색이 온화하다(面和)'라는 뜻이다. 수(首)가 의미부이고 육(肉)도 의미부이다. 유(柔)와 같이 읽는다. 독음은 이(耳)와 유(由)의 반절이다.

## 제326부수
## 326 ■ 면(面)부수

**5667**

: 面: **낯 면**: 面-**총9획**: **miàn**

原文

: 顔前也. 从百, 象人面形. 凡面之屬皆从面. 彌箭切.

飜譯

'이마의 앞부분(顔前)'을 말한다.[34] 수(百)가 의미부인데, 얼굴의 모습을 형상했다.[35]

---

34) 얼굴의 정의에 대해서는, 과학자들이 보는 얼굴은 모발로 덮인 머리 부분을 제외하고, 턱밑에서 턱 선을 따라 귀 밑까지 이어진 선까지를 얼굴로 분류한다. 그러나 해부학자들은 이마를 이루는 뼈인 전두골은 얼굴뼈에 넣지 않고, 코, 허리 잘록한 아래부터의 상악골, 광대뼈, 하악골을 얼굴뼈로 본다. 그러나 미술적으로는 머리를 이루는 뼈 모두를 포함하는 것이 옳다. 왜냐하면, 얼굴의 모양이 모발에 가린 뼈와도 상관이 높고, 또 갓난아기나 스님 같이 모발이 없는 상태의 모습도 그리거나 조각해야 되는 일이 있기 때문이다.('얼굴의 구조', 문화콘텐츠닷컴, 2004, 한국콘텐츠진흥원)

35) 고문자에서 古陶文 簡牘文 등으로 그렸다. 갑골문에서 얼굴의 윤곽과 눈(目·목) 하나를 그렸다. 눈은 사물을 볼 수 있다는 점에서, 또 그 사람의 인상을 가장 잘 나타내 줄 수 있다는 의미에서 얼굴의 가장 중요한 부분이라 생각되었기에 얼굴의 상징이 되었고, 두 개를 중복해 그릴 필요가 없어 하나만 그렸다. 소전체에서는 目을 首(머리 수)로 변화시켜 의미를 더욱 명확하게 표현했다. 하지만, 예서체에 들면서 다시 원래의 目으로 되돌아갔다. 그래서 面은 『설문해자』의 해석처럼 '얼굴(顔前·안전)'이 원래 뜻이다. 눈과 눈썹, 코와 입이 갖추어진 '얼굴'은 한 사람을 가장 잘 대표해 줄 수 상징적인 부위이다. 그래서 즐거움은 물론 부끄러움(靦·전)도 얼굴(面)에 가장 먼저 나타났던(見·견) 것이다. 그 때문인지 '멘즈(面子·체면)'는 중국인들에게 목숨만큼이나 중요한 존재였다. 얼굴은 납작하며 옷으로 가려진 신체의 다른 부위와는 달리 겉으로 드러나는 부위이기에, 麵(麪·밀가루 면)과 같이 납작한 것이나 사물의 表面(표면) 등의 뜻까지 가지게 되었다. 한자에서 '얼굴'을 지칭하는 글자들이 몇 있는데, 현대 중국어에서는 面 대신 臉(뺨 검)을 자주 쓴다. 하지만, 臉은 위진 시대 쯤 되어서야 등장한 글자로, 원래는 '눈 아래에서 뺨 위까지의 부분'을 지칭하여 '뺨'을 뜻했고 頰(뺨 협)과 동의어로 사용되었다. 또 洗顔(세안·얼굴을 씻다)에서처럼 顔(얼굴 안)도 '얼굴'이라는 뜻으로 쓰였지만, 顔은 원래 眉間(미간)을 지칭하여 '이마'를 뜻했고 額(이마 액)과 같이 쓰였다. 이렇게 볼 때,

면(面)부수에 귀속된 글자들은 모두 면(面)이 의미부이다. 독음은 미(彌)와 전(箭)의 반절이다.

**5668**

**䩄:** 靦: **부끄러워할 전**: 面-**총16획: tiǎn**

原文

䩄: 面見也. 从面、見, 見亦聲. 『詩』曰 : "有靦面目." 䩄, 或从旦. 他典切.

飜譯

'체면이 서다(面見)[볼 면목이 있다]'라는 뜻이다. 면(面)이 의미부이고 견(見)도 의미부인데, 견(見)은 소리부도 겸한다. 『시·소아·하인사(何人斯)』에서 "얼굴 부끄럽게도(有靦面目)"라고 노래했다. 전(䩄)은 혹체자인데, 단(旦)으로 구성되었다. 독음은 타(他)와 전(典)의 반절이다.

**5669**

**䩉:** 䩉: **뺨 보·부**: 面-**총16획: fǔ**

原文

䩉: 頰也. 从面甫聲. 符遇切.

飜譯

'뺨(頰)'을 말한다. 면(面)이 의미부이고 보(甫)가 소리부이다. 독음은 부(符)와 우(遇)의 반절이다.

---

臉은 面보다 훨씬 뒤에 등장하였지만, 현대에 들면서 점점 面의 지위를 대신해 왔음을 알 수 있다. 또 顏은 顏色(안색)에서처럼 주로 색깔이나 표정을 나타낼 때 주로 사용되지만, 面은 對面(대면·마주 대하다)이나 面刺(면자·면전에서 지적함) 등과 같이 '얼굴' 자체를 말하는데 자주 쓰인다는 차이를 가진다. 현대 중국에서는 麵(밀가루 면)의 간화자로도 쓰인다.

**5670**

**𩈣: 醮: 여윌 초: 面-총21획: qiáo, jiāo**

原文

𩈣: 面焦枯小也. 从面、焦. 即消切.

飜譯

'얼굴이 초췌하고 말라 까칠하다(面焦枯小)'라는 뜻이다. 면(面)이 의미부이고 초(焦)도 의미부이다. 독음은 즉(即)과 소(消)의 반절이다.

**5671**

**靨: 靨: 보조개 엽: 面-총23획: yè**

原文

靨: 姿也. 从面厭聲. 於叶切.

飜譯

'자태(姿)'를 말한다. 면(面)이 의미부이고 염(厭)이 소리부이다. 독음은 어(於)와 협(叶)의 반절이다.

# 제327부수
## 327 ■ 면(丏)부수

**5672**

丏: 丏: 가릴 면: 一-총4획: miǎn

原文

丏: 不見也. 象壅蔽之形. 凡丏之屬皆从丏. 彌兖切.

飜譯

'보이지 않다(不見)'라는 뜻이다. 옹벽으로 가려놓은 모습을 형상했다. 면(丏)부수에 귀속된 글자들은 모두 면(丏)이 의미부이다. 독음은 미(彌)와 연(兖)의 반절이다.

## 第328부수
## 328 ■ 수(首)부수

**5673**

**𦣻: 首: 머리 수: 首-총9획: shǒu**

原文

𦣻: 百同. 古文百也. 巛象髮, 謂之鬊, 鬊卽巛也. 凡𦣻之屬皆从𦣻. 書九切.

飜譯

'수(百)'와 같다. 수(百)의 고문체이다. 천(巛)은 머리칼(髮)을 뜻하는데, 이를 순(鬊)이라고 하니, 순(鬊)은 바로 천(巛)이다.36) 수(𦣻)부수에 귀속된 글자들은 모두 수(𦣻)가 의미부이다. 독음은 서(書)와 구(九)의 반절이다.

---

36) 고문자에서 甲骨文 金文 古陶文 帛書 簡牘文 등으로 그렸다. 자형에 대해서는 의견이 분분하다. 『설문해자』에서는 소전체에 근거해 "윗부분은 머리칼을 아랫부분은 얼굴로 사람의 '머리'를 그렸다."라고 했는데, 갑골문을 보면 비슷하다. 하지만, 갑골문의 首는 사람의 머리라기보다는 오히려 동물의 머리를 닮았고, 금문은 위가 머리칼이라기보다는 사슴뿔을 닮았다. 그래서 최근에는 『설문해자』와는 달리 '사슴의 머리'를 그렸다는 설이 제기되었다. 청동기 문양 등에도 자주 등장하는 사슴은 전통적으로 중국인들에게 중요한 동물이었음이 분명하다. '무늬가 든 사슴 가죽'을 그린 慶(경사 경)의 자원에서처럼, 사슴의 가죽을 결혼 축하선물로 보낼 정도로 사슴은 생명과 관련된 제의적 상징이 많이 들어 있는 동물이다. 그래서 사슴은 '죽음을 삶으로 되살리고, 사람들의 생명력을 충만하게 하며, 심지어 불로장생도 가능하게 하는' 동물이라 믿었으며, 옛날 전쟁에서는 전쟁의 승리를 점쳐주는 존재로 여겨지기도 했다. 지금도 여전히 중요한 약재로 쓰이는 사슴의 뿔은 매년 봄이면 새로 자라나는 특징 때문에 생명의 주기적 '순환'의 상징이었다. 그래서 道(길 도)는 이러한 사슴의 머리(首)가 상징하는 순환과 생명의 운행(辵·착)을 형상화한 글자로 볼 수 있다. 금문에서 道는 首와 行(갈 행)과 止(발 지)로 구성되었지만, 이후 行과 止가 합쳐져 辵이 되어 지금의 道가 되었다. 그래서 철학적 의미의 '道'는 그러한 자연의 순환적 운행을 따르는 것, 그것이 바로 사람이 갈 '길'이자 '道'였다. 그리하여 道에는 '길'이라는 뜻까지 생겼고, 여기에서 파생된 導(이끌 도)는 道에 손을 뜻하는 寸(마디 촌)이 더해진 글자로, 그러한 길(道)을 가도록 사람들을 잡아(寸) 이끄는 모습을 형상화했다. 여하튼 首는 '머리'라는 뜻으로부터, 우두머리, 첫째, 시작 등의 뜻을 갖게 되었다.

**5674**

**䭫: 䭫: 아릴 계: 首-총16획: qǐ**

原文

䭫: 下首也. 从𩠐旨聲. 康禮切.

飜譯

'머리를 땅에 대[고 절을 하]다(下首)'라는 뜻이다. 수(𩠐)가 의미부이고 지(旨)가 소리부이다. 독음은 강(康)과 례(禮)의 반절이다.

**5675**

**𩠠: 𩠠: 끊을 전: 首-총27획: tuán**

原文

𩠠: 截也. 从𩠐从斷. 㓻, 或从刀專聲. 大丸切.

飜譯

'참수하다(截)[목을 베다]'라는 뜻이다. 수(𩠐)가 의미부이고 단(斷)도 의미부이다. 전(㓻)은 혹체자인데, 도(刀)가 의미부이고 전(專)이 소리부이다. 독음은 대(大)와 환(丸)의 반절이다.

## 제329부수
## 329 ■ 교(県)부수

**5676**

**県: 県: 목 배어 거꾸로 매달 교: 目-총9획: jiāo**

原文

県: 到首也. 賈侍中說: 此斷首到縣県字. 凡県之屬皆从県. 古堯切.

飜譯

'머리를 잘라 거꾸로 매달다(到首)'라는 뜻이다. 가시중(賈侍中)께서 이렇게 말했다. 이는 머리를 잘라 거꾸로 매달다는 뜻에서 교(県)자가 되었다. 교(県)부수에 귀속된 글자들은 모두 교(県)가 의미부이다. 독음은 고(古)와 요(堯)의 반절이다.

**5677**

**縣: 縣: 매달 현: 糸-총16획: xiàn**

原文

縣: 繫也. 从系持県. 胡涓切.

飜譯

'매달다(繫)'라는 뜻이다. 끈(系)으로 잘린 머리를 매단(県) 모습을 그렸다.[37] 독음은 호(胡)와 연(涓)의 반절이다.

---

37) 고문자에서 金文 簡牘文 등으로 그렸다. 系(이을 계)가 의미부고 県(거꾸로 매달 교, 首의 거꾸로 된 모습)가 소리부로, 머리를 거꾸로(県) 실에 매단(系) 모습을 그렸다. 금문에서는 木(나무 목)이 더해져, 눈이 달린 '머리'를 줄로 나무 끝에 매달았음을 더욱 형상적으로 그려, '매달다'는 뜻을 그렸다. 이후 가차되어 행정 조직의 하나인 '현'으로 지칭하게 되었다. 그러자 원래 뜻은 다시 心(마음 심)을 더해 懸(매달 현)으로 분화했다. 간화자에서는 县으로 쓴다.

## 제330부수
## 330 ■ 수(須)부수

**5678**

**須: 須: 모름지기 수: 頁-총12획: xū**

原文

須: 面毛也. 从頁从彡. 凡須之屬皆从須. 相俞切.

飜譯

'얼굴에 나는 털, 즉 수염(面毛)'을 말한다.[38] 혈(頁)이 의미부이고 삼(彡)도 의미부이다.[39] 수(須)부수에 귀속된 글자들은 모두 수(須)가 의미부이다. 독음은 상(相)과 유(俞)의 반절이다.

**5679**

**頿: 頿: 코밑수염 자: 頁-총17획: zá**

原文

頿: 口上須也. 从須此聲. 即移切.

飜譯

'입술 위쪽 [코 밑의] 수염(口上須)'을 말한다. 수(須)가 의미부이고 차(此)가 소리부

38) 『단주』에서는 "각 판본에서 잘못해서 면모(面毛)라고 했는데, 이하모(頤下毛)가 되어야 한다. 지금 바로 잡는다."고 했다. 그렇게 되면 '턱 아래에 있는 수염을 말한다'가 된다. 『석명(釋名)』에서도 "입 위에 있는 털을 자(髭), 입 아래에 있는 털을 승장(承漿), 턱 아래에 있는 털을 수(鬚), 빰의 귀 옆에 있는 털을 염(髯)이라 한다.(口上曰髭, 口下曰承漿, 頤下曰鬚, 在頰耳旁曰髯.)"라고 했다.

39) 고문자에서 [古文字] 金文 [古文字] 簡牘文 등으로 그렸다. 頁(머리 혈)과 彡(터럭 삼)으로 구성되어, 얼굴(頁)에 달린 수염(彡)을 말했다. 이후 '모름지기'라는 뜻으로 가차되자 다시 髟(머리털 드리워질 표)를 더해 鬚(수염 수)로 분화했는데, 髟 역시 털이 길고(長·镸·장) 수북함(彡)을 말한다.

이다. 독음은 즉(即)과 이(移)의 반절이다.

**5680**

**𩓈: 頿: 구레나룻 염: 頁-총16획: rán**

原文

𩓈: 頰須也. 从須从冄, 冄亦聲. 汝鹽切.

飜譯

'뺨에 난 수염 즉 구레나루(頰須)'를 말한다. 수(須)가 의미부이고 염(冄)도 의미부인데, 염(冄)은 소리부도 겸한다. 독음은 여(汝)와 염(鹽)의 반절이다.

**5681**

**𩕗: 顐: 털이 반백 될 비: 頁-총20획: bēi**

原文

𩕗: 須髮半白也. 从須卑聲. 府移切.

飜譯

'수염이나 머리칼이 반백[반쯤 하얀색]으로 되다(須髮半白)'라는 뜻이다. 수(須)가 의미부이고 비(卑)가 소리부이다. 독음은 부(府)와 이(移)의 반절이다.

**5682**

**𩕀: 䫌: 머리나 수염이 짧은 모양 비: 頁-총19획: péi, pī**

原文

𩕀: 短須髮皃. 从須否聲. 敷悲切.

飜譯

'수염이나 머리칼이 짧은 모습(短須髮皃)'을 말한다. 수(須)가 의미부이고 부(否)가 소리부이다. 독음은 부(敷)와 비(悲)의 반절이다.

## 제331부수
## 331 ■ 삼(彡)부수



**5683**

**彡: 彡: 터럭 삼: 彡-총3획: shàn**

原文

彡: 毛飾畫文也. 象形. 凡彡之屬皆从彡. 所銜切.

飜譯

'모발이나 수식이나 그림이나 무늬(毛飾畫文)'를 말한다. 상형이다.40) 삼(彡)부수에 귀속된 글자들은 모두 삼(彡)이 의미부이다. 독음은 소(所)와 함(銜)의 반절이다.

**5684**

**形: 形: 모양 형: 彡-총7획: xíng**

原文

形: 象形也. 从彡幵聲. 戶經切.

飜譯

'형체를 본뜬 것(象形)'을 말한다. 삼(彡)이 의미부이고 견(幵)이 소리부이다.41) 독음

40) 『설문해자』에서는 彡을 두고 "터럭, 장식, 필획, 무늬" 등을 말한다고 했지만, 彡의 원래 의미는 '털'로 보인다. 인간이나 동물의 '터럭'으로부터 시작하여, 동물의 덥수룩한 털이나 인간의 머리칼과 수염 등이 개인의 특성을 표현한다는 뜻에서 '장식'의 의미가 생겼고, 다시 '무늬'라는 뜻까지 생겼다. 그래서 彡은 화려한 무늬나 장식을 뜻하며, 彡이 들어가면 무성한 털이나 빛나는 문체나 힘차게 뻗어나가는 악기 소리 등을 뜻한다. 예컨대, 尨(삽살개 방)은 삽살개처럼 털이 수북한 개(犬·견)를, 彣(채색 문)은 알록달록한 화려한 무늬를, 彫(새길 조)는 조밀하고(周·주) 화려하게(彡) 새긴 무늬를, 彩(무늬 채)는 화사하게 비치는 햇살 아래 이루어지는 채집 행위(采)를 그렸다.

41) 고문자에서 簡牘文 등으로 그렸다. 彡(터럭 삼)이 의미부고 幵(평평할 견)이 소리부로, 물건을 만들어 내기 위한 틀(模型·모형)을 말한다. 전국 문자에서는 土(흙 토)가 의미부고 井

은 호(戶)와 경(經)의 반절이다.

**5685**

**㐱: 㐱: 숱 많을 진: 人-총5획: zhěn**

原文

㐱: 稠髮也. 从彡从人. 『詩』曰: "㐱髮如雲." 鬒, 㐱或从髟眞聲. 之忍切.

飜譯

'머리칼이 빽빽함(稠髮)'을 말한다. 삼(彡)이 의미부이고 인(人)도 의미부이다. 『시·용풍·군자해로(君子偕老)』에서 "검은 머리 구름 같으니(㐱髮如雲)"라고 노래했다.[42] 진(鬒)은 진(㐱)의 혹체자인데, 표(髟)가 의미부이고 진(眞)이 소리부이다. 독음은 지(之)와 인(忍)의 반절이다.

**5686**

**修: 修: 닦을 수: 人-총10획: xiū**

原文

修: 飾也. 从彡攸聲. 息流切.

飜譯

'수식하다(飾)[꾸미다]'라는 뜻이다. 삼(彡)이 의미부이고 유(攸)가 소리부이다.[43] 독

(우물 정)이 소리부인 구조로 되어 기물을 주조해 내는 진흙(土)으로 만든 거푸집을 말했으나, 거푸집을 깨트리고 탄생한 청동 기물이 화려한 모습을 드러낸다는 뜻에서 土가 彡으로, 井이 형체가 비슷한 幵으로 변해 지금의 자형이 되었다. 뜻도 모형이나 형틀에서 '形體(형체)'나 '모양'으로 확장되었고, 形成(형성)에서처럼 만들어지다는 뜻도 가지게 되었다.

42) 금본에서는 진(㐱)이 진(鬒)으로 되었다.

43) 고문자에서 [glyph] [glyph]古璽文 [glyph] [glyph]古陶文 [glyph] [glyph] [glyph]簡牘文 [glyph] [glyph]古璽文 등으로 그렸다. 彡(터럭 삼)이 의미부고 攸(바 유)가 소리부로, 목욕재계한(攸) 후 치장하여 화려하게(彡) 꾸미다는 뜻을 담았다. 修의 본래 글자는 攸로 추정되는데, 금문에 의하면 攸는 攴(칠 복)과 人(사람 인)과 水(물 수)로 구성되어 손에 나무막대(솔)를 쥐고(攴) 사람(人)의 등을 물(水)로 '씻는' 모습을 그려 '씻다'가 원래 뜻이다. 이후 목욕재계를 위한 행위라는 뜻에서 '닦다'는 뜻이 나왔

음은 식(息)과 류(流)의 반절이다.

**5687**

**彰: 彰: 밝을 창: 彡-총14획: zhāng**

原文

彰: 文彰也. 从彡从章, 章亦聲. 諸良切.

飜譯

'무늬가 빛나다(文彰)'라는 뜻이다. 삼(彡)이 의미부이고 장(章)도 의미부인데, 장(章)은 소리부도 겸한다.44) 독음은 제(諸)와 량(良)의 반절이다.



**5688**

**彫: 彫: 새길 조: 彡-총11획: diāo**

原文

彫: 琢文也. 从彡周聲. 都僚切.

飜譯

'무늬를 새겨 넣다(琢文)'라는 뜻이다. 삼(彡)이 의미부이고 주(周)가 소리부이다.45) 독음은 도(都)와 료(僚)의 반절이다.

---

고, 다시 의미를 강조하기 위해 彡을 더해 지금의 修가 되었다. 그래서 修祓(수발)이라 하면 목욕재계하여 악을 쫓아내는 의식을 말한다. 현대 중국에서는 脩의 간화자로도 쓰인다.

44) 고문자에서 [古文字]古陶文 [古文字]簡牘文 등으로 그렸다. 彡(터럭 삼)이 의미부고 章(글 장)이 소리부로, 새긴 무늬(章)가 화려하게(彡) 드러나 빛남을 말한다. 이로부터 번성하다, 분명하다 등의 뜻이 나왔다.

45) 고문자에서 [古文字] [古文字]古陶文 [古文字]簡牘文 등으로 그렸다. 彡(터럭 삼)이 의미부고 周(두루 주)가 소리부로, 조밀하고(周) 화려하게(彡) 무늬를 새기다는 뜻이며, 이로부터 회칠하다(塗飾·도식), 채색으로 장식하다의 뜻도 나왔다. 또 凋(시들 조)나 琱(옥 다듬을 조)와 통용되기도 하였는데, 간화자에서는 凋에 통합되었다.

**5689**

**彰: 彰: 조출하게 꾸밀 정: 青-총11획: jìng**

原文

彰: 清飾也. 从彡青聲. 疾郢切.

飜譯

'소박하게 꾸미다(清飾)'라는 뜻이다. 삼(彡)이 의미부이고 청(青)이 소리부이다. 독음은 질(疾)과 영(郢)의 반절이다.

**5690**

**㣎: 㣎: 잔무늬 목: 彡-총11획: mù**

原文

㣎: 細文也. 从彡, 㣎省聲. 莫卜切.

飜譯

'정교하고 세밀한 무늬(細文)'를 말한다. 삼(彡)이 의미부이고, 극(㣎)의 생략된 모습이 소리부이다. 독음은 막(莫)과 복(卜)의 반절이다.

**5691**

**弱: 弱: 약할 약: 弓-총10획: ruò**

原文

弱: 橈也. 上象橈曲, 彡象毛氂橈弱也. 弱物并, 故从二𢎘. 而勺切.

飜譯

'부드럽게 휘어지다(橈)'라는 뜻이다. 위쪽은 부드럽게 휘어진 모습을 그렸고, 삼(彡)은 털로 만든 꼬리가 부드럽게 날리는 모습을 그렸다. 부드러운 물체를 둘 모았기에, 두 개의 권(𢎘)으로 구성되었다.[46] 독음은 이(而)와 작(勺)의 반절이다.

**5692**

**彩: 彩: 무늬 채: 彡-총11획: cǎi**

原文

彩: 文章也. 从彡采聲. 倉宰切.

飜譯

'무늬가 빛남(文章)'을 말한다. 삼(彡)이 의미부이고 채(采)가 소리부이다.[47] 독음은 창(倉)과 재(宰)의 반절이다.

---

46) 고문자에서 弜古陶文 弱 弱 弱簡牘文 등으로 그렸다. 두 개의 弓(활 궁)과 두 개의 彡(터럭 삼)으로 구성되어, 털(彡)처럼 부드럽고 활(弓)처럼 '약한' 것을 말하며, 이로부터 '어리다'의 뜻도 나왔다. 청나라 단옥재의 『설문해자주』에서는 "굽은 것은 대부분 약하기 마련이다"라고 주석을 달았다.

47) 彡(터럭 삼)이 의미부고 采(딸 채)가 소리부로, 손(爪·조)으로 나무(木)의 과실을 따는 형상을 그린 采에 彡이 더해져, 화사하게 비치는 햇살(彡) 아래 이루어지는 채집(采) 행위를 그렸다. 이로부터 채색이나 色彩(색채), 문채, 주목을 받다 등의 뜻이 나왔다. 또 옛날 도박의 일종인 주사위 놀이에서의 주사위 색깔을 뜻했으며, 이로부터 노름 돈, 경품, 행운 등의 뜻이 나왔고, 훌륭한 기예 등을 칭찬하는 말로도 쓰였다.

## 제332부수
## 332 ■ 문(彣)부수

**5693**

**彣**: 彣: **벌겋고 퍼런 빛 문**: 彡-**총7획**: **wén**

原文

彣: 䋩也. 从彡从文. 凡彣之屬皆从彣. 無分切.

飜譯

'화려한 색이 나는 무늬(䋩)'를 말한다. 삼(彡)이 의미부이고 문(文)도 의미부이다. 문(彣)부수에 귀속된 글자들은 모두 문(彣)이 의미부이다. 독음은 무(無)와 분(分)의 반절이다.

**5694**

**彥**: 彥: **선비 언**: 彡-**총9획**: **yàn**

原文

彥: 美士有文, 人所言也. 从彣厂聲. 魚變切.

飜譯

'문채가 나는 선비(美士有文)'를 말하는데, '다른 사람들이 칭송함'을 말한다. 문(彣)이 의미부이고 엄(厂)이 소리부이다.[48] 독음은 어(魚)와 변(變)의 반절이다.

---

48) 彣(벌겋고 퍼런빛 문)이 의미부고 厂(기슭 엄)이 소리부로, 재덕이 출중한 사람을 말하는데, 인문학적(文·문) 자질이 크게(厂) 빛나는(彡·삼) 사람이라는 뜻을 담았으며, 이후 아름답다는 뜻도 나왔다. 시라카와 시즈카(白川靜)는 아이가 태어나면 사악한 기운을 떨쳐내려고 이마(厂)에다 화려한(彡) 문신(文)을 새겼는데, 이것이 彥의 자원이며, 문신한 부위를 명확하게 하려고 頁(머리 혈)을 더한 것이 顏(얼굴 안)이라고 풀이하기도 했다.

# 제333부수
# 333 ■ 문(文)부수

**5695**

**亣: 文: 무늬 문: 文-총4획: wén**

原文

亣: 錯畫也. 象交文. 凡文之屬皆从文. 無分切.

飜譯

'획을 교차시킨 획(錯畫)'이라는 뜻이다. 교차된 무늬(交文)를 형상했다.[49] 문(文)부수



---

49) 고문자에서 甲骨文 金文 古陶文 簡牘文 石刻古文 등으로 그렸다. 『설문해자』에서는 "획을 교차시키다는 뜻으로, 교차한 무늬를 형상했다.(錯畫也. 象交文)"라고 하여, 획을 교차시킨 것이 文의 원래 뜻이라고 했다. 하지만, 갑골문에 근거해 보면 '文身(문신)'이 원래 뜻이다. 바깥의 亣은 사람의 모습이고, 중간의 ×·V·入·ノ 등은 가슴팍에 새겨진 무늬이다. 혹자는 금문의 용례를 중심으로 文을 제사 지낼 때 신위 대신으로 그 자리에 앉혀 제사를 받게 했던 尸童(시동)과 연계시켜 해석했지만 이러한 제사 제도가 확립되기 전으로 거슬러 올라가게 되면, 죽음이라는 것을 영혼이 육체에서 분리되는 과정이라 생각했고 그것은 피 흘림을 통해 이루어졌다는 원시인들의 죽음에 대한 인식에 근원 한다. 당시에는 사고나 야수의 습격 등으로 피를 흘려 죽은 사고사가 대부분이었는데, 그런 경우가 아닌 자연사한 경우에는 인위적으로 칼집에 의한 피 흘림 의식을 행해 죽은 사람의 영혼이 육신으로부터 분리될 수 있게 하였고, '文'은 죽은 사람에 대한 신성화한 기호를 말하며, 죽은 시신을 묻을 때에는 붉은색을 가슴팍에다 칠하기도 했다. 이처럼, 文의 옛 형태는 사람의 가슴에 어떤 무늬를 새겨 놓은 것을 형상했다. 고대 중국인들은 죽음을 육체로부터 영혼이 분리하는 것이라 생각했고, 이 분리는 피 흘림을 통해 이루어진다고 믿었기 때문에 피 흘림 없이 시체에다 문신을 그려 넣었다. 이것을 그린 것이 文이고 그래서 이의 처음 뜻은 '무늬'이다. 문자란 일정한 필획을 서로 아로새겨 어떤 형체들을 그려낸 것이다. 그래서 무늬라는 의미의 文에 '文字(문자)', 즉 '글자'라는 의미도 담기게 되었다. 이후 이러한 글자로 쓰인 것, 즉 '글'을 '文章(문장)'이나 '문학작품'이라 하게 되었다. 이렇게 되자 文은 '문자'나 '문장'이라는 의미로 주로 쓰이게 되었고, 처음의 '무늬'라는 의미를 나타낼 때에는 다시 糸(가는 실 멱)을 더하여 紋(무늬 문)으로 표시했다. 물론 糸이 더해진 것은 베를 짜는 과정에서의 무늬가 생활과 상당

에 귀속된 글자들은 모두 문(文)이 의미부이다. 독음은 무(無)와 분(分)의 반절이다.

**5696**

**斐: 斐: 오락가락할 비: 文-총12획: fěi**

原文

斐: 分別文也. 从文非聲. 『易』曰: "君子豹變, 其文斐也." 敷尾切.

飜譯

'분별해 주는 무늬(分別文)'를 말한다. 문(文)이 의미부이고 비(非)가 소리부이다. 『역·혁괘(革卦)』(상육)에서 "군자는 표범과 같이 변화하는데, 그의 문채가 분명하구나(君子豹變, 其文斐也)."라고 했다. 독음은 부(敷)와 미(尾)의 반절이다.

**5697**

**辬: 辬: 얼룩얼룩할 반: 辛-총18획: bān**

原文

辬: 駁文也. 从文辡聲. 布還切.

飜譯

'[여러 색이 뒤섞인] 얼룩무늬(駁文)'를 말한다. 문(文)이 의미부이고 변(辡)이 소리부이다. 독음은 포(布)와 환(還)의 반절이다.

**5698**

**嫠: 嫠: 엷은 무늬 리: 文-총15획: lí**

原文

---

히 밀접하게 연관돼 있었기 때문으로 보인다. 그리하여 文은 시신에 낸 무늬로부터 시각적 아름다움이, 다시 시각은 물론 철학적 형식미로까지 발전하여 급기야 文學(문학)과 문학 행위까지 지칭하는 의미로 확장되었다.

斄: 微畫也. 从文𠩺聲. 里之切.

'미세하게 그린 획(微畫)'을 말한다. 문(文)이 의미부이고 리(𠩺)가 소리부이다. 독음은 리(里)와 지(之)의 반절이다.

## 제334부수
## 334 ■ 표(髟)부수

**5699**

**髟: 髟: 머리털 드리워질 표: 髟-총10획: biāo**

原文

髟: 長髮猋猋也. 从長从彡. 凡髟之屬皆从髟. 必凋切.

譯解

'긴 머리털이 드리워진 것(長髮猋猋)'을 말한다. 장(長)이 의미부이고 삼(彡)도 의미부이다.[50] 표(髟)부수에 귀속된 글자들은 모두 표(髟)가 의미부이다.[51] 독음은 필(必)과 조(凋)의 반절이다.

**5700**

**髮: 髮: 터럭 발: 髟-총15획: fà**

原文

髮: 根也. 从髟犮聲. 䪯, 髮或从首. 𩑶, 古文. 方伐切.

譯解

'[초목이나 머리털 등의] 뿌리(根)'를 말한다.[52] 표(髟)가 의미부이고 발(犮)이 소리부이

---

50) 髟는 소전체에서부터 등장하는데, 왼쪽은 長(길 장)의 변형이고 오른쪽은 彡(터럭 삼)이다. 髟는 사실 지팡이를 짚고 머리를 길게 드리운 나이 든 사람을 그린 長에서 분화한 글자인데, 長이 '길다'와 '나이 든 사람' 즉 '우두머리'라는 뜻으로 쓰이게 되자 다시 彡을 더했다. 그래서 髟로 구성된 한자는 髮(터럭 발), 鬚(수염 수), 髡(머리 깎을 곤), 鬃(상투 종) 등에서처럼 주로 '머리칼'과 관련된 뜻이 있다.

51) 『단주』에서는 「추흥부(秋興賦)」에 대한 이선(李善)의 주(注)에 근거해 이 다음에 '一曰白黑髮雜而髟(일설에는 흰머리와 검은머리가 섞여 늘어진 모양을 말한다고도 한다.)'가 더 들어가야 한다고 하면서 보충해 넣었다.

다.[53] 발(𩠐)은 발(髮)의 혹체자인데, 수(首)로 구성되었다. 발([illegible])은 고문체이다. 독음은 방(方)과 벌(伐)의 반절이다.

**5701**

**鬢: 鬢: 살쩍 빈: 髟–총24획: bìn**

原文

鬢: 頰髮也. 从髟賓聲. 必刃切.

飜譯

'뺨에 난 머리털(頰髮)'을 말한다. 표(髟)가 의미부이고 빈(賓)이 소리부이다. 독음은 필(必)과 인(刃)의 반절이다.

**5702**

**鬗: 鬗: 머리 길 만: 髟–총21획: mán**

原文

鬗: 髮長也. 从髟㒼聲. 讀若蔓. 母官切.

飜譯

'머리칼이 길다(髮長)'라는 뜻이다. 표(髟)가 의미부이고 만(㒼)이 소리부이다. 만(蔓)과 같이 읽는다. 독음은 모(母)와 관(官)의 반절이다.

---

52) 『단주』에서는 각 판본에서 "뿌리를 말한다(根也)"로 되었는데, 『석명(釋名)』과 『광아(廣雅)』에 근거해 "頭上毛也(머리털을 말한다)"로 고친다고 했다.

53) 고문자에서 金文 簡牘文 등으로 그렸다. 髟(머리털 드리워질 표)가 의미부고 犮(달릴 발)이 소리부로, 머리칼을 말하며, 이로부터 가늘고 길다는 뜻이 나왔고, 1만분의 1을 나타내는 길이 단위로 쓰여 극히 작음을 나타냈고, 또 머리칼처럼 무성한 초목의 비유로도 쓰였다. 원래는 회의 구조인 髟로 썼으나 독음을 나타내고자 犮을 더해 지금의 글자가 되었고, 간화자에서는 發(쏠 발)에 통합되었고, 이의 초서체인 发로 쓴다.

**5703**

**鬣: 鬛: 머리털이 길 람: 髟-총24획: lán**

原文

鬣: 髮長也. 从髟監聲. 讀若『春秋』"黑肱以濫來奔". 魯甘切.

飜譯

'머리칼이 길다(髮長)'라는 뜻이다. 표(髟)가 의미부이고 감(監)이 소리부이다. 『춘추전』(『좌전』 소공 31년, B.C. 511)에서 "흑굉(黑肱)이 남성(濫城)의 주민들을 이끌고 투항해 왔다"[54]라고 할 때의 남(濫)과 같이 읽는다. 독음은 로(魯)와 감(甘)의 반절이다.

**5704**

**鬘: 鬘: 머리털이 아름다울 차: 髟-총20획: chă, cuó, cuŏ**

原文

鬘: 髮好也. 从髟、差. 千可切.

飜譯

'머리털이 아름답다(髮好)'라는 뜻이다. 표(髟)와 차(差)가 모두 의미부이다. 독음은 천(千)과 가(可)의 반절이다.

**5705**

**鬈: 鬈: 아름다울 권: 髟-총18획: quán**

原文

鬈: 髮好也. 从髟卷聲. 『詩』曰: "其人美且鬈." 衢員切.

54) 흑굉(黑肱)은 주(邾: 지금의 산동성 鄒縣)의 대부이고, 람(濫)은 창려현(昌慮縣: 지금의 滕州市 羊莊鎮 土城村)을 말한다.

飜譯

'머리털이 아름답다(髮好)'라는 뜻이다. 표(髟)가 의미부이고 권(卷)이 소리부이다. 『시·제풍·노령(盧令)』에서 "그 사람 멋지고 씩씩하기도 하지(其人美且鬈)"라고 노래했다. 독음은 구(衢)와 원(員)의 반절이다.

**5706**

: 髦: **다팔머리 모**: 髟–**총14획: máo**

原文

: 髮也. 从髟从毛. , 髳或省. 『漢令』有髳長. 莫袍切.

飜譯

'머리칼(髮)'을 말한다. 표(髟)가 의미부이고 모(毛)도 의미부이다. 모()는 모(髳)의 혹체자인데, 생략된 모습이다. 한나라 때의 법령에 '모장(髳長: 머리칼이 길다)'이라는 말이 있다. 독음은 막(莫)과 포(袍)의 반절이다.

**5707**

: 鬗: **눈썹 먹 면**: 髟–**총25획: mián**

原文

: 髮皃. 从髟㝨聲. 讀若宀. 莫賢切.

飜譯

'머리칼의 모양(髮皃)'을 말한다. 표(髟)가 의미부이고 변(㝨)이 소리부이다. 면(宀)과 같이 읽는다. 독음은 막(莫)과 현(賢)의 반절이다.

**5708**

: 髫: **어린 아이의 깎고 남은 머리 조**: 髟–**총18획: tiáo**

原文

⿱髟周: 髮多也. 从髟周聲. 直由切.

飜譯

'머리숱이 많다(髮多)'라는 뜻이다. 표(髟)가 의미부이고 주(周)가 소리부이다. 독음은 직(直)과 유(由)의 반절이다.

**5709**

**⿱髟爾: ⿱髟爾: 머리털 녜: 髟—총24획: nǐ**

原文

⿱髟爾: 髮皃. 从髟爾聲. 讀若江南謂酢母爲⿱髟爾. 奴礼切.

飜譯

'머리칼의 모양(髮皃)'을 말한다. 표(髟)가 의미부이고 이(爾)가 소리부이다. 장강 남쪽 지역에서는 초모(酢母: 술이나 식초를 담글 때 쓰는 효모)를 녜(⿱髟爾)라 하는데 그것과 같이 읽는다. 독음은 노(奴)와 례(礼)의 반절이다.

**5710**

**⿱髟音: ⿱髟音: 머리 모양 부·상투 보: 髟—총18획: fǔ, póu**

原文

⿱髟音: 髮皃. 从髟音聲. 步矛切.

飜譯

'머리칼의 모양(髮皃)'을 말한다. 표(髟)가 의미부이고 부(音)가 소리부이다. 독음은 보(步)와 모(矛)의 반절이다.

**5711**

**鬏: 鬏: 다팔머리 모: 髟–총19획: máo**

原文

鬏: 髮至眉也. 从髟敄聲. 『詩』曰: "紞彼兩鬏." 亡牢切.

譯解

'눈썹까지 내려온 머리칼(髮至眉)'을 말한다. 표(髟)가 의미부이고 무(敄)가 소리부이다. 『시·용풍·백주(柏舟)』에서 "늘어진 다팔머리 총각(紞彼兩鬏)"이라고 노래했다.[55] 독음은 망(亡)과 뢰(牢)의 반절이다.

**5712**

**鬋: 鬋: 살쩍 늘어질 전: 髟–총19획: jiǎn**

原文

鬋: 女鬢垂皃. 从髟前聲. 作踐切.

譯解

'여자가 살쩍머리를 아래로 늘어트린 모습(女鬢垂皃)'을 말한다. 표(髟)가 의미부이고 전(前)이 소리부이다. 독음은 작(作)과 천(踐)의 반절이다.

**5713**

**鬑: 鬑: 머리가 드리워질 렴: 髟–총20획: lián**

原文

鬑: 鬋也. 一曰長皃. 从髟兼聲. 讀若慊. 力鹽切.

---

55) 『단주』에서 이렇게 말했다. "『시(詩)』에서 '담피양모(紞彼兩鬏)'라 노래했는데, 오늘날의 『시』에서는 담(紞)을 담(髧)으로 적었다. 『석문(釋文)』에서는 또 침(优)으로 적는다고 했다. 내 생각에는 담(紞)은 관의 양끝으로 늘어트린 줄(冕冠塞耳)을 말하는데, 모(鬏)가 이와 비슷했기 때문에 그랬을 것이다."

飜譯

'여자가 살쩍머리를 아래로 늘어트린 모습(鬑)'을 말한다. 일설에는 '머리칼이 긴 모양(長皃)'을 말한다고도 한다. 표(髟)가 의미부이고 겸(兼)이 소리부이다. 겸(慊)과 같이 읽는다. 독음은 력(力)과 염(鹽)의 반절이다.

**5714**

**鬣: 鬣: 작은 상투 제: 髟-총25획: jié, jì**

原文

鬣: 束髮少也. 从髟截聲. 子結切.

飜譯

'머리를 짧게 묶다(束髮少)'라는 뜻이다. 표(髟)가 의미부이고 절(截)이 소리부이다. 독음은 자(子)와 결(結)의 반절이다.

**5715**

**鬄: 鬄: 다리 체: 髟-총18획: tì, xí**

原文

鬄: 髲也. 从髟易聲. 髢, 鬄或从也聲. 先彳切.

飜譯

'숱이 적은 머리에 덧대는 가발(髲)'을 말한다. 표(髟)가 의미부이고 역(易)이 소리부이다. 체(髢)는 체(鬄)의 혹체자인데, 야(也)가 소리부인 구조로 되었다. 독음은 선(先)과 척(彳)의 반절이다.

**5716**

**髲: 髲: 다리 피: 髟-총15획: bì**

原文

髲: 鬄也. 从髟皮聲. 平義切.

飜譯

'숱이 적은 머리에 덧대는 가발(鬄)'을 말한다. 표(髟)가 의미부이고 피(皮)가 소리부이다. 독음은 평(平)과 의(義)의 반절이다.

**5717**

髮: 髮: **빗질할 차**: 髟-총16획: cì

原文

髮: 用梳比也. 从髟次聲. 七四切.

飜譯

'빗으로 머리칼을 갈무리하다(用梳比)'라는 뜻이다. 표(髟)가 의미부이고 차(次)가 소리부이다. 독음은 칠(七)과 사(四)의 반절이다.

**5718**

髺: 髺: **머리 묶을 괄**: 髟-총16획: guà

原文

髺: 潔髮也. 从髟昏聲. 古活切.

飜譯

'머리칼을 정결하게 정리하다(潔髮)[56]'라는 뜻이다. 표(髟)가 의미부이고 괄(昏)이 소리부이다. 독음은 고(古)와 활(活)의 반절이다.

56) 『단주』에서 이렇게 말했다. "혈발야(絜髮也)가 되어야 한다. 각 판본에서는 혈(絜)을 결(潔)로 적었는데 지금 『옥편(玉篇)』과 『운회(韵會)』에 근거해 바로 잡는다. 혈(絜)은 삼 한 단(麻一耑)을 말하는데, 단으로 묶다(圍束)는 의미로 파생되었다. 혈발(絜髮)은 머리를 묶다(束髮)는 뜻이다."

**5719**

**:** 鬆: **상투 반**: 髟-**총20획: pán, pàn**

原文

: 臥結也. 从髟般聲. 讀若槃. 薄官切.

飜譯

'머리칼을 똬리처럼 땋다(臥結)[57]'라는 뜻이다. 표(髟)가 의미부이고 반(般)이 소리부이다. 반(槃)과 같이 읽는다. 독음은 박(薄)과 관(官)의 반절이다.

**5720**

**:** 髯: **머리 묶을 부**: 髟-**총15획: fù, fū**

原文

: 結也. 从髟付聲. 方遇切.

飜譯

'머리를 땋다(結)'라는 뜻이다. 표(髟)가 의미부이고 부(付)가 소리부이다. 독음은 방(方)과 우(遇)의 반절이다.

**5721**

**:** 鬘: **관자놀이 마**: 髟-**총21획: mài, mò**

57) 『단주』에서 이렇게 말했다. "와결(臥結)이라는 것은 오늘날 말하는 상투(髻)와 같다. 『사관례(士冠禮)·채의(采衣)』의 개(紒)에 대한 주석에서 고문체의 계(紒)는 결(結)과 같다고 했다. 내 생각은 이렇다. 허신의 책에서는 모두 결(結)로 적었고, 정현이 단 경전의 주석에서는 모두 개(紒)로 적었다. 정현은 금문으로 된 『예』에 근거했고, 허신은 고문으로 된 『예』에 근거했기 때문이다. 그래서 계(系)부수에도 결(結)자는 있지만 개(紒)자는 없다. 와결(臥髻)이라는 것은 아마도 잠자리에 들 때 똬리처럼 머리를 땋아 흩날리지 않도록 한 것을 말한 것일 것이다(寑時盤髮爲之, 令可不散)."

䰰: 帶結飾也. 从髟莫聲. 莫駕切.

飜譯

'머리를 땋아 묶는 줄의 장식물(帶結飾)'을 말한다. 표(髟)가 의미부이고 막(莫)이 소리부이다. 독음은 막(莫)과 가(駕)의 반절이다.

**5722**

**䰎: 鬢: 상투 귀: 髟-총22획: guì, huǐ, kuì**

原文

鬢: 屈髮也. 从髟貴聲. 丘媿切.

飜譯

'머리칼을 구부려 묶다(屈髮)'라는 뜻이다. 표(髟)가 의미부이고 귀(貴)가 소리부이다. 독음은 구(丘)와 괴(媿)의 반절이다.



**5723**

**髮: 髮: 쪽질 개: 髟-총14획: jiè**

原文

髮: 簪結也. 从髟介聲. 古拜切.

飜譯

'비녀를 꽂아 머리칼을 고정시키다(簪結)'라는 뜻이다. 표(髟)가 의미부이고 개(介)가 소리부이다. 독음은 고(古)와 배(拜)의 반절이다.

**5724**

**鬣: 鬣: 갈기 렵: 髟-총25획: liè**

原文

鬣: 髮鬣鬣也. 从髟巤聲. 獵, 鬣或从毛. 獵, 或从豕. 良涉切.

飜譯

'갈기처럼 삐죽 솟은 머리칼(髮鬣鬣)'을 말한다. 표(髟)가 의미부이고 렵(巤)이 소리부이다. 렵(𣰷)은 렵(鬣)의 혹체자인데, 모(毛)로 구성되었다. 렵(獵)도 혹체자인데, 시(豕)로 구성되었다. 독음은 량(良)과 섭(涉)의 반절이다.

**5725**

**鬛: 鬛: 말갈기 려·털 려: 髟-총26획: lú**

原文

鬛: 鬣也. 从髟盧聲. 洛乎切.

飜譯

'갈기처럼 삐죽 솟은 머리칼(鬣)'을 말한다. 표(髟)가 의미부이고 로(盧)가 소리부이다. 독음은 락(洛)과 호(乎)의 반절이다.

**5726**

**髴: 髴: 비슷할 불: 髟-총15획: fú**

原文

髴: 髴, 若似也. 从髟弗聲. 敷勿切.

飜譯

'불(髴)은 비슷하다(若似)'라는 뜻이다. 표(髟)가 의미부이고 불(弗)이 소리부이다. 독음은 부(敷)와 물(勿)의 반절이다.

**5727**

**髶: 髶: 엉킨 터럭 용: 髟-총16획: róng**

原文

髶: 亂髮也. 从髟, 茸省聲. 而容切.

飜譯

'헝클어진 머리칼(亂髮)'을 말한다. 표(髟)가 의미부이고, 용(茸)의 생략된 모습이 소리부이다. 독음은 이(而)와 용(容)의 반절이다.

**5728**

**𩮖: 髿: 머리털 빠질 추·타: 髟-총19획: zhuī, duǒ**

原文

𩮖: 髮隋也. 从髟, 隋省.58) 直追切.

飜譯

'머리칼이 빠지다(髮隋)'라는 뜻이다.59) 표(髟)가 의미부이고, 수(隋)의 생략된 모습이 소리부이다. 독음은 직(直)과 추(追)의 반절이다.

**5729**

**䰑: 䰑: 헝클어질 순: 髟-총19획: cún**

原文

䰑: 鬊髮也. 从髟春聲. 舒閏切.

飜譯

'빠진 머리털(鬊髮)'이라는 뜻이다.60) 표(髟)가 의미부이고 춘(春)이 소리부이다. 독음은 서(舒)와 윤(閏)의 반절이다.

---

58) '성(聲)'자가 빠진 것으로 보인다.

59) 『단주』에서는 타(隋)를 타(隋)로 적고, 발타야(髮墮也)라고 하면서, 『광운』에서 말한 발락(髮落)이 바로 이를 말한다고 했다. 「내칙(內則)」에서 삼월 말이 되면 날을 골라서 머리칼을 잘라 타(鬌)를 만드는데, 남자들은 뿔처럼 만들고 여자들은 굴레처럼 만든다(三月之末, 擇日翦髮爲鬌. 男角女羈.)라고 했다. 타(鬌)는 본디 발락(髮落)을 이른 말이며, 머리칼을 남기고 자르지 않는다는 뜻에서 이렇게 이름 붙였다. 그래서 정현의 주석에서도 타(鬌)는 자르지 않고 남겨둔 머리칼을 말한다(所遺髮也)라고 했던 것이다.

60) 『단주』에서 타발(鬌髮)을 말한다고 했다.

**5730**

**䰑: 䰑: 머리 밀 간: 髟-총21획: qiān**

原文

䰑: 鬜禿也. 从髟閒聲. 苦閑切.

飜譯

'귀밑털이 다 빠진 모양(鬜禿)'을 말한다. 표(髟)가 의미부이고 한(閒)이 소리부이다. 독음은 고(苦)와 한(閑)의 반절이다.

**5731**

**鬄: 鬄: 다리 척: 髟-총20획: tì**

原文

鬄: 鬀髮也. 从髟从刀, 易聲. 他歷切.

飜譯

'머리를 깎다(鬀髮)'라는 뜻이다. 표(髟)가 의미부이고 도(刀)도 의미부이며, 역(易)이 소리부이다. 독음은 타(他)와 력(歷)의 반절이다.

**5732**

**髡: 髡: 머리 깎을 곤: 髟-총13획: kūn**

原文

髡: 鬄髮也. 从髟兀聲. 髨, 或从元. 苦昆切.

飜譯

'머리를 깎다(鬄髮)'라는 뜻이다. 표(髟)가 의미부이고 올(兀)이 소리부이다. 곤(髨)은 혹체자인데, 원(元)으로 구성되었다. 독음은 고(苦)와 곤(昆)의 반절이다.

**5733**

**䰸: 髰: 아이의 머리를 깎을 체: 髟-총17획: tì**

原文

䰸: 鬄髮也. 从髟弟聲. 大人曰髡, 小人曰髰, 盡及身毛曰鬄. 他計切.

翻譯

'머리를 깎다(鬄髮)'라는 뜻이다. 표(髟)가 의미부이고 제(弟)가 소리부이다. 어른의 머리를 깎는 것을 곤(髡), 어린이의 머리를 깎는 것을 체(髰), 몸의 털을 전부 깎는 것을 척(鬄)이라 한다. 독음은 타(他)와 계(計)의 반절이다.



**5734**

**鬔: 鬔: 머리털 헝클어진 모양 팽: 髟-총20획: bàng**

原文

鬔: 鬃也. 从髟竝聲. 蒲浪切.

翻譯

'머리털이 헝클어진 모양(鬃)'을 말한다. 표(髟)가 의미부이고 병(竝)이 소리부이다. 독음은 포(蒲)와 랑(浪)의 반절이다.

**5735**

**鬃: 鬃: 상투 비: 髟-총18획: fèi**

原文

鬃: 鬔也. 忽見也. 从髟彔聲. 㣇, 籒文魅, 亦忽見意. 芳未切.

翻譯

'머리털이 헝클어진 모양(鬔)'을 말한다. 또 '갑자기 서로 만나다(忽見)'라는 뜻이다. 표(髟)가 의미부이고 록(彔)이 소리부이다. 비(㣇)는 매(魅)의 주문으로, 이 역시 '갑자기 만나다(忽見)'라는 뜻이다. 독음은 방(芳)과 미(未)의 반절이다.

**5736**

**鬆: 髽: 북상투 좌: 髟-총17획: zhuò**

原文

髽: 喪結. 『禮』: 女子髽衰, 弔則不髽. 魯臧武仲與齊戰于狐鮐, 魯人迎喪者, 始髽. 从髟坐聲. 莊華切.

飜譯

‘상을 당했을 때 묶는 (부인의) 머리(喪結)’를 말한다. 『예』(『의례·상복경(喪服經)』)에 의하면, 여자가 상을 당했을 때 머리를 묶고 상복을 입지만, 조상을 할 때에는 머리는 묶지는 않는다. 노나라 장무중이 제나라와 오태에서 전쟁을 칠 때, 노나라 사람이 상을 당한 자가 있었는데, 그 때부터 머리를 묶어 상을 당했음을 표시하는 의식이 생겼다.(女子髽衰, 弔則不髽. 魯臧武仲與齊戰于狐鮐, 魯人迎喪者, 始髽.) 표(髟)가 의미부이고 좌(坐)가 소리부이다. 독음은 장(莊)과 화(華)의 반절이다.

**5737**

**鬐: 鬐: 갈기 기: 髟-총20획: qí**

原文

鬐: 馬鬣也. 从髟耆聲. 渠脂切.

飜譯

‘말의 갈기(馬鬣)’를 말한다. 표(髟)가 의미부이고 기(耆)가 소리부이다. 독음은 거(渠)와 지(脂)의 반절이다. [신부]

**5738**

**髫: 髫: 다박머리 초: 髟-총15획: tiáo**

原文

髫: 小兒垂結也. 从髟召聲. 徒聊切.

飜譯

'어린아이가 땋은 머리(小兒垂結)'를 말한다. 표(髟)가 의미부이고 소(召)가 소리부이다. 독음은 도(徒)와 료(聊)의 반절이다. [신부]

**5739**

**髻: 髻: 상투 계: 髟-총16획: jì**

原文

髻: 總髮也. 从髟吉聲. 古通用結. 古詣切.

飜譯

'머리를 묶어 올린 상투(總髮)'를 말한다. 표(髟)가 의미부이고 길(吉)이 소리부이다. 옛날에는 결(結)과 통용했다. 독음은 고(古)와 예(詣)의 반절이다. [신부]

**5740**

**鬟: 鬟: 쪽찐 머리 환: 髟-총23획: huán**

原文

鬟: 總髮也. 从髟睘聲. 案：古婦人首飾, 琢玉爲兩環. 此二字皆後人所加. 户關切.

飜譯

'머리를 묶어 올린 상투(總髮)'를 말한다. 표(髟)가 의미부이고 경(睘)이 소리부이다. 저(서현)의 생각은 이렇습니다. 옛날 부인들의 머리 장식을 보면, 옥을 다듬어 두 귀의 장식으로 삼았는데(古婦人首飾, 琢玉爲兩環.) 이 두 글자[즉 계(髻)와 환(鬟)]는 이후 사람들이 추가한 글자들입니다. 독음은 호(户)와 관(關)의 반절이다. [신부]

## 제335부수
## 335 ■ 후(后)부수

**5741**

**后:** 后: **임금 후: 口-총6획: hòu**

原文

后: 繼體君也. 象人之形. 施令以告四方, 故厂之. 从一、口. 發號者, 君后也. 凡后之屬皆从后. 胡口切.

飜譯

'왕위를 계승할 임금(繼體君)[황태자]'을 말한다. 사람(人)의 모습을 형상했다. 명령을 온 사방에 내려 시행하다는 뜻이다. 그래서 엄(厂)이 들어갔다. 일(一)과 구(口)가 모두 의미부이다. 명령을 내리는 자(發號者)는 군후(君后)일 뿐이라는 뜻이다.61) 후(后)부수에 귀속된 글자들은 모두 후(后)가 의미부이다. 독음은 호(胡)와 구(口)의 반절이다.

**5742**

**垢:** 垢: **성난 소리 후: 口-총9획: hǒu, hòu**

原文

垢: 厚怒聲. 从口、后, 后亦聲. 呼后切.

飜譯

'성이 많이 난 소리(厚怒聲)'를 말한다. 구(口)와 후(后)가 모두 의미부인데, 후(后)는 소리부도 겸한다. 독음은 호(呼)와 후(后)의 반절이다.

---

61) 고문자에서 [고문자] 甲骨文 [고문자] 金文 [고문자] 古陶文 [고문자] 簡牘文 [고문자] 古璽文 등으로 그렸다. 갑골문에서 여성이 아이를 낳는 모습이었는데 금문에 들면서 자형이 줄고 변해 지금처럼 되었다. 아이를 낳는 여인이 최고라는 뜻에서 后稷(후직·곡식의 신)에서처럼 임금을 비롯한 '최고'를 지칭하게 되었으나, 이후 皇后(황후)에서처럼 임금의 부인이라는 뜻으로 의미가 축소되었다. 현대 중국에서는 後(뒤 후)의 간화자로도 쓰인다.

## 제336부수
## 336 ■ 사(司)부수

**5743**

**司:** 司: **맡을 사**: 口-**총5획**: sī

原文

司: 臣司事於外者. 从反后. 凡司之屬皆从司. 息兹切.

飜譯

'바깥에서 사무를 보는 관리(臣司事於外者)'를 말한다. 후(后)자를 뒤집은 모습이다.[62] 사(司)부수에 귀속된 글자들은 모두 사(司)가 의미부이다. 독음은 식(息)과 자(兹)의 반절이다.

**5744**

**詞:** 詞: **말씀 사**: 言-**총12획**: cí

原文

詞: 意内而言外也. 从司从言. 似兹切.

飜譯

'가슴속에 담은 뜻을 말로 밖으로 표현하다(意内而言外)'라는 뜻이다. 사(司)가 의미부이고 언(言)도 의미부이다. 독음은 사(似)와 자(兹)의 반절이다.

---

62) 고문자에서 甲骨文 金文 古陶文 盟書 帛書 簡牘文 古璽文 등으로 그렸다. 갑골문에서 거꾸로 된 모습의 숟가락(匕)과 口(입 구)로 구성되어, 음식물을 숟가락으로 떠서 이에 넣어 '먹이다'는 뜻을 그렸다. 옛날 제사에서 제삿밥을 올리는 행위를 司라 했으며, 이후 有司(유사)에서처럼 그런 제의를 주관하는 사람을 지칭하게 되었다. 그러자 '먹이다'는 원래 뜻은 食(밥 식)을 더하여 飼(먹일 사)로 분화했다.

## 제337부수
## 337 ■ 치(卮)부수

**5745**

**卮: 卮: 잔 치: 卩-총5획: zhī**

原文

卮: 圜器也. 一名觛. 所以節飮食. 象人, 卪在其下也. 『易』曰: "君子節飮食." 凡卮之屬皆从卮. 章移切.

譯譯

'둥글게 생긴 기물(圜器)'을 말한다. 일명 단(觛)이라고도 한다. 음식을 절제하도록 고안된 기물이다. 사람(人)을 본떴는데, 아래쪽으로 꿇어앉은 모습이다(卪在其下). 『역·이괘(履卦)』(상전)에서 "군자는 음식을 절제하여야 한다(君子節飮食)"라고 했다. 치(卮)부수에 귀속된 글자들은 모두 치(卮)가 의미부이다. 독음은 장(章)과 이(移)의 반절이다.

**5746**

**䏝: 䏝: 귀 달린 작은 잔 전: 寸-총18획: shuàn**

原文

䏝: 小卮有耳蓋者. 从卮專聲. 市沇切.

譯譯

'귀와 뚜껑이 있는 작은 잔(小卮有耳蓋者)'을 말한다. 치(卮)가 의미부이고 전(專)이 소리부이다. 독음은 시(市)와 연(沇)의 반절이다.

**5747**

**:** 䏑: **작은 잔 전**: 而-총15획: zhuǎn

原文

: 小巵也. 从巵耑聲. 讀若捶擊之捶. 旨沇切.

飜譯

'작은 잔(小巵)'을 말한다. 치(巵)가 의미부이고 단(耑)은 소리부이다. 추격(捶擊)이라고 할 때의 추(捶)와 같이 읽는다. 독음은 지(旨)와 연(沇)의 반절이다.

## 제338부수
## 338 ■ 절(卩)부수

**5748**

**卪: 卩: 병부 절: 卩-총2획: jié**

原文

卪: 瑞信也. 守國者用玉卪, 守都鄙者用角卪, 使山邦者用虎卪, 士邦者用人卪, 澤邦者用龍卪, 門關者用符卪, 貨賄用璽卪, 道路用旌卪. 象相合之形. 凡卪之屬皆从卪. 子結切.

譯解

'신표로 삼는 부절(瑞信)'을 말한다.[63] 나라를 지키는 자는 옥으로 된 부절(玉卪[64]) 을, 도성(都鄙)을 지키는 자는 뿔로 된 부절(角卪)을, 산지(山邦)를 지키는 자는 호랑이 모양의 부절(虎卪)을, 농경지(士邦)를 지키는 자는 사람 모양의 부절(人卪)을, 연못 지역(澤邦)을 지키는 자는 용 모양의 부절(龍卪)을, 국경의 출입구(門關)를 지키는 자는 대마디 모양의 부절(符卪)을, 물건을 교환할 때(貨賄)에는 도장으로 된 부절(璽卪)을, 통행(道路)에는 깃털로 장식이 된 부절(旌卪)을 사용한다. [절(卩)은]

63) 卩(㔾)은 갑골문에서 꿇어앉은 사람의 모습이다. 예컨대 印(도장 인)은 손(爪·조)으로 꿇어앉은 사람을 눌러 굴복시키는 모습을 그렸다. 도장은 손으로 눌러 찍기도 하고 그 자체가 사람을 복종시키는 권력의 상징이기도 하다. 그래서 印에 도장의 뜻이, 초기의 印刷(인쇄)가 도장처럼 눌러 이루어졌기에 '찍다'는 뜻도 생겼다. 또 卽(곧 즉)은 밥이 소복하게 담긴 그릇(皀·간) 앞에 앉은 사람(卩)을 그려 '곧' 식사하려는 모습을 그렸다. 여기에 식사를 '끝내고' 머리를 뒤로 홱 돌린 모습이 旣(이미 기)이며, 식기를 중앙에 두고 마주 앉은 모습이 卿(벼슬 경)이다. 그런가 하면 卬(나 앙)은 앉은 사람(卩)이 선 사람(人·인)을 '올려다' 보는 모습이며, 卻(却·물리칠 각)은 谷(웃을 각)이 소리부이고 卩이 의미부로, '물리치다'가 원래 뜻이고, 이후 '물러나다'는 의미가 생겼다. 이외에도 令(영 령)은 모자를 쓰고 앉은 사람의 모습을 하였는데, 지금은 人부수에 귀속되었고, 邑(고을 읍)도 성을 그린 口(나라 국)과 앉은 사람의 卩로 구성되어, 사람이 살 수 있는 성 그곳이 바로 고을임을 그린 글자이다.

64) 절(卩)의 오류이다.

중간이 나누어졌으나 서로 부합하는 모습을 그렸다. 절(卩)부수에 귀속된 글자들은 모두 절(卩)이 의미부이다. 독음은 자(子)와 결(結)의 반절이다.

**5749**

**令: 令: 영 령: 人-총5획: lìng**

原文

令: 發號也. 从亼、卩. 力正切.

飜譯

'명령을 내리다(發號)'라는 뜻이다. 집(亼)과 절(卩)이 모두 의미부이다.65) 독음은 력(力)과 정(正)의 반절이다.

**5750**

**㔾: 㔾: 도울 필: 卩-총6획: bì**

原文

㔾: 輔信也. 从卩比聲. 『虞書』曰: "㔾成五服." 毗必切.

飜譯

'보좌할 수 있는 신표(輔信)'를 말한다. 절(卩)이 의미부이고 비(比)가 소리부이다. 『서·우서(虞書)·고요모(皋陶謨)』에서 "나랏일을 도와 땅을 다섯 지역으로 정리하여 [땅의 너비가 사방 5천 리에 이르렀습니다](㔾成五服)"라고 했다.66) 독음은 비(毗)와 필(必)

---

65) 고문자에서 [古文字 字形] 甲骨文 [字形] 金文 [字形] 盟書 [字形] 簡牘文 등으로 그렸다. 모자를 쓰고(亼) 앉은 사람(卩)의 모습으로부터 우두머리가 내릴 수 있는 '명령(令)'의 의미를 그렸으며, 이로부터 命令(명령), 명령을 내리다, 황제 등의 명령, 행정기관의 우두머리 등의 뜻이 나왔고, 命名(명명)하다, 좋다, 훌륭하다의 뜻도 나왔다. 또 令尊(영존)에서처럼 상대에 대한 존경을 나타내는 접두어로도 쓰였다.

66) 옛날에는 왕기(王畿) 외곽 지역을 500리 씩 해서 하나의 구역으로 나누었다. 가까운 곳으로부터 먼 곳으로 나아가면서 전복(甸服), 후복(侯服), 수복(綏服)(일설에는 賓服이라 함), 요복(要服), 황복(荒服) 등 5구획으로 나누었는데 이를 합쳐서 오복(五服)이라 했다. 복(服)은 천자

의 반절이다.

**5751**

**𢀳: 㶴: 큰 도량이 있을 치: 卩-총8획: shì**

原文

𢀳: 有大度也. 从卩多聲. 讀若侈. 充豉切.

飜譯

'도량이 넓다(有大度)'라는 뜻이다. 절(卩)이 의미부이고 다(多)가 소리부이다. 치(侈)와 같이 읽는다. 독음은 충(充)과 시(豉)의 반절이다.

**5752**

**𢀴: 卹: 고기 죽일 비: 卩-총7획: bì**

原文

𢀴: 宰之也. 从卩必聲. 兵媚切.

飜譯

'주재하다(宰之)'라는 뜻이다. 절(卩)이 의미부이고 필(必)이 소리부이다. 독음은 병(兵)과 미(媚)의 반절이다.

**5753**

**卲: 卲: 높을 소: 卩-총7획: shào**

原文

卲: 高也. 从卩召聲. 寔照切.

---

의 일에 복종한다는 뜻을 담았다. 또 주나라 때에는 후(侯), 전(甸), 남(男), 채(采), 위(衛)를 오복(五服)이라 하기도 했다.(『書·康誥』에 보인다)

飜譯

'높다, 고상하다(高)'라는 뜻이다. 절(卩)이 의미부이고 소(召)가 소리부이다. 독음은 식(寔)과 조(照)의 반절이다.

**5754**

**卮: 厄: 액 액: 厂-총4획: è**

原文

卮: 科厄, 木節也. 从卩厂聲. 賈侍中說, 以爲厄, 裹也. 一曰厄, 蓋也. 五果切.

飜譯

'과액(科厄)'을 말하는데, '나무에 생기는 옹이(木節)'를 말한다. 절(卩)이 의미부이고 엄(厂)이 소리부이다. 가시중(賈侍中)의 해설에 의하면, 액(厄)은 '싸다(裹)'라는 뜻이라고 한다. 일설에는 액(厄)은 '덮다(蓋)'라는 뜻이라고도 한다.[67] 독음은 오(五)와 과(果)의 반절이다.

**5755**

**厀: 厀: 무릎 슬: 卩-총13획: xī**

原文

厀: 脛頭卩也. 从卩桼聲. 息七切.

飜譯

'무릎(脛頭卩)'을 말한다. 절(卩)이 의미부이고 칠(桼)이 소리부이다. 독음은 식(息)과 칠(七)의 반절이다.

---

67) 고문자에서 [古文字 字形]金文 [字形]簡牘文 등으로 그렸다. 이의 자원에 대해서는 의견이 분분하나, 청나라 말 때의 孫詒讓(손이양)은 '멍에'를 그렸다고 했다. 厄은 원래 戶(지게 호)가 의미부고 乙(새 을)이 소리부인 구조의 戹으로 쓰기도 하였다. 厄이 '좁다'는 뜻으로 가차되어 쓰이게 되자, 원래의 뜻은 車(수레 거)를 더한 軶(멍에 액)으로 분화했다. 이후 재난, 재앙, 액 등의 뜻으로도 쓰여 어려움이나 곤란을 당하다 등의 뜻도 가진다.

**5756**

**卷: 卷: 쇠뇌 권: 卩-총8획: juǎn**

原文

卷: 厀曲也. 从卩𢍏聲. 居轉切.

飜譯

'슬곡(厀曲) 즉 정강이 관절의 뒷부분'을 말한다. 절(卩)이 의미부이고 권(𢍏)이 소리부이다.[68] 독음은 거(居)와 전(轉)의 반절이다.

**5757**

**卻: 卻: 물리칠 각: 卩-총9획: què**

原文

卻: 節欲也. 从卩谷聲. 去約切.

飜譯

'욕심을 절제하여 물리치다(節欲)'라는 뜻이다. 절(卩)이 의미부이고 곡(谷)이 소리부이다. 독음은 거(去)와 약(約)의 반절이다.

**5758**

**卸: 卸: 풀 사: 卩-총8획: xiè**

原文

68) 고문자에서 卷簡牘文 등으로 그렸다. 원래는 廾(두 손으로 받들 공)과 卩(병부 절)이 의미부이고 釆(분별할 변)이 소리부로, 두 손을 모으고(廾) 무릎을 오므린 채 꿇어앉은(卩) 사람의 모습에서 굽히다, 굽다, 접다 등의 뜻이 나왔고 다리의 접히는 부분인 '오금'을 뜻하게 되었다. 이후 죽간이나 종이에다 글을 쓰고 이를 말아 놓은 것이 옛날의 '책'이었으므로, 책을 헤아리는 단위로도 쓰이게 되었다. 따라서 卷으로 구성된 글자들은 '말다'는 의미와 관련되어 있다.

卸: 舍車解馬也. 从卩、止、午. 讀若汝南人寫書之寫. 司夜切.

飜譯

'마차를 멈추고 말의 고삐를 풀다(舍車解馬)'라는 뜻이다. 절(卩)과 지(止)와 오(午)가 모두 의미부이다. 여남(汝南) 사람들이 말하는 서사(寫書)의 사(寫)와 같이 읽는다. 독음은 사(司)와 야(夜)의 반절이다.

**5759**

卯: 卯: **절주할 선**: 卩–총6획: zhuàn

原文

卯: 二卩也. 巽从此. 闕. 士戀切.

飜譯

'두 개의 절(卩)로 구성되었는데, 합치다'라는 뜻이다. 손(巽)자가 이 글자로 구성되었다. 왜 그런지는 알지 못해 비워 둔다(闕).69) 독음은 사(士)와 련(戀)의 반절이다.

---

69) 손(巽)을 고문자에서 甲骨文 金文 簡牘文 簡牘文 등으로 썼다. 갑골문에서 꿇어앉은 두 사람의 모습을 그려 제사에 희생물로 바칠 사람을 뽑는 모습을 형상화했는데, 소전체에서 탁자를 그린 丌(대 기)가 더해져 이를 더욱 구체화했다. 巽을 『설문해자』에서는 "祭需(제수)를 갖추다"라는 뜻으로 해석했지만, 제사에 쓸 모든 재료는 가장 훌륭하고 흠 없는 것으로 구별해 뽑아야(選別·선별)하기 때문에 巽에는 揀擇(간택)하다, 공손하다, 選拔(선발)하다는 뜻이 생겼다. 巽에 辵(쉬엄쉬엄 갈 착)이 더해진 選(가릴 선)은 제사상에 바치는 祭物(제물)처럼 구성원을 위해 희생할 사람을 뽑아(巽) 중앙으로 보낸다(辵)는 뜻이며, 撰(지을 찬)은 手(손 수)와 巽이 결합해 훌륭한 문장을 가려 뽑아(巽) 글을 만들다(手)는 뜻이며, 饌(반찬 찬)은 제사상에 올릴 골라 뽑은(巽) 맛있는 요리(食·식)를 뜻한다. 그렇다면 "꿇어앉은 두 사람의 모습을 그려 제사에 희생물로 바칠 사람을 뽑는 모습을 형상화했기" 때문에 손(巽)이 두 개의 절(卩)로 구성되었음을 알 수 있다.

**5760**

**𠨍: 𠨍: 병부 주: 丿-총3획: chú**

原文

𠨍: 卪也. 闕. 則候切.

飜譯

'부절(卪)'을 말한다. 왜 그런지는 알지 못해 비워 둔다(闕).70) 독음은 칙(則)과 후(候)의 반절이다.

---

70) 『통지』에서 "주(𠨍)는 왼쪽 부절을 말한다. 부절은 하나를 둘로 나눈 두 쪽으로 되었는데, 왼쪽은 주는 사람이 오른쪽은 받는 사람이 나누어 가진다."고 했다. 그렇다면 부절의 왼쪽 부분을 그린 것이며 절(卪)과 좌우 대칭으로 뒤집은 모습으로 볼 수 있다.

# 제339부수
# 339 ■ 인(印)부수

**5761**

**:** 印: **도장 인**: 卩-**총6획**: yìn

原文

: 執政所持信也. 从爪从卩. 凡印之屬皆从印. 抑, 俗从手. 於刃切.

飜譯

'집정하는 사람이 지니는 신표(執政所持信)'를 말한다. 조(爪)가 의미부이고 절(卩)도 의미부이다.[71] 인(印)부수에 귀속된 글자들은 모두 인(印)이 의미부이다. 인(抑)은 속체인데, 수(手)로 구성되었다. 독음은 어(於)와 인(刃)의 반절이다.

**5762**

**:** 归: **억제할 억**: 彐-**총6획**: yì

原文

: 按也. 从反印. 於棘切.

飜譯

'누르다(按)'라는 뜻이다. 인(印)의 좌우대칭으로 뒤집은 모습이 의미부이다. 독음은 어(於)와 극(棘)의 반절이다.

---

71) 고문자에서 甲骨文 金文 古陶文 簡牘文 등으로 그렸다. 爪(손톱 조)와 卩(병부절)로 구성되어, 손(爪)으로 사람을 꿇어 앉혀(卩) 굴복시키는 모습을 그렸다. 도장은 손으로 눌러 찍기도 하고 그 자체가 사람을 복종시키는 권력의 상징이기도 하다. 그래서 印에 도장의 뜻이, 초기의 印刷(인쇄)가 도장처럼 눌러 이루어졌기에 '찍다'는 뜻도 생겼다. 그러자 원래 뜻은 手(손 수)를 더하여 抑(누를 억)으로 분화했다.

## 제340부수
## 340 ■ 색(色)부수

**5763**

**色: 色: 빛 색: 色-총6획: sè**

原文

色: 顏气也. 从人从卪. 凡色之屬皆从色. 𩡘, 古文. 所力切.

飜譯

'얼굴빛(顏气)'을 말한다. 인(人)이 의미부이고 절(卪)도 의미부이다.72) 색(色)부수에 귀속된 글자들은 모두 색(色)이 의미부이다. 색(𩡘)은 고문체이다. 독음은 소(所)와 력(力)의 반절이다.

72) 고문자에서 [고문자 자형] 簡牘文 등으로 그렸다. 소전체에서부터 등장하는데, 『설문해자』에서는 人(사람 인)과 卪(㔾·병부 절)로 구성되었고 '顏色(안색)'을 말한다고 했다. 하지만, 무릎 꿇은 사람(卪) 위로 선 사람(人)이 더해진 모습에서 어떻게 '낯빛'의 뜻이 나오게 되었는지는 달리 설명이 없다. 그래서 이에 대한 다양한 해설이 생겨났다. 『설문해자』의 최고 해석가였던 청나라 때의 단옥재는 "마음(心·심)이 氣(기)로 전달되며, 氣는 眉間(미간·顏)에 전달되는데, 이 때문에 色이라 한다."라고 풀이했고, 어떤 이는 몸을 편 기쁨과 무릎을 꿇은 비애가 얼굴에 나타나므로 '顏色'의 뜻이 생겼다고도 풀이했다. 그러나 色이 '빛'이나 '안색'은 물론, '여자' 특히 好色(호색)이나 色骨(색골) 등과 같이 '성(sex)'의 의미를 강하게 가짐을 볼 때, 이러한 해석은 쉬 긍정하기 어렵다. 그래서 色을 後背位(후배위)의 성애 장면을 그린 것으로 보는 것이 자형에 근접한 해석일 것이다. 『설문해자』에서 제시했던 頁(머리 혈)과 彡(터럭 삼)과 疑(의심할 의)로 구성된 色의 이체자도 머리(頁)를 돌려 뒤돌아보는(疑) 모습에 강렬하게 나타난 얼굴빛(彡)을 강조한 글자다. 이렇게 볼 때 色의 원래 뜻은 성애 과정에서 나타나는 흥분된 '얼굴색'이며, 이로부터 색깔은 물론 '성욕'과 성애의 대상인 '여자', 여자의 용모, 나아가 기쁜 얼굴색(喜色·희색), 정신의 혼미함 등의 뜻이 나오게 된 것으로 보인다.

**5764**

**䒻:** 艴: **발끈할 불·발**: 色–**총11획**: fú, pèi

原文

䒻: 色艴如也. 从色弗聲. 『論語』曰 : "色艴如也." 蒲没切.

飜譯

'얼굴색이 발끈한 듯하다(色艴如)'라는 뜻이다. 색(色)이 의미부이고 불(弗)이 소리부이다. 『논어·향당(鄉黨)』에서 "얼굴색이 발끈한 듯하구나(色艴如也)"라고 했다. 독음은 포(蒲)와 몰(没)의 반절이다.



**5765**

**䒾:** 艵: **옥색 병**: 色–**총14획**: píng

原文

䒾: 縹色也. 从色并聲. 普丁切.

飜譯

'비단의 옥색(縹色)'을 말한다. 색(色)이 의미부이고 병(并)이 소리부이다. 독음은 보(普)와 정(丁)의 반절이다.

## 제341부수
## 341 ■ 경(卯)부수

**5767**

**5766**

卯: **절주할 경**: 卩-총5획: qīng

原文

卯: 事之制也. 从卩、纯. 凡卯之屬皆从卯. 闕. 去京切.

飜譯

'일의 제도(事之制)'를 말한다. 절(卩)과 주(纯)가 모두 의미부이다. 경(卯)부수에 귀속된 글자들은 모두 경(卯)이 의미부이다. 상세한 내용은 알 수 없어 비워둔다(闕). 독음은 거(去)와 경(京)의 반절이다.

**5767**

卿: **벼슬 경**: 卩-총12획: qīng

原文

卿: 章也. 六卿: 天官冢宰、地官司徒、春官宗伯、夏官司馬、秋官司寇、冬官司空. 从卯皀聲. 去京切.

飜譯

'장(章)과 같아 드러내다'라는 뜻이다.73) 육경(六卿)은 천관(天官)의 총재(冢宰), 지관(地官)의 사도(司徒), 춘관(春官)의 종백(宗伯), 하관(夏官)의 사마(司馬), 추관(秋官)의 사구(司寇), 동관(冬官)의 사공(司空)을 말한다. 경(卯)가 의미부이고 급(皀)이

73) 『단주』에서 이렇게 말했다. "드러내다는 뜻이다(章也)라고 한 것은 첩운(疊韵)자를 가지고 뜻풀이를 한 것이다. 『백호통(白虎通)』에서 경(卿)자를 두고서 장(章)으로 풀이한 것은 옳은 것을 드러내고 이치대로 명확하게 한다는 뜻이다(章善明理也)고 했다." 그렇다면 육경은 정의로움을 드러내어 일을 이치대로 명확하게 하는 사람이라는 뜻을 담았다.

소리부이다.[74] 독음은 거(去)와 경(京)의 반절이다.



74) 고문자에서 甲骨文 金文 古陶文 簡牘文 등으로 그렸다. 갑골문에서 식기(皀·향)를 중간에 두고 마주 앉은 두 사람(卩·절)을 그려 손님을 대접하는 모습을 그렸다. 이후 손님을 대접한다는 뜻에서 상대를 존중해 부르는 말로 쓰였고, 이로부터 卿大夫(경대부)나 고급 관료를 지칭하게 되었다. 그러자 원래의 '대접하다'는 뜻은 食(밥 식)을 더한 饗(잔치할 향)으로 분화했다.

## 제342부수
## 342 ■ 벽(辟)부수

**5768**

**辟: 辟: 임금 벽: 辛-총13획: bì**

原文

辟: 法也. 从卪从辛, 節制其辠也; 从口, 用法者也. 凡辟之屬皆从辟. 必益切.

飜譯

'법(法)'이라는 뜻이다. 절(卪)이 의미부이고 신(辛)도 의미부인데, 죄에 대한 제도를 만들다는 뜻이다(制其辠也). 또 구(口)도 의미부인데, 그것을 법으로 사용하는 사람(用法者)이라는 뜻이다.[75] 벽(辟)부수에 귀속된 글자들은 모두 벽(辟)이 의미부이다. 독음은 필(必)과 익(益)의 반절이다.

**5769**

**辥: 辥: 다스릴 벽: 辛-총17획: bì**

原文

辥: 治也. 从辟从井. 『周書』曰: "我之不辥." 必益切.

---

75) 고문자에서 [古文字形] 甲骨文 [古文字形] 金文 [古文字形] 簡牘文 [古文字形] 古璽文 [古文字形] 石刻古文 등으로 그렸다. 辛(매울 신)과 尸(주검 시)와 口(입 구)로 구성되었는데, 辛은 형벌 칼을, 尸는 사람을, 口는 떨어져 나온 살점을 상징하여, 형벌 칼(辛)로 살점을 도려 낸 모습을 형상했다. 이로부터 갈라내다, 배척하다, 배제하다 등의 뜻이 생겼고, 최고 실력자인 '임금'이라는 뜻도 갖게 되었는데, 임금은 사형(大辟·대벽)과 같은 최고 형벌의 결정권을 가졌기 때문이다. 현대 중국에서는 闢(열 벽)의 간화자로도 쓰인다. 그렇다면 생사여탈권을 상징하는 벽(辟)이 법도이자 임금의 의미를 가지는데, 임금이 곧 법도이자 그런 법을 집행하는 절대자라는 의미도 담았다.

飜譯

'다스리다(治)'라는 뜻이다. 벽(辟)이 의미부이고 정(井)도 의미부이다. 『주서(周書)』에서 "내가 다스리지 않으면(我之不辥)"이라고 했다.[76] 독음은 필(必)과 익(益)의 반절이다.

**5770**

**辥: 嬖: 다스릴 예: 辛-총15획: yì**

原文

辥: 治也. 从辟乂聲. 『虞書』曰 : "有能俾嬖." 魚廢切.

飜譯

'다스리다(治)'라는 뜻이다. 벽(辟)이 의미부이고 예(乂)가 소리부이다. 『서·우서(虞書)·금등(金縢)』에서 "이를 다스릴만한 사람이 없겠소?(有能俾嬖)"라고 했다. 독음은 어(魚)와 폐(廢)의 반절이다.



76) 『단주』에 의하면, 금본 『상서(尙書)』의 「금등(金縢)」편에서는 '아지불벽(我之弗辟)'으로 되어 있다. 허신은 공자벽중서의 고문에 근거해 아지불벽(我之不辥)이라 했는데, 공안국(孔安國)이 당시의 글자로 읽어 벽(辥)을 벽(辟)으로 바꾸었기 때문에 차이가 날 것이라 했다.

## 第343부수
## 343 ■ 포(勹)부수

**5771**

**𠣜: 勹: 쌀 포: 勹-총2획: bāo**

原文

𠣜: 裹也. 象人曲形, 有所包裹. 凡勹之屬皆从勹. 布交切.

飜譯

'싸다(裹)'라는 뜻이다. 사람이 구부린 모습(人曲形)이며, 중간에 무엇인가를 싸안은 모습을 그렸다.[77] 포(勹)부수에 귀속된 글자들은 모두 포(勹)가 의미부이다. 독음은 포(布)와 교(交)의 반절이다.

**5772**

**䎤: 匊: 곱사등이 국: 勹-총16획: jū**

原文

䎤: 曲脊也. 从勹, 籟省聲. 巨六切.

飜譯

'등이 굽었다(曲脊)'라는 뜻이다. 포(勹)가 의미부이고, 국(籟)의 생략된 모습이 소리부이다. 독음은 거(巨)와 륙(六)의 반절이다.

---

77) 포(勹)를 『설문해자』에서는 단순히 '싸다'는 뜻이라고 했지만, 자형을 자세히 살피면 배가 불룩한 사람의 측면 모습을 그려, 태아를 싼 모습을 그렸다. 이로부터 '(둘러) 싸다'나 둘러싸여 '둥그런' 모습을 말하게 되었다. 예컨대 包(쌀 포)는 아직 팔이 생기지 않은 아이(巳·사)가 뱃속에서 어미의 몸에 둘러싸인 모습이다. 또 匀(고를 균)은 원래 손(又·우)과 두 점(二)으로 이루어졌는데, 두 점은 동등함을 상징하고 두 손은 그것을 균등하게 나누다는 뜻이었는데, 이후 손(又)이 勹로 변해 지금의 匀이 되었다. 그런가 하면, 勺(구기 작)은 갑골문에서 국자를 그렸으며, 굽어진 국자 속에 어떤 물체가 들어 있음을 상징적으로 표현한 글자이다.

**5773**

**𠣾:** 匍: **길 포**: 勹-총9획: pú

原文

𠣾: 手行也. 从勹甫聲. 簿乎切.

飜譯

'손을 짚고 기어서 가다(手行)'라는 뜻이다. 포(勹)가 의미부이고 보(甫)가 소리부이다. 독음은 부(簿)와 호(乎)의 반절이다.

**5774**

**𠣿:** 匐: **길 복**: 勹-총11획: fú

原文

𠣿: 伏地也. 从勹畐聲. 蒲北切.

飜譯

'땅에 엎드리다(伏地)'라는 뜻이다. 포(勹)가 의미부이고 복(畐)이 소리부이다. 독음은 포(蒲)와 북(北)의 반절이다.

**5775**

**𠣷:** 匊: **움켜 뜰 국**: 勹-총8획: jū

原文

𠣷: 在手曰匊. 从勹、米. 居六切.

飜譯

'손으로 한 움큼 움켜진 것(在手)을 국(匊)이라 한다.' 포(勹)와 미(米)가 모두 의미부이다. 독음은 거(居)와 륙(六)의 반절이다.

**5776**

**:** 勻: **적을 균윤**: 勹–**총4획: yún**

原文

: 少也. 从勹、二. 羊倫切.

飜譯

'적다(少)'라는 뜻이다. 포(勹)와 이(二)가 모두 의미부이다. 독음은 양(羊)과 륜(倫)의 반절이다.

**5777**

**:** 勼: **모을 구**: 勹–**총4획: jiū**

原文

: 聚也. 从勹九聲. 讀若鳩. 居求切.

飜譯

'모으다(聚)'라는 뜻이다. 포(勹)가 의미부이고 구(九)가 소리부이다. 구(鳩)와 같이 읽는다. 독음은 거(居)와 구(求)의 반절이다.

**5778**

**:** 旬: **열흘 순**: 日–**총6획: xún**

原文

: 徧也. 十日爲旬. 从勹、日. , 古文. 詳遵切.

飜譯

'[한 바퀴를] 두르다(徧)'라는 뜻이다. 10일(日)이 1순(旬)이다. 포(勹)와 일(日)이 모두 의미부이다.[78] 순()은 고문체이다. 독음은 상(詳)과 준(遵)의 반절이다.

---

78) 고문자에서 甲骨文 金文 簡牘文 등으로 그렸다. 日(날 일)이 의

**5779**

**:** 勽: **쌀 문**: 勹-**총4획**: bào

原文

: 覆也. 从勹覆人. 薄皓切.

飜譯

'덮다(覆)'라는 뜻이다. 포(勹)가 사람(人)을 덮은 모습이다.[79] 독음은 박(薄)과 호(皓)의 반절이다.

**5780**

**:** 匈: **오랑캐 흉**: 勹-**총6획**: xiōng

原文

: 聲也. 从勹凶聲. 胷, 匈或从肉. 許容切.

飜譯

'가슴(聲)[80]'을 말한다. 포(勹)가 의미부이고 흉(凶)이 소리부이다.[81] 흉(胷)은 흉(匈)의 혹체자인데, 육(肉)으로 구성되었다. 독음은 허(許)와 용(容)의 반절이다.

---

미부이고 勻(적을 균, 均의 원래 글자)의 생략된 모습이 소리부로, 날짜(日)를 균등하게(勻) 배분한 10일을 말한다. 갑골문에서는 十(열 십)이 의미부이고 亘(돌 선)이 소리부인 구조로 되었는데, 한 주기를 도는(亘) 10일(十)이 1순(旬)임을 말했다. 금문에서부터 이것이 날짜의 순환 주기임을 강조하기 위해 日이 더해지고 자형이 변해 지금처럼 되었다. 10일이 원래 뜻이며, 이후 10년이라는 뜻도 나왔으며, 旬으로 구성된 글자들은 순환, 따라가다 등의 뜻을 가진다.

79) 『단주』에서는 "从勹人", 즉 "포(勹)와 인(人)이 모두 의미부이다"로 보았다.

80) 서개의 『계전』에서는 성(聲)을 응(膺)으로 적었다.

81) 勹(쌀 포)가 의미부고 凶(흉할 흉)이 소리부로, 사람(勹)의 가슴(凶)에 낸 칼집을 말하며, 胸(가슴 흉)의 원래 글자였다. 이후 匈奴(흉노)족을 지칭하게 되었고, 이로부터 북방 이민족을 지칭하게 되었다.

**5781**

**𠣝: 匊: 두루 주: 勹-총8획: zhōu**

原文

𠣝: 帀徧也. 从勹舟聲. 職流切.

飜譯

'한 바퀴 전체를 두르다(帀徧)'라는 뜻이다. 포(勹)가 의미부이고 주(舟)가 소리부이다. 독음은 직(職)과 류(流)의 반절이다.

**5782**

**匌: 匌: 돌 합: 勹-총8획: gē, kè**

原文

匌: 帀也. 从勹从合, 合亦聲. 矦閤切.

飜譯

'두르다(帀)'라는 뜻이다. 포(勹)가 의미부이고 합(合)도 의미부인데, 합(合)은 소리부도 겸한다. 독음은 후(矦)와 각(閤)의 반절이다.

**5783**

**𩟼: 𩟼: 배부를 구: 勹-총14획: jiù**

原文

𩟼: 飽也. 从勹𣪘聲. 民祭, 祝曰: "厭𩟼." 己又切.

飜譯

'배불리 먹다(飽)'라는 뜻이다. 포(勹)가 의미부이고 궤(𣪘)가 소리부이다. 백성들의 제사에서 "귀신들이시여, 배불리 드시소서(厭𩟼)"라고 축도를 한다. 독음은 기(己)와 우(又)의 반절이다.

**5784**

**: 復: 엎드릴 복: 勹-총14획: fù**

原文

: 重也. 从勹復聲. , 或省彳. 扶富切.

飜譯

'중복되다(重)'라는 뜻이다. 포(勹)가 의미부이고 부(復)가 소리부이다. 복()은 혹체자인데, 척(彳)이 생략된 모습이다. 독음은 부(扶)와 부(富)의 반절이다.

**5785**

**: 冢: 무덤 총: 冖-총10획: zhǒng**

原文

: 高墳也. 从勹豖聲. 知隴切.

飜譯

'높게 쌓은 무덤(高墳)'을 말한다. 포(勹)가 의미부이고 축(豖)이 소리부이다.[82] 독음은 지(知)와 롱(隴)의 반절이다.

---

82) 고문자에서 金文 簡牘文 등으로 그렸다. 勹(쌀 포)가 의미부이고 豖(발 얽은 돼지 걸음 축)이 소리부이다. 『설문해자』의 해설처럼, '높게 쌓은 무덤(高墳)'을 말한다. 이후 흙으로 봉분을 만든다는 뜻에서 土(흙 토)를 더하여 塚(무덤 총)을 만들었다. 간화자에서는 다시 冢에 통합되었다.

## 제344부수
## 344 ■ 포(包)부수

**5786**

: 包: **쌀 포**: 勹–**총5획**: bāo

原文

: 象人褢妊, 巳在中, 象子未成形也. 元气起於子. 子, 人所生也. 男左行三十, 女右行二十, 俱立於巳, 爲夫婦. 褢妊於巳, 巳爲子, 十月而生. 男起巳至寅, 女起巳至申. 故男秊始寅, 女秊始申也. 凡包之屬皆从包. 布交切.

飜譯

'사람이 회임하여 바깥을 싼 모습이다(人褢妊). 아이(巳)가 속에 든 모습인데, 아이(子)가 아직 모양을 형성하지 않은 상태이다. 원기(元气)는 자(子)에서부터 시작되는데, 자(子)는 사람이 생겨나는 모습이기 때문이다(人所生也). 남자는 왼쪽으로 30차를 가고(男左行三十), 여자는 오른쪽으로 20차를 가서(女右行二十), 함께 사(巳)자리에 위치하기 때문에, 부부(夫婦)가 된다. 사(巳)에서 회임하게 되고, 사(巳)가 자(子)가 되는데, 10개월이 지나면 태어난다. 남자는 사(巳)에서부터 인(寅)에 이르고, 여자는 사(巳)에서부터 신(申)에 이른다. 그래서 남자의 나이는 인(寅)에서부터 시작되고, 여자의 나이는 신(申)에서부터 시작된다.[83] 포(包)부수에 귀속된 글자들은 모두 포(包)가 의미부이다. 독음은 포(布)와 교(交)의 반절이다.

**5787**

: 胞: **태보 포**: 肉–**총9획**: bāo

---

83) 고문자에서 簡牘文 등으로 그렸다. 巳(여섯째 지지 사)가 의미부고 勹(쌀 포)가 소리부로, 아직 팔이 생기지 않은 아이(巳·사)가 뱃속에서 어미의 몸에 둘러싸인 모습이다. 包가 '싸다'는 의미로 쓰이자 원래 뜻은 肉(고기 육)을 더한 胞(태보 포)로 만들어 분화했다.

原文

: 兒生裹也. 从肉从包. 匹交切.

飜譯

‘아이가 태어날 때 감싸고 있던 태보(兒生裹)’를 말한다. 육(肉)이 의미부이고 포(包)도 의미부이다. 독음은 필(匹)과 교(交)의 반절이다.

**5788**

: 匏: **박 포**: 勹-**총11획**: páo

原文

: 瓠也. 从包, 从夸聲. 包, 取其可包藏物也. 薄交切.

飜譯

‘표주박(瓠)’을 말한다. 포(包)가 의미부이고 과(夸)가 소리부이다. 포(包)는 물건을 쌀 수 있는 물건이라는 의미이다. 독음은 박(薄)과 교(交)의 반절이다.

## 제345부수
## 345 ■ 구(茍)부수

**5789**

茍: 茍: **빠를 극**: 艸-총9획: jì

原文

茍: 自急敕也. 从羊省, 从包省. 从口, 口猶愼言也. 从羊, 羊與義、善、美同意. 凡茍之屬皆从茍. , 古文羊不省. 己力切.

飜譯

'자신 스스로 재빠르게 자신을 경계하다(自急敕)'라는 뜻이다. 양(羊)의 생략된 모습이 의미부이고, 포(包)의 생략된 부분도 의미부이다. 구(口)도 의미부인데, 구(口)는 말을 삼가다(愼言)라는 뜻이다. 양(羊)으로 구성된 것은, 의(義)와 선(善)과 미(美)자에서 양(羊)이 갖는 의미와 같다.[84] 극(茍)부수에 귀속된 글자들은 모두 극(茍)이 의미부이다. 극()은 고문체인데, 양(羊)이 생략되지 않은 모습이다. 독음은 기(己)와 력(力)의 반절이다.

**5790**

敬: 敬: **공경할 경**: 攴-총13획: jìng

---

84) 고문자에서 古陶文 簡牘文 등으로 그렸다. 艸(풀 초)가 의미부이고 句(글귀 구)가 소리부로, 『설문해자』에서 풀(艸)의 이름이라고 했다. 하지만, 갑골문에서는 양을 토템으로 삼던 중국 서북쪽의 羌族(강족)이 꿇어앉은 모습을 그려, 은나라의 강력한 적이었던 그들이 '진정으로' 굴복하는 모습을 그렸고, 이로부터 진실하다, 구차하다 등의 뜻이 나온 것으로 추정된다. 또 '정말로…하다면'의 의미를 나타내는 문법소로도 쓰인다. 의(義), 선(善), 미(美)자에서 이들 글자를 구성하고 있는 양(羊)은 때로는 정의의 상징으로, 때로는 인류를 먹여 살리는 유용한 동물로 기능하여 대단히 좋다는 뜻으로 기능하고 있다. 자세한 것은 의(義), 선(善), 미(美)자의 주석을 참조하라.

原文

敬: 肅也. 从攴、茍. 居慶切.

譯譯

'엄숙하다(肅)'라는 뜻이다. 복(攴)과 극(茍)이 모두 의미부이다.85) 독음은 거(居)와 경(慶)의 반절이다.



85) 고문자에서 甲骨文 金文 古陶文 簡牘文 帛書 古璽文 등으로 그렸다. 갑골문에서 茍(진실로 구)로 썼으나 금문에 들면서 손에 몽둥이를 든 모습인 攵(칠 복)을 더하여 지금의 자형이 되었다. 茍는 머리에 羊(양 양)이 그려진 꿇어앉은 사람을 그렸는데, 羊은 양을 토템으로 삼던 고대 중국의 서북쪽의 羌族(강족)을 뜻하고, 꿇어앉은 사람은 포로가 되었다는 것을 상징한다. 羌族은 갑골문 시대 때 商族(상족)과 가장 치열하게 싸웠고 위협이 되었던 강력한 적대 민족이었다. 전쟁에서 져 포로로 붙잡혀 꿇어앉은 羌族에게 商族은 '진실하고' '공경하는' 마음으로 복종하길 요구했을 것이다. 그것이 잘 지켜지지 않았던지 攵을 더하여 매를 들어 강제로 굴복시키는 모습을 강조했다. 이후 敬은 자신의 마음속에 들어 있는 여러 욕망을 억제하여 언제나 敬虔(경건)한 자세를 가지게 하는 정신을 말하는 철학적인 용어로 변했다.

## 제346부수
## 346 ■ 귀(鬼)부수

**5791**

鬼: 鬼: **귀신 귀**: 鬼-**총10획**: **guǐ**

原文

鬼: 人所歸爲鬼. 从人, 象鬼頭. 鬼陰气賊害, 从厶. 凡鬼之屬皆从鬼. 䰟, 古文从示. 居偉切.

飜譯

'사람이 죽으면 돌아가 귀신이 된다(人所歸爲鬼).' 인(人)이 의미부이고, 귀신의 머리(鬼頭)를 그렸다. 귀신의 음기(鬼陰气)는 사람을 해치므로, 사(厶)가 의미부가 되었다.86) 귀(鬼)부수에 귀속된 글자들은 모두 귀(鬼)가 의미부이다. 귀(䰟)는 고문체인데, 시(示)로 구성되었다. 독음은 거(居)와 위(偉)의 반절이다.

**5792**

魋: 魋: **귀신 신**: 鬼-**총15획**: **shén, shēn**

---

86) 고문자에서 [고문자 자형] 甲骨文 [고문자 자형] 金文 [고문자 자형] 盟書 [고문자 자형] 簡牘文 등으로 그렸다. 원래 얼굴에 커다란 가면을 쓴 사람을 그린 글자다. 곰 가죽에다 눈이 네 개 달린 커다란 쇠 가면을 덮어쓴『주례』에 등장하는 方相氏(방상시)의 모습처럼, 鬼는 역병이나 재앙이 들었을 때 이를 몰아내는 사람의 모습에서 형상을 가져왔다. 그래서 鬼는 두 가지 의미를 동시에 가진다. 첫째는 재앙이나 역병과 관련된 부정적 의미가 하나요, 둘째는 인간이 두려워하고 무서워해야 할 인간보다 위대한 어떤 존재를 칭하는 의미이다. 고대 한자에서 여기에다 제단(示·시)을 더한 모습은 후자의 의미로 '鬼神(귀신)'이 제사의 대상임을 나타내었고, 攴(칠 복)이나 戈(창 과)를 더해 내몰아야 하는 대상이라는 전자의 의미를 표현하기도 했다. 그래서 鬼는 '귀신'과 관련된 의미가 있는데, 귀신은 단지 몰아내어야만 하는 존재이기도 했지만, 동시에 인간이 두려워해야 할 위대한 존재이기도 했으며, 그래서 嵬(높을 외)에서처럼 '높다'는 뜻을 가진다. 아울러 인간의 조상으로 섬겨야 할 대상, 제사의 대상이기도 했다.

原文

䰠: 神也. 从鬼申聲. 食鄰切.

飜譯

'귀신(神)'을 말한다. 귀(鬼)가 의미부이고 신(申)이 소리부이다. 독음은 식(食)과 린(鄰)의 반절이다.

**5793**

**魂: 魂: 넋 혼: 鬼-총14획: hún**

原文

魂: 陽气也. 从鬼云聲. 戶昆切.

飜譯

'양의 기운(陽气)'을 말한다. 귀(鬼)가 의미부이고 운(云)이 소리부이다.[87] 독음은 호(戶)와 곤(昆)의 반절이다.

**5794**

**魄: 魄: 넋 백: 鬼-총15획: pò**

原文

魄: 陰神也. 从鬼白聲. 普百切.

飜譯

'음의 귀신(陰神)'을 말한다. 귀(鬼)가 의미부이고 백(白)이 소리부이다.[88] 독음은 보

87) 鬼(귀신 귀)가 의미부고 白(흰 백)이 소리부로, 사람이 죽어서 되는 귀신(鬼)의 일종으로 '넋'을 말하는데, 『설문해자』에서는 "양기는 魂(넋 혼)이 되고 음기는 魄이 된다"라고 했다.

88) 鬼(귀신 귀)가 의미부고 云(이를 운)이 소리부로, 넋을 말하는데, 사람이 죽어 귀신(鬼)이 되어 하늘로 올라간다(云)는 뜻을 담았다. 魄(넋 백)도 '넋'을 말하지만, 魂보다 뒤에 등장한 글자이다. 고대 중국인들은 육체에서 영혼(魂)이 분리되면 죽게 되며, 분리된 영혼은 땅속에 머문다고 생각했다. 이후 天神(천신)과 地神(지신)의 개념이 형성되면서 魂은 천신에 대응되고 지신에 대응할 魄이 만들어졌고, 이렇게 魂과 魄이 분리되어 魂은 정신을 魄은 육체를 담당

(普)와 백(百)의 반절이다.

**5795**

**䰡: 魅: 역신 치: 鬼-총15획: chì**

原文

䰡: 厲鬼也. 从鬼失聲. 丑利切.

譯註

'대단히 센 귀신(厲鬼)'을 말한다. 귀(鬼)가 의미부이고 실(失)이 소리부이다. 독음은 축(丑)과 리(利)의 반절이다.

**5796**

**䰰: 魖: 역귀 허: 鬼-총22획: xū**

原文

䰰: 耗神也. 从鬼虛聲. 朽居切.

譯註

'[재물을] 소모시키는 귀신(耗神)'을 말한다. 귀(鬼)가 의미부이고 허(虛)가 소리부이다. 독음은 후(朽)와 거(居)의 반절이다.

**5797**

**魃: 魃: 가물귀신 발: 鬼-총15획: bá**

原文

魃: 旱鬼也. 从鬼犮聲. 『周禮』有赤魃氏, 除牆屋之物也. 『詩』曰: "旱魃爲虐." 蒲撥切.

---

하는 존재로 여겨졌다. 사람이 죽으면 魂은 하늘로 올라가고 魄은 땅으로 내려가게 되고, 하늘로 올라가는 魂을 神으로 일컫고, 땅으로 돌아가는 魄을 鬼라 부르기도 했다.

飜譯

'가뭄을 들게 하는 귀신(旱鬼)'을 말한다. 귀(鬼)가 의미부이고 발(犮)이 소리부이다. 『주례』에 적발시(赤魃氏)가 있는데, 담이나 집 안의 귀신을 없애는 일을 한다(除牆屋之物). 『시·대아·운한(雲漢)』에서 "가뭄 귀신 날뛰네(旱魃爲虐)"라고 노래했다. 독음은 포(蒲)와 발(撥)의 반절이다.

**5798**

**鬽: 鬽: 도깨비 매: 鬼-총13획: mèi**

原文

鬽: 老精物也. 从鬼、彡. 彡, 鬼毛. 魅, 或从未聲. [illegible], 古文. [illegible], 籒文从彖首, 从尾省聲. 密祕切.

飜譯

'오래된 요물(老精物)'을 말한다. 귀(鬼)와 삼(彡)이 모두 의미부인데, 삼(彡)은 귀신의 털(鬼毛)을 뜻한다.89) 매(魅)는 혹체자인데, 미(未)가 소리부이다. 매([illegible])는 고문체이다. 매([illegible])는 주문체인데, 단(彖)의 머리 부분이 의미부이고 미(尾)의 생략된 부분이 소리부이다. 독음은 밀(密)와 비(祕)의 반절이다.

**5799**

**鬾: 鬾: 아이 귀신 기: 鬼-총14획: jì**

原文

鬾: 鬼服也. 一曰小兒鬼. 从鬼支聲. 『韓詩傳』曰: "鄭交甫逢二女, 鬾服." 奇寄切.

飜譯

'귀신의 옷(鬼服)'을 말한다. 일설에는 '애기귀신(小兒鬼)'을 말한다고도 한다. 귀(鬼)

---

89) 고문자에서 [illegible] 甲骨文 등으로 그렸다. 鬼(귀신 귀)가 의미부고 未(아닐 미)가 소리부로, 도깨비를 말하는데, 鬽(도깨비 매)와 같은 글자이며, 아직 귀신(鬼) 반열에 들지 못한(未) 존재라는 뜻을 담았다.

가 의미부이고 지(支)가 소리부이다. 『한시전(韓詩傳)』(「내전」)에서 “정교보(鄭交甫)가 두 여인을 만났는데(逢二女), 귀신의 옷을 입고 있었다(鬾服).”라고 했다.[90] 독음은 기(奇)와 기(寄)의 반절이다.

**5800**

**䰧: 䰧: 귀신 이름 호: 鬼-총18획: hū**

原文

䰧: 鬼皃. 从鬼虎聲. 虎烏切.

飜譯

‘귀신같은 모습(鬼皃)’을 말한다. 귀(鬼)가 의미부이고 호(虎)가 소리부이다. 독음은 호(虎)와 오(烏)의 반절이다.

**5801**

**魕: 魕: 남쪽 귀신 기: 鬼-총22획: qí**

原文

魕: 鬼俗也. 从鬼幾聲. 『淮南傳』曰: “吳人鬼, 越人魕.” 居衣切.

飜譯

‘귀신을 숭상하는 풍속(鬼俗)’을 말한다. 귀(鬼)가 의미부이고 기(幾)가 소리부이다. 『회남전(淮南傳)』(즉 『회남홍렬(淮南鴻烈)·인간훈(人間訓)』)에서 “오나라 사람들은 ‘귀’를 숭상하고, 월나라 사람들은 기(魕)를 숭상한다(吳人鬼, 越人魕).”라고 했다. 독음은 거(居)와 의(衣)의 반절이다.

---

90) 정교보(鄭交甫)는 주(周)나라 때의 사람으로, 초나라로 가는 길에 한수(漢江)에서 노니는 두 여인을 만나 그들이 찬 패옥을 달라고 했는데 그들이 신인인줄 몰랐다는 이야기가 한(漢)나라 유향(劉向)의 『열녀전(列仙傳)』에 전한다.

5802

**䰭: 䰭: 귀신이 우는 소리 유: 鬼-총24획: rú**

原文

䰭: 鬼彪聲, 䰭䰭不止也. 从鬼需聲. 奴豆切.

飜譯

'귀신이나 도깨비가 우는 소리(鬼彪聲)를 말하는데, 그 울음소리가 그치지 않음(䰭䰭不止)'을 말한다. 귀(鬼)가 의미부이고 수(需)가 소리부이다. 독음은 노(奴)와 두(豆)의 반절이다.

5803

**魤: 魤: 둔갑할 화: 鬼-총14획: huà**

原文

魤: 鬼變也. 从鬼化聲. 呼駕切.

飜譯

'귀신이 변신을 하다(鬼變)'라는 뜻이다. 귀(鬼)가 의미부이고 화(化)가 소리부이다. 독음은 호(呼)와 가(駕)의 반절이다.

5804

**䰙: 䰙: 귀신을 보고 놀라는 말 나: 鬼-총24획: nuó**

原文

䰙: 見鬼驚詞. 从鬼, 難省聲. 讀若『詩』"受福不儺". 諾何切.

飜譯

'귀신을 보고 놀라는 소리(見鬼驚詞)'를 말한다. 귀(鬼)가 의미부이고, 난(難)의 생략된 모습이 소리부이다. 『시·소아상호(桑扈)』에서 노래한 "수복불나(受福不儺: 받으시는 복도 매우 많으시네)"의 나(儺)와 같이 읽는다.[91] 독음은 낙(諾)과 하(何)의 반절이다.

**5805**

**𩴰: 䰉: 귀신 모양 빈: 鬼-총24획: bīn**

原文

𩴰: 鬼皃. 从鬼賓聲. 符眞切.

飜譯

'귀신같은 모습(鬼皃)'을 말한다. 귀(鬼)가 의미부이고 빈(賓)이 소리부이다. 독음은 부(符)와 진(眞)의 반절이다.

**5806**

**醜: 醜: 추할 추: 酉-총17획: chǒu**

原文

醜: 可惡也. 从鬼酉聲. 昌九切.

飜譯

'정말 추하다(可惡)'라는 뜻이다. 귀(鬼)가 의미부이고 유(酉)가 소리부이다.[92] 독음은 창(昌)과 구(九)의 반절이다.

**5807**

**魋: 魋: 사람 이름 퇴·북상투 추: 鬼-총18획: tuí**

原文

魋: 神獸也. 从鬼隹聲. 杜回切.

---

91) 금본에서는 나(儺)가 나(那)로 되었다.

92) 고문자에서 [古文字] 古陶文 [古文字] 簡牘文 등으로 썼다. 鬼(귀신 귀)가 의미부고 酉(닭 유)가 소리부로, 악귀를 쫓고자 가면을 쓴 모습(鬼)에서 '흉측하고 추악함'을 그렸다. 간화자에서는 丑(소 축)에 통합되었다.

飜譯

'신령스런 짐승(神獸)'을 말한다. 귀(鬼)가 의미부이고 추(隹)가 소리부이다. 독음은 두(杜)와 회(回)의 반절이다.

5808

**魑: 魑: 도깨비 리: 鬼-총21획: lí**

原文

魑: 鬼屬. 从鬼从离, 离亦聲. 丑知切.

飜譯

'귀신이 일종(鬼屬)[도깨비]'이다. 귀(鬼)가 의미부이고 리(离)도 의미부인데, 리(离)는 소리부도 겸한다. 독음은 축(丑)과 지(知)의 반절이다.



5809

**魔: 魔: 마귀 마: 鬼-총21획: mó**

原文

魔: 鬼也. 从鬼麻聲. 莫波切.

飜譯

'귀신(鬼)'을 말한다. 귀(鬼)가 의미부이고 마(麻)가 소리부이다. 독음은 막(莫)과 파(波)의 반절이다.

5810

**魘: 魘: 가위눌릴 염: 鬼-총24획: yàn**

原文

魘: 寢驚也. 从鬼厭聲. 於琰切.

飜譯

'꿈에서 놀라다(寱驚)'라는 뜻이다. 귀(鬼)가 의미부이고 염(猒)이 소리부이다. 독음은 어(於)와 염(琰=琰)의 반절이다.

# 제347부수
## 347 ■ 불(甶)부수



**5811**

**甶:** 甶: **귀신 머리 불**: 田-**총6획**: **fú**

原文

甶: 鬼頭也. 象形. 凡甶之屬皆从甶. 敷勿切.

飜譯

'귀신의 머리(鬼頭)'를 말한다. 상형이다. 불(甶)부수에 귀속된 글자들은 모두 불(甶)이 의미부이다. 독음은 부(敷)와 물(勿)의 반절이다.

**5812**

**畏:** 畏: **두려워할 외**: 田-**총9획**: **wèi**

原文

畏: 惡也. 从甶, 虎省. 鬼頭而虎爪, 可畏也. 㽇, 古文省. 於胃切.

飜譯

'싫어하다(惡)'라는 뜻이다. 불(甶)과 호(虎)의 생략된 모습이 모두 의미부이다. 귀신의 머리(鬼頭)와 호랑이의 발톱(虎爪)은 두려워할만한 것이다(可畏)라는 뜻이다.93) 외(㽇)는 고문체인데, 생략된 모습이다. 독음은 어(於)와 위(胃)의 반절이다.

---

93) 고문자에서 金文 古陶文 簡牘文 石刻古文 등으로 그렸다. 갑골문에서 얼굴에 커다란 가면을 쓴 사람(鬼)이 손에 창과 같은 무기를 든 모습을 그렸는데, 자형이 변해 지금처럼 되었다. 무서운 형상을 한 귀신(鬼)이 손에 무기까지 들고 있으니 더더욱 공포감과 무서움을 더해 주었을 것이고, 이로부터 '두려워하다', 敬畏(경외)하다 등의 뜻이 나왔다. 달리 두려움의 심리적 상태를 강조하기 위해 心(마음 심)을 더한 愄(맘 착할 외)로 쓰기도 한다.

**5813**

**禺: 禺: 긴 꼬리 원숭이 우: 禸-총9획: yú**

原文

禺: 母猴屬. 頭似鬼. 从甶从禸. 牛具切.

飜譯

‘어미 원숭이의 일종(母猴屬)’이다. 머리가 귀신을 닮았다. 불(甶)이 의미부이고 유(禸)도 의미부이다.[94] 독음은 우(牛)와 구(具)의 반절이다.

---

94) 고문자에서 金文 古陶文 盟書 簡牘文 石刻古文 등으로 그렸다. 꼬리가 긴 원숭이를 그렸는데, 『설문해자』에서는 “머리가 귀신(鬼·귀)을 닮았다”라고 했다. 이로부터 원숭이, 이상한 모습의 존재, 귀신 등을 뜻하게 되었다.

## 第348부수
## 348 ■ 사(厶)부수

**5814**

**ㅿ: 厶: 사사 사: 厶-총2획: sī**

原文

ㅿ: 姦衺也. 韓非曰: "蒼頡作字, 自營爲厶." 凡厶之屬皆从厶. 息夷切.

飜譯

'간사하고 사특하다(姦衺)'라는 뜻이다. 한비(韓非)에 의하면, "창힐이 글자를 만들 당시(蒼頡作字), 스스로 둘러 싼 모습(自營)을 사(厶)라고 했다."라고 한다.95) 사(厶)부수에 귀속된 글자들은 모두 사(厶)가 의미부이다. 독음은 식(息)과 이(夷)의 반절이다.



**5815**

**篡: 簒: 빼앗을 찬: 竹-총17획: cuàn**

原文

篡: 屰而奪取曰簒. 从厶算聲. 初官切.

飜譯

'사리를 거슬러 [자리를] 빼앗는 것(屰而奪取)을 찬(簒)이라 한다.' 사(厶)가 의미부이고 산(算)이 소리부이다.96) 독음은 초(初)와 관(官)의 반절이다.

---

95) 한자의 어원 해석 대상이 되었던 최초의 글자 중의 하나로, 『설문해자』 이전 『韓非子(한비자)』에서 "창힐이 글자를 만들 때, 스스로 테두리를 지우는 것을 사사로움(私·사, 厶의 분화자)이라 하고, 사사로움에 반대되는 것이 公(공변될 공)이다."라고 풀이했다. 厶는 갑골문에서는 아직 보이지 않고, 『설문해자』에서는 테두리가 지어진 모습을 그렸다. 하지만, 여기서 파생한 公은 이미 갑골문에서부터 등장하여 八(여덟 팔)과 厶로 구성되었는데, 사사로움(厶)을 없애 우리와 남, 안과 밖의 경계를 허문다(八)는 뜻을 담았다.

96) 厶(사사로울 사)가 의미부고 算(셀 산)이 소리부로, 사적인(厶, 私의 원래 글자) 속셈(算)으로

**5816**

**羑: 𦍔: 꾈 유: 厶-총11획: yòu**

原文

羑: 相誘呼也. 从厶从羑. 䛻, 或从言、秀. 䜈, 或如此. 𦍒, 古文. 臣鉉等案: 羊部有羑. 羑, 進善也. 此古文重出. 與久切.

飜譯

'서로 유혹하고 불러내다(相誘呼)'라는 뜻이다. 사(厶)가 의미부이고 유(羑)도 의미부이다. 유(䛻)는 혹체자인데, 언(言)과 수(秀)로 구성되었다. 유(䜈)는 혹체자인데 이렇게 쓴다. 유(𦍒)는 고문체이다. 신(臣) 서현 등은 이렇게 생각합니다. "양(羊)부수에 유(羑)자가 있는데, 유(羑)는 고기를 드리다(進善)는 뜻이라고 했습니다. 이의 고문체인데, 중복 출현하였습니다." 독음은 여(與)와 구(久)의 반절이다.

---

자리 등을 빼앗는 것을 말하며, 이로부터 簒奪(찬탈)하다는 뜻이 나왔다. 간화자에서는 厶에서 변한 幺(작을 요)를 厶로 줄인 簒으로 쓴다.

## 제349부수
## 349 ■ 외(嵬)부수



**5817**

嵬: 嵬: **높을 외**: 山–총13획: wéi

原文

嵬: 高不平也. 从山鬼聲. 凡嵬之屬皆从嵬. 五灰切.

飜譯

'높고 평평하지 않다(高不平)'라는 뜻이다.97) 산(山)이 의미부이고 귀(鬼)가 소리부이다.98) 외(嵬)부수에 귀속된 글자들은 모두 외(嵬)가 의미부이다. 독음은 오(五)와 회(灰)의 반절이다.

**5818**

巍: 巍: **높을 외·위**: 山–총21획: wēi

原文

巍: 高也. 从嵬委聲. 牛威切.

飜譯

'높다(高)'라는 뜻이다. 외(嵬)가 의미부이고 위(委)가 소리부이다.99) 독음은 우(牛)와 위(威)의 반절이다.

---

97) 『단주』에서는 「남도부(南都賦)」의 이선 주석에 근거해 산석최외(山石崔嵬)라 하여 산석(山石)을 추가하였다.

98) 고문자에서 古陶文 簡牘文 등으로 그렸다. 山(뫼 산)이 의미부고 鬼(귀신 귀)가 소리부로, '높다'는 뜻인데, 가면을 둘러쓰고 무서운 모습을 한 채 사람 앞에 우뚝 선(鬼)것처럼 높은 산(山)이라는 뜻을 담았다. 이후 소리부인 委(맡길 위)를 더해 巍(높을 외)가 되었는데, 구조도 형성구조로 변했다.

99) 嵬(높을 외)가 의미부고 委(맡길 위)가 소리부로, 우뚝 솟은 높은 산(嵬)을 말했는데, 이후 나라 이름과 성씨 등으로 쓰이게 되었다.

# 제9권

## (하)

## 제350부수
## 350 ■ 산(山)부수

**5819**

**山: 山: 뫼 산: 山-총3획: shān**

原文

山: 宣也. 宣气散, 生萬物, 有石而高. 象形. 凡山之屬皆从山. 所閒切.

飜譯

'선(宣)과 같아 베풀다'라는 뜻이다. 기운을 발산하여 퍼져나가게 하고, 만물을 자라게 하며, 돌이 있어 높은 모양이다(宣气散, 生萬物, 有石而高). 상형이다.[100] 산(山)부수에 귀속된 글자들은 모두 산(山)이 의미부이다. 독음은 소(所)와 한(閒)의 반절이다.

**5820**

**嶽: 嶽: 큰 산 악: 山-총17획: yuè**

原文

嶽: 東, 岱; 南, 靃; 西, 華; 北, 恆; 中, 泰室. 王者之所以巡狩所至. 从山獄聲. 𡶳, 古文象高形. 五角切.

---

100) 고문자에서 甲骨文 金文 古陶文 簡牘文 古璽文 등으로 그렸다. 갑골문에서부터 세 개의 산봉우리를 그려 연이어진 '산'의 모습을 그려냈다. 산 뒤로 다시 산이 연이어진 모습을 그린 것이 岳(큰 산 악)이다. 岳은 달리 嶽(큰 산 악)으로도 쓰는데, 감옥(獄· 옥)처럼 사방이 빙 둘러쳐진 높은 산이라는 뜻을 담았다. 山으로 구성된 글자는 嵩(높을 숭)에서처럼 '산'을 직접 지칭하기도 하고, 『설문해자』의 말처럼 '돌이 있으면서 높은 것'이 岩(바위 암)이기에 암석과 높고 큰 것의 상징이기도 하다. 또 산은 산등성이와 고개, 깎아지른 절벽과 골짜기 등으로 이루어지고, 그를 따라 물길이 흐르며 길도 만들어지기에, 고개, 골짜기, 길 등의 뜻도 가진다.

飜譯

‘동쪽의 대표 산으로는 대악(岱嶽)이, 남쪽의 대표 산으로는 확악(靃嶽)이, 서쪽의 대표 산으로는 화악(華嶽)이, 북쪽의 대표 산으로는 항악(恆嶽)이, 중간의 대표 산으로는 태실악(泰室嶽)이 있다. 왕이 된 자가 순행을 할 때 이르는 곳이다.’ 산(山)이 의미부이고 옥(獄)이 소리부이다.[101] 악(𡶳)은 고문체인데, 높이 솟은 모습을 형상했다. 독음은 오(五)와 각(角)의 반절이다.

**5821**

**: 岱: 대산 대: 山-총8획: dài**

原文

: 太山也. 从山代聲. 徒耐切.

飜譯

‘태산(太山)’을 말한다. 산(山)이 의미부이고 대(代)가 소리부이다. 독음은 도(徒)와 내(耐)의 반절이다.

**5822**

**: 島: 섬 도: 山-총14획: dǎo**

原文

: 海中往往有山可依止, 曰島. 从山鳥聲. 讀若『詩』曰“蔦與女蘿”. 都皓切.

---

101) 고문자에서 甲骨文 등으로 그렸다. 갑골문에서 산이 겹겹이 중첩된 모습으로부터 ‘큰 산’을 그렸는데, 이후 丘(언덕 구)와 山(뫼 산)의 결합으로 바뀌어 지금의 자형이 되었다. 이후 다시 丘 대신 소리부인 獄(옥 옥)을 더해 嶽을 만들기도 했다. 四嶽(사악)이나 五嶽(오악)과 같이 천하의 명산을 말했으며, 이후 높은 산을 지칭하기도 했다. 또 사방의 신에게 드리는 제사를 주관하는 관직의 이름으로도 쓰였다. 현대 중국에서는 嶽의 간화자로도 쓰인다. 또 嶽(岳, 𡶳)은 山(뫼 산)이 의미부고 獄(옥 옥)이 소리부로, 岳과 같은 글자이며, 감옥(獄)처럼 겹겹이 중첩된 큰 산(山)을 말한다. 간화자에서는 丘(언덕 구)와 山(뫼 산)의 결합인 岳(큰 산 악)으로 쓴다.

譯譯

'바다 가운데 종종 산이 있는데 [새들이] 쉴 수 있는 곳(海中往往有山可依止)을 도(島)라고 한다.' 산(山)이 의미부이고 조(鳥)가 소리부이다.[102] 『시·소아·규변(頍弁)』에서 노래한 "조여여라(蔦與女蘿: 겨우살이와 댕댕이 덩굴)"의 조(蔦)와 같이 읽는다. 독음은 도(都)와 호(皓)의 반절이다.

**5823**

**峱: 峱: 산 이름 노: 山-총10획: nāo**

原文

峱: 山, 在齊地. 从山狃聲. 『詩』曰: "遭我于峱之間兮." 奴刀切.

譯譯

'산 이름(山)[노산]'인데, 제(齊) 땅에 있다. 산(山)이 의미부이고 뉴(狃)가 소리부이다. 『시·제풍·환(還)』에서 "나와 노산 남쪽 기슭에서 만나(遭我于峱之間兮)"라고 노래했다. 독음은 노(奴)와 도(刀)의 반절이다.

**5824**

**嶧: 嶧: 산 이름 역: 山-총16획: yì**

原文

嶧: 葛嶧山, 在東海下邳. 从山睪聲. 『夏書』曰: "嶧陽孤桐." 羊益切.

譯譯

'갈역산(葛嶧山)'을 말하는데, 동해(東海)의 하비(下邳)에 있다. 산(山)이 의미부이고 역(睪)이 소리부이다. 『서·하서(夏書)·우공(禹貢)』에서 "[서주(徐州)에서는] 역산의 남쪽

---

102) 山(뫼 산)이 의미부이고 鳥(새 조)의 생략된 모습이 소리부로, 바다 위에 솟은 돌산(山) 위에 갈매기 등 새(鳥)들이 앉은 모습으로부터 그곳이 '섬'임을 나타냈다. 『설문해자』에서는 생략되지 않은 형태의 島로 썼으며, 달리 좌우구조로 된 嶋(섬 도)나 山 대신 阜(언덕 부)가 들어간 隝(섬 도)로 쓰기도 한다. 간화자에서는 岛로 줄여 쓴다.

에서 외로이 자란 오동나무[가 나고 사수(泗水) 가에서는 흙속에 떠 있는 것 같은 경석(磬石)이 난다](嶧陽孤桐)"라고 했다. 독음은 양(羊)과 익(益)의 반절이다.

**5825**

**嵎: 嵎: 산모롱이 우: 山-총12획: yú**

原文

嵎: 封嵎之山, 在吳楚之閒, 汪芒之國. 从山禺聲. 噳俱切.

飜譯

'봉우산(封嵎之山)'을 말하는데, 오(吳)와 초(楚)103) 사이에 있으며, 왕망(汪芒)씨104)의 봉지가 있던 곳이다. 산(山)이 의미부이고 우(禺)가 소리부이다. 독음은 우(噳)와 구(俱)의 반절이다.

**5826**

**嶷: 嶷: 숙성할 억·산 이름 의: 山-총17획: yī**

原文

嶷: 九嶷山, 舜所葬, 在零陵營道. 从山疑聲. 語其切.

飜譯

'구의산(九嶷山)'을 말하는데, 순(舜) 임금을 장사지낸 곳이며, 영릉(零陵)군 영도(營道)현에 있다.105) 산(山)이 의미부이고 의(疑)가 소리부이다. 독음은 어(語)와 기(其)

103) 주준성의 『통훈정성』에 의하면 초(楚)가 아닌 월(越)이 되어야 한다고 했다.

104) 왕망(汪芒)은 중국 고대의 성씨(姓氏)이자 옛날 나라 이름이다. 지금의 절강성 덕청(德清) 무강진(武康镇)에 있었다고 한다.

105) 『단주』에서 이렇게 말했다. "『해내경(海內經)에서 남방에 창오산과 창오 연못이 있고, 그 속에 구의산이 있는데 순임금을 장사지낸 곳이다. 장사와 영릉의 경계 가운데 있다.(南方蒼梧之丘, 蒼梧之淵, 其中有九嶷山, 舜之所葬. 在長沙零陵畍中.)라고 했다. 곽박은 이에 주석을 달아, 구의산은 지금의 영릉의 영도현 남쪽에 있다. 그 산에는 9개의 계곡이 있는데 모두 서로 엇비슷했다. 그래서 구의(九疑)라고 이름 붙였다. 옛날에는 그 땅을 총칭하여 창오라고 했는데, 영릉(零陵)의 영도(營道)에 있었다. 산은 오늘날 호남성 영주부의 영원현 남쪽 60리 되는

의 반절이다.

**5827**

**[illegible]: [illegible]: 산 이름 민: 山-총15획: mín**

原文

[illegible]: 山, 在蜀湔氐西徼外. 从山敃聲. 武巾切.

飜譯

'산 이름(山)[민산]'인데, 촉(蜀)군의 전저(湔氐)현106) 서쪽 교외에 있다. 산(山)이 의미부이고 민(敃)이 소리부이다. 독음은 무(武)와 건(巾)의 반절이다.

**5828**

**[illegible]: [illegible]: 산 이름 궤: 山-총5획: jǐ**

原文

[illegible]: 山也. 或曰弱水之所出. 从山几聲. 居履切.

飜譯

'산 이름(山)[궤산]'이다. 혹자는 약수(弱水)의 발원지라고도 한다. 산(山)이 의미부이고 궤(几)가 소리부이다. 독음은 거(居)와 리(履)의 반절이다.

---

곳과 계양주의 남산현 서남쪽 50리 되는 곳에 있다.(山今在零陵營道縣南. 其山九溪皆相似, 故云九疑. 古者總名其地爲蒼梧也, 在零陵營道. 山在今湖南永州府寧遠縣南六十里、桂陽州藍山縣西南五十里.)" 이처럼 달리 창오(蒼梧)산이라고도 하며, 지금의 호남성 영원(寧遠)현 남쪽에 있다.

106) 전저도(湔氐道)는 고대 지명으로 오늘날 사천성 민산(岷山) 동쪽의 민강(岷江) 발원지인 송번(松潘)현이다. 진(秦) 효문왕(孝文王) 때 이빙(李冰)이 촉(蜀)의 태수가 되어(B.C. 256~B.C. 250) 치수사업을 할 때 "전저도까지 이르렀다(乃至湔氐)"고 했으며, 물길을 따라 세 곳에 사당을 세웠고, 이후 전저도(湔氐道)를 설치했다. 한나라 때에는 촉군(蜀郡)(치소는 지금의 사천성 성도에 있었다)에 소속되어 13개 저도(氐道)의 하나가 되었다. 진한 때에는 이민족이 사는 현을 도(道)라고 했는데 이곳은 전저(湔氐)족들이 사는 곳이었다. 한나라 이후에는 저강(氐羌)족들이 살았다. 한나라 혜제(惠帝) 3년(B.C. 192) 전저족들이 거병하여 한나라와 대항하였다. 촉한(蜀漢) 때에 저도현(氐道縣)으로, 진(晉)나라 때에는 승천현(升遷縣)으로 바뀌었다.

**5829**

**巀:** 巀: **산 높고 가파를 찰**: 山-총18획: jié

原文

巀: 巀嶭山, 在馮翊池陽. 从山截聲. 才葛切.

飜譯

'찰알산(巀嶭山)'을 말하는데, 풍익(馮翊)군 지양(池陽)현에 있다. 산(山)이 의미부이고 절(截)이 소리부이다. 독음은 재(才)와 갈(葛)의 반절이다.

**5830**

**嶭:** 嶭: **가파를 알**: 山-총19획: niè

原文

嶭: 巀嶭山也. 从山辥聲. 五葛切.

飜譯

'찰알산(巀嶭山)'을 말한다. 산(山)이 의미부이고 설(辥)이 소리부이다. 독음은 오(五)와 갈(葛)의 반절이다.

**5831**

**崋:** 崋: **산 이름 화**: 山-총14획: huà

原文

崋: 山, 在弘農華陰. 从山, 華省聲. 胡化切.

飜譯

'산 이름(山)[화산]'인데, 홍농(弘農)군 화음(華陰)현에 있다. 산(山)이 의미부이고, 화(華)의 생략된 모습이 소리부이다. 독음은 호(胡)와 화(化)의 반절이다.

**5832**

**崞:** 崞: **산 이름 곽**: 山-**총11획: guō**

原文

崞: 山, 在鴈門. 从山𩫏聲. 古博切.

飜譯

'산 이름(山)[곽산]'인데, 안문(鴈門)군에 있다. 산(山)이 의미부이고 곽(𩫏)이 소리부이다. 독음은 고(古)와 박(博)의 반절이다.

**5833**

**崵:** 崵: **먼 산 양**: 山-**총12획: yáng**

原文

崵: 崵山, 在遼西. 从山昜聲. 一曰嵎鐵崵谷也. 與章切.

飜譯

'양산(崵山)'을 말하는데, 요서(遼西) 지역에 있다.[107] 산(山)이 의미부이고 양(昜)이 소리부이다. 일설에는 '우철(嵎鐵)산[108] 즉 양곡(崵谷)'[109]을 말한다고도 한다. 독음은 여(與)와 장(章)의 반절이다.



---

107) 『단주』에서는 각 판본에서 수(首)자가 빠졌는데, 『옥편(玉篇)』을 비롯해 『사기정의·백이열전(伯夷列傳)』, 그리고 『한서·왕공양공포덕전(王貢兩龔鮑傳)』의 주에서 인용한 자료에 근거해 수양산(首崵山)으로 고쳤다. 그리고 허신이 말한 수양산(首崵山)은 바로 백이숙제(伯夷叔齊)가 들어가 굶어죽었다는 그 수양산을 말한다고 했다. 그러나 백이숙제의 고사가 만들어진 수양산은 섬서성 위원현(渭源縣)에 있으므로 요서(遼西) 지역에 있었다고 한 해설과 전혀 맞지가 않다.

108) 『단주』에서는 우철(嵎鐵)을 우이(嵎銕)로 고쳤다 이(銕)를 송본에서는 철(鐵)로 적었는데, 바로 「요전(堯典)」에서 말한 우이(嵎夷)의 탕곡(暘谷)을 말한다고 했다

109) 양곡(崵谷)은 고대 신화에서 해가 뜨는 곳이자 태양이 목욕하는 곳으로 알려져 있다. 탕곡(湯谷), 양곡(暘谷)으로도 쓴다. 이에 대한 대응 개념으로 우연(虞淵)이 있는데, 이는 태양이 떨어지는 곳이라 한다.

**5834**

**岵: 岵: 산 호: 山-총8획: hù**

原文

岵: 山有草木也. 从山古聲.『詩』曰:“陟彼岵兮.” 矦古切.

飜譯

‘풀과 나무가 우거진 산(山有草木)’을 말한다. 산(山)이 의미부이고 고(古)가 소리부이다.『시·위풍·척호(陟岵)』에서 “수풀 우거진 저 산에 올라(陟彼岵兮)”라고 노래했다.[110] 독음은 후(矦)와 고(古)의 반절이다.

**5835**

**屺: 屺: 민둥산 기: 山-총6획: qǐ**

原文

屺: 山無草木也. 从山己聲.『詩』曰:“陟彼屺兮.” 墟里切.

飜譯

‘풀과 나무가 없는 산(山無草木)’을 말한다. 산(山)이 의미부이고 기(己)가 소리부이다.『시·위풍·척호(陟岵)』에서 “민둥산에 올라(陟彼屺兮)”라고 노래했다.[111] 독음은 허(墟)와 리(里)의 반절이다.

**5836**

**嶨: 嶨: 돌산 학: 山-총16획: xué**

原文

110) 호(岵)를『모전』에서는 “초목이 없는 산” 즉 민둥산이라고 했다. 단옥재도 이렇게 되어야 한다고 했다. 참고할 만하다.

111) 기(屺)를『모전』에서는 “초목이 있는 산”이라고 했다. 단옥재도 “山無艸木也”의 무(無)자는 유(有)자가 되어야 옳다고 했다. 참고할 만하다.

嶨: 山多大石也. 从山, 學省聲. 胡角切.

飜譯

'큰 돌이 많은 산(山多大石)'을 말한다. 산(山)이 의미부이고, 학(學)의 생략된 부분이 소리부이다. 독음은 호(胡)와 각(角)의 반절이다.

5837

**嶅: 嶅: 잔돌 많은 산 오: 山-총14획: áo**

原文

嶅: 山多小石也. 从山敖聲. 五交切.

飜譯

'작은 돌이 많은 산(山多小石)'을 말한다. 산(山)이 의미부이고 오(敖)가 소리부이다. 독음은 오(五)와 교(交)의 반절이다.

5838

**岨: 岨: 돌산 저: 山-총8획: qū**

原文

岨: 石戴土也. 从山且聲. 『詩』曰 : "陟彼岨矣." 七余切.

飜譯

'윗부분이 흙으로 덮인 돌산(石戴土)'을 말한다. 산(山)이 의미부이고 차(且)가 소리부이다. 『시·주남·권이(卷耳)』에서 "돌산에라도 오르려 하지만(陟彼岨矣)"이라고 노래했다.112) 독음은 칠(七)과 여(余)의 반절이다.

5839

**岡: 岡: 산등성이 강: 山-총8획: gāng**

---

112) 금본에서는 저(岨)가 저(砠)로 되었다.

原文

岡: 山骨也. 从山网聲. 古郎切.

飜譯

'산의 등성이(山骨)'를 말한다. 산(山)이 의미부이고 망(网)이 소리부이다.113) 독음은 고(古)와 랑(郎)의 반절이다.

**5840**

**岑: 岑: 봉우리 잠: 山-총7획: cén**

原文

岑: 山小而高. 从山今聲. 鉏箴切.

飜譯

'작지만 높은 산(山小而高)'이라는 뜻이다. 산(山)이 의미부이고 금(今)이 소리부이다. 독음은 서(鉏)와 잠(箴)의 반절이다.

**5841**

**崟: 崟: 험준할 음: 山-총11획: yín**

原文

崟: 山之岑崟也. 从山金聲. 魚音切.

飜譯

'높고 험준한 산(山之岑崟)'을 말한다. 산(山)이 의미부이고 금(金)이 소리부이다. 독음은 어(魚)와 음(音)의 반절이다.

---

113) 고문자에서 金文 등으로 그렸다. 山(뫼 산)이 의미부이고 网(그물 망)이 소리부로, 그물 망(网)처럼 이어진 산맥(山)의 '산등성이'를 말하며, 이후 돌을 드러낸 산등성이처럼 '강함'을 뜻하게 되었다. 그러자 원래의 '산등성이'라는 뜻은 山을 다시 더해 㟠(산등성이 강)이나 崗(언덕 강)으로 분화했다. 간화자에서는 冈으로 쓴다.

5842

崒: 崒: 험할 줄: 山-총11획: zú

原文

崒: 崒, 危高也. 从山卒聲. 醉綏切.

飜譯

'줄(崒)은 산이 높고 험하다(危高)'라는 뜻이다. 산(山)이 의미부이고 졸(卒)이 소리부이다. 독음은 취(醉)와 수(綏)의 반절이다.

5843

巒: 巒: 뫼 만: 山-총22획: luán

原文

巒: 山小而銳. 从山䜌聲. 洛官切.

飜譯

'작지만 뾰족한 산(山小而銳)'이라는 뜻이다. 산(山)이 의미부이고 련(䜌)이 소리부이다. 독음은 락(洛)과 관(官)의 반절이다.

5844

密: 密: 빽빽할 밀: 宀-총11획: mì

原文

密: 山如堂者. 从山宓聲. 美畢切.

飜譯

'집채같이 커다란 산(山如堂者)'을 말한다. 산(山)이 의미부이고 복(宓)이 소리부이다.[114] 독음은 미(美)와 필(畢)의 반절이다.

**5845**

**𡶴:** 岫: **산굴 수**: 山–**총8획**: xiù

原文

𡶴: 山穴也. 从山由聲. 峀, 籒文从穴. 似又切.

飜譯

'산의 동굴(山穴)'을 말한다. 산(山)이 의미부이고 유(由)가 소리부이다. 수(峀)는 주문체인데, 혈(穴)로 구성되었다. 독음은 사(似)와 우(又)의 반절이다.

**5846**

**𡾊:** 㕙: **산 높을 준**: 山–**총13획**: jùn

原文

𡾊: 高也. 从山陖聲. 峻, 㕙或省. 私閏切.

飜譯

'산이 높다(高)'라는 뜻이다. 산(山)이 의미부이고 준(陖)이 소리부이다. 준(峻)은 준(㕙)의 혹체자인데, 생략된 모습이다. 독음은 사(私)와 윤(閏)의 반절이다.

**5847**

**𡾏:** 嶞: **산 높을 타**: 山–**총15획**: duò

原文

𡾏: 山之墮墮者. 从山, 从憜省聲. 讀若相推落之憜. 徒果切.

飜譯

114) 고문자에서 金文 簡牘文 등으로 그렸다. 宀(집 면)이 의미부고 宓(성 복)이 소리부로, 집(宀)처럼 높게 늘어선 산(山)을 말했는데, 높은 산이 빽빽하게 늘어섰다는 뜻에서 稠密(조밀)하다, 細密(세밀)하다, 親密(친밀)하다는 의미가 나왔고, 또 그런 산속처럼 깊고 폐쇄된 곳이라는 뜻에서 깊다, 秘密(비밀) 등의 의미가 나왔다.

'좁고 기다랗게 이어진 산(山之墮墮者)'을 말한다. 산(山)이 의미부이고, 타(憜)의 생략된 부분이 소리부이다. 상추락(相推落: 서로 미루다)이라고 할 때의 타(憜)와 같이 읽는다. 독음은 도(徒)와 과(果)의 반절이다.

**5848**

: 嶘: **우뚝 솟을 잔**: 山-**총15획: zhàn**

原文

: 尤高也. 从山棧聲. 士限切.

飜譯

'산이 특별히 높다(尤高)'라는 뜻이다. 산(山)이 의미부이고 잔(棧)이 소리부이다. 독음은 사(士)와 한(限)의 반절이다.



**5849**

: 崛: **우뚝 솟을 굴**: 山-**총11획: jué**

原文

: 山短高也. 从山屈聲. 衢勿切.

飜譯

'낮았다가 높았다가 하는 산(山短高)'을 말한다.[115] 산(山)이 의미부이고 굴(屈)이 소리부이다. 독음은 구(衢)와 물(勿)의 반절이다.

**5850**

: 巁: **위태롭게 높을 려**: 山-**총22획: lì**

---

115) 『단주』에서는 "山短而高也(짧으면서도 높은 산)"라고 하여 이(而)자를 추가하면서, 『광운(廣韵)』에 근거해 보충한다고 했다. 그리고 이렇게 말했다. "단고(短高)라는 것은 길지 않으면서 높다는 뜻이다(不長而高也). 높지 않기 때문에 굴(屈)이 들었다. 굴(屈)은 꼬리가 없다는 뜻이다(無尾也). 꼬리가 없는 사물은 짧기 마련이다.(無尾之物則短.)"

原文

巁: 巍高也. 从山蠆聲. 讀若厲. 力制切.

飜譯

'산이 높고 가파르다(巍高)'라는 뜻이다. 산(山)이 의미부이고 채(蠆)가 소리부이다. 려(厲)와 같이 읽는다. 독음은 력(力)과 제(制)의 반절이다.

**5851**

**峯: 峯: 봉우리 봉: 山–총10획: fēng**

原文

峯: 山耑也. 从山夆聲. 敷容切.

飜譯

'산의 봉우리(山耑)'를 말한다. 산(山)이 의미부이고 봉(夆)이 소리부이다.116) 독음은 부(敷)와 용(容)의 반절이다.

**5852**

**巖: 巖: 바위 암: 山–총23획: yán**

原文

巖: 岸也. 从山嚴聲. 五緘切.

飜譯

'낭떠러지(岸)'를 말한다. 산(山)이 의미부이고 엄(嚴)이 소리부이다.117) 독음은 오

---

116) 山(뫼 산)이 의미부고 夆(끌 봉)이 소리부로, 높고 뾰족한(夆) 산(山)의 '봉우리'를 말하며, 봉우리처럼 생긴 것을 지칭하거나 사물의 정점을 뜻하기도 한다. 달리 좌우구조로 된 峰으로 쓰기도 하는데, 간화자에서도 峰으로 쓴다.

117) 고문자에서 甲骨文 등으로 그렸다. 山(뫼 산)이 의미부고 嚴(엄할 엄)이 소리부인데, 嚴(엄할 엄)은 바위 언덕(厂·엄)에서 광석을 캐내는(敢·감) 모습을 그렸으며, 위의 두 개의 네모는 캐낸 광석을 상징한다. 그래서 巖은 광석을 채취하기(嚴) 위해 부수고 조각낸 '바위(石) 덩어리'를 말한다. 달리 巌, 嵒, 巗 등으로 쓰기도 한다. 간화자에서는 岩(바위 암)에 통

(五)와 함(緘)의 반절이다.

**5853**

: 嵒: **낭떠러지 암**: 口-**총12획**: yán

原文

: 山巖也. 从山、品. 讀若吟. 五咸切.

飜譯

'산의 낭떠러지(山巖)'를 말한다. 산(山)과 품(品)이 모두 의미부이다. 음(吟)과 같이 읽는다. 독음은 오(五)와 함(咸)의 반절이다.

**5854**

: 𡾋: **산 험한 모양 뢰**: 山-**총15획**: lěi

原文

: 辠也. 从山絫聲. 落猥切.

飜譯

'산의 험한 모양(辠)'을 말한다. 산(山)이 의미부이고 루(絫)가 소리부이다. 독음은 락(落)과 외(猥)의 반절이다.

**5855**

: 辠: **산 험준할 죄**: 山-**총16획**: zuì

原文

---

합되었다. 岩은 山(뫼 산)과 石(돌 석)으로 구성되어, 산(山)에 있는 바위 돌(石)을 말한다. 원래는 嵒(바위 암)으로 써, 산(山)과 돌덩이(口)를 여럿 그려 '바위'를 나타냈으나, 山과 石의 결합으로 바뀌었다. 깎아지른 낭떠러지를 말하며, 산봉우리, 석굴, 험준한 곳 등의 뜻이 나왔다. 현대 중국에서는 巖(바위 암)의 간화자로도 쓰인다.

嶵: 山皃. 从山辠聲. 徂賄切.

'산의 모양(山皃)'을 말한다. 산(山)이 의미부이고 죄(辠)가 소리부이다. 독음은 조(徂)와 회(賄)의 반절이다.

**5856**

**峼**: 峼: **산 모양 고**: 山-총10획: gào

原文

峼: 山皃. 一曰山名. 从山告聲. 古到切.

飜譯

'산의 모양(山皃)'을 말한다. 일설에는 '산 이름(山名)[고산]'이라고도 한다. 산(山)이 의미부이고 고(告)가 소리부이다. 독음은 고(古)와 도(到)의 반절이다.

**5857**

**嶞**: 嶞: **산 작고 뾰족할 타**: 山-총16획: duò

原文

嶞: 山皃. 从山隓聲. 徒果切.

飜譯

'산의 모양(山皃)'을 말한다. 산(山)이 의미부이고 휴(隓)가 소리부이다. 독음은 도(徒)와 과(果)의 반절이다.

**5858**

**嵯**: 嵯: **우뚝 솟을 차**: 山-총13획: cuó

原文

嵯: 山皃. 从山𢀩聲. 昨何切.

飜譯

'산의 모양(山皃)'을 말한다. 산(山)이 의미부이고 차(𡍮)가 소리부이다. 독음은 작(昨)과 하(何)의 반절이다.

**5859**

**峨**: 峨: **높을 아**: 山-**총10획**: é

原文

峨: 嵯峨也. 从山我聲. 五何切.

飜譯

'산이 우뚝 솟다(嵯峨)'라는 뜻이다. 산(山)이 의미부이고 아(我)가 소리부이다. 독음은 오(五)와 하(何)의 반절이다.



**5860**

**崝**: 崝: **가파를 쟁**: 山-**총11획**: zhéng

原文

崝: 嶸也. 从山青聲. 七耕切.

飜譯

'산이 가파르다(嶸)'라는 뜻이다. 산(山)이 의미부이고 청(青)이 소리부이다. 독음은 칠(七)과 경(耕)의 반절이다.

**5861**

**嶸**: 嶸: **가파를 영**: 山-**총17획**: róng

原文

嶸: 崝嶸也. 从山榮聲. 戶萌切.

飜譯

‘산이 가파르다(崝嶸)’라는 뜻이다. 산(山)이 의미부이고 영(榮)이 소리부이다. 독음은 호(戶)와 맹(萌)의 반절이다.

**5862**

**㠧: 巠: 산중턱 끊어질 형: 山-총10획: kēng, xíng**

原文

㠧: 谷也. 从山巠聲. 戶經切.

飜譯

‘골짜기 이름(谷)[형곡]’이다.[118] 산(山)이 의미부이고 경(巠)이 소리부이다. 독음은 호(戶)와 경(經)의 반절이다.

**5863**

**崩: 崩: 산 무너질 붕: 山-총11획: bēng**

原文

崩: 山壞也. 从山朋聲. 𨸏, 古文从自. 北滕切.

飜譯

‘산이 무너지다(山壞)’라는 뜻이다. 산(山)이 의미부이고 붕(朋)이 소리부이다. 붕(𨸏)은 고문체인데, 부(自=阜)로 구성되었다. 독음은 북(北)과 등(滕)의 반절이다.

**5864**

**㟴: 㟴: 산길 불: 山-총8획: fú**

原文

118) 『단주』에서는 경(㠧)자를 넣어 ‘㠧谷也’가 되어야 한다고 했다. 경곡(㠧谷)은 골짜기 이름으로 진시황릉이 있는 섬서성 여산(麗山)에 있는데, 옛날 진(秦)나라에서 여기가 겨울에도 따뜻해 외(瓜)를 빽빽하게 심던 곳이라고 했다.

岪: 山脅道也. 从山弗聲. 敷勿切.

飜譯

'산의 양쪽 허리로 난 좁은 길(山脅道)'을 말한다. 산(山)이 의미부이고 불(弗)이 소리부이다. 독음은 부(敷)와 물(勿)의 반절이다.

**5865**

**嵍: 嵍: 산 이름 무: 山-총12획: wù**

原文

嵍: 山名. 从山敄聲. 亡遇切.

飜譯

'산 이름(山名)[무산]'이다. 산(山)이 의미부이고 무(敄)가 소리부이다. 독음은 망(亡)과 우(遇)의 반절이다.

**5866**

**嶢: 嶢: 높을 요: 山-총15획: yáo**

原文

嶢: 焦嶢, 山高皃. 从山堯聲. 古僚切.

飜譯

'초요(焦嶢) 즉 산이 높은 모양(山高皃)'을 말한다. 산(山)이 의미부이고 요(堯)가 소리부이다. 독음은 고(古)와 료(僚)의 반절이다.

**5867**

**嶈: 嶈: 산 높을 장: 山-총11획: qiáng**

原文

嶈: 山陵也. 从山戕聲. 慈良切.

飜譯

'산이 높고 험준하다(山陵)'라는 뜻이다. 산(山)이 의미부이고 장(戕)이 소리부이다. 독음은 자(慈)와 량(良)의 반절이다.

**5868**

: 嵏: **산 이름 종**: 山-**총12획: zōng**

原文

: 九嵏山, 在馮翊谷口. 从山嵏聲. 子紅切.

飜譯

'구종산(九嵏山)'을 말하는데, 풍익(馮翊)군의 곡구(谷口)현에 있다.[119] 산(山)이 의미부이고 종(嵏)이 소리부이다. 독음은 자(子)와 홍(紅)의 반절이다.

**5869**

: 岊: **산모퉁이 절**: 山-**총5획: jié**

原文

: 陬隅, 高山之節. 从山从卩. 子結切.

飜譯

'추우(陬隅), 즉 산의 모퉁이(高山之節)'를 말한다. 산(山)이 의미부이고 절(卩)도 의미부이다. 독음은 자(子)와 결(結)의 반절이다.

---

119) 구종산(九嵏山)은 섬서성 예천현(禮泉縣)에 있는 산(맥)이름이다. 광활한 관중(關中) 평원의 북부에 동서로 쭉 뻗은 산맥으로 관중 평원 남부의 진령(秦嶺) 산맥과 멀리 마주보고 있다. 이 산의 주봉은 예천현(醴泉縣)에 있는데, 해발 1188미터의 우뚝 솟은 주봉을 중심으로 9개의 산등성이가 잘 뻗어 있다. 옛날에는 작은 산등성이(山梁)를 종(嵕)이라 했기 때문에 구종산(九嵕山, 혹은 九嵏山)이라는 이름이 붙여졌다고 한다.

**5870**

**嵩:** 崇: **높을 숭**: 山—**총11획**: chóng

原文

嵩: 嵬高也. 从山宗聲. 鉏弓切.

飜譯

'산이 높다(嵬高)'라는 뜻이다. 산(山)이 의미부이고 종(宗)이 소리부이다. 독음은 서(鉏)와 궁(弓)의 반절이다.

**5871**

**崔:** 崔: **높을 최**: 山—**총11획**: cuī

原文

崔: 大高也. 从山隹聲. 胙回切.

飜譯

'산이 크고 높다(大高)'라는 뜻이다. 산(山)이 의미부이고 추(隹)가 소리부이다. 독음은 조(胙)와 회(回)의 반절이다.

**5872**

**嶙:** 嶙: **가파를 린**: 山—**총15획**: lín

原文

嶙: 嶙峋, 深崖皃. 从山粦聲. 力珍切.

飜譯

'인순(嶙峋), 즉 산이 깊고 낭떠러지 진 모양(深崖皃)'을 말한다. 산(山)이 의미부이고 린(粦)이 소리부이다. 독음은 력(力)과 진(珍)의 반절이다. [신부]

**5873**

**峋: 峋: 깊숙할 순: 山-총9획: xún**

原文

峋: 嶙峋也. 从山旬聲. 相倫切.

飜譯

'인순(嶙峋), 즉 산이 깊고 낭떠러지가 만들어진 모양'을 말한다. 산(山)이 의미부이고 순(旬)이 소리부이다. 독음은 상(相)과 륜(倫)의 반절이다. [신부]

**5874**

**岌: 岌: 높을 급: 山-총7획: jí**

原文

岌: 山高皃. 从山及聲. 魚汲切.

飜譯

'산이 높은 모양(山高皃)'을 말한다. 산(山)이 의미부이고 급(及)이 소리부이다. 독음은 어(魚)와 급(汲)의 반절이다. [신부]

**5875**

**嶠: 嶠: 뾰족하게 높을 교: 山-총15획: jiào**

原文

嶠: 山銳而高也. 从山喬聲. 古通用喬. 渠廟切.

飜譯

'산이 뾰족하고 높다(山銳而高)'라는 뜻이다. 산(山)이 의미부이고 교(喬)가 소리부이다. 옛날에는 교(喬)와 통용되었다. 독음은 거(渠)와 묘(廟)의 반절이다. [신부]

**5876**

**嵌:** 嵌: **산 깊을 감**: 山-**총12획: qiàn, kàn**

原文

嵌: 山深皃. 从山, 歁省聲. 口銜切.

飜譯

'산이 깊은 모양(山深皃)'을 말한다. 산(山)이 의미부이고, 감(歁)의 생략된 부분이 소리부이다. 독음은 구(口)와 함(銜)의 반절이다. [신부]

**5877**

**嶼:** 嶼: **섬 서**: 山-**총17획: yǔ**

原文

嶼: 島也. 从山與聲. 徐呂切.

飜譯

'섬(島)'을 말한다. 산(山)이 의미부이고 여(與)가 소리부이다. 독음은 서(徐)와 려(呂)의 반절이다. [신부]

**5878**

**嶺:** 嶺: **재 령**: 山-**총17획: lǐng**

原文

嶺: 山道也. 从山領聲. 良郢切.

飜譯

'산에 난 길(山道)'을 말한다. 산(山)이 의미부이고 령(領)이 소리부이다.[120] 독음은

120) 山(뫼 산)이 의미부이고 領(옷깃 령)이 소리부로, 산(山)의 목덜미(領·령)에 해당하는 '고개'를 말한다. 간화자에서는 소리부 領을 令(우두머리 령)으로 줄인 岭(산 이름 령)으로 통합해 쓴다.

량(良)과 영(郢)의 반절이다. [신부]

**5879**

**嵐: 嵐: 남기 람: 山-총12획: lán**

原文

嵐: 山名. 从山, 葻省聲. 盧含切.

飜譯

'산의 이름(山名)'이다. 산(山)이 의미부이고, 람(葻)의 생략된 모습이 소리부이다.121) 독음은 로(盧)와 함(含)의 반절이다. [신부]

**5880**

**嵩: 嵩: 높을 숭: 山-총13획: sōng**

原文

嵩: 中岳, 嵩高山也. 从山从高, 亦从松. 韋昭『國語』注云: "古通用崇字." 息弓切.

飜譯

'중악(中岳)'을 말하는데, '숭(嵩)은 높은 산(高山)'이라는 뜻이다. 산(山)이 의미부이고 고(高)도 의미부이다. 또한 송(松)으로 구성되기도 한다. 위소(韋昭)의 『국어(國語)』 주석에서 "옛날에는 숭(崇)과 통용되었다"라고 했다.122) 독음은 식(息)과 궁(弓)의 반절이다. [신부]

---

121) 山(뫼 산)이 의미부이고 風(바람 풍)이 소리부로, 산(山) 바람(風·풍)이라는 뜻이며, 산에 생기는 아지랑이 같은 기운을 말하기도 한다. 『玉篇(옥편)』에서는 큰바람이라고 했다. 간화자에서는 岚으로 줄여 쓴다.

122) 고문자에서 [glyph] 簡牘文 등으로 그렸다. 山(뫼 산)과 高(높을 고)로 구성되어, 嵩山(숭산)을 말하는데, 높게(高) 우뚝 솟은 산(山)이라는 뜻을 담았다. 숭산은 五嶽(오악) 중 중앙에 자리한 中嶽(중악)으로 불리며, 소림사가 있는 곳으로도 유명하다.

**5881**

**嵙: 崑: 산 이름 곤: 山-총11획: kūn**

原文

嵙: 崑崙, 山名. 从山昆聲. 『漢書』楊雄文通用昆侖. 古渾切.

翻譯

'곤륜산(崑崙)'을 말하는데, '산 이름(山名)'이다. 산(山)이 의미부이고 곤(昆)이 소리부이다. 『한서(漢書)』에서 양웅(楊雄)의 글에서는 곤륜(昆侖)과 통용했다고 했다. 독음은 고(古)와 혼(渾)의 반절이다. [신부]



**5882**

**崙: 崙: 산 이름 륜: 山-총11획: lún**

原文

崙: 崑崙也. 从山侖聲. 盧昆切.

翻譯

'곤륜산(崑崙)'을 말한다. 산(山)이 의미부이고 륜(侖)이 소리부이다. 독음은 로(盧)와 곤(昆)의 반절이다. [신부]

**5883**

**嵇: 嵇: 산 이름 혜: 山-총12획: jī**

原文

嵇: 山名. 从山, 稽省聲. 奚氏避難特造此字, 非古. 胡雞切.

翻譯

'산의 이름(山名)'이다. 산(山)이 의미부이고, 계(稽)의 생략된 부분이 소리부이다. 해씨(奚氏)가 난을 피하기 위해 이 글자를 특별히 만들었다고 하니 옛날부터 내려오던 글자는 아니다.[123] 독음은 호(胡)와 계(雞)의 반절이다. [신부]

123) 해씨(奚氏)가 누구인지, 난을 피하기 위해 이 글자를 만들었다고 하는 이야기가 어디서 근원했는지를 알 수 없다. 다만 해씨(奚氏)는 남북조 시대 때 북방 소수민족에게서 기원한 성씨로 보인다. 『로사(路史)』에 의하면, 선비족(鮮卑族) 탁발씨(拓跋氏)의 후손 중에 해씨(奚氏)가 있었다고 했다. 또 『위서(魏書)·관씨지(官氏志)』에는 "박해씨(薄奚氏)와 달해씨(達奚氏)는 모두 해씨(奚氏)로 성을 바꾸었다."라고 했다.

## 제351부수
## 351 ■ 신(屾)부수

**5884**

**屾: 屾: 같이 선 산 신: 山-총6획: shēn**

原文

屾: 二山也. 凡屾之屬皆从屾. 所臻切.

飜譯

'산 두 개가 나란히 선 것(二山)'을 말한다. 신(屾)부수에 귀속된 글자들은 모두 신(屾)이 의미부이다. 독음은 소(所)와 진(臻)의 반절이다.



**5885**

**嵞: 嵞: 산 이름 도: 山-총13획: tú**

原文

嵞: 會稽山. 一曰九江當嵞也. 民以辛壬癸甲之日嫁娶. 从屾余聲. 『虞書』曰: "予娶嵞山." 同都切.

飜譯

'회계산(會稽山)'을 말한다. 일설에는 '구강(九江)군의 당도(當嵞)현'을 말한다고도 한다. 이곳에 사는 일반 백성들은 신(辛) 임(壬) 계(癸) 갑(甲)에 해당하는 날에 시집을 가거나 장가를 든다(嫁娶)고 한다.[124] 신(屾)이 의미부이고 여(余)가 소리부이다.

124) 『단주』에서 이렇게 말했다. "「고요모(咎繇謨)」에서 '내 이와 같은 때를 창시하여, 도산에 장가들었고, 신일, 임일, 계일, 갑일에 들렀다.(予創若時, 娶于塗山, 辛壬癸甲.)'라고 말했다. 이에 대해 정현의 주석에서, '등용되던 해에 처음으로 도산 씨에게 장가들었으며, 사흘 밤을 지낸 뒤 황제의 명으로 물길을 다스리게 되었다.'라고 했다. 『수경주(水經注)』에서도 『여씨춘추』를 인용하여, 우(禹)임금이 도산 씨의 딸에게 장가들면서, 사적인 일로 공적인 일을 방해하지 않기 위해 신일로부터 갑일에 이르기까지 4일만 쉬고 다시 가서 치수 작업에 매진했다. 그리

『우서(虞書)』에서 “나는 도산에서 아내를 얻었다(予娶嵞山)”라고 했다. 독음은 동(同)과 도(都)의 반절이다.

하여 강회(江淮) 지역에서는 신일, 임일, 계일, 갑일에만 결혼하는 풍습이 있게 되었다고 했다. 허신은 도산 씨의 민속에 신일, 임일, 계일, 갑일에 장가드는 풍속이 있다고 했는데, 이는 『여람』과 합치한다. 『상서』에 대한 정현의 주석도 『여람』과 일치한다. 『상서』에서 신일, 임일, 계일, 갑일이라 했는데, 이는 도산을 들렀던 4일을 말한다. 현(縣)의 이름이 도(塗)가 된 것은 아마도 도산(嵞山) 때문에 그렇게 되었을 것이다. 도(嵞)와 도(塗)는 고금자이다.”

# 제352부수
## 352 ■ 알(屵)부수

**5886**

屵: 屵: **산 높은 모양 알**: 山-**총5획**: è

原文

屵: 岸高也. 从山、厂, 厂亦聲. 凡屵之屬皆从屵. 五葛切.

飜譯

'깎아지른 산기슭이 높다(岸高)'라는 뜻이다. 산(山)과 엄(厂)이 모두 의미부인데, 엄(厂)은 소리부도 겸한다. 알(屵)부수에 귀속된 글자들은 모두 알(屵)이 의미부이다. 독음은 오(五)와 갈(葛)의 반절이다.

**5887**

岸: 岸: **언덕 안**: 山-**총8획**: àn

原文

岸: 水厓而高者. 从屵干聲. 五旰切.

飜譯

'강기슭의 깎아질러진 높은 곳(水厓而高者)'을 말한다. 알(屵)이 의미부이고 간(干)이 소리부이다.[125] 독음은 오(五)와 간(旰)의 반절이다.

125) 고문자에서 簡牘文 등으로 그렸다. 山(뫼 산)이 의미부고 厈(굴 바위 엄)이 소리부로, 山에 만들어진 깎아지른(厂) 큰(干·간) 낭떠러지를 말했는데, 이후 물가의 언덕까지 지칭하게 되었다.

**5888**

**崖: 崖: 벼랑 애: 山-총11획: yá**

原文

崖: 高邊也. 从屵圭聲. 五佳切.

飜譯

'깎아지른 높은 곳의 가장자리(高邊)'를 말한다. 알(屵)이 의미부이고 규(圭)가 소리부이다. 독음은 오(五)와 가(佳)의 반절이다.

**5889**

**𡶒: 崔: 높을 퇴: 山-총13획: duī**

原文

𡶒: 高也. 从屵隹聲. 都回切.

飜譯

'높다(高)'라는 뜻이다. 알(屵)이 의미부이고 추(隹)가 소리부이다. 독음은 도(都)와 회(回)의 반절이다.

**5890**

**𡸇: 𡸇: 산 무너질 비: 山-총13획: pǐ**

原文

𡸇: 崩也. 从屵肥聲. 符鄙切.

飜譯

'산이 무너지다(崩)'라는 뜻이다. 알(屵)이 의미부이고 비(肥)가 소리부이다. 독음은 부(符)와 비(鄙)의 반절이다.

5891

**嶏: 嶏: 산이 무너지는 소리 배·무너질 비: 山-총15획: bó**

原文

嶏: 崩聲. 从屵配聲. 讀若費. 蒲没切.

註譯

'산이 무너지는 소리(崩聲)를 말한다. 알(屵)이 의미부이고 배(配)가 소리부이다. 비(費)와 같이 읽는다. 독음은 포(蒲)와 몰(没)의 반절이다.

## 제353부수
## 353 ■ 엄(广)부수

**5892**

**广: 广: 집 엄: 广-총3획: yǎn**

原文

广: 因广爲屋, 象對剌高屋之形. 凡广之屬皆从广. 讀若儼然之儼. 魚儉切.

飜譯

'산기슭에 기대어 달아내 만든 집(因广爲屋)'을 말하는데, 높게 솟은 집(對剌高屋)의 모양을 형상했다.126) 엄(广)부수에 귀속된 글자들은 모두 엄(广)이 의미부이다. '엄연(儼然: 엄숙하고 진중한 모양)'이라고 할 때의 엄(儼)과 같이 읽는다. 독음은 어(魚)와 검(儉)의 반절이다.

**5893**

**府: 府: 곳집 부: 广-총8획: fǔ**

原文

府: 文書藏也. 从广付聲. 方矩切.

飜譯

'문서를 보관하는 곳(文書藏)'을 말한다. 엄(广)이 의미부이고 부(付)가 소리부이다.127) 독음은 방(方)과 구(矩)의 반절이다.

---

126) 广은 금문에서 집의 모양인데, 한쪽 벽면이 생략된 모습이다. 이는 산이나 바위 언덕 쪽에 기대어 만든 집임을 보여준다. 그렇게 만들어진 '집'이 원래 뜻이며, 广으로 구성된 글자들은 모두 집과 같은 건축물과 의미적 관련을 한다. 庵(암자 암)은 广에 소리부인 奄(가릴 엄)이 더해진 글자인데, 广의 의미를 더욱 강조하기 위해 만들어진 글자라고 보기도 한다. 广은 현대 중국에서는 廣(넓을 광)의 간화자로도 쓰인다.

**5894**

**廱: 廱: 화락할 옹: 广-총21획: yōng**

原文

廱: 天子饗飮辟廱. 从广雝聲. 於容切.

飜譯

'천자가 주연을 베푸는 곳(天子饗飮)인 벽옹(辟廱)'을 말한다.128) 엄(广)이 의미부이고 옹(雝)이 소리부이다. 독음은 어(於)와 용(容)의 반절이다.

**5895**

**庠: 庠: 학교 상: 广-총9획: xiáng**

原文

庠: 禮官養老. 夏曰校, 殷曰庠, 周曰序. 从广羊聲. 似陽切.

飜譯

'예를 관장하는 관리가 노인들을 봉양하던 곳(禮官養老)'을 말한다. 하(夏)나라 때에는 교(校)라 했고, 은(殷)나라 때에는 상(庠)이라 했고, 주(周)나라 때에는 서(序)라고 했다.129) 엄(广)이 의미부이고 양(羊)이 소리부이다. 독음은 사(似)와 양(陽)의 반절이다.

---

127) 고문자에서 [古文字 字形] 金文 [字形] 簡牘文 [字形] 古璽文 등으로 그렸다. 广(집 엄)이 의미부고 付(줄 부)가 소리부인데, 소장한 자료나 물건을 넣어두었다 꺼내 손으로 건네주는(付) 건축물(广)인 '창고'를 말했는데, 금문에서는 貝(조개 패)가 더해져 보화(貝)들이 보관된 곳임을 더욱 구체화하기도 했다. 이후 관청이나 저택 등을 뜻하게 되었다.

128) 벽옹(辟廱)은 벽옹(辟雍)으로도 쓰는데, 원래 주(周)나라 천자가 세웠던 태학(大學)을 말하며, 원형으로 된 벽옹 주위로 물길로 만든 해자를 둘러쳤고 앞문에다 다리를 놓아 출입하도록 했다. 동한(東漢) 이후로 역대 왕조에서 언제나 벽옹(辟雍)을 설치해 유학(儒學)을 존중하며 장려하였으며 전례(典禮)를 행하던 장소로 사용했다. 북송 말기에 태학(太學)의 예비학교(外學이라 불렀음)로 사용된 것을 제외하면 모두 향음(鄕飮)례와 대사(大射)례를 행하거나 제사를 올리던 곳으로 사용했다.

129) 이는 『한서·유림전(儒林傳)』에서도 이렇게 말했다. 그러나 『맹자·등문공(滕文公)』과 『사기·유

**5896**

**廬: 廬: 오두막집 려: 广-총19획: lú**

原文

廬: 寄也. 秋冬去, 春夏居. 从广盧聲. 力居切.

飜譯

'잠시 기거하는 곳(寄)[오두막]'을 말한다. 가을과 겨울에는 떠났다가, 봄과 여름에 기거하는 곳이다. 엄(广)이 의미부이고 로(盧)가 소리부이다.130) 독음은 력(力)과 거(居)의 반절이다.

**5897**

**庭: 庭: 뜰 정: 广-총10획: tíng**

原文

庭: 宮中也. 从广廷聲. 特丁切.

飜譯

'집의 가운데(宮中)'131)를 말한다. 엄(广)이 의미부이고 정(廷)이 소리부이다. 독음은

---

림전(儒林傳)』에서는 차이를 보여, 하(夏)나라 때는 교(校), 은(殷)나라 때는 상(庠), 주(周)나라 때는 서(序)라고 했다 하여 『설문』이나 『한서』와 차이를 보인다. 단옥재는 『맹자』와 『사기』가 잘못된 것으로 보았다.

130) 고문자에서 [金文 자형] 金文 등으로 그렸다. 广(집 엄)이 의미부이고 盧(성 로)가 소리부로, 화로(盧)가 갖추어져 음식물을 만들고 추위를 견딜 수 있는 설비가 갖추어진 집(广)을 말한다. 이로부터 누추한 집의 뜻이 나왔고, 옛날 시묘 살이 하던 오두막을 지칭하기도 했다. 또 길을 따라 늘어선 여관이나 숙소를 지칭하기도 했다. 간화자에서는 盧를 戶(지게 호)로 대체한 庐로 쓴다.

131) 『단주』에서 이렇게 말했다. "궁중야(宮中也)라고 했는데, 아래의 문장에서 중정(中庭)이라고 했다. 그렇다면 여기서는 중궁(中宮)이 되어야 옳다. 세속에서 순서를 거꾸로 쓴 결과일 것이다. 중궁(中宮)은 궁의 가운데(宮之中)를 말한다. 『시(詩)』에서 말한 중림(中林)도 임중(林中: 숲속)이라는 뜻이다."

특(特)과 정(丁)의 반절이다.

**5898**

**廇: 廇: 가운데 방 류: 广-총15획: liù**

原文

廇: 中庭也. 从广畱聲. 力救切.

飜譯

'가운데 방(中庭)'을 말한다.[132] 엄(广)이 의미부이고 류(畱)가 소리부이다. 독음은 력(力)과 구(救)의 반절이다.



**5899**

**庉: 庉: 곳간 돈: 广-총7획: dùn**

原文

庉: 樓牆也. 从广屯聲. 徒損切.

飜譯

'다락의 낮은 담(樓牆)'을 말한다. 엄(广)이 의미부이고 둔(屯)이 소리부이다. 독음은 도(徒)와 손(損)의 반절이다.

**5900**

**庌: 庌: 집 아: 广-총7획: yǎ**

132) 『단주』에서 이렇게 말했다. "중정(中庭)이라는 것은 정의 가운데(庭之中)를 말한다. 『예기·월령(月令)』에서 '中央土, 其祀中廇.(중앙은 오행에서 토에 해당하며, 중류에서 제사를 지낸다.)' 라고 했는데, 『주』에서 중류(中廇)는 중실(中室)과 같다고 했다. 옛날에는 복혈(復穴)구조로 되었기에 실(室)을 가져와 류(廇)를 지칭했던 것이다."

: 廡也. 从广牙聲.『周禮』曰 : “夏庌馬.” 五下切.

飜譯

‘당 아래의 곁채(廡)’를 말한다. 엄(广)이 의미부이고 아(牙)가 소리부이다.『주례·하관·어사(圉師)』에서 “여름에는 당 아래의 곁채에서 말을 키운다(夏庌馬)”라고 하였다. 독음은 오(五)와 하(下)의 반절이다.

**5901**

: 廡: **집 무**: 广−**총15획**: **wǔ**

原文

: 堂下周屋. 从广無聲. 𢋄, 籒文从舞. 文甫切.

飜譯

‘당 아래의 곁채(堂下周屋)’를 말한다.133) 엄(广)이 의미부이고 무(無)가 소리부이다. 무(𢋄)는 주문체인데, 무(舞)로 구성되었다. 독음은 문(文)과 보(甫)의 반절이다.

**5902**

: 廬: **곁채 로**: 广−**총16획**: **lǔ**

原文

: 廡也. 从广虜聲. 讀若鹵. 郎古切.

飜譯

‘당 아래의 곁채(廡)’를 말한다. 엄(广)이 의미부이고 로(虜)가 소리부이다. 로(鹵)와 같이 읽는다. 독음은 랑(郎)과 고(古)의 반절이다.

---

133)『단주』에서는 ‘당하주옥(堂下周屋)’을 ‘당주옥야(堂周屋也)’라고 고쳤다. 그것은 현응(玄應)이 인용한『설문』에서 당주옥(堂周屋)을 무(廡)라고 한다는 것에 근거했다. 그렇게 되면 ‘무(廡)는 회랑을 말한다’로 해석된다.『석명(釋名)』에서도 대옥(大屋)을 무(廡)라 하는데, 유주(幽州)와 기주(冀州) 지역 사람들은 이를 아(庌)라고 한다고 하여 허신의 해석과 차이를 보인다고도 했다.

**5903**

庖: **부엌 포**: 广-**총8획**: **páo**

原文

廚也. 从广包聲. 薄交切.

飜譯

'주방(廚)'을 말한다. 엄(广)이 의미부이고 포(包)가 소리부이다.134) 독음은 박(薄)과 교(交)의 반절이다.



**5904**

廚: **부엌 주**: 广-**총15획**: **chú**

原文

庖屋也. 从广尌聲. 直株切.

飜譯

'부엌 집(庖屋)'을 말한다. 엄(广)이 의미부이고 주(尌)가 소리부이다.135) 독음은 직(直)과 주(株)의 반절이다.

**5905**

庫: **곳집 고**: 广-**총10획**: **kù**

---

134) 广(집 엄)이 의미부이고 包(쌀 포)가 소리부이다. 『설문해자』의 해설처럼, '주방(廚)'을 말한다. 부엌이라는 뜻으로부터 요리사, 요리한 음식까지 지칭하게 되었다. 그래서 庖丁(포정)은 白丁(백정)을 말하고, 포주(庖廚)는 푸줏간을 말한다. 또 庖丁解牛(포정해우)는 솜씨가 뛰어난 庖丁이 소의 뼈와 살을 발라낸다는 뜻으로, 기술이 매우 뛰어남을 비유하는 말로 쓰인다.

135) 고문자에서 古陶文 등으로 그렸다. 广(집 엄)이 의미부고 尌(세울 주)가 소리부로, 요리를 하는 공간(广)인 주방을 말하는데, 달리 广을 厂(기슭 엄)으로 바꾸어 厨(부엌 주)로 쓰기도 한다.

原文

庫: 兵車藏也. 从車在广下. 苦故切.

飜譯

'병거를 보관하는 곳(兵車藏)'을 말한다. 거(車)가 집(广) 아래에 놓인 모습이다.136) 독음은 고(苦)와 고(故)의 반절이다.

**5906**

廄: 廄: **마구간 구**: 广-**총14획**: **jiù**

原文

廄: 馬舍也. 从广𣪘聲. 『周禮』曰: "馬有二百十四匹爲廄, 廄有僕夫." ⿸广⿰皀九, 古文从九. 居又切.

飜譯

'마구간(馬舍)'을 말한다. 엄(广)이 의미부이고 궤(𣪘)가 소리부이다. 『주례』에서 "말 240필(馬有二百十四匹)이 마구간 하나(廄)에 들어가고, 마구간 하나(廄)마다 노비 1인(僕夫)이 배치된다."라고 하였다. 구(⿸广⿰皀九)는 고문체인데, 구(九)로 구성되었다. 독음은 거(居)와 우(又)의 반절이다.

**5907**

序: 序: **차례 서**: 广-**총7획**: **xù**

原文

序: 東西牆也. 从广予聲. 徐呂切.

---

136) 고문자에서 庫金文 庫簡牘文 庫庫庫古璽文 등으로 그렸다. 广(집 엄)과 車(수레 거·차)로 구성되어, 전차나 수레(車)를 넣어두는 집(广)이라는 뜻으로부터 무기를 넣어두던 무기고라는 뜻이 나왔다. 이후 倉庫(창고)나 감옥의 뜻이 나왔고, 송나라 때에는 술집을 뜻하기도 했다. 간화자에서는 库로 쓴다.

譯譯

'집에서 동쪽과 서쪽으로 만들어진 담(東西牆)'을 말한다. 엄(广)이 의미부이고 여(予)가 소리부이다.137) 독음은 서(徐)와 려(呂)의 반절이다.

**5908**

**廦: 廦: 담 벽: 广-총16획: bì**

原文

廦: 牆也. 从广辟聲. 比激切.

譯譯

'담(牆)'을 말한다. 엄(广)이 의미부이고 벽(辟)이 소리부이다. 독음은 비(比)와 격(激)의 반절이다.

**5909**

**廣: 廣: 넓을 광: 广-총15획: guǎng**

原文

廣: 殿之大屋也. 从广黃聲. 古晃切.

譯譯

'전당의 큰 지붕(殿之大屋)'을 말한다.138) 엄(广)이 의미부이고 황(黃)이 소리부이



---

137) 고문자에서 金文 簡牘文 등으로 그렸다. 广(집 엄)이 의미부고 予(나·줄 여)가 소리부로, 나란히 늘어서 있는(予) 집(广)을 말한다. 그래서 동서로 늘어서 있는 廂(상·집의 주체가 되는 간의 양쪽으로 늘어선 간살)을 지칭했는데, 그곳은 학생들을 가르치던 장소였다. 금문에서는 广과 射(활 쏠 사)로 이루어졌는데, 옛날 활쏘기(射)는 학교 교육에서 주요 내용의 하나였기 때문이다. 이후 射가 소리부인 予로 바뀌어 지금의 序가 되었는데, 교육을 통해 사람살이에 필요한 지식을 제공해 주던(予) 곳임을 더욱 형상화했다. 차례로 늘어선 廂房(상방)의 모습으로부터 順序(순서)나 序列(서열) 등의 뜻이 생겼다.

138) 『단주』에서 이렇게 말했다. "토(土)부수에서 당(堂)은 전(殿)을 말한다고 했고, 『창힐편(倉頡篇)』에서 전(殿)은 대당(大堂)을 말한다고 했다. 『광아(廣雅)』에서는 당황(堂堭)은 합전(合殿)을 말한다고 했는데, 전(殿)은 사방에 벽이 없는 당을 말한다(堂無四壁)고 했다. 『한서·호건전

다.[139] 독음은 고(古)와 황(晃)의 반절이다.

**5910**

**廥: 廥: 여물 광 괴·곳간 피: 广-총16획: kuài**

原文

廥: 芻藁之藏. 从广會聲. 古外切.

飜譯

‘여물을 보관하는 곳(芻藁之藏)’을 말한다. 엄(广)이 의미부이고 회(會)가 소리부이다. 독음은 고(古)와 외(外)의 반절이다.

**5911**

**庾: 庾: 곳집 유: 广-총12획: yǔ**

原文

庾: 水槽倉也. 从广臾聲. 一曰倉無屋者. 以主切.

飜譯

‘수로로 운반해 온 곡물을 보관하는 창고(水槽倉)’를 말한다. 엄(广)이 의미부이고 유(臾)가 소리부이다. 일설에는 ‘지붕이 없는 창고(倉無屋者)’를 말한다고도 한다. 독음은 이(以)와 주(主)의 반절이다.

---

(胡建傳)』의 주석에서 ‘사방에 벽이 없는 것(無四壁)을 당황(當皇)이라 한다고 했는데 바로 이를 두고 한 말이다. 위를 덮은 것(覆乎上者)을 옥(屋)이라 한다. 사방에 벽이 없이 천장만 덮은 것(無四壁而上有大覆蓋)은 멀리까지 소통하고자 한 것이다(其所通者遠矣). 이 때문에 광(廣)이라 부른 것이며, 이로부터 큰 것(大)을 지칭하는 일반적인 말이 되었다.”

139) 고문자에서 金文 古陶文 簡牘文 등으로 그렸다. 广(집 엄)이 의미부이고 黃(누를 황)이 소리부로, 사방으로 벽이 없는 큰 집(广)을 말하며, 이로부터 크고 廣闊(광활)하다, 멀다, 광대하다 등의 뜻이 만들어졌다. 간화자에서는 소리부 黃을 생략한 广으로 쓴다.

**5912**

**廦: 庰: 가릴 병: 广-총11획: bìng**

原文

廦: 蔽也. 从广并聲. 必郢切.

飜譯

'가려 감추는 곳(蔽)'을 말한다. 엄(广)이 의미부이고 병(幷)이 소리부이다. 독음은 필(必)과 영(郢)의 반절이다.

**5913**

**廁: 厠: 뒷간 측: 广-총12획: cè**

原文

廁: 淸也. 从广則聲. 初吏切.

飜譯

'청결하게 해야 하는 곳(淸)[뒷간]'을 말한다. 엄(广)이 의미부이고 칙(則)이 소리부이다.[140] 독음은 초(初)와 리(吏)의 반절이다.

**5914**

**廛: 廛: 가게 전: 广-총15획: chán**

原文

廛: 一畝半, 一家之居. 从广、里、八、土. 直連切.

飜譯

'1묘 반의 땅으로, 한 집이 살 수 있는 곳이다(一畝半, 一家之居).'[141] 엄(广)과 리

140) 고문자에서 [古文字] 簡牘文 등으로 그렸다. 厂(기슭 엄)이 의미부고 則(법칙 칙·곧 즉)이 소리부로, 변소를 말하는데, 집의 곁(則)에 만들어진 구조물(厂)이라는 의미이다. 달리 厂 대신 广(집 엄)이 들어간 廁(뒷간 측)으로 쓰기도 한다.

(里)와 팔(八)과 토(土)가 모두 의미부이다.142) 독음은 직(直)과 련(連)의 반절이다.

**5915**

**庎: 庎: 암기와 환: 广-총7획: huán**

原文

庎: 屋牝瓦下. 一曰維綱也. 从广, 閔省聲. 讀若環. 戶關切.

飜譯

'지붕의 고랑이 되도록 젖혀 놓는 기와(屋牝瓦下) 즉 암기와'를 말한다. 일설에는 '그물의 중심이 되는 단단한 줄(維綱)'을 말한다고도 한다. 엄(广)이 의미부이고, 현(閔)의 생략된 부분이 소리부이다. 환(環)과 같이 읽는다. 독음은 호(戶)와 관(關)의 반절이다.

**5916**

**廖: 廖: 섬돌에서 조회할 총: 广-총14획: cōng**

原文

廖: 屋階中會也. 从广怱聲. 倉紅切.

飜譯

'집의 동서 양쪽 계단이 중앙으로 만나는 곳(屋階中會)'을 말한다. 엄(广)이 의미부이고 총(怱)이 소리부이다. 독음은 창(倉)과 홍(紅)의 반절이다.

---

141) 『단주』에서는 '2묘 반'이 되어야 하고 거(居)는 거(尻)가 되어야 한다고 하면서 이렇게 말했다. "각 판본에서는 '一畝半, 一家之居.'로 되었는데, 이는 '二畝半也, 一家之尻.'가 되어야 한다. 바로 잡는다. 이에 관해서는 이미 려(廬)자의 해설에서 설명한 바 있다. 『한서·식화지(食貨志)』, 『공양전(公羊傳)』 하안의 주석, 『시·남산(南山)』의 전(箋), 『맹자·양혜왕(梁惠王)』의 조기(趙岐)의 주석 등에 근거해 볼 때, 옛날에는 들판(野)에 있는 집을 려(廬), 읍(邑)에 있는 것을 리(里)라 했는데, 모두 2묘 반(二畝半)에 해당했다."

142) 广(집 엄)과 里(마을 리)와 八(여덟 팔)과 土(흙 토)로 구성되어, 흙(土)을 쌓아 만든 성의 안에 흩어져(八) 살던 서민들의 집(广)이나 마을(里)을 말했는데, 이후 그런 곳에서 펼쳐졌던 노점 형태의 '가게'를 말하게 되었다. 간화자에서는 广과 里로 구성된 厘으로 쓴다.

**5917**

**廖:** 廖: **넓을 치**: 广-총11획: chǐ

原文

廖: 廣也. 从广侈聲.『春秋國語』曰 : "俠溝而廖我." 尺氏切.

飜譯

'넓다(廣)'라는 뜻이다. 엄(广)이 의미부이고 치(侈)가 소리부이다.『춘추국어(春秋國語)·오어(吳語)』에서 "[제(齊), 송(宋), 서(徐) 나라와 동쪽 이민족들이] 서로 연합하여 광범위하게 우리를 공격해 오는구나(俠溝而廖我)"라고 했다. 독음은 척(尺)과 씨(氏)의 반절이다.



**5918**

**廉:** 廉: **청렴할 렴**: 广-총13획: lián

原文

廉: 仄也. 从广兼聲. 力兼切.

飜譯

'[건물의] 왼쪽 측면(仄)'을 말한다. 엄(广)이 의미부이고 겸(兼)이 소리부이다.[143] 독음은 력(力)과 겸(兼)의 반절이다.

**5919**

**庩:** 庩: **해벌어진 집 타·차·척**: 广-총11획: chá

---

143) 고문자에서 廉簡牘文 등으로 그렸다. 广(집 엄)이 의미부이고 兼(겸할 겸)이 소리부로, 집의 처마(广)가 한곳으로 모이는(兼) 곳이라는 의미에서 '모서리'의 뜻이 나왔다. 이후 모서리는 집에서 각진 곳이며, 각이 지다는 것은 품행이 올곧음을 상징하여 '淸廉(청렴)'이라는 뜻까지 나왔다. 달리 亷이나 槏으로 적기도 한다.

原文

[广+秅]: 開張屋也. 从广秅聲. 濟陰有[广+秅]縣. 宅加切.

飜譯

'처마가 넓게 펼쳐진 집(開張屋)'을 말한다. 엄(广)이 의미부이고 타(秅)가 소리부이다. 제음(濟陰)군에 타현([广+秅]縣)이 있다. 독음은 댁(宅)과 가(加)의 반절이다.

**5920**

**龐: 龐: 클 방: 龍-총19획: páng**

原文

龐: 高屋也. 从广龍聲. 薄江切.

飜譯

'높다란 집(高屋)'을 말한다. 엄(广)이 의미부이고 룡(龍)이 소리부이다.[144] 독음은 박(薄)과 강(江)의 반절이다.

**5921**

**底: 底: 밑 저: 广-총8획: dǐ**

原文

底: 山居也. 一曰下也. 从广氐聲. 都礼切.

飜譯

'산[아래]에 살다(山居)'라는 뜻이다.[145] 일설에는 '아래(下)'라는 뜻이라고도 한다.

---

144) 고문자에서 甲骨文 등으로 그렸다. 广(집 엄)이 의미부고 龍(용 룡)이 소리부로, 크고 높은(龍) 집(广)으로부터 방대하고 크다는 의미를 그렸다. 간화자에서는 龍을 龙으로 줄여 庞으로 쓴다.

145) 『단주』에서 이렇게 말했다. '산거야(山居也)'는 각 판본에서 잘못된 것이기에 '산거야(山凥也)'로 바로 잡는다. 그리고 산(山)은 지(止)가 되어야 옳다. 글자의 오류이다. 저(底)가 엄(广)으로 구성되었기 때문에 '지거(止凥)'라고 했던 것이다. 『옥편』에서 저(底)는 머물다(止), 아래

엄(广)이 의미부이고 저(氐)가 소리부이다. 독음은 도(都)와 례(礼)의 반절이다.

**5922**

**𢈛: 庢: 물 굽이칠 질: 广-총9획: zhì**

原文

𢈛: 礙止也. 从广至聲. 陟栗切.

飜譯

'방해하여 멈추게 하다(礙止)'라는 뜻이다. 엄(广)이 의미부이고 지(至)가 소리부이다. 독음은 척(陟)과 률(栗)의 반절이다.



**5923**

**廮: 廮: 편안히 그칠 영: 广-총20획: yīng**

原文

廮: 安止也. 从广嬰聲. 鉅鹿有廮陶縣. 於郢切.

飜譯

'편안하게 머물다(安止)'라는 뜻이다. 엄(广)이 의미부이고 영(嬰)이 소리부이다. 거록(鉅鹿)군에 영도현(廮陶縣)이 있다. 독음은 어(於)와 영(郢)의 반절이다.

**5924**

**废: 废: 초가집 발: 广-총8획: bá**

原文

废: 舍也. 从广友聲. 『詩』曰: "召伯所废." 蒲撥切.

---

(下)라는 뜻이라 했고, 『광운(廣韵)』에서는 저(底)를 아래(下), 머물다(止)는 뜻이라고 했는데, 모두 『설문』에서 근거한 뜻풀이일 것이다.

飜譯

'집(舍)'을 말한다. 엄(广)이 의미부이고 발(犮)이 소리부이다. 『시·소남·감당(甘棠)』에서 "소백님이 멈추셨던 곳이니(召伯所废)"라고 노래했다.146) 독음은 포(蒲)와 발(撥)의 반절이다.

**5925**

**庳: 庳: 집 낮을 비: 广-총11획: bì**

原文

庳: 中伏舍. 从广卑聲. 一曰屋庳. 或讀若逋. 便俾切.

飜譯

'[양쪽이 높고] 중간이 움푹 꺼진 집(中伏舍)'을 말한다. 엄(广)이 의미부이고 비(卑)가 소리부이다. 일설에는 '지붕이 낮은 집(屋庳)'을 말한다고도 한다. 포(逋)와 같이 읽는다. 독음은 편(便)과 비(俾)의 반절이다.

**5926**

**庇: 庇: 덮을 비: 广-총7획: bì**

原文

庇: 蔭也. 从广比聲. 必至切.

飜譯

'그늘(蔭)'을 말한다.147) 엄(广)이 의미부이고 비(比)가 소리부이다. 독음은 필(必)과 지(至)의 반절이다.

---

146) 『단주』에서 이렇게 말했다. 『시(詩)』에서 '소백소발(召伯所废)'이라 했다고 했는데, 이는 아마도 삼가시(三家詩)를 인용하였을 것이다. 그래서 발(废)이라 적었는데, 이는 『모시』에서 발(茇)로 적고 초가집(草舍)이라는 해석과는 차이를 보인다.

147) 『단주』에서 비(庇)는 이후 의미가 파생되어 모든 덮어 가리는 것을 지칭하게 되었다고 했다. 『이아·석언(釋言)』에서도 비(庇)와 휴(休)는 가리다(蔭)는 뜻이라고 했다.

**5927**

**庶: 庶: 여러 서: 广-총11획: shù**

原文

庶: 屋下眾也. 从广、炗. 炗, 古文光字. 商署切.

飜譯

'처마 아래로 빛이 많이 들다(屋下眾)'라는 뜻이다. 엄(广)과 광(炗)이 모두 의미부인데, 광(炗)은 광(光)의 고문체이다.[148] 독음은 상(商)과 서(署)의 반절이다.

**5928**

**庤: 庤: 쌓을 치: 广-총9획: zhì**

原文

庤: 儲置屋下也. 从广寺聲. 直里切.

飜譯

'처마 아래에다 쌓아 저장해 두다(儲置屋下)'라는 뜻이다. 엄(广)이 의미부이고 사(寺)가 소리부이다. 독음은 직(直)과 리(里)의 반절이다.

**5929**

**廙: 廙: 공경할 이: 广-총15획: yì**

原文

廙: 行屋也. 从广異聲. 與職切.

---

148) 고문자에서 金文 古陶文 簡牘文 石刻古文 등으로 그렸다. 금문에서는 石(돌 석)과 火(불 화)로 구성되어, 불(火)에 돌(石)을 올려놓고 굽는 요리법을 그렸는데, 이후 广(집 엄)이 더해지고 자형이 조금 변해 지금처럼 되었다. 이후 불(火)에 올려놓은 돌(石) 주위로 여러 사람이 둘러앉았다는 뜻에서, 혹은 많은 돌을 사용해 물건을 굽는다는 뜻에서 '많다'는 의미가 나왔으며, 庶民(서민), 庶子(서자) 등의 뜻이, 다시 庶幾(서기)에서처럼 '거의'라는 부사어로도 쓰였다. 달리 庻로 쓰기도 한다.

飜譯

'옮겨 다닐 수 있는 집(行屋)'을 말한다. 엄(广)이 의미부이고 이(異)가 소리부이다. 독음은 여(與)와 직(職)의 반절이다.

5930

廔: 廔: 용마루 루: 广-총14획: lóu

原文

廔: 屋麗廔也. 从广婁聲. 一曰穜也. 洛侯切.

飜譯

'집의 창이 투명하여 영롱하다(屋麗廔)'라는 뜻이다.149) 엄(广)이 의미부이고 루(婁)가 소리부이다. 일설에는 '파종하다(穜)'라는 뜻이라고도 한다.150) 독음은 락(洛)과 후(侯)의 반절이다.

5931

㢈: 㢈: 집이 기울 퇴: 广-총11획: tuí

原文

㢈: 屋从上傾下也. 从广隹聲. 都回切.

飜譯

'지붕이 위에서 아래로 기울다(屋从上傾下)'라는 뜻이다. 엄(广)이 의미부이고 추(隹)가 소리부이다. 독음은 도(都)와 회(回)의 반절이다.

---

149) 『단주』에서는 이렇게 말했다. 여루(麗廔)는 이루(離婁·매우 밝다)와 같이 읽는다. 경(囧)자의 설명에서 '窻牖麗廔闓明也(창과 들창에 빛이 들어 환하다는 뜻이다)'라고 했다. 「장문부(長門賦)」와 「영광전부(靈光殿賦)」에서 모두 이루(離樓)라고 적었는데, 집이나 담장에서 창문을 잘 뚫어놓은 모습을 말한다(在屋在牆囱牖穿通之皃)라고 했다.

150) 『단주』에서는 종(穜) 앞에 소이(所㠯)가 빠졌다고 했다. 그렇게 되면 '씨 뿌리는 기구'라는 뜻이 된다.

**5932**

**𢊁: 廢: 폐할 폐: 广-총15획: fèi**

原文

𢊁: 屋頓也. 从广發聲. 方肺切.

飜譯

'집이 무너지다(屋頓)'라는 뜻이다. 엄(广)이 의미부이고 발(發)이 소리부이다.[151] 독음은 방(方)과 폐(肺)의 반절이다.

**5933**

**庮: 庮: 썩은 나무 유: 广-총10획: yǒu**

原文

庮: 久屋朽木. 从广酉聲. 『周禮』曰: "牛夜鳴則庮." 臭如朽木. 與久切.

飜譯

'오래된 집의 썩은 나무(久屋朽木)'를 말한다. 엄(广)이 의미부이고 유(酉)가 소리부이다. 『주례·천관·내옹(內饔)』에서 "밤에 우는 소의 고기 맛은 썩은 나무 같다(牛夜鳴則庮)"라고 했는데, 썩은 나무 냄새가 난다(臭如朽木)라는 말이다. 독음은 여(與)와 구(久)의 반절이다.

**5934**

**廑: 廑: 겨우 근: 广-총14획: jǐn**

原文

廑: 少劣之居. 从广堇聲. 巨斤切.

---

151) 고문자에서 𢊁簡牘文 등으로 그렸다. 广(집 엄)이 의미부고 發(쏠 발)이 소리부로, 쏠 수 있는 활(發)을 집(广) 속에 넣어둠으로써 쓰지 않고 폐기하다는 뜻을 그렸다. 간화자에서는 發을 发로 간단히 줄여 废로 쓴다.

‘작은 집(少劣之居)’을 말한다. 엄(广)이 의미부이고 근(堇)이 소리부이다. 독음은 거(巨)와 근(斤)의 반절이다.

**5935**

**廟: 廟: 사당 묘: 广-총15획: miào**

原文

廟: 尊先祖皃也. 从广朝聲. 庿, 古文. 眉召切.

飜譯

‘존귀한 선조의 위패를 모셔놓은 곳(尊先祖皃)’을 말한다. 엄(广)이 의미부이고 조(朝)가 소리부이다.[152] 묘(庿)는 고문체이다. 독음은 미(眉)와 소(召)의 반절이다.

**5936**

**庢: 庢: 의지할 저: 广-총8획: cì, jū**

原文

庢: 人相依庢也. 从广且聲. 子余切.

飜譯

‘사람들이 서로 의존하다(人相依庢)’라는 뜻이다. 엄(广)이 의미부이고 차(且)가 소리부이다. 독음은 자(子)와 여(余)의 반절이다.

**5937**

**廅: 廅: 집 좁을 얼: 广-총12획: yè**

---

152) 고문자에서 庿金文 簡牘文 등으로 그렸다. 广(집 엄)이 의미부이고 朝(아침 조)가 소리부로, ‘사당’을 말하는데, 아침(朝)마다 찾아가 조상신께 문안을 드리고자 만든 건축물(广)이라는 의미를 담았으며, 일반 사대부들에게는 家廟(가묘)가, 국가에는 宗廟(종묘)가 설치되었다. 간화자에서는 소리부 朝를 由(말미암을 유)로 바꾼 庙로 쓴다.

原文

廅: 屋迫也. 从广曷聲. 於歇切.

飜譯

'집이 협소하다(屋迫)'라는 뜻이다. 엄(广)이 의미부이고 갈(曷)이 소리부이다. 독음은 어(於)와 헐(歇)의 반절이다.

5938

**㡿: 㡿: 물리칠 척·차: 广-총9획: chì**

原文

㡿: 郤屋也. 从广屰聲. 昌石切.

飜譯

'집을 허물어 넓히다(郤屋)'라는 뜻이다. 엄(广)이 의미부이고 역(屰)이 소리부이다. 독음은 창(昌)과 석(石)의 반절이다.

5939

**廞: 廞: 진열할 흠: 广-총15획: xīn**

原文

廞: 陳輿服於庭也. 从广欽聲. 讀若歆. 許今切.

飜譯

'거마와 복식을 방 가운데에 진설해 두다(陳輿服於庭)'라는 뜻이다. 엄(广)이 의미부이고 흠(欽)이 소리부이다. 흠(歆)과 같이 읽는다. 독음은 허(許)와 금(今)의 반절이다.

5940

**廖: 廖: 텅 빌 료: 广-총18획: liáo**

原文

廫: 空虛也. 从广膠聲. 洛蕭切.

飜譯

'텅 비다(空虛)'라는 뜻이다. 엄(广)이 의미부이고 교(膠)가 소리부이다. 독음은 락(洛)과 소(蕭)의 반절이다.

**5941**

**廈: 厦: 처마 하: 广-총13획: xià**

原文

廈: 屋也. 从广夏聲. 胡雅切.

飜譯

'처마(屋)'를 말한다. 엄(广)이 의미부이고 하(夏)가 소리부이다.153) 독음은 호(胡)와 아(雅)의 반절이다. [신부]

**5942**

**廊: 廊: 복도 랑: 广-총13획: láng**

原文

廊: 東西序也. 从广郎聲. 『漢書』通用郎. 魯當切.

飜譯

'동서로 늘어선 담(東西序)'을 말한다. 엄(广)이 의미부이고 랑(郎)이 소리부이다. 『한서(漢書)』에서는 랑(郎)과 통용되었다.154) 독음은 로(魯)와 당(當)의 반절이다. [신부]

---

153) 广(집 엄)이 의미부고 夏(여름 하)가 소리부로, 큰(夏) 집(广)을 말한다. 달리 속자나 현대 중국의 간화자에서는 广을 厂(기슭 엄)으로 바꾼 厦(큰 집 하)로 쓰기도 한다.

154) 고문자에서 甲骨文 簡牘文 등으로 그렸다. 广(집 엄)이 의미부이고 郞(사나이 랑)이 소리부로, 궁궐 등에 중요한 시설을 둘러싸고자 만든, 바깥쪽은 벽이나 연자 창을 만들고 안쪽은 기둥만 세워 개방한 긴 길(郞)을 가진 건축물(广)의 일종인 '回廊(회랑)'을 말한다. 朗(밝을 랑) 阝(阜·

**5943**

**廂: 廂: 행랑 상: 广-총12획: xiāng**

原文

廂: 廊也. 从广相聲. 息良切.

飜譯

'행랑(廊)'을 말한다. 엄(广)이 의미부이고 상(相)이 소리부이다. 독음은 식(息)과 량(良)의 반절이다. [신부]

**5944**

**庪: 庪: 산신제 기: 广-총10획: guǐ**

原文

庪: 祭山曰庪縣. 从广技聲. 過委切.

飜譯

'산에 제사지내는 것(祭山)을 기현(庪縣: 산제사)이라 한다.'155) 엄(广)이 의미부이고 기(技)가 소리부이다. 독음은 과(過)와 위(委)의 반절이다. [신부]

---

언덕 부)가 의미부이고 良(좋을 량)이 소리부로, 집으로 가는 길(良)처럼 길게 만들어진 흙길(阝)이 원래 뜻으로, 이로부터 궁궐의 '회랑' 등을 뜻하게 되었다. 이후 궁궐에서 일을 보는 최측근을 郞中(낭중)이라 했던 것처럼 '훌륭하고 뛰어난 남자'를 뜻하게 되자, 다시 广(집 엄)을 더해 廊(복도 랑)으로 분화했다.

155) 산에 제사지내는 것을 기현(庪縣)이라고 하며, 하천에 제사지내는 것을 부침(浮沈)이라고 한다. 『이아·석천(釋天)』에서 산에 제사지내는 것(祭山)을 기현(庪縣)이라고 했다. 『이아주』에서 "혹은 매장하기도 하고 혹은 매달기도 하여 산에다 두는데(或庪或縣, 置之於山), 『산해경(山海經)』에서 '좋은 옥을 매단다(縣以吉玉)'고 했는데 바로 이를 두고 한 말이다."라고 했다. 형병(邢昺)의 『소(疏)』에서 이렇게 설명했다. "기현(庪縣)은 산에 지내는 제사 이름이다(祭山之名也). 기(庪)는 매장하는 것을 말하고(埋藏之)……현(縣)은 희생과 폐백을 산속에다 매다는 것을 말한다(縣其牲幣於山林中). 그래서 산에 지내는 제사(祭山)를 기현(庪縣)이라 하게 되었다."

**5945**

**庱: 庱: 정자 이름 릉: 广-총11획: lǐng**

原文

庱: 地名. 从广, 未詳. 丑拼切.

飜譯

'땅 이름(地名)'이다. 엄(广)이 의미부이다. 상세한 것은 알 수 없다(未詳). 독음은 축(丑)과 승(拼)의 반절이다. [신부]

**5946**

**廫: 廫: 공허할 료: 广-총14획: liào**

原文

廫: 人姓. 从广, 未詳. 當是省廫字尔. 力救切.

飜譯

'사람의 성(人姓)'이다. 엄(广)이 의미부이다. 상세한 것은 알 수 없다(未詳). 료(廫) 자를 생략한 것임에 틀림없다.156) 독음은 력(力)과 구(救)의 반절이다. [신부]

156) 广(집 엄)이 의미부이고 翏(높이 날 료)가 소리부로, 집(广) 위로 높이 날아오르면 텅 빈 곳이 전개된다는 뜻에서 비다, 공허하다는 의미를 담았다. 또 옛날의 나라 이름이나, 성씨의 하나로도 쓰인다.

# 제354부수
## 354 ■ 엄(厂)부수

**5947**

**厂: 厂: 기슭 엄·한: 厂-총2획: ān, yǎn, hǎn**

原文

厂: 山石之厓巖, 人可居. 象形. 凡厂之屬皆从厂. 厈, 籒文从干. 呼旱切.

譯解

'산에 돌이 깎아지른 절벽인데, 사람이 기거할 수 있는 곳(山石之厓巖, 人可居.)'을 말한다. 상형이다.157) 엄(厂)부수에 귀속된 글자들은 모두 엄(厂)이 의미부이다. 엄(厈)은 주문체인데, 간(干)으로 구성되었다. 독음은 호(呼)와 한(旱)의 반절이다.

**5948**

**厓: 厓: 언덕 애: 厂-총8획: yá**

原文

厓: 山邊也. 从厂圭聲. 五佳切.

譯解

---

157) 厂은 갑골문에서 깎아지른 바위 언덕을 그렸는데, 여기에 돌덩이가 더해지면 石(돌 석)이 된다. 금문과 『설문해자』의 주문체에서는 소리부인 干(방패 간)을 더해 厈(굴 바위 집 엄)으로 쓰기도 했는데, 이는 이후 山(뫼 산)을 더한 岸(언덕 안)으로 분화했다. 깎아지른 바위언덕은 초기 인류의 훌륭한 거주지였는데, 이 때문에 『설문해자』에서 厂을 두고 "사람이 살 수 있는 바위 언덕"이라 풀이했다. 그래서 厂은 바위나 돌, 깎아지른 절벽, 집 등을 뜻한다. 예컨대 厓(언덕 애)는 厂과 圭(홀 규)의 결합으로 깎아지른 '높은 언덕'을 말하고, 原(근원 원)은 깎아지른 언덕(厂)에서 물이 흘러나오는 모습(泉·천)을 그려 샘물의 '근원'을 말했는데, 이후 水(물 수)를 더하여 源(근원 원)으로 분화했다. 또 厚(두터울 후)는 厂과 旱(두터울 후)로 구성되어, 산(厂)처럼 두터움(旱)을 말한다.

'산의 가장자리(山邊)'라는 뜻이다. 엄(厂)이 의미부이고 규(圭)가 소리부이다.158) 독음은 오(五)와 가(佳)의 반절이다.

**5949**

**𡋣**: 厜: **산꼭대기 수**: 厂-총10획: zuī

原文

𡋣: 厜㕒, 山顚也. 从厂垂聲. 姊宜切.

飜譯

'수의(厜㕒)를 말하는데, 산꼭대기(山顚)'라는 뜻이다. 엄(厂)이 의미부이고 수(垂)가 소리부이다. 독음은 자(姊)와 의(宜)의 반절이다.

**5950**

**㕒**: 㕒: **산꼭대기 의**: 厂-총15획: wéi, wěi, wēi

原文

㕒: 厜㕒也. 从厂義聲. 魚爲切.

飜譯

'수의(厜㕒) 즉 산꼭대기'를 말한다. 엄(厂)이 의미부이고 의(義)가 소리부이다. 독음은 어(魚)와 위(爲)의 반절이다.

**5951**

**厰**: 厰: **바위 험할 엄**: 厂-총14획: yín, ǎn, kǎn

原文

---

158) 厂(기슭 엄)과 圭(홀 규)로 구성되었는데, 圭는 높이 쌓은 흙(土·토)과 그 그림자를 그려 깎아지른 듯 '높은 언덕'을 그렸고, 이로부터 물가, 경계에 가까운 바깥쪽 부분이라는 뜻도 나왔다.

厰: 崟也. 一曰地名. 从厂敢聲. 魚音切.

飜譯

'험준하다(崟)'라는 뜻이다. 일설에는 지명(地名)이라고도 한다. 엄(厂)이 의미부이고 감(敢)이 소리부이다. 독음은 어(魚)와 음(音)의 반절이다.

**5952**

**厬: 厬: 물마를 궤: 厂-총14획: guǐ**

原文

厬: 仄出泉也. 从厂晷聲. 讀若軌. 居洧切.

飜譯

'옆의 구멍으로 나오는 샘물(仄出泉)'을 말한다. 엄(厂)이 의미부이고 귀(晷)가 소리부이다. 궤(軌)와 같이 읽는다. 독음은 거(居)와 유(洧)의 반절이다.

**5953**

**厎: 厎: 숫돌 지: 厂-총7획: dī, zhǐ**

原文

厎: 柔石也. 从厂氐聲. 砥, 厎或从石. 職雉切.

飜譯

'부드러운 재질의 돌(柔石)'을 말한다. 엄(厂)이 의미부이고 저(氐)가 소리부이다. 지(砥)는 지(厎)의 혹체자인데, 석(石)으로 구성되었다. 독음은 직(職)과 치(雉)의 반절이다.

**5954**

**厥: 厥: 그 궐: 厂-총12획: jué**

原文

厥: 發石也. 从厂欮聲. 俱月切.

飜譯

'돌덩어리를 캐내다(發石)'라는 뜻이다. 엄(厂)이 의미부이고 궐(欮)이 소리부이다.159) 독음은 구(俱)와 월(月)의 반절이다.

**5955**

厲: 厲: **갈 려**: 厂-총15획: lì

原文

厲: 旱石也. 从厂, 蠆省聲. 𠪚, 或不省. 力制切.

飜譯

'단단한 돌(旱石)'을 말한다. 엄(厂)이 의미부이고, 채(蠆)의 생략된 부분이 소리부이다.160) 려(𠪚)는 혹체자인데, 생략되지 않은 모습이다. 독음은 력(力)과 제(制)의 반절이다.

**5956**

厱: 厱: **벼랑의 동굴 감·옥을 가는 돌 람·비탈이 험할 엄**: 厂-총15획: lán

原文

厱: 厱諸, 治玉石也. 从厂僉聲. 讀若藍. 魯甘切.

飜譯

'감제(厱諸)를 말하는데, 옥을 다듬는 돌(治玉石)'을 말한다. 엄(厂)이 의미부이고 첨(僉)이 소리부이다. 람(藍)과 같이 읽는다. 독음은 로(魯)와 감(甘)의 반절이다.

---

159) 고문자에서 [金文] 金文 [帛書] 帛書 [簡牘文] 簡牘文 등으로 그렸다. 厂(기슭 엄)이 의미부이고 欮(그 궐)이 소리부로, 큰 바윗덩어리(厂)를 뽑아냄을 말했는데, 이후 '그(것)'이라는 의미로 가차되었으며, 突厥(돌궐)에서처럼 음역자로도 쓰였다.

160) 고문자에서 [金文] 金文 [簡牘文] 簡牘文 등으로 그렸다. 厂(기슭 엄)이 의미부이고 萬(일만 만)이 소리부로, 재질이 거친 칼 가는 숫돌이나 숫돌에 칼을 가는 행위를 말했는데, 이후 石(돌 석)을 더한 礪(거친 숫돌 려), 力(힘 력)을 더한 勵(힘쓸 려)로 분화했다. 간화자에서는 萬을 万(일만 만)으로 대체한 厉로 쓴다.

**5957**

**厤: 厤: 다스릴 력: 厂-총12획: lì**

原文

厤: 治也. 从厂秝聲. 郎擊切.

飜譯

'다스리다(治)'라는 뜻이다. 엄(厂)이 의미부이고 력(秝)이 소리부이다. 독음은 랑(郎)과 격(擊)의 반절이다.

**5958**

**厘: 厘: 돌 예리할 시: 厂-총14획: xǐ**

原文

厘: 石利也. 从厂異聲. 讀若枲. 胥里切.

飜譯

'돌이 예리하다(石利)'라는 뜻이다. 엄(厂)이 의미부이고 이(異)가 소리부이다. 시(枲)와 같이 읽는다. 독음은 서(胥)와 리(里)의 반절이다.

**5959**

**厝: 厝: 아름다운 돌 호: 厂-총7획: hù**

原文

厝: 美石也. 从厂古聲. 侯古切.

飜譯

'[옥과 비슷한] 아름다운 돌(美石)'을 말한다. 엄(厂)이 의미부이고 고(古)가 소리부이다. 독음은 후(侯)와 고(古)의 반절이다.

**5960**

**厗: 厗: 당제석 제: 厂-총9획: tí**

原文

厗: 唐厗, 石也. 从厂, 屖省聲. 杜兮切.

飜譯

'당제(唐厗)'를 말하는데, '돌 이름(石)'이다.[161] 엄(厂)이 의미부이고, 서(屖)의 생략된 부분이 소리부이다. 독음은 두(杜)와 혜(兮)의 반절이다.

**5961**

**厒: 厒: 돌 무너지는 소리 랍: 厂-총7획: lá, lā**

原文

厒: 石聲也. 从厂立聲. 盧荅切.

飜譯

'돌이 무너지는 소리(石聲)'를 말한다. 엄(厂)이 의미부이고 립(立)이 소리부이다. 독음은 로(盧)와 답(荅)의 반절이다.

**5962**

**厄: 㕧: 돌땅 역: 厂-총10획: yì**

原文

㕧: 石地惡也. 从厂兒聲. 五歷切.

飜譯

'돌이 많아 질이 나쁜 땅(石地惡)'을 말한다. 엄(厂)이 의미부이고 아(兒)가 소리부이다. 독음은 오(五)와 력(歷)의 반절이다.

161) 『단주』에서는 당제(鎕銻)로 썼고, 이는 화제(火齊)를 말한다고 했다. 이는 화제주(火齊珠)로, 장미색을 띠는 옥돌로 달리 홍보석(紅寶石)이라 부르기도 한다.

**5963**

**厱:** 厱: **단단한 땅 금**: 厂-총10획: jìng, qín

原文

厱: 石地也. 从厂金聲. 讀若紟. 巨今切.

飜譯

'돌이 많은 땅(石地)'을 말한다. 엄(厂)이 의미부이고 금(金)이 소리부이다. 금(紟)과 같이 읽는다. 독음은 거(巨)와 금(今)의 반절이다.

**5964**

**厞:** 厞: **돌 사이 보일 부·돌에 무늬가 나타날 포**: 厂-총9획: fū

原文

厞: 石閒見. 从厂甫聲. 讀若敷. 芳無切.

飜譯

'돌이 틈사이로 드러나 보이다(石閒見)'라는 뜻이다. 엄(厂)이 의미부이고 보(甫)가 소리부이다. 부(敷)와 같이 읽는다. 독음은 방(芳)과 무(無)의 반절이다.

**5965**

**厝:** 厝: **둘 조·숫돌 착**: 厂-총10획: cuò

原文

厝: 厲石也. 从厂昔聲. 『詩』曰 : "他山之石, 可以爲厝." 倉各切.

飜譯

'숫돌(厲石)'을 말한다. 엄(厂)이 의미부이고 석(昔)이 소리부이다. 『시·소아·학명(鶴鳴)』에서 "다른 산의 돌이 이곳의 옥을 가는 숫돌이 되네(他山之石, 可以爲厝)"라고 노래했다.[162] 독음은 창(倉)과 각(各)의 반절이다.

**5966**

**厖: 厖: 클 방: 厂-총9획: páng**

原文

厖: 石大也. 从厂尨聲. 莫江切.

飜譯

'돌이 크다(石大)'라는 뜻이다. 엄(厂)이 의미부이고 방(尨)이 소리부이다. 독음은 막(莫)과 강(江)의 반절이다.

**5967**

**屵: 屵: 물가 언덕위에 나타날 약: 厂-총5획: yuè**

原文

屵: 岸上見也. 从厂, 从之省. 讀若躍. 以灼切.

飜譯

'[돌이] 높은 언덕 위에 나타나다(岸上見)'라는 뜻이다. 엄(厂)이 의미부이고, 지(之)의 생략된 모습이 의미부이다. 약(躍)과 같이 읽는다. 독음은 이(以)와 작(灼)의 반절이다.

**5968**

**厥: 厥: 더러울 협: 厂-총9획: xiá**

原文

厥: 辟也. 从厂夾聲. 胡甲切.

飜譯

---

162) 금본에서는 착(厝)이 착(錯)으로 되었다.

‘좁다(𠪾)’라는 뜻이다. 엄(厂)이 의미부이고 협(夾)이 소리부이다. 독음은 호(胡)와 갑(甲)의 반절이다.

**5969**

**仄: 仄: 기울 측: 人-총4획: zè**

原文

仄: 側傾也. 从人在厂下. [厂+夨], 籒文从夨, 夨亦聲. 阻力切.

飜譯

‘옆으로 기울어지다(側傾)’라는 뜻이다. 사람(人)이 기슭(厂) 아래에 있는 모습이다.163) 측([厂+夨])은 주문체인데, 녈(夨)로 구성되었는데, 녈(夨)은 소리부도 겸한다. 독음은 조(阻)와 력(力)의 반절이다.

**5970**

**𠪾: 𠪾: 궁벽할 벽: 厂-총15획: pì**

原文

𠪾: 仄也. 从厂辟聲. 普擊切.

飜譯

‘기울다(仄)’라는 뜻이다. 엄(厂)이 의미부이고 벽(辟)이 소리부이다. 독음은 보(普)와 격(擊)의 반절이다.

---

163) 고문자에서 簡牘文 등으로 그렸다. 厂(기슭 엄)과 人(사람 인)으로 구성되어 사람(人)이 바위기슭(厂)의 낭떠러지에 선 모습을 그렸는데, 人은 머리를 구부린 모양의 夭(어릴 요)로 표현되기도 한다. 낭떠러지는 좁아 제대로 몸을 펼 수 없기 때문에 몸을 세우고 머리를 기울이기 마련이고, 이 때문에 ‘기울다’는 뜻이 나왔다. 平(평평할 평)과 대칭 개념으로 쓰였으며, 이 때문에 시의 운율을 따질 때 쓰는 ‘仄聲(측성)’을 뜻하기도 한다.

제9권

**5971**

厞: 厞: **더러울 비**: 厂–총10획: fèi

原文

厞: 隱也. 从厂非聲. 扶沸切.

飜譯

'숨겨져 있다(隱)'라는 뜻이다. 엄(厂)이 의미부이고 비(非)가 소리부이다. 독음은 부(扶)와 비(沸)의 반절이다.

**5972**

厭: 厭: **싫을 염**: 厂–총14획: yàn

原文

厭: 笮也. 从厂猒聲. 一曰合也. 於輒切.

飜譯

'압박하다(笮)'라는 뜻이다.164) 엄(厂)이 의미부이고 염(猒)이 소리부이다. 일설에는 '부합하다(合)'라는 뜻이라고도 한다.165) 독음은 어(於)와 첩(輒)의 반절이다.

**5973**

产: 产: **우러러볼 첨**: 厂–총4획: hǎn

原文

产: 仰也. 从人在厂上. 一曰屋梠也, 秦謂之桷, 齊謂之产. 魚毀切.

---

164) 『단주』에서 이렇게 말했다. "죽(竹)부수에서 착(笮)은 다그치다(迫)라는 뜻이다고 했는데, 이 의미를 오늘날 사람들은 압(壓)으로 쓴다."

165) 고문자에서 金文 등으로 그렸다. 猒(물릴 염)이 의미부고 厂(기슭 엄)이 소리부로, '맛있는' 개고기를 '싫증날' 정도로 먹다(猒)는 뜻에서 싫증나다, 염증을 느끼다, 싫어하다의 뜻이 나왔다. 猒에서 犬(개 견)은 개를, 肉(고기 육)은 고기를, 口(입 구)는 고깃덩어리를 뜻한다. 간화자에서는 犬이 의미부이고 厂이 소리부인 厌으로 줄여 쓴다.

'우러러보다(仰)'라는 뜻이다. 사람(人)이 기슭(厂) 위에 있는 모습이다. 일설에는 '집의 평고대(屋梠: 처마 끝의 서까래를 받치기 위한 가로로 놓은 나무)'를 말한다고도 하는데, 진(秦) 지역에서는 각(桷)이라 하고, 제(齊) 지역에서는 첨(产)이라 한다. 독음은 어(魚)와 훼(毁)의 반절이다.

## 제355부수
## 355 ■ 환(丸)부수

**5974**

**丸: 丸: 알 환: 丶-총3획: wán**

原文

丸: 圜, 傾側而轉者. 从反仄. 凡丸之屬皆从丸. 胡官切.

飜譯

'환(圜)과 같아 둥글다'는 뜻인데, '옆으로 기운 채 도는 것(傾側而轉者)'을 말한다. 측(仄)을 뒤집은 모습이다.166) 환(丸)부수에 귀속된 글자들은 모두 환(丸)이 의미부이다. 독음은 호(胡)와 관(官)의 반절이다.

**5975**

**𡖇: 𡖇: 정조가 토해낸 털 위: 口-총12획: wō**

原文

𡖇: 鷙鳥食已, 吐其皮毛如丸. 从丸咼聲. 讀若骫. 於跪切.

飜譯

'맹금이 이미 먹었다가 토해낸 동글동글하게 생긴 털 뭉치(鷙鳥食已, 吐其皮毛如丸)'를 말한다. 환(丸)이 의미부이고 괘(咼)가 소리부이다. 위(骫)와 같이 읽는다. 독음은 어(於)와 궤(跪)의 반절이다.

---

166) 소전체에서부터 나타나는데, 『설문해자』에서는 仄(기울 측)의 뒤집은 모습으로 써 "기울어진 채 빙빙 돌아가는 것을 말하며, 둥글다는 뜻이다."라고 풀이했다. 이는 기울어지지(仄) 않음을 상징하고, 따라서 사람이 손으로 무언가를 돌리는 모습으로 추정된다. 둥근 것은 빙빙 돌아가며 바로 서지 못한다. 그래서 丸에 '둥글다'는 뜻이 들었고, 다시 丸藥(환약)과 같이 둥글게 만든 알약을 부르게 되었다. 현대 옥편에서 丶(점 주)부수에 편입되었지만 丶와는 의미적 관련이 없는 글자이다.

**5976**

: 𦓐: **돌릴 이**: 而-**총9획**: ér, nuó

原文

: 丸之孰也. 从丸而聲. 奴禾切.

飜譯

'[둥글게 뭉쳐] 환으로 만들다(丸之孰)'라는 뜻이다. 환(丸)이 의미부이고 이(而)가 소리부이다. 독음은 노(奴)와 화(禾)의 반절이다.

**5977**

: 奿: **여자 영오할 번**: 女-**총6획**: fàn

原文

: 闕. 芳萬切.

飜譯

'자세한 내용을 알 수 없어 비워 둔다(闕).' 독음은 방(芳)과 만(萬)의 반절이다.

## 第356부수
## 356 ■ 위(危)부수

**5978**

**危: 危: 위태할 위: 卩-총6획: wēi**

原文

危: 在高而懼也. 从厃, 自卩止之. 凡危之屬皆从危. 魚爲切.

飜譯

'높은 곳에 서 있어 두려워하다(在高而懼)'라는 뜻이다. 첨(厃)[과 절(卩)]이 의미부인데, 스스로 [두려워하여] 절제하다(自卩止之)라는 뜻이다.[167] 위(危)부수에 귀속된 글자들은 모두 위(危)가 의미부이다. 독음은 어(魚)와 위(爲)의 반절이다.

**5979**

**䤥: 䤥: 기울 기·포갤 궤: 支-총10획: guǐ, qī**

原文

䤥: 䤥嶇也. 从危支聲. 去其切.

飜譯

'[굴곡이 많아] 울퉁불퉁하다(䤥嶇)'라는 뜻이다. 위(危)가 의미부이고 지(支)가 소리부이다. 독음은 거(去)와 기(其)의 반절이다.

---

167) 고문자에서 古陶文 簡牘文 등으로 그렸다. 소전체에서 㔾(병부 절)이 의미부고 厃(우러러볼 첨)이 소리부로, 바위(厂·엄) 위에 선 사람(人·인)을 그린 厃에다 앉은 사람을 그린 㔾이 더해져 '위태함'을 그렸다. 이로부터 위태함과 위험의 뜻이 나왔고, 위급, 위해 등의 뜻이 나왔다. 또 위태하게 보일 정도로 허리를 꼿꼿하게 세워 앉는다는 뜻에서 危坐(위좌)의 뜻도 나왔다. 또 별의 이름으로 쓰여 28수의 하나를 지칭하기도 한다.

# 제357부수
# 357 ■ 석(石)부수

**5980**

**石: 石: 돌 석: 石-총5획: shí**

原文

石: 山石也. 在厂之下; 口, 象形. 凡石之屬皆从石. 常隻切.

飜譯

'산의 돌(山石)'을 말한다. [돌이] 기슭(厂) 아래에 놓인 모습이다. 구(口)는 [네모지거나 둥근 돌을 그린] 상형자이다.[168] 석(石)부수에 귀속된 글자들은 모두 석(石)이 의미부이다. 독음은 상(常)과 척(隻)의 반절이다.

**5981**

**磺: 磺: 쇳돌 광·유황 황: 石-총17획: gǒng**

原文

磺: 銅鐵樸石也. 从石黃聲. 讀若穬. 丱, 古文礦. 『周禮』有丱人. 古猛切.

飜譯

'동이나 철 같은 가공하지 않은 원석(銅鐵樸石)'을 말한다. 석(石)이 의미부이고 황(黃)이 소리부이다. 광(穬)과 같이 읽는다. 광(丱)은 광(礦)의 고문체인데, 『주례』에 '광인(丱人)'이 있다.[169] 독음은 고(古)와 맹(猛)의 반절이다.

168) 고문자에서 [古文字 字形] 甲骨文 [字形] 金文 [字形] 古陶文 [字形] 簡牘文 등으로 그렸다. 갑골문에서 오른쪽은 암벽을, 왼쪽은 암벽에서 떨어져 나온 돌덩이를 그렸다. 돌은 인류가 최초로 사용했던 도구였고, 이후 갖가지 중요한 도구로 응용되었다. 그래서 돌은 침, 비석, 숫돌, 악기, 용기, 용량 단위 등 다양한 용도로 쓰였다.

169) 광인(丱人)은 중국 고대의 야금을 관리하던 기구를 말한다. 광(丱)은 광(礦)자의 고문체이다.

**5982**

**碭: 碭: 무늬 있는 돌 탕: 石-총14획: dàng**

原文

碭: 文石也. 从石昜聲. 徒浪切.

飜譯

'무늬가 든 돌(文石)'을 말한다. 석(石)이 의미부이고 양(昜)이 소리부이다. 독음은 도(徒)와 랑(浪)의 반절이다.

**5983**

**碝: 碝: 옥돌 연: 石-총14획: ruǎn**

原文

碝: 石次玉者. 从石耎聲. 而沇切.

飜譯

'옥에 버금가는 돌(石次玉者)'을 말한다. 석(石)이 의미부이고 연(耎)이 소리부이다. 독음은 이(而)와 연(沇)의 반절이다.

**5984**

**砮: 砮: 돌살촉 노: 石-총10획: nǔ**

原文

砮: 石, 可以爲矢鏃. 从石奴聲. 『夏書』曰: "梁州貢砮丹." 『春秋國語』曰: "肅

---

『주례』의 정현(鄭玄) 주석에 의하면, "광(卝)은 광(礦)을 말하는데, 금(金)이나 옥(玉)으로서 아직 기물로 가공되지 않은 원석을 광(礦)이라 한다."고 했다. 『주례·지관(地官)』에서 "광인(卝人)에는 중사(中士) 2인, 하사(下士) 4인, 부(府) 2인, 사(史) 2인, 서(胥) 4인, 도(徒) 40인이 배속되었다."라고 했으며, 이의 직무에 대해서는 "금(金), 옥(玉), 주석(錫), 돌(石)이 나는 땅을 엄격한 금령으로 지키는 직무를 담당했다."라고 했다.

愼氏貢楛矢石砮." 乃都切.

飜譯

'돌(石)의 일종'인데, 화살촉을 만들 수 있다(可以爲矢鏃). 석(石)이 의미부이고 노(奴)가 소리부이다. 『서·하서(夏書)·우공(禹貢)』에서 "양주(梁州) 지역에서는 화살촉을 만드는데 쓰는 노석(砮石)과 연료로 쓰는 단석(丹石)을 공물로 바쳤다"라고 했다. 『춘추국어(春秋國語)』에서는 "숙신씨(肅愼氏)가 고목으로 만든 화살(楛矢)과 돌로 만든 화살촉(石砮)을 공납으로 바쳤다"라고 했다. 독음은 내(乃)와 도(都)의 반절이다.

**5985**

**礜: 礜: 독이 있는 돌 여: 石-총19획: yù**

原文

礜: 毒石也. 出漢中. 从石與聲. 羊茹切.

飜譯

'독이 들어 있는 돌(毒石)'을 말한다. 한중(漢中) 지역에서 난다. 석(石)이 의미부이고 여(與)가 소리부이다. 독음은 양(羊)과 여(茹)의 반절이다.

**5986**

**碣: 碣: 비 갈·돌 세울 게: 石-총14획: jié**

原文

碣: 特立之石. 東海有碣石山. 从石曷聲. 𥕛, 古文. 渠列切.

飜譯

'홀로 우뚝 선 돌(特立之石)'을 말한다. 동해(東海) 지역에 갈석산(碣石山)이 있다.170) 석(石)이 의미부이고 갈(曷)이 소리부이다.171) 갈(𥕛)은 고문체이다. 독음은

170) 갈석산(碣石山)은 여러 곳에 있지만, 여기서는 산동성 무체현(無棣縣)에 북쪽 30킬로미터 지점에 있는 산봉우리를 말한다. 약 73만 년 전에 화산 폭발로 형성된 송곳모양의 복합화산군이며, 화북(華北) 평원에서 유일한 노두(露頭: 암석이나 지층이 지표에 직접적으로 드러나 있

거(渠)와 렬(列)의 반절이다.

**5987**

**䃛: 磏: 거친 숫돌 렴: 石-총15획: lián**

原文

䃛: 厲石也. 一曰赤色. 从石兼聲. 讀若鎌. 力鹽切.

譯

'숫돌(厲石)'을 말한다. 일설에는 '붉은색(赤色)'을 말한다고도 한다. 석(石)이 의미부이고 겸(兼)이 소리부이다. 겸(鎌)과 같이 읽는다. 독음은 력(力)과 염(鹽)의 반절이다.

**5988**

**碬: 碬: 숫돌 하: 石-총14획: xiá**

原文

碬: 厲石也. 从石叚聲. 『春秋傳』曰: "鄭公孫碬字子石." 乎加切.

譯

'숫돌(厲石)'을 말한다. 석(石)이 의미부이고 가(叚)가 소리부이다. 『춘추전』(『좌전』 양공 27년, B.C. 546)에서 "정(鄭)나라의 공손하(公孫碬)의 자(字)가 자석(子石)이다"라고 했다.[172] 독음은 호(乎)와 가(加)의 반절이다.

---

는) 화산으로, '경남 최고의 산(京南第一山)'으로 불린다.

171) 石(돌 석)이 의미부이고 曷(어찌 갈)이 소리부로, 돌(石)로 만든 둥근 모양의 '비석'을 말하며, 이로부터 비석에 새겨진 문자, 경계비, 비석을 세우다 등의 뜻이 나왔고, 비석처럼 우뚝 선 모양도 뜻하게 되었다.

172) 공손하(公孫碬)는 공손단(公孙段, ?~B.C. 535)을 말하는데, 희(姬)성이며 풍(豐)씨로, 이름이 단(段), 자가 자석(子石), 시호가 경(景)으로 자풍(子豐)의 아들이자 정(鄭) 목공(穆公)의 손자이며, 정(鄭)나라의 경(卿)을 역임했다.

**5989**

**礫: 조약돌 력: 石-총20획: lì**

原文

: 小石也. 从石樂聲. 郞擊切.

飜譯

'작은 돌(小石)'을 말한다. 석(石)이 의미부이고 악(樂)이 소리부이다. 독음은 랑(郞)과 격(擊)의 반절이다.

**5990**

**巩: 물가의 돌 공: 石-총11획: gǒng**

原文

: 水邊石. 从石巩聲. 『春秋傳』曰 : "闕巩之甲." 居竦切.

飜譯

'물가에 있는 돌(水邊石)'을 말한다. 석(石)이 의미부이고 공(巩)이 소리부이다. 『춘추전』(『좌전』 소공 15년, B.C. 527)에서 "궐공(闕巩)에서 나는 갑옷(甲)"이라고 했다.[173] 독음은 거(居)와 송(竦)의 반절이다.

**5991**

**磧: 서덜 적: 石-총16획: qì**

原文

: 水陼有石者. 从石責聲. 七迹切.

飜譯

'돌이 있는 물가 모래톱(水陼有石者)'을 말한다. 석(石)이 의미부이고 책(責)이 소리

173) 『좌전(左傳)』 소공(昭公) 15년 조와 정공(定公) 4년 조에서 모두 공(鞏)으로 적었는데, 두예의 주석에서 궐공국(闕鞏國)에서 나는 갑옷(鎧)이라고 했다.

부이다. 독음은 칠(七)과 적(迹)의 반절이다.

**5992**

**碑: 碑: 돌기둥 비: 石-총13획: bēi**

原文

碑: 豎石也. 从石卑聲. 府眉切.

飜譯

'높이 세운 돌(豎石)'을 말한다. 석(石)이 의미부이고 비(卑)가 소리부이다.[174] 독음은 부(府)와 미(眉)의 반절이다.

**5993**

**硋: 硋: 떨어질 대: 石-총14획: zhào, zhuì**

原文

硋: 陵也. 从石豢聲. 徒對切.

飜譯

'가파르다(陵)'라는 뜻이다.[175] 석(石)이 의미부이고 수(豢)가 소리부이다. 독음은 도(徒)와 대(對)의 반절이다.

**5994**

**磒: 磒: 떨어질 운: 石-총15획: yǔn**

---

174) 石(돌 석)이 의미부고 卑(낮을 비)가 소리부로, 하관할 때 관을 줄에 매어 내리도록(卑) 도와주는 돌(石) 기둥을 말했는데, 이후 묘지의 주인을 표기하는 용도로 변화되었다.

175) 『단주』에서는 준야(陵也)를 치야(陊也)로 고치고 이렇게 말했다. "치(陊)는 떨어지다(落)는 뜻이다. 대(硋)는 대(隊)와 독음과 의미가 같은데, 대(隊)는 높은 곳에서부터 떨어지다는 뜻이다(從高隊也). 『광운』에서 뇌대(礧硋)는 물체가 떨어지다는 뜻이다(物墜也)라고 하였다." 그렇게 되면 '떨어지다'는 뜻이 된다.

原文

磒: 落也. 从石員聲. 『春秋傳』曰 : "磒石于宋五." 于敏切.

飜譯

'떨어지다(落)'라는 뜻이다. 석(石)이 의미부이고 원(員)이 소리부이다. 『춘추전』(『좌전』 희공 16년, B.C. 644)에서 "운석(磒石)이 송(宋)나라에 다섯 개 떨어졌다"라고 했다. 독음은 우(于)와 민(敏)의 반절이다.

**5995**

磢: 䃉: **부스러진 돌 색**: 石-**총13획**: suǒ

原文

磢: 碎石磒聲. 从石炙聲. 所責切.

飜譯

'부스러진 돌이 떨어지는 소리(碎石磒聲)'를 말한다. 석(石)이 의미부이고 자(炙)가 소리부이다. 독음은 소(所)와 책(責)의 반절이다.

**5996**

硞: 硞: **돌 소리 곡**: 石-**총12획**: què

原文

硞: 石聲. 从石告聲. 苦角切.

飜譯

'돌 소리(石聲)'를 말한다. 석(石)이 의미부이고 고(告)가 소리부이다. 독음은 고(苦)와 각(角)의 반절이다.

**5997**

硠: 硠: **돌 부딪는 소리 랑**: 石-**총12획**: láng

原文

硠: 石聲. 从石良聲. 魯當切.

飜譯

'돌 소리(石聲)'를 말한다. 석(石)이 의미부이고 량(良)이 소리부이다. 독음은 로(魯)와 당(當)의 반절이다.

**5998**

**礐: 礐: 돌 소리 각: 石-총18획: gè**

原文

礐: 石聲. 从石, 學省聲. 胡角切.

飜譯

'돌 소리(石聲)'를 말한다. 석(石)이 의미부이고, 학(學)의 생략된 부분이 소리부이다. 독음은 호(胡)와 각(角)의 반절이다.

**5999**

**硈: 硈: 견고할 할: 石-총11획: jiá**

原文

硈: 石堅也. 从石吉聲. 一曰突也. 格八切.

飜譯

'돌이 단단하다(石堅)'라는 뜻이다. 석(石)이 의미부이고 길(吉)이 소리부이다. 일설에는 '갑자기 돌진하다(突)'라는 뜻이라고도 한다. 독음은 격(格)과 팔(八)의 반절이다.

**6000**

**磕: 磕: 돌 부딪는 소리 개: 石-총15획: kē**

原文

硡: 石聲. 从石盍聲. 口太切.

飜譯

'돌 소리(石聲)'를 말한다. 석(石)이 의미부이고 합(盍)이 소리부이다. 독음은 구(口)와 태(太)의 반절이다.

**6001**

**硻: 硻: 굳을 갱: 石-총13획: kēng**

原文

硻: 餘堅者. 从石, 堅省. 口莖切.

飜譯

'[떨어져 나가고] 남은 부분이 견고한 것(餘堅者)'을 말한다. 석(石)이 의미부이고, 견(堅)의 생략된 모습이 소리부이다.[176] 독음은 구(口)와 경(莖)의 반절이다.

**6002**

**磿: 磿: 돌의 작은 소리 력: 石-총17획: lì**

原文

磿: 石聲也. 从石厤聲. 郎擊切.

飜譯

'돌 소리(石聲)'를 말한다. 석(石)이 의미부이고 력(厤)이 소리부이다. 독음은 랑(郎)과 격(擊)의 반절이다.

---

176) 원문은 "从石, 堅省."으로 되었으나, 이는 "从石, 堅省聲."이 되어야 하고, 이는 또 『단주』의 말처럼, 이는 "从石, 臤聲."이 되어야 옳다. 그렇게 되면 "석(石)이 의미부이고, 견(堅)이 소리부이다."가 된다.

**6003**

**磛: 磛: 산 험할 참: 石-총16획: chán**

原文

磛: 礹, 石也. 从石斬聲. 鉏銜切.

飜譯

'암(礹)과 같은데, 돌산(石)'을 말한다. 석(石)이 의미부이고 참(斬)이 소리부이다. 독음은 거(鉏)와 함(銜)의 반절이다.

**6004**

**礹: 礹: 돌산 암: 石-총25획: yán**

原文

礹: 石山也. 从石嚴聲. 五銜切.

飜譯

'돌산(石山)'을 말한다. 석(石)이 의미부이고 엄(嚴)이 소리부이다. 독음은 오(五)와 함(銜)의 반절이다.

**6005**

**礊: 礊: 단단할 격·채찍 소리 핵: 石-총18획: huò**

原文

礊: 堅也. 从石毄聲. 楷革切.

飜譯

'단단하다(堅)'라는 뜻이다. 석(石)이 의미부이고 격(毄)이 소리부이다. 독음은 해(楷)와 혁(革)의 반절이다.

6006

**𥓓:** 确: **자갈땅 학**: 石-**총12획**: què

原文

𥓓: 礐石也. 从石角聲. 㱿, 确或从㱿. 胡角切.

飜譯

'단단한 돌(礐石)'을 말한다. 석(石)이 의미부이고 각(角)이 소리부이다. 학(㱿)은 학(确)의 혹체자인데, 각(㱿)으로 구성되었다. 독음은 호(胡)와 각(角)의 반절이다.

6007

**磽:** 硗: **메마른 땅 교**: 石-**총17획**: qiāo

原文

磽: 礐石也. 从石堯聲. 口交切.

飜譯

'단단한 돌(礐石)'을 말한다. 석(石)이 의미부이고 요(堯)가 소리부이다. 독음은 구(口)와 교(交)의 반절이다.

6008

**硪:** 硪: **바위 아**: 石-**총12획**: é

原文

硪: 石巖也. 从石我聲. 五何切.

飜譯

'돌로 된 낭떠러지(石巖)'를 말한다. 석(石)이 의미부이고 아(我)가 소리부이다. 독음은 오(五)와 하(何)의 반절이다.

**6009**

**嵒: 碞: 험할 암: 石-총14획: yán**

原文

嵒: 磛嵒也. 从石、品. 『周書』曰: "畏于民碞." 讀與巖同. 五銜切.

飜譯

'험한 바위(磛嵒)'를 말한다. 석(石)과 품(品)이 모두 의미부이다. 『서·주서(周書)·소고(召誥)』에서 "민심의 험악함에 두려움을 느껴야 한다(畏于民碞)"라고 했다. 암(巖)과 같이 읽는다. 독음은 오(五)와 함(銜)의 반절이다.

**6010**

**磬: 磬: 경쇠 경: 石-총16획: qìng**

原文

磬: 樂石也. 从石、殸. 象縣虡之形. 殳, 擊之也. 古者毋句氏作磬. 殸, 籒文省. 硜, 古文从巠. 苦定切.

飜譯

'악기로 쓰는 돌(樂石)'을 말한다. 석(石)과 성(殸)이 모두 의미부이다. 악기 걸이에 거꾸로 매단 모습(縣虡之形)을 그렸다. 수(殳)는 그것을 치다(擊之)라는 뜻이다. 먼 옛날, [요임금의 신하였던] 모구씨(毋句氏)가 경쇠(磬)를 발명했다.177) 경(殸)은 주문체인데, 생략된 모습이다. 경(硜)은 고문체인데, 경(巠)으로 구성되었다. 독음은 고(苦)와 정(定)의 반절이다.

---

177) 고문자에서 [illegible] 甲骨文 등으로 그렸다. 石(돌 석)이 의미부이고 聲(소리 성)의 생략된 모습이 소리부로, 石磬처럼 돌(石)을 쳐서 소리(聲)를 내는 악기를 말한다. 돌은 쇠(金), 실(絲), 대(竹), 박(匏), 흙(土), 가죽(革), 나무(木)와 함께 '8가지 악기 재료'의 하나로 불렸듯 악기를 만드는 주된 재료의 하나였다.

**6011**

**礙: 礙: 거리낄 애: 石-총19획: ài**

原文

礙: 止也. 从石疑聲. 五漑切.

飜譯

'그치게 하다(止)'라는 뜻이다. 석(石)이 의미부이고 의(疑)가 소리부이다. 독음은 오(五)와 개(漑)의 반절이다.

**6012**

**硩: 硩: 던질 척: 石-총12획: chè**

原文

硩: 上摘巖空青、珊瑚墮之. 从石折聲. 『周禮』有硩蔟氏. 丑列切.

飜譯

'산 위의 바위에서 공청석(空青石)과 산호석(珊瑚石)을 채취하여 산 아래로 떨어트리다'라는 뜻이다. 석(石)이 의미부이고 절(折)이 소리부이다. 『주례·추관』에 척족씨(硩蔟氏)라는 관직이 있다. 독음은 축(丑)과 렬(列)의 반절이다.

**6013**

**硟: 硟: 다듬잇돌 천: 石-총13획: chàn**

原文

硟: 以石扞繒也. 从石延聲. 尺戰切.

飜譯

'돌로 비단을 눌러 펴다(以石扞繒)'라는 뜻이다. 석(石)이 의미부이고 연(延)이 소리부이다. 독음은 척(尺)과 전(戰)의 반절이다.

**6014**

: 碎: **부술 쇄**: 石-**총13획: suì**

原文

: 礦也. 从石卒聲. 蘇對切.

飜譯

'돌을 부수다(礦)'라는 뜻이다. 석(石)이 의미부이고 졸(卒)이 소리부이다.[178] 독음은 소(蘇)와 대(對)의 반절이다.

**6015**

: 破: **깨뜨릴 파**: 石-**총10획: pò**

原文

: 石碎也. 从石皮聲. 普過切.

飜譯

'돌을 깨트리다(石碎)'라는 뜻이다. 석(石)이 의미부이고 피(皮)가 소리부이다.[179] 독음은 보(普)와 과(過)의 반절이다.

**6016**

: 礱: **갈 롱**: 石-**총21획: lóng**

原文

: 礦也. 从石龍聲. 天子之桷, 椓而礱之. 盧紅切.

---

178) 石(돌 석)과 卒(군사 졸)로 구성되어, 잘게 부수다, 쪼개다, 破碎(파쇄)하다는 뜻인데, 돌(石)을 부수어 돌의 최후의 단계(卒)까지 가게 하는 공정을 형상화했다. 이후 낱개나 완전하지 않음을 뜻하기도 했다. 달리 砕로 쓰기도 한다.

179) 石(돌 석)이 의미부고 皮(가죽 피)가 소리부로, 돌(石)의 표피(皮·피)가 몸체에서 분리되어 돌이 잘게 '부서지다'는 뜻을 그렸으며, 이로부터 깨지다, 쳐부수다, 분열하다, 완전하지 않다, 어떤 범위를 벗어나다, 돈을 많이 쓰다 등의 뜻이 나왔다.

飜譯

'돌을 갈다(礲)'라는 뜻이다. 석(石)이 의미부이고 룡(龍)이 소리부이다. 천자의 서까래는 쪼고 갈아서 잘 만들어야 한다(天子之桷, 椓而礲之.) 독음은 로(盧)와 홍(紅)의 반절이다.

**6017**

**研: 研: 갈 연: 石-총9획: yán**

原文

研: 礲也. 从石幵聲. 五堅切.

飜譯

'돌을 갈다(礲)'라는 뜻이다. 석(石)이 의미부이고 견(幵)이 소리부이다.[180] 독음은 오(五)와 견(堅)의 반절이다.

**6018**

**䃺: 䃺: 갈 마: 石-총24획: mó, mò**

原文

䃺: 石磑也. 从石靡聲. 模臥切.

飜譯

'가는 돌(石磑) 즉 맷돌'을 말한다. 석(石)이 의미부이고 미(靡)가 소리부이다. 독음은 모(模)와 와(臥)의 반절이다.

**6019**

**磑: 磑: 맷돌 애: 石-총15획: wèi**

---

180) 石(돌 석)이 의미부고 幵(평평할 견)이 소리부로, 돌(石)이 평평해지도록(幵) 갈다는 뜻이며, 이로부터 研磨(연마)하다, 연구하다, 탐구하다 등의 뜻이 나왔다.

原文

: 磑也. 从石豈聲. 古者公輸班作磑. 五對切.

飜譯

'맷돌(磑)'을 말한다. 석(石)이 의미부이고 기(豈)가 소리부이다. 먼 옛날, 공수반(公輸班)이 맷돌(磑)을 만들었다.181) 독음은 오(五)와 대(對)의 반절이다.

**6020**

: 碓: **방아 대**: 石-**총13획**: **duì**

原文

: 舂也. 从石隹聲. 都隊切.

飜譯

'절구(舂)'를 말한다.182) 석(石)이 의미부이고 추(隹)가 소리부이다. 독음은 도(都)와 대(隊)의 반절이다.

**6021**

: 碴: **둥근 낟알을 다시 찧을 답**: 石-**총13획**: **tà, tiè**

原文

: 舂已, 復擣之曰碴. 从石沓聲. 徒合切.

---

181) 공수반(公輸班)은 노반(魯班, B.C. 507~B.C. 444)을 말하는데, 춘추시기 노(魯)나라 사람으로 희(姬)성에 공수(公輸)씨로, 자는 의지(依智), 이름은 반(班)이다. 보통 공수반(公輸盤), 공수반(公輸般)이나 반수(班輸)라 부르며 공수자(公輸子)로 존칭하기도 한다. 또 노반(魯盤) 혹은 노반(魯般)으로 부르기도 한다. 가장 일반적인 호칭이 노반(魯班)인데, 고대 중국의 지혜로운 기술자의 상징으로 여겨져 많은 발명품들이 그에 의해 이루어진 것으로 각색되기도 한다. 여기서 말한 '맷돌'도 마찬가지인데, 그에 의한 발명품이라기보다는 그가 기술적 개량을 더했다 보는 것이 더 합리적이다.

182) 『단주』에서는 '舂也'에 대해 각 판본에서 '소이(所目)' 두 글자가 빠졌다고 하면서 '所目舂也'가 되어야 한다고 했다. 그리고 용(舂)이라는 것은 곡식을 찧는 것(擣粟)이요, 오(杵)라는 것은 곡식을 찧는 장치(所以舂)를 말한다고 했다.

飜譯

'절구질이 다 끝난 다음, 다시 찧는 것(舂已, 復擣之)을 답(碴)이라 한다.' 석(石)이 의미부이고 답(沓)이 소리부이다. 독음은 도(徒)와 합(合)의 반절이다.

**6022**

**磻: 磻: 강 이름 반: 石-총17획: bō**

原文

磻: 以石箸惟繁也. 从石番聲. 博禾切.

飜譯

'익사 화살의 줄에 돌을 달다(以石箸惟繁)[실을 맨 돌화살]'라는 뜻이다. 석(石)이 의미부이고 번(番)이 소리부이다. 독음은 박(博)과 화(禾)의 반절이다.



**6023**

**䃞: 䃞: 쪼갤 착: 石-총20획: zhuó**

原文

䃞: 斫也. 从石箸聲. 張略切.

飜譯

'[돌 호미로] 쪼개다(斫)'라는 뜻이다. 석(石)이 의미부이고 저(箸)가 소리부이다. 독음은 장(張)과 략(略)의 반절이다.

**6024**

**硯: 硯: 벼루 연: 石-총12획: yàn**

原文

硯: 石滑也. 从石見聲. 五甸切.

'미끄러운 돌(石滑)'이라는 뜻이다. 석(石)이 의미부이고 견(見)이 소리부이다.[183] 독음은 오(五)와 전(甸)의 반절이다.

**6025**

: 砭: **돌 침 폄**: 石-**총10획**: **biān**

原文

: 以石刺病也. 从石乏聲. 方綅切. 又方驗切.

飜譯

'돌 침을 찔러 병을 낫게 하다(以石刺病)'라는 뜻이다. 석(石)이 의미부이고 핍(乏)이 소리부이다. 독음은 방(方)과 삼(綅)의 반절이다. 또 방(方)과 험(驗)의 반절이다.

**6026**

: 碣: **자갈땅 핵·격**: 石-**총15획**: **hé**

原文

: 石也. 惡也. 从石鬲聲. 下革切.

飜譯

'돌로 된 땅(石)'을 말한다. 토질이 나쁘다(惡)라는 뜻이다. 석(石)이 의미부이고 격(鬲)이 소리부이다. 독음은 하(下)와 혁(革)의 반절이다.

**6027**

: 砢: **돌 쌓일 라**: 石-**총10획**: **luǒ**

原文

---

183) 石(돌 석)이 의미부고 見(볼 견)이 소리부로, '벼루'를 말하는데, 눈에 보이도록(見) 글씨를 쓰게 먹을 갈 수 있는 미끄러운 돌(滑石·활석)이라는 뜻을 담았다.

砢: 磊砢也. 从石可聲. 來可切.

'뢰라(磊砢), 즉 돌이 쌓이다'라는 뜻이다. 석(石)이 의미부이고 가(可)가 소리부이다. 독음은 래(來)와 가(可)의 반절이다.

**6028**

磊: 磊: **돌무더기 뢰**: 石-**총15획**: **lěi**

原文

磊: 衆石也. 从三石. 落猥切.

飜譯

'많은 돌이 쌓여 있다(衆石)'라는 뜻이다. 세 개의 석(石)으로 구성되었다. 독음은 락(落)과 외(猥)의 반절이다.

**6029**

礪: 礪: **거친 숫돌 려**: 石-**총20획**: **lì**

原文

礪: 礱也. 从石厲聲. 經典通用厲. 力制切.

飜譯

'돌로 갈다(礱)'라는 뜻이다. 석(石)이 의미부이고 려(厲)가 소리부이다. 경전(經典)에서는 려(厲)와 통용한다. 독음은 력(力)과 제(制)의 반절이다. [신부]

**6030**

碏: 碏: **삼갈 작**: 石-**총13획**: **què**

原文

碏: 『左氏傳』: "衞大夫石碏." 『唐韻』云: 敬也. 从石, 未詳. 昔聲. 七削切.

譯

『좌씨전(左氏傳)』에서 "위나라 대부(衛大夫) 석작(石碏)[184)]"이라고 했다. 『당운(唐韻)』에서는 '공경하다(敬)'라는 뜻이라고 했다. 석(石)이 의미부인데 왜 그런지 알 수 없다. 석(昔)이 소리부이다. 독음은 칠(七)과 삭(削)의 반절이다. [신부]

**6031**

**磯: 磯: 물가 기: 石-총17획: jī**

原文

磯: 大石激水也. 从石幾聲. 居衣切.

譯

'큰 돌이 물결에 부딪히다(大石激水)'라는 뜻이다. 석(石)이 의미부이고 기(幾)가 소리부이다. 독음은 거(居)와 의(衣)의 반절이다. [신부]

**6032**

**碌: 碌: 돌 모양 록: 石-총13획: lù**

原文

碌: 石皃. 从石彔聲. 盧谷切.

---

184) 춘추(春秋) 시대 위(衛)나라 사람이다. 당시 역사학자였던 좌구명(左丘明)은 석작(石碏)을 일컬어 "대의를 위해 아들을 죽였다. 정말이지 진정한 신하라 하겠다!"라고 평가했다. 이야기는 이렇다. 위(衛) 장공(莊公)에게 첩에서 난 주유(州籲)라는 아들이 있었는데, 총애에 기대어 무력을 좋아했는데, 장공이 이를 금지하지 않았다. 석작이 간언을 했지만 장공이 듣지 않았다. 석작의 아들 석후(石厚)가 주유(籲遊)를 따라 다니면서 그렇게 하지 말라고 권했으나 역시 듣지 않았다. 위(衛) 환공(桓公) 16년(B.C. 719), 주유가 환공을 시해하고 임금이 되었다. 그러나 백성들을 달랠 수가 없었다. 석후는 아버지 석작에게 임금의 자리를 안정시킬 방도를 여쭈었다. 그러자 그는 거짓으로 석후에게 주유를 따라 진(陳)으러 가서 진(陳)의 환공(桓公)을 통해 주(周)나라 천자를 알현하라고 했다. 그러고는 진(陳)나라에 알려 이 두 사람을 잡아 두라고 했다. 그러고는 위나라 유재(右宰) 추(醜)를 보내 주류를 복(濮, 지금이 안휘성 亳縣 동남쪽)에서 살해했다. 그리고 자신의 가재(家宰) 누양견(獳羊肩)을 보내 아들인 석후를 진(陳)에서 죽이게 했다. 당시 사람들은 이를 두고 "대의를 위해 혈육을 죽였다"라고 했다.

飜譯

'돌의 모양(石皃)'을 말한다. 석(石)이 의미부이고 록(彔)이 소리부이다. 독음은 로(盧)와 곡(谷)의 반절이다. [신부]

**6033**

**砧: 砧: 다듬잇돌 침: 石-총10획: zhēn**

原文

砧: 石柎也. 从石占聲. 知林切.

飜譯

'다듬잇돌(石柎)'을 말한다. 석(石)이 의미부이고 점(占)이 소리부이다. 독음은 지(知)와 림(林)의 반절이다. [신부]

**6034**

**砌: 砌: 섬돌 체: 石-총9획: qì**

原文

砌: 階甃也. 从石切聲. 千計切.

飜譯

'섬돌(階甃)'을 말한다. 석(石)이 의미부이고 절(切)이 소리부이다. 독음은 천(千)과 계(計)의 반절이다. [신부]

**6035**

**礩: 礩: 주춧돌 질: 石-총20획: zhì**

原文

礩: 柱下石也. 从石質聲. 之日切.

‘기둥 아래에 바치는 돌(柱下石), 즉 주춧돌’을 말한다. 석(石)이 의미부이고 질(質)이 소리부이다. 독음은 지(之)와 일(日)의 반절이다. [신부]

**6036**

: 礎: **주춧돌 초**: 石-**총18획**: **chǔ**

原文

: 碩也. 从石楚聲. 創擧切.

飜譯

‘주춧돌(磧)’을 말한다. 석(石)이 의미부이고 초(楚)가 소리부이다.185) 독음은 창(創)과 거(擧)의 반절이다. [신부]

**6037**

: 硾: **찧을 추**: 石-**총13획**: **zhuì**

原文

: 擣也. 从石垂聲. 直類切.

飜譯

‘찧다(擣)’라는 뜻이다. 석(石)이 의미부이고 수(垂)가 소리부이다. 독음은 직(直)과 류(類)의 반절이다. [신부]

---

185) 石(돌 석)이 의미부고 楚(모형 초)가 소리부로, 모형나무(楚)처럼 재질이 단단한 기둥을 받치는 주춧돌(石)을 뜻하며, 이로부터 기초의 뜻이 나왔다. 간화자에서는 소리부 楚를 出(날 출)로 간단하게 바꾼 础로 쓴다.

## 제358부수
## 358 ■ 장(長)부수

**6038**

**: 長: 길 장: 長–총8획: cháng**

原文

: 久遠也. 从兀从匕. 兀者, 高遠意也. 久則變化. 亾聲. 𠂤者, 倒亾也. 凡長之屬皆从長. 𠑿, 古文長. 𨱗, 亦古文長. 直良切.

飜譯

'장구하고 멀다(久遠)'라는 뜻이다. 올(兀)이 의미부이고 화(匕)도 의미부이다. 올(兀)은 '높고 멀다(高遠)'라는 뜻이다. 오래되면 변하는 법이다(久則變化). 망(亾)이 소리부이다. 망(𠂤)은 망(亾)을 거꾸로 한 것이다.186) 장(長)부수에 귀속된 글자들은 모두 장(長)이 의미부이다. 장(𠑿)은 장(長)의 고문체이다. 장(𨱗)도 장(長)의 고문체이다. 독음은 직(直)과 량(良)의 반절이다.

**6039**

**: 肆: 극진할 사: 隶–총15획: sì**

---

186) 고문자에서 甲骨文 金文 古陶 簡牘文 帛書 등으로 그렸다. 머리칼을 길게 늘어뜨린 노인이 지팡이를 짚은 모습을 그렸는데, 때로 지팡이는 생략되기도 한다. 긴 머리칼은 나이가 들어 자신의 머리를 정리하지 못하고 산발한 것으로, 성인이 되면 남녀 모두 머리칼을 정리해 비녀를 꽂았던 夫(지아비 부)나 妻(아내 처)와 대비되는 모습이다. 이로부터 長에는 長久(장구)에서처럼 '길다'는 뜻과 長幼(장유)에서처럼 '연장자'라는 뜻이 생겼다. 정착 농경을 일찍부터 함으로써 경험이 무엇보다 중시되었던 중국에서, 그 누구보다 오랜 세월 동안 겪었던 나이 많은 사람의 다양한 경험은 매우 귀중한 지식이었기에, 이러한 경험의 소유자가 그 사회의 '우두머리'가 됐던 것은 당연했다. 달리 镸으로 쓰기도 하며, 간화자에서는 초서체로 간단하게 줄인 长으로 쓴다.

原文

𨱾: 極、陳也. 从長隶聲. 𨲂, 或从髟. 息利切.

飜譯

'극에 달하다(極), 진열하다(陳)'라는 뜻이다.[187] 장(長)이 의미부이고 이(隶)가 소리부이다. 사(𨲂)는 혹체자인데, 표(髟)로 구성되었다. 독음은 식(息)과 리(利)의 반절이다.

**6040**

**𨲃: 镾: 두루 미: 長-총21획: mí**

原文

𨲃: 久長也. 从長爾聲. 武夷切.

飜譯

'오래되고 길다(久長)'라는 뜻이다. 장(長)이 의미부이고 이(爾)가 소리부이다. 독음은 무(武)와 이(夷)의 반절이다.

**6041**

**𨱼: 镻: 독사 절·질: 長-총12획: dié**

原文

𨱼: 蛇惡毒長也. 从長失聲. 徒結切.

飜譯

'사악(蛇惡)[188][독사]'을 말하는데 독이 오래 간다(毒長). 장(長)이 의미부이고 실(失)이 소리부이다. 독음은 도(徒)와 결(結)의 반절이다.

---

187) 『단주』에서는 극진(極陳)을 극(極)과 진(陳)으로 나누지 않고 하나의 단어로 보았으며, 극진(極陳)은 있는 것을 죄다 나열하다는 뜻이다(窮極而列之也)라고 했다. 그리고 진(陳)은 진(敶)으로 적어야 하며 진열하다(敶列)는 뜻이라고 했다.

188) 『단주』에서 악(惡)은 악(蝁, 살무사)의 오류라고 했다. 이는 『이아·석어(釋魚)』에 나오는 말이라고 하면서, 『설문』 충(虫)에서 악(蝁)은 절(镻: 독사)을 말한다고 하여 이 둘은 전주(轉注) 관계에 있다고 했다.

## 제359부수
## 359 ■ 물(勿)부수

**6042**

**勿: 勿: 말 물: 勹-총4획: wù**

原文

勿: 州里所建旗. 象其柄, 有三游. 雜帛, 幅半異. 所以趣民, 故遽, 稱勿勿. 凡勿之屬皆从勿. 㫚, 勿或从㫃. 文弗切.

飜譯

'주(州)와 리(里)에 세우는 깃발(旗)'을 말한다.[189] 깃발의 손잡이(柄)에 나부끼는 세 개의 기치(三游)를 형상했다. 여러 색이 섞인 비단(雜帛)에, 반반씩 색깔이 다르다(幅半異). 이 깃발은 백성들을 불러 모으는데 쓰인다(所以趣民). 그래서 '갑자기(遽)'라는 뜻도 있으며, '갑작스럽다'는 뜻을 물물(勿勿)이라 한다.[190] 물(勿)부수에 귀속된 글자들은 모두 물(勿)이 의미부이다. 물(㫚)은 물(勿)의 혹체자인데, 언(㫃)으로 구성되었다. 독음은 문(文)과 불(弗)의 반절이다.



---

189) 『주례·사상(司常)』에 의하면, 대부사(大夫士)의 경우 물(物)을 세우고, 솔도(帥都)의 경우 기(旗)를 세우며, 주리(州里)는 여(旟)를 세운다고 했다. 이에 근거해 『단주』에서는 주리(州里)는 대부사(大夫士)가 되어야 한다고 했다. 고대 중국에서 2500가(家)를 주(州)라 했으며, 25가(家)를 리(里)라 했는데, 여기서는 지방행정기관을 뜻한다.

190) 고문자에서 甲骨文 金文 古陶文 盟書 簡牘文 帛書 등으로 그렸다. 흩날리는 깃대를 그렸다는 등 이의 자원에 대해서는 의견이 분분하나, 갑골문을 보면 쟁기와 작은 점들로 이루어져, 쟁기질 때 갈라지는 흙덩이를 그린 것으로 보인다. 그래서 원래 뜻은 '쟁기질'과 관련된 것으로 추정되지만, 이미 갑골문 때부터 '……하지 말라'는 부정사로 가차되어 쓰였고 원래 뜻으로는 쓰이지 않았다.

6043

**昜: 昜: 볕 양: 日-총9획: yáng**

原文

昜: 開也. 从日、一、勿. 一曰飛揚. 一曰長也. 一曰彊者眾皃. 與章切.

飜譯

'열다(開)'라는 뜻이다. 일(日)과 일(一)과 물(勿)이 모두 의미부이다. 일설에는 '날아오르다(飛揚)'라는 뜻이라고도 한다. 또 일설에는 '길다(長)'라는 뜻이라고도 한다. 또 일설에는 '강한 것이 많은 모습(彊者眾皃)'을 말한다고도 한다.[191] 독음은 여(與)와 장(章)의 반절이다.

191) 阜(언덕 부)가 의미부고 昜(볕 양)이 소리부로, 제단 위로 햇빛이 화려하게 비치는 모습(昜)에 언덕을 뜻하는 阜가 더해져 그러한 양지바른 곳을 말하며, 이로부터 빛, 밝음, 태양의 뜻이 나왔으며, 산의 남쪽이나 강의 북쪽을 지칭하기도 한다. 이후 드러난 곳이나 돌출 면을 말했고, 또 양성, 남성, 남성의 성기 등을 지칭했다. 간화자에서는 소리부인 昜을 日(날 일)로 바꾼 阳으로 써, 햇살(日)이 비치는 언덕(阜), 그것이 陽地(양지)임을 나타냈다.

## 제360부수
## 360 ■ 염(冄)부수

**6044**

**冄: 冄(冉): 나아갈 염: 冂-총4획: rǎn**

原文

冄: 毛冄冄也. 象形. 凡冄之屬皆从冄. 而琰切.

飜譯

'털이 아래로 늘어진 모습(毛冄冄)'을 말한다. 상형이다. 염(冄)부수에 귀속된 글자들은 모두 염(冄)이 의미부이다. 독음은 이(而)와 염(琰)의 반절이다.

## 제361부수
## 361 ■ 이(而)부수

**6045**

**而: 而: 말 이을 이: 而-총6획: ér**

原文

而: 頰毛也. 象毛之形. 『周禮』曰: "作其鱗之而." 凡而之屬皆从而. 如之切.

飜譯

'뺨에 난 털(頰毛)'을 말한다. 털의 모습을 그렸다.[192] 『주례·고공기·재인(宰人)』에서 "그것의 비늘과 뺨의 털을 일어나게 만든다(作其鱗之而)"라고 했다. 이(而)부수에 귀속된 글자들은 모두 이(而)가 의미부이다. 독음은 여(如)와 지(之)의 반절이다.

**6046**

**耏: 耏: 구레나룻 깎을 내·구레나룻 이: 而-총9획: nài**

原文

---

192) 고문자에서 金文 古陶文 簡牘文 石刻古文 등으로 그렸다. 위쪽 가로획(一)은 코를, 그 아래 세로획은 人中(인중)을 상징하며, 나머지 늘어진 획의 바깥은 콧수염을, 안쪽은 턱수염을 형상화한 것으로 보인다. 전통적으로 수염은 남자다움과 힘과 권력의 상징이다. 그래서 서구에서도 아스타르테(astarte, 즉 아슈토레스 (ashtoreth)) 여신처럼 턱수염을 가진 여신은 이중의 性(성)을 가진 것을 상징하며, 한자에서도 여자(女·여)의 수염(而)이라는 뜻을 그린 耍(희롱할 사)로써 '놀림'과 '희롱'의 뜻을 담아냈다. 이처럼 而의 원래 뜻은 '수염'이다. 하지만 而가 가차되어 접속사로 쓰이게 되면서 원래 뜻을 나타낼 때에는 彡(터럭 삼)을 더하여 耏(구레나룻 이)로 분화했다. 또 耏에서의 而가 이미 '수염'의 뜻을 상실했기에 의미를 더 분명하게 하고자 頁(머리 혈)로 대신한 須(모름지기 수)로써 얼굴(頁)에 난 털(彡)이라는 의미를 그렸다. 하지만 須도 남성이 반드시 갖추어야 할 것이라는 의미에서 必須(필수)의 뜻을 갖게 되자 다시 髟(머리털 드리워 질 표)를 더하여 鬚(수염 수)로 분화했다.

耏: 罪不至髡也. 从而从彡. 耐, 或从寸. 諸法度字从寸. 奴代切.

'[수염만 깎이고] 머리털은 깍지는 않을 정도의 죄(罪不至髡)'라는 뜻이다. 이(而)가 의미부이고 삼(彡)도 의미부이다. 내(耐)는 혹체자인데, 촌(寸)으로 구성되었다. 법이나 도량형을 나타내는 여러 글자들은 촌(寸)으로 구성되었다. 독음은 노(奴)와 대(代)의 반절이다.

## 제362부수
## 362 ■ 시(豕)부수

**6047**

**豕: 豕: 돼지 시: 豕-총7획: shǐ**

原文

椓: 彘也. 竭其尾, 故謂之豕. 象毛足而後有尾. 讀與豨同. (按：今世字, 誤以豕爲彘, 以彘爲豕. 何以明之？ 爲啄琢从豕, 蠡从彘. 皆取其聲, 以是明之.) 凡豕之屬皆从豕. 𧰨, 古文. 式視切.

飜譯

'돼지(彘)'를 말한다. [성이 나면] 꼬리를 치켜들기 때문에(竭其尾), 그래서 시(豕)라고 한다. 털과 발(毛足)과 뒤에 꼬리(尾)가 있는 모양을 그렸다. 희(豨)와 같이 읽는다.[193] [제(허신) 생각은 이렇습니다. 오늘날 한자에서는 시(豕)를 체(彘)라고, 또 체(彘)를 시(豕)라고 잘못 여기고 있습니다. 어떻게 그렇다는 것을 알 수 있을까요? 탁(啄)과 탁(琢)자는 시(豕)가 의미부이고, 려(蠡)자는 체(彘)가 의미부입니다. 모두 그 소리부를 채택했다는 것으로부터 이를 알 수 있습니다.][194] 시(豕)부수에 귀속된 글자들은 모두 시(豕)가 의미부이다. 시(𧰨)는 고문체이다. 독음은 식(式)과 시(視)의 반절이다.

---

193) 고문자에서 甲骨文 金文 簡牘文 등으로 그렸다. 튀어나온 주둥이와 뚱뚱하게 살진 몸통, 네 발과 아래로 쳐진 꼬리를 가진 돼지를 형상적으로 그렸는데, 이미 가축화한 집돼지로 보인다. 이에 비해 彘(돼지 체)는 갑골문에서 화살(矢·시)이 돼지 몸에 꽂힌 모습이어서 사냥으로 잡은 야생돼지임을 보여 주며, 豚(돼지 돈)은 '새끼 돼지'를 지칭하기 위해 豕(돼지 시)에 肉(고기 육)을 더해 만든 글자다. 야생 멧돼지는 육중한 몸을 가졌음에도 그 어떤 동물보다 빠르고 저돌적이며 힘이 센 것으로 유명하다. 이 때문에 豕는 사납고 힘이 넘치는 남성미의 상징으로 자리 잡았다.

194) 『단주』에서는 이 33자는 반드시 허신의 말이라고 보기는 어렵다고 했다. 또 각 판본에서 잘못된 글자들이 너무 많아 다음과 같이 바로 잡는다고 했다. "目豕爲豕, 以彖爲彖. 何目朙之? 爲啄琢从豕, 蠡从彖皆取其聲, 目是朙之."

**6048**

**豬: 豬: 돼지 저: 豕-총16획: zhū**

原文

豬: 豕而三毛叢居者. 从豕者聲. 陟魚切.

飜譯

'털 세 가닥이 한 데서 나는 돼지(豕三毛叢居者)'를 말한다. 시(豕)가 의미부이고 자(者)가 소리부이다.[195] 독음은 척(陟)과 어(魚)의 반절이다.

**6049**

**㲉: 㲉: 흰 여우 새끼 혹: 豕-총17획: hù**

原文

㲉: 小豚也. 从豕㱿聲. 步角切.

飜譯

'작은 돼지(小豚)'를 말한다. 시(豕)가 의미부이고 각(㱿)이 소리부이다. 독음은 보(步)와 각(角)의 반절이다.

**6050**

**豯: 豯: 돼지 새끼 혜: 豕-총17획: xī**

原文

豯: 生三月豚, 腹豯豯皃也. 从豕奚聲. 胡雞切.

飜譯

'생후 3개월 된 돼지(生三月豚)'로, 배가 통통한 모양(腹豯豯皃)을 그렸다. 시(豕)가

195) 고문자에서 猪 猪 簡牘文 등으로 그렸다. 犬(개 견)이 의미부고 者(놈 자)가 소리부로, 짐승(犬)의 일종인 돼지를 말하며, 달리 犬 대신 豕(돼지 시)를 의미부로 쓴 豬(돼지 저)와 같이 쓴다.

의미부이고 해(奚)가 소리부이다. 독음은 호(胡)와 계(雞)의 반절이다.

**6051**

**豵: 豵: 돼지 새끼 종: 豕-총18획: zōng**

原文

豵: 生六月豚. 从豕從聲. 一曰一歲豵, 尚叢聚也. 子紅切.

飜譯

'생후 6개월 된 돼지(生六月豚)'를 말한다. 시(豕)가 의미부이고 종(從)이 소리부이다. 일설에는 '생후 1년 된 돼지(一歲豵)를 말하는데, 한데 모여 지내기를 좋아한다(尚叢聚)'라는 뜻이라고도 한다. 독음은 자(子)와 홍(紅)의 반절이다.

**6052**

**豝: 豝: 암퇘지 파: 豕-총11획: bá**

原文

豝: 牝豕也. 从豕巴聲. 一曰一歲, 能相把拏也. 『詩』曰: "一發五豝." 伯加切.

飜譯

'암퇘지(牝豕)'를 말한다. 시(豕)가 의미부이고 파(巴)가 소리부이다. 일설에는 '생후 1년 된 돼지(一歲)'를 말하는데, '잘 끌어 통제할 수 있는 돼지(能相把拏)'를 말한다고도 한다. 『시·소남·추우(騶虞)』에서 "화살 한 대 쏘는데 다섯 마리 한꺼번에 나타났네(一發五豝)"라고 노래했다.[196] 독음은 백(伯)과 가(加)의 반절이다.

**6053**

**豣: 豣: 돼지 견: 豕-총13획: jiān**

196) 금본에서는 일(一)이 일(壹)로 되었다.

原文

豣: 三歲豕, 肩相及者. 从豕幵聲. 『詩』曰 : “並驅从兩豣兮.” 古賢切.

飜譯

‘생후 3년 된 돼지(三歲豕)’를 말하는데, ‘[살이 쪄서] 어깨가 어미돼지에게 닿는 돼지(肩相及者)’라는 뜻이다. 시(豕)가 의미부이고 견(幵)이 소리부이다. 『시·제풍·환(還)』에서 “나란히 달리며 두 마리 큰 짐승을 뒤쫓았네(並驅从兩豣兮)”라고 노래했다.197) 독음은 고(古)와 현(賢)의 반절이다.

**6054**

**豶:** 豶: **불 깐 돼지 분**: 豕-**총20획: fén**

原文

豶: 羠豕也. 从豕賁聲. 符分切.

飜譯

‘불 깐 돼지(羠豕)’를 말한다. 시(豕)가 의미부이고 분(賁)이 소리부이다. 독음은 부(符)와 분(分)의 반절이다.

**6055**

**豭:** 豭: **수퇘지 가**: 豕-**총16획: jiā**

原文

豭: 牡豕也. 从豕叚聲. 古牙切.

飜譯

‘수퇘지(牡豕)’를 말한다. 시(豕)가 의미부이고 가(叚)가 소리부이다. 독음은 고(古)와 아(牙)의 반절이다.

---

197) 금본에서는 견(豣)이 견(肩)으로 되었다. 견(肩)을 『모전』에서는 “세 살 된 짐승”이라 하였다.

**6056**

**豛: 豛: 돼지 역: 豕-총11획: yì**

原文

豛: 上谷名豬豛. 从豕, 役省聲. 營隻切.

飜譯

'상곡(上谷) 지역에서는 저(豬)를 가(豛)라고 부른다.'198) 시(豕)가 의미부이고, 역(役)의 생략된 부분이 소리부이다. 독음은 영(營)과 척(隻)의 반절이다.

**6057**

**䝐: 䝐: 불깐 돼지 수·돼지 이름 타: 豕-총19획: wéi**

原文

䝐: 豶也. 从豕隋聲. 以水切.

飜譯

'불 깐 돼지(豶)'를 말한다. 시(豕)가 의미부이고 수(隋)가 소리부이다. 독음은 이(以)와 수(水)의 반절이다.

**6058**

**豤: 豤: 돼지 물 간: 豕-총13획: kěn**

198) 상곡군(上谷郡)은 전국시대 연(燕)나라 소공(昭王) 희평(姬平) 29년(B.C. 28)에 설치되었는데, 지금의 하북성 장가구시(張家口市) 회래현(懷來縣)에 있었다. 큰 산의 큰 계곡 가에 세워졌기 때문에 상곡(上谷)이라는 이름이 붙여졌다. 당시 연나라 소왕이 동호(東胡)에서 인질로 잡혀 있다가 돌아온 대장군 진개(秦開)로 하여금 동호(東胡)를 물리치게 하여 연나라의 북쪽 경계가 요동(遼東) 지역까지 확장되었다. 그 후 북쪽 경계를 따라 장성을 쌓았고, 상곡(上谷), 어양(漁陽, 지금의 북경 密雲 일대), 요동(遼東, 지금의 今遼陽市), 요서(遼西, 지금의 요녕성 義縣 서쪽), 우북평(右北平, 지금의 내몽골 寧城縣) 등 5군(郡)이 설치되었는데, 상곡군(上谷郡)은 연나라 북쪽 강역의 제일군(第一郡)이며, 연나라 북쪽 장성의 시작점이 되었다.

豤: 齧也. 从豕豈聲. 康很切.

飜譯

'돼지가 물건을 꽉 물다(齧)'라는 뜻이다. 시(豕)가 의미부이고 간(豈)이 소리부이다. 독음은 강(康)과 흔(很)의 반절이다.

**6059**

**豷: 豷: 돼지 숨 희: 豕-총19획: yì**

原文

豷: 豕息也. 从豕壹聲. 『春秋傳』曰: "生敖及豷." 許利切.

飜譯

'돼지가 숨을 몰아쉬다(豕息)'라는 뜻이다. 시(豕)가 의미부이고 일(壹)이 소리부이다. 『춘추전』(『좌전』 양공 4년, B.C. 569)에서 "오(敖)와 희(豷) 두 아이를 낳았다"라고 했다. 독음은 허(許)와 리(利)의 반절이다.

**6060**

**豧: 豧: 돼지가 숨 쉴 부: 豕-총14획: fū**

原文

豧: 豕息也. 从豕甫聲. 芳無切.

飜譯

'돼지가 숨을 몰아쉬다(豕息)'라는 뜻이다. 시(豕)가 의미부이고 보(甫)가 소리부이다. 독음은 방(芳)과 무(無)의 반절이다.

**6061**

**豢: 豢: 기를 환: 豕-총13획: huàn**

原文

豢: 以穀圈養豕也. 从豕羐聲. 胡慣切.

飜譯

'곡식을 주며 울을 쳐서 돼지를 기르다(以穀圈養豕)'라는 뜻이다. 시(豕)가 의미부이고 권(羐)이 소리부이다.199) 독음은 호(胡)와 관(慣)의 반절이다.

**6062**

**豠: 豠: 돼지 저: 豕-총12획: cú**

原文

豠: 豕屬. 从豕且聲. 疾余切.

飜譯

'돼지의 일종(豕屬)'이다 시(豕)가 의미부이고 차(且)가 소리부이다. 독음은 질(疾)과 여(余)의 반절이다.

**6063**

**豲: 豲: 멧돼지 원·환: 豕-총17획: huán**

原文

豲: 逸也. 从豕原聲. 『周書』曰: "豲有爪而不敢以撅." 讀若桓. 胡官切.

飜譯

'숨다(逸)'라는 뜻이다.200) 시(豕)가 의미부이고 원(原)이 소리부이다. 『주서(周書)』(『

---

199) 고문자에서 [고문자] 簡牘文 등으로 그렸다. 豕(돼지 시)가 의미부고 关(밥 뭉칠 권)이 소리부로 '기르다'는 뜻인데, 关은 釆(분별할 변)과 廾(두 손으로 받들 공)으로 구성되어 두 손(廾)으로 자세히 살펴가며(釆) 돼지(豕)를 키우는 모습에서 '기르다'는 의미를 그렸다.

200) 『단주』에서 이렇게 말했다. 대서본과 소서본에서 모두 '逸也'라고 했는데, 대동(戴侗)의 『육서고(六書故)』에서 말한 당나라 판본(唐本) 등에 근거해 볼 때 '豕屬也(돼지의 일종이다)'가 되어야 한다고 했다.

일주서(逸周書)·주축해(周祝解)』)에서 "돼지는 발톱이 있지만 그것으로 함부로 공격하지 않는다(貆有爪而不敢以撅)"라고 했다. 환(桓)과 같이 읽는다. 독음은 호(胡)와 관(官)의 반절이다.

**6064**

### 豨: 豨: 멧돼지 희: 豕-총14획: xī

原文

豨: 豕走豨豨. 从豕希聲. 古有封豨脩虵之害. 虛豈切.

飜譯

'돼지가 씩씩거리며 달리는 모양(豕走豨豨)'을 말한다. 시(豕)가 의미부이고 희(希)가 소리부이다. 옛날에는 큰 멧돼지(封豨)와 커다란 뱀(脩虵)이 해를 끼치곤 했었다. 독음은 허(虛)와 기(豈)의 반절이다.

**6065**

### 豖: 豖: 발 얽은 돼지 걸음 축: 豕-총8획: chù

原文

豖: 豕絆足行豖豖. 从豕繫二足. 丑六切.

飜譯

'돼지의 발이 묶여 잘 가지 못하는 모양(豕絆足行豖豖)'을 말한다.[201] 돼지의 두 다

201) 豕(돼지 시)와 丶(점 주)로 구성되었는데, 丶는 돼지발을 묶은 줄을 형상화 했다. 그래서 『설문해자』에서도 "돼지의 발이 묶여 잘 가지 못하는 모양(豕絆足行豖豖)을 말한다. 돼지의 두 다리를 줄로 묶은 모습을 그렸다(豕繫二足)."라고 했다. 그러나 갑골문을 보면 고문자에서 등으로 그려, 거세된 돼지를 말한다고 하는 것이 더 합리적이다. 성기가 거세되어 신체와 분리되어 있는 모습이다. 신체 외부의 작은 획은 생식기를 상징한다. 이후 소전체에 들면서 생식기를 상징하는 획이 줄로 바뀌어 돼지의 발을 묶어 놓은 모습으로 변했다. 『설문』의 해설은 여기에 근거했을 것이다.

리를 줄로 묶은 모습을 그렸다(豕繫二足). 독음은 축(丑)과 륙(六)의 반절이다.

**6066**

**豦: 豦: 원숭이 거: 豕-총13획: jù, qù**

原文

豦: 鬭相丮不解也. 从豕、虍. 豕、虍之鬭, 不解也. 讀若蘮蒘草之蘮. 司馬相如說: 豦, 封豕之屬. 一曰虎兩足舉. 强魚切.

飜譯

'멧돼지와 호랑이가 싸워 서로 엉켜 떨어지지 않음(鬭相丮不解)'을 말한다. 시(豕)와 호(虍)가 모두 의미부이다. 멧돼지(豕)와 호랑이(虍)가 싸우면 뜯어내지 못한다(不解).[202] 계나초(蘮蒘草)라고 할 때의 계(蘮)와 같이 읽는다. 사마상여(司馬相如)의 해설에 의하면, 거(豦)는 커다란 멧돼지의 일종(封豕之屬)이라고 한다. 또 일설에는 호랑이가 두 발을 높이 든 모습(虎兩足舉)을 말한다고도 한다. 독음은 강(强)과 어(魚)의 반절이다.

**6067**

**𧰲: 𧰲: 돼지 성 나 털 일어날 의: 豕-총14획: yì**

原文

𧰲: 豕怒毛豎. 一曰殘艾也. 从豕、辛. 魚既切.

飜譯

'돼지가 성이 나서 털을 곧추 세우다(豕怒毛豎)'라는 뜻이다. 일설에는 '쑥을 베다(殘艾)'라는 뜻이라고도 한다. 시(豕)와 신(辛)이 모두 의미부이다. 독음은 어(魚)와 기(既)의 반절이다.

---

202) 『설문』의 해석처럼 호(虍: 호랑이)와 시(豕: 멧돼지)가 조합된 형태이다. 호랑이가 멧돼지를 잡았는데 서로 이길 때까지 싸우는 치열한 상황을 표현하였으며, 이로부터 '격렬(激烈)하다'는 뜻이 나왔다.

**6068**

**豩:** 豩: **돼지 빈**: 豕-**총14획: bīn**

原文

豩: 二豕也. 豳从此. 闕. 伯貧切.

飜譯

'두 개의 축(豕)으로 구성되었다.' 빈(豳)자가 이것으로 구성되었다. 더 자세한 것은 잘 알 수 없어 비워둔다(闕). 독음은 백(伯)과 빈(貧)의 반절이다.

## 제363부수
## 363 ■ 이(㣇)부수

**6069**

**㣇: 㣇: 털 긴 짐승 이: 彐-총8획: nǐ, yì**

原文

㣇: 脩豪獸. 一曰河内名豕也. 从彑, 下象毛足. 凡㣇之屬皆从㣇. 讀若弟. 㣇, 籒文. 㣇, 古文. 羊至切.

解譯

'털이 긴 짐승(脩豪獸)'을 말한다. 일설에는 하내(河内) 지역에서는 돼지(豕)를 이렇게 부른다고도 한다. 계(彑)가 의미부이고, 아랫부분은 털 달린 다리(毛足)를 그렸다. 이(㣇)부수에 귀속된 글자들은 모두 이(㣇)가 의미부이다. 제(弟)와 같이 읽는다. 이(㣇)는 주문체이다. 이(㣇)는 고문체이다. 독음은 양(羊)과 지(至)의 반절이다.

**6070**

**⿱曶㣇: ⿱曶㣇: 돼지 홀: 彐-총12획: hū**

原文

⿱曶㣇: 豕屬. 从㣇曶聲. 呼骨切.

解譯

'돼지의 일종(豕屬)'이다. 이(㣇)가 의미부이고 물(曶)이 소리부이다. 독음은 호(呼)와 골(骨)의 반절이다.

**6071**

**⿱高㣇: ⿱高㣇: 호걸 호: 高-총18획: háo**

原文

𧰲: 豕, 鬣如筆管者. 出南郡. 从㣇高聲. 豪, 籒文从豕. 臣鉉等曰 : 今俗別作毫, 非是. 乎刀切.

飜譯

'돼지의 이름(豕)'인데, 갈기가 붓대처럼 곧게 서며(鬣如筆管者), 남군(南郡)에서 난다. 이(㣇)가 의미부이고 고(高)가 소리부이다. 호(豪)는 주문체인데, 시(豕)로 구성되었다. 독음은 호(乎)와 도(刀)의 반절이다. 신(臣) 서현 등은 이렇게 생각합니다. "오늘날 세속에서는 달리 호(毫)로 적는데, 옳지 않습니다."

**6072**

**𧰼: 彙: 무리 휘: 크-총15획: wèi**

原文

𧰼: 蟲, 似豪豬者. 从㣇, 胃省聲. 蝟, 或从虫. 于貴切.

飜譯

'벌레 이름(蟲)인데, 호저(豪豬)처럼 생겼다.' 이(㣇)가 의미부이고, 위(胃)의 생략된 부분이 소리부이다. 휘(蝟)는 혹체자인데, 충(虫)으로 구성되었다. 독음은 우(于)와 귀(貴)의 반절이다.

**6073**

**𧰨: 𧰨: 돼지 시: 크-총16획: sì**

原文

𧰨: 㣇屬. 从二㣇. 𧰨, 古文𧰨. 『虞書』曰 : "𧰨類于上帝." 息利切.

飜譯

'털이 긴 짐승의 일종(㣇屬)'이다. 두 개의 이(㣇)로 구성되었다. 시(𧰨)는 시(𧰨)의 고문체이다. 『상서·우서(虞書)』에 "상제께 털이 긴 짐승을 제물로 바쳤다(𧰨類于上帝)"라는 말이 있다. 독음은 식(息)과 리(利)의 반절이다.

제9권

## 제364부수
## 364 ■ 계(彐)부수

**6074**

**彑: 彐: 고슴도치 머리 계: 彐-총3획: jì**

原文

彑: 豕之頭. 象其銳, 而上見也. 凡彑之屬皆从彑. 讀若罽. 居例切.

飜譯

'돼지의 머리(豕之頭)'를 말한다. 뾰족하고 위로 치켜 올라간 모습을 그렸다. 계(彐) 부수에 귀속된 글자들은 모두 계(彐)가 의미부이다. 계(罽)와 같이 읽는다.[203] 독음은 거(居)와 례(例)의 반절이다.

**6075**

**彘: 彘: 돼지 체: 彐-총12획: zhì**

原文

彘: 豕也. 後蹏發謂之彘. 从彑矢聲; 从二匕, 彘足與鹿足同. 直例切.

飜譯

'돼지(豕)'라는 뜻이다. 뒤쪽 발굽에다 화살을 쏘아 잡은 것(後蹏發)을 체(彘)라 한

---

203) 彐는 돼지머리를 그렸는데, 윗부분은 돼지머리이고, 아랫부분의 가로획은 절단된 것임을 나타낸다. 먼저, 멧돼지는 유용한 식량이자 조상신에게 바치는 훌륭한 제수 품이었다. 그래서 彘(돼지 체)는 갑골문에서 화살(矢·시)이 꽂힌 멧돼지를 그렸는데, 이후 돼지의 머리 부분은 彐로 몸통 부분은 比(견줄 비)로 분리되어 지금의 자형으로 변했다. 또 彝(떳떳할 이)는 갑골문과 금문에서 날개를 동여맨 닭이나 새를 두 손으로 받든 모습을 그렸는데, 아래쪽으로 핏방울이 떨어지는 모습과 머리 부분에 삐침 획(丿)이 더해져 제사상에 바쳐지는 죽인 희생물임을 형상화했다. 그러나 彗(비 혜)는 원래 눈(雪·설)의 결정과 손을 그려 눈을 쓸어내는 비(箒·추)를 형상화했는데, 아랫부분의 손(又·우)과 彐의 자형이 비슷해 彐부수에 귀속되었다.

다.[204] 계(彑)가 의미부이고 실(矢)이 소리부이다. 두 개의 비(匕)로 구성되었는데, 체(彘)에 표현된 다리와 록(鹿)에 표현된 다리가 같다. 독음은 직(直)과 례(例)의 반절이다.

**6076**

**㣇: 㣇: 돼지 시: 豕-총11획: chǐ**

原文

㣇: 豕也. 从彑从豕. 讀若弛. 式視切.

飜譯

'돼지(豕)'라는 뜻이다. 계(彑)가 의미부이고 시(豕)도 의미부이다. 이(弛)와 같이 읽는다. 독음은 식(式)과 시(視)의 반절이다.

**6077**

**𢑏: 𢑏: 돼지 하: 彐-총7획: xiá**

原文

𢑏: 豕也. 从彑, 下象其足. 讀若瑕. 乎加切.

飜譯

'돼지(豕)'라는 뜻이다. 계(彑)가 의미부이고, 아랫부분은 다리를 그렸다. 하(瑕)와 같이 읽는다. 독음은 호(乎)와 가(加)의 반절이다.

---

204) 『단주』에서는 발(發)을 폐(廢)로 고쳤는데, 그렇게 되면 "돼지의 뒷발굽이 퇴화한 것을 말한다"로 해석된다. 그러나 고문자에서 甲骨文 金文 盟書 등으로 그린 것을 보면, 이는 돼지(豕)에 화살(矢)이 꽂힌 모습을 그려, 화살로 잡은 멧돼지를 형상했으며, 금문에서는 이를 더욱 구체화했다. 소전체에 들면서 화살의 윗부분은 彐(고슴도치 머리 계)로 아랫부분은 矢로 변하고, 돼지(豕)는 두 개의 匕(비수 비)로 변해 지금의 자형이 되었다. 사냥으로 잡을 수 있는 멧돼지를 말한다. 그렇다면 『설문』의 해석이 더 정확해 보인다.

**6078**

**𧰲: 彖: 돼지 달아날 단: ヨ-총9획: tuàn**

原文

𧰲: 豕走也. 从彑, 从豕省. 通貫切.

飜譯

'돼지가 달아나다(豕走)'라는 뜻이다. 계(彑)가 의미부이고, 시(豕)의 생략된 모습도 의미부이다. 독음은 통(通)과 관(貫)의 반절이다.

## 제365부수
## 365 ■ 돈(豚)부수

**6079**

: 豚: **돼지 돈**: 豕—**총11획**: tún

原文

: 小豕也. 从彖省, 象形. 从又持肉, 以給祠祀. 凡豚之屬皆从豚. 豚, 篆文从肉、豕. 徒魂切.

飜譯

'어린 돼지(小豕)'를 말한다. 단(彖)의 생략된 모습으로 구성되었고, 상형이다. 손(又)으로 고기(肉)를 쥐고서, 사당(祠)에 올려 제사지내는(祀) 모습이다.205) 돈(豚)부수에 귀속된 글자들은 모두 돈(豚)이 의미부이다. 돈(豚)은 전서체인데, 육(肉)과 시(豕)로 구성되었다. 독음은 도(徒)와 혼(魂)의 반절이다.

**6080**

: 䝐: **돼지 붙이 위**: 豕—**총27획**: wèi

原文

: 豚屬. 从豚衛聲. 讀若罽. 于歲切.

飜譯

'어린 돼지의 일종(豚屬)'이다. 돈(豚)이 의미부이고 위(衛)가 소리부이다. 계(罽)와 같이 읽는다. 독음은 우(于)와 세(歲)의 반절이다.

---

205) 고문자에서 甲骨文 金文 簡牘文 등으로 그렸다. 豕(돼지 시)와 肉(고기 육)으로 구성되었는데, 고기(肉)로 쓰이는 새끼 돼지(豕)를 말하며, 이후 돼지의 통칭이 되었다. 갑골문에서는 돼지(豕) 뱃속에 고기(肉)가 든 모습으로써 '새끼돼지'를 형상했다. 달리 豕가 의미부이고 屯(진 칠 둔)이 소리부인 豘으로 쓰기도 한다.

## 제366부수
## 366 ■ 치(豸)부수

**6081**

**豸: 豸: 발 없는 벌레 치: 豸-총7획: zhì**

原文

豸: 獸長膂, 行豸豸然, 欲有所司殺形. 凡豸之屬皆从豸. (司殺讀若伺候之伺.) 池爾切.

飜譯

'긴 등뼈를 가진 맹수(獸長膂)'를 말하는데, 걸어갈 때에는 등을 쭉 펴서 마치 먹잇감을 찾는 것 같은 모습이다(行豸豸然, 欲有所司殺形).206) 치(豸)부수에 귀속된 글자들은 모두 치(豸)가 의미부이다. [사살(司殺)은 사후(伺候)의 사(伺)와 같이 읽는다.] 독음은 지(池)와 이(爾)의 반절이다.

**6082**

**豹: 豹: 표범 표: 豸-총10획: bào**

原文

豹: 似虎, 圜文. 从豸勺聲. 北教切.

飜譯

---

206) 고문자에서 甲骨文 金文 簡牘文 등으로 그렸다. 갑골문에서 입을 크게 벌리고 이빨을 드러낸 짐승을 그렸는데, 네 발은 둘로 줄였고 등은 길게 커다란 꼬리까지 잘 갖추어졌다. 『설문해자』에서는 "긴 등뼈를 가진 짐승이 잔뜩 웅크린 채 먹이를 노려보며 죽이려 하는 모습을 그렸다."라고 했는데, 대단히 생동적으로 해설했다. 그래서 豸는 고양이 과에 속하는 육식 동물을 지칭한다. 하지만, 한나라 때의 『爾雅(이아)』에서는 "발이 있는 벌레를 蟲(벌레 충)이라 하고 발이 없는 것을 豸라고 한다."라고 하여, 지렁이 같은 벌레를 말했으나, 실제 복합 한자에서는 이러한 용례를 찾아보기 어렵다.

'호랑이처럼 생겼는데 둥근 무늬를 가졌다.(似虎, 圜文.)[표범]' 치(豸)가 의미부이고 작(勺)이 소리부이다.207) 독음은 북(北)과 교(教)의 반절이다.

**6083**

**貙: 貙: 맹수 이름 추: 豸–총18획: chū**

原文

貙: 貙獌, 似貍者. 从豸區聲. 敕俱切.

飜譯

'추만(貙獌)'을 말하는데, '삵을 닮은 짐승(似貍者)'이다.208) 치(豸)가 의미부이고 구(區)가 소리부이다. 독음은 칙(敕)과 구(俱)의 반절이다.

**6084**

**貚: 貚: 이리 단: 豸–총19획: tán**

原文

貚: 貙屬也. 从豸單聲. 徒干切.

飜譯

---

207) 고문자에서 [古文字] 簡牘文 등으로 그렸다. 豸(발 없는 벌레 치)와 勺(구기 작)으로 구성되어, 표범을 말하는데, 먹잇감을 정확하게 잡아내는(勺) 짐승(豸)이라는 의미를 담았다.

208) 추만(貙獌)을 하나의 명사로 보아야 하는지 아니면 추(貙)와 만(獌)을 각각의 동물로 보아야 하는지에 대해 의견이 나뉜다. 『단주』에서는 이렇게 말했다. "『설문』에서 리(貍)의 설명에서 추(貙)와 비슷하다고 했으며, 『이아·석수(釋獸)』에서도 추(貙)는 리(貍)와 비슷한 동물이라고 했다. 또 추만(貙獌)은 리(貍)와 비슷하다고 했다. 『설문』 견(犬)부수의 만(獌)자의 설명에서 이리의 일종이다(狼屬)라고 하였으니, 이는 『이아』의 '貙獌似貍'를 인용한 것이다. 『이아』의 '貙似貍'라는 해석을 계승한 것이므로, 만(獌)은 더 들어간 글자이다. 추(貙)는 항상 입추 때 지내는 제사의 희생으로 삼는다(常以立秋日祭獸). 「오도부(吳都賦)」의 주석에서는 호랑이의 일종이다(虎屬)라고 했다." 『이아·석수』의 『소(疏)』에서 『자림(字林)』을 인용하여 '추(貙)는 리(貍)와 비슷하면서 크기가 더 큰데, 일명 만(獌)이라고 한다."라고 했다. 그렇다면 추(貙)와 만(獌)은 같은 짐승에 대한 다른 이름이라 할 수 있다.

'삵의 일종(貙屬)'이다. 치(豸)가 의미부이고 단(單)이 소리부이다. 독음은 도(徒)와 간(干)의 반절이다.

**6085**

**貔: 貔: 비휴 비: 豸-총17획: pí**

原文

貔: 豹屬, 出貉國. 从豸毘聲. 『詩』曰: "獻其貔皮." 『周書』曰: "如虎如貔." 貔, 猛獸. 豼, 或从比. 房脂切.

飜譯

'삵의 일종(貙屬)'인데, 맥국(貉國)에서 난다.209) 치(豸)가 의미부이고 비(毘)가 소리부이다. 『시·대아·한혁(韓奕)』에서 "천자님께 비휴의 가죽을 바치셨네(獻其貔皮)"라고 노래했다. 『서·주서(周書)·목서(牧誓)』에서 "호랑이 같고 비휴 같구나(如虎如貔)"라고 했는데, 비(貔)는 맹수(猛獸)를 말한다. 비(豼)는 혹체자인데, 비(比)로 구성되었다. 독음은 방(房)과 지(脂)의 반절이다.

**6086**

**豺: 豺: 승냥이 시: 豸-총10획: chái**

原文

豺: 狼屬, 狗聲. 从豸才聲. 士皆切.

---

209) 맥국(貉國)이라는 단어는 『설문』에서부터 등장하는 것으로 알려졌는데, 위의 예 이외에도 "선(鮮)은 물고기 이름인데, 맥국에서 난다(魚名, 出貉國)."라고 했다. 맥국(貉國)의 맥(貉)은 달리 맥(貊)으로 쓰기도 하는데, 고대 만주지역에 거주한 한국의 종족 명칭을 가리키는 역사 용어이다. 『주례.직방씨(職方氏)』에도 "칠민구맥(七閩九貉)"이라는 말이 나온다. 또 예맥(濊貊)이라 하기도 하는데, 보통 예(濊)와 맥(貊)으로 나누어 파악하기도 한다. 예·맥·예맥의 상호관계와 그 종족적 계통에 관해서는 일찍부터 논란이 되풀이되어 왔다. 예맥에 대해서는 예와 맥으로 나누어 보거나, 예맥을 하나의 범칭(汎稱)으로 보는 견해, 예맥은 맥의 일종이며, 예는 예맥의 약칭이라는 등 다양한 견해가 제시되었다.

譯解

'이리의 일종(狼屬)'인데, 개(狗)와 같은 소리를 낸다. 치(豸)가 의미부이고 재(才)가 소리부이다. 독음은 사(士)와 개(皆)의 반절이다.

**6087**

**貐: 貐: 짐승 이름 유: 豸-총16획: yǔ**

原文

貐: 猰貐, 似貙, 虎爪, 食人, 迅走. 从豸俞聲. 以主切.

譯解

'설유(猰貐: 알유)'를 말하는데, 삵처럼 생겼으며, 호랑이 발톱을 가졌고, 사람을 잡아먹으며, 신속하게 달린다(似貙, 虎爪, 食人, 迅走). 치(豸)가 의미부이고 유(俞)가 소리부이다. 독음은 이(以)와 주(主)의 반절이다.

**6088**

**貘: 貘: 짐승 이름 맥: 豸-총18획: mò**

原文

貘: 似熊而黃黑色, 出蜀中. 从豸莫聲. 莫白切.

譯解

'곰처럼 생겼으나 황흑색을 띠었으며(似熊而黃黑色), 촉(蜀) 지역에서 난다.' 치(豸)가 의미부이고 막(莫)이 소리부이다. 독음은 막(莫)과 백(白)의 반절이다.

**6089**

**貗: 鏞: 맹수 이름 용: 豸-총18획: yōng**

原文

貗: 猛獸也. 从豸庸聲. 余封切.

飜譯

'맹수의 일종(猛獸)'을 말한다. 치(豸)가 의미부이고 용(庸)이 소리부이다. 독음은 여(余)와 봉(封)의 반절이다.

**6090**

**貜: 貜: 큰 원숭이 확: 豸-총27획: jué**

原文

貜: 貑貜也. 从豸矍聲. 王縛切.

飜譯

'곡(貑)과 확(貜)이라는 짐승'을 말한다. 치(豸)가 의미부이고 확(矍)이 소리부이다. 독음은 왕(王)과 박(縛)의 반절이다.

**6091**

**貀: 貀: 앞발 없는 짐승 놜: 豸-총12획: nà**

原文

貀: 獸, 無前足. 从豸出聲. 『漢律』: "能捕豺貀, 購百錢." 女滑切.

飜譯

'짐승(獸)인데, 앞발이 없다(無前足)[놜수].' 치(豸)가 의미부이고 출(出)이 소리부이다. 한나라 때의 법률(漢律)에 "시(豺)와 놜(貀)이라는 짐승을 잡으면 100냥에 사 들인다"라고 했다. 독음은 녀(女)와 활(滑)의 반절이다.

**6092**

**貈: 貈: 담비 학: 豸-총13획: hé**

原文

貈: 似狐, 善睡獸. 从豸舟聲. 『論語』曰: "狐貈之厚以居." 下各切.

譯解

'여우 비슷한데(似狐), 잠이 많은 짐승(善睡獸)'이다. 치(豸)가 의미부이고 주(舟)가 소리부이다. 『논어·향당(鄕黨)』에서 "두터운 여우와 담비 가죽으로 만든 자리를 깔고 앉는다(狐貈之厚以居)"라고 했다. 독음은 하(下)와 각(各)의 반절이다.

**6093**

## 豻: 豻: 들개 한·간·옥 안: 豸-총10획: hán

原文

豻: 胡地野狗. 从豸干聲. 犴, 豻或从犬. 『詩』曰: "宜犴宜獄." 㹤, 豻或从犬. 『詩』曰: "宜犴宜獄." 五旰切.

譯解

'북방 이민족 지역에 사는 야생 개(胡地野狗)'를 말한다. 치(豸)가 의미부이고 간(干)이 소리부이다. 한(犴)은 간혹 견(犬)으로 구성되기도 한다. 『시·소아·소완(小宛)』에서 "옥에 갇혀 있네(宜犴宜獄)"라고 노래했다. 한(㹤)은 한(豻)의 혹체자인데, 견(犬)으로 구성되었다. 『시·소아·소완(小宛)』에서 "차라리 옥살이가 더 낫겠네(宜犴宜獄)"라고 노래했다. 독음은 오(五)와 간(旰)의 반절이다.

**6094**

## 貂: 貂: 담비 초: 豸-총12획: diāo

原文

貂: 鼠屬. 大而黃黑, 出胡丁零國. 从豸召聲. 都僚切.

譯解

'쥐의 일종(鼠屬)'인데, 쥐보다는 크고 황흑색을 띠며, 북방 이민족의 나라인 정령국(丁零國)에서 난다.[210] 치(豸)가 의미부이고 소(召)가 소리부이다. 독음은 도(都)와

210) 정령(丁零)은 고대 중국의 북방의 이민족 이름인데, 달리 정령(丁令), 정령(丁靈), 정령(釘靈) 등으로 쓰며, 또 고차(高車), 적력(狄歷), 철륵(鐵勒) 등으로도 부른다. 삼국시대 때 북정령

료(僚)의 반절이다.

**6095**

**貈: 貉: 오랑캐 맥·담비 학: 豸-총13획: mò**

原文

貈: 北方豸種. 从豸各聲. 孔子曰: "貉之爲言惡也." 莫白切.

飜譯

'북방 이민족 지역에서 사는 맹수의 일종(北方豸種)'이다. 치(豸)가 의미부이고 각(各)이 소리부이다. 공자(孔子)께서 "맥(貉)이라는 말은 혐오함을 비유할 때 쓰인다"라고 했다.[211] 독음은 막(莫)과 백(白)의 반절이다.

**6096**

**貆: 貆: 담비 새끼 훤·환: 豸-총13획: huán**

原文

貆: 貉之類. 从豸亘聲. 胡官切.

飜譯

'맥(貉)과 비슷한 맹수'이다. 치(豸)가 의미부이고 원(亘)이 소리부이다. 독음은 호(胡)와 관(官)의 반절이다.

---

(北丁零)이라 불리던 정령(丁零) 족의 일부는 여전히 바이칼 호수 남쪽 지역에서 유목생활을 하였으며, 또 서정령(西丁零)이라 불리던 다른 일부는 알타이 산 일대에 이르러 남으로는 오손(烏孫)과 거사(車師), 서로는 강거(康居)와 이웃하였다.

211) 豸(발 없는 벌레 치)가 의미부고 百(일백 백)이 소리부로, 중국 동북방의 이민족을 말하는데, 호랑이나 곰 같은 짐승(豸)을 토템으로 숭상하는 민족이라는 뜻을 담았다. 달리 소리부 百 대신 各(각각 각)을 쓴 貉(북방 종족 맥)으로 쓰기도 한다.

6097

**貍:** 貍: **삵 리**: 豸-총14획: lí

原文

貍: 伏獸, 似貙. 从豸里聲. 里之切.

飜譯

'잘 잠복하는 짐승(伏獸)'으로, 추(貙)라는 맹수와 비슷하다. 치(豸)가 의미부이고 리(里)가 소리부이다. 독음은 리(里)와 지(之)의 반절이다.

6098

**貒:** 貒: **오소리 단**: 豸-총16획: tuān

原文

貒: 獸也. 从豸耑聲. 讀若湍. 他耑切.

飜譯

'짐승의 이름(獸)'이다. 치(豸)가 의미부이고 단(耑)이 소리부이다. 단(湍)과 같이 읽는다. 독음은 타(他)와 단(耑)의 반절이다.

6099

**貛:** 貛: **오소리 환**: 豸-총25획: huān

原文

貛: 野豕也. 从豸雚聲. 呼官切.

飜譯

'멧돼지 비슷한 들짐승(野豕)'이다. 치(豸)가 의미부이고 관(雚)이 소리부이다. 독음은 호(呼)와 관(官)의 반절이다.

**6100**

**貁: 貁: 긴꼬리원숭이 유: 豸-총12획: yòu**

原文

貁: 鼠屬. 善旋. 从豸穴聲. 余救切.

飜譯

'쥐의 일종(鼠屬)'인데, 돌기를 잘한다(善旋). 치(豸)가 의미부이고 혈(穴)이 소리부이다. 독음은 여(余)와 구(救)의 반절이다.

**6101**

**貓: 貓: 고양이 묘: 豸-총16획: māo**

原文

貓: 貍屬. 从豸苗聲. 莫交切.

飜譯

'삵의 일종(貍屬)'이다. 치(豸)가 의미부이고 묘(苗)가 소리부이다. 독음은 막(莫)과 교(交)의 반절이다. [신부]

## 제367부수
## 367 ■ 사(舄)부수

**6102**

**舄: 舄: 외뿔소 사: 火-총11획: sì**

原文

舄: 如野牛而青. 象形. 與禽、离頭同. 凡舄之屬皆从舄. 兕, 古文从儿. 徐姊切.

飜譯

'들소처럼 생겼으나 푸른색을 띤 짐승(如野牛而青)'이다. 상형이다. 금(禽)자나 리(离)자의 윗부분과 같다.[212] 사(舄)부수에 귀속된 글자들은 모두 사(舄)가 의미부이다. 사(兕)는 고문체인데, 궤(几)로 구성되었다. 독음은 서(徐)와 자(姊)의 반절이다.

---

212) 고문자에서 [glyphs] 甲骨文 [glyph] 簡牘文 등으로 그렸다. 갑골문에서 큰 뿔을 가진 '외뿔 소'를 그렸는데, 소전체에 들어오면서 지금의 자형으로 변해 윗부분은 뿔을 가진 머리를, 아랫부분은 몸통과 발과 꼬리를 뜻한다.

## 제368부수
## 368 ■ 역(易)부수

**6103**

**易: 易: 바꿀 역·쉬울 이: 日-총8획: yì**

原文

易: 蜥易, 蝘蜓, 守宮也. 象形. 『祕書』說: 日月爲易, 象陰陽也. 一曰从勿. 凡易之屬皆从易. 羊益切.

飜譯

'석역(蜥易) 즉 도마뱀'을 말하는데, 언전(蝘蜓)이나 수궁(守宮)이라 부르기도 한다. 상형이다. 비밀스레 전해지는 책(祕書)에 의하면, "일(日)과 월(月)이 합쳐진 것이 역(易)인데, 음(陰)과 양(陽)의 바뀜을 상징했다"라고 한다. 일설에는 물(勿)로 구성되었다고도 한다.[213] 역(易)부수에 귀속된 글자들은 모두 역(易)이 의미부이다. 독음은 양(羊)과 익(益)의 반절이다.

---

213) 고문자에서 甲骨文 金文 古陶文 簡牘文 石刻古文 등으로 그렸다. 그러나 이의 자원은 불분명하다. 『설문해자』에서는 도마뱀을 그렸다고 했지만, 곽말약은 그릇과 담긴 물을 그려 다른 그릇으로 옮기는 모습에서 '바뀌다'는 뜻이 나왔다고 했다. 아마도 도마뱀이 환경에 따라 몸의 보호색을 쉽게 바꾸기 때문에 '변하다'는 뜻이 나온 것으로 추정된다. 변하다고 할 때에는 變易(변역)에서처럼 '역'으로, 쉽다고 할 때에는 容易(용이)에서처럼 '이'로 구분해 읽는다.

## 제369부수
## 369 ■ 상(象)부수

**6104**

**象: 象: 코끼리 상: 豕-총12획: xiàng**

原文

象: 長鼻牙, 南越大獸, 三秊一乳, 象耳牙四足之形. 凡象之屬皆从象. 徐兩切.

飜譯

'긴 코와 긴 이빨을 가졌으며(長鼻牙), 남월 지역에 사는 커다란 짐승으로(南越大獸), 3년에 한번 새끼를 낳는다(三秊一乳).' 귀(耳)와 이빨(牙)과 네 발(四足)의 모습을 형상했다.214) 상(象)부수에 귀속된 글자들은 모두 상(象)이 의미부이다. 독음은 서(徐)와 량(兩)의 반절이다.



**6105**

**豫: 豫: 미리 예: 豕-총16획: yù**

原文

豫: 象之大者. 賈侍中說：不害於物. 从象予聲. 豫, 古文. 羊茹切.

---

214) 고문자에서 甲骨文 金文 古陶文 簡牘文 등으로 그렸다. 원래 긴 코와 큰 몸집을 가진 코끼리를 사실적으로 그려 코끼리를 말했고, 이후 상아를 지칭했다. 현대 옥편에서는 거대한 몸집을 가진 코끼리와 멧돼지가 연계되어 豕(돼지 시) 부수에 통합되었다. 고대 중국에서 코끼리는 매우 유용한 동물이었다. 가죽과 고기 이외에도 상아는 매우 진귀한 물품으로 쓰였을 뿐 아니라 야생 코끼리는 사육되어 많은 노동력이 필요한 대규모의 토목 사업 등에 동원되었다. 이후 삼림의 파괴와 기후의 변화로 중원 지역에서 코끼리가 사라지자 눈으로 직접 볼 수 없게 되어 버린 이 특이한 동물을 놓고 여러 이야기가 나오게 되는데, 그중 가장 대표적인 것이 想像(상상)이라는 말이다. 미루어 생각한다는 뜻의 '想像(상상)'은 원래 '想象(상상)'으로 썼으니, 즉 코끼리(象)를 생각한다(想)는 뜻이었다.

**飜譯**

‘큰 코끼리(象之大者)’를 말한다. 가시중(賈侍中)의 학설에 의하면, [덩치는 크지만] 사물에 해를 끼치지 않는 동물(不害於物)이라고 한다. 상(象)이 의미부이고 여(予)가 소리부이다.[215] 예( )는 고문체이다. 독음은 양(羊)과 여(茹)의 반절이다.

---

215) 고문자에서 古陶文 簡牘文 등으로 그렸다. 象(코끼리 상)이 의미부이고 予(나 여)가 소리부로, 큰 코끼리(象)를 뜻했다. 코끼리는 의심이 많은 동물이어서 일을 하기 전에 반드시 먼저 생각을 한다고 알려졌다. 이러한 특성에서 豫想(예상)하다는 뜻이 생겼고 곧바로 결정하지 못한다는 의미에서 猶豫(유예)의 뜻도 나왔다. 한편, 코끼리는 또 몸집이 대단히 큰 동물이지만 다른 동물을 해치지 않는다. 이러한 특성 때문에 逸豫(일예)에서처럼 ‘관대하다’는 뜻도 나왔다. 상나라 때만 해도 중원 지역으로 불렸던 지금의 하남성에 야생 코끼리가 많이 살았고, 그 때문에 지금도 豫는 하남성의 상징어로 쓰이고 있으며, 코끼리는 하남성 성도인 鄭州(정주)의 상징 동물이기도 하다.

# 제10권
## (상)

## 제370부수
## 370 ■ 마(馬)부수

**6106**

**𩡧: 馬: 말 마: 馬-총10획: mǎ**

原文

𩡧: 怒也. 武也. 象馬頭髦尾四足之形. 凡馬之屬皆从馬. 𢁒, 古文. 𢁒, 籒文馬與影同, 有髦. 莫下切.

飜譯

'성을 잘 내는 동물(怒)'이다. 또 '용맹스런 동물(武)'이다. 말의 머리(馬頭)와 갈기(髦)와 꼬리(尾)와 네 발(四足)의 모습을 그렸다.[1] 마(馬)부수에 귀속된 글자들은 모두 마(馬)가 의미부이다. 마(𢁒)는 고문체이고, 마(𢁒)는 마(馬)의 주문체인데, 마(影)는 [마(馬)와] 마찬가지로 긴 털이 그려졌다. 독음은 막(莫)과 하(下)의 반절이다.

**6107**

**𩣋: 騭: 수말 즐: 阜-총20획: zhì**

原文

1) 고문자에서 [字形] 甲骨文 [字形] 金文 [字形] 古陶文 [字形] 盟書 [字形] 簡牘文 [字形] 帛書 [字形] 古璽文 등으로 썼다. 갑골문에서 '말'을 그렸는데, 긴 머리와 큰 눈, 멋진 갈기와 발과 꼬리가 모두 갖추어진 매우 사실적인 모습이다. 이후 단순화되긴 했지만 지금도 발이 네 점으로 바뀐 것을 제외하면 대략의 모습을 찾아볼 수 있다. 말은 거칠긴 하지만 훈련만 거치면 수레를 끌고 물건을 나르는 등 유용한 수송수단이 됨은 물론 속도가 빨라 전쟁을 치르는 데에도 대단히 적합한 동물이었다. 그래서 『설문해자』의 말처럼 말의 특성은 "포악한 성질(怒·노)과 강한 힘(武·무)"으로 개괄될 수 있을 것이다. 간화자에서는 초서체를 해서체로 고친 马로 쓴다.

騭: 牡馬也. 从馬陟聲. 讀若郅. 之日切.

'수컷 말(牡馬)'을 말한다. 마(馬)가 의미부이고 척(陟)이 소리부이다. 질(郅)과 같이 읽는다. 독음은 지(之)와 일(日)의 반절이다.

**6108**

**馵: 馵: 한 살 된 말 환: 馬-총10획: huán**

原文

馵: 馬一歲也. 从馬；一, 絆其足. 讀若弦. 一曰若環. 戶關切.

飜譯

'한 살 된 말(馬一歲)'을 말한다. 마(馬)가 의미부이고, 가로획[一]은 말의 발을 매어 놓은 것을 상징한다. 현(弦)과 같이 읽는다. 일설에는 환(環)과 같이 읽는다고도 한다. 독음은 호(戶)와 관(關)의 반절이다.

**6109**

**駒: 駒: 망아지 구: 馬-총15획: jū**

原文

駒: 馬二歲曰駒, 三歲曰駣. 从馬句聲. 舉朱切.

飜譯

'두 살 된 말(馬二歲)을 구(駒)라 하고, 세 살 된 말(三歲)을 조(駣)라 한다.' 마(馬)가 의미부이고 구(句)가 소리부이다. 독음은 거(舉)와 주(朱)의 반절이다.

**6110**

**馴: 馴: 여덟 살 된 말 팔: 馬-총12획: bā**

原文

𩡧: 馬八歲也. 从馬从八. 博拔切.

飜譯

'여덟 살 된 말(馬八歲)'을 말한다. 마(馬)가 의미부이고 팔(八)도 의미부이다. 독음은 박(博)과 발(拔)의 반절이다.

**6111**

**𩦠: 𩦠: 한쪽 눈이 흰 말 한: 馬-총22획: xián**

原文

𩦠: 馬一目白曰𩦠, 二目白曰魚. 从馬閒聲. 戶閒切.

飜譯

'한 쪽 눈이 흰 말(馬一目白)을 한(𩦠)이라 하고, 두 쪽 눈이 다 흰 말(二目白)을 어(魚)라 한다.' 마(馬)가 의미부이고 한(閒)이 소리부이다. 독음은 호(戶)와 한(閒)의 반절이다.

**6112**

**騏: 騏: 털총이 기: 馬-총18획: qí**

原文

騏: 馬青驪, 文如博棊也. 从馬其聲. 渠之切.

飜譯

'검고 푸른색에 무늬가 장기판처럼 줄이 진 말(馬青驪, 文如博棊) 즉 털총이'를 말한다. 마(馬)가 의미부이고 기(其)가 소리부이다. 독음은 거(渠)와 지(之)의 반절이다.

**6113**

**驪: 驪: 가라말 려: 馬-총29획: lí**

제10권

原文

驪: 馬深黑色. 从馬麗聲. 呂支切.

飜譯

'진한 검은색의 말(馬深黑色)'을 말한다. 마(馬)가 의미부이고 려(麗)가 소리부이다. 독음은 려(呂)와 지(支)의 반절이다.

**6114**

駽: 駽: **철총이 현**: 馬-총17획: xuàn

原文

駽: 青驪馬. 从馬肙聲. 『詩』曰: "駜彼乘駽." 火玄切.

飜譯

'검고 푸른색의 말(青驪馬)'을 말한다. 마(馬)가 의미부이고 연(肙)이 소리부이다. 『시·노송·유필(有駜)』에서 "검푸른 네 마리 말이 끄는 수레가 달려가네(駜彼乘駽)"라고 노래했다. 독음은 화(火)와 현(玄)의 반절이다.

**6115**

騩: 騩: **산 이름 귀·담가라 괴**: 馬-총20획: guī

原文

騩: 馬淺黑色. 从馬鬼聲. 俱位切.

飜譯

'옅은 검은색의 말(馬淺黑色)'을 말한다. 마(馬)가 의미부이고 귀(鬼)가 소리부이다. 독음은 구(俱)와 위(位)의 반절이다.

**6116**

騮: 騮: **월따말 류**: 馬-총22획: liú

原文

騮: 赤馬黑毛尾也. 从馬畱聲. 力求切.

飜譯

'붉은색의 몸통에 검은색의 털과 꼬리를 가진 말(赤馬黑毛尾)'을 말한다. 마(馬)가 의미부이고 류(畱)가 소리부이다. 독음은 력(力)과 구(求)의 반절이다.

**6117**

**騢: 騢: 적부루마 하: 馬-총19획: xiá**

原文

騢: 馬赤白雜毛. 从馬叚聲. 謂色似鰕魚也. 乎加切.

飜譯

'붉은색과 흰색의 털이 뒤섞인 말(馬赤白雜毛)'을 말한다. 마(馬)가 의미부이고 가(叚)가 소리부인데, 색깔이 새우(鰕魚)처럼 [불그스레하기] 때문[에 소리부가 가(叚)]이다. 독음은 호(乎)와 가(加)의 반절이다.

**6118**

**騅: 騅: 오추마 추: 馬-총18획: zhuī**

原文

騅: 馬蒼黑雜毛. 从馬隹聲. 職追切.

飜譯

'푸르고 검은색이 섞인 털을 가진 말(馬蒼黑雜毛)'을 말한다. 마(馬)가 의미부이고 추(隹)가 소리부이다. 독음은 직(職)과 추(追)의 반절이다.

**6119**

**駱: 駱: 낙타 락: 馬-총16획: luò**

제10권

原文

駱: 馬白色黑鬣尾也. 从馬各聲. 盧各切.

飜譯

'흰색의 몸통에 검은색 갈기를 가진 말(馬白色黑鬣尾)'을 말한다. 마(馬)가 의미부이고 각(各)이 소리부이다. 독음은 로(盧)와 각(各)의 반절이다.

**6120**

**駰: 駰: 오총이 인: 馬-총16획: yīn**

原文

駰: 馬陰白雜毛. 黑. 从馬因聲. 『詩』曰 : "有駰有騢." 於眞切.

飜譯

'옅은 검은색과 흰색이 뒤섞인 털을 가진 말(馬陰白雜毛)'을 말한다. 검은색(黑)을 말한다.[2] 마(馬)가 의미부이고 인(因)이 소리부이다. 『시·노송·경(駉)』에서 "잿빛 흰빛 얼룩말과 붉고 흰 얼룩말이 있고(有駰有騢)"라고 노래했다. 독음은 어(於)와 진(眞)의 반절이다.

**6121**

**驄: 驄: 총이말 총: 馬-총21획: cōng**

原文

驄: 馬青白雜毛也. 从馬悤聲. 倉紅切.

飜譯

'푸르고 흰색깔의 털이 뒤섞인 말(馬青白雜毛)'을 말한다. 마(馬)가 의미부이고 총

---

2) 이 부분은 문맥이 잘 통하지 않는다. 『단주』에서는 흑(黑)을 앞 문자에 붙여서 "馬陰白雜毛黑"(옅은 검은색과 흰색이 뒤섞인 말)이라고 했지만, 여전히 흑(黑)의 어순과 의미는 그다지 분명하지 않다. 그래서 「서전(徐箋)」에서는 "음(陰)을 이미 얕은 검은색이라고 뜻풀이 했을 진대, 다시 흑(黑)자를 덧붙일 필요가 없다."라고 해, 흑(黑)자를 삭제할 것을 주장했다.

(悤)이 소리부이다. 독음은 창(倉)과 홍(紅)의 반절이다.

**6122**

驈: 驈: **샅 흰 검은 말 율**: 馬-**총22획**: yù

原文

驈: 驪馬白胯也. 从馬矞聲. 『詩』曰: "有驈有騜." 食聿切.

飜譯

'짙은 검은색 몸통에 사타구니는 흰색인 말(驪馬白胯)'을 말한다. 마(馬)가 의미부이고 율(矞)이 소리부이다. 『시·노송·경(駉)』에서 "사타구니 흰 검은 말과 흰털 섞인 누런 말이 있고(有驈有騜)"라고 노래했다. 독음은 식(食)과 율(聿)의 반절이다.

**6123**

駹: 駹: **찬간자 방**: 馬-**총17획**: máng

原文

駹: 馬面顙皆白也. 从馬尨聲. 莫江切.

飜譯

'머리와 이마가 모두 흰색인 말(馬面顙皆白)'을 말한다. 마(馬)가 의미부이고 방(尨)이 소리부이다. 독음은 막(莫)과 강(江)의 반절이다.

**6124**

騧: 騧: **공골말 왜·과**: 馬-**총19획**: guā

原文

騧: 黃馬, 黑喙. 从馬咼聲. 䯄, 籒文騧. 古華切.

飜譯

'누른색의 몸통에 주둥이는 검은색의 말(黃馬, 黑喙)'을 말한다. 마(馬)가 의미부이고 괘

(咼)가 소리부이다. 왜(䯄)는 왜(騧)의 주문체이다. 독음은 고(古)와 화(華)의 반절이다.

**6125**

**驃: 驃: 표절따 표: 馬-총21획: piào**

原文

驃: 黃馬發白色. 一曰白髦尾也. 从馬㶾聲. 毗召切.

飜譯

'누른색의 말인데 흰색을 띠는 말(黃馬發白色)'을 말한다. 일설에는 '갈기와 꼬리가 흰 말(白髦尾)'을 말한다고도 한다. 마(馬)가 의미부이고 표(㶾)가 소리부이다. 독음은 비(毗)와 소(召)의 반절이다.

**6126**

**駓: 駓: 황부루 비: 馬-총15획: pí**

原文

駓: 黃馬白毛也. 从馬丕聲. 敷悲切.

飜譯

'누른색의 말인데 흰털이 섞인 말(黃馬白毛)'을 말한다. 마(馬)가 의미부이고 비(丕)가 소리부이다. 독음은 부(敷)와 비(悲)의 반절이다.

**6127**

**驖: 驖: 구렁말 철: 馬-총24획: tiě**

原文

驖: 馬赤黑色. 从馬𢧜聲. 『詩』曰: "四驖孔阜." 他結切.

飜譯

'붉고 검은색을 띠는 말(馬赤黑色)'을 말한다. 마(馬)가 의미부이고 철(𢧜)이 소리부이다. 『시·진풍·사철(駟驖)』에서 "커다란 검정 말 네 필이 수레 끄는데(四驖孔阜)"라고 노래했다. 독음은 타(他)와 결(結)의 반절이다.

**6128**

**: [馬+岸]: 별박이 안: 馬-총18획: àn, niù, yàn**

原文

: 馬頭有發赤色者. 从馬岸聲. 五旰切.

飜譯

'머리에 붉은색을 띠는 말(馬頭有發赤色者)'을 말한다.[3] 마(馬)가 의미부이고 안(岸)이 소리부이다. 독음은 오(五)와 간(旰)의 반절이다.

**6129**

**: 馰: 별박이 적: 馬-총13획: dì**

原文

: 馬白頟也. 从馬, 的省聲. 一曰駿也. 『易』曰 : "爲的顙." 都歷切.

飜譯

'이마가 흰색인 말(馬白頟)'을 말한다. 마(馬)가 의미부이고, 적(的)의 생략된 부분이 소리부이다. 일설에는 '준마(駿)'를 말한다고도 한다. 『역·설괘(說卦)』에서 "[진괘(震卦)는 우레를 상징하는데……말에 대해서는……] 흰색의 이마(的顙)를 상징한다"라고 했다. 독음은 도(都)와 력(歷)의 반절이다.

3) 『단주』에서는 대서(大徐)본에서 말한 "頭有發赤色者"가 잘못이라 하면서 "馬頭有白發色"으로 고칠 것을 주장하였다. 그리고 그 근거를 『유편』과 『운회』에서 모두 "馬白頟至脣(이마에서 입술까지 모두 흰 말)"이라 했고, 『집운』에서도 "馬流星貫脣(유성처럼 생긴 흰무늬가 이마에서 입술까지 이어진 말)"이라고 한 것으로 볼 때, 말의 이마에 흰색이 든 말(馬頭發白色)이라고 했다.

**6130**

**駁: 駁: 얼룩말 박: 馬-총14획: bó**

原文

駁: 馬色不純. 从馬爻聲. 北角切.

飜譯

'말의 색이 순색이 아닌 것(馬色不純)'을 말한다. 마(馬)가 의미부이고 효(爻)가 소리부이다.[4] 독음은 북(北)과 각(角)의 반절이다.

**6131**

**馵: 馵: 발 흰 말 주: 馬-총13획: zhù**

原文

馵: 馬後左足白也. 从馬, 二其足. 讀若注. 之戍切.

飜譯

'뒤쪽 왼편 발이 흰색의 말(馬後左足白)'을 말한다. 마(馬)가 의미부이고, 이(二)는 발을 뜻한다. 주(注)와 같이 읽는다. 독음은 지(之)와 수(戍)의 반절이다.

**6132**

**驔: 驔: 정강이 흰 말 담: 馬-총22획: diǎn, tǎn**

原文

驔: 驪馬黃脊. 从馬覃聲. 讀若簟. 徒玷切.

飜譯

'검은색의 몸통에 등이 누른색인 말(驪馬黃脊)'을 말한다. 마(馬)가 의미부이고 담

---

4) 고문자에서 甲骨文 簡牘文 등으로 썼다. 소전체에서처럼 馬(말 마)와 爻(효 효)로 구성되어, 무늬가 교차되듯(爻) 뒤섞여 있는 얼룩말(馬)을 말했고, 무늬가 서로 뒤섞였다는 뜻에서 혼란스럽다는 의미가, 다시 論駁(논박)이나 反駁(반박) 등의 뜻이 나왔다.

(覃)이 소리부이다. 점(簟)과 같이 읽는다. 독음은 도(徒)와 점(玷)의 반절이다.

**6133**

**驠: 驠: 꽁무니 흰 말 연: 馬-총26획: yàn**

原文

驠: 馬白州也. 从馬燕聲. 於甸切.

飜譯

'꽁무니 부분이 흰색인 말(馬白州)'이라는 뜻이다.[5] 마(馬)가 의미부이고 연(燕)이 소리부이다. 독음은 어(於)와 전(甸)의 반절이다.

**6134**

**騽: 騽: 등이 누런 월따말 습: 馬-총21획: xí**

原文

騽: 馬豪骭也. 从馬習聲. 似入切.

飜譯

'무릎 끝과 정강이 사이에 긴 털이 있는 말(馬豪骭)'을 말한다. 마(馬)가 의미부이고 습(習)이 소리부이다. 독음은 사(似)와 입(入)의 반절이다.

**6135**

**騿: 騿: 털이 긴 말 한: 馬-총20획: hán, hàn**

原文

5) 주(州)는 꽁무니를 말한다. 『단주』에서 이렇게 말했다. "『산해경(山海經)』에서 '건산에 짐승이 사는데 꽁무니가 꼬리 위에 있다(乾山有嘼, 其州在尾上.)'라고 했다. 금본(今本)에서는 주(州)를 잘못해 천(川)으로 적었다. 『광아(廣雅)』에서 주(州)와 돈(豚)은 볼기를 말한다(臀也)라고 했다. 곽박의 『이아주』와 『산해경주』에서 모두 주(州)는 구멍을 말한다(竅也)고 했다. 내 생각에, 주(州)와 돈(豚)은 같은 글자이고, 세속에서는 계(启)로 적는다."

驙: 馬毛長也. 从馬䡨聲. 矦旰切.

飜譯

'털이 긴 말(馬毛長)'을 말한다. 마(馬)가 의미부이고 간(䡨)이 소리부이다. 독음은 후(矦)와 간(旰)의 반절이다.

**6136**

**騑: 騑: 빠른 말 비: 馬-총19획: fēi**

原文

騑: 馬逸足也. 从馬从飛. 『司馬法』曰: "飛衞斯輿." 甫微切.

飜譯

'[날아가는 듯] 잘 달리는 말(馬逸足)'을 말한다.[6] 마(馬)가 의미부이고 비(飛)도 의미부이다. 『사마법(司馬法)』에서 "비위사여(飛衞斯輿)"라고 했다.[7] 독음은 보(甫)와 미(微)의 반절이다.

**6137**

**驁: 驁: 준마 오: 馬-총21획: ào**

原文

驁: 駿馬. 以壬申日死, 乘馬忌之. 从馬敖聲. 五到切.

---

6) 『단주』에서는 자(者)를 보충하여 '馬逸足者也'라고 했다. 또 일(逸)자는 토(兔)자가 되어야 한다고도 했다. 그리고 이렇게 말했다. "『광운(廣韵)』에서 비토(騑兔)는 토끼처럼 잘 달아나는 말(馬而兔走)을 말한다고 했다. 『옥편(玉篇)』에서도 비토(騑兔)는 옛날의 준마를 말한다(古之駿馬也)고 했다. 『여씨춘추(呂氏春秋)』의 고유 주석에서 비토(飛兔)와 요뇨(要褭)는 모두 말의 이름인데, 하루에 1만 리를 달린다. 토끼가 달리듯 날아감을 말하며 그래서 비(飛)를 넣어 비(騑)라 하게 되었다."

7) 『단주』에서 이렇게 말했다. "『사마법(司馬法)』에서 '비위사여(飛衞斯輿)'라고 했다지만 『사마법』은 이미 실전되었다. 이 말은 『사마법』에서 이 글자(騑)가 비(飛)로 구성되게 된 이유를 설명한 것일 것이다."

飜譯

‘준마(駿馬)’를 말한다. 임신일(壬申日)에 죽었기 때문에, 말 타는 사람들은 이 날을 기념일로 삼는다(乘馬忌之). 마(馬)가 의미부이고 오(敖)가 소리부이다. 독음은 오(五)와 도(到)의 반절이다.

**6138**

**:** 驥: **천리마 기**: 馬-**총27획**: jì

原文

: 千里馬也, 孫陽所相者. 从馬冀聲. 天水有驥縣. 几利切.

飜譯

‘천리마(千里馬)’를 말하는데, 손양(孫陽) 즉 백락(伯樂)이 마음에 두었던 말이다.[8] 마(馬)가 의미부이고 기(冀)가 소리부이다. 천수(天水)군에 기현(驥縣)이 있다. 독음은 궤(几)와 리(利)의 반절이다.

**6139**

**:** 駿: **준마 준**: 馬-**총17획**: jùn

原文

: 馬之良材者. 从馬夋聲. 子峻切.

---

8) 백락(伯樂)은 손양(孫陽)의 자인데, 춘추 시대 때 사람으로 뛰어난 상마가(相馬家)이다. 달리 양자(陽子)로도 불린다. 진목공(秦穆公)의 신하로 있으면서 말을 감정하는 일을 맡았다. 일설에 천리마가 소금 수레를 끌고 태행산(太行山)을 오르다가 그를 보고 크게 울자 백락이 수레에서 내려 눈물을 흘렸다고 한다. 이에 말이 땅을 내려다보며 한숨을 쉬다가 하늘을 우러러 울었는데, 그 소리가 하늘 끝까지 퍼졌다는 것이다. 나이가 들자 목공에게 구방인(九方堙)을 천거했다. 구방인은 말을 감정하면서 말의 암수나 안색 따위는 살피지 않아 목공이 언짢게 여겼다. 이에 백락은 천리마란 “뛰어난 것을 얻으면 조잡한 것은 잊고, 그 안을 얻었으면 밖은 잊는 데 있다.(得其精而忘其粗, 得其內而忘其外.)”라고 해명했다. 말을 감별하는 뛰어난 안목이 인재를 등용하는 능력으로 비유되곤 한다. 『열자(列子)·설부(說符)』편과 『회남자(淮南子)·도응(道應)』편에 나온다.(『중국역대인명사전』)

飜譯

‘훌륭한 소질을 가진 말(馬之良材者)’을 말한다. 마(馬)가 의미부이고 준(夋)이 소리부이다. 독음은 자(子)와 준(峻)의 반절이다.

**6140**

**驍: 驍: 날랠 효: 馬-총22획: xiāo**

原文

驍: 良馬也. 从馬堯聲. 古堯切.

飜譯

‘좋은 말(良馬)’을 말한다. 마(馬)가 의미부이고 요(堯)가 소리부이다.[9] 독음은 고(古)와 요(堯)의 반절이다.

**6141**

**䮔: 䮔: 말이 작은 모양 추: 馬-총19획: zuǐ, zuī**

原文

䮔: 馬小皃. 从馬垂聲. 讀若箠. [illegible], 籒文从𠂹. 之壘切.

飜譯

‘말이 작은 모양(馬小皃)’을 말한다. 마(馬)가 의미부이고 수(垂)가 소리부이다. 추(箠)와 같이 읽는다. 추([illegible])는 주문체인데, 수(𠂹)로 구성되었다. 독음은 지(之)와 루(壘)의 반절이다.

**6142**

**驕: 驕: 교만할 교: 馬-총22획: jiāo**

9) 『단주』에는 육덕명의 『경전석문』에서 인용한 것에 근거해 “詩曰: 驍驍牡馬.(『시』에서 ‘크고 살찐 수말들’이라고 노래했다.)”를 보충해 넣었다.

原文

䮦: 馬高六尺爲驕. 从馬喬聲. 『詩』曰 : "我馬唯驕." 一曰野馬. 舉喬切.

翻譯

'키가 6척 되는 말(馬高六尺)을 교(驕)라 한다.' 마(馬)가 의미부이고 교(喬)가 소리부이다.[10] 『시·소아황황자화(皇皇者華)』에서 "내 수레 모는 말은 육척 되는 높은 말인데(我馬唯驕)"라고 노래했다. 일설에는 '야생마(野馬)'를 말한다고도 한다. 독음은 거(舉)와 교(喬)의 반절이다.

**6143**

**騋: 騋: 큰 말 래: 馬-총18획: lái**

原文

騋: 馬七尺爲騋, 八尺爲龍. 从馬來聲. 『詩』曰 : "騋牝驪牡." 洛哀切.

翻譯

'키가 7척(尺) 되는 말을 래(騋)라고 하고, 키가 8척 되는 말을 룡(龍)이라 한다.' 마(馬)가 의미부이고 래(來)가 소리부이다. 『시』에서 "큰 말 암말 가라말 숫말(騋牝驪牡)"이라고 노래했다.[11] 독음은 락(洛)과 애(哀)의 반절이다.

**6144**

**驩: 驩: 기뻐할 환: 馬-총28획: huān**

---

10) 고문자에서 [金文 자형] 金文 [簡牘文 자형] 簡牘文 등으로 썼다. 소전체에서처럼 馬(말 마)가 의미부이고 喬(높을 교)가 소리부로, 6척 높이의 키 큰(喬·교) 말(馬)을 뜻한다. 키가 큰 말(驕)은 다른 말보다 잘 달리므로 뛰어남을 자랑삼을 만하기에, '驕傲(교오)'에서처럼 자긍심을, 또 驕慢(교만)에서처럼 '남을 업신여기다'는 뜻이 나왔다. 간화자에서는 喬를 乔로 줄인 骄로 쓴다.

11) 『단주』에서 이렇게 말했다. "『시(詩)』에서 '래빈삼천(騋牝三千: 큰 암말 삼천 필)'이라 했는데, 『모전(毛傳)』에서 래빈(騋牝)은 키가 7척 되는 말(騋馬)과 암말(牝馬)을 말한다고 했다. 『이아·석수(釋嘼)』에서 '래빈려빈(騋牝驪牝)'이라고 했다."

原文

䮯: 馬名. 从馬雚聲. 呼官切.

飜譯

'말의 이름(馬名)'이다. 마(馬)가 의미부이고 관(雚)이 소리부이다. 독음은 호(呼)와 관(官)의 반절이다.

**6145**

驗: 驗: **증험할 험**: 馬-총23획: yàn

原文

驗: 馬名. 从馬僉聲. 魚窆切.

飜譯

'말의 이름(馬名)'이다. 마(馬)가 의미부이고 첨(僉)이 소리부이다.[12] 독음은 어(魚)와 폄(窆)의 반절이다.

**6146**

駘: 駘: **말 이름 차**: 馬-총15획: cǐ

原文

駘: 馬名. 从馬此聲. 雌氏切.

飜譯

'말의 이름(馬名)'이다. 마(馬)가 의미부이고 차(此)가 소리부이다. 독음은 자(雌)와 씨(氏)의 반절이다.

12) 馬(말 마)가 의미부고 僉(다 첨)이 소리부로, 말(馬)의 이름을 말했는데, 이후 效驗(효험)이나 經驗(경험), 효과 등의 뜻으로 가차되었다. 간화자에서는 僉을 佥으로 줄여 验으로 쓴다.

**6147**

**傌: 傌: 말 이름 휴: 馬-총16획: xiū**

原文

傌: 馬名. 从馬休聲. 許尤切.

譯評

'말의 이름(馬名)'이다. 마(馬)가 의미부이고 휴(休)가 소리부이다. 독음은 허(許)와 우(尤)의 반절이다.

**6148**

**駇: 駇: 털 색깔이 화려한 말 문: 馬-총14획: wén**

原文

駇: 馬赤鬣縞身, 目若黃金, 名曰媽. 吉皇之乘, 周文王時, 犬戎獻之. 从馬从文, 文亦聲. 『春秋傳』曰: "媽馬百駟." 畫馬也. 西伯獻紂, 以全其身. 無分切.

譯評

'붉은 갈기와 흰색 몸통에, 황금처럼 빛나는 눈을 가진 말(馬赤鬣縞身, 目若黃金)을 이름 하여 문(媽)이라 한다.' 이렇게 좋고 화려한 말은 주나라 문왕 때에 북방의 견융 족이 헌상한 말이다(吉皇之乘, 周文王時, 犬戎獻之). 마(馬)가 의미부이고 문(文)도 의미부인데, 문(文)은 소리부도 겸한다. 『춘추전』(『좌전』 선공 2년, B.C. 607)에서 "문마 4백 필(媽馬百駟)[13]"이라고 했는데, 문마(媽馬)는 털에 그림을 그려 넣은 것처럼 문양이 있는 말(畫馬)을 말한다. 서백(西伯)이 주(紂) 임금에게 헌상하였고, 이로써 자신의 몸을 보전할 수 있었다. 독음은 무(無)와 분(分)의 반절이다.

**6149**

**馶: 馶: 굳셀 지: 馬-총14획: zhī**

---

13) 사(駟)는 말 4필을 말한다. 그래서 백사(百駟)는 4백 필이 된다.

原文

馶: 馬彊也. 从馬支聲. 章移切.

飜譯

'말이 굳세다(馬彊)'라는 뜻이다. 마(馬)가 의미부이고 지(支)가 소리부이다. 독음은 장(章)과 이(移)의 반절이다.

**6150**

駜: 駜: **말 살찔 필**: 馬-**총15획**: **bì**

原文

駜: 馬飽也. 从馬必聲. 『詩』云: "有駜有駜." 毗必切.

飜譯

'말이 배불리 먹다(馬飽)'라는 뜻이다. 마(馬)가 의미부이고 필(必)이 소리부이다. 『시·노송·유필(有駜)』에서 "살찌고 억센 살찌고 억센(有駜有駜)"라고 노래했다. 독음은 비(毗)와 필(必)의 반절이다.

**6151**

駫: 駫: **말이 살찌고 큰 모양 경**: 馬-**총16획**: **jiōng**

原文

駫: 馬盛肥也. 从馬光聲. 『詩』曰: "四牡駫駫." 古熒切.

飜譯

'말이 씩씩하고 살찌다(馬盛肥)'라는 뜻이다. 마(馬)가 의미부이고 광(光)이 소리부이다. 『시·노송·경(駉)』에서 "살찌고 튼튼한 수레 끄는 네 마리 말(四牡駫駫)"이라고 노래했다.[14] 독음은 고(古)와 형(熒)의 반절이다.

---

14) 『단주』에서는 각 판본에서는 '사모경경(四牡駫駫)'으로 되었으나 육덕명의 『경전석문』에서 인용한 것에 근거해 '경경모마(駫駫牡馬)'로 고쳤고, 경경(駫駫)이 금본에서는 경경(駉駉)으로 되었다고 했다.

**6152**

**騯: 騯: 말 성할 팽: 馬-총20획: péng**

原文

騯: 馬盛也. 从馬旁聲. 『詩』曰: "四牡騯騯." 薄庚切.

飜譯

'말이 튼튼하다(馬盛)'라는 뜻이다.15) 마(馬)가 의미부이고 방(旁)이 소리부이다. 『시·소아북산(北山)』 등에서 "수레 끄는 네 마리 말 튼튼하고(四牡騯騯)"라고 노래했다.16) 독음은 박(薄)과 경(庚)의 반절이다.

**6153**

**駠: 駠: 말이 놀라 성내는 모양 앙: 馬-총14획: áng, àng**

原文

駠: 駠駠, 馬怒皃. 从馬卬聲. 吾浪切.

飜譯

'앙앙(駠駠)'을 말하는데, '말이 놀라 성을 내는 모습(馬怒皃)'을 말한다. 마(馬)가 의미부이고 앙(卬)이 소리부이다. 독음은 오(吾)와 랑(浪)의 반절이다.

**6154**

**驤: 驤: 머리 들 양: 馬-총27획: xiāng**

原文

驤: 馬之低仰也. 从馬襄聲. 息良切.

---

15) 『단주』에서는 "馬盛也"의 야(也)는 모(皃)가 되어야 할 것이라고 했다. 그렇게 되면 "말이 튼튼한 모양"이라 해석된다.

16) 『단주』에서 금본 『설문』에서는 '사모팽팽(四牡騯騯)'이 '사무방방(四牡彭彭)'으로 되었다고 했다.

飜譯

'말이 머리를 숙였다가 들었다가 하다(馬之低仰)'라는 뜻이다. 마(馬)가 의미부이고 양(襄)이 소리부이다. 독음은 식(息)과 량(良)의 반절이다.

**6155**

驀: 驀: **말 탈 맥**: 馬-**총21획**: **mò**

原文

驀: 上馬也. 从馬莫聲. 莫白切.

飜譯

'말에 올라타다(上馬)'라는 뜻이다. 마(馬)가 의미부이고 막(莫)이 소리부이다. 독음은 막(莫)과 백(白)의 반절이다.

**6156**

騎: 騎: **말 탈 기**: 馬-**총18획**: **qí**

原文

騎: 跨馬也. 从馬奇聲. 渠羈切.

飜譯

'두 발을 벌려 말에 올라타 걸터앉다(跨馬)'라는 뜻이다. 마(馬)가 의미부이고 기(奇)가 소리부이다.[17] 독음은 거(渠)와 기(羈)의 반절이다.

**6157**

駕: 駕: **멍에 가**: 馬-**총15획**: **jià**

---

17) 고문자에서 [騎] 古璽文 등으로 썼다. 소전체에서처럼 馬(말 마)가 의미부이고 奇(기이할 기)가 소리부로, 다리를 벌리고 걸터앉아(奇) 말(馬)을 타는 것을 말하며, 이로부터 타다, '걸터앉다'는 뜻이 나왔고, 말이나 騎兵(기병) 등을 뜻하게 되었다.

原文

駕: 馬在軛中. 从馬加聲. 𩣡, 籒文駕. 古訝切.

飜譯

'말에 멍에를 씌우다(馬在軛中)'라는 뜻이다. 마(馬)가 의미부이고 가(加)가 소리부이다.[18] 가(𩣡)는 가(駕)의 주문체이다. 독음은 고(古)와 아(訝)의 반절이다.

**6158**

**騑: 騑: 곁마 비: 馬-총18획: fēi**

原文

騑: 驂, 旁馬. 从馬非聲. 甫微切.

飜譯

'참(驂)과 같은데, 곁말(旁馬)'을 말한다. 마(馬)가 의미부이고 비(非)가 소리부이다. 독음은 보(甫)와 미(微)의 반절이다.

**6159**

**駢: 駢: 나란히 할 변: 馬-총16획: pián**

原文

駢: 駕二馬也. 从馬并聲. 部田切.

飜譯

'말 두 마리가 [수레를] 몰다(駕二馬)'라는 뜻이다. 마(馬)가 의미부이고 병(并)이 소리부이다. 독음은 부(部)와 전(田)의 반절이다.

---

18) 고문자에서 盟書 簡牘文 등으로 썼다. 소전체에서처럼 馬(말 마)가 의미부이고 加(더할 가)가 소리부로, 말(馬)에 덧씌우는(加) 멍에를 말한다. 말 위에다 앉을 것을 올려놓고 타고 다녔다는 뜻에서 '가마'의 뜻이 나왔고, 높은 사람들이 타고 다녔다는 뜻에서 '임금'의 뜻까지 나왔다.

**6160**

**:** 驂: **겯마 참**: 馬-**총21획**: **cān**

原文

: 駕三馬也. 从馬參聲. 倉含切.

飜譯

'말 세 마리가 [수레를] 몰다(駕三馬)'라는 뜻이다. 마(馬)가 의미부이고 참(參)이 소리부이다.[19] 독음은 창(倉)과 함(含)의 반절이다.

**6161**

**:** 駟: **사마 사**: 馬-**총15획**: **sì**

原文

: 一乘也. 从馬四聲. 息利切.

飜譯

'전차 한 대를 끄는 네 마리 말(一乘)'을 말한다. 마(馬)가 의미부이고 사(四)가 소리부이다. 독음은 식(息)과 리(利)의 반절이다.

**6162**

**:** 駙: **곁마 부**: 馬-**총15획**: **fù**

原文

: 副馬也. 从馬付聲. 一曰近也. 一曰疾也. 符遇切.

飜譯

'곁말(副馬)'을 말한다. 마(馬)가 의미부이고 부(付)가 소리부이다. 일설에는 '가깝다

---

19) 고문자에서 簡牘文 등으로 썼다. 소전체에서처럼 馬(말 마)가 의미부고 參(석 삼·삼성 참·간여할 참)이 소리부로, 수레를 끄는 세(參, 三의 갖은 자)마리 말(馬)을 말하며, 세 마리 말이 끄는 수레를 뜻하기도 한다. 간화자에서는 參을 参으로 줄여 骖으로 쓴다.

(近)'라는 뜻이라고도 한다. 또 일설에는 '빠르다(疾)'라는 뜻이라고도 한다. 독음은 부(符)와 우(遇)의 반절이다.

**6163**

⿰馬皆: ⿰馬皆: **말길들 해**: 馬–**총19획**: xié

原文

⿰馬皆: 馬和也. 从馬皆聲. 戶皆切.

飜譯

'말이 잘 길들여져 온순하다(馬和)'라는 뜻이다. 마(馬)가 의미부이고 개(皆)가 소리부이다. 독음은 호(戶)와 개(皆)의 반절이다.

**6164**

騀: 騀: **말머리 내두를 아**: 馬–**총17획**: é

原文

騀: 馬搖頭也. 从馬我聲. 五可切.

飜譯

'말이 머리를 흔들다(馬搖頭)'라는 뜻이다. 마(馬)가 의미부이고 아(我)가 소리부이다. 독음은 오(五)와 가(可)의 반절이다.

**6165**

駊: 駊: **말이 대가리를 흔들 파**: 馬–**총15획**: pǒ

原文

駊: 駊騀也. 从馬皮聲. 普火切.

飜譯

'말이 머리를 흔들다(駊騀)'라는 뜻이다. 마(馬)가 의미부이고 피(皮)가 소리부이다.

독음은 보(普)와 화(火)의 반절이다.

**6166**

**騊: 騊: 말 걷는 모양 도: 馬–총20획: tāo**

原文

騊: 馬行皃. 从馬舀聲. 土刀切.

飜譯

'말이 가는 모습(馬行皃)'을 말한다. 마(馬)가 의미부이고 요(舀)가 소리부이다. 독음은 토(土)와 도(刀)의 반절이다.

**6167**

**篤: 篤: 도타울 독: 竹–총16획: dǔ**

原文

篤: 馬行頓遲. 从馬竹聲. 冬毒切.

飜譯

'말이 천천히 가다(馬行頓遲)'라는 뜻이다. 마(馬)가 의미부이고 죽(竹)이 소리부이다.[20] 독음은 동(冬)과 독(毒)의 반절이다.

**6168**

**騤: 騤: 말 끌밋할 규: 馬–총19획: kuí**

原文

騤: 馬行威儀也. 从馬癸聲. 『詩』曰: "四牡騤騤." 渠追切.

---

20) 고문자에서 篤 簡牘文 등으로 썼다. 소전체에서처럼 馬(말 마)가 의미부이고 竹(대 죽)이 소리부로, 대(竹)로 만든 말(馬)을 함께 타고 놀던 옛 친구(竹馬故友·죽마고우)처럼 '敦篤(돈독)하고 견고한' 관계를 말하며, 이로부터 '도탑다'는 뜻이 나왔다. 간화자에서는 笃으로 쓴다.

飜譯

'말이 위엄을 갖추고 가다(馬行威儀)'라는 뜻이다. 마(馬)가 의미부이고 계(癸)가 소리부이다. 『시·소아채미(採薇)』에서 "튼튼한 네 마리 말로 끌게 하고(四牡騤騤)"라고 노래했다. 독음은 거(渠)와 추(追)의 반절이다.

**6169**

**鸒: 鷽: 말의 배가 울리는 소리 알: 馬-총23획: hú, mú, wò**

原文

鸒: 馬行徐而疾也. 从馬, 學省聲. 於角切.

飜譯

'말이 천천히 가다가 빨리 가다(馬行徐而疾)'라는 뜻이다. 마(馬)가 의미부이고, 학(學)의 생략된 부분이 소리부이다. 독음은 어(於)와 각(角)의 반절이다.

**6170**

**駸: 駸: 말달릴 침: 馬-총17획: qīn**

原文

駸: 馬行疾也. 从馬, 侵省聲. 『詩』曰: "載驟駸駸." 子林切.

飜譯

'말이 빨리 달리다(馬行疾)'라는 뜻이다. 마(馬)가 의미부이고, 침(侵)의 생략된 모습이 소리부이다. 『시·소아사무(四牡)』에서 "쏜살같이 달리고 있네(載驟駸駸)"라고 노래했다. 독음은 자(子)와 림(林)의 반절이다.

**6171**

**馺: 馺: 달릴 삽: 馬-총14획: sà**

原文

𩣡: 馬行相及也. 从馬从及. 讀若『爾雅』“小山馺, 大山峘”. 蘇荅切.

飜譯

‘말이 달려가 다른 말을 따라잡다(馬行相及)’라는 뜻이다. 마(馬)가 의미부이고 급(及)도 의미부이다. 『이아석산(釋山)』에서 말한 “작은 산(小山)을 삽(馺)이라 하고, 큰 산(大山)을 환(峘)이라 한다.”라고 한 삽(馺)과 같이 읽는다. 독음은 소(蘇)와 답(荅)의 반절이다.

**6172**

**㵗: 馮: 성 풍·탈 빙: 馬-총12획: píng**

原文

㵗: 馬行疾也. 从馬仌聲. 房戎切.

飜譯

‘말이 빨리 달리다(馬行疾)’라는 뜻이다. 마(馬)가 의미부이고 빙(仌)이 소리부이다.[21] 독음은 방(房)과 융(戎)의 반절이다.

**6173**

**𩧤: 驅: 말 걸음 빠를 녑: 馬-총17획: niè**

原文

𩧤: 馬步疾也. 从馬耴聲. 尼輒切.

飜譯

‘말의 걸음걸이가 빠르다(馬步疾)’라는 뜻이다. 마(馬)가 의미부이고 첩(耴)이 소리부이다. 독음은 니(尼)와 첩(輒)의 반절이다.

---

21) 馬(말 마)가 의미부고 冫(얼음 빙)이 소리부로, 얼음(冫) 위를 쏜살같이 달려가는 대단한 말(馬)로부터 ‘뽐내다’는 뜻을 그렸으며, 성씨로도 쓰였다.

**6174**

**騃: 騃: 어리석을 애: 馬-총17획: ái**

原文

騃: 馬行仡仡也. 从馬矣聲. 五駭切.

飜譯

'말이 씩씩하게 달리다(馬行仡仡)'라는 뜻이다. 마(馬)가 의미부이고 의(矣)가 소리부이다. 독음은 오(五)와 해(駭)의 반절이다.

**6175**

**騶: 驟: 달릴 취: 馬-총24획: zhòu**

原文

騶: 馬疾步也. 从馬聚聲. 鉏又切.

飜譯

'말이 빠르게 걸어가다(馬疾步)'라는 뜻이다. 마(馬)가 의미부이고 취(聚)가 소리부이다. 독음은 서(鉏)와 우(又)의 반절이다.

**6176**

**駒: 駒: 말 발 빠를 갈: 馬-총15획: gé**

原文

駒: 馬疾走也. 从馬匃聲. 古達切.

飜譯

'말이 빠르게 달리다(馬疾走)'라는 뜻이다. 마(馬)가 의미부이고 개(匃)가 소리부이다. 독음은 고(古)와 달(達)의 반절이다.

**6177**

**驠: 颿: 말 달릴 범: 風-총19획: fán**

原文

驠: 馬疾步也. 从馬風聲. 符嚴切.

飜譯

'말이 빠르게 걸어가다(馬疾步)'라는 뜻이다. 마(馬)가 의미부이고 풍(風)이 소리부이다. 독음은 부(符)와 엄(嚴)의 반절이다.

**6178**

**驅: 驅: 몰 구: 馬-총21획: qū**

原文

驅: 馬馳也. 从馬區聲. 敺, 古文驅从攴. 豈俱切.

飜譯

'말을 몰아 질주하게 하다(馬馳)'라는 뜻이다. 마(馬)가 의미부이고 구(區)가 소리부이다. 구(敺)는 구(驅)의 고문체인데, 복(攴)으로 구성되었다. 독음은 기(豈)와 구(俱)의 반절이다.

**6179**

**馳: 馳: 달릴 치: 馬-총13획: chí**

原文

馳: 大驅也. 从馬也聲. 直离切.

飜譯

'말을 세게 몰아대다(大驅)'라는 뜻이다. 마(馬)가 의미부이고 야(也)가 소리부이다. 독음은 직(直)과 리(离)의 반절이다.

---

2732 완역『설문해자』

**6180**

**騖: 騖: 달릴 무: 馬-총19획: wù**

原文

騖: 亂馳也. 从馬敄聲. 亡遇切.

飜譯

'말이 제멋대로 마구 날뛰다(亂馳)'라는 뜻이다. 마(馬)가 의미부이고 무(敄)가 소리부이다. 독음은 망(亡)과 우(遇)의 반절이다.

**6181**

**鴷: 鴷: 딱따구리 렬: 鳥-총17획: liè**

原文

鴷: 次弟馳也. 从馬𠛱聲. 力制切.

飜譯

'말이 줄을 지어 순서대로 달리다(次弟馳)'라는 뜻이다. 마(馬)가 의미부이고 렬(𠛱)이 소리부이다. 독음은 력(力)과 제(制)의 반절이다.

**6182**

**騁: 騁: 달릴 빙: 馬-총17획: chěng**

原文

騁: 直馳也. 从馬甹聲. 丑郢切.

飜譯

'말이 직선으로 달리다(直馳)'라는 뜻이다. 마(馬)가 의미부이고 병(甹)이 소리부이다. 독음은 축(丑)과 영(郢)의 반절이다.

**6183**

**駾: 駾: 달릴 태: 馬-총17획: tuì**

原文

駾: 馬行疾來皃. 从馬兌聲. 『詩』曰 : "昆夷駾矣." 他外切.

飜譯

'말이 재빠르게 달려오는 모양(馬行疾來皃)'을 말한다. 마(馬)가 의미부이고 태(兌)가 소리부이다. 『시·대아면(緜)』에서 "오랑캐들 두려워 뛰어 도망치고(昆夷駾矣)"라고 노래했다. 독음은 타(他)와 외(外)의 반절이다.

**6184**

**䭿: 䭿: 말 빨리 달릴 일: 馬-총15획: yì**

原文

䭿: 馬有疾足. 从馬失聲. 大結切.

飜譯

'빨리 달리는 발을 가진 말(馬有疾足)'을 말한다. 마(馬)가 의미부이고 실(失)이 소리부이다. 독음은 대(大)와 결(結)의 반절이다.

**6185**

**馯: 馯: 사나운 말 한: 馬-총17획: hàn**

原文

馯: 馬突也. 从馬旱聲. 矦旰切.

飜譯

'말이 돌진하다(馬突)'라는 뜻이다. 마(馬)가 의미부이고 한(旱)이 소리부이다. 독음은 후(矦)와 간(旰)의 반절이다.

**6186**

駧: **말 달릴 동**: 馬-**총16획: dòng**

原文

駧: 馳馬洞去也. 从馬同聲. 徒弄切.

飜譯

'빨리 달려 신속히 빠져 나가다(馳馬洞去)'라는 뜻이다. 마(馬)가 의미부이고 동(同)이 소리부이다. 독음은 도(徒)와 롱(弄)의 반절이다.

**6187**

驚: **놀랄 경**: 馬-**총23획: jīng**

原文

驚: 馬駭也. 从馬敬聲. 舉卿切.

飜譯

'말이 놀라다(馬駭)'라는 뜻이다. 마(馬)가 의미부이고 경(敬)이 소리부이다. 독음은 거(舉)와 경(卿)의 반절이다.



**6188**

駭: **놀랄 해**: 馬-**총16획: hài**

原文

駭: 驚也. 从馬亥聲. 矦楷切.

飜譯

'말이 놀라다(驚)'라는 뜻이다. 마(馬)가 의미부이고 해(亥)가 소리부이다. 독음은 후(矦)와 해(楷)의 반절이다.

**6189**

**駺: 駺: 말 달릴 황: 馬-총16획: huāng**

原文

駺: 馬奔也. 从馬巟聲. 呼光切.

飜譯

'말이 달리다(馬奔)'라는 뜻이다. 마(馬)가 의미부이고 황(巟)이 소리부이다. 독음은 호(呼)와 광(光)의 반절이다.

**6190**

**騫: 騫: 이지러질 건: 馬-총20획: qiān**

原文

騫: 馬腹縶也. 从馬, 寒省聲. 去虔切.

飜譯

'말의 배가 아래로 처지다(馬腹縶)'라는 뜻이다.[22] 마(馬)가 의미부이고, 한(寒)의 생략된 부분이 소리부이다. 독음은 거(去)와 건(虔)의 반절이다.

**6191**

**駐: 駐: 머무를 주: 馬-총15획: zhù**

原文

駐: 馬立也. 从馬主聲. 中句切.

22) 『단주』에서 이렇게 말했다. "마복점야(馬腹墊也)의 점(墊)을 각 판본에서는 집(縶)으로 적었는데, 『유편』과 『운회』에서부터 이미 그랬다. 소서본에서는 열(熱)로 적었는데 더욱 잘못된 것이다. 지금 바로 잡는다. 토(土)부수에서 점(墊)은 아래로 처지다는 뜻이다(下也)라고 하면서 『춘추전(春秋傳)』의 '점애마복(墊隘馬腹)'을 인용했다. 점(墊)은 『정속(正俗)』에서 말한 '배가 아래로 푹 빠졌다(肚腹低陷)'라는 뜻이다."

飜譯

'말이 멈추어 서다(馬立)'라는 뜻이다. 마(馬)가 의미부이고 주(主)가 소리부이다. 독음은 중(中)과 구(句)의 반절이다.

**6192**

**馴: 馴: 길들 순: 馬-총13획: xún**

原文

馴: 馬順也. 从馬川聲. 詳遵切.

飜譯

'말이 길들어져 순하다(馬順)'라는 뜻이다. 마(馬)가 의미부이고 천(川)이 소리부이다.[23] 독음은 상(詳)과 준(遵)의 반절이다.

**6193**

**駗: 駗: 말 짐 무거워 걷지 못할 진: 馬-총15획: zhēn**

原文

駗: 馬載重難也. 从馬㐱聲. 張人切.

飜譯

'말에 짐을 많이 실어 힘들어 하다(馬載重難)'는 뜻이다. 마(馬)가 의미부이고 진(㐱)이 소리부이다. 독음은 장(張)과 인(人)의 반절이다.

**6194**

**驙: 驙: 말 힘 부칠 단: 馬-총23획: tán**

---

23) 馬(말 마)가 의미부고 川(내 천)이 소리부로, 말(馬)을 길들여 물길 가듯(川) 잘 따르도록 만들다는 뜻이며, 이로부터 말을 길들이다, 순하다, 순종하다, 복종하다, 아름답다 등의 뜻이 나왔다.

原文

驙: 駗驙也. 从馬亶聲. 『易』曰: “乘馬驙如.” 張連切.

飜譯

‘말의 짐이 무거워 힘겨워함(駗驙)’을 말한다. 마(馬)가 의미부이고 단(亶)이 소리부이다. 『역·둔괘(屯卦)』에서 “말을 타도 말이 힘겨워하여 나아가지 않는다(乘馬驙如)” 라고 했다. 독음은 장(張)과 련(連)의 반절이다.

**6195**

**驇: 驇: 말 무거울 치: 馬-총21획: zhì**

原文

驇: 馬重皃. 从馬執聲. 陟利切.

飜譯

‘말이 무거워하는 모양(馬重皃)’을 말한다. 마(馬)가 의미부이고 집(執)이 소리부이다. 독음은 척(陟)과 리(利)의 반절이다.

**6196**

**驧: 驧: 말 뛸 국: 馬-총27획: jú**

原文

驧: 馬曲脊也. 从馬鞠聲. 巨六切.

飜譯

‘말의 등이 굽어 구부정하다(馬曲脊)’라는 뜻이다. 마(馬)가 의미부이고 국(鞠)이 소리부이다. 독음은 거(巨)와 륙(六)의 반절이다.

**6197**

**騬: 騬: 불깔 승: 馬-총20획: chéng**

原文

騬: 犗馬也. 从馬乘聲. 食陵切.

飜譯

'불알을 깐 말(犗馬)'이라는 뜻이다. 마(馬)가 의미부이고 승(乘)이 소리부이다. 독음은 식(食)과 릉(陵)의 반절이다.

**6198**

**騝: 馻: 말꼬리 잡아 맬 개: 馬-총14획: jiè**

原文

馻: 系馬尾也. 从馬介聲. 古拜切.

飜譯

'말의 꼬리를 땋다(系馬尾)'라는 뜻이다. 마(馬)가 의미부이고 개(介)가 소리부이다. 독음은 고(古)와 배(拜)의 반절이다.



**6199**

**騷: 騷: 떠들 소: 馬-총20획: sāo**

原文

騷: 擾也. 一曰摩馬. 从馬蚤聲. 穌遭切.

飜譯

'소란스럽다(擾)'라는 뜻이다. 일설에는 '말을 빗기다(摩馬)'라는 뜻이라고도 한다. 마(馬)가 의미부이고 조(蚤)가 소리부이다. 독음은 소(穌)와 조(遭)의 반절이다.

**6200**

**馽: 馽: 맬 칩: 馬-총14획: zhí**

原文

馽: 絆馬也. 从馬, 口其足. 『春秋傳』曰: "韓厥執馽前." 讀若輒. 縶, 馽或从糸執聲. 陟立切.

飜譯

'말을 끈으로 매어두다(絆馬)'라는 뜻이다. 마(馬)가 의미부이고, 위(口)는 말의 발을 말한다. 『춘추전』(『좌전』 성공 2년, B.C. 589)에서 "한궐(韓厥)이 말의 고삐를 잡고 가서 [제나라 경공(頃公)의] 앞에다 매어두었다(韓厥執馽前)"라고 했다.[24] 첩(輒)과 같이 읽는다. 칩(縶)은 칩(馽)의 혹체자인데, 멱(糸)이 의미부이고 집(執)이 소리부이다. 독음은 척(陟)과 립(立)의 반절이다.

**6201**

**駘: 駘: 둔마 태: 馬-총15획: tái**

原文

駘: 馬銜脫也. 从馬台聲. 徒哀切.

飜譯

'말의 재갈이 벗겨지다(馬銜脫)'라는 뜻이다. 마(馬)가 의미부이고 태(台)가 소리부이다. 독음은 도(徒)와 애(哀)의 반절이다.

---

24) 한궐(韓厥)은 춘추 시대 진(晉)나라 사람으로, 한헌자(韓獻子) 또는 헌자(獻子)로도 불린다. 한만현(韓萬玄)의 손자고, 한기(韓起)의 아버지다. 처음에 사마(司馬)가 되어 진초(晉楚) 사이에 벌어진 필(邲) 전투에 참여했다. 경공(景公) 11년 극극(郤克)을 따라 제(齊)나라를 정벌하여 제나라 군대를 격파했다. 다음 해 신중군장(新中軍將)이 되고, 경(卿)에 올랐다. 도안고(屠岸賈)가 권력을 휘저으면서 조씨(趙氏)를 마구 죽이자 간했지만 듣지 않았다. 이에 병을 핑계로 나가지 않으면서 고아가 된 조무(趙武)가 있음을 알게 된다. 경공 말년에 경공에게 조무에 대해 말했다. 다시 조씨의 전읍(田邑)을 회복했다. 진도공(晉悼公)이 즉위하자 국정을 도맡아 처리하면서 다시 한 번 제후(諸侯)들 사이의 패권을 차지했다. 여공(厲公)이 무도(無道)하여 난서(欒書)와 순언(荀偃)이 죽이려 할 때 동참하기를 거부했다.(『중국역대인명사전』)

**6202**

**䮴:** 駔: **준마 장**: 馬–**총15획**: **zǎng**

原文

䮴: 牡馬也. 从馬且聲. 一曰馬蹲駔也. 子朗切.

飜譯

'수컷 말(牡馬)'을 말한다.[25] 마(馬)가 의미부이고 차(且)가 소리부이다. 일설에는 '말이 웅크리고 앉아 나아가지 않음(馬蹲駔)'을 말한다고도 한다. 독음은 자(子)와 랑(朗)의 반절이다.

**6203**

**騶:** 騶: **말 먹이는 사람 추**: 馬–**총20획**: **zōu**

原文

騶: 廄御也. 从馬芻聲. 側鳩切.

飜譯

'마구간에서 말을 먹이는 사람(廄御)'을 말한다. 마(馬)가 의미부이고 추(芻)가 소리부이다. 독음은 측(側)과 구(鳩)의 반절이다.

**6204**

**驛:** 驛: **역참 역**: 馬–**총23획**: **yì**

原文

驛: 置騎也. 从馬睪聲. 羊益切.

25) 『단주』에서는 각 판본에서 모마(牡馬)로 되었는데, 장마(壯馬)로 바로 잡는다고 했다. 이는 이선(李善)의 『문선주(文選注)』에서 인용한 『설문』에서 장(壯)으로 적었고, 대붕달(戴仲達)이 인용한 당본(唐本) 『설문』에서 장마(奘馬)라 한 것이 그 증거가 된다고 했다. 그렇게 되면 '건장한 말'이 된다.

飜譯

'[역참에] 갈아탈 말을 배치해두다(置騎)'라는 뜻이다. 마(馬)가 의미부이고 역(睪)이 소리부이다. 독음은 양(羊)과 익(益)의 반절이다.

**6205**

**馹: 馹: 역말 일: 馬-총14획: rì**

原文

馹: 驛傳也. 从馬日聲. 人質切.

飜譯

'[역참에서] 말을 갈아타고 가다(驛傳)'라는 뜻이다. 마(馬)가 의미부이고 일(日)이 소리부이다.[26] 독음은 인(人)과 질(質)의 반절이다.

**6206**

**騰: 騰: 오를 등: 馬-총20획: téng**

原文

騰: 傳也. 从馬朕聲. 一曰騰, 犗馬也. 徒登切.

飜譯

'[문서를] 전달하다(傳)'라는 뜻이다. 마(馬)가 의미부이고 짐(朕)이 소리부이다. 일설에는 '등(騰)은 말의 불알을 까다(犗馬)'라는 뜻이라고도 한다. 독음은 도(徒)와 등(登)의 반절이다.

**6207**

**䮴: 䮴: 이마에 흰 털이 박힌 말 학: 馬-총20획: dí, hè, hé**

26) 馬(말 마)가 의미부고 日(날 일)이 소리부로, '역말'을 뜻하는데, 하루(日)를 달릴 수 있는 말(馬)이라는 의미를 담았다.

原文

䮤: 苑名. 一曰馬白頟. 从馬隺聲. 下各切.

飜譯

'동산의 이름(苑名)'이다.[27] 일설에는 '이마가 흰 말(馬白頟)'을 말한다고도 한다. 마(馬)가 의미부이고 각(隺)이 소리부이다. 독음은 하(下)와 각(各)의 반절이다.

**6208**

駉: 駉: **목장 경**: 馬-**총15획**: **jiōng**

原文

駉: 牧馬苑也. 从馬冋聲. 『詩』曰 : "在駉之野." 古熒切.

飜譯

'말을 키우는 동산(牧馬苑)'을 말한다. 마(馬)가 의미부이고 경(冋)이 소리부이다. 『시·노송·경(駉)』에서 "먼 들판을 달리고 있네(在駉之野)"라고 노래했다. 독음은 고(古)와 형(熒)의 반절이다.

**6209**

駪: 駪: **말 많을 신**: 馬-**총16획**: **shēn**

原文

駪: 馬眾多皃. 从馬先聲. 所臻切.

飜譯

'말이 많은 모양(馬眾多皃)'을 말한다. 마(馬)가 의미부이고 선(先)이 소리부이다. 독음은 소(所)와 진(臻)의 반절이다.

---

27) 『단주』에서 학원(䮤苑)은 한나라 때의 36개 국가 동산의 하나일 것이라고 했다.

**6210**

**驳: 駮: 짐승 이름 박: 馬-총16획: bó**

原文

駮: 獸, 如馬, 倨牙, 食虎豹. 从馬交聲. 北角切.

飜譯

'짐승 이름(獸)'으로, 말처럼 생겼는데 무서운 송곳니를 가졌으며(倨牙), 호랑이나 표범을 잡아먹는다. 마(馬)가 의미부이고 교(交)가 소리부이다.[28] 독음은 북(北)과 각(角)의 반절이다.

**6211**

**駃: 駃: 버새 결: 馬-총14획: jué**

原文

駃: 駃騠, 馬父贏子也. 从馬夬聲. 古穴切.

飜譯

'결제(駃騠) 즉 버새[29]'를 말하는데, 말을 아비로 하고 노새를 어미로 하여 태어난 짐승(馬父贏子)이다. 마(馬)가 의미부이고 쾌(夬)가 소리부이다. 독음은 고(古)와 혈(穴)의 반절이다.

28) 『자설』에서 이렇게 말했다. "『산해경(山海經)』에서 중곡산(中曲山)에 짐승이 산다. 말처럼 생겼는데 몸통은 검고, 꼬리가 두 개에 뿔은 하나이며, 호랑이같이 날카로운 이빨을 가졌으며, 북소리처럼 우렁차게 우는데(如馬而身黑, 二尾一角, 虎牙爪, 音如鼓), 박(駮)이라 부른다. 호랑이나 표범도 잡아먹으며 적병을 막을 수도 있다(食虎豹, 可以禦兵.)라고 했다. 『정자통(正字通)』에서 이는 짐승의 일종이지 말(馬)의 일종은 아니라고 했다."

29) 버새는 수말과 암탕나귀 사이에서 난 일대(一代) 잡종이다. 외모는 당나귀와 비슷하고 노새보다 체질과 체격이 떨어진다. 몸이 약하고 성질이 사나워 실용 가치가 거의 없다. 수컷은 번식력이 전혀 없고 암컷은 간혹 수태하나 새끼는 매우 허약하다. 달리 거허(駏驉)나 결제(駃騠)라고도 한다.

**6212**

**䮳: 騠: 양마 이름 제: 馬-총19획: tí**

原文

䮳: 駃騠也. 从馬是聲. 杜兮切.

飜譯

'결제(駃騠) 즉 버새'를 말한다. 마(馬)가 의미부이고 시(是)가 소리부이다. 독음은 두(杜)와 혜(兮)의 반절이다.

**6213**

**羸: 羸: 노새 라: 馬-총23획: luó**

原文

羸: 驢父馬母. 从馬羸聲. 騾, 或从羸. 洛戈切.

飜譯

'당나귀를 아비로 하고 말을 어미로 하여 태어난 짐승(驢父馬母) 즉 노새'를 말한다. 마(馬)가 의미부이고 라(羸)가 소리부이다. 라(騾)는 혹체자인데, 라(羸)로 구성되었다. 독음은 락(洛)과 과(戈)의 반절이다.

**6214**

**驢: 驢: 나귀 려: 馬-총26획:'lǘ**

原文

驢: 似馬, 長耳. 从馬盧聲. 力居切.

飜譯

'말처럼 생겼으나 귀가 긴(似馬, 長耳) 나귀'를 말한다. 마(馬)가 의미부이고 로(盧)가 소리부이다. 독음은 력(力)과 거(居)의 반절이다.

**6215**

**䮾:** 䮾: **버새 몽**: 馬–**총20획: méng**

原文

䮾: 驢子也. 从馬冢聲. 莫紅切.

飜譯

'당나귀의 새끼(驢子)로 버새'를 말한다. 마(馬)가 의미부이고 몽(冢)이 소리부이다. 독음은 막(莫)과 홍(紅)의 반절이다.

**6216**

**驒:** 驒: **연전총 탄**: 馬–**총22획: tán**

原文

驒: 驒騱, 野馬也. 从馬單聲. 一曰青驪白鱗, 文如鼉魚. 代何切.

飜譯

'탄혜(驒騱)'를 말하는데, '야생마(野馬)'를 말한다. 마(馬)가 의미부이고 단(單)이 소리부이다. 일설에는 '푸르고 검은 바탕에 흰 비늘조각이 있고, 악어처럼의 무늬를 가진 말(青驪白鱗, 文如鼉魚)'을 말한다고도 한다. 독음은 대(代)와 하(何)의 반절이다.

**6217**

**騱:** 騱: **야생말 혜**: 馬–**총20획: xī**

原文

騱: 驒騱馬也. 从馬奚聲. 胡雞切.

飜譯

'탄혜마(驒騱馬)[야생마]'를 말한다. 마(馬)가 의미부이고 해(奚)가 소리부이다. 독음은 호(胡)와 계(雞)의 반절이다.

**6218**

**騊**: 騊: **말 이름 도**: 馬–**총18획**: táo

原文

騊: 騊駼, 北野之良馬. 从馬匋聲. 徒刀切.

飜譯

'도도(騊駼)'를 말하는데, '북방 들판에서 자라는 훌륭한 말(北野之良馬)'이다. 마(馬)가 의미부이고 도(匋)가 소리부이다. 독음은 도(徒)와 도(刀)의 반절이다.

**6219**

**駼**: 駼: **양마 이름 도**: 馬–**총17획**: tú

原文

駼: 騊駼也. 从馬余聲. 同都切.

飜譯

'도도(騊駼)라는 좋은 말'을 말한다. 마(馬)가 의미부이고 여(余)가 소리부이다. 독음은 동(同)과 도(都)의 반절이다.

**6220**

**驫**: 驫: **말 몰려 달아날 표**: 馬–**총30획**: piāo

原文

驫: 眾馬也. 从三馬. 甫虯切.

飜譯

'말이 많이 모여 있음(眾馬)'을 말한다. 세 개의 마(馬)로 구성되었다. 독음은 보(甫)와 규(虯)의 반절이다.

**6221**

**駛: 駛: 빠를 시: 馬-총16획: shì**

原文

駛: 疾也. 从馬吏聲. 疏吏切.

飜譯

'빠르다(疾)'라는 뜻이다. 마(馬)가 의미부이고 리(吏)가 소리부이다. 독음은 소(疏)와 리(吏)의 반절이다.

**6222**

**駥: 駥: 준마 융: 馬-총16획: róng**

原文

駥: 馬高八尺. 从馬戎聲. 如融切.

飜譯

'키가 8척 되는 말(馬高八尺)'을 말한다. 마(馬)가 의미부이고 융(戎)이 소리부이다. 독음은 여(如)와 융(融)의 반절이다. [신부]

**6223**

**騣: 騣: 갈기 종: 馬-총19획: zōng**

原文

騣: 馬鬣也. 从馬㚇聲. 子红切.

飜譯

'말의 갈기(馬鬣)'를 말한다. 마(馬)가 의미부이고 종(㚇)이 소리부이다. 독음은 자(子)와 홍(红)의 반절이다. [신부]

**6224**

**䭾: 䭾: 실을 타·태: 馬-총13획: duò**

原文

䭾: 負物也. 从馬大聲. 此俗語也. 唐佐切.

飜譯

'물건을 짊어지다(負物)'라는 뜻이다. 마(馬)가 의미부이고 대(大)가 소리부이다. 이는 속어(俗語)이다. 독음은 당(唐)과 좌(佐)의 반절이다. [신부]

**6225**

**騂: 騂: 절따말 성: 馬-총20획: xīng**

原文

騂: 馬赤色也. 从馬, 觲省聲. 息營切.

飜譯

'붉은색의 말(馬赤色)'을 말한다. 마(馬)가 의미부이고, 성(觲)의 생략된 부분이 소리부이다. 독음은 식(息)과 영(營)의 반절이다. [신부]

# 제371부수
# 371 ■ 치(廌)부수

**6226**

**廌: 廌: 해태 치: 广-총13획: zhì**

原文

廌: 解廌, 獸也, 似山牛, 一角. 古者決訟, 令觸不直. 象形, 从豸省. 凡廌之屬皆从廌. 宅買切.

飜譯

'해치(解廌)'로, 짐승 이름인데(獸也), 들소를 닮았으며, 뿔이 하나이다(似山牛, 一角). 옛날 재판을 할 때, [해치로 하여금] 옳지 않는 자를 뿔로 들이받도록 하였다(古者決訟, 令觸不直). 상형이며, 치(豸)의 생략된 모습으로 구성되었다.[30] 치(廌)부수에 귀속된 글자들은 모두 치(廌)가 의미부이다. 독음은 댁(宅)과 매(買)의 반절이다.

**6227**

**𢊁: 𢊁: 짐승 이름 교: 子-총20획: xiào**

原文

𢊁: 解廌屬. 从廌孝聲. 闕. 古孝切.

飜譯

---

30) 갑골문에서 [甲骨文], [甲骨文], [甲骨文]등으로 그렸다. 한 쌍의 긴 뿔을 가진 짐승을 측면에서 그린 모습이다. 글자의 형체로 볼 때, '치(廌: 해치, 해태)'임에 분명하다. 해치(獬豸)는 고대 동물인데, 상나라 이후로 기온이 낮아져 남쪽으로 이동했고 결국 중국에서 사라졌다. 최근의 연구에 의하면, 현재 베트남 일부지역에서 존재하는 사라(沙拉)라는 영양류의 짐승이 바로 '해치'를 말한 것이라는 견해가 제시되었다. 북베트남의 밀림 속에서 관찰된 머리에 매우 평행한 한 쌍의 긴 뿔이 나 있고 영양과 같은 몸을 가진 노란색 피부의 커다란 포유류 동물이다.(허진웅, 2021)

'해치의 일종(解廌屬)'이다. 치(廌)가 의미부이고 효(孝)가 소리부이다. 구체적인 것은 알 수 없어 비워 둔다(闕). 독음은 고(古)와 효(孝)의 반절이다.

**6228**

: 薦: **천거할 천**: 艸-총17획: jiàn

原文

: 獸之所食艸. 从廌从艸. 古者神人以廌遺黃帝. 帝曰: "何食? 何處? "曰: "食薦; 夏處水澤, 冬處松柏." 作甸切.

飜譯

'짐승이 먹는 풀(獸之所食艸)'을 말한다. 치(廌)가 의미부이고 초(艸)도 의미부이다. 먼 옛날, 신선이 치(廌)를 황제(黃帝)에게 바쳤다. 그러자 황제가 물었다. "무엇을 먹고 사는가(何食)? 어디에 사는가(何處)?" 이렇게 대답했다. "천(薦)이라는 풀을 먹고 사며, 여름에는 연못(水澤)에 살고, 겨울에는 소나무 숲(松柏)에 삽니다." 독음은 작(作)과 전(甸)의 반절이다.

**6229**

: 灋: **법 법**: 水-총21획: fǎ

原文

: 刑也. 平之如水, 从水; 廌, 所以觸不直者; 去之, 从去. , 今文省. , 古文. 方乏切.

飜譯

'형벌(刑)'을 말한다. 물과 같이 공평해야하기에 수(水)가 의미부가 되었다. 치(廌)는 옳지 않은 자를 뿔로 받아버리기 때문에 의미부가 되었고, [뿔로 받아] 날려버리기 때문에 거(去)가 의미부가 되었다.[31] 법()은 금문체인데, 생략된 모습이다. 법()은

31) 고문자에서 金文 古陶文 簡牘文 古璽文 등으로

고문체이다. 독음은 방(方)과 핍(乏)의 반절이다.

썼다. 소전체에서처럼 水(물 수)와 去(갈 거)로 구성되어, '법'을 말하는데, 법이란 모름지기 물(水)의 흐름(去)처럼 해야 한다는 뜻을 담았다. 물은 언제나 높은 곳에서 낮은 곳으로 흐르지 낮은 곳에서 높은 곳으로 역류하지 않는 항상성을 가지기에 法은 항상 공평하고 또한 일정해야 한다. 금문 등에서는 法에 廌(해치 치)가 덧붙여져 灋으로 썼다. 獬廌(해치·해태)는 올바르지 않은 것을 만나면 그 무서운 뿔로 받아 죽여 버린다고 전해지는 상상의 동물이다. 그렇다면, 그들이 생각했던 법은 바로 바르지 않는 사람을 떠받아 죽여 버리는 해치나 항상 낮은 곳으로 임하는 물처럼 언제나 정의롭고 누구에게나 공평하게 집행되어야 하는 것이었다. 법이라는 뜻으로부터 法道(법도), 표준, 규범, 方法(방법) 등의 뜻이 나왔다.

## 제372부수
## 372 ■ 록(鹿)부수

**6230**

**鹿: 鹿: 사슴 록: 鹿-총11획: lù**

原文

鹿: 獸也. 象頭角四足之形. 鳥鹿足相似, 从匕. 凡鹿之屬皆从鹿. 盧谷切.

飜譯

'짐승 이름(獸)'이다. 머리와 뿔과 네 발의 모습을 그렸다. 새와 사슴의 발이 비슷하다. 그래서 비(匕)로 구성되었다.[32] 록(鹿)부수에 귀속된 글자들은 모두 록(鹿)이 의미부이다. 독음은 로(盧)와 곡(谷)의 반절이다.



**6231**

**麚: 麚: 수사슴 가: 鹿-총20획: jiā**

原文

麚: 牡鹿. 从鹿叚聲. 以夏至解角. 古牙切.

飜譯

'수사슴(牡鹿)'을 말한다. 록(鹿)이 의미부이고 가(叚)가 소리부이다. 하지(夏至)가 되면 뿔이 빠진다. 독음은 고(古)와 아(牙)의 반절이다.

---

32) 고문자에서 甲骨文 金文 簡牘文 등으로 썼다. 사슴을 그렸는데, 화려한 뿔과 머리와 다리까지 사실적으로 그려졌다. 그래서 '사슴'이 원래 뜻인데, 이후 사슴의 종류는 물론 사슴과에 속하는 짐승을 통칭하거나 사슴의 특징과 관련된 의미를 표시하게 되었다.

**6232**

**麟: 麟: 기린 린·: 鹿-총23획: lín**

原文

麟: 大牝鹿也. 从鹿粦聲. 力珍切.

飜譯

'큰 수사슴(大牝鹿)'을 말한다. 록(鹿)이 의미부이고 린(粦)이 소리부이다. 독음은 력(力)과 진(珍)의 반절이다.

**6233**

**麛: 麛: 사슴새끼 난: 鹿-총20획: nuàn**

原文

麛: 鹿麛也. 从鹿耎聲. 讀若偄弱之偄. 奴亂切.

飜譯

'어린 사슴(鹿麛)'을 말한다. 록(鹿)이 의미부이고 연(耎)이 소리부이다. 난약(偄弱: 연약하다, 나약하다)이라고 할 때의 난(偄)과 같이 읽는다. 독음은 노(奴)와 란(亂)의 반절이다.

**6234**

**䴛: 䴛: 사슴의 발자국 속: 鹿-총22획: sù**

原文

䴛: 鹿迹也. 从鹿速聲. 桑谷切.

飜譯

'사슴의 발자국(鹿迹)'을 말한다. 록(鹿)이 의미부이고 속(速)이 소리부이다. 독음은 상(桑)과 곡(谷)의 반절이다.

6235

**麛: 麛: 사슴 새끼 미: 鹿-총20획: mí**

原文

麛: 鹿子也. 从鹿弭聲. 莫兮切.

飜譯

'사슴의 새끼(鹿子)'를 말한다. 록(鹿)이 의미부이고 미(弭)가 소리부이다. 독음은 막(莫)과 혜(兮)의 반절이다.

6236

**麉: 麉: 힘센 사슴 견: 鹿-총17획: jiān**

原文

麉: 鹿之絕有力者. 从鹿幵聲. 古賢切.

飜譯

'가장 힘이 센 사슴(鹿之絕有力者)'을 말한다. 록(鹿)이 의미부이고 견(幵)이 소리부이다. 독음은 고(古)와 현(賢)의 반절이다.

6237

**麒: 麒: 기린 기: 鹿-총19획: qí**

原文

麒: 仁獸也. 麇身牛尾, 一角. 从鹿其聲. 渠之切.

飜譯

'어진 짐승(仁獸)[기린]'이다. 큰 사슴의 몸에 소꼬리를 하였고, 뿔은 하나이다.[33] 록

33) 고대 중국에서 기린(麒麟)은 어진 왕이 나타날 때 출현한다고 알려져 있는 상서러운 상상의 동물이다. 기린은 살아 있는 풀은 밟지 않고 살아 있는 생물도 먹지 않는다고 한다. 그래서 매우 어진 짐승으로 알려져 잇다. 기(麒)는 수컷을, 린(麟)은 암컷을 가리킨다고 한다.

(鹿)이 의미부이고 기(其)가 소리부이다. 독음은 거(渠)와 지(之)의 반절이다.

**6238**

**䴢**: 麐: **암키린 린**: 鹿-**총18획: līn**

原文

䴢: 牝麒也. 从鹿吝聲. 力珍切.

飜譯

'암컷 기린(牝麒)'을 말한다. 록(鹿)이 의미부이고 린(吝)이 소리부이다. 독음은 력(力)과 진(珍)의 반절이다.

**6239**

**麋**: 麋: **큰사슴 미**: 鹿-**총17획: mí**

原文

麋: 鹿屬. 从鹿米聲. 麋冬至解其角. 武悲切.

飜譯

'사슴의 일종(鹿屬)'이다. 록(鹿)이 의미부이고 미(米)가 소리부이다. 미(麋)라는 사슴은 동지(冬至)가 되면 뿔이 빠진다. 독음은 무(武)와 비(悲)의 반절이다.

**6240**

**麎**: 麎: **큰사슴 신**: 鹿-**총18획: chén**

原文

麎: 牝麋也. 从鹿辰聲. 植鄰切.

飜譯

'암컷 큰사슴(牝麋)'을 말한다. 록(鹿)이 의미부이고 진(辰)이 소리부이다. 독음은 식(植)과 린(鄰)의 반절이다.

6241

**䴢: 麂: 큰 순록 궤: 鹿-총17획: jǐ**

原文

䴢: 大麇也. 狗足. 从鹿旨聲. 麂, 或从几. 居履切.

飜譯

'큰 사슴(大麇)'을 말한다. 발이 개를 닮았다. 록(鹿)이 의미부이고 지(旨)가 소리부이다. 궤(麂)는 혹체자인데, 궤(几)로 구성되었다. 독음은 거(居)와 리(履)의 반절이다.

6242

**麇: 麇: 노루 균: 鹿-총16획: jūn**

原文

麇: 麞也. 从鹿, 囷省聲. 麕, 籒文不省. 居筠切.

飜譯

'노루(麞)'를 말한다. 록(鹿)이 의미부이고, 균(囷)의 생략된 부분이 소리부이다. 균(麕)은 주문체인데, 생략되지 않은 모습이다. 독음은 거(居)와 균(筠)의 반절이다.

6243

**麞: 麞: 노루 장: 鹿-총22획: zhāng**

原文

麞: 麇屬. 从鹿章聲. 諸良切.

飜譯

'노루의 일종(麇屬)'이다. 록(鹿)이 의미부이고 장(章)이 소리부이다. 독음은 제(諸)와 량(良)의 반절이다.

**6244**

**麔: 麔: 수사슴 구: 鹿-총19획: jiù**

原文

麔: 麋牝者. 从鹿咎聲. 其久切.

飜譯

'암컷 큰 사슴(麋牝者)'을 말한다. 록(鹿)이 의미부이고 구(咎)가 소리부이다. 독음은 기(其)와 구(久)의 반절이다.

**6245**

**麠: 麠: 큰사슴 경: 鹿-총24획: jīng**

原文

麠: 大鹿也. 牛尾一角. 从鹿畺聲. 麖, 或从京. 舉卿切.

飜譯

'큰 사슴(大鹿)'을 말한다. 소를 닮은 꼬리를 했고 뿔은 하나이다. 록(鹿)이 의미부이고 강(畺)이 소리부이다. 경(麖)은 혹체자인데, 경(京)으로 구성되었다. 독음은 거(舉)와 경(卿)의 반절이다.

**6246**

**麃: 麃: 큰사슴 포: 鹿-총15획: páo**

原文

麃: 麠屬. 从鹿, 票省聲. 薄交切.

飜譯

'큰 사슴의 일종(麠屬)'이다. 록(鹿)이 의미부이고, 표(票)의 생략된 모습이 소리부이다. 독음은 박(薄)과 교(交)의 반절이다.

**6247**

**𪊨: 麈: 큰사슴 주: 鹿-총16획: zhǔ**

原文

𪊨: 麋屬. 从鹿主聲. 之庾切.

飜譯

'노루의 일종(麋屬)[고라니]'이다. 록(鹿)이 의미부이고 주(主)가 소리부이다. 독음은 지(之)와 유(庾)의 반절이다.

**6248**

**麑: 麑: 사자 예: 鹿-총19획: ní**

原文

麑: 狻麑, 獸也. 从鹿兒聲. 五雞切.

飜譯

'산예(狻麑)'를 말하는데, '짐승 이름(獸)'이다.34) 록(鹿)이 의미부이고 아(兒)가 소리

제 10 권

34) 산예(狻麑)는 중국 고대 신화전설에 나오는 상상의 동물로, 용(龍)의 아홉 아들의 하나로, 모양은 사자(獅)처럼 생겼고 연기를 좋아하고 앉아 있기를 즐긴다고 알려졌다. 그래서 연기를 마시고 안개를 머금는 모습으로 향로의 도안에 자주 등장한다. 고대 문헌에 의하면 외모는 사자와 비슷하며 호랑이나 표범을 잡아먹는 사나운 동물로 모든 짐승을 거느리는 우두머리라 할 만하다. 그래서 궁전의 장식 도안으로도 자주 등장한다. 이를 '사자'라고 번역하기도 하는데, 사자가 한나라 때 들어오기 시작했음을 고려하면 '사자'로 보기는 어렵다.
사자에 관한 기록을 보면, 『후한서·반표전(班彪傳)』에 대해 이현(李賢)이 단 주석에서 '사(師)는 사자를 말한다'라고 했고, 「반초전(班超傳)」에서는 다음과 같이 기술하고 있다. '초에, 월지국이 한나라를 도와 거사국을 공격하는데 공이 있었다. 이 해(88년) 진귀한 보물과 부발과 사자를 공물로 보내왔으며, 이를 계기로 한나라의 공주를 원했다. 그러나 반초는 이를 거절하고서 사신을 되돌려 보냈다. 이러한 일이 있고 나서 두 나라는 서로 원한을 가지게 되었다.' 또 「순제기(順帝紀)」에서는 '양가(陽嘉) 2년(133년) 카스카르국에서 사자와 낙타를 보내왔다'고 기록하고 있다. 처음에는 등이 불룩한 소를 닮았다는 뜻에서, 봉우(封牛)나 봉우(峰牛)라 불렀다. 사자가 들어온 지역은 대체로 월지국(Indo-Scythians), 카스카르국(Kashgar), 페르시아국(Persian) 등 여러 학설이 있다. 이후 사자를 뜻하는 사(獅)자가 등장하는데 이는 칼그렌(Bernhard Karlgren, 1889~1978)의 주장처럼, '獅[şi]'는 당시 이란어의 'śarɤ'의 대역음이다'라

부이다. 독음은 오(五)와 계(雞)의 반절이다.

**6249**

**麙: 麙: 큰 염소 암: 鹿-총20획: xián**

原文

麙: 山羊而大者, 細角. 从鹿咸聲. 胡毚切.

飜譯

'큰 산양(山羊而大者)'을 말하는데, 가는 뿔을 가졌다(細角). 록(鹿)이 의미부이고 함(咸)이 소리부이다. 독음은 호(胡)와 참(毚)의 반절이다.

**6250**

**麢: 麢: 뿔이 가늘고 둥근 모양 령: 鹿-총28획: líng**

原文

麢: 大羊而細角. 从鹿霝聲. 郎丁切.

飜譯

'가는 뿔을 가진 큰 양(大羊而細角)'을 말한다. 록(鹿)이 의미부이고 령(霝)이 소리부이다. 독음은 랑(郎)과 정(丁)의 반절이다.

**6251**

**麈: 麈: 사슴붙이 규: 鹿-총17획: guī**

原文

麈: 鹿屬. 从鹿圭聲. 古攜切.

---

고 했다.(나상배, 『언어와 문화』(하영삼 역, 서울대출판부, 2002), 36~40쪽 참조)

飜譯

'사슴의 일종(鹿屬)'이다. 록(鹿)이 의미부이고 규(圭)가 소리부이다. 독음은 고(古)와 휴(攜)의 반절이다.

**6252**

**麝: 麝: 사향노루 사: 鹿-총23획: shè**

原文

麝: 如小麋, 臍有香. 从鹿䠶聲. 神夜切.

飜譯

'작은 사슴처럼 생겼고, 배꼽에 향기 나는 땀샘[향선]을 가졌다(如小麋, 臍有香).' 록(鹿)이 의미부이고 사(䠶)가 소리부이다. 독음은 신(神)과 야(夜)의 반절이다.

**6253**

**麌: 麌: 사슴붙이 여: 鹿-총25획: yù**

原文

麌: 似鹿而大也. 从鹿與聲. 羊茹切.

飜譯

'사슴처럼 생겼으나 더 큰 것(似鹿而大)'을 말한다. 록(鹿)이 의미부이고 여(與)가 소리부이다. 독음은 양(羊)과 여(茹)의 반절이다.

**6254**

**麗: 麗: 고울 려: 鹿-총19획: lì**

原文

麗: 旅行也. 鹿之性, 見食急則必旅行. 从鹿丽聲. 『禮』: 麗皮納聘. 蓋鹿皮也. 丽, 古文. 示丽, 篆文麗字. 郎計切.



제 10 권

飜譯

'짝을 지어 가다(旅行)'라는 뜻이다. 사슴의 습성을 보면, 먹을 것을 발견하면 조급해 하고 반드시 짝을 지어 간다. 록(鹿)이 의미부이고 려(丽)가 소리부이다. 『예』(『의례·사혼례(士婚禮)』)에서 "두 장의 가죽을 납빙 때에 쓴다(麗皮納聘)"라고 했는데, 대체로 사슴 가죽을 말한다. 려(丽)는 고문체이다. 려(𠀆)는 려(麗)의 전서체이다. 독음은 랑(郎)과 계(計)의 반절이다.

**6255**

**麀: 麀: 암사슴 우: 鹿-총13획: yōu**

原文

麀: 牝鹿也. 从鹿, 从牝省. [illegible], 或从幽聲. 於虯切.

飜譯

'암컷 사슴(牝鹿)'을 말한다. 록(鹿)이 의미부이고, 빈(牝)의 생략된 모습도 의미부이다. 우([illegible])는 혹체자인데, 유(幽)가 소리부이다. 독음은 어(於)와 규(虯)의 반절이다.

## 제373부수
## 373 ■ 추(麤)부수

**6256**

**麤: 麤: 거칠 추: 鹿-총33획: cū**

原文

麤: 行超遠也. 从三鹿. 凡麤之屬皆从麤. 倉胡切.

飜譯

'뛰어 넘어 멀리 달리다(行超遠)'라는 뜻이다. 세 개의 록(鹿)으로 구성되었다. 추(麤)부수에 귀속된 글자들은 모두 추(麤)가 의미부이다. 독음은 창(倉)과 호(胡)의 반절이다.

**6257**

**𪋻: 塵: 티끌 진: 鹿-총36획: chén**

原文

𪋻: 鹿行揚土也. 从麤从土. 𪋻, 籒文. 直珍切.

飜譯

'사슴이 달리면서 흙먼지를 일으키다(鹿行揚土)'라는 뜻이다. 추(麤)가 의미부이고 토(土)도 의미부이다. 진(𪋻)은 주문체이다. 독음은 직(直)과 진(珍)의 반절이다.

# 제374부수
## 374 ■ 착(㲋)부수

**6258**

㲋: 㲋: **짐승 이름 착**: 比-**총9획: chuò, zhuó, zú**

原文

㲋: 獸也. 似兔, 青色而大. 象形. 頭與兔同, 足與鹿同. 凡㲋之屬皆从㲋. 𠬝, 篆文. 丑略切.

飜譯

'짐승 이름(獸)'이다. 토끼(兔)와 비슷하게 생겼지만, 푸른색이고 더 크다. 상형이다. 머리는 토끼와 같고, 발은 사슴과 같다. 착(㲋)부수에 귀속된 글자들은 모두 착(㲋)이 의미부이다. 착(𠬝)은 전서체이다. 독음은 축(丑)과 략(略)의 반절이다.

**6259**

㲜: 㲜: **토끼 참**: 比-**총17획: chán**

原文

㲜: 狡兔也, 兔之駿者. 从㲋、兔. 士咸切.

飜譯

'교활한 토끼(狡兔)를 말하는데, 잘 달리는 토끼를 말한다.' 착(㲋)과 토(兔)가 모두 의미부이다. 독음은 사(士)와 함(咸)의 반절이다.

**6260**

㲝: 㲝: **짐승 이름 사**: 比-**총17획: xiě**

原文

: 獸名. 从㲋吾聲. 讀若寫. 司夜切.

飜譯

'짐승 이름(獸名)'이다. 착(㲋)이 의미부이고 오(吾)가 소리부이다. 사(寫)와 같이 읽는다. 독음은 사(司)와 야(夜)의 반절이다.

**6261**

**: 臭: 담비 결: 比-총14획: jué**

原文

: 獸也. 似牲牲. 从㲋夬聲. 古穴切.

飜譯

'짐승 이름(獸)'이다. 성성이(牲牲)를 닮았다. 착(㲋)이 의미부이고 쾌(夬)가 소리부이다. 독음은 고(古)와 혈(穴)의 반절이다.

## 제375부수
## 375 ■ 토(兔)부수

**6262**

**兔: 兔: 토끼 토: 儿-총8획: tù**

原文

兔: 獸名. 象踞, 後其尾形. 兔頭與㲋頭同. 凡兔之屬皆从兔. 湯故切.

飜譯

'짐승 이름(獸名)[토끼]'이다. 웅크리고 앉은 모습을 그렸는데, 뒤쪽이 꼬리 모습이다. 토끼(兔)는 머리가 착(㲋)의 머리와 같다.35) 토(兔)부수에 귀속된 글자들은 모두 토(兔)가 의미부이다. 독음은 탕(湯)과 고(故)의 반절이다.

**6263**

**逸: 逸: 달아날 일: 辵-총12획: yì**

原文

逸: 失也. 从辵、兔. 兔謾訑善逃也. 夷質切.

飜譯

'실(失)과 같아 잃어버리다'라는 뜻이다.36) 책(辵)과 토(兔)가 모두 의미부이다. 토끼는 잘 속이고 잘 도망가는 속성을 갖고 있다.37) 독음은 이(夷)와 질(質)의 반절이다.

---

35) 고문자에서 甲骨文 簡牘文 등으로 썼다. 소전체에서처럼 앉는 모습의 토끼를 그렸으며, 이로부터 토끼, 토끼를 잡다의 뜻이 나왔고, 중국의 신화에서 달 속에 옥토끼가 산다는 뜻에서 달의 비유로도 쓰였다. 원래 兔(토끼 토)로 썼는데, 간화자에서도 兔로 쓴다.

36) 실(失)은 일(佚)과 같다.

37) 고문자에서 金文 石刻古文 등으로 썼다. 소전체에서처럼 辵(쉬엄쉬엄 갈

**6264**

**冤: 冤: 원통할 원: 冖-총10획: yuān**

原文

冤: 屈也. 从兔从冂. 兔在冂下, 不得走, 益屈折也. 於袁切.

飜譯

'굽어 펴지 못하다(屈)'라는 뜻이다. 토(兔)가 의미부이고 경(冂)도 의미부이다. 토끼(兔)가 경(冂) 아래에 놓인 모습을 그렸는데, 도망가지 못하고, 더욱더 제대로 펴지 못함을 나타냈다. 독음은 어(於)와 원(袁)의 반절이다.

**6265**

**娩: 娩: 빠를 반: 女-총11획: fù**

原文

娩: 兔子也. 娩, 疾也. 从女、兔. 芳萬切.

飜譯

'토끼의 새끼(兔子)'를 말한다. 반(娩)은 '빠르다(疾)'라는 뜻이다. 여(女)와 토(兔)가 모두 의미부이다. 독음은 방(芳)과 만(萬)의 반절이다.

**6266**

**䨲: 䨲: 빠를 부: 儿-총24획: fù**

原文

䨲: 疾也. 从三兔. 闕. 芳遇切.

---

착)과 兎(토끼 토)로 구성되어, 잘 달아나는(辵) 토끼(兔·兎·토)를 가져와 사냥감을 놓치거나 '잃어버리다'는 의미를 나타냈다. 이후 도망가다, 석방하다, 은둔하다, 초월하다, 한적하다 등의 뜻이 나왔다.

‘빠르다(疾)’라는 뜻이다. 세 개의 토(兔)로 구성되었다. 자세한 것은 알 수 없어 비워 둔다(闕). 독음은 방(芳)과 우(遇)의 반절이다.

**6267**

[illegible]: ⿰夋兔: **교활한 토끼 준**: 厶-**총15획**: **jùn, ruì**

原文

[illegible]: 狡兔也. 从兔夋聲. 七旬切.

飜譯

‘교활한 토끼(狡兔)’라는 뜻이다. 토(兔)가 의미부이고 준(夋)이 소리부이다. 독음은 칠(七)과 순(旬)의 반절이다.

## 제376부수
## 376 ■ 환(萈)부수

**6268**

**萈: 萈: 뿔이 가는 산양 환: 艸-총12획: huán**

原文

萈: 山羊細角者. 从兔足, 苜聲. 凡萈之屬皆从萈. 讀若丸. 寬字从此. 胡官切.

飜譯

'가느다란 뿔을 가진 산양(山羊細角者)'을 말한다. 토끼의 발(兔足) 부분이 의미부이고, 말(苜)이 소리부이다. 환(萈)부수에 귀속된 글자들은 모두 환(萈)이 의미부이다. 환(丸)과 같이 읽는다. 관(寬)자가 이 글자로 구성되었다. 독음은 호(胡)와 관(官)의 반절이다.

## 제377부수
## 377 ■ 견(犬)부수

**6269**

**犬: 犬: 개 견: 犬-총4획: quǎn**

原文

犬: 狗之有縣蹏者也. 象形. 孔子曰: "視犬之字如畫狗也." 凡犬之屬皆从犬. 苦泫切.

飜譯

'한쪽 발을 들고 있는 개(狗之有縣蹏者)'를 말한다. 상형이다. 공자(孔子)께서 "견(犬)자를 보면 개(狗)를 그대로 그린 듯 보인다"라고 했다.[38] 견(犬)부수에 귀속된 글자들은 모두 견(犬)이 의미부이다. 독음은 고(苦)와 현(泫)의 반절이다.

**6270**

**狗: 狗: 개 구: 犬-총8획: gǒu**

原文

狗: 孔子曰: "狗, 叩也. 叩气吠以守." 从犬句聲. 古厚切.

飜譯

공자(孔子)께서 "구(狗)는 구(叩)와 같아 멍멍거리며 짖다는 뜻이다. 멍멍거리며 짖음으로써 주인을 지킨다(叩气吠以守)"라고 했다. 견(犬)이 의미부이고 구(句)가 소리

38) 고문자에서 [glyphs] 甲骨文 [glyphs] 金文 [glyphs] 古陶文 [glyph] 盟書 [glyphs] 簡牘文 등으로 썼다. 소전체에서처럼 개를 그렸는데, 치켜 올라간 꼬리가 특징적이다. 개는 청각과 후각이 뛰어나고 영리해 일찍부터 가축화되어 인간의 곁에서 사랑을 받아왔으며, 인간과 가장 가까운 동물의 하나가 되었다. 그래서 犬으로 구성된 글자는 개는 물론, 단독 생활을 즐기고 싸움을 좋아하는 개의 속성, 후각이 발달한 개의 기능 등을 뜻한다.

부이다.[39] 독음은 고(古)와 후(厚)의 반절이다.

**6271**

獀: 獀: **사냥 수**: 犬-**총13획**: **sōu**

原文

獀: 南趙名犬獿獀. 从犬叜聲. 所鳩切.

飜譯

'남조(南趙)[40] 지역에서는 개(犬)를 뇨수(獿獀)라 부른다.' 견(犬)이 의미부이고 수(叜)가 소리부이다. 독음은 소(所)와 구(鳩)의 반절이다.

**6272**

尨: 尨: **삽살개 방**: 尢-**총7획**: **máng**

原文

尨: 犬之多毛者. 从犬从彡.『詩』曰:"無使尨也吠." 莫江切.

飜譯

'털이 많은 개(犬之多毛者)[삽살개]'를 말한다. 견(犬)이 의미부이고 삼(彡)도 의미부이다.[41]『시·소남·야유사균(野有死麕)』에서 "삽살개 짖지 않게 하세요(無使尨也吠)"

---

39) 고문자에서 盟書 簡牘文 古璽文 등으로 썼다. 소전체에서처럼 犬(犭·개 견)이 의미부이고 句(글귀 구)가 소리부로, 개(犬)를 말하는데, 등이 굽은(句) 짐승(犭)이라는 의미를 담았다. 이후 나쁜 사람, 욕 등의 비유로도 쓰인다. 혹자는 수입 개(犬)의 번역어라고도 하고 방언의 차이라고도 여기지만,『禮記(예기)』의 주석처럼 "큰 개를 犬, 작은 개를 狗라고 한다."라는 것이 일반적인 해석이다.

40) 조(趙)는 월(越)이 되어야 옳다.『단주』에서 이렇게 말했다. "남월(南越) 지역에서는 개(犬)를 뇨수(獿獀)라 한다. 노(獿)와 수(獀)는 첩운자(疊韵字)이다. 남월(南越) 사람들은 개(犬)를 이렇게 부른다. 지금 강소나 절강 지역에 아직도 이 말이 남아 있다."

41) 소전체에서처럼 犬(개 견)과 彡(터럭 삼)으로 구성되어, 털이 수북한(彡) 삽살개(犬)를 그렸다. 삽살개가 원래 뜻이며, 얼룩얼룩하다, 색깔이 섞이다 등의 뜻이 나왔다. 龎(클 방)과 같이 쓰기도 한다. 犬(개 견) 부수에 귀속되어야 할 글자이나 형체의 유사성 때문에 현대 옥편에서는

라고 노래했다. 독음은 막(莫)과 강(江)의 반절이다.

**6273**

**狡: 狡: 교활할 교: 犬-총9획: jiǎo**

原文

狡: 少狗也. 从犬交聲. 匈奴地有狡犬, 巨口而黑身. 古巧切.

飜譯

'작은 개(少狗)'를 말한다. 견(犬)이 의미부이고 교(交)가 소리부이다. 흉노(匈奴) 지역에 교견(狡犬)이라는 개가 있는데, 입이 크고 몸통은 검은색이다. 독음은 고(古)와 교(巧)의 반절이다.

**6274**

**獪: 獪: 교활할 회: 犬-총16획: kuài**

原文

獪: 狡獪也. 从犬會聲. 古外切.

飜譯

'교활하다(狡獪)'라는 뜻이다. 견(犬)이 의미부이고 회(會)가 소리부이다. 독음은 고(古)와 외(外)의 반절이다.

**6275**

**獳: 獳: 삽살개 노: 犬-총16획: nóng**

原文

獳: 犬惡毛也. 从犬農聲. 奴刀切.

---

尢(절름발이 왕)부수에 잘못 귀속되었다.

飜譯

'짙고 헝클어진 털을 가진 개(犬惡毛)'를 말한다. 견(犬)이 의미부이고 농(農)이 소리부이다. 독음은 노(奴)와 도(刀)의 반절이다.

**6277**

**獦: 獦: 개 갈: 犬-총12획: xiē**

原文

獦: 短喙犬也. 从犬曷聲. 『詩』曰: "載獫獦獢." 『爾雅』曰: "短喙犬謂之獦獢." 許謁切.

飜譯

'주둥이가 짧은 개(短喙犬)'를 말한다. 견(犬)이 의미부이고 갈(曷)이 소리부이다. 『시·진풍·사철(駟驖)』에서 "사냥개는 수레에 실려 의젓이 쉬고 있네(載獫獦獢)"라고 노래했다. 『이아·석축(釋畜)』에서도 "주둥이가 짧은 개(短喙犬)를 갈효(獦獢)라 부른다"라고 했다.[42] 독음은 허(許)와 알(謁)의 반절이다.

**6277**

**獢: 獢: 주둥이 짧은 개 효: 犬-총15획: xiāo**

原文

獢: 獦獢也. 从犬喬聲. 許喬切.

飜譯

'갈효(獦獢) 즉 주둥이가 짧은 개'를 말한다. 견(犬)이 의미부이고 교(喬)가 소리부이다. 독음은 허(許)와 교(喬)의 반절이다.

---

42) 앞의 문장에서 "주둥이가 긴 것은 험(獫)이라 한다"라고 했는데, 그렇다면 험(獫)은 주둥이가 긴 개를, 갈효(獦獢)는 주둥이가 짧은 개를 말한다.

**6278**

**獫: 獫: 오랑캐 이름 험: 犬-총16획: xiǎn**

原文

獫: 長喙犬. 一曰黑犬黃頭. 从犬僉聲. 虛檢切.

飜譯

'주둥이가 긴 개(長喙犬)'를 말한다. 일설에는 '검은 몸통에 누른 머리를 가진 개(黑犬黃頭)'를 말한다고도 한다. 견(犬)이 의미부이고 첨(僉)이 소리부이다. 독음은 허(虛)와 검(檢)의 반절이다.

**6279**

**狂: 狂: 개 주: 犬-총8획: zhù**

原文

狂: 黃犬黑頭. 从犬主聲. 讀若注. 之戍切.

飜譯

'누런 몸통에 검은 머리를 가진 개(黃犬黑頭)'를 말한다. 견(犬)이 의미부이고 주(主)가 소리부이다. 주(注)와 같이 읽는다. 독음은 지(之)와 수(戍)의 반절이다.

**6280**

**猈: 猈: 발바리 패: 犬-총11획: bài, pí**

原文

猈: 短脛狗. 从犬卑聲. 薄蟹切.

飜譯

'다리가 짧은 개(短脛狗)'를 말한다. 견(犬)이 의미부이고 비(卑)가 소리부이다. 독음은 박(薄)과 해(蟹)의 반절이다.

**6281**

**猗: 猗: 아름다울 의: 犬-총11획: yī**

原文

猗: 犗犬也. 从犬奇聲. 於离切.

飜譯

'불깐 개(犗犬)'를 말한다. 견(犬)이 의미부이고 기(奇)가 소리부이다. 독음은 어(於)와 리(离)의 반절이다.

**6282**

**狊: 狊: 날개 펼 격: 犬-총9획: jú**

原文

狊: 犬視皃. 从犬、目. 古闃切.

飜譯

'개가 노리고 보는 모양(犬視皃)'을 말한다. 견(犬)과 목(目)이 모두 의미부이다. 독음은 고(古)와 격(闃)의 반절이다.

**6283**

**猎: 猎: 개 짖는 소리 암: 犬-총12획: yān**

原文

猎: 竇中犬聲. 从犬从音, 音亦聲. 乙咸切.

飜譯

'구멍 속에서 개가 짖는 소리(竇中犬聲)'를 말한다. 견(犬)이 의미부이고 음(音)도 의미부인데, 음(音)은 소리부도 겸한다. 독음은 을(乙)과 함(咸)의 반절이다.

**6284**

**黙: 黙: 잠잠할 묵: 黑-총16획: mò**

原文

黙: 犬暫逐人也. 从犬黑聲. 讀若墨. 莫北切.

飜譯

'개가 잠잠히 사람을 따라 가다(犬暫逐人)'라는 뜻이다. 견(犬)이 의미부이고 흑(黑)이 소리부이다. 묵(墨)과 같이 읽는다. 독음은 막(莫)과 북(北)의 반절이다.

**6285**

**猝: 猝: 갑자기 졸: 犬-총11획: cù**

原文

猝: 犬从艸暴出逐人也. 从犬卒聲. 麤没切.

飜譯

'개가 풀숲에서 갑자기 뛰쳐나와 사람을 쫓다(犬从艸暴出逐人)'라는 뜻이다. 견(犬)이 의미부이고 졸(卒)이 소리부이다. 독음은 추(麤)와 몰(没)의 반절이다.

**6286**

**猩: 猩: 성성이 성: 犬-총12획: xīng**

原文

猩: 猩猩, 犬吠聲. 从犬星聲. 桑經切.

飜譯

'성성(猩猩)'을 말하는데, '개가 짖는 소리(犬吠聲)'를 말한다. 견(犬)이 의미부이고 성(星)이 소리부이다. 독음은 상(桑)과 경(經)의 반절이다.

**6287**

**㺌: 獫: 개가 그치지 않고 짖어댈 혐: 犬-총13획: xiàn**

原文

㺌: 犬吠不止也. 从犬兼聲. 讀若檻. 一曰兩犬爭也. 胡黯切.

飜譯

'개가 그치지 않고 계속 짖어대다(犬吠不止)'라는 뜻이다. 견(犬)이 의미부이고 겸(兼)이 소리부이다. 함(檻)과 같이 읽는다. 일설에는 '개 두 마리가 서로 다투다(兩犬爭)'라는 뜻이라고도 한다. 독음은 호(胡)와 암(黯)의 반절이다.

**6288**

**㺖: 㺖: 강아지 짖는 소리 함: 犬-총15획: hǎn**

原文

㺖: 小犬吠. 从犬敢聲. 南陽新亭有㺖鄉. 荒檻切.

飜譯

'강아지가 짖다(小犬吠)'라는 뜻이다. 견(犬)이 의미부이고 감(敢)이 소리부이다. 남양(南陽)군의 신정(新亭)현에 함향(㺖鄉)이 있다. 독음은 황(荒)과 함(檻)의 반절이다.

**6289**

**猥: 猥: 함부로 외: 犬-총12획: wěi**

原文

猥: 犬吠聲. 从犬畏聲. 烏賄切.

飜譯

'개가 짖는 소리(犬吠聲)'를 말한다. 견(犬)이 의미부이고 외(畏)가 소리부이다. 독음은 오(烏)와 회(賄)의 반절이다.

**6290**

: 獿: **개 짖을 뇨**: 犬-**총21획: nǎo**

原文

: 獿獿也. 从犬、夒. 女交切.

飜譯

'뇨교(獿獿) 즉 개가 짖다'라는 뜻이다. 견(犬)과 노(夒)가 모두 의미부이다. 독음은 녀(女)와 교(交)의 반절이다.

**6291**

: 獿: **교활할 교·개가 놀라 짖을 효**: 犬-**총14획: liào, yáo, xiāo**

原文

: 犬獿獿咳吠也. 从犬翏聲. 火包切.

飜譯

'개가 놀라서 짖다(犬獿獿咳吠)'라는 뜻이다. 견(犬)이 의미부이고 료(翏)가 소리부이다. 독음은 화(火)와 포(包)의 반절이다.

**6292**

: 獑: **해칠 삼·괴물 이름 소**: 犬-**총14획: cán, shǎn**

原文

: 犬容頭進也. 从犬參聲. 一曰賊疾也. 山檻切.

飜譯

'개가 좁은 구멍으로 머리를 집어넣다(犬容頭進)'라는 뜻이다.[43] 견(犬)이 의미부이

43) 『단주』에서 야(也)는 모(皃)가 되어야 옳다고 했다. 그렇게 되면 '개가 좁은 구멍으로 머리를 집어넣는 모습'을 말한다. 또 『한서』에서 머리를 넣고 몸을 빠져나가다(容頭過身)라는 말이 보인다고 했다.

고 참(參)이 소리부이다. 일설에는 '해치다(賊疾)'라는 뜻이다.[44] 독음은 산(山)과 함(檻)의 반절이다.

**6293**

**獎: 獎: 개를 격려하여 부릴 장: 犬-총12획: jiǎng**

原文

獎: 嗾犬厲之也. 从犬, 將省聲. 即兩切.

飜譯

'개를 불러 칭찬하다(嗾犬厲之)'라는 뜻이다. 견(犬)이 의미부이고, 장(將)의 생략된 부분이 소리부이다. 독음은 즉(即)과 량(兩)의 반절이다.

**6294**

**獲: 獲: 개가 물 찬: 犬-총11획: chǎn, shàn**

原文

獲: 齧也. 从犬戔聲. 初版切.

飜譯

'[개가] 물어뜯다(齧)'라는 뜻이다. 견(犬)이 의미부이고 전(戔)이 소리부이다. 독음은 초(初)와 판(版)의 반절이다.

**6295**

**狦: 狦: 호박개 산: 犬-총9획: shàn**

原文

44) '일설에는 해치다(賊疾)라는 뜻이다'는 말은 의미가 잘 통하지 않는다. 그래서 『단주』에서 적질(賊疾)은 아마도 오류로 보인다고 했고, 왕균의 『구두』에서도 질(疾)은 연문(衍文)으로 보인다고 했다.

𤡎: 惡健犬也. 从犬, 刪省聲. 所晏切.

飜譯

‘사납고 건장한 개(惡健犬)’를 말한다. 견(犬)이 의미부이고, 산(刪)의 생략된 부분이 소리부이다. 독음은 소(所)와 안(晏)의 반절이다.

**6296**

**狠: 狠: 개 싸우는 소리 한: 犬-총9획: hěn**

原文

狠: 吠鬭聲. 从犬艮聲. 五還切.

飜譯

‘개가 짖어대며 서로 싸우는 소리(吠鬭聲)’를 말한다. 견(犬)이 의미부이고 간(艮)이 소리부이다. 독음은 오(五)와 환(還)의 반절이다.

**6297**

**獖: 獖: 개 싸우는 소리 번·변: 犬-총15획: fán**

原文

獖: 犬鬭聲. 从犬番聲. 附袁切.

飜譯

‘개가 짖어대며 서로 싸우는 소리(吠鬭聲)’를 말한다. 견(犬)이 의미부이고 번(番)이 소리부이다. 독음은 부(附)와 원(袁)의 반절이다.

**6298**

**狋: 狋: 으르렁거릴 의: 犬-총8획: yí**

原文

狋: 犬怒皃. 从犬示聲. 一曰犬難得. 代郡有狋氏縣. 讀又若銀. 語其切.

飜譯

'개가 성을 낸 모습(犬怒皃)'을 말한다. 견(犬)이 의미부이고 시(示)가 소리부이다. 일설에는 '구하기 어려운 개(犬難得)'를 말한다고도 한다.45) 대군(代郡)에 의지현(狋氏縣)이 있다. 또 은(銀)과 같이 읽기도 한다. 독음은 어(語)와 기(其)의 반절이다.

**6299**

**犷: 犷: 개 짖는 소리 은: 犬-총7획: yín, yǐn**

原文

犷: 犬吠聲. 从犬斤聲. 語斤切.

飜譯

'개 짖는 소리(犬吠聲)'를 말한다. 견(犬)이 의미부이고 근(斤)이 소리부이다. 독음은 어(語)와 근(斤)의 반절이다.

**6300**

**獡: 獡: 개가 사람 따를 삭: 犬-총15획: shuò**

原文

獡: 犬獡獡不附人也. 从犬舃聲. 南楚謂相驚曰獡. 讀若愬. 式略切.

飜譯

'개가 깜짝 놀라 사람이 가까이 가지 못하다(犬獡獡不附人)'라는 뜻이다. 견(犬)이 의미부이고 석(舃)이 소리부이다. 남초(南楚) 지역에서는 서로 놀라는 것(相驚)을 삭(獡)이라 한다. 삭(愬)과 같이 읽는다. 독음은 식(式)과 략(略)의 반절이다.

45) 『단주에서는 각 판본에서 "一日犬難得"이라고 했는데, 이는 "一日犬難附"가 되어야 한다고 했다. 『집운』과 『유편(類篇)』 등에 근거해 바로잡으며, 부(附)는 근(近)과 같다고 했다. 그렇게 되면, "일설에는 가까이 하기 어려운 개를 말한다."라는 뜻이 된다.

**6301**

**獷: 獷: 사나울 광: 犬-총18획: guǎng**

原文

獷: 犬獷獷不可附也. 从犬廣聲. 漁陽有獷平縣. 古猛切.

飜譯

'개가 사나워서 가까이 할 수 없다(犬獷獷不可附)'라는 뜻이다. 견(犬)이 의미부이고 광(廣)이 소리부이다. 어양군(漁陽郡)에 광평현(獷平縣)이 있다. 독음은 고(古)와 맹(猛)의 반절이다.

**6302**

**狀: 狀: 형상 상: 犬-총8획: zhuàng**

原文

狀: 犬形也. 从犬爿聲. 盈亮切.

飜譯

'개의 생김새(犬形)'를 말한다. 견(犬)이 의미부이고 장(爿)이 소리부이다. 독음은 영(盈)과 량(亮)의 반절이다.

**6303**

**奘: 奘: 망령되게 힘센 개 장: 犬-총11획: zàng**

原文

奘: 妄彊犬也. 从犬从壯, 壯亦聲. 徂朗切.

飜譯

'망령되게 힘이 센 개(妄彊犬)'를 말한다. 견(犬)이 의미부이고 장(壯)도 의미부인데, 장(壯)은 소리부도 겸한다. 독음은 조(徂)와 랑(朗)의 반절이다.

**6304**

**獒: 獒: 개 오: 犬-총15획: áo**

原文

獒: 犬如人心可使者. 从犬敖聲. 『春秋傳』曰: "公嗾夫獒." 五牢切.

譯譯

'사람의 마음대로 잘 부릴 수 있는 개(犬如人心可使者)'를 말한다. 견(犬)이 의미부이고 오(敖)가 소리부이다. 『춘추전』(『좌전』 선공 2년, B.C. 607)에서 "진나라 영공이 그 사나운 개를 부렸다(公嗾夫獒)"라고 했다. 독음은 오(五)와 뢰(牢)의 반절이다.

**6305**

**獳: 獳: 으르렁거릴 누: 犬-총17획: rú**

原文

獳: 怒犬皃. 从犬需聲. 讀若槈. 奴豆切.

譯譯

'성이 난 개의 모습(怒犬皃)'을 말한다. 견(犬)이 의미부이고 수(需)가 소리부이다. 누(槈)와 같이 읽는다. 독음은 노(奴)와 두(豆)의 반절이다.

**6306**

**狧: 狧: 핥을 탑: 犬-총9획: tà**

原文

狧: 犬食也. 从犬从舌. 讀若比目魚鰈之鰈. 他合切.

譯譯

'개가 음식을 먹다(犬食)'라는 뜻이다. 견(犬)이 의미부이고 설(舌)도 의미부이다. 비목어(比目魚)를 뜻하는 탑(鰈)자의 탑(鰈)과 같이 읽는다. 독음은 타(他)와 합(合)의 반절이다.

**6307**

**𤜶: 狎: 익숙할 압: 犬-총8획: xiá**

原文

𤜶: 犬可習也. 从犬甲聲. 胡甲切.

飜譯

'훈련시킬 수 있는 개(犬可習)'를 말한다. 견(犬)이 의미부이고 갑(甲)이 소리부이다. 독음은 호(胡)와 갑(甲)의 반절이다.

**6308**

**𤝀: 狃: 친압할 뉴: 犬-총7획: niǔ**

原文

𤝀: 犬性驕也. 从犬丑聲. 女久切.

飜譯

'천성이 교만한 개(犬性驕)'를 말한다. 견(犬)이 의미부이고 축(丑)이 소리부이다. 독음은 녀(女)와 구(久)의 반절이다.

**6309**

**𤝁: 犯: 범할 범: 犬-총5획: fàn**

原文

𤝁: 侵也. 从犬巳聲. 防險切.

飜譯

'침범하다(侵)'라는 뜻이다. 견(犬)이 의미부이고 사(巳)가 소리부이다.[46] 독음은 방

46) 사(巳)는 오류이다. 『단주』에서도 절(㔾)로 고쳤다.

(防)과 험(險)의 반절이다.

**6310**

**猜: 猜: 샘할 시: 犬-총11획: cāi**

原文

猜: 恨賊也. 从犬青聲. 倉才切.

飜譯

'도적 보듯 미워하다(恨賊)'라는 뜻이다. 견(犬)이 의미부이고 청(青)이 소리부이다. 독음은 창(倉)과 재(才)의 반절이다.

**6311**

**猛: 猛: 사나울 맹: 犬-총11획: měng**

原文

猛: 健犬也. 从犬孟聲. 莫杏切.

飜譯

'건장한 개(健犬)'를 말한다. 견(犬)이 의미부이고 맹(孟)이 소리부이다. 독음은 막(莫)과 행(杏)의 반절이다.

**6312**

**犺: 犺: 고슴도치 강: 犬-총7획: kàng**

原文

犺: 健犬也. 从犬亢聲. 苦浪切.

飜譯

'건장한 개(健犬)'를 말한다. 견(犬)이 의미부이고 항(亢)이 소리부이다. 독음은 고(苦)와 랑(浪)의 반절이다.

**6313**

㹤: 㹤: **겁낼 겁**: 犬-**총8획: qiè, què**

原文

㹤: 多畏也. 从犬去聲. 怯, 杜林說 : 㹤从心. 去劫切.

飜譯

'겁이 많다(多畏)'라는 뜻이다. 견(犬)이 의미부이고 거(去)가 소리부이다. 겁(怯)은 두림(杜林)의 설에 의하면 겁(㹤)인데, 심(心)으로 구성되었다. 독음은 거(去)와 겁(劫)의 반절이다.

獜: 獜: **튼튼할 린**: 犬-**총15획: lín**

原文

獜: 健也. 从犬粦聲. 『詩』曰 : "盧獜獜." 力珍切.

飜譯

'건장하다(健)'라는 뜻이다. 견(犬)이 의미부이고 린(粦)이 소리부이다. 『시·제풍·노령(盧令)』에서 "사냥개 방울 딸랑딸랑 하고(盧獜獜)"라고 노래했다.[47] 독음은 력(力)과 진(珍)의 반절이다.

**6315**

獧: 獧: **성급할 견·급할 환**: 犬-**총16획: juàn**

原文

獧: 疾跳也. 一曰急也. 从犬瞏聲. 古縣切.

47) 『단주』에서 이렇게 말했다. "노린린(盧獜獜)은 「제풍(齊風)」에 나오는 시인데, 『모시(毛詩)』에서는 '린린(獜獜)'을 '영령(令令)'이라 적었으며, '갓끈에 달린 옥구슬의 소리이다(纓環聲)'라고 했다. (허신의 해설은) 아마도 삼가시(三家詩)에서 따왔을 것이다."

飜譯

'급하게 뛰다(疾跳)'라는 뜻이다. 일설에는 '급하다(急)'라는 뜻이라고도 한다. 견(犬)이 의미부이고 경(睘)이 소리부이다. 독음은 고(古)와 현(縣)의 반절이다.

**6316**

**㒔: 倏: 갑자기 숙: 人-총10획: shū**

原文

㒔: 走也. 从犬攸聲. 讀若叔. 式竹切.

飜譯

'달리다(走)'라는 뜻이다. 견(犬)이 의미부이고 유(攸)가 소리부이다. 숙(叔)과 같이 읽는다. 독음은 식(式)과 죽(竹)의 반절이다.

**6317**

**狟: 狟: 오소리 훤·개 다닐 환: 犬-총9획: huán**

原文

狟: 犬行也. 从犬亘聲. 『周禮』曰: "尙狟狟." 胡官切.

飜譯

'개가 가다(犬行)'라는 뜻이다. 견(犬)이 의미부이고 선(亘)이 소리부이다. 『주례』에서 "위엄 있게 당당한 것을 숭상한다(尙狟狟)"라고 했다.[48] 독음은 호(胡)와 관(官)의 반절이다.



---

48) 『단주』에서는 이렇게 말했다. "『주서(周書)』에서 '상훤훤(尙狟狟)'이라 했는데, 「목서(牧誓)」의 문장이며, 금본에서는 환환(桓桓)으로 적었다. 허신은 공자벽중에서 나온 고문(孔壁中古文)을 사용했다. 『이아·석훈(釋訓)』에서 환환(桓桓)은 위엄을 말한다(威也)고 했다. 「노송(魯頌)」의 『전(傳)』에서도 환환(桓桓)은 위엄 있고 씩씩한 모양(威武皃)을 말한다고 했다. 그렇다면 훤훤(狟狟)은 환환(桓桓)의 가차자(叚借字)일 것이다."

**6318**

**犻: 犻: 개가 성난 모양 패·지나쳐 잡지 못할 발: 犬-총7획: bó**

原文

犻: 過弗取也. 从犬市聲. 讀若孛. 蒲没切.

飜譯

'지나쳐버려 잡을 수가 없다(過弗取)'라는 뜻이다. 견(犬)이 의미부이고 불(市)이 소리부이다. 패(孛)와 같이 읽는다. 독음은 포(蒲)와 몰(没)의 반절이다.

**6319**

**猲: 猲: 개 성내어 귀 벌쭉거리는 모양 적: 犬-총11획: zhé**

原文

猲: 犬張耳皃. 从犬易聲. 陟革切.

飜譯

'개가 귀를 벌쭉거리는 모양(犬張耳皃)'을 말한다. 견(犬)이 의미부이고 역(易)이 소리부이다. 독음은 척(陟)과 혁(革)의 반절이다.

**6320**

**猌: 猌: 개 성낼 은: 犬-총12획: yìn**

原文

猌: 犬張齗怒也. 从犬來聲. 讀又若銀. 魚僅切.

飜譯

'개가 성이 나서 입을 벌려 잇몸을 드러내다(犬張齗怒)'라는 뜻이다. 견(犬)이 의미부이고 래(來)가 소리부이다. 또 은(銀)과 같이 읽기도 한다. 독음은 어(魚)와 근(僅)의 반절이다.

**6321**

**犮: 犮: 달릴 발: 犬-총5획: bá**

原文

犮: 走犬皃. 从犬而丿之. 曳其足, 則剌犮也. 蒲撥切.

翻譯

'개를 달려가게 하는 모습(走犬皃)'을 말한다. 견(犬)에다 다시 삐침 획(丿)을 더하였다. 개의 발을 줄로 묶어 당기면 다리가 벌어지게 마련이다. 독음은 포(蒲)와 발(撥)의 반절이다.

**6322**

**戾: 戾: 어그러질 려: 戶-총8획: lì**

原文

戾: 曲也. 从犬出戶下. 戾者, 身曲戾也. 郎計切.

翻譯

'굽다(曲)'라는 뜻이다. 개(犬)가 [몸을 굽히고] 지게문(戶) 아래로 나오는 모습을 그렸다. 루(戾)는 '신체를 굽히다(身曲戾)'라는 뜻이다. 독음은 랑(郎)과 계(計)의 반절이다.

**6323**

**獨: 獨: 홀로 독: 犬-총16획: dú**

原文

獨: 犬相得而鬬也. 从犬蜀聲. 羊爲羣, 犬爲獨也. 一曰北嚻山有獨狢獸, 如虎, 白身, 豕鬣, 尾如馬. 徒谷切.

翻譯

'개는 서로 만나기만 하면 싸운다(犬相得而鬬)'라는 뜻이다. 견(犬)이 의미부이고 촉(蜀)이 소리부이다. 양(羊)은 군집생활(羣)을 좋아하고, 개(犬)는 독립된 생활(獨)을 좋아한다. 일설에는 '북효산(北囂山)에 독욕(獨犭谷)이라는 짐승이 사는데, 호랑이 모습에, 몸통은 희고, 멧돼지 갈기를 하였으며, 꼬리는 말을 닮았다'고 한다. 독음은 도(徒)와 곡(谷)의 반절이다.

**6324**

**犭谷: 犭谷: 독욕이라는 짐승 욕: 犬-총10획: yù**

原文

犭谷: 獨犭谷, 獸也. 从犬谷聲. 余蜀切.

飜譯

'독욕(獨犭谷)을 말하는데, 짐승 이름(獸)'이다. 견(犬)이 의미부이고 곡(谷)이 소리부이다. 독음은 여(余)와 촉(蜀)의 반절이다.

**6325**

**獮: 獮: 가을 사냥 선: 犬-총21획: xiǎn**

原文

獮: 秋田也. 从犬璽聲. 祢, 獮或从豕. 宗廟之田也, 故从豕、示. 息淺切.

飜譯

'가을에 하는 사냥(秋田)'을 말한다. 견(犬)이 의미부이고 새(璽)가 소리부이다. 선(祢)은 선(獮)의 혹체자인데, 시(豕)로 구성되었다. 종묘 제사를 위해 행하는 사냥이다. 그래서 시(豕)와 시(示)로 구성되었다. 독음은 식(息)과 천(淺)의 반절이다.

**6326**

**獵: 獵: 사냥 렵: 犬-총18획: liè**

原文

獵: 放獵逐禽也. 从犬巤聲. 良涉切.

飜譯

'개방형 수렵에서 짐승을 쫓다(放獵逐禽)'라는 뜻이다. 견(犬)이 의미부이고 렵(巤)이 소리부이다. 독음은 량(良)과 섭(涉)의 반절이다.

**6327**

獠: 獠: **밤 사냥 료**: 犬-**총15획**: liáo

原文

獠: 獵也. 从犬尞聲. 力昭切.

飜譯

'사냥하다(獵)'는 뜻이다. 견(犬)이 의미부이고 료(尞)가 소리부이다. 독음은 력(力)과 소(昭)의 반절이다.

**6328**

狩: 狩: **사냥 수**: 犬-**총9획**: shòu



原文

狩: 犬田也. 从犬守聲. 『易』曰: "明夷于南狩." 書究切.

飜譯

'개를 동원해 하는 사냥(犬田)'을 말한다. 견(犬)이 의미부이고 수(守)가 소리부이다. 『역·명이(明夷)』(구삼효)에서 "해가 지고 난 뒤 남쪽에서 사냥을 하면 [큰 수확이 있으리라](明夷于南狩)."라고 했다.49) 독음은 서(書)와 구(究)의 반절이다.

**6329**

臭: 臭: **냄새 취**: 自-**총10획**: chòu, xiù

---

49) 구삼(九三)효에서 "해가 진 뒤 [모든 짐승들이 잠에 들 때] 남쪽에서 사냥을 하면 큰 수확이 있으리라. 그러나 조급해 하지는 말라.(明夷於南狩, 得其大首, 不可疾貞.)"라고 했다.

原文

臭: 禽走, 臭而知其迹者, 犬也. 从犬从自. 尺救切.

飜譯

'짐승이 도망을 가면 냄새를 통해 그 흔적을 찾아낼 수 있는 동물(禽走, 臭而知其迹者)이 개(犬)'라는 뜻이다. 견(犬)이 의미부이고 자(自)도 의미부이다. 독음은 척(尺)과 구(救)의 반절이다.

**6330**

**獲: 獲: 얻을 획: 犬-총17획: huò**

原文

獲: 獵所獲也. 从犬蒦聲. 胡伯切.

飜譯

'사냥에서 잡은 사냥감(獵所獲)'을 말한다. 견(犬)이 의미부이고 확(蒦)이 소리부이다.[50] 독음은 호(胡)와 백(伯)의 반절이다.

**6331**

**獘: 獘: 넘어질 폐: 犬-총16획: bì**

原文

獘: 頓仆也. 从犬敝聲. 『春秋傳』曰: "與犬, 犬獘." 斃, 獘或从死. 毗祭切.

飜譯

---

50) 고문자에서 甲骨文 金文 簡牘文 石刻古文 등으로 썼다. 소전체에서처럼 犬(개 견)이 의미부고 蒦(자 확)이 소리부로, 사냥개(犬)를 동원해 새(雈·환)를 잡다(又·우)는 뜻을 그렸고, 이로부터 획득하다, 취득하다의 뜻이 나왔다. 갑골문에서는 손(又)으로 새(隹)를 잡은 모습으로써 '획득하다'는 의미를 그렸는데, 이후 隹(새 추)가 볏을 가진 새(雈)로 변해 蒦이 되었고, 다시 사냥에 동원되던 개(犬)를 더해 지금의 獲이 되었다. 간화자에서는 蒦을 犬으로 줄여 获으로 쓰며, 穫(벼 벨 확)의 간화자로도 쓰인다.

'넘어져 엎어지다(頓仆)'라는 뜻이다. 견(犬)이 의미부이고 폐(敝)가 소리부이다. 『춘추전』(『좌전』 희공 4년, B.C. 656)에서 "[독약을 넣은 고기를] 개에게 먹이자, 개가 쓰러져 죽었다(與犬, 犬獘.)"라고 했다. 폐(獙)는 폐(獘)의 혹체자인데, 사(死)로 구성되었다. 독음은 비(毗)와 제(祭)의 반절이다.

**6332**

**獻: 獻: 바칠 헌: 犬-총20획: xiàn**

原文

獻: 宗廟犬名羹獻. 犬肥者以獻之. 从犬鬳聲. 許建切.

飜譯

'종묘의 제사에 희생물로 쓰이는 개(宗廟犬)를 갱헌(羹獻)이라 한다. 살찐 개를 사용해 바친다(犬肥者以獻之).' 견(犬)이 의미부이고 권(鬳)이 소리부이다.[51] 독음은 허(許)와 건(建)의 반절이다.

**6333**

**豣: 豣: 사나운 개 연: 犬-총7획: yàn**

原文

豣: 獟犬也. 从犬幵聲. 一曰逐虎犬也. 五甸切.

飜譯

'미쳐 날뛰는 개(獟犬)'를 말한다. 견(犬)이 의미부이고 견(幵)이 소리부이다. 일설에는 '호랑이도 잡으러 따라가는 [사나운] 개(逐虎犬)'를 말한다고도 한다. 독음은 오

51) 고문자에서 甲骨文 金文 盟書 簡牘文 등으로 썼다. 소전체에서처럼 원래 鬲(솥 력·막을 격)과 犬(개 견)으로 구성되어, 제사에 '바칠' 개고기(犬)를 솥(鬲)에 삶는 모습을 그렸는데, 금문에 들면서 소리부인 虍(호랑이 호)가 더해져 獻이 되었다. 바치다, 봉헌하다가 원래 뜻이며, 제수품이라는 뜻도 나왔다. 간화자에서는 鬳(솥 권)을 南(남녘 남)으로 줄여 献으로 쓴다.

(五)와 전(甸)의 반절이다.

**6334**

**獟: 獟: 미친 개 교: 犬-총15획: xiāo**

原文

獟: 猘犬也. 从犬堯聲. 五弔切.

飜譯

'미쳐 날뛰는 개(猘犬)'를 말한다. 견(犬)이 의미부이고 요(堯)가 소리부이다. 독음은 오(五)와 조(弔)의 반절이다.

**6335**

**狾: 狾: 미친 개 제: 犬-총10획: zhì**

原文

狾: 狂犬也. 从犬折聲. 『春秋傳』曰 : "狾犬入華臣氏之門." 征例切.

飜譯

'미친 개(狂犬)'를 말한다. 견(犬)이 의미부이고 절(折)이 소리부이다. 『춘추전』(양공 17년)에서 "미친개가 화신씨의 집 문으로 들어왔다(狾犬入華臣氏之門)"라고 했다. 독음은 정(征)과 례(例)의 반절이다.

**6336**

**狂: 狂: 미칠 광: 犬-총7획: kuáng**

原文

狂: 狾犬也. 从犬㞷聲. 㤮, 古文从心. 巨王切.

飜譯

'미친 개(狾犬)'를 말한다. 견(犬)이 의미부이고 왕(㞷)이 소리부이다.[52] 광(㤮)은 고문체인데, 심(心)으로 구성되었다. 독음은 거(巨)와 왕(王)의 반절이다.

**6337**

**類: 類: 무리 류: 頁-총19획: lèi**

原文

類: 種類相似, 唯犬爲甚. 从犬頪聲. 力遂切.

譯

'같은 부류는 서로 비슷비슷하기 마련인데, 개가 가장 두드러진다(種類相似, 唯犬爲甚).' 견(犬)이 의미부이고 뢰(頪)가 소리부이다. 독음은 력(力)과 수(遂)의 반절이다.

**6338**

**狄: 狄: 오랑캐 적: 犬-총7획: dí**

原文

狄: 赤狄, 本犬種. 狄之爲言淫辟也. 从犬, 亦省聲. 徒歷切.

譯

'북방 이민족인 적적(赤狄)'을 말하는데, 본래 견융족(犬戎)과 같은 민족이다. 적(狄)이라 부르는 것은 그들이 음란하고 도리에 어긋난 민족이기 때문이다. 견(犬)이 의미부이고, 역(亦)의 생략된 부분이 소리부이다.[53] 독음은 도(徒)와 력(歷)의 반절이다.

---

52) 고문자에서 甲骨文 簡牘文 古璽文 등으로 썼다. 소전체에서처럼 犬(개 견)이 의미부이고 王(임금 왕)이 소리부로, '미치다'는 뜻인데, 狂犬病(광견병)에서와 같이 미친 것은 개(犬)가 최고(王)이자 대표적이라는 의미를 담았다. 이로부터 '미치다'는 일반적인 뜻으로 확장되었고, 맹렬하다, 대담하다는 뜻도 나왔다.

53) 고문자에서 金文 古陶文 石刻古文 등으로 썼다. 소전체에서처럼 犬(개 견)과 大(큰 대)로 구성되었으나, 이후 大가 火(불 화)로 바뀌어 지금의 구조로 되었다. 원래는 赤狄(적적)이라는 큰(大) 개(犬)를 말했으나, 이후 개를 키우며 사는 북방 이민족을 지칭했으며, 또 빠른 속도로 오고 감을 말하기도 했다.

**6339**

**狻: 狻: 사자 산: 犬-총10획: suān**

原文

狻: 狻麑, 如虦貓, 食虎豹者. 从犬夋聲. 見『爾雅』. 素官切.

飜譯

'산예(狻麑)'를 말하는데, 털이 몽근 잔묘(虦貓)와 비슷한데, 호랑이나 표범도 잡아먹는다. 견(犬)이 의미부이고 준(夋)이 소리부이다. 『이아·석수(釋獸)』에 보인다.[54] 독음은 소(素)와 관(官)의 반절이다.

**6340**

**玃: 玃: 원숭이 확: 犬-총23획: huò**

原文

玃: 母猴也. 从犬矍聲. 『爾雅』云: "玃父善顧." 攫持人也. 俱縛切.

飜譯

'모후(母猴)'를 말한다.[55] 견(犬)이 의미부이고 확(矍)이 소리부이다. 『이아·석수(釋獸)』에서 "확보는 힐끗힐끗 돌아보기를 잘한다(玃父善顧)"라고 했다.[56] 또 손으로 잘 붙잡거나 사람을 잘 만지기도 한다(攫持人). 독음은 구(俱)와 박(縛)의 반절이다.

---

54) 계복의 『의증』에 의하면, "후인들이 보탠 말로, 원래 판본에는 없었다."라고 했다. 『이아주』에서는 "곧 사자를 말하는데, 서역에서 난다. 한나라 순제(順帝) 때 소륵(疏勒)의 왕이 와서 봉우(峰牛)와 함께 바쳤다. 『목천자전』에서는 산예는 하루에 5백 리를 달린다고 하였다."라고 했다. 앞의 록(鹿)부수의 6248-예(麑)자 주석 참조.

55) 모후(母猴)는 원숭이의 일종으로, 목후(沐猴), 미후(獼猴), 마후(馬猴) 등으로도 불린다.

56) 『이아주』에서 "가확(豭玃)을 말한다. 원숭이와 비슷하나 크며 검푸른 색깔을 하였으며, 사람을 잘 움켜잡으며, 돌아보기를 잘한다."라고 했다. 또 『이아소』에서는 '큰 긴팔원숭이를 말한다. 사람을 잘 움켜잡고 또한 잘 돌아보기에, 확보(玃父)라 이름 붙였다."라고 했다.

**6341**

## 猶: 猶: 오히려 유: 犬-총12획: yóu

原文

猶: 玃屬. 从犬酋聲. 一曰隴西謂犬子爲猷. 以周切.

飜譯

'원숭이의 일종(玃屬)'이다. 견(犬)이 의미부이고 추(酋)가 소리부이다. 일설에는 '농서(隴西) 지역에서는 강아지(犬子)를 유(猷)라 부른다'라고도 한다.[57] 독음은 이(以)와 주(周)의 반절이다.

**6342**

## 狙: 狙: 원숭이 저: 犬-총8획: jū

原文

狙: 玃屬. 从犬且聲. 一曰狙, 犬也, 暫齧人者. 一曰犬不齧人也. 親去切.

飜譯

'원숭이의 일종(玃屬)'이다. 견(犬)이 의미부이고 차(且)가 소리부이다. 일설에는 '저(狙)는 개(犬)를 말하는데, 갑자기 튀어나와 사람을 물어뜯는 개'라고도 한다. 그런가 하면 일설에는 '사람을 물지 않는 개(犬不齧人)'를 말한다고도 한다. 독음은 친(親)과 거(去)의 반절이다.

**6343**

## 猴: 猴: 원숭이 후: 犬-총12획: hóu

---

57) 고문자에서 甲骨文 金文 盟書 簡牘文 石刻古文 등으로 썼다. 소전체에서처럼 犬(개 견)이 의미부고 酋(두목 추)가 소리부로, 원숭이 류에 속하는 짐승(犬)의 일종으로 다리가 짧고 절벽이나 나무를 잘 탔다고 한다. 이후 비슷하다, 같다는 뜻이 나왔고, 또 '오히려'라는 부사로도 쓰였다. 간화자에서는 소리부 酋를 尤(더욱 우)로 줄인 犹로 쓴다.

原文

猴: 夒也. 从犬矦聲. 乎溝切.

飜譯

'원숭이(夒)'를 말한다. 견(犬)이 의미부이고 후(矦)가 소리부이다. 독음은 호(乎)와 구(溝)의 반절이다.

**6344**

**穀: 㺉: 어미 잡아먹는 원숭이 혹·학: 犬-총14획: hù**

原文

㺉: 犬屬. 𦝫已上黃, 𦝫已下黑, 食母猴. 从犬㱿聲. 讀若構. 或曰㺉似牂羊, 出蜀北嚻山中, 犬首而馬尾. 火屋切.

飜譯

'개의 일종(犬屬)'이다. 허리 위로는 누런색이고 허리 아래로는 검은색이며 모후라는 원숭이를 잡아먹는다(𦝫已上黃, 𦝫已下黑, 食母猴). 견(犬)이 의미부이고 각(㱿)이 소리부이다. 구(構)와 같이 읽는다. 혹자는, 학(㺉)은 암양(牂羊)처럼 생겼는데, 촉(蜀)의 북부에 있는 효산(嚻山)에서 나며, 개의 머리에 말의 꼬리를 하였다고 한다. 독음은 화(火)와 옥(屋)의 반절이다.

**6345**

**狼: 狼: 이리 랑: 犬-총10획: láng**

原文

狼: 似犬, 銳頭, 白頰, 高前, 廣後. 从犬良聲. 魯當切.

飜譯

'개 비슷한 짐승(似犬)인 이리'를 말하는데, 뾰족한 머리와 흰 뺨을 가졌으며 앞이 높고 뒤가 넓은 모습이다.(銳頭, 白頰, 高前, 廣後.) 견(犬)이 의미부이고 량(良)이 소리부이다. 독음은 로(魯)와 당(當)의 반절이다.

**6346**

**狛: 狛: 짐승 이름 박: 犬-총8획: bà, bì, pò**

原文

狛: 如狼, 善驅羊. 从犬白聲. 讀若蘗. 甯嚴讀之若淺泊. 匹各切.

飜譯

'이리 비슷한 짐승인데, 양떼를 잘 몬다(如狼, 善驅羊).' 견(犬)이 의미부이고 백(白)이 소리부이다. 벽(蘗)과 같이 읽는다. 녕엄(甯嚴)[58]은 이 글자를 천박(淺泊)이라고 할 때의 박(泊)과 같이 읽었다. 독음은 필(匹)과 각(各)의 반절이다.

**6347**

**獌: 獌: 이리의 한 가지 만: 犬-총14획: wàn**

原文

獌: 狼屬. 从犬曼聲. 『爾雅』曰: "貙獌, 似貍." 舞販切.

飜譯

'이리의 일종(狼屬)'이다. 견(犬)이 의미부이고 만(曼)이 소리부이다. 『이아·석수(釋獸)』에서 "구(貙)와 만(獌)은 모두 살쾡이(貍)를 닮았다"라고 했다. 독음은 무(舞)와 판(販)의 반절이다.

**6348**

**狐: 狐: 여우 호: 犬-총8획: hú**

原文

58) 정확한 정보는 알 수 없으나 허신이 그의 학설을 인용한 것으로 보아 당시의 상당한 학자였을 것이다.

제10권

狐: 祅獸也. 鬼所乘之. 有三德: 其色中和, 小前大後, 死則丘首. 从犬瓜聲. 戶吳切.

飜譯

'괴이한 짐승(祅獸)[여우]'을 말한다. 귀신(鬼)이 타고 다닌다. 세 가지 덕(德)을 가졌는데, 색깔이 조화를 이루었고(其色中和), 앞쪽이 작고 뒤쪽이 크며(小前大後), 죽을 때는 머리를 고향으로 향한다(死則丘首). 견(犬)이 의미부이고 과(瓜)가 소리부이다. 독음은 호(戶)와 오(吳)의 반절이다.

**6349**

獺: 獺: **수달 달**: 犬-**총19획: tǎ**

原文

獺: 如小狗也. 水居食魚. 从犬賴聲. 他達切.

飜譯

'강아지처럼 생긴 짐승(如小狗)[수달]'이다. 물에 살면서 물고기를 먹고 산다. 견(犬)이 의미부이고 뢰(賴)가 소리부이다. 독음은 타(他)와 달(達)의 반절이다.

**6350**

猵: 猵: **수달 편**: 犬-**총12획: biān**

原文

猵: 獺屬. 从犬扁聲. 獱, 或从賓. 布玆切.

飜譯

'수달의 일종(獺屬)'이다. 견(犬)이 의미부이고 편(扁)이 소리부이다. 편(獱)은 혹체자인데, 빈(賓)으로 구성되었다. 독음은 포(布)와 자(玆)의 반절이다.

**6351**

猋: 猋: **개 달리는 모양 표**: 犬-**총12획: biāo**

原文

猋: 犬走皃. 从三犬. 甫遙切.

飜譯

'개가 달리는 모양(犬走皃)'을 말한다. 세 개의 견(犬)으로 구성되었다. 독음은 보(甫)와 요(遙)의 반절이다.

**6352**

狘: **놀라 달아날 월**: 犬-**총8획**: **yuè**

原文

狘: 獸走皃. 从犬戉聲. 許月切.

飜譯

'짐승이 달리는 모양(獸走皃)'을 말한다. 견(犬)이 의미부이고 월(戉)이 소리부이다. 독음은 허(許)와 월(月)의 반절이다. [신부]

**6353**

⿰犭軍: **짐승 이름 휘·혼**: 犬-**총12획**: **huī, xūn**

原文

⿰犭軍: 獸名. 从犬軍聲. 許韋切.

飜譯

'짐승의 이름(獸名)'이다. 견(犬)이 의미부이고 군(軍)이 소리부이다. 독음은 허(許)와 위(韋)의 반절이다. [신부]

**6354**

狷: **성급할 견**: 犬-**총10획**: **juàn**

原文

： 褊急也. 从犬肙聲. 古縣切.

'성질이 편협하고 급하다(褊急)'라는 뜻이다. 견(犬)이 의미부이고 연(肙)이 소리부이다. 독음은 고(古)와 현(縣)의 반절이다. [신부]

**6355**

**： 猰: 전설상의 짐승 이름 알·미칠 갈·무자비할 결: 犬-총12획: yà**

原文

： 猰貐, 獸名. 从犬契聲. 烏黠切.

飜譯

'알유(猰貐)'를 말하는데[59], '짐승의 이름(獸名)'이다. 견(犬)이 의미부이고 계(契)가 소리부이다. 독음은 오(烏)와 힐(黠)의 반절이다. [신부]

59) 옛날 전설 속에서 사람을 잡아먹는 맹수의 하나로, 악당이나 나쁜 사람을 비유하기도 한다.

## 제378부수
## 378 ■ 은(犾)부수

**6356**

犾: 犾: **개가 싸울 은**: 犬-**총8획**: **yín**

原文

犾: 兩犬相齧也. 从二犬. 凡犾之屬皆从犾. 語斤切.

飜譯

'개 두 마리가 서로 물어뜯고 싸우다(兩犬相齧)'라는 뜻이다. 두 개의 견(犬)으로 구성되었다. 은(犾)부수에 귀속된 글자들은 모두 은(犾)이 의미부이다. 독음은 어(語)와 근(斤)의 반절이다.



**6357**

獄: 獄: **옥관 시**: 犬-**총14획**: **sī**

原文

獄: 司空也. 从犾臣聲. 復說獄司空. 息兹切.

飜譯

'법률 담당 책임자인 사공(司空)'을 말한다. 은(犾)이 의미부이고 이(臣)가 소리부이다. 옥사를 담당하는 책임자인 옥사공(獄司空)을 다시 설명한 것이다. 독음은 식(息)과 자(兹)의 반절이다.

**6358**

獄: 獄: **옥 옥**: 犬-**총14획**: **yù**

原文

獄: 确也. 从㹜从言. 二犬, 所以守也. 魚欲切.

飜譯

'견고한 감옥(确)'을 말한다. 은(㹜)이 의미부이고 언(言)도 의미부이다. 두 개의 견(犬)은 [감옥을] 지키는 개를 뜻한다.[60] 독음은 어(魚)와 욕(欲)의 반절이다.

---

60) 고문자에서 金文 簡牘文 등으로 썼다. 소전체에서처럼 두 개의 犬(개 견)과 言(말씀 언)으로 구성되어, 개(犬) 두 마리가 서로 싸우듯(㹜) 언쟁(言)을 벌이는 모습을 그렸는데, 언쟁의 결과는 訟事(송사)이고, 송사는 옥살이로 이어질 수밖에 없음을 보여준다. 이 때문에 監獄(감옥), 소송을 벌이다 등의 뜻이 나왔다. 간화자에서는 狱으로 쓴다.

## 제379부수
## 379 ■ 서(鼠)부수

**6359**

**鼠: 鼠: 쥐 서: 鼠-총13획: shǔ**

原文

鼠: 穴蟲之總名也. 象形. 凡鼠之屬皆从鼠. 書呂切.

飜譯

'구멍에 들어가 사는 벌레의 총칭(穴蟲之總名)[쥐]'이다. 상형이다.61) 서(鼠)부수에 귀속된 글자들은 모두 서(鼠)가 의미부이다. 독음은 서(書)와 려(呂)의 반절이다.

**6360**

**鱕: 鱕: 쥐며느리 번: 鼠-총25획: fán**

原文

鱕: 鼠也. 从鼠番聲. 讀若樊. 或曰鼠婦. 附袁切.

---

61) 고문자에서 甲骨文 簡牘文 帛書 등으로 썼다. 소전체에서처럼 쥐를 그린 상형자인데, 갑골문에서는 벌린 입과 긴 꼬리를 특징적으로 그렸다. 소전체에서는 벌린 입과 이빨을 더욱 강조하여 앞니로 물건을 씹는 齧齒(설치) 동물의 특징을 잘 표현했고, 털이 난 두 발과 긴 꼬리까지 잘 갖추어진 모습으로 변했는데, 지금의 鼠의 원형이 되었다. 『설문해자』에서 "쥐는 구멍을 파는 동물의 대표이다"라고 한 것처럼, 쥐는 구멍을 잘 파기 때문에 구멍을 파고 사는 동물의 대표가 되었다. 또 鼠牙雀角(서아작각)은 쥐(鼠)의 어금니(牙)와 참새(雀)의 부리(角)라는 뜻인데, 이는 『시경·소남』의 「이슬 내린 길(行露·행로)」이라는 시에 나온 이야기로 "쥐는 이가 없는데 어떻게 담장을 뚫었으며, 새는 부리가 없는데 어떻게 지붕을 뚫었겠는가?"라는 말에서부터, 진실 공방에 관한 소송을 뜻하게 되었다. 그런가 하면 鼠憑社貴(서빙사귀)라는 말도 있는데, 쥐(鼠)가 사당(社)의 존귀함(貴)에 기대어(憑) 목숨을 보전한다는 뜻으로, 굴을 판 쥐는 이를 없애려 해도 사당을 부술까 두려워 내버려 둔다는 의미로, 狐假虎威(호가호위)와 비슷한 말이다.

飜譯

'쥐(鼠)'를 말한다. 서(鼠)가 의미부이고 번(番)이 소리부이다. 번(樊)과 같이 읽는다. 혹자는 '쥐며느리(鼠婦)'[62]를 말한다고도 한다. 독음은 부(附)와 원(袁)의 반절이다.

**6361**

**鼨: 鼨: 쥐 이름 각: 鼠-총19획: hé**

原文

鼨: 鼠, 出胡地, 皮可作裘. 从鼠各聲. 下各切.

飜譯

'쥐의 이름(鼠)[학서]'인데, 서북쪽 이민족 지역에서 나며, 가죽은 갓옷을 만드는데 쓰인다. 서(鼠)가 의미부이고 각(各)이 소리부이다. 독음은 하(下)와 각(各)의 반절이다.

**6362**

**鼢: 鼢: 두더지 분: 鼠-총17획: fén**

原文

鼢: 地行鼠, 伯勞所作也. 一曰偃鼠. 从鼠分聲. 蚡, 或从虫、分. 芳吻切.

飜譯

'땅속으로 기어 다니는 쥐(地行鼠)'를 말하는데, 백로(伯勞)[63]가 변해서 된 것이다.

---

62) 몸은 납작하고 길쭉한 타원 모양이다. 몸의 대부분을 7마디로 된 가슴이 차지한다. 배는 크기가 작고 6마디로 이루어져있다. 꼬리 끝에는 1쌍의 붓 끝처럼 생긴 꼬리마디가 있다. 제1더듬이는 작지만 제 2더듬이는 크고 접이식 자처럼 중간에 세 번 꺾인다. 공 벌레와 비슷하게 생겼지만 공 벌레와 달리 몸을 건드려도 공 모양으로 움츠리지 않는다.
몸 빛깔은 회갈색 또는 어두운 갈색이고 연한 노란 점무늬가 군데군데 있다. 평지의 낙엽이나 돌 밑, 집 주변 쓰레기더미, 화단의 돌 밑, 가마니 밑 등 습한 곳에 무리 지어 산다. 썩기 시작한 나무에서 나온 물질을 먹는다. 특별히 사람에게 해는 주지는 않지만 개체수가 늘어나면 식물이 땅과 접하는 뿌리나 줄기를 갉아먹어 원예식물에 피해를 주기도 한다.(『두산백과』)

63) 백로(伯勞)는 때까치를 말하는데, 박로(博勞)라고도 한다. 까치보다 좀 작은 여름새로, 먹이는 주로 동물성(動物性)이다. 5월에 울며 음기(陰氣)에 따라 움직이므로 서쪽으로 날아가고, 제비

일설에는 '언서(偃鼠)[두더지]'를 말한다고도 한다. 서(鼠)가 의미부이고 분(分)이 소리부이다. 분(𧉫)은 혹체자인데, 충(虫)과 분(分)으로 구성되었다. 독음은 방(芳)과 문(吻)의 반절이다.

**6363**

**鼮: 鼮: 쥐 이름 병: 鼠-총18획: píng**

原文

鼮: 鼮令鼠. 从鼠平聲. 薄經切.

飜譯

'병령서(鼮令鼠)[얼룩쥐]'를 말한다. 서(鼠)가 의미부이고 평(平)이 소리부이다. 독음은 박(薄)과 경(經)의 반절이다.

**6364**

**鼶: 鼶: 족제비 사: 鼠-총23획: sī**

原文

鼶: 鼠也. 从鼠虒聲. 息移切.

飜譯

'쥐의 일종(鼠)인 족제비'를 말한다. 서(鼠)가 의미부이고 사(虒)가 소리부이다. 독음은 식(息)과 이(移)의 반절이다.

**6365**

**鼦: 鼦: 대나무 쥐 류: 鼠-총20획: liú**

原文

鼦: 竹鼠也. 如犬. 从鼠, 留省聲. 力求切.

---

는 양기(陽氣)에 응하므로 동쪽으로 난다고 한다.

飜譯

‘죽서(竹鼠) 즉 대나무 쥐’[64]를 말한다. 개(犬)처럼 생겼다. 서(鼠)가 의미부이고, 류(畱)의 생략된 모습이 소리부이다. 독음은 력(力)과 구(求)의 반절이다.

**6366**

**鼫: 鼫: 석서 석: 鼠-총18획: shí**

原文

鼫: 五技鼠也. 能飛, 不能過屋; 能緣, 不能窮木; 能游, 不能渡谷; 能穴, 不能掩身; 能走, 不能先人. 从鼠石聲. 常隻切.

飜譯

‘다섯 가지 재주를 가진 쥐(五技鼠)’를 말한다. 날 수 있으나 지붕을 넘을 수는 없고, 기어오를 수 있으나 나무 끝까지는 갈 수 없고, 헤엄을 칠 수 있으나 계곡을 건널 수는 없고, 구멍을 팔 수 있으나 몸 전체를 숨길 수는 없으며, 달릴 수 있으나 사람을 앞서 가지는 못한다. 서(鼠)가 의미부이고 석(石)이 소리부이다. 독음은 상(常)과 척(隻)의 반절이다.

**6367**

**鼨: 鼨: 얼룩 쥐 종: 鼠-총18획: zhōng**

原文

鼨: 豹文鼠也. 从鼠冬聲. 䶂, 籒文省. 職戎切.

飜譯

‘표범 무늬를 가진 쥐(豹文鼠)[표문서]’를 말한다. 서(鼠)가 의미부이고 동(冬)이 소리

---

64) 설치류에 속하는 죽서(竹鼠, 학명은 Rhizomyidae)는 죽서과의 죽서속의 일종인데, 대나무를 잘 먹기 때문에 이런 이름이 붙여졌다. 세계적으로도 3속 6종만 남아 있을 정도로 귀한 동물이다. 중국의 경우 호남성 침주(郴州) 지역 등 남부에 일부 존재하며, 화백죽서(花白竹鼠), 대죽서(大竹鼠), 중화죽서(中華竹鼠), 소죽서(小竹鼠) 등으로 세분되기도 한다.

부이다. 종(𪕎)은 주문체인데, 생략된 모습이다. 독음은 직(職)과 융(戎)의 반절이다.

**6368**

**𪕰: 鼸: 쥐 액: 鼠-총23획: yì**

原文

𪕰: 鼠屬. 从鼠益聲. 貖, 或从豸. 於革切.

飜譯

'쥐의 일종(鼠屬)'이다. 서(鼠)가 의미부이고 익(益)이 소리부이다. 액(貖)은 혹체자인데, 치(豸)로 구성되었다. 독음은 어(於)와 혁(革)의 반절이다.

**6369**

**鼷: 鼷: 생쥐 혜: 鼠-총23획: xī**

原文

鼷: 小鼠也. 从鼠奚聲. 胡雞切.

飜譯

'작은 쥐(小鼠)'를 말한다. 서(鼠)가 의미부이고 해(奚)가 소리부이다. 독음은 호(胡)와 계(雞)의 반절이다.

**6370**

**鼩: 鼩: 생쥐 구: 鼠-총18획: qú**

原文

鼩: 精鼩鼠也. 从鼠句聲. 其俱切.

飜譯

'정구서(精鼩鼠) 즉 생쥐'를 말한다. 서(鼠)가 의미부이고 구(句)가 소리부이다. 독음은 기(其)와 구(俱)의 반절이다.

제10권

**6371**

**鼸: 鼸: 두더지 겸: 鼠-총23획: xiǎn**

原文

鼸: 鼢也. 从鼠兼聲. 丘檢切.

飜譯

'함서(鼢鼠)'를 말한다. 서(鼠)가 의미부이고 겸(兼)이 소리부이다. 독음은 구(丘)와 검(檢)의 반절이다.

**6372**

**鼢: 鼢: 쥐의 일종 함: 鼠-총17획: hán**

原文

鼢: 鼠屬. 从鼠今聲. 讀若含. 胡男切.

飜譯

'쥐의 일종(鼠屬)'이다. 서(鼠)가 의미부이고 금(今)이 소리부이다. 함(含)과 같이 읽는다. 독음은 호(胡)와 남(男)의 반절이다.

**6373**

**鼬: 鼬: 족제비 유: 鼠-총18획: yòu**

原文

鼬: 如鼠, 赤黃而大, 食鼠者. 从鼠由聲. 余救切.

飜譯

'쥐처럼 생겼는데, 붉고 누런색이며 더 크고, 쥐를 잡아먹는 족제비(如鼠, 赤黃而大, 食鼠者.)'를 말한다. 서(鼠)가 의미부이고 유(由)가 소리부이다. 독음은 여(余)와 구(救)의 반절이다.

**6374**

**: ⿰鼠勺: 동물 이름 표·날 쥐 작: 鼠-총16획: zhuó**

原文

: 胡地風鼠. 从鼠勺聲. 之若切.

飜譯

'서북 이민족 지역(胡地)에서 나는 풍서(風鼠)'를 말한다. 서(鼠)가 의미부이고 작(勺)이 소리부이다. 독음은 지(之)와 약(若)의 반절이다.

**6375**

**: ⿰鼠宂: 쥐 용: 鼠-총18획: rǒng**

原文

: 鼠屬. 从鼠宂聲. 而隴切.

飜譯

'쥐의 일종(鼠屬)'이다. 서(鼠)가 의미부이고 용(宂)이 소리부이다. 독음은 이(而)와 롱(隴)의 반절이다.

**6376**

**: ⿱此鼠: 가물쥐 자: 鼠-총18획: zī**

原文

: 鼠, 似雞, 鼠尾. 从鼠此聲. 即移切.

飜譯

'쥐의 일종(鼠)'인데, 닭처럼 생겼으며 쥐꼬리를 하였다. 서(鼠)가 의미부이고 차(此)가 소리부이다. 독음은 즉(即)과 이(移)의 반절이다.

**6377**

**鼲: 鼲: 다람쥐 혼: 鼠-총22획: hún**

原文

鼲: 鼠. 出丁零胡, 皮可作裘. 从鼠軍聲. 乎昆切.

飜譯

'쥐의 일종(鼠)'인데, 서북 이민족 지역의 정령국(丁零國)에서 나며, 가죽은 갓옷을 만드는데 쓰인다.[65] 서(鼠)가 의미부이고 군(軍)이 소리부이다. 독음은 호(乎)와 곤(昆)의 반절이다.

**6378**

**鶘: 鼬: 흰 원숭이 호: 鼠-총22획: hú**

原文

鶘: 斬鼬鼠. 黑身, 白腰若帶; 手有長白毛, 似握版之狀; 類蝯蜼之屬. 从鼠胡聲. 戶吳切.

飜譯

'참호서(斬鼬鼠)라 불리는 쥐'이다. 몸통은 검고, 띠를 두른 듯 허리 부분이 희며, 발에는 흰 털이 길게 자라, 조회 때 들고 가는 판자를 닮았다. 원숭이(蝯蜼)를 닮은 짐승이다. 서(鼠)가 의미부이고 호(胡)가 소리부이다. 독음은 호(戶)와 오(吳)의 반절이다.

---

65) 『단주』에서 이렇게 말했다. "『위지주(魏志注)』에서 『위략(魏略)』을 인용하여, 정령국(丁零國)에서는 유명한 쥐 가죽이 생산되는데, 청곤자(青昆子) 가죽과 백곤자(白昆子) 가죽이 있다고 했다. 왕인지(王引之)는 여기서 말한 곤자(昆子)가 바로 혼자(鼲子)라고 했다. 또 『후한서·선비전(鮮卑傳)』에서 선비(鮮卑)에서는 초(貂: 담비), 날(豽: 원숭이의 일종), 혼자(鼲子: 쥐의 일종)가 나는데 모두 가죽과 털이 부드러워 온 천하 사람들이 가죽 명품으로 여긴다고 했다."

## 제380부수
## 380 ■ 능(能)부수

**6379**

**𦜝: 能: 능할 능: 肉-총10획: néng**

原文

𦜝: 熊屬. 足似鹿. 从肉㠯聲. 能獸堅中, 故稱賢能; 而彊壯, 稱能傑也. 凡能之屬皆从能. 奴登切.

譯譯

'곰의 일종(熊屬)'이다. 발은 사슴을 닮았다. 육(肉)이 의미부이고 이(㠯)가 소리부이다.[66] 곰(能)은 뼈가 단단한 짐승이다. 그래서 현능(賢能)한 사람을 비유한다. 또 씩씩하고 강하기 때문에 뛰어난 사람(傑)의 뜻으로 쓰인다.[67] 능(能)부수에 귀속된 글자들은 모두 능(能)이 의미부이다. 독음은 노(奴)와 등(登)의 반절이다.

---

66) 정현은 이(㠯)를 소리부로 볼 경우 독음 차이가 많이 나기에, 소리부로 볼 수가 없다고 했다. 능(能)이 부수자인 이상 '곰'의 형상을 그린 상형으로 보는 것이 더 옳다(아래의 주석 참조). 그러나 『단주』에서는 "능(能)의 독음은 노(奴)와 등(登)의 반절인데, 상고음에서는 제1부(部)에 속했다. 이로부터 해(咍)운에 편입될 경우 독음은 노(奴)와 래(來)의 반절이 된다. 제1부(部)로부터 제6부(部)로 편입할 경우 독음은 노(奴)와 등(登)의 반절이 되며, 의미는 하나다."라고 하여 이(㠯)를 소리부로 보았다.

67) 고문자에서 [古文字形] 金文 [古文字形] 簡牘文 등으로 썼다. 소전체에서처럼 원래는 곰의 모습을 그렸는데, 자형이 많이 변했다. 지금의 자형을 구성하는 厶(사사 사)는 곰의 머리를, 月(肉·고기 육)은 몸통을, 두 개의 匕(비수 비)는 다리를 말한다. 곰은 몸집에 걸맞지 않게 나무를 잘 타며 엄청난 힘을 갖고 있으며, 특히 불곰은 사나워 호랑이도 범하지 못할 정도이다. 그래서 곰의 이러한 가공할 만한 힘과 용맹스러움 때문에 '곰'에 能力(능력)과 才能(재능)이라는 뜻이 생겼으며, 능하다, 可能(가능)하다는 뜻으로도 쓰였다. 그러자 원래 뜻인 '곰'을 나타낼 때에는 소리부인 炎(불탈 염)의 생략된 모습인 火(灬·불 화)를 더해 熊(곰 웅)을 만들어 분화했다.

## 제381부수
## 381 ■ 웅(熊)부수

**6380**

𤋳: 熊: **곰 웅**: 火-총14획: xióng

原文

𤋳: 獸. 似豕, 山居, 冬蟄. 从能, 炎省聲. 凡熊之屬皆从熊. 羽弓切.

譯譯

'짐승 이름(獸)'으로. 멧돼지처럼 생겼으며, 산에 살고, 겨울에는 겨울잠을 잔다(似豕. 山居, 冬蟄). 능(能)이 의미부이고, 염(炎)의 생략된 부분이 소리부이다.[68] 웅(熊)부수에 귀속된 글자들은 모두 웅(熊)이 의미부이다. 독음은 우(羽)와 궁(弓)의 반절이다.

**6381**

羆: 羆: **큰 곰 비**: 网-총19획: pí

原文

羆: 如熊, 黃白文. 从熊, 罷省聲. 㯅, 古文从皮. 彼爲切.

譯譯

'곰처럼 생겼으며, 누르고 흰 무늬를 가졌다(如熊, 黃白文).' 웅(熊)이 의미부이고, 파(罷)의 생략된 부분이 소리부이다. 비(㯅)는 고문체인데, 피(皮)로 구성되었다. 독음은 피(彼)와 위(爲)의 반절이다.

---

68) 고문자에서 [古文字形]石刻古文 등으로 썼다. 소전체에서처럼 能(능할 능)이 의미부고 炎(불탈 염)의 생략된 모습이 소리부로, 能에서 파생한 글자이다. 能은 큰 머리에 굵고 짧은 네 다리를 한 '곰'을 그렸는데, 能이 '곰'보다는 재능이나 능력이라는 의미로 주로 쓰이게 되자, 能에 소리부인 炎(태울 염)의 생략된 형태(灬)를 더해 분화했는데, 강렬하게 타오르는 불꽃(炎)처럼 강력한 힘을 강조했다.

# 제382부수
## 382 ■ 화(火)부수

**6382**

**火: 火: 불 화: 火-총4획: huǒ**

原文

火: 燬也. 南方之行, 炎而上. 象形. 凡火之屬皆从火. 呼果切.

飜譯

'훼(燬)와 같아 불을 말한다.' 오행에서 남방(南方)을 뜻하여, 불꽃이 타서 위로 올라감을 상징한다. 상형이다.[69] 화(火)부수에 귀속된 글자들은 모두 화(火)가 의미부이다. 독음은 호(呼)와 과(果)의 반절이다.

제10권

**6383**

**炟: 炟: 불이 일 달: 火-총9획: dá**

原文

炟: 上諱. 當割切.

飜譯

'임금(즉 효장제)의 이름(上諱)'이다.[70] 독음은 당(當)과 할(割)의 반절이다.

---

69) 고문자에서 [고문자 자형] 甲骨文 [고문자 자형] 簡牘文 [고문자 자형] 石刻古文 등으로 썼다. 소전체에서처럼 불은 인류의 문명 생활을 가능하게 한 중요한 도구인데, 火는 넘실거리며 훨훨 타오르는 불꽃을 그렸다. '불'과 불에 의한 요리법, 강렬한 열과 빛, 화약, 무기, 火星(화성), 재앙을 뜻하며, 나아가 식사를 함께하는 군사 단위인 10명을 지칭하며 이로부터 '동료'라는 뜻도 나왔다. 또 불같이 성질을 내다는 뜻도 가진다. 상하구조로 된 합성자에서는 공간을 고려해 灬로 쓴다.

70) 장제(章帝) 유달(劉炟)은 후한의 황제로, 명제(明帝)의 다섯 번째 아들이다. 영평(永平) 초에 황태자가 되었다. 건초(建初) 4년(79) 제유(諸儒)들을 백호관(白虎觀)에 소집해 오경(五經)의

**6384**

**烜: 焜: 성한 불 훼: 火-총11획: huǐ, méi**

原文

烜: 火也. 从火尾聲. 『詩』曰 : "王室如焜." 許偉切.

飜譯

'불(火)'이라는 뜻이다. 화(火)가 의미부이고 미(尾)가 소리부이다. 『시·주남·여분(汝墳)』에서 "왕실은 불타고 있는 듯하네(王室如焜)"라고 노래했다.71) 독음은 허(許)와 위(偉)의 반절이다.

**6385**

**燬: 燬: 불 훼: 火-총17획: huǐ**

原文

燬: 火也. 从火毀聲. 『春秋傳』曰 : "衞矦燬." 許偉切.

飜譯

'불(火)'이라는 뜻이다. 화(火)가 의미부이고 훼(毁)가 소리부이다. 『춘추전』(『좌전』 희공 25년, B.C. 706)에서 "위나라 제후(衞矦) 훼(燬)"라고 하였다. 독음은 허(許)와 위(偉)의 반절이다.

**6386**

**燹: 燹: 야화 선: 火-총18획: xiǎn**

---

동이(同異)에 대해 상의하도록 하고, 황제가 직접 참석해 결정을 확인했다. 반고(班固)가 명령을 받아 그 결과를 『백호통의(白虎通議)』로 편찬했다. 반초(班超)를 서역장병장사(西域將兵長史)로 삼아 소륵(疏勒)과 우전(于闐)의 병력을 선발해 사거(莎車)를 공격해 항복시켰다. 법률을 분명하게 하여 범법자들에게는 방(榜), 태(笞), 립(立)을 쓰고 첩착(鉆鑿)과 같은 혹형은 금지하도록 했다. 13년 동안 재위했다.(『중국역대인명사전』)

71) 금본에서는 훼(焜)가 훼(燬)로 되었다.

原文

燹: 火也. 从火豩聲. 穌典切.

飜譯

'불(火)'이라는 뜻이다. 화(火)가 의미부이고 빈(豩)이 소리부이다. 독음은 소(穌)와 전(典)의 반절이다.

**6387**

**熜: 焌: 태울 준: 火-총11획: jùn**

原文

焌: 然火也. 从火夋聲. 『周禮』曰: "遂籥其焌." 焌火在前, 以焞焯龜. 子寸切.

飜譯

'불로 태우다(然火)'라는 뜻이다. 화(火)가 의미부이고 준(夋)이 소리부이다. 『주례·춘관·수씨(菙氏)』에서 "그리하여 이미 불사른 점대를 입으로 분다(遂籥其焌)"라고 하였다. 불사른 점대를 앞에 두고, 이를 이용해 거북딱지를 지진다(焌火在前, 以焞焯龜). 독음은 자(子)와 촌(寸)의 반절이다.

**6388**

**尞: 尞: 횃불 료: 小-총12획: liáo, liǎo**

原文

尞: 柴祭天也. 从火从昚. 昚, 古文愼字. 祭天所以愼也. 力照切.

飜譯

'섶을 태워 하늘에 제사를 지내다(柴祭天)'라는 뜻이다. 화(火)가 의미부이고 신(昚)도 의미부이다. 신(昚)은 신(愼)의 고문체이다. 하늘에 제사를 드리기 때문에 '신중해야 한다(愼).' 독음은 력(力)과 조(照)의 반절이다.

**6389**

**𤈦: 然: 그러할 연: 火-총12획: rán**

原文

𤈦: 燒也. 从火肰聲. 𦰩, 或从艸、難. 臣鉉等案 : 艸部有𦰩, 注云艸也. 此重出. 如延切.

飜譯

'불을 사르다(燒)'라는 뜻이다. 화(火)가 의미부이고 연(肰)이 소리부이다.[72] 연(𦰩)은 혹체자인데, 초(艸)와 난(難)으로 구성되었다. 신(臣) 서현 등은 이렇게 생각합니다. "초(艸)부수에 난(𦰩)이 있고, 그의 주석에서 풀이다(艸也)라고 했는데, 여기서 중복 출현하였습니다." 독음은 여(如)와 연(延)의 반절이다.

**6390**

**爇: 爇: 불사를 설·사를 열: 火-총19획: ruò**

原文

爇: 燒也. 从火蓺聲. 『春秋傳』曰 : "爇僖負羈." 如劣切.

飜譯

'불을 사르다(燒)'라는 뜻이다. 화(火)가 의미부이고 예(蓺)가 소리부이다. 『춘추전』(『좌전』 희공 28년, B.C. 632)에서 "희부기의 집을 불태웠다(爇僖負羈)"라고 했다.[73] 독

---

72) 고문자에서 [古文字形]金文 [古文字形]簡牘文 등으로 썼다. 소전체에서처럼 犬(개 견)과 肉(고기 육)과 火(불 화)로 구성되어, 개(犬) 고기(肉)를 불(火)에 '굽다'는 뜻이다. 이후 '그렇다'는 뜻으로 가차되어 쓰이게 되자 원래 뜻은 다시 火를 더한 燃(사를 연)으로 분화했다.

73) 희부기(僖負羈)는 춘추(春秋) 시기 조(曹)나라의 충신이자 현신인데, 다른 이름은 이부기(釐負羈)이다. 시정(市井)의 잡배, 간신배들하고나 어울리는 어리석은 주군 공공(共公)을 바른 길로 이끌기 위해 누차 충간했으나 받아들여지지 않았다. 진(晉)나라의 공자 중이가 조나라를 지날 때 공공을 비롯한 조나라 사람들 모두가 그를 푸대접하고 조롱하여 중이를 노하게 했으나, 오직 희부기만이 중이의 인격과 자질을 알아보고 극진히 대접했다. 후에 진문공이 된 중이가 조나라를 정벌해 간신들을 대숙청하면서 희부기에게는 후한 상을 내렸는데 이를 시기한 위주(魏犨)와 전힐(顚頡)이 희부기의 집에 방화를 하여 불행하게도 그 속에서 불타 죽었고 말았다.(『열국지사전』)

음은 여(如)와 렬(劣)의 반절이다.

**6391**

**燔: 燔: 구울 번: 火-총16획: fán**

原文

燔: 爇也. 从火番聲. 附袁切.

飜譯

'불사르다(爇)'라는 뜻이다. 화(火)가 의미부이고 번(番)이 소리부이다. 독음은 부(附)와 원(袁)의 반절이다.

**6392**

**燒: 燒: 사를 소: 火-총16획: shāo**

原文

燒: 爇也. 从火堯聲. 式昭切.

飜譯

'불사르다(爇)'라는 뜻이다. 화(火)가 의미부이고 요(堯)가 소리부이다. 독음은 식(式)과 소(昭)의 반절이다.

**6393**

**烈: 烈: 세찰 렬: 火-총10획: liè**

原文

烈: 火猛也. 从火𠛱聲. 良嶭切.

飜譯

'불이 세차다(火猛)'라는 뜻이다. 화(火)가 의미부이고 열(𠛱)이 소리부이다.74) 독음은 량(良)과 알(嶭)의 반절이다.

**6394**

**炪: 炪: 불빛 졸: 火-총9획: chù, zhuó**

原文

炪: 火光也. 从火出聲. 『商書』曰: "予亦炪謀." 讀若巧拙之拙. 職悅切.

飜譯

'불빛(火光)'을 말한다. 화(火)가 의미부이고 출(出)이 소리부이다. 『서·상서(商書)·반경(盤庚)』에서 "나도 시원찮게 일을 꾀하여 [그대들을 잘못 되게 한 셈이오](予亦炪謀)"라고 했다.75) 교졸(巧拙)이라고 할 때의 졸(拙)과 같이 읽는다. 독음은 직(職)과 열(悅)의 반절이다.

**6395**

**熚: 熚: 불 활활 탈 필: 火-총15획: bì**

原文

熚: 熚㶿, 火皃. 从火畢聲. 卑吉切.

飜譯

'필불(熚㶿)'을 말하는데, '불이 활활 타는 모습(火皃)'을 말한다. 화(火)가 의미부이고 필(畢)이 소리부이다. 독음은 비(卑)와 길(吉)의 반절이다.

**6396**

**㶿: 㶿: 불타는 모양 불: 火-총20획: fú**

---

74) 고문자에서 金文 등으로 썼다. 소전체에서처럼 火(불 화)가 의미부이고 列(벌일 렬)이 소리부로, 갈라낸 뼈(列)를 태우는 세찬 불(火)을 말한다. 이로부터 猛烈(맹렬)하다, 혁혁한 공을 세우다 등의 뜻이 나왔고, 강직하고 고상한 성품의 비유로도 쓰였다.

75) 졸모(炪謀)는 졸모(拙謀)와 같은데, 임금이 자신의 신하를 다스리는 방책도 시원찮았음을 말한다.

原文

𤏡: 熚㶿也. 从火𤇾聲. 𤇾, 籒文悖字. 敷勿切.

飜譯

'필불(熚㶿)'을 말하는데, '불이 활활 타는 모습'을 말한다. 화(火)가 의미부이고 패(𤇾)가 소리부이다. 패(𤇾)는 패(悖)의 주문체이다. 독음은 부(敷)와 물(勿)의 반절이다.

**6397**

**烝: 烝: 김 오를 증: 火-총10획: zhēng**

原文

烝: 火气上行也. 从火丞聲. 煑仍切.

飜譯

'불기운이 위로 올라가다(火气上行)'라는 뜻이다. 화(火)가 의미부이고 승(丞)이 소리부이다.[76] 독음은 자(煑)와 잉(仍)의 반절이다.

**6398**

**烰: 烰: 찔 부: 火-총11획: fú**

原文

烰: 烝也. 从火孚聲. 『詩』曰: "烝之烰烰." 縛牟切.

飜譯

'불기운이 위로 올라가다(烝)'라는 뜻이다. 화(火)가 의미부이고 부(孚)가 소리부이다. 『시·대아생민(生民)』에서 "푹 그것을 쪄 놓는다네(烝之烰烰)"라고 노래했다. 독음은

76) 고문자에서 [金文字形] 金文 등으로 썼다. 소전체에서처럼 火(불 화)가 의미부고 丞(도울 승)이 소리부로, 원래는 겨울에 지내던 제사의 이름으로, 음식을 쪄서 바쳤기에 '찌다'는 뜻이 생겼는데, 불(火)에 의해 증기가 위로 올라가다(丞)는 뜻을 담았다. 금문에서는 위가 米(쌀 미)이고 아래가 豆(콩 두)로, 굽 높은 그릇(豆)에 곡식(米)을 담은 모습을 그렸다.

박(縛)과 모(牟)의 반절이다.

**6399**

**𤎵: 煦: 따뜻하게 할 후: 火-총13획: xù**

原文

𤎵: 烝也. 一曰赤皃. 一曰溫潤也. 从火昫聲. 香句切.

飜譯

'불기운이 위로 올라가다(烝)'라는 뜻이다. 일설에는 '붉은 모양(赤皃)'을 말한다고도 한다. 또 일설에는 '따뜻하게 하다(溫潤)'라는 뜻이라고도 한다. 화(火)가 의미부이고 구(昫)가 소리부이다. 독음은 향(香)과 구(句)의 반절이다.

**6400**

**𤏬: 熯: 말릴 한·공경할 연·사를 선: 火-총15획: hàn**

原文

𤏬: 乾皃. 从火, 漢省聲. 『詩』曰 : "我孔熯矣." 人善切.

飜譯

'마른 모양(乾皃)'을 말한다. 화(火)가 의미부이고, 한(漢)의 생략된 부분이 소리부이다. 『시·소아초자(楚茨)』에서 "잘 말려서(我孔熯矣)"라고 노래했다. 독음은 인(人)과 선(善)의 반절이다.

**6401**

**炥: 炥: 불타는 모양 불: 火-총9획: fú**

原文

炥: 火皃. 从火弗聲. 普活切.

飜譯

'불타는 모양(火皃)'을 말한다. 화(火)가 의미부이고 불(弗)이 소리부이다. 독음은 보(普)와 활(活)의 반절이다.

**6402**

燎: 熮: **불에 타는 모양 료**: 火-총15획: liáo

原文

熮: 火皃. 从火翏聲. 『逸周書』曰: "味辛而不熮." 洛蕭切.

飜譯

'불타는 모양(火皃)'을 말한다. 화(火)가 의미부이고 료(翏)가 소리부이다. 『일주서(逸周書)』에서 "맛은 시나 [불타듯] 맵지는 않다(味辛而不熮)"라고 했다.[77] 독음은 락(洛)과 소(蕭)의 반절이다.

**6403**

閔: 焛: **불꽃 린**: 火-총12획: lìn

原文

焛: 火皃. 从火, 𠕁省聲. 讀若粦. 良刃切.

飜譯

'불타는 모양(火皃)'을 말한다. 화(火)가 의미부이고, 진(𠕁)의 생략된 모습이 소리부이다. 린(粦)과 같이 읽는다. 독음은 량(良)과 인(刃)의 반절이다.

**6404**

㷼: 㷼: **불빛 안**: 火-총16획: yàn

77) 뢰준(雷浚)의 『인경예변(引經例辨)』에 의하면, 『일주서』에 이러한 문장은 보이지 않으며, 료(熮)는 랄(辣)의 뜻이라고 했다.

原文

爡: 火色也. 从火雁聲. 讀若鴈. 五晏切.

飜譯

'불의 색깔(火色)'을 말한다. 화(火)가 의미부이고 안(雁)이 소리부이다. 안(鴈)과 같이 읽는다. 독음은 오(五)와 안(晏)의 반절이다.

**6405**

**熲: 熲: 빛날 경: 火-총15획: jiǒng**

原文

熲: 火光也. 从火頃聲. 古迥切.

飜譯

'불빛(火光)'을 말한다. 화(火)가 의미부이고 경(頃)이 소리부이다. 독음은 고(古)와 형(迥)의 반절이다.

**6406**

**爚: 爚: 사를 약: 火-총21획: yuè**

原文

爚: 火飛也. 从火龠聲. 一曰爇也. 以灼切.

飜譯

'불이 날아오르다(火飛)'라는 뜻이다. 화(火)가 의미부이고 약(龠)이 소리부이다. 일설에는 '불을 사르다(爇)'라는 뜻이라고도 한다. 독음은 이(以)와 작(灼)의 반절이다.

**6407**

**熛: 熛: 불똥 표: 火-총15획: biāo**

原文

爂: 火飛也. 从火要聲. 讀若摽. 甫遙切.

飜譯

'불[똥]이 날아오르다(火飛)'라는 뜻이다. 화(火)가 의미부이고 표(要)가 소리부이다. 표(摽)와 같이 읽는다. 독음은 보(甫)와 요(遙)의 반절이다.

**6408**

**熇: 熇: 마를 고·뜨거울 혹·불김 효·불꽃 성할 학: 火-총14획: hè**

原文

熇: 火熱也. 从火高聲. 『詩』曰: "多將熇熇." 火屋切.

飜譯

'불이 뜨겁다(火熱)'라는 뜻이다. 화(火)가 의미부이고 고(高)가 소리부이다. 『시·대아·판(板)』에서 "말도 많이 하면 성만 나게 된다네(多將熇熇)"라고 노래했다. 독음은 화(火)와 옥(屋)의 반절이다.

**6409**

**烄: 烄: 태울 교·지질 요: 火-총10획: jiǎo**

原文

烄: 交木然也. 从火交聲. 古巧切.

飜譯

'나무를 교차되게 쌓아 불을 사르다(交木然)'라는 뜻이다. 화(火)가 의미부이고 교(交)가 소리부이다. 독음은 고(古)와 교(巧)의 반절이다.

**6410**

**炏: 炏: 따뜻할 점·밝을 임: 火-총7획: chán**

原文

㶣: 小熱也. 从火干聲. 『詩』曰 : "憂心㶣㶣." 直廉切.

飜譯

'작은 불로 사르다(小熱)'라는 뜻이다. 화(火)가 의미부이고 간(干)이 소리부이다. 『시·소아절피남산(節彼南山)』에서 "마음이 시름으로 애가 타고 있지만(憂心㶣㶣)"이라고 노래했다.[78] 독음은 직(直)과 렴(廉)의 반절이다.

**6411**

**爝: 𤒇: 홰 초: 火-총16획: jiāo**

原文

爝: 所以然持火也. 从火焦聲. 『周禮』曰 : "以明火爇𤒇也." 即消切.

飜譯

'불을 살라 손에 드는 횃불의 홰(所以然持火)'를 말한다. 화(火)가 의미부이고 초(焦)가 소리부이다. 『주례·춘관·수씨(菙氏)』에서 "햇빛을 집적하여 만든 불씨로 횃불에 불을 붙인다(以明火爇𤒇)"라고 했다.[79] 독음은 즉(即)과 소(消)의 반절이다.

**6412**

**炭: 炭: 숯 탄: 火-총9획: tàn**

原文

炭: 燒木餘也. 从火, 岸省聲. 他案切.

飜譯

'불을 태운 나무의 타지 않고 남은 것(燒木餘)[숯]'을 말한다. 화(火)가 의미부이고, 안(岸)의 생략된 부분이 소리부이다. 독음은 타(他)와 안(案)의 반절이다.

---

78) 금본에서는 "우심점점(憂心㶣㶣)"이 "우심여담(憂心如惔)"으로 되었다.

79) 명화(明火)는 고대 중국에서 제사를 거행하거나 점복을 행할 때 볼록거울로 태양광을 모아 붙인 불을 말한다.

**6413**

**𤎖: 羨: 묶음 숯 차: 火-총11획: zhǎ**

原文

𤎖: 束炭也. 从火, 差省聲. 讀若䶥. 楚宜切.

飜譯

'숯 묶음(束炭)'을 말한다. 화(火)가 의미부이고, 차(差)의 생략된 부분이 소리부이다. 차(䶥)와 같이 읽는다. 독음은 초(楚)와 의(宜)의 반절이다.

**6414**

**㸑: 㸑: 불 땔 구: 火-총12획: jiǎo**

原文

㸑: 交灼木也. 从火, 教省聲. 讀若狡. 古巧切.

飜譯

'나무를 교차되게 쌓아놓고 불을 사르다(交灼木)'라는 뜻이다. 화(火)가 의미부이고, 교(教)의 생략된 부분이 소리부이다. 교(狡)와 같이 읽는다. 독음은 고(古)와 교(巧)의 반절이다.

**6415**

**炦: 炦: 불기운 발: 火-총9획: bá**

原文

炦: 火气也. 从火友聲. 蒲撥切.

飜譯

'불의 기운(火气)'을 말한다. 화(火)가 의미부이고 발(友)이 소리부이다. 독음은 포(蒲)와 발(撥)의 반절이다.

**6416**

**灰**: 灰: **재 회**: 火-**총6획**: **huī**

原文

灰: 死火餘㶳也. 从火从又. 又, 手也. 火旣滅, 可以執持. 呼恢切.

飜譯

'불이 다 타고 남은 재(死火餘㶳)'를 말한다. 화(火)가 의미부이고 우(又)도 의미부이다. 우(又)는 손(手)이라는 뜻이다. 불이 이미 다 타고 꺼져서 손으로 잡을 수 있다는 뜻이다.[80] 독음은 호(呼)와 회(恢)의 반절이다.

**6417**

**炱**: 炱: **그을음 태**: 火-**총9획**: **tái**

原文

炱: 灰, 炱煤也. 从火台聲. 徒哀切.

飜譯

'재(灰)'를 말하는데, '그을음(炱煤)'을 말한다. 화(火)가 의미부이고 태(台)가 소리부이다. 독음은 도(徒)와 애(哀)의 반절이다.

**6418**

**煨**: 煨: **불씨 외**: 火-**총13획**: **wēi**

原文

---

80) 고문자에서 簡牘文 등으로 썼다. 소전체에서처럼 又(또 우)와 火(불 화)로 구성되어, 불(火)을 손(又)으로 잡은 모습을 그렸는데, 불을 손으로 잡는 것은 불이 꺼져 '재'가 되었을 때 가능하다는 의미에서 재의 뜻이 나왔고, 이로부터 잿빛, 먼지, 石灰(석회) 등을 지칭하게 되었다.

煨: 盆中火. 从火畏聲. 烏灰切.

飜譯

'동이[화로] 속에 넣어둔 불씨(盆中火)'를 말한다. 화(火)가 의미부이고 외(畏)가 소리부이다. 독음은 오(烏)와 회(灰)의 반절이다.

**6419**

熄: 熄: **꺼질 식**: 火-**총14획**: **xī**

原文

熄: 畜火也. 从火息聲. 亦曰滅火. 相即切.

飜譯

'남겨 놓은 불씨(畜火)'를 말한다. 화(火)가 의미부이고 식(息)이 소리부이다. 또한 '불을 끄다(滅火)'라는 뜻이라고도 한다. 독음은 상(相)과 즉(即)의 반절이다.



**6420**

烓: 烓: **화덕 계**: 火-**총10획**: **wēi**

原文

烓: 行竈也. 从火圭聲. 讀若冋. 口迥切.

飜譯

'갖고 다닐 수 있는 휴대용 부뚜막(行竈)'을 말한다. 화(火)가 의미부이고 규(圭)가 소리부이다. 경(冋)과 같이 읽는다. 독음은 구(口)와 형(迥)의 반절이다.

**6421**

煁: 煁: **화덕 심**: 火-**총13획**: **chén**

原文

煁: 烓也. 从火甚聲. 氏任切.

飜譯

'화덕(烓)'을 말한다. 화(火)가 의미부이고 심(甚)이 소리부이다. 독음은 씨(氏)와 임(任)의 반절이다.

**6422**

**燀: 燀: 밥 지을 천: 火-총16획: chǎn**

原文

燀: 炊也. 从火單聲. 『春秋傳』曰: "燀之以薪." 充善切.

飜譯

'밥을 짓다(炊)'라는 뜻이다. 화(火)가 의미부이고 단(單)이 소리부이다. 『춘추전』(『좌전』 소공 20년, B.C. 522)에서 "땔감으로 밥을 지었다(燀之以薪)"라고 했다. 독음은 충(充)과 선(善)의 반절이다.

**6423**

**炊: 炊: 불 땔 취: 火-총8획: chuī**

原文

炊: 爨也. 从火, 吹省聲. 昌垂切.

飜譯

'불을 때다(爨)'라는 뜻이다. 화(火)가 의미부이고, 취(吹)의 생략된 부분이 소리부이다. 독음은 창(昌)과 수(垂)의 반절이다.

**6424**

**烘: 烘: 횃불 홍: 火-총10획: hōng**

原文

烘: 尞也. 从火共聲. 『詩』曰: "卬烘于煁." 呼東切.

飜譯

‘횃불(尞)’을 말한다. 화(火)가 의미부이고 공(共)이 소리부이다. 『시·소아·백화(白華)』에서 “나는 화덕에 불을 사르네(卬烘于煁)”라고 노래했다.[81] 독음은 호(呼)와 동(東)의 반절이다.

**6425**

**𤓕: 齌: 몹시 노할 제: 齊-총18획: jī**

原文

𤓕: 炊餔疾也. 从火齊聲. 在詣切.

飜譯

‘서둘러 새참을 만들다(炊餔疾)’라는 뜻이다. 화(火)가 의미부이고 제(齊)가 소리부이다. 독음은 재(在)와 예(詣)의 반절이다.

**6426**

**熹: 熹: 성할 희: 火-총16획: xī**

原文

熹: 炙也. 从火喜聲. 許其切.

飜譯

‘고기를 불에 굽다(炙)’라는 뜻이다. 화(火)가 의미부이고 희(喜)가 소리부이다. 독음은 허(許)와 기(其)의 반절이다.

**6427**

**煎: 煎: 달일 전: 火-총13획: jiān**

81) 『단주』에서는 공(卭)을 앙(卬)으로 고쳤으며 이렇게 말했다. “『시·소아·백화(白華)』의 시인데 ‘앙홍우심(卬烘于煁)’이라 했다. 『모전(毛傳)』과 『석언(釋言)』에서 모두 홍(烘)은 불을 사르다(燎)는 뜻이라고 했다.”

原文

煎: 熬也. 从火前聲. 子仙切.

飜譯

'불에 볶다(熬)'라는 뜻이다. 화(火)가 의미부이고 전(前)이 소리부이다. 독음은 자(子)와 선(仙)의 반절이다.

**6428**

熬: 熬: **볶을 오**: 火-**총15획**: **áo**

原文

熬: 乾煎也. 从火敖聲. 鏖, 熬或从麥. 五牢切.

飜譯

'물기 없이 볶다(乾煎)'라는 뜻이다. 화(火)가 의미부이고 오(敖)가 소리부이다. 오(鏖)는 오(熬)의 혹체자인데, 맥(麥)으로 구성되었다. 독음은 오(五)와 뢰(牢)의 반절이다.

**6429**

炮: 炮: **통째로 구울 포**: 火-**총9획**: **páo**

原文

炮: 毛炙肉也. 从火包聲. 薄交切.

飜譯

'털과 함께 통째로 굽다(毛炙肉)'라는 뜻이다. 화(火)가 의미부이고 포(包)가 소리부이다. 독음은 박(薄)과 교(交)의 반절이다.

**6430**

炰: 炰: **불에 고기 찔 오**: 火-**총10획**: **ēn, āo**

---

**2832** 완역『설문해자』

原文

㶼: 炮肉, 以微火溫肉也. 从火衣聲. 烏痕切.

飜譯

'고기를 털을 제거하지 않은 채로 통째로 굽는데(炮肉), 약한 불로 쬐어 가며 굽다(以微火溫肉)'라는 뜻이다. 화(火)가 의미부이고 의(衣)가 소리부이다. 독음은 오(烏)와 흔(痕)의 반절이다.

**6431**

**熷: 熷: 고기 대 속에 넣어 구울 증: 火-총16획: zēng**

原文

熷: 置魚筩中炙也. 从火曾聲. 作縢切.

飜譯

'물고기를 대나무 통속에 넣어 불에 굽다(置魚筩中炙)'라는 뜻이다. 화(火)가 의미부이고 증(曾)이 소리부이다. 독음은 작(作)과 등(縢)의 반절이다.

**6432**

**㷶: 㷶: 불에 고기 말릴 픽: 火-총18획: bì**

原文

㷶: 以火乾肉. 从火稫聲. 𤐫, 籒文不省. 符逼切.

飜譯

'불기로 고기를 말리다(以火乾肉)'라는 뜻이다. 화(火)가 의미부이고 벽(稫)이 소리부이다. 픽(𤐫)은 주문체인데, 생략되지 않은 모습이다. 독음은 부(符)와 핍(逼)의 반절이다.

**6433**

**爆: 爆: 터질 폭: 火-총19획: bào**

原文

爆: 灼也. 从火暴聲. 蒲木切.

飜譯

'불꽃이 날아오르다(灼)'라는 뜻이다. 화(火)가 의미부이고 폭(暴)이 소리부이다. 독음은 포(蒲)와 목(木)의 반절이다.

**6434**

**煬: 煬: 쬘 양: 火-총13획: yáng**

原文

煬: 炙燥也. 从火昜聲. 余亮切.

飜譯

'고기를 불에 구워 물기를 없애다(炙燥)'라는 뜻이다. 화(火)가 의미부이고 양(昜)이 소리부이다. 독음은 여(余)와 량(亮)의 반절이다.

**6435**

**熇: 熇: 구을 혹: 火-총14획: hú**

原文

熇: 灼也. 从火隺聲. 胡沃切.

飜譯

'불꽃이 날아오르다(灼)'라는 뜻이다. 화(火)가 의미부이고 각(隺)이 소리부이다. 독음은 호(胡)와 옥(沃)의 반절이다.

**6436**

**爤: 爤: 익을 란: 火-총25획: làn**

原文

爤: 孰也. 从火蘭聲. 燗, 或从閒. 郎旰切.

飜譯

'불에 익히다(孰)'라는 뜻이다. 화(火)가 의미부이고 란(蘭)이 소리부이다. 란(燗)은 혹체자인데, 한(閒)으로 구성되었다. 독음은 랑(郎)과 간(旰)의 반절이다.

**6437**

**爢: 爢: 물크러질 미: 火-총23획: mí**

原文

爢: 爛也. 从火靡聲. 靡爲切.

飜譯

'물크러지게 불에 푹 익히다(爛)'라는 뜻이다. 화(火)가 의미부이고 미(靡)가 소리부이다. 독음은 미(靡)와 위(爲)의 반절이다.

**6438**

**尉: 尉: 벼슬 이름 위: 火-총12획: wèi, yù, yùn**

原文

尉: 从上案下也. 从𡰥; 又持火, 以尉申繒也. 於胃切.

飜譯

'위쪽에서 아래쪽을 누르다(从上案下)'라는 뜻이다. 이(𡰥)로 구성되었고, 손(又)으로 불(火)을 쥔 모습인데, 불로 눌러 비단의 주름을 펴다(以尉申繒)라는 뜻이다.[82] 독음

82) 고문자에서 尉 尉 簡牘文 등으로 썼다. 소전체에서처럼 손에 불(火·화)을 쥐고 엉덩이 부분을 지지는 모습인데, 상처부위를 砭石(폄석·돌침)으로 지지는 모습을 형상화한 것으로 보인다.

은 어(於)와 위(胃)의 반절이다.

**6439**

**⿰火龜: ⿰火龜: 불태운 거북점 안 나타날 초: 火-총20획: jiāo**

原文

⿰火龜: 灼龜不兆也. 从火从龜. 『春秋傳』曰: "龜⿰火龜不兆." 讀若焦. 即消切.

飜譯

'거북을 불로 지졌는데도 갈라지는 흔적[점괘]이 나타나지 않다(灼龜不兆)'라는 뜻이다.[83] 화(火)가 의미부이고 귀(龜)도 의미부이다. 『춘추전』(『좌전』 정공 9년, B.C. 501 등)에서 "불을 지져 거북점을 쳤으나 갈라지는 흔적[점괘]이 나타나지 않았다(龜⿰火龜不兆)"라고 했다. 초(焦)와 같이 읽는다. 독음은 즉(即)과 소(消)의 반절이다.

**6440**

**灸: 灸: 뜸 구: 火-총7획: jiǔ**

原文

灸: 灼也. 从火久聲. 舉友切.

飜譯

'불을 사르다(灼)'라는 뜻이다. 화(火)가 의미부이고 구(久)가 소리부이다.[84] 독음은

---

그래서 '불로 지지다'가 원래 뜻이며, 아픈 부위를 砭石으로 지져 치료해 통증을 줄여 주는 것은 환자에 대한 慰勞(위로)였다. 이로부터 尉에는 慰安(위안)의 뜻까지 생겼고, 그러자 心(마음 심)을 더한 慰(위로할 위)가 만들어졌다. 또 벼슬 이름으로 쓰였는데, 太尉(태위)나 都尉(도위) 같은 벼슬은 백성들을 慰撫(위무)하는 임무를 가진 관직이었다.

83) 거북점을 칠 때, 거북딱지(주로 배딱지)에 홈을 파고, 이를 불로 지진다. 그러면 홈을 파 두었던 얇은 부분이 열을 받아 복(卜)자 모양으로 갈라지는데, 이를 조(兆)라고 한다. 그리고 조(兆)에 근거해 점괘를 해석한다.

84) 고문자에서 火久 簡牘文 등으로 썼다. 소전체에서처럼 火(불 화)가 의미부이고 久(오랠 구)가 소리부로, 쑥 같은 약초를 길게 말아 아픈 부위에 놓고 불(火)을 붙여 오랫동안(久) 지져 약기운이 항을 통해 스며들도록 하는 '뜸'이라는 치료법을 형상했다.

거(擧)와 우(友)의 반절이다.

**6441**

**焯: 灼: 사를 작: 火-총7획: zhuó**

原文

焯: 炙也. 从火勺聲. 之若切.

飜譯

'고기를 불에 굽다(炙)'라는 뜻이다. 화(火)가 의미부이고 작(勺)이 소리부이다. 독음은 지(之)와 약(若)의 반절이다.

**6442**

**煉: 煉: 불릴 련: 火-총13획: liàn**

原文

煉: 鑠治金也. 从火柬聲. 郎電切.

飜譯

'불에 녹여서 야금을 하다(鑠治金)'라는 뜻이다. 화(火)가 의미부이고 간(柬)이 소리부이다. 독음은 랑(郎)과 전(電)의 반절이다.

**6443**

**燭: 燭: 촛불 촉: 火-총17획: zhú**

原文

燭: 庭燎, 火燭也. 从火蜀聲. 之欲切.

飜譯

'정원[뜰]에 꽂아 불을 밝히는 큰 횃불(庭燎, 火燭)'을 말한다. 화(火)가 의미부이고 촉(蜀)이 소리부이다. 독음은 지(之)와 욕(欲)의 반절이다.

제10권

**6444**

**熜: 熜: 삼 찔 총: 火-총15획: cōng, zǒng**

原文

熜: 然麻蒸也. 从火悤聲. 作孔切.

飜譯

'삼대를 묶어 만든 횃불(然麻蒸)'을 말한다. 화(火)가 의미부이고 총(悤)이 소리부이다. 독음은 작(作)과 공(孔)의 반절이다.

**6445**

**灺: 灺: 불똥 사: 火-총7획: xiè**

原文

灺: 燭㶳也. 从火也聲. 徐野切.

飜譯

'촛불이 타고 난 촛똥(燭㶳)'을 말한다. 화(火)가 의미부이고 야(也)가 소리부이다. 독음은 서(徐)와 야(野)의 반절이다.

**6446**

**㶳: 㶳: 타고난 나머지 신: 火-총10획: jìn**

原文

㶳: 火餘也. 从火聿聲. 一曰薪也. 徐刃切.

飜譯

'불이 타고난 나머지(火餘)'를 말한다. 화(火)가 의미부이고 율(聿)이 소리부이다. 일설에는 '땔감(薪)'을 말한다고도 한다. 독음은 서(徐)와 인(刃)의 반절이다.

6447

**熣: 焠: 담금질 쉬: 火-총12획: cuì**

原文

熣: 堅刀刃也. 从火卒聲. 七内切.

飜譯

'[담금질을 하여] 칼날을 단단하게 하다(堅刀刃)'라는 뜻이다. 화(火)가 의미부이고 졸(卒)이 소리부이다. 독음은 칠(七)과 내(內)의 반절이다.

6448

**燥: 煣: 휘어 바로잡을 유: 火-총13획: rǒu**

原文

燥: 屈申木也. 从火、柔, 柔亦聲. 人久切.

飜譯

'나무를 휘었다 폈다 하다(屈申木)'라는 뜻이다. 화(火)와 유(柔)가 모두 의미부인데, 유(柔)는 소리부도 겸한다.[85] 독음은 인(人)과 구(久)의 반절이다.

6449

**燓: 焚: 불 땔 분: 火-총16획: fén**

原文

燓: 燒田也. 从火、棥, 棥亦聲. 附袁切.

飜譯

'불을 질러 사냥하다(燒田)'라는 뜻이다.[86] 화(火)와 번(棥)이 모두 의미부인데, 번

85) 글자 그대로 불(火)로 쬐어 유연하게(柔) '휘도록 하다'는 뜻이다.
86) 갑골문 등에 보이는 사냥법의 하나로, 한 곳만 터놓고 주위를 불 질러 짐승들이 도망 나오면 활로 쏘아 잡던 방식이었다. 이후 농경법의 하나로, 잡초나 수확하고 남은 농작물 등을 태워

(㷋)은 소리부도 겸한다. 독음은 부(附)와 원(袁)의 반절이다.

**6450**

**熑: 熑: 불 꺼지지 않을 렴: 火-총14획: lián**

原文

熑: 火煣車網絕也. 从火兼聲. 『周禮』曰: "煣牙, 外不熑." 力鹽切.

飜譯

'불로 휘어잡아 수레바퀴의 바깥 틀로 삼는다(火煣車網絕)'라는 뜻이다.[87] 화(火)가 의미부이고 겸(兼)이 소리부이다. 『주례·고공기·윤인(輪人)』에서 "수레바퀴를 불로 구어 부드럽게 하여야 바깥 테가 끊기거나 벌어지지 않는다(煣牙, 外不熑.)"[88]라고 했다. 독음은 력(力)과 염(鹽)의 반절이다.

**6451**

**燎: 燎: 화톳불 료: 火-총16획: liǎo**

原文

燎: 放火也. 从火尞聲. 力小切.

飜譯

'불을 놓다(放火)'라는 뜻이다. 화(火)가 의미부이고 료(尞)가 소리부이다. 독음은 력(力)과 소(小)의 반절이다.

---

비료로 삼던 경작법을 말했는데, 화전과 비슷하다.

87) 『단주』에서는 이렇게 말했다. "허신이 말한 '火煣車網絕也'라는 이 말은 『고공기(考工記)』에 대해 설명을 한 것이다. 「윤인(輪人)」에서 이렇게 말했다. '바깥의 덧댄 테를 불로 부드럽게 하면 바깥 테는 끊이지 않고 안쪽 테는 절단되지 않으며 곁의 테는 부풀지 않게 된다. 이렇게 하는 것을 두고 불을 잘 사용한다고 한다.(凡揉牙, 外不廉而內不挫、旁不腫, 謂之用火之善.)' 『고공기주』에서도 이렇게 말했다. '렴(廉)은 절(絕: 끊이다)의 뜻이고, 좌(挫)는 절(折: 절단되다)의 뜻이며, 종(腫)은 외(瘣, 종기 나듯 부풀어 오르다)의 뜻이다.'"

88) 아(牙)는 수레바퀴의 가장자리에 덧댄 테(덧테)를 말하고, 렴(熑)은 끊기거나 벌어지다는 뜻이다.

**6452**

**熛: 熛: 불똥 튈 표: 火-총18획: biāo**

原文

熛: 火飛也. 从火, 䙴與䙴同意. 方昭切.

飜譯

'불똥이 날아오르다(火飛)'라는 뜻이다. 화(火)가 의미부이고, 선(䙴)은 선(䙴)과 같은 의미이다.[89] 독음은 방(方)과 소(昭)의 반절이다.

**6453**

**糟: 糟: 타다 남은 나무 조: 火-총15획: zāo**

原文

糟: 焦也. 从火曹聲. 作曹切.

飜譯

'[까맣게] 태우다(焦)'라는 뜻이다. 화(火)가 의미부이고 조(曹)가 소리부이다. 독음은 작(作)과 조(曹)의 반절이다.

**6454**

**爑: 爑: 그을릴 초: 火-총28획: jiāo**

原文



89) 『설문』의 해설 체계와 맞지 않다. 그래서 『단주』에서는 "从火䙴, 熛與䙴同意." 즉 "화(火)와 선(䙴)이 모두 의미부이다. 선(熛)은 선(䙴)과 같은 뜻이다."라고 고쳤다. 그리고 다음과 같이 부연 설명하였다. "화(火)와 선(舁)의 생략된 모습이 모두 의미부이다가 되어야 옳다. 그리고 선(舁)의 아랫부분인 공(廾)이 줄어서 일(一)이 되었을 것이다. 선(䙴)은 바로 선(舁)의 혹체자이다. 선(䙴)은 위로 높이 올라가다는 뜻이다. 불똥도 위로 높이 올라가기에 같은 뜻이라고 했던 것이다."

𤎌: 火所傷也. 从火雥聲. 焦, 或省. 即消切.

飜譯

'불에 탄 상처(火所傷)'를 말한다. 화(火)가 의미부이고 잡(雥)이 소리부이다. 초(焦)는 혹체자인데 생략된 모습이다. 독음은 즉(即)과 소(消)의 반절이다.

**6455**

**烖: 烖: 재앙 재: 火-총10획: zāi**

原文

烖: 天火曰烖. 从火𢦏聲. 灾, 或从宀、火. 𤆎, 古文从才. 災, 籒文从巛. 祖才切.

飜譯

'자연적으로 발생한 화재(天火)를 재(烖)라 한다.' 화(火)가 의미부이고 재(𢦏)가 소리부이다. 재(灾)는 혹체자인데, 면(宀)과 화(火)로 구성되었다. 재(𤆎)는 고문체인데, 재(才)로 구성되었다. 재(災)는 주문체인데, 재(巛)로 구성되었다. 독음은 조(祖)와 재(才)의 반절이다.

**6456**

**㶣: 煙: 연기 연: 火-총13획: yān**

原文

㶣: 火气也. 从火垔聲. 烟, 或从因. 𡊅, 古文. 𡨴, 籒文从宀. 烏前切.

飜譯

'불의 기운(火气)'을 말한다. 화(火)가 의미부이고 인(垔)이 소리부이다. 연(烟)은 혹체자인데, 인(因)으로 구성되었다. 연(𡊅)은 고문체이다. 연(𡨴)은 주문체인데, 면(宀)으로 구성되었다. 독음은 오(烏)와 전(前)의 반절이다.

**6457**

**焆: 焆: 불빛 결·연기나는 모양 열: 火-총11획: juān, yè**

原文

焆: 焆焆, 煙皃. 从火肙聲. 因悅切.

飜譯

'열열(焆焆)은 연기가 나는 모양(煙皃)'을 말한다. 화(火)가 의미부이고 연(肙)이 소리부이다. 독음은 인(因)와 열(悅)의 반절이다.

**6458**

**熅: 熅: 따뜻할 온: 火-총13획: yūn**

原文

熅: 鬱煙也. 从火昷聲. 於云切.

飜譯

'[날아가지 않고] 모여 있는 불의 기운(鬱煙)'을 말한다. 화(火)가 의미부이고 온(昷)이 소리부이다. 독음은 어(於)와 운(云)의 반절이다.

**6459**

**焀: 焀: 불을 바라볼 적: 火-총11획: dí**

原文

焀: 望火皃. 从火㿟聲. 讀若馰顙之馰. 都歷切.

飜譯

'불을 바라다보는 모습(望火皃)'을 말한다. 화(火)가 의미부이고 급(㿟)이 소리부이다. 적상(馰顙: 이마가 흰 말)이라고 할 때의 적(馰)과 같이 읽는다. 독음은 도(都)와 력(歷)의 반절이다.

**6460**

**燂: 燂: 무를 첨: 火-총16획: tán**

原文

燂: 火熱也. 从火覃聲. 火甘切.

飜譯

'불로 익히다(火熱)'라는 뜻이다. 화(火)가 의미부이고 담(覃)이 소리부이다. 독음은 화(火)와 감(甘)의 반절이다.

**6461**

**焞: 焞: 귀갑 지지는 불 돈: 火-총12획: tūn**

原文

焞: 明也. 从火䭬聲. 『春秋傳』曰: "焞燿天地." 他昆切.

飜譯

'밝[게 하]다(明)'라는 뜻이다. 화(火)가 의미부이고 순(䭬)이 소리부이다. 『춘추전』[90]에서 "천지를 밝혔다(焞燿天地)"라고 했다. 독음은 타(他)와 곤(昆)의 반절이다.

**6462**

**炳: 炳: 밝을 병: 火-총9획: bǐng**

原文

炳: 明也. 从火丙聲. 兵永切.

飜譯

'밝[게 하]다(明)'라는 뜻이다. 화(火)가 의미부이고 병(丙)이 소리부이다. 독음은 병

90) 장순휘의 『약주』에 의하면, 『춘추』 삼전에는 이 말이 없으며, 아마도 『국어·정어(鄭語)』의 글로 보인다고 했다. 『국어』를 전통적으로 "춘추 외전(外傳)"이라 불렀기에 그렇게 된 것이 아닐까 추정했다.

(兵)과 영(永)의 반절이다.

**6463**

**焯:** 焯: **밝을 작**: 火-총12획: zhuō

原文

焯: 明也. 从火卓聲. 『周書』曰 : "焯見三有俊心." 之若切.

飜譯

'밝[게 하]다(明)'라는 뜻이다. 화(火)가 의미부이고 탁(卓)이 소리부이다. 『서·주서(周書)·입정(立政)』에서 "세 직위에 추천되어 임용된 뛰어난 사람들의 마음을 환히 알아보셨다(焯見三有俊心)"라고 했다.[91] 독음은 지(之)와 약(若)의 반절이다.

**6464**

**炤:** 照: **비출 조**: 火-총13획: zhào

原文

炤: 明也. 从火昭聲. 之少切.

飜譯

'밝[게 하]다(明)'라는 뜻이다. 화(火)가 의미부이고 소(昭)가 소리부이다. 독음은 지(之)와 소(少)의 반절이다.

**6465**

**煒:** 煒: **빨갈 위**: 火-총13획: wěi

原文

煒: 盛赤也. 从火韋聲. 『詩』曰 : "彤管有煒." 于鬼切.

91) 손성연의 『상서금고문주소』에 의하면, 삼준(三俊)은 "바로 삼택(三宅: 즉 택사(宅事), 택목(宅牧), 택준(宅準))에 딸린 관리들을 말한다."라고 했다.

飜譯

'매우 붉다(盛赤)'라는 뜻이다. 화(火)가 의미부이고 위(韋)가 소리부이다. 『시·패풍·정녀(靜女)』에서 "빨간 피리 더욱 고운 것은(彤管有煒)"이라고 노래했다. 독음은 우(于)와 귀(鬼)의 반절이다.

**6466**

**烗: 烗: 불이 성할 치: 火-총10획: chǐ, shǐ**

原文

烗: 盛火也. 从火从多. 昌氏切.

飜譯

'활활 타오르는 불(盛火)'을 말한다. 화(火)가 의미부이고 다(多)도 의미부이다. 독음은 창(昌)과 씨(氏)의 반절이다.

**6467**

**熠: 熠: 빛날 습: 火-총15획: yì**

原文

熠: 盛光也. 从火習聲. 『詩』曰: "熠熠宵行." 羊入切.

飜譯

'왕성한 빛(盛光)'을 말한다. 화(火)가 의미부이고 습(習)이 소리부이다. 『시·빈풍·동산(東山)』에서 "밤길에는 반딧불 번쩍이지만(熠熠宵行)"이라고 노래했다.[92] 독음은 양

---

92) 김학주의 『사경』에서는 '반딧불'을 '도깨비불'로 번역했지만, 반딧불이 더 나아 보인다. 『단주』에서는 "습습소행(熠熠宵行)"에 대해서 이렇게 말했다. "이는 『빈풍(豳風)·동산(東山)』에 나오는 문구인데, 송본(宋本)과 섭초본(葉抄本)에서는 모두 습습(熠熠)으로 적었다. 왕응린(王應麟: 王伯厚)의 『시고(詩攷)·이자이의(異字異義)』에서 『설문』의 '습습소행(熠熠宵行)'을 거론했다. 그에 의하면 『문선(文選)』의 장화(張華)의 「여지시(勵志詩)」에서 '涼風振落, 熠熠宵流.(찬바람에 낙엽 떨어지고, 반딧불 불빛은 밤에 흘러 다닌다.)'라고 했는데, 『문선주』에서 『모전(毛傳)』을 인용하여 습습(熠熠)은 번쩍거리다(粦)는 뜻이라고 했다. 그렇게 본다면 내(단옥재) 생

(羊)과 입(入)의 반절이다.

**6468**

**煜:** 煜: **빛날 욱**: 火-**총13획**: **yù**

原文

煜: 熠也. 从火昱聲. 余六切.

飜譯

'빛나다(熠)'라는 뜻이다. 화(火)가 의미부이고 욱(昱)이 소리부이다. 독음은 여(余)와 륙(六)의 반절이다.

**6469**

**燿:** 燿: **빛날 요**: 火-**총18획**: **yào**

原文

燿: 照也. 从火翟聲. 弋笑切.

飜譯

'비추다(照)'라는 뜻이다. 화(火)가 의미부이고 적(翟)이 소리부이다. 독음은 익(弋)과 소(笑)의 반절이다.

**6470**

**煇:** 煇: **빛날 휘**: 火-**총13획**: **huī**

原文

煇: 光也. 从火軍聲. 況韋切.

---

각에는 이들 모두 습요(熠燿)를 잘못 쓴 것이라 생각되며, 독음과 의미는 당연히 『시』의 해석을 따라야 할 것이다."

飜譯

'빛남(光)'을 말한다. 화(火)가 의미부이고 군(軍)이 소리부이다.[93] 독음은 황(況)과 위(韋)의 반절이다.

**6471**

**煌: 煌: 빛날 황: 火-총13획: huáng**

原文

煌: 煌, 煇也. 从火皇聲. 胡光切.

飜譯

'황(煌)은 빛남(煇)'을 말한다. 화(火)가 의미부이고 황(皇)이 소리부이다. 독음은 호(胡)와 광(光)의 반절이다.

**6472**

**焜: 焜: 빛날 혼: 火-총12획: kūn**

原文

焜: 煌也. 从火昆聲. 孤本切.

飜譯

'빛남(煌)'을 말한다. 화(火)가 의미부이고 곤(昆)이 소리부이다. 독음은 고(孤)와 본(本)의 반절이다.

**6473**

**炯: 炯: 빛날 형: 火-총9획: jiǒng**

93) 소전체에서처럼 火(불 화)가 의미부고 軍(군사 군)이 소리부로, 태양의 둘레(軍)로 불(火)을 내뿜어 발산되는 '빛'을 말하며, 火 대신 日(날 일)이나 光(빛 광)이 들어간 暉(빛날 휘)나 輝(빛날 휘)와 같다. 간화자에서는 輝(빛날 휘)에 통합되어 辉로 줄여 쓴다.

原文

炯: 光也. 从火冋聲. 古迥切.

飜譯

'빛남(光)'을 말한다. 화(火)가 의미부이고 경(冋)이 소리부이다. 독음은 고(古)와 형(迥)의 반절이다.

**6474**

**爗: 爗: 빛날 엽: 火-총20획: yè**

原文

爗: 盛也. 从火曅聲. 『詩』曰: "爗爗震電." 筠輒切.

飜譯

'빛이 왕성하다(盛)'라는 뜻이다. 화(火)가 의미부이고 엽(曅)이 소리부이다. 『시·소아·시월지교(十月之交)』에서 "번쩍번쩍 번갯불 따라 벼락 치니(爗爗震電)"라고 노래했다. 독음은 균(筠)과 첩(輒)의 반절이다.



**6475**

**爓: 爓: 삶을 섬·불꽃 염: 火-총20획: yàn**

原文

爓: 火門也. 从火閻聲. 余廉切.

飜譯

'화염(火門)[불꽃]'을 말한다. 화(火)가 의미부이고 염(閻)이 소리부이다. 독음은 여(余)와 렴(廉)의 반절이다.

**6476**

**炫: 炫: 빛날 현: 火-총9획: xuàn**

原文

炫: 燿燿也. 从火玄聲. 胡畎切.

飜譯

'빛나다(燿燿)'라는 뜻이다. 화(火)가 의미부이고 현(玄)이 소리부이다. 독음은 호(胡)와 견(畎)의 반절이다.

**6477**

**光: 光: 빛 광: 儿-총6획: guāng**

原文

光: 明也. 从火在人上, 光明意也. 炗, 古文. 芡, 古文. 古皇切.

飜譯

'밝다(明)'라는 뜻이다. 불(火)이 사람(人) 위에 놓인 모습이며, 빛(光明)이라는 뜻이다.[94] 광(炗)은 고문체이다. 광(芡)도 고문체이다. 독음은 고(古)와 황(皇)의 반절이다.

**6478**

**熱: 熱: 더울 열: 火-총15획: rè**

原文

熱: 溫也. 从火埶聲. 如列切.

飜譯

94) 고문자에서 甲骨文 金文 古陶文 簡牘文 등으로 썼다. 소전체에서처럼 원래는 火(불 화)와 儿(사람 인)으로 구성되어, 불(火)을 들고 곁에서 시중드는 사람(儿)을 그린 글자로 光(빛 광)으로 쓰기도 했는데 자형이 조금 변해 지금처럼 되었다. 종(儿)으로 하여금 등불(火)을 들게 했던 옛날의 모습을 형상화했으며, 이로부터 빛, 밝히다, 비추다, 떨치다 등의 뜻이 나왔다.

'따뜻하다(溫)'라는 뜻이다. 화(火)가 의미부이고 예(埶)가 소리부이다.[95] 독음은 여(如)와 렬(列)의 반절이다.

**6479**

**熾: 熾: 성할 치: 火—총16획: chì**

**原文**

熾: 盛也. 从火戠聲. 𤈏, 古文熾. 昌志切.

**飜譯**

'불이 성하다(盛)'라는 뜻이다. 화(火)가 의미부이고 시(戠)가 소리부이다. 치(𤈏)는 치(熾)의 고문체이다. 독음은 창(昌)과 지(志)의 반절이다.

**6480**

**燠: 燠: 따뜻할 욱·오: 火—총17획: ào**

**原文**

燠: 熱在中也. 从火奧聲. 烏到切.

**飜譯**

'속에 열이 있다(熱在中)'라는 뜻이다. 화(火)가 의미부이고 오(奧)가 소리부이다. 독음은 오(烏)와 도(到)의 반절이다.

95) 고문자에서 簡牘文 등으로 썼다. 소전체에서처럼 火(불 화)가 의미부고 埶(심을 예)가 소리부인데, 갑골문에서는 손에 횃불을 들고 있는 모습으로, 횃불의 받침대와 타오르는 불꽃이 사실적으로 그려졌다. 금문에 들면서 횃불이 나무처럼 변함으로써 埶(심을 예)와 혼용하게 되었고, 『설문해자』에서는 금문의 자형을 계승하고 다시 火(불 화)를 더하여 지금처럼 熱로 변했다. 그래서 熱은 '불을 태우다'가 원래 뜻이며, 이후 加熱(가열)이나 熱情(열정), 붐(boom) 등의 뜻이 생겼다. 간화자에서는 埶를 执(執의 간화자)으로 줄인 热로 쓴다.

**6481**

**爜: 煖: 따뜻할 난: 火-총13획: xuān**

原文

爜: 溫也. 从火爰聲. 況袁切.

飜譯

'따뜻하다(溫)'라는 뜻이다. 화(火)가 의미부이고 원(爰)이 소리부이다. 독음은 황(況)과 원(袁)의 반절이다.

**6482**

**㬉: 㬉: 따뜻할 난: 火-총13획: nuǎn**

原文

㬉: 溫也. 从火耎聲. 乃管切.

飜譯

'따뜻하다(溫)'라는 뜻이다. 화(火)가 의미부이고 연(耎)이 소리부이다. 독음은 내(乃)와 관(管)의 반절이다.

**6483**

**炅: 炅: 빛날 경: 火-총8획: jiǒng**

原文

炅: 見也. 从火、日. 古迥切.

飜譯

'[빛이] 밖으로 드러나다(見)'라는 뜻이다. 화(火)와 일(日)이 모두 의미부이다. 독음은 고(古)와 형(迥)의 반절이다.

**6484**

**炕:** 炕: **말릴 항**: 火-**총8획: kàng**

原文

炕: 乾也. 从火亢聲. 苦浪切.

飜譯

'[불로] 말리다(乾)'라는 뜻이다. 화(火)가 의미부이고 항(亢)이 소리부이다. 독음은 고(苦)와 랑(浪)의 반절이다.

**6485**

**燥:** 燥: **마를 조**: 火-**총17획: zào**

原文

燥: 乾也. 从火喿聲. 穌到切.

飜譯

'[불로] 말리다(乾)'라는 뜻이다. 화(火)가 의미부이고 소(喿)가 소리부이다. 독음은 소(穌)와 도(到)의 반절이다.



**6486**

**烕:** 烕: **없앨 멸**: 火-**총10획: xù, miè**

原文

烕: 滅也. 从火、戌. 火死於戌, 陽氣至戌而盡. 『詩』曰: "赫赫宗周, 褒似烕之." 許劣切.

飜譯

'멸(滅)과 같아 없애다'라는 뜻이다. 화(火)와 술(戌)이 모두 의미부이다. 화기(火氣)는 술방(戌方)에서 죽게 되므로, 양기(陽氣)는 술(戌方)에 이르러 소진하고 만다. 『시·소아정월(正月)』에서 "위대한 주나라를, 포사가 멸망시켰다네.(赫赫宗周, 褒似烕

之.)"라고 노래했다. 독음은 허(許)와 렬(劣)의 반절이다.

**6487**

**焅: 焅: 가무는 기운 곡: 火-총11획: kù**

原文

焅: 旱气也. 从火告聲. 苦沃切.

飜譯

'건조한 기운(旱气)'을 말한다. 화(火)가 의미부이고 고(告)가 소리부이다. 독음은 고(苦)와 옥(沃)의 반절이다.

**6488**

**燾: 燾: 밝을 주: 火-총18획: chóu**

原文

燾: 溥覆照也. 从火壽聲. 徒到切.

飜譯

'[해나 달처럼] 넓게 덮어 비추다(溥覆照)'라는 뜻이다. 화(火)가 의미부이고 수(壽)가 소리부이다. 독음은 도(徒)와 도(到)의 반절이다.

**6489**

**爟: 爟: 봉화 관: 火-총22획: guān**

原文

爟: 取火於日官名, 舉火曰爟. 『周禮』曰: "司爟, 掌行火之政令." 从火雚聲. 烜, 或从亘. 古玩切.

飜譯

'햇빛을 모아 불을 모으고, 불을 관리하는 일을 담당하는 관직 이름이다(取火於日官

名, 舉火曰爟).' 『주례·하관·사관(司爟)』에서 "사관(司爟)은 불의 사용에 관한 법령을 관장하는 관직이다(掌行火之政令)"라고 했다. 화(火)가 의미부이고 관(雚)이 소리부이다. 관(烜)은 혹체자인데, 선(亘)으로 구성되었다. 독음은 고(古)와 완(玩)의 반절이다.

**6490**

**𤑦: 㷭: 봉화 봉: 火-총15획: fēng**

原文

𤑦: 燧, 候表也. 邊有警則舉火. 从火逢聲. 敷容切.

翻譯

'봉화(燧)'를 말하는데, 척후의 표지이다(候表).[96] 변방에 경계할 일이 생기면 불을 올린다. 화(火)가 의미부이고 봉(逢)이 소리부이다. 독음은 부(敷)와 용(容)의 반절이다.

**6491**

**爝: 爝: 횃불 작: 火-총22획: jué**

原文

爝: 苣火, 祓也. 从火爵聲. 呂不韋曰：湯得伊尹, 爝以爟火, 釁以犧豭. 子肖切.

翻譯

'횃불(苣火)'을 말하는데, 푸닥거리하는데 쓴다(祓). 화(火)가 의미부이고 작(爵)이 소리부이다. 여불위(呂不韋)[97]의 말에 의하면, '탕(湯) 임금이 이윤(伊尹)을 얻자, 햇빛

96) 후표(候表)는 척후병이 적정을 살피다가 보고할 일이 있으면 봉화를 올려 알리는 것을 말한다.
97) 여불위(呂不韋, ?~B.C. 235)는 중국 전국시대 말기 진(秦)나라의 정치가이다. 장양왕 때 승상이 되었고 이후 최고의 상국(相國)이 되었으나 태후의 간통사건에 연루되어 자살하였다. 전국 말기의 귀중한 사료인 『여씨춘추』를 편찬하였다. 원래 양책(陽翟: 河南)의 대상인(大商人)이었다. 그는 국경을 넘나들며 장사를 했으며 이를 통해 거금을 모은 전국시대 대부호였다. 특히 여불위는 수완이 뛰어나고 이재에 밝았다.
그는 최고의 상국(相國)이 되어 중부(仲父)라는 칭호로 불리며 중용되었으며 태후(太后: 진시

에서 채취한 불을 사용한 횃불로 푸닥거리를 했고, 희생용 돼지를 잡아 피를 기물에 칠했다.(爝以爟火, 釁以犧豭.)'라고 했다. 독음은 자(子)와 초(肖)의 반절이다.

**6492**

: 熭: **말릴 위**: 火-**총15획: wèi**

原文

: 暴乾火也. 从火彗聲. 于歲切.

飜譯

'햇빛에 쐬어 말리다(暴乾火)'라는 뜻이다. 화(火)가 의미부이고 혜(彗)가 소리부이다. 독음은 우(于)와 세(歲)의 반절이다.

**6493**

: 熙: **빛날 희**: 火-**총13획: xī**

原文

: 燥也. 从火巸聲. 許其切.

飜譯

'햇빛에 말리다(燥)'라는 뜻이다. 화(火)가 의미부이고 이(巸)가 소리부이다.[98] 독음은 허(許)와 기(其)의 반절이다.

---

황의 모후이자 여불위의 첩)와 밀통관계를 유지하였다. 여불위는 이 관계가 들통 날까 두려워 노애라는 사내를 태후에게 보내어 정을 통하게 하였다. 태자 정이 성장하여 이 관계를 눈치채자 노애가 태자를 제거하려는 반란을 일으켰다가 극형을 당하였다. 여불위는 이 사건에 연루되어 상국에서 파면되어 촉 땅으로 귀양을 가게 되었다. 여불위는 점점 압박해오는 진왕 정의 중압감을 못 이겨 마침내 자살하였다(B.C. 235). 전국 말기의 귀중한 사료로 평가받는 『여씨춘추(呂氏春秋)』는 여불위가 3천여 명의 빈객들의 학식을 모아 편찬한 것이다.(『두산백과』)

98) 소전체에서처럼 巳(여섯째 지지 사)와 火(불 화)가 의미부고 𦣞(턱 이)가 소리부로, 달리 熈나 煕 등으로도 쓴다. 자손(巳, 子와 같은 데서 나온 글자)이 불(火)처럼 번성하다는 뜻으로부터, 흥성하다, 빛나다, 화목하고 즐겁다 등의 뜻이 나왔다.

**6494**

**爞:** 爞: **더울 충**: 火–총22획: cóng

原文

爞: 旱气也. 从火蟲聲. 直弓切.

飜譯

‘건조한 기운(旱气)’을 말한다. 화(火)가 의미부이고 충(蟲)이 소리부이다. 독음은 직(直)과 궁(弓)의 반절이다. [신부]

**6495**

**煽:** 煽: **부칠 선**: 火–총14획: shàn

原文

煽: 熾盛也. 从火扇聲. 式戰切.

飜譯

‘불꽃이 성하게 하다(熾盛)’라는 뜻이다. 화(火)가 의미부이고 선(扇)이 소리부이다. 독음은 식(式)과 전(戰)의 반절이다. [신부]

**6496**

**烙:** 烙: **지질 락**: 火–총10획: luò

原文

烙: 灼也. 从火各聲. 盧各切.

飜譯

‘불로 지지다(灼)’라는 뜻이다. 화(火)가 의미부이고 각(各)이 소리부이다. 독음은 로(盧)와 각(各)의 반절이다. [신부]

**6497**

**爍**: 爍: **빛날 삭**: 火-총19획: shuò

原文

爍: 灼爍, 光也. 从火樂聲. 書藥切.

飜譯

'작삭(灼爍)'을 말하는데, '불을 살라 빛나게 하다(光)'라는 뜻이다. 화(火)가 의미부이고 락(樂)이 소리부이다. 독음은 서(書)와 약(藥)의 반절이다. [신부]

**6498**

**燦**: 燦: **빛날 찬**: 火-총17획: càn

原文

燦: 燦爤, 明瀞皃. 从火粲聲. 倉案切.

飜譯

'찬란함(燦爤)'을 말하는데, '밝고 맑게 빛나는 모양(明瀞皃)'을 말한다. 화(火)가 의미부이고 찬(粲)이 소리부이다. 독음은 창(倉)과 안(案)의 반절이다. [신부]

**6499**

**煥**: 煥: **불꽃 환**: 火-총13획: huàn

原文

煥: 火光也. 从火奐聲. 呼貫切.

飜譯

'불의 빛(火光)'을 말한다. 화(火)가 의미부이고 환(奐)이 소리부이다. 독음은 호(呼)와 관(貫)의 반절이다. [신부]

## 第383부수
## 383 ■ 염(炎)부수

**6500**

炎: 炎: **불탈 염**: 火-**총8획**: yán

原文

炎: 火光上也. 从重火. 凡炎之屬皆从炎. 于廉切.

飜譯

'불꽃이 위로 솟구쳐 올라가다(火光上)'라는 뜻이다. 화(火)가 아래위로 중첩된 모습이다. 염(炎)부수에 귀속된 글자들은 모두 염(炎)이 의미부이다. 독음은 우(于)와 렴(廉)의 반절이다.

**6501**

燄: 燄: **불 댕길 염**: 火-**총16획**: yàn

原文

燄: 火行微燄燄也. 从炎臽聲. 以冉切.

飜譯

'불이 막 붙어 점점 강하게 타오르다(火行微燄燄)'라는 뜻이다. 염(炎)이 의미부이고 함(臽)이 소리부이다. 독음은 이(以)와 염(冉)의 반절이다.

**6502**

煔: 煔: **불꽃 빛날 첨**: 舌-**총14획**: yǎn, tiàn

原文

煔: 火光也. 从炎舌聲. 以冉切.

飜譯

'불빛(火光)'을 말한다. 염(炎)이 의미부이고 설(舌)이 소리부이다. 독음은 이(以)와 염(冉)의 반절이다.

**6503**

**燊: 燊: 불 침범할 름: 火-총16획: lǐn, yǐn**

原文

燊: 侵火也. 从炎亩聲. 讀若桑葚之葚. 力荏切.

飜譯

'불이 점점 타 들어가다(侵火)'라는 뜻이다. 염(炎)이 의미부이고 름(亩)이 소리부이다. 상심(桑葚)이라고 할 때의 심(葚)과 같이 읽는다. 독음은 력(力)과 임(荏)의 반절이다.

**6504**

**煔: 煔: 태울 점·불타오를 첨·빛 이상할 참: 火-총13획: shǎn, qián, shān**

原文

煔: 火行也. 从炎占聲. 舒贍切.

飜譯

'불이 [이글거리며] 타오르다(火行)'라는 뜻이다. 염(炎)이 의미부이고 점(占)이 소리부이다. 독음은 서(舒)와 섬(贍)의 반절이다.

**6505**

**燅: 燅: 데칠 섬: 火-총16획: xián**

原文

燅: 於湯中爚肉. 从炎, 从熱省. 錴, 或从炙. 徐鹽切.

飜譯

'뜨거운 물속에 넣어 고기를 데치다(於湯中爚肉)'라는 뜻이다. 염(炎)이 의미부이고,

열(熱)의 생략된 모습도 의미부이다. 섬(燅)은 혹체자인데, 자(炙)로 구성되었다. 독음은 서(徐)와 염(鹽)의 반절이다.

**6506**

**爕: 燮: 흠씬 삶을 섭: 火-총17획: xiè**

原文

爕: 大熟也. 从又持炎、辛. 辛者, 物熟味也. 蘇俠切.

飜譯

'흠씬 익히다(大熟)'라는 뜻이다. 손(又)으로 불꽃(炎)과 신(辛)을 쥔 모습이다. 신(辛)은 사물이 익어서 나는 맛(物熟味)을 상징한다.[99] 독음은 소(蘇)와 협(俠)의 반절이다.

**6507**

**粦: 粦: 도깨비불 린: 米-총12획: lín**

原文

粦: 兵死及牛馬之血爲粦. 粦, 鬼火也. 从炎、舛. 良刃切.

飜譯

'병기에 찔려 죽은 사람의 피나 소나 말의 피가 도깨비불이 된다(兵死及牛馬之血爲粦).' 린(粦)은 도깨비 불(鬼火)이라는 뜻이다. 염(炎)과 천(舛)이 모두 의미부이다.[100] 독음은 량(良)과 인(刃)의 반절이다.

---

99) 고문자에서 [古文字] 甲骨文 [古文字]金文 등으로 썼다. 갑골문에서 대통을 손(又·우)으로 잡고 불 위에 돌려가며 굽는 모습을 그렸고, 이로부터 '고루 익히다', 고르다, 순조롭다, 화합하다 등의 뜻이 나왔다. 소전체에서는 손(又)과 대(辛·신)와 불(炎·염)로 구성되었던 것이 예서에 들면서 辛이 言(말씀 언)으로 변해 지금의 자형이 되었다.

100) 고문자에서 [古文字] 金文 등으로 썼다. 소전체에서처럼 石(돌 석)이 의미부이고 粦(도깨비불 린)이 소리부로, 번쩍거리는(粦) 빛을 내는 발광체(石)로 화학원소의 하나인 '인(P)'을 말한다.

## 제384부수
## 384 ■ 흑(黑)부수

**6508**

: 黑: 검을 흑: 黑-총12획: hēi

原文

: 火所熏之色也. 从炎, 上出囪. 囪, 古窻字. 凡黑之屬皆从黑. 呼北切.

翻譯

'불에 그슬린 색깔(火所熏之色)'을 말한다. 염(炎)이 위로 올라가 연통(囪)으로 나가는 모습이다. 창(囪)은 옛날의 창(窻)자이다.101) 흑(黑)부수에 귀속된 글자들은 모두 흑(黑)이 의미부이다. 독음은 호(呼)와 북(北)의 반절이다.

**6509**

: 黸: 검을 로: 黑-총28획: lú

原文

: 齊謂黑爲黸. 从黑盧聲. 洛乎切.

翻譯

'제(齊) 지역에서는 흑(黑)을 로(黸)라고 한다.' 흑(黑)이 의미부이고 로(盧)가 소리부

---

101) 고문자에서 金文 古陶文 盟書 簡牘文 古璽 등으로 썼다. 소전체에서처럼 금문에서 얼굴에 墨刑(묵형)을 당한 사람을 그렸다. 墨刑은 옛날 형벌 중 비교적 가벼운 형벌로, 얼굴에다 문신을 새기는 형벌이다. 소전체에 들면서 아랫부분은 炎(불 탈 염)으로 윗부분은 네모꼴의 굴뚝이나 창문(囱·창)으로 바뀌어, 불을 땔 때의 그을음이 창문이나 굴뚝에 묻어 있음을 표시했다. 『설문해자』에서는 이 자형에 근거해 "불에 그슬린 색깔을 말한다"라고 했다. 어쨌든 '검은' 색을 나타내는 데는 문제가 없다. 그래서 黑으로 구성된 글자들은 검은색을 대표하며, 검은색이 주는 더럽고 부정적 인식을 반영하기도 한다. 또 검은색으로 표시된 것이라는 점에서 '점'이나 '주근깨', 나아가 '잠잠함'을 뜻하기도 한다.

이다. 독음은 락(洛)과 호(乎)의 반절이다.

**6510**

黷: 黷: **거무스름할 회**: 黑-**총25획**: **wèi**

原文

黷: 沃黑色. 从黑會聲. 惡外切.

飜譯

'[불에 거슬려] 거무스름한 색(沃黑色)'을 말한다. 흑(黑)이 의미부이고 회(會)가 소리부이다. 독음은 악(惡)과 외(外)의 반절이다.

**6511**

黯: 黯: **어두울 암**: 黑-**총21획**: **àn**

原文

黯: 深黑也. 从黑音聲. 乙減切.

飜譯

'짙은 검은색(深黑)'을 말한다. 흑(黑)이 의미부이고 음(音)이 소리부이다. 독음은 을(乙)과 감(減)의 반절이다.

**6512**

黶: 黶: **검정사마귀 염**: 黑-**총26획**: **yǎn**

原文

黶: 申黑也. 从黑厭聲. 於琰切.

飜譯

'얼굴의 검은 점(申黑)'을 말한다. 흑(黑)이 의미부이고 염(厭)이 소리부이다. 독음은 어(於)와 염(琰)의 반절이다.

**6513**

**𪑚: 黳: 주근깨 예: 黑-총23획: yì**

原文

𪑚: 小黑子. 从黑殹聲. 烏雞切.

飜譯

'작은 검은 점(小黑子)[주근깨]'을 말한다. 흑(黑)이 의미부이고 예(殹)가 소리부이다. 독음은 오(烏)와 계(雞)의 반절이다.

**6514**

**黵: 黕: 회색 달: 黑-총17획: dá, zhǎn**

原文

黕: 白而有黑也. 从黑旦聲. 五原有莫黕縣. 當割切.

飜譯

'흰색에 검은색이 들어간 색(白而有黑)'을 말한다. 흑(黑)이 의미부이고 단(旦)이 소리부이다. 어원(五原)군에 막달현(莫黕縣)이 있다. 독음은 당(當)과 할(割)의 반절이다.

**6515**

**黬: 黬: 검을 감: 黑-총27획: jiān**

原文

黬: 雖晳而黑也. 从黑箴聲. 古人名黬字晳. 古咸切.

飜譯

'희지만 검은 기운이 있는 얼굴(雖晳而黑)'을 말한다. 흑(黑)이 의미부이고 잠(箴)이 소리부이다. 옛날 사람의 이름이 감(黬)이면 그의 자(字)를 석(晳)으로 지었다.[102] 독음은 고(古)와 함(咸)의 반절이다.

6516

**黭: 䵨: 검붉을 양: 黑-총21획: yàng**

原文

黭: 赤黑也. 从黑昜聲. 讀若煬. 餘亮切.

飜譯

'붉은색이 나는 검은색(赤黑)'을 말한다. 흑(黑)이 의미부이고 양(昜)이 소리부이다. 양(煬)과 같이 읽는다. 독음은 여(餘)와 량(亮)의 반절이다.

6517

**黲: 黲: 검푸르죽죽할 참: 黑-총23획: cǎn**

原文

黲: 淺青黑也. 从黑参聲. 七感切.

飜譯

'옅은 푸른색이 도는 검은색(淺青黑)'을 말한다. 흑(黑)이 의미부이고 참(参)이 소리부이다. 독음은 칠(七)과 감(感)의 반절이다.

6518

**黤: 黤: 검푸를 암: 黑-총20획: yǎn**

102) 『단주』에서 이렇게 말했다. "『사기·중니제자열전(仲尼弟子列傳)』에서 증침(曾蒧)은 자가 석(晳)이고, 해용잠(奚容箴)의 자는 자석(子晳)이라 했고, 적흑(狄黑)의 자는 석(晳)이라 했다. 침(蒧)이나 잠(箴)은 모두 감(黷)의 생략된 모습이다. 『논어』에서도 증석(曾晳)은 이름이 점(點)이라 했는데, 모두 동음 가차에 의한 것이다." 자는 이름의 의미와 연계해서 짓는데, 잠(黷)이 '검다'는 뜻을 가지므로, 자도 이와 연계해서 '희다'는 뜻을 가진 석(晳)을 사용했다는 말이다. '검다'는 뜻과 대칭되는 '희다'는 뜻의 글자를 사용한 것은 반훈(反訓)의 원리를 응용한 결과로 보인다.

原文

黭: 青黑也. 从黑奄聲. 於檻切.

飜譯

'푸르스름한 검은색(青黑)[청흑색]'을 말한다. 흑(黑)이 의미부이고 엄(奄)이 소리부이다. 독음은 어(於)와 함(檻)의 반절이다.

**6519**

**黝: 黝: 검푸를 유: 黑-총17획: yào, yóu**

原文

黝: 微青黑色. 从黑幼聲. 『爾雅』曰 : "地謂之黝." 於糾切.

飜譯

'약간 푸른색이 도는 검은색(微青黑色)'을 말한다. 흑(黑)이 의미부이고 유(幼)가 소리부이다. 『이아·석궁(釋宮)』에서 "검푸른 색으로 칠한 땅(地)을 유(黝)라 한다"라고 했다.103) 독음은 어(於)와 규(糾)의 반절이다.

**6520**

**黗: 黗: 누르고 검을 돈: 黑-총16획: tuǎn**

原文

黗: 黄濁黑. 从黑屯聲. 他衮切.

飜譯

'누른색이 도는 탁한 검은색(黄濁黑)'을 말한다. 흑(黑)이 의미부이고 둔(屯)이 소리부이다. 독음은 타(他)와 곤(衮)의 반절이다.

103) 『이아소』에서 "여기서는 궁실의 담과 꾸민 것의 명칭을 구별하였다.……검은색으로 땅에 칠한 것을 유(黝)라 하고, 흰색으로 담을 칠한 것을 악(堊)이라 하는데, 『주례·춘관·수조직(守祧職)』에서 '그 조(祧: 원조를 합사하기 위해 조묘로 옮기는 일)는 지켜 옮기되 검은 바닥에 흰 담이 있는 곳으로 한다.'라고 하였는데, 바로 이를 두고 한 말이다."라고 했다.

**6521**

**黗: 點: 점 점: 黑-총17획: diǎn**

原文

黗: 小黑也. 从黑占聲. 多忝切.

飜譯

'작은 검은 점(小黑)'을 말한다. 흑(黑)이 의미부이고 점(占)이 소리부이다. 독음은 다(多)와 첨(忝)의 반절이다.

**6522**

**黚: 黚: 강 이름 감·겸: 黑-총17획: gàn**

原文

黚: 淺黃黑也. 从黑甘聲. 讀若染繒中束緅黚. 巨淹切.

飜譯

'연한 누런색을 띠는 검은색(淺黃黑)'을 말한다. 흑(黑)이 의미부이고 감(甘)이 소리부이다. '염증중속추감(染繒中束緅黚)'[104]이라고 할 때의 감(黚)과 같이 읽는다. 독음은 거(巨)와 엄(淹)의 반절이다.

**6523**

**黅: 黅: 싯누럴 금: 黑-총20획: jīn, qián**

原文

黅: 黃黑也. 从黑金聲. 古咸切.

---

104) 해석이 잘 되지 않는다. 그래서 『단주』에서도 "이 구절은 잘못된 문장일 것이다. 들어보지 못한 말이다.(此句有譌字, 未聞.)"이라고 했다.

飜譯

‘누런 검은색(黃黑)’을 말한다. 흑(黑)이 의미부이고 금(金)이 소리부이다. 독음은 고(古)와 함(咸)의 반절이다.

**6524**

**: 黦: 검을 울: 黑-총21획: yuè**

原文

: 黑有文也. 从黑冤聲. 讀若飴盌字. 於月切.

飜譯

‘무늬가 도는 검은색(黑有文)’을 말한다. 흑(黑)이 의미부이고 원(冤)이 소리부이다. 이원(飴盌)의 원(盌)자와 같이 읽는다.[105) ] 독음은 어(於)와 월(月)의 반절이다.

**6525**

**: 䵵: 검누르스름할 촬: 黑-총26획: chuā, zhuó**

原文

: 黃黑而白也. 从黑算聲. 一曰短黑. 讀若以芥爲齏, 名曰芥荃也. 初刮切.

飜譯

‘누런 검은색이면서 흰색이 돌다(黃黑而白)’라는 뜻이다. 흑(黑)이 의미부이고 산(算)이 소리부이다. 일설에는 ‘키가 작고 검은 것(短黑)’을 말한다고도 한다. “겨자(芥)를 잘게 썰어(齏) 만든다”라고 할 때의 제(齏)와 같이 읽는데, 개전(芥荃)[겨자로 무친 나물]을 말한다. 독음은 초(初)와 괄(刮)의 반절이다.

---

105) 『설문』 두(豆)부수에서 “원(盌)은 콩으로 만든 엿(豆飴)을 말한다”라고 했다. 완(豌)과 같은 글자다. 청나라 최호(翟灝)의 『통속편(通俗編)』(권36)에서도 “『당육전(唐六典)』에 원두(盌豆)가 나오는데 여기서도 완(豌)으로 적었다”라고 했다.

**6526**

**𪐳: 黰: 검은 주름살 견: 黑-총18획: jiǎn**

原文

𪐳: 黑皴也. 从黑幵聲. 古典切.

飜譯

'검은 주름(黑皴)'을 말한다. 흑(黑)이 의미부이고 견(幵)이 소리부이다. 독음은 고(古)와 전(典)의 반절이다.

**6527**

**黠: 黠: 약을 힐: 黑-총18획: xiá**

原文

黠: 堅黑也. 从黑吉聲. 胡八切.

飜譯

'건강미 넘치는 검은색(堅黑)'을 말한다. 흑(黑)이 의미부이고 길(吉)이 소리부이다. 독음은 호(胡)와 팔(八)의 반절이다.

**6528**

**黔: 黔: 검을 검: 黑-총16획: qián**

原文

黔: 黎也. 从黑今聲. 秦謂民爲黔首, 謂黑色也. 周謂之黎民. 『易』曰: "爲黔喙." 巨淹切.

飜譯

'검다(黎)'라는 뜻이다. 흑(黑)이 의미부이고 금(今)이 소리부이다. 진(秦) 지역에서는 백성(民)을 금수(黔首)라 하는데, [두건을 쓰지 않아 머리칼이 그대로 드러나] 검은색(黑色)이기 때문에 그렇게 부른다. 주(周) 지역에서는 이를 여민(黎民)이라 부른다.[106)]

『역·설괘(說卦)』에서 "주둥이가 검은 짐승을 상징한다(爲黔喙)"라고 했다. 독음은 거(巨)와 엄(淹)의 반절이다.

**6529**

**黕: 黕: 때 담: 黑-총16획: dǎn**

原文

黕: 滓垢也. 从黑冘聲. 都感切.

飜譯

'찌꺼기와 때(滓垢)'를 말한다. 흑(黑)이 의미부이고 유(冘)가 소리부이다. 독음은 도(都)와 감(感)의 반절이다.

**6530**

**黨: 黨: 무리 당: 黑-총20획: dǎng**

原文

黨: 不鮮也. 从黑尚聲. 多朗切.

飜譯

'선명하지 않다(不鮮)'라는 뜻이다. 흑(黑)이 의미부이고 상(尚)이 소리부이다.[107] 독

106) 소전체에서처럼 黑(검을 흑)이 의미부이고 今(이제 금)은 소리부로, 검은(黑) 색을 말한다. 黔首(검수)는 '백성'을 뜻하는 말인데, 관을 쓴 귀족들과는 달리 관을 쓰지 않아 검은(黔) 머리(首)를 그대로 드러내는 존재라는 뜻이다.

107) 고문자에서 黨簡牘文 등으로 썼다. 黑(검을 흑)이 의미부이고 尙(오히려 상)이 소리부로, '무리지어' 나쁜 것(黑)을 숭상(尙)하는 무리나 집단을 말하며, 이로부터 무리, 친족, 朋黨(붕당), 붕당을 짓다, 사적인 정에 치우치다 등의 뜻이 나왔다. 또 옛날의 기층 조직으로, 5家(가)를 隣(린), 5隣을 里(리), 5백家를 黨이라 했다. 黨同伐異(당동벌이)는 시비곡직을 불문하고 자기편 사람은 무조건 돕고 반대편 사람은 무조건 배격함을 말한다. 간화자에서는 의미부인 黑을 儿(사람 인)으로 바꾼 党으로 쓰는데, 사람(儿)을 숭상하고(尙) 존중하는 것이 '(중국공산)당'임을 천명했다. 하지만, 혹자는 사람들이 숭상해야 할 것이 '(중국공산)당'임을 나타낸다고도 한다.

음은 다(多)와 랑(朗)의 반절이다.

**6531**

**黷: 黷: 더럽힐 독: 黑-총27획: dú**

原文

黷: 握持垢也. 从黑賣聲. 『易』曰 : "再三黷." 徒谷切.

飜譯

'계속해서 더럽히다(握持垢)'라는 뜻이다. 흑(黑)이 의미부이고 매(賣)가 소리부이다. 『역·몽괘(蒙卦)』에서 "두 번 세 번 계속해서 모독하다(再三黷)"라고 했다. 독음은 도(徒)와 곡(谷)의 반절이다.

**6532**

**黵: 黵: 문신할 담: 黑-총25획: dàn**

原文

黵: 大污也. 从黑詹聲. 當敢切.

飜譯

'크게 더럽히다(大污)'라는 뜻이다. 흑(黑)이 의미부이고 첨(詹)이 소리부이다. 독음은 당(當)과 감(敢)의 반절이다.

**6533**

**黴: 黴: 곰팡이 미: 黑-총23획: méi**

原文

黴: 中久雨青黑. 从黑, 微省聲. 武悲切.

飜譯

'중간에 오랫동안 비가 와 [곰팡이가 펴] 검푸르게 되는 것(中久雨青黑)'을 말한다. 흑

(黑)이 의미부이고, 미(微)의 생략된 부분이 소리부이다. 독음은 무(武)와 비(悲)의 반절이다.

**6534**

**黜: 黜: 물리칠 출: 黑-총17획: chù**

原文

黜: 貶下也. 从黑出聲. 丑律切.

飜譯

'폄하하다(貶下)'라는 뜻이다. 흑(黑)이 의미부이고 출(出)이 소리부이다. 독음은 축(丑)과 률(律)의 반절이다.

**6535**

**黲: 黲: 빛이 낡을 반: 黑-총22획: pán**

原文

黲: 黲姍, 下哂. 从黑般聲. 薄官切.

飜譯

'반산(黲姍)은 등급이 낮은 색깔(下哂)'을 말한다. 흑(黑)이 의미부이고 반(般)이 소리부이다. 독음은 박(薄)과 관(官)의 반절이다.

**6536**

**黱: 黱: 눈썹 그릴 대: 黑-총22획: dài**

原文

黱: 畫眉也. 从黑朕聲. 徒耐切.

飜譯

'[눈썹먹으로] 눈썹을 그리다(畫眉)'라는 뜻이다. 흑(黑)이 의미부이고 짐(朕)이 소리부이다. 독음은 도(徒)와 내(耐)의 반절이다.

**6537**

**儵: 儵: 빠를 숙: 人–총19획: shù**

原文

儵: 青黑繒縫白色也. 从黑攸聲. 式竹切.

飜譯

'청흑 색에 흰색 실로 기운 비단(青黑繒縫白色)'을 말한다. 흑(黑)이 의미부이고 유(攸)가 소리부이다. 독음은 식(式)과 죽(竹)의 반절이다.

**6538**

**黬: 黬: 갖옷 꿰맨 눈 역: 黑–총20획: yú**

原文

黬: 羔裘之縫. 从黑或聲. 于逼切.

飜譯

'양가죽으로 만든 옷의 바느질한 곳(羔裘之縫)'을 말한다. 흑(黑)이 의미부이고 혹(或)이 소리부이다. 독음은 우(于)와 핍(逼)의 반절이다.

**6539**

**黰: 黰: 앙금 전: 黑–총21획: diàn**

原文

黰: 黰謂之垽. 垽, 滓也. 从黑, 殿省聲. 堂練切.

飜譯

'전(黰)을 은(垽)이라 부른다.[108] 은(垽)은 앙금(滓)'을 말한다. 흑(黑)이 의미부이고, 전(殿)의 생략된 부분이 소리부이다. 독음은 당(堂)과 련(練)의 반절이다.

**6540**

**黮: 黮: 검을 담: 黑-총21획: tǎn**

原文

黮: 桑葚之黑也. 从黑甚聲. 他感切.

飜譯

'오디처럼 검은색(桑葚之黑)'을 말한다. 흑(黑)이 의미부이고 심(甚)이 소리부이다. 독음은 타(他)와 감(感)의 반절이다.

**6541**

**黭: 黭: 검을 암: 黑-총21획: àn, yān, yìn**

原文

黭: 果實黭黯黑也. 从黑弇聲. 烏感切.

飜譯

'과실이 부패하여 검은색으로 변하다(果實黭黯黑)'라는 뜻이다. 흑(黑)이 의미부이고 엄(弇)이 소리부이다. 독음은 오(烏)와 감(感)의 반절이다.

**6542**

**黥: 黥: 묵형할 경: 黑-총20획: jīng**

原文

黥: 墨刑在面也. 从黑京聲. 剠, 黥或从刀. 渠京切.

飜譯

'얼굴에 묵형을 하다(墨刑在面)'라는 뜻이다. 흑(黑)이 의미부이고 경(京)이 소리부이다.

108) 은(垽)의 독음에 대해 『광운(廣韻)』에서는 어(魚)와 근(僅)의 반절이라 했고, 『운회(韻會)』에서는 의(疑)와 근(僅)의 반절이며 은(銀)자의 거성(去聲)이라고 하였다. 뜻은 찌꺼기(滓)이다.

경(黥)은 경(黥)의 혹체자인데, 도(刀)로 구성되었다. 독음은 거(渠)와 경(京)의 반절이다.

**6543**

**[篆]: 黯: 잊을 암: 黑-총24획: yǎn, ǎn, àn**

原文

[篆]: 黯者忘而息也. 从黑敢聲. 於檻切.

飜譯

'잘 잊어버리는 사람이 또 잊어버리고서 쉬려고 하다(黯者忘而息)'라는 뜻이다. 흑(黑)이 의미부이고 감(敢)이 소리부이다. 독음은 어(於)와 함(檻)의 반절이다.

**6544**

**[篆]: 黟: 검을 이: 黑-총18획: yī**

原文

[篆]: 黑木也. 从黑多聲. 丹陽有黟縣. 烏雞切.

飜譯

'검은색이 나는 나무(黑木) 즉 오목'을 말한다. 흑(黑)이 의미부이고 다(多)가 소리부이다. 단양(丹陽)군에 이현(黟縣)이 있다. 독음은 오(烏)와 계(雞)의 반절이다.

완역 설문해자
제10권
(하)

## 제385부수
## 385 ■ 창(囪)부수

**6545**

**囪: 囪: 창 창·굴뚝 총: 囗-총7획: chuāng**

原文

囪: 在牆曰牖, 在屋曰囪. 象形. 凡囪之屬皆从囪. 窗, 或从穴. 囧, 古文. 楚江切.

飜譯

'담장에 내는 창(在牆)을 유(牖)라 하고, 집의 벽에 내는 창(在屋)을 창(囪)이라 한다.' 상형이다.109) 창(囪)부수에 귀속된 글자들은 모두 창(囪)이 의미부이다. 창(窗)은 혹체자인데, 혈(穴)로 구성되었다. 창(囧)은 고문체이다. 독음은 초(楚)와 강(江)의 반절이다.

**6546**

**悤: 悤: 바쁠 총: 心-총11획: cōng**

原文

悤: 多遽悤悤也. 从心、囪, 囪亦聲. 倉紅切.

飜譯

'번잡하고 급작스레 바쁘다(多遽悤悤)'라는 뜻이다. 심(心)과 창(囪)이 모두 의미부인데, 창(囪)은 소리부도 겸한다.110) 독음은 창(倉)과 홍(紅)의 반절이다.

---

109) 소전체에서처럼 穴(구멍 혈)과 心(마음 심)이 의미부이고 囱(천장 창)이 소리부로, 동굴 집(穴)에 통풍을 위해 만든 핵심(心) 장치인 창문(囱)을 말하는데, 囱이 厶(사사 사)로 변해 지금의 자형이 되었으며, 원래는 窗의 속자이다. 원래는 囱으로 썼는데, 동굴 집에서부터 설치되었다는 뜻에서 穴을 더해 窗이 되었고, 그것이 집의 핵심장치라는 뜻에서 다시 心이 더해져 窻이 되었으며, 자형이 줄어 지금의 窓이 되었다. 간화자에서는 心이 빠진 窗을 쓴다.

110) 고문자에서 [ancient glyph] [ancient glyph]金文 [ancient glyph]古璽文 등으로 그렸다. 心(마음 심)이 의미부이고 囪(천장 창)이 소리부로, 마음(心)이 '급하고 바쁨'을 말한다. 금문에서 심장을 그린 心에 점이 더해진 모습인데, 심장에다 점을 더함으로써 마음(心)이 '급하고 바쁨'을 형상화했다. 이후 의미를 강화하기 위해 다시 心을 더해 지금의 자형이 되었는데, 예서에서는 怱(바쁠 총, 悤의 속자)으로 변하기도 했다. 간화자에서는 匆(바쁠 총)에 통합되었다.

## 제386부수
## 386 ■ 염(焱)부수

**6547**

**焱**: 焱: **불꽃 염**: 火-총12획: yàn

原文

焱: 火華也. 从三火. 凡焱之屬皆从焱. 以冄切.

飜譯

'불꽃(火華)'을 말한다. 세 개의 화(火)로 구성되었다.111) 염(焱)부수에 귀속된 글자들은 모두 염(焱)이 의미부이다. 독음은 이(以)와 염(冄)의 반절이다.

**6548**

**熒**: 荧: **등불 형**: 火-총14획: yíng

原文

熒: 屋下鐙燭之光. 从焱、冂. 戶扃切.

飜譯

'처마 아래에 놓인 등불의 빛(屋下鐙燭之光)'을 말한다. 염(焱)과 경(冂)이 모두 의미부이다.112) 독음은 호(戶)와 경(扃)의 반절이다.

---

111) 고문자에서 [고문자] 甲骨文 등으로 그렸다. 세 개의 火(불 화)로 구성되어, 火가 둘 모인 炎(불탈 염)보다 더욱 강하게 타오르는 '불꽃'을 말한다.

112) 고문자에서 [고문자] 古陶文 등으로 그렸다. 火(불 화)가 의미부고 榮(꽃 영)의 생략된 모습이 소리부로, 활짝 핀 꽃처럼(榮) 불빛(火)이 환한 모습을 말하며, 불이 타는 모습, 등불 등의 뜻이 나왔다. 간화자에서는 윗부분의 炏(불 성할 개)를 艹(풀 초)로 줄여 荧으로 쓴다.

**6549**

**燊: 燊: 불꽃 성한 모양 신: 火-총16획: shēn**

原文

燊: 盛皃. 从焱在木上. 讀若『詩』"莘莘征夫". 一曰役也. 所臻切.

飜譯

'왕성한 모습(盛皃)'을 말한다. 불꽃(焱)이 나무(木) 위에 놓인 모습이다. 『시·소아·황황자화(皇皇者華)』에서 노래한 "신신정부(莘莘征夫: 말 달리어 길가는 사람은)"의 신(莘)과 같이 읽는다.[113] 일설에는 '부리다(役)'라는 뜻이라고도 한다. 독음은 소(所)와 진(臻)의 반절이다.

113) 금본에서는 신신(莘莘)이 신신(駪駪)으로 되었다.

## 제387부수
## 387 ■ 자(炙)부수

6550

**炙: 炙: 고기 구울 자적: 火-총8획: zhì**

原文

炙: 炮肉也. 从肉在火上. 凡炙之屬皆从炙. 𤏿, 籒文. 之石切.

譯解

'고기를 불에 굽다(炮肉)'라는 뜻이다. 고기(肉)가 불(火) 위에 놓인 모습이다.[114] 자(炙)부수에 귀속된 글자들은 모두 자(炙)가 의미부이다. 자(𤏿)는 주문체이다. 독음은 지(之)와 석(石)의 반절이다.

6551

**燔: 燔: 제사에 쓰는 고기 번: 火-총20획: fán**

原文

燔: 宗廟火孰肉. 从炙番聲. 『春秋傳』曰: "天子有事燔焉, 以饋同姓諸矦." 附袁切.

譯解

'종묘제사에서 사용하는 불에 익힌 고기(宗廟火孰肉)'를 말한다. 자(炙)가 의미부이고 번(番)이 소리부이다. 『춘추전』(『좌전』 희공 24년, B.C. 636)에서 "천자가 해야 할 일이 있다면 종묘의 제사에서 불에 구운 고기를 사용하고, 제사를 마친 후 고기를 동성 제후들에게 나누어 주는 일이다.(天子有事燔焉, 以饋同姓諸矦.)"라고 했다. 독

114) 고문자에서 炙簡牘文 炙 炙古璽文 등으로 그렸다. 肉(고기 육)과 火(불 화)로 구성되어, 고기(肉)를 불(火)에 굽는 모습을 형상화했으며, 이로부터 불에 굽다는 뜻이 나왔고, 다시 불에 익힌 고기, 볕에 말리다, 안주 등의 뜻이 나왔다. 달리 火 대신 庶(여러 서)가 들어간 爖(구울 자·적)로 쓰기도 한다.

음은 부(附)와 원(袁)의 반절이다.

**6552**

**䆸**: 䆸: **구울 료**: 火-총20획: liào

原文

䆸: 炙也. 从炙尞聲. 讀若爐燎. 力照切.

飜譯

'고기를 불에 굽다(炙)'라는 뜻이다. 자(炙)가 의미부이고 료(尞)가 소리부이다. '초료(爐燎)'115)라고 할 때의 '료(燎)'와 같이 읽는다. 독음은 력(力)과 조(照)의 반절이다.

115) 정확한 의미는 잘 알 수 없다. 그래서 『단주』에서도 "아마도 한나라 당시에는 이런 말이 있었을 것이다(漢時蓋有此語)"라고 했다. 초(爐)는 초(焦)와 같은데, 점을 칠 때 길흉을 점칠 조상(兆象)을 얻고자 '거북딱지를 불로 지지다'는 뜻으로 추정된다.

# 제388부수
## 388 ■ 적(赤)부수

**6553**

**赤: 赤: 붉을 적: 赤-총7획: chì**

原文

赤: 南方色也. 从大从火. 凡赤之屬皆从赤. 烾, 古文从炎、土. 昌石切.

飜譯

'남방을 상징하는 색(南方色)'을 말한다. 대(大)가 의미부이고 화(火)도 의미부이다.116) 적(赤)부수에 귀속된 글자들은 모두 적(赤)이 의미부이다. 적(烾)은 고문체인데, 염(炎)과 토(土)로 구성되었다. 독음은 창(昌)과 석(石)의 반절이다.

**6554**

**赨: 赨: 붉을 동: 赤-총13획: tóng**

原文

---

116) 고문자에서 甲骨文 金文 古陶文 簡牘文 帛書 古璽文 등으로 그렸다. 갑골문에서 大(큰 대)와 火(불 화)로 구성되어, 사람(大)을 불(火)에 태우는 모습인데, 예서 이후로 지금의 자형으로 변했다. 赤은 갑골문에서 이미 붉은 색을 지칭했지만, 비를 바라며 사람을 희생으로 삼아 지내는 제사 이름으로도 쓰였는데, 다리를 꼬아 묶은 사람(交·교)을 불에 태우는 모습이 烄(태울 교)와 닮았다. 사람을 태울 정도라면 시뻘건 불꽃이 훨훨 타오르는 대단한 모습이었을 것이다. 이로부터 '벌겋다'는 뜻이 나왔고, 이 때문에 赤을 커다란(大) 불(火)로 해석하기도 한다. 한편, 붉은색은 피의 색깔이고 심장의 상징이기도 하다. 그래서 핏덩이로 태어난 아기를 赤子(적자)라 하며, 갓난아기처럼 아무것도 걸치지 않은 자연 그대로의 모습을 '赤裸裸(적나라)'라고 한다. 赤子는 옛날 임금에 대칭하여 백성을 지칭하는 말로 쓰기도 했고, 赤心(적심)이라는 말은 '조금도 거짓이 없는 참된 마음'이라는 뜻으로 마음속에서 우러나오는 충성심을 말한다.

𧹞: 赤色也. 从赤, 蟲省聲. 徒冬切.

飜譯

'붉은색(赤色)'을 말한다. 적(赤)이 의미부이고, 충(蟲)의 생략된 부분이 소리부이다. 독음은 도(徒)와 동(冬)의 반절이다.

**6555**

**𧹟: 赫: 햇발 붉을 혹: 赤-총17획: hù**

原文

𧹟: 日出之赤. 从赤, 穀省聲. 火沃切.

飜譯

'해가 뜰 때의 붉은색(日出之赤)'을 말한다. 적(赤)이 의미부이고, 곡(穀)의 생략된 부분이 소리부이다. 독음은 화(火)와 옥(沃)의 반절이다.

**6556**

**赧: 赧: 얼굴 붉힐 난: 赤-총12획: nǎn**

原文

赧: 面慙赤也. 从赤𠬝聲. 周失天下於赧王. 女版切.

飜譯

'부끄러워 얼굴이 붉어지다(面慙赤)'라는 뜻이다. 적(赤)이 의미부이고 복(𠬝)이 소리부이다. 주(周)나라는 난왕(赧王)117) 때에 천하를 잃었다. 독음은 녀(女)와 판(版)의

117) 난왕(赧王)은 중국 전국시대 주(周)나라의 제37대 왕이자 동주 시대의 제25대 왕으로 주나라의 마지막 왕이다(재위 B.C. 314~B.C. 256). 성은 희(姬)씨고, 이름은 연(延)이다. 현왕(顯王)의 손자고, 신정왕(愼靚王)의 아들이다. 당시 주나라는 이미 동주와 서주 두 소국(小國)으로 분열되어 있었다. 난왕은 명칭만 천자(天子)였지 사실은 서주(西周)에 붙어사는 처지였다. 서주의 무공(武公)이 땅을 모두 진(秦)나라에 바쳐, 난왕이 죽자 주 왕조(周王朝)는 멸망했다. 59년 동안 재위했다. 전하는 말로 난왕이 백성들에게 부채를 져서 빚 독촉을 피하려고 궁 안의 대(臺) 위에 올라가 살아 주나라 사람들이 그 대를 도채대(逃債臺)라 불렀다고 한다. 진

반절이다.

6557

**赬: 經: 붉을 정: 赤-총14획: chēng**

原文

赬: 赤色也. 从赤巠聲. 『詩』曰: "魴魚經尾." 赬, 經或从貞. 赩, 或从丁. 敕貞切.

飜譯

'붉은색(赤色)'을 말한다. 적(赤)이 의미부이고 경(巠)이 소리부이다. 『시·주남·여분(汝墳)』에서 "방어 꼬리 붉어지도록 노력했는데도(魴魚經尾)"라고 노래했다.118) 정(赬)은 정(經)의 혹체자인데, 정(貞)으로 구성되었다. 정(赩)은 혹체자인데, 정(丁)으로 구성되었다. 독음은 칙(敕)과 정(貞)의 반절이다.

6558

**浾: 浾: 산 앵두나 대추의 즙 청: 水-총10획: chēng**

原文

浾: 經, 棠棗之汁, 或从水. 泟, 浾或从正. 勑貞切.

飜譯

'정(經)과 같아 붉은색'을 말하는데, '산 앵두(棠)나 대추(棗)의 즙[색깔]'을 말한다. 정(經)은 간혹 수(水)로 구성되기도 한다. 청(泟)은 청(浾)의 혹체자인데, 정(正)으로

(秦)나라가 한(韓)나라와 조(趙)나라를 정벌하며 위세를 떨치자, 두려운 나머지 진나라를 배반하고 제후들과 맹약(盟約)하여 진나라를 치려고 했다. 이에 진나라가 장군 규(摎)를 보내 공격하니 진나라로 직접 들어가서 머리를 조아려 사죄하고 읍(邑) 36개와 인구 3만을 바쳤다. 진나라가 이를 받고 난왕을 주나라로 돌려보냈다. 이 해 난왕은 죽고 주나라는 멸망했다.(『중국역대인명사전』) 이후 난헌(赧獻)이라는 말도 생겼는데, 주(周)나라의 난왕(赧王)과 한(漢)나라의 헌제(獻帝)를 가리키는 말로, 권신(權臣)에게 휘둘려 나라를 멸망에 이르게 한 무능한 군주를 뜻한다.

118) 금본에서는 정(經)이 정(赬)으로 되었다.

구성되었다. 독음은 칙(勅)과 정(貞)의 반절이다.[119]

**6559**

**赭: 赭: 붉은 흙 자: 赤-총16획: zhě**

原文

赭: 赤土也. 从赤者聲. 之也切.

飜譯

'붉은색의 흙(赤土)'을 말한다. 적(赤)이 의미부이고 자(者)가 소리부이다. 독음은 지(之)와 야(也)의 반절이다.

**6560**

**䞓: 䞓: 붉은 빛 환: 赤-총17획: gàn**

原文

䞓: 赤色也. 从赤倝聲. 讀若浣. 胡玩切.

飜譯

'붉은색(赤色)'을 말한다. 적(赤)이 의미부이고 간(倝)이 소리부이다. 완(浣)과 같이 읽는다. 독음은 호(胡)와 완(玩)의 반절이다.

**6561**

**赫: 赫: 붉을 혁: 赤-총14획: hè**

原文

赫: 火赤皃. 从二赤. 呼格切.

飜譯

119) 이 반절음은 원문에는 없으나 『단주』에 근거해 보충해 넣었다.

'불이 붉게 타오르는 모양(火赤皃)'을 말한다. 두 개의 적(赤)으로 구성되었다.120) 독음은 호(呼)와 격(格)의 반절이다.

**6562**

**𧹞**: 赩: **붉을 혁**: 赤-**총13획**: **hè**

原文

𧹞: 大赤也. 从赤、色, 色亦聲. 許力切.

飜譯

'[불이] 대단한 기세로 붉게 타오르다(大赤)'라는 뜻이다. 적(赤)과 색(色)이 모두 의미부인데, 색(色)은 소리부도 겸한다. 독음은 허(許)와 력(力)의 반절이다. [신부]

**6563**

**赮**: 赮: **붉을 하**: 赤-**총16획**: **xiá**

原文

赮: 赤色也. 从赤叚聲. 乎加切.

飜譯

'붉은색(赤色)'을 말한다. 적(赤)이 의미부이고 가(叚)가 소리부이다. 독음은 호(乎)와 가(加)의 반절이다. [신부]

---

120) 두 개의 赤(붉을 적)으로 구성되어, 큰 불꽃(赤)에서 나는 강한 붉은빛을 말하며, 그의 색깔인 붉은색을 뜻한다. 이후 의미를 강화하기 위해 火(불 화)를 다시 더하여 爀(붉을 혁)을 만들었다.

## 제389부수
## 389 ■ 대(大)부수

**6564**

**大: 大: 큰 대: 大-총3획: dà**

原文

大: 天大, 地大, 人亦大. 故大象人形. 古文亣(他達切)也. 凡大之屬皆从大. 徒蓋切.

飜譯

'하늘도 크고, 땅도 크고, 사람도 크다(天大, 地大, 人亦大). 그래서 대(大)는 사람(人)의 모양을 형상했다. 이 태(亣)자는 고문체로 된 대(大)이다(독음은 他와 達의 반절이다).[121] 대(大)부수에 귀속된 글자들은 모두 대(大)가 의미부이다. 독음은 도(徒)와 개(蓋)의 반절이다.

**6565**

**奎: 奎: 별 이름 규: 大-총9획: kuí**

原文

奎: 兩髀之閒. 从大圭聲. 苦圭切.

飜譯

'두 넓적다리 사이 부분(兩髀之閒)[꽁무니]'을 말한다. 대(大)가 의미부이고 규(圭)가

121) 고문자에서 [glyphs] 甲骨文 [glyphs] 金文 [glyphs] 古陶文 [glyphs] 簡牘文 [glyph] 石刻古文 등으로 그렸다. 팔과 다리를 벌린 사람의 정면 모습을 그렸는데, 사람의 측면 모습을 그린 人(사람 인)과는 달리 크고 위대한 사람을 말한다. 이로부터 크다, 偉大(위대)하다는 뜻이, 다시 면적, 수량, 나이, 힘, 강도 등이 큰 것을 말했고, 정도가 심하다, 중요하다는 뜻도 나왔다. 또 상대를 존중할 때나 아버지를 지칭할 때도 쓰인다.

소리부이다.[122] 독음은 고(苦)와 규(圭)의 반절이다.

**6566**

**夾: 夾: 낄 협: 大-총7획: jiā**

原文

夾: 持也. 从大俠二人. 古狎切.

飜譯

'좌우 양쪽에서 부축하여 끼다(持)'라는 뜻이다. 한 사람(大)이 두 사람(人)을 끼고 있는 모습이다.[123] 독음은 고(古)와 압(狎)의 반절이다.

**6567**

**奄: 奄: 가릴 엄: 大-총8획: yǎn**

原文

奄: 覆也. 大有餘也. 又, 欠也. 从大从申. 申, 展也. 依檢切.

飜譯

'덮다(覆)'라는 뜻이다. 또 '크게 여유가 있다(大有餘)'라는 뜻이다.[124] 또 '모자라다

---

122) 고문자에서 金文 簡牘文 등으로 그렸다. 大(큰 대)가 의미부이고 圭(홀 규)가 소리부로, 奎星(규성)이라는 큰(大) 별을 말한다. 奎星은 28宿(수) 중 15번 째 별이며, 立夏節(입하절)의 중성(中星)으로 서방에 위치한다. 文運(문운)을 맡아보며 이 별이 밝게 빛나는 때는 천하가 태평해진다고 한다. 이 때문에 글이나 문장을 뜻하기도 하였다.

123) 고문자에서 甲骨文 金文 帛書 簡牘文 등으로 그렸다. 大(큰 대)와 두 개의 人(사람 인)으로 구성되어, 양쪽으로 두 사람(人)을 끼고 있는 사람의 모습(大)을 그렸으며, 이로부터 끼우다, 끼우는 기구, 보좌하다, 끼어들다 등의 뜻도 나왔다. 이후 끼우다는 손동작을 강조하고자 手(손 수)를 더한 挾(낄 협)으로 분화했다. 간화자에서는 夹으로 줄여 쓴다.

124) 『단주』에서는 "위에서 덮는 것이 보통 아래에서 덮이는 것보다 크기 때문에 이 글자가 대(大)로 구성되었다.(覆乎上者, 往往大乎下. 故字从大.)"라고 했다.

(欠)'라는 뜻도 있다. 대(大)가 의미부이고 신(申)도 의미부이다. 신(申)은 '펼치다(展)'라는 뜻이다.[125] 독음은 의(依)와 검(檢)의 반절이다.

**6568**

夸: 夸: **자랑할 과**: 大-**총6획**: kuā

原文

夸: 奢也. 从大于聲. 苦瓜切.

飜譯

'두 다리를 크게 벌리다(奢)'라는 뜻이다. 대(大)가 의미부이고 우(于)가 소리부이다.[126] 독음은 고(苦)와 과(瓜)의 반절이다.

**6569**

奆: 奆: **사치할 환**: 大-**총9획**: huán, qié

原文

奆: 奢奆也. 从大亘聲. 胡官切.

飜譯

'크게 떠벌리다(奢奆)'라는 뜻이다. 대(大)가 의미부이고 선(亘)이 소리부이다. 독음은 호(胡)와 관(官)의 반절이다.

---

125) 고문자에서 金文 簡牘文 등으로 그렸다. 大(큰 대)와 申(아홉째 지지 신)으로 구성되어, 큰(大) 번개(申, 電의 원래 글자)가 치며 하늘을 '뒤덮다'는 뜻으로부터 '덮다'는 의미를 그렸다.

126) 고문자에서 甲骨文 金文 古陶文 簡牘文 등으로 그렸다. 言(말씀 언)이 의미부이고 夸(자랑할 과)가 소리부로, 말(言)을 높이 올려(夸) 자랑하거나 과장함을 말하며, 이로부터 칭찬하다는 뜻도 나왔다. 간화자에서는 夸에 통합되었다.

**6570**

**窊: 窊: 클 와: 大-총8획: gū**

原文

窊: 窊, 大也. 从大瓜聲. 烏瓜切.

飜譯

'와(窊)는 크다(大)'라는 뜻이다. 대(大)가 의미부이고 과(瓜)가 소리부이다. 독음은 오(烏)와 과(瓜)의 반절이다.

**6571**

**奯: 奯: 훤할 활: 大-총16획: huò**

原文

奯: 空大也. 从大歲聲. 讀若『詩』"施罟泧泧". 呼括切.

飜譯

'공간이 크다(空大)'라는 뜻이다. 대(大)가 의미부이고 세(歲)가 소리부이다. 『시·위풍·석인(碩人)』에서 노래한 "시고월월(施罟泧泧: 철썩 철썩 걷어 올리는 그물에서는)"의 월(泧)과 같이 읽는다.[127] 독음은 호(呼)와 괄(括)의 반절이다.

**6572**

**臷: 臷: 클 철: 戈-총13획: zhì**

原文

臷: 大也. 从大戥聲. 讀若『詩』"臷臷大猷". 直質切.

飜譯

'크다(大)'라는 뜻이다. 대(大)가 의미부이고 절(戥)이 소리부이다. 『시·소아·교언(巧

---

127) 금본에서는 '시고월월(施罟泧泧)'이 '시고활활(施罛濊濊)'로 되었다.

言)』에서 노래한 "철철대유(戴戴大猷: 분명하고도 위대한 법도)"에서의 철(戴)과 같이 읽는다.[128] 독음은 직(直)과 질(質)의 반절이다.

**6573**

**奅: 奅: 돌쇠뇌 포: 大-총8획: pào**

原文

奅: 大也. 从大卯聲. 匹貌切.

飜譯

'크다(大)'라는 뜻이다. 대(大)가 의미부이고 묘(卯)가 소리부이다. 독음은 필(匹)과 모(貌)의 반절이다.

**6574**

**夽: 夽: 높을 운·은: 大-총7획: yùn**

原文

夽: 大也. 从大云聲. 魚吻切.

飜譯

'크다(大)'라는 뜻이다. 대(大)가 의미부이고 운(云)이 소리부이다. 독음은 어(魚)와 문(吻)의 반절이다.

**6575**

**奃: 奃: 클 저: 大-총8획: dī**

原文

128) 『단주』에서 이렇게 말했다. "철철(戴戴)은 당연히 질질(秩秩)이 되어야 한다. 금본 『모시(毛詩)』에서도 질질(秩秩)로 바로 잡았으며, 『전(傳)』에서 질질(秩秩)은 지혜가 있는 모양(進知)을 말한다고 했다."

奃: 大也. 从大氐聲. 讀若氐. 都兮切.

飜譯

'크다(大)'라는 뜻이다. 대(大)가 의미부이고 저(氐)가 소리부이다. 저(氐)와 같이 읽는다. 독음은 도(都)와 혜(兮)의 반절이다.

**6576**

**𡘋: 𡘋: 클 개: 大-총7획: jiè**

原文

𡘋: 大也. 从大介聲. 讀若蓋. 古拜切.

飜譯

'크다(大)'라는 뜻이다. 대(大)가 의미부이고 개(介)가 소리부이다. 개(蓋)와 같이 읽는다. 독음은 고(古)와 배(拜)의 반절이다.

**6577**

**𡚁: 𡚁: 성나 지르는 소리 홰: 大-총8획: xiè**

原文

𡚁: 瞋大也. 从大此聲. 火戒切.

飜譯

'[성이 나서] 눈을 크게 부릅뜨다(瞋大)'라는 뜻이다. 대(大)가 의미부이고 차(此)가 소리부이다. 독음은 화(火)와 계(戒)의 반절이다.

**6578**

**𡙇: 𡙇: 클 불: 大-총8획: fú, bì**

原文

𡙇: 大也. 从大弗聲. 讀若"予違, 汝弼". 房密切.

飜譯

'크다(大)'라는 뜻이다. 대(大)가 의미부이고 불(弗)이 소리부이다. "나에게 잘못이 있으면 그대는 반드시 이를 바로 잡을지어다(予違, 汝弼.)"에서의 필(弼)과 같이 읽는다.[129] 독음은 방(房)과 밀(密)의 반절이다.

**6579**

**奄: 杶: 클 순: 大-총7획: chún**

原文

奄: 大也. 从大屯聲. 讀若鶉. 常倫切.

飜譯

'크다(大)'라는 뜻이다. 대(大)가 의미부이고 둔(屯)이 소리부이다. 순(鶉)과 같이 읽는다. 독음은 상(常)과 륜(倫)의 반절이다.

**6580**

**契: 契: 맺을 계·사람이름 설: 大-총9획: xiè**

原文

契: 大約也. 从大从㓞. 『易』曰: "後代聖人易之以書契." 苦計切.

飜譯

'[나라 간의] 큰 약속(大約)'을 말한다. 대(大)가 의미부이고 계(㓞)도 의미부이다.[130]

---

129) 『상서·우서(虞書)·익직(益稷)』에서 말했다. "임금께서 말씀하셨다.…… 내가 6률과 5성과 8음을 들어서 나의 정치의 잘잘못을 살피고, 여러 사람들의 의견을 들을 테니, 그대들은 잘 들으시오. 내가 만약 그것을 거스른다면 그대들은 나를 도우시오. 그대들은 내가 보는 앞에서는 아무 말 없이 고분고분 잘 따르다가 밖으로 나가서는 내가 듣지 못한다고 이런 저런 뒷말을 하지 마시오.(予欲聞六律五聲八音, 在治忽, 以出納五言, 汝聽. 予違, 汝弼. 汝無面從, 退有後言.)" 『공씨전(孔氏傳)』에서 "내가 도를 어긴다면 그대들은 정의로움으로써 나를 도와야 할 것이요.(我違道, 汝當以義輔正我.)"라고 했다.

130) 고문자에서 契簡牘文 등으로 그렸다. 丰(예쁠 봉)과 刀(칼 도)와 大(큰 대)로 구성되었는

『역·계사(繫辭)』에서 "후대의 성인께서 이를 서계로 바꾸었다(後代聖人易之以書契)" 라고 했다. 독음은 고(苦)와 계(計)의 반절이다.

**6581**

## 夷: 夷: 오랑캐 이: 大-총6획: yí

原文

夷: 平也. 从大从弓. 東方之人也. 以脂切.

飜譯

'평평하다(平)'라는 뜻이다.131) 대(大)가 의미부이고 궁(弓)도 의미부이다. 동방(東方) 지역의 사람을 말한다.132) 독음은 이(以)와 지(脂)의 반절이다.

---

데, 大는 廾(두 손으로 받들 공)이 변한 결과이다. 두 손(廾)으로 칼(刀)을 쥐고 칼집을 내 부호(丰)를 '새기는' 것을 말했으며, 여기서부터 '새기다'는 뜻이 나왔다. 문자가 만들어지기 전 기억의 보조수단으로 나무에 홈을 파는 방식을 사용했는데 이를 書契(서계)라 했다. 이후 서로 간의 약속이나 이행해야 할 의무 등을 나무에 새겨 표시했고, 이후 문자가 만들어지면서 문서로 기록했기에 다시 '契約(계약)'이라는 뜻이 나왔다. 또 상나라 선조의 이름으로 쓰이는 데 이때에는 '설'로 읽힌다.

131) 『단주』에서는 각 판본에서 "平也, 从大从弓, 東方之人也."로 되었는데, 이는 천박한 사람들이 잘못 고친 것이라 하면서 『운회』 등에 근거해 "東方之人也. 从大从弓."으로 바로 잡는다고 했다. 또 "東方之人"에 대해 다음처럼 상세한 해석을 달았다. "양(羊)부수에서 남방의 이민족을 지칭하는 만(蠻)이나 민(閩)은 충(虫)의 의미부로 삼고, 북방 이민족을 뜻하는 적(狄)은 견(犬)을 의미부로 삼고, 동방 이민족을 뜻하는 맥(貉)은 치(豸)를 의미부로 삼고, 서방 이민족을 뜻하는 강(羌)은 양(羊)을 의미부로 삼고, 서남 이민족을 뜻하는 북인(僰人)과 초요(焦僥)는 인(人)을 의미부로 삼는다. 아마도 모두가 사는 땅에서 순리에 따르고자 한 성품이 있었기 때문일 것이다(蓋在坤地頗有順理之性). 그러나 오직 동이(東夷)라고 할 때의 이(夷)자만 대(大)를 의미부로 삼았는데, 대(大)는 인(人)과 같다. 동이의 풍속은 인(仁)하다 할 것인데, 인(仁)한 자는 장수한다(壽). 그래서 거기에는 죽지 않는 군자의 나라가 있었다(有君子不死之國). 내 생각에, 하늘도 위대하고(天大), 땅도 위대하고(地大), 사람도 위대한 법이다(人亦大). 대(大)는 사람의 모습을 본뜬 글자이다. 그리고 이(夷)의 소전체를 보면 대(大)로 구성되었다. 그렇게 본다면 하(夏: 중국)와 다르지 않다. 하(夏)는 중국인(中國之人)을 말한다. 궁(弓)으로 구성된 것은 숙신씨(肅愼氏)가 고시(楛矢)와 석노(石砮) 같은 것을 공납한 것과 비슷한 의미일 것이다." 동이에 대한 단옥재의 인식은 자세히 고구할 필요가 있다.

132) 고문자에서 [glyph] 甲骨文 [glyph] 金文 [glyph] 盟書 [glyph] 簡牘文 [glyph] 帛書 등으로 그렸다.

大(큰 대)와 弓(활 궁)으로 구성되어, 큰(大) 활(弓)을 가진 동쪽 이민족(東夷)을 말했다. 중원의 민족과 가장 강력하게 대항했던 이민족이었기 때문인지 이들은 정벌의 대상이 되었고, 그 때문에 평정하다, 제거하다, 평평하다 등의 뜻까지 생겼다.

## 제390부수
## 390 ■ 역(亦)부수

**6582**

: 亦: **또 역**: 亠-**총6획**: yì

原文

: 人之臂亦也. 从大, 象兩亦之形. 凡亦之屬皆从亦. 羊益切.

飜譯

'사람의 겨드랑이(人之臂亦)'를 말한다. 대(大)가 의미부이고, 두 겨드랑이의 모습을 그렸다.133) 역(亦)부수에 귀속된 글자들은 모두 역(亦)이 의미부이다. 독음은 양(羊)과 익(益)의 반절이다.

**6583**

: 夾: **숨길 섬·석**: 大-**총7획**: shǎn

原文

: 盜竊褱物也. 从亦, 有所持. 俗謂蔽人俾夾是也. 弘農陝字从此. 失冄切.

飜譯

'훔친 물건을 품속에 숨겨 놓다(盜竊褱物)'라는 뜻이다. 역(亦)이 의미부이고, 소지하고 있음을 나타낸다. 속어에서 말하는 '폐인비섬(蔽人俾夾: 훔친 물건을 품속에 숨겨 다

---

133) 고문자에서 甲骨文 金文 簡牘文 石刻古文 등으로 그렸다. 원래 팔을 벌린 사람(大·대)과 양 겨드랑이 부분에 두 점이 찍힌 모습인데, 두 점은 그곳이 '겨드랑이'임을 나타낸다. 이후 '역시'라는 뜻으로 가차되었으며, 그러자 원래 뜻을 나타낼 때에는 人(사람 인)과 소리부인 夕을 더하여 夜(밤 야)가 되었다. 하지만, 夜도 다시 '밤'이라는 뜻으로 가차되어 쓰이게 되자, 또 水(물 수)를 더한 液(진·겨드랑이 액)을 만들어 분화했다. 게다가 겨드랑이에서 나는 땀이란 뜻으로부터 '진액'의 뜻까지 생겨났다.

른 사람들을 속이다)'의 섬(夾)이 바로 이 뜻이다. 홍농(弘農)군 섬(陝)현이 이 글자를 쓴다.[134] 독음은 실(失)과 염(冄)의 반절이다.

---

134) 『단주』에서는 '俗謂蔽人俾夾是也'에 대해 이렇게 말했다. "폐인비섬(蔽人俾夾)은 아마도 한나라 때 쓰던 말일 것이다. 폐인(蔽人)은 다른 사람들이 보지 못하게 하다(人所不見)라는 뜻이다. 인(人)부수의 비(俾)자에서 서로 가지려고 까우다(門持人)는 뜻이다라고 했고, 수(手)부수의 협(挾)자에서 더 가지다(俾持)는 뜻이라고 했다. 조대가(曹大家: 즉 班昭. 班彪의 딸이자 班固와 班超의 여동생, 그녀가 완성한 『한서』)에서는 섬수(陝輸)라고 했고, 「조일전(趙壹傳)」에서는 섬유(陝揄)로 썼다. 아마도 섬(陝)은 섬(夾)자일 것이다. 홍농(弘農)의 섬(陝)자도 이로부터 왔다. 한(漢)나라 때의 홍농(弘農) 섬현(陝縣)은 지금의 하남성 섬주(陝州)이다. 섬(夾)으로 구성된 글자가 거의 사라졌다. 그래서 기록해 둔다. 협애(陜隘)라는 단어에서는 협(夾)으로 구성되었다."

# 제391부수
# 391 ■ 녈(夨)부수

**6584**

**夨: 夨: 머리가 기울 녈: 大-총4획: zè, cè**

原文

夨: 傾頭也. 从大, 象形. 凡夨之屬皆从夨. 阻力切.

飜譯

'머리가 기울어지다(傾頭)'라는 뜻이다. 대(大)가 의미부이고, 상형이다. 녈(夨)부수에 귀속된 글자들은 모두 녈(夨)이 의미부이다. 독음은 조(阻)와 력(力)의 반절이다.

**6585**

**奊: 奊: 머리 기울일 결: 士-총9획: jié**

原文

奊: 頭傾也. 从夨吉聲. 讀若孑. 古屑切.

飜譯

'머리가 기울어지다(傾頭)'라는 뜻이다. 녈(夨)이 의미부이고 길(吉)이 소리부이다. 혈(孑)과 같이 읽는다. 독음은 고(古)와 설(屑)의 반절이다.

**6586**

**奊: 奊: 분개없을 혈: 大-총10획: xié**

原文

奊: 頭衺、骫奊態也. 从夨圭聲. 胡結切.

**飜譯**

'머리 부분이 기울어지거나 비뚤한 상태(頭衺, 骫奊態.)'를 말한다. 녈(夨)이 의미부이고 규(圭)가 소리부이다. 독음은 호(胡)와 결(結)의 반절이다.

**6587**

### 吳: 吳: 나라 이름 오: 口-총7획: wú

**原文**

吳: 姓也. 亦郡也. 一曰吳, 大言也. 从夨、口. 𡗕, 古文如此. 五乎切.

**飜譯**

'성(姓)'이다. 또 '군 이름(郡)'이기도 하다. 일설에는, '오(吳)는 큰 소리로 말하다(大言)'라는 뜻이라고도 한다.[135] 녈(夨)과 구(口)가 모두 의미부이다.[136] 오(𡗕)는 고문체인데, 이렇게 쓴다. 독음은 오(五)와 호(乎)의 반절이다.

---

135) 『단주』에서는 각 판본에서 '大言' 앞에 "姓也, 亦郡也. 一曰吳."라는 8글자가 있는데 이는 『운회(韵會)』에 근거해 볼 때 제멋대로 잘못 더해진 내용이므로 삭제한다고 했다. 그렇게 되면 '오(吳)는 큰 소리로 말하다(大言)'라는 뜻이다'가 된다.

136) 고문자에서 甲骨文 金文 古陶文 盟書 古璽文 등으로 그렸다. 夨(머리가 기울 녈)과 口(입 구)로 구성되어, 머리를 흔들며 춤추고(夨) 노래하는(口) 사람을 그렸으며, 즐거워 큰 소리로 말하거나 노래하다가 원래 뜻이다. 이후 중국 동남쪽의 '오' 나라를 뜻하게 되자 원래 의미를 나타낼 때에는 女(여자 여)를 더한 娛(즐거워할 오)로 분화했으며, 간화자에서는 夨을 天(하늘 천)으로 바꾼 吴로 쓴다.

## 제392부수
## 392 ■ 요(夭)부수

**6588**

夭: 夭: **어릴 요**: 大-**총4획**: **yāo**

原文

夭: 屈也. 从大, 象形. 凡夭之屬皆从夭. 於兆切.

飜譯

'[머리를 한쪽으로] 굽히다(屈)'라는 뜻이다. 대(大)가 의미부이고, 상형이다.[137] 요(夭) 부수에 귀속된 글자들은 모두 요(夭)가 의미부이다. 독음은 어(於)와 조(兆)의 반절이다.



**6589**

喬: 喬: **높을 교**: 口-**총12획**: **qiáo**

原文

喬: 高而曲也. 从夭, 从高省. 『詩』曰: "南有喬木." 巨嬌切.

飜譯

'높고 윗부분이 굽은 것(高而曲)'을 말한다. 요(夭)가 의미부이고, 고(高)의 생략된 모습도 의미부이다.[138] 『시·주남·한광(漢廣)』에서 "남쪽에 우뚝 솟은 나무 있지만(南

---

137) 고문자에서 [古文字]甲骨文 [古文字]金文 [古文字]簡牘文 [古文字]石刻古文 등으로 그렸다. 사람의 머리가 젖혀진 모습으로부터 '夭折(요절)'의 의미를 그렸는데 자형이 변해 지금처럼 되었으며, 이로부터 꺾이다, 재앙 등의 뜻이 나왔다. 달리 죽다는 의미를 강조하기 위해 歹(부서진 뼈 알)을 더한 殀(일찍 죽을 요)로 쓰기도 했다.

138) 고문자에서 [古文字]金文 [古文字]盟書 [古文字]古璽文 등으로 그렸다. 高(높을 고)의 생략된 모습이 의미부이고 夭(어릴 요)가 소리부로, 높음(高)을 말한다. 금문에서는 止(발 지)가 의

有喬木)"이라고 노래했다. 독음은 거(巨)와 교(嬌)의 반절이다.

**6590**

**㚔: 㚔(幸): 다행 행: 屮-총10획: xìng**

原文

㚔: 吉而免凶也. 从屰从夭. 夭, 死之事. 故死謂之不㚔. 胡耿切.

飜譯

'운이 좋아 재앙을 면하다(吉而免凶)'라는 뜻이다. 역(屰)이 의미부이고 요(夭)도 의미부이다.[139][140] 요(夭)는 주어진 명을 채우지 못하고 죽은 것을 말한다. 그래서 죽음(死)을 불행(不㚔·不幸)이라고 한다. 독음은 호(胡)와 경(耿)의 반절이다.

**6591**

**奔: 奔: 달릴 분: 大-총9획: bēn**

原文

奔: 走也. 从夭, 賁省聲. 與走同意, 俱从夭. 博昆切.

---

미부이고 高의 생략된 모습이 소리부로, 발(止, 趾의 원래 글자)을 높이(高) 든 모습에서 '높다'는 의미를 그려냈으며, 멀리 옮겨가다는 뜻으로 쓰였는데, 止가 夭(어릴 요)로 변해 지금의 자형이 되었다. 이후 키가 큰 나무(喬木·교목)를 형용하기도 한다. 간화자에서는 아랫부분을 간단하게 줄인 乔로 쓴다.

139) 행(㚔)은 행(幸)의 본래 글자이고, 녑(㚔)은 행(幸)과는 전혀 다른 글자인데도 자주 혼용하여 사용하고 있다. 이에 대해서는 6611-녑(㚔)자의 해설과 주석을 참조하라.

140) 고문자에서 甲骨文 簡牘文 古石刻文 古璽文 등으로 그렸다. 소전체에서 屰(逆·거스를 역)과 夭(어릴 요)로 구성되었는데 자형이 조금 변해 지금처럼 되었다. 屰은 거꾸로 선 사람을 그렸고 이로부터 '거꾸로'라는 뜻이 나왔다. 그래서 幸은 불행의 상징인 요절과 반대되는(屰) 의미로부터 '다행'이라는 뜻을 그려냈다. 이로부터 뜻밖의 행운이나 화를 면하다는 뜻에서 多幸(다행)과 幸福(행복), 총애, 희망 등의 뜻이 나왔다. 현대 중국에서는 倖(요행 행)의 간화자로도 쓰인다.

翻譯

'달려가다(走)'라는 뜻이다. 요(夭)가 의미부이고, 분(賁)의 생략된 부분이 소리부이다. 주(走)와 같은 의미인데, 두 글자 모두 요(夭)가 의미부이다.[141] 독음은 박(博)과 곤(昆)의 반절이다.



141) 고문자에서 金文 簡牘文 石刻古文 등으로 그렸다. 大(큰 대)와 卉(풀 훼)로 구성되어, 풀밭(卉) 위를 사람(大)이 손을 휘저으며 달려가는 모습을 그렸다. 금문에서는 팔을 크게 휘젓는 사람(大)과 그 아래로 세 개의 발(止·지)이 그려져, 팔을 크게 흔들며 '뛰어 달아나는' 모습을 그렸는데, 이후 자형이 변해 지금처럼 되었다. 속자에서는 세 개의 牛(소 우)로 구성된 犇(달아날 분)으로 써, 소(牛)가 떼를 지어 힘차게 달려감을 표시하기도 했다. 이로부터 급히 달리다, 도망하다, 몰아내다 등의 뜻이 나왔다.

# 제393부수
## 393 ■ 교(交)부수

**6592**

: 交: **사귈 교**: 亠-총6획: jiāo

原文

: 交脛也. 从大, 象交形. 凡交之屬皆从交. 古爻切.

飜譯

'다리를 교차하다(交脛)'라는 뜻이다. 대(大)가 의미부이고, 교차한 모습을 그렸다.[142] 교(交)부수에 귀속된 글자들은 모두 교(交)가 의미부이다. 독음은 고(古)와 효(爻)의 반절이다.

**6593**

: 㺗: **비뚤 위**: 亠-총17획: wěi

原文

: 衺也. 从交韋聲. 羽非切.

飜譯

'비뚤어져 바르지 않다(衺)'라는 뜻이다.[143] 교(交)가 의미부이고 위(韋)가 소리부이

---

142) 고문자에서 甲骨文 金文 古陶文 簡牘文 石刻古文 등으로 그렸다. 다리가 교차한 사람의 모습을 그렸으며, 이로부터 交叉(교차)하다, 交流(교류)하다, 상대에게 주다 등의 뜻이 나왔다. 이후 만나다, 복잡하게 얽히다 등의 뜻도 나왔으며 친구, 성교 등의 비유로 쓰였으며, 나무 등을 교차시켜 만든 울을 뜻하기도 한다.

143) 『유편(類篇)』 의(衣)부수에서 "위(褘)를 달리 위(㺗)로 적기도 한다."라고 하여 위(㺗)를 위(褘)와 같은 글자로 보았고, 『오음편해(五音篇海)』에서는 위(㺗)에 대해 "독음이 위(圍)이며, 싸다는 뜻이다(裹也)."리고 하였다. 이후의 파생된 의미로 보인다.

다. 독음은 우(羽)와 비(非)의 반절이다.

**6594**

**絞: 絞: 목맬 교: 糸-총12획: jiǎo**

原文

絞: 縊也. 从交从糸. 古巧切.

飜譯

'목을 매 죽다(縊)'라는 뜻이다. 교(交)가 의미부이고 멱(糸)도 의미부이다. 독음은 고(古)와 교(巧)의 반절이다.

## 제394부수
## 394 ■ 왕(尣)부수

**6595**

尣: 尣: **절름발이 왕**: 尢-**총4획**: wāng

原文

尣: 尳, 曲脛也. 从大, 象偏曲之形. 凡尣之屬皆从尣. 𡯓, 古文从㞷. 烏光切.

飜譯

'다리를 절다(尳)'는 뜻으로, '다리가 굽었다(曲脛)'라는 뜻이다. 대(大)가 의미부이고, [한쪽 다리가] 치우쳐 굽은 모습(偏曲之形)을 그렸다. 왕(尣)부수에 귀속된 글자들은 모두 왕(尣)이 의미부이다. 왕(𡯓)은 고문체인데, 왕(㞷)으로 구성되었다. 독음은 오(烏)와 광(光)의 반절이다.

**6596**

尳: 尳: **무릎 병 골**: 尢-**총13획**: gǔ

原文

尳: 厀病也. 从尣从骨, 骨亦聲. 戶骨切.

飜譯

'무릎이 아프다(厀病)'라는 뜻이다. 왕(尣)이 의미부이고 골(骨)도 의미부인데, 골(骨)은 소리부도 겸한다. 독음은 호(戶)와 골(骨)의 반절이다.

**6597**

尳: 尳: **다리를 절 파**: 尢-**총8획**: bó, bǒ, fù, qiàn

原文

𡯌: 蹇也. 从尣皮聲. 布火切.

飜譯

'다리를 절다(蹇)'라는 뜻이다. 왕(尣)이 의미부이고 피(皮)가 소리부이다. 독음은 포(布)와 화(火)의 반절이다.

**6598**

**𡯂: 尥: 다리를 절 좌: 尢-총8획: zuǒ**

原文

𡯂: 尥尥, 行不正. 从尣左聲. 則箇切.

飜譯

'좌좌(尥尥)는 걸음걸이가 바르지 않다(行不正)'라는 뜻이다. 왕(尣)이 의미부이고 좌(左)가 소리부이다. 독음은 칙(則)과 개(箇)의 반절이다.

**6599**

**𡯑: 尦: 절뚝거릴 요: 尢-총9획: yào**

原文

𡯑: 行不正也. 从尣艮聲. 讀若燿. 弋笑切.

飜譯

'걸음걸이가 바르지 않다(行不正)'라는 뜻이다. 왕(尣)이 의미부이고 간(艮)이 소리부이다. 요(燿)와 같이 읽는다. 독음은 익(弋)과 소(笑)의 반절이다.

**6600**

**𡰢: 尲: 절뚝거릴 감: 尢-총13획: gān**

原文

𡯭: 不正也. 从尣兼聲. 古咸切.

飜譯

'[걸음걸이가] 바르지 않다(不正)[절뚝거리다]'라는 뜻이다. 왕(尣)이 의미부이고 겸(兼)이 소리부이다. 독음은 고(古)와 함(咸)의 반절이다.

**6601**

𡯰: 尬: **절름발이 개**: 尢-**총7획**: **gà**

原文

𡯰: 尲尬也. 从尣介聲. 公八切.

飜譯

'감개(尲尬) 즉 절뚝거리다'라는 뜻이다. 왕(尣)이 의미부이고 개(介)가 소리부이다. 독음은 공(公)과 팔(八)의 반절이다.

**6602**

𡯩: 尥: **다리 힘줄 약할 료**: 尢-**총6획**: **liào**

原文

𡯩: 行脛相交也. 从尣勺聲. 牛行腳相交爲尥. 力弔切.

飜譯

'걸을 때 다리가 서로 엇갈리다(行脛相交)'라는 뜻이다. 왕(尣)이 의미부이고 작(勺)이 소리부이다. 소(牛)가 걸을 때 다리가 서로 엇갈리는 것을 료(尥)라고 한다. 독음은 력(力)과 조(弔)의 반절이다.

**6603**

𡰝: 尵: **발 비틀어져 걷지 못하여 사람이 부축일 제**: 尢-**총16획**: **dī**

原文

𡯷: 尳不能行, 爲人所引, 曰𡰝𡰣. 从尣从爪, 是聲. 都兮切.

飜譯

'발이 비틀어져 걷지 못하는 사람을 다른 사람이 부축하여 가는 것(尳不能行, 爲人所引)을 제휴(𡰝𡰣)라고 한다.' 왕(尣)이 의미부이고 조(爪)도 의미부이고, 시(是)가 소리부이다. 독음은 도(都)와 혜(兮)의 반절이다.

**6604**

**𡰣: 𡰣: 발 비틀어져 걷지 못하여 사람이 부축일 휴: 尢-총25획: xié**

原文

𡰣: 𡰝𡰣也. 从尣从爪, 巂聲. 戶圭切.

飜譯

'제휴(𡰝𡰣), 즉 발이 비틀어져 걷지 못하는 사람을 다른 사람이 부축하여 가는 것'을 말한다. 왕(尣)이 의미부이고 조(爪)도 의미부이고, 휴(巂)가 소리부이다. 독음은 호(戶)와 규(圭)의 반절이다.

**6605**

**尪: 尪: 몸이 굽을 우: 尢-총6획: yū**

原文

尪: 股尪也. 从尣于聲. 乙于切.

飜譯

'넓적다리가 굽다(股尪)'라는 뜻이다. 왕(尣)이 의미부이고 우(于)가 소리부이다. 독음은 을(乙)과 우(于)의 반절이다.

**6606**

**𡰽: 𡰽: 무릎 속병 라: 尢-총22획: léi, luán**

𡰽: 厀中病也. 从尣从羸. 郎果切.

'슬개골 속이 아픈 병(厀中病)'을 말한다. 왕(尣)이 의미부이고 리(羸)도 의미부이다. 독음은 랑(郎)과 과(果)의 반절이다.

## 제395부수
## 395 ■ 호(壺)부수

**6607**

: 壺: **병 호**: 士-**총12획**: **hú**

原文

: 昆吾圜器也. 象形. 从大, 象其蓋也. 凡壺之屬皆从壺. 戶吳切.

飜譯

'달리 곤오(昆吾)라고도 하는데, 둥근 기물(圜器)'을 말한다. 상형이다. 대(大)가 의미부인데, 뚜껑의 모양을 그렸다.144) 호(壺)부수에 귀속된 글자들은 모두 호(壺)가 의미부이다. 독음은 호(戶)와 오(吳)의 반절이다.

**6608**

: 壼: **답답할 운**: 士-**총12획**: **yún, yùn, yūn**

原文

: 壹壼也. 从凶从壺. 不得泄, 凶也. 『易』曰: "天地壹壼." 於云切.

飜譯

'일운(壹壼) 즉 기운이 나오지 못하고 갇혀 솟아오르려는 모양'을 말한다. 흉(凶)이 의미부이고 호(壺)도 의미부이다. 갇혀 나갈 수 없으므로 흉(凶)이 된다. 『역·계사(繫辭)』에서 "천지의 원기가 가득히 응결되어 있네(天地壹壼)"라고 했다. 독음은 어(於)와 운(云)의 반절이다.

---

144) 고문자에서 甲骨文 金文 古陶文 簡牘文 등으로 그렸다. 잘록한 목과 볼록한 배와 두루마리 발에 뚜껑을 가진 호리병을 그렸다. 士(선비 사)는 원래 호리병의 뚜껑을 그린 것인데 예서에 들면서 지금처럼 잘못 변했다. 그래서 호리병이 원래 뜻이며, 호리병처럼 생긴 기물의 총칭이 되었다. 또 호리병박을 본떠 만들었기에 호리병박을 지칭하기도 한다. 달리 壷로 쓰기도 하며, 간화자에서는 壶로 줄여 쓴다.

## 제396부수
## 396 ■ 일(壹)부수

**6609**

**壹: 壹: 한 일: 士-총12획: yī**

原文

壹: 專壹也. 从壺吉聲. 凡壹之屬皆从壹. 於悉切.

飜譯

'전일하다(專壹), 즉 오로지 한 곳에 집중하다'라는 뜻이다. 호(壺)가 의미부이고 길(吉)이 소리부이다.[145] 일(壹)부수에 귀속된 글자들은 모두 일(壹)이 의미부이다. 독음은 어(於)와 실(悉)의 반절이다.

**6610**

**懿: 懿: 아름다울 의: 心-총22획: yì**

原文

懿: 專久而美也. 从壹, 从恣省聲. 乙冀切.

飜譯

'오로지 한 곳에 전념하고 오래 되어 아름답다(專久而美)'라는 뜻이다. 일(壹)이 의미부이고, 자(恣)의 생략된 부분이 소리부이다.[146] 독음은 을(乙)과 기(冀)의 반절이다.

---

145) 고문자에서 古陶文 簡牘文 등으로 그렸다. 소전체에서 壺(병 호)가 의미부고 吉(길할 길)이 소리부로 되었는데, 자형이 변해 지금처럼 되었다. 壺는 중국 고대신화에서 사람을 탄생할 수 있게 한 호리병박의 원형이고, 吉은 남성 생식기와 관련되어, 모든 만물을 생성해 내는 상징적 존재이다. 그래서 壹은 단순한 숫자 '하나'를 넘어서 만물 창조의 근원인 元氣(원기)는 물론 최고의 개념인 道(도)까지 뜻하는 심오한 글자다. 이후 호리병의 두루마리 발(卷足·권족)과 볼록한 몸통 부분이 豆로, 뚜껑이 士(선비 사)로 변해 지금의 자형이 되었다.

146) 고문자에서 金文 등으로 그렸다. 壹(한 일)과 恣(방자할 자)가 의미부인데, 壹은 소리부도 겸한다. 만물의 시발이 되는 하나(壹)와 강한 의지를 뜻하는 恣로부터 '아름다움'과 생명의 탄생을 가져다준 '미덕'이라는 뜻이, 그러한 이치의 오묘함으로부터 '깊고' '크다' 등의 의미가 나왔다.

## 第397부수
## 397 ■ 녑(㚔)부수147)

**6611**

**㚔: 㚔: 놀랠 녑: 大-총8획: xìng, niè**

原文

㚔: 所以驚人也. 从大从羊. 一曰大聲也. 凡㚔之屬皆从㚔. 一曰讀若瓠. 一曰俗語以盜不止爲㚔, 㚔讀若籋. 尼輒切.

飜譯

'사람에게 [죄의 엄중함을] 경고하는 형벌 도구(所以驚人)'를 말한다. 대(大)가 의미부이고 임(羊)도 의미부이다. 일설에는 '크게 지르는 소리(大聲)'를 말한다고도 한다. 녑(㚔)부수에 귀속된 글자들은 모두 녑(㚔)이 의미부이다. 일설에는 호(瓠)와 같이 읽는다고도 한다.148) 또 일설에는, 속어에서는 '도둑질이 그치지 않는 것(盜不止)을 녑(㚔)'이라 하기도 한다. 녑(㚔)은 녑(籋)과 같이 읽는다. 독음은 니(尼)와 첩(輒)의 반절이다.

---

147) 『옥편(玉篇)』 녑(㚔)부수에서 "녑(㚔)은 행(幸)의 고자로, 지금은 행(幸)으로 쓴다."라고 했다. 하지만 녑(㚔)과 행(幸)은 다른 글자로 보아야 한다. 앞의 요(夭)부수에서 제시된 6590-행(㚎)자가 행(幸)의 본래 글자로, 역(屰)과 요(夭)로 구성되었다. 여기서 제시한 녑(㚔)은 대(大)로 구성된 바, 대(大)와 요(夭)가 비슷해 한나라 당시에 이미 민간에서 혼동해 사용하였고, 『옥편』처럼의 해설이 나왔을 것이다. 그래서 청나라 고애길(顧藹吉)의 『예변(隸辨)』 경(耿)운에서도 "비문에서 녑(㚔)을 잘못해 행(㚎)으로 쓰기도 했는데, 오늘날 속체에서 행(幸)으로 쓰고 있다."라고 했고, 또 청나라 서호(徐灝)의 『설문해자주전(說文解字注箋)』 녑(㚔)부수에서도 "녑(㚔)자는 예변(隸變) 과정에서 요행(徼幸)이라는 행(幸)자와 뒤섞여 사용되고 있다고 했다." 그렇다면, 행(㚎)이 행(幸)의 본래 글자이고, 녑(㚔)은 전혀 다른 글자로 보아야 한다. 그럼에도 녑(㚔)과 행(幸)을 혼용해 쓰는 것은 형체의 유사로 인한 오류로 보인다. 따라서 여기서는 녑(㚔)으로 구분해 사용한다.

148) 『단주』에서는 '一曰讀若瓠' 이 5글자가 이상하다고 하면서, '一曰讀若執'이 되어야 할 것이며, '讀若籋'의 다음에 위치해야 할 것이라고 했다. 그렇게 되면 "녑(㚔)은 녑(籋)과 같이 읽는다. 일설에는 집(執)과 같이 읽는다고도 한다."가 된다.

**6612**

## 睪: 睪: 엿볼 역: 目-총13획: yì

原文

睪: 目視也. 从横目, 从㚔. 令吏將目捕罪人也. 羊益切.

飜譯

'눈으로 살펴보다(目視)'라는 뜻이다. 가로로 된 눈(横目)이 의미부이고, 녑(㚔)도 의미부이다. 관리로 하여금 안목을 가진 사람을 데려가 죄인을 잡아오게 하다(令吏將目捕罪人)라는 뜻이다. 독음은 양(羊)과 익(益)의 반절이다.

**6613**

## 執: 執: 잡을 집: 土-총11획: zhí

原文

執: 捕罪人也. 从丮从㚔, 㚔亦聲. 之入切.

飜譯

'죄인을 잡아오다(捕罪人)'라는 뜻이다. 극(丮)이 의미부이고 녑(㚔)도 의미부인데, 녑(㚔)은 소리부도 겸한다.[149] 독음은 지(之)와 입(入)의 반절이다.

---

149) 고문자에서 [고문자 자형] 甲骨文 [고문자 자형] 金文 [고문자 자형] 簡牘文 등으로 그렸다. 갑골문에서 꿇어앉은 사람의 두 손에 쇠고랑이 채워진 모습으로, 죄인을 '체포하다'는 뜻을 그렸다. 예서 이후 幸(매울 신)과 丸(알 환)의 구성으로 변했는데, 幸은 쇠고랑을 찬 모습을, 丸은 꿇어앉은 사람(丮·극)이 변한 모습이다. 붙잡혀 두 손에 쇠고랑이 채워졌으니 꼼짝달싹할 수도 없을 것이고, 이 때문에 체포하다, '움직이지 않고 자리를 지키다'라는 뜻이 들어 있으며, 執行(집행)하다, 집필하다, 固執(고집) 등의 뜻이 생겼다. 간화자에서는 幸을 扌(手·수)로 간단하게 줄여 执으로 쓴다.

**6614**

**圉: 圉: 마부 어: 囗-총11획: yǔ**

原文

圉: 囹圄, 所以拘罪人. 从幸从囗. 一曰圉, 垂也. 一曰圉人, 掌馬者. 魚舉切.

飜譯

'영오(囹圄) 즉 감옥을 말하는데, 죄인들을 구금하는 곳(所以拘罪人)'이다. 녑(幸)이 의미부이고 위(囗)도 의미부이다. 일설에는 '어(圉)는 변경 지방(垂)'이라는 뜻이라고도 한다. 또 일설에는 '어인(圉人)은 말을 관리하는 사람'이라고도 한다.[150] 독음은 어(魚)와 거(舉)의 반절이다.

**6615**

**盩: 盩: 칠 주: 皿-총17획: zhū**

原文

盩: 引擊也. 从幸、攴, 見血也. 扶風有盩厔縣. 張流切.

飜譯

'끌어당겨서 치다(引擊)'라는 뜻이다. 녑(幸)과 복(攴)이 의미부이고, 피를 보다(見血)라는 뜻이다. 부풍(扶風)군에 주질현(盩厔縣)이 있다. 독음은 장(張)과 류(流)의 반절이다.

---

150) 고문자에서 [고문자 자형] 古陶文 [고문자 자형] 簡牘文 등으로 그렸다. 幸(다행 행)과 囗(에워쌀 위·나라 국)로 구성되어, 두 손이 쇠고랑에 채워진 사람(幸)이 담장(囗) 속에 갇힌 모습으로부터 '감옥'의 의미를 그렸고, 이로부터 가두다, 금지하다의 뜻이 나왔으며, 말을 키우다는 뜻으로도 쓰였다.

**6616**

## 報: 報: 갚을 보: 土-총12획: bào

原文

報: 當罪人也. 从㚔从𠬝. 𠬝, 服罪也. 博号切.

飜譯

'죄인을 심판하다(當罪人)'라는 뜻이다. 녑(㚔)이 의미부이고 복(𠬝)도 의미부이다. 복(𠬝)은 '죄에 맞는 형벌을 정하다(服罪)'라는 뜻이다.[151] 독음은 박(博)과 호(号)의 반절이다.

**6617**

## 𥷚: 𥷚: 치죄할 국: 竹-총23획: jū

原文

𥷚: 窮理罪人也. 从㚔从人从言, 竹聲. 𥫔, 或省言. 居六切.

飜譯

'죄인의 죄를 끝까지 추궁하다(窮理罪人)'라는 뜻이다. 녑(㚔)이 의미부이고 인(人)도 의미부이고 언(言)도 의미부이며, 죽(竹)이 소리부이다. 국(𥫔)은 혹체자인데, 언(言)이 생략되었다. 독음은 거(居)와 륙(六)의 반절이다.

---

151) 고문자에서 金文 簡牘文 등으로 그렸다. 금문에서 손에 채우는 형벌 기구를 그린 㚔(놀랄 녑)과 꿇어앉은 사람(卩·절)과 그 뒤로 손(又·우)이 놓인 모습을 그렸는데, 㚔이 幸(다행 행)으로 변해 지금의 자형이 되었다. 포로나 죄인을 잡아다 꿇어 앉혀 놓고 조상신에게 죄상을 알리는 모습이며, 이로부터 고하다, 알리다, 報告(보고)하다의 뜻이, 다시 보답하다, 報復(보복)하다, 복수 등의 뜻이 나왔다. 간화자에서는 㚔이 手(손 수)로 바뀐 报로 쓴다.

## 제398부수
## 398 ■ 사(奢)부수

**6618**

**奢: 奢: 사치할 사: 大-총12획: shē**

原文

奢: 張也. 从大者聲. 凡奢之屬皆从奢. 奓, 籒文. 臣鉉等曰: 今俗作陟加切, 以爲奓厚之奓, 非是. 式車切.

飜譯

'크게 펼치다(張)'라는 뜻이다. 대(大)가 의미부이고 자(者)가 소리부이다.[152] 사(奢) 부수에 귀속된 글자들은 모두 사(奢)가 의미부이다. 사(奓)는 주문체이다. 신(臣) 서현 등은 이렇게 생각합니다. "오늘날 세속에서는 척(陟)과 가(加)의 반절로 읽고, 차후(奓厚: 두터운 입술)라고 할 때의 차(奓)라고 여기는데, 이는 옳지 않습니다." 독음은 식(式)과 차(車)의 반절이다.

**6619**

**奲: 奲: 관대할 차: 大-총24획: cá**

原文

奲: 富奲奲皃. 从奢單聲. 丁可切.

飜譯

'부유하여 마음이 느긋한 모양(富奲奲皃)'을 말한다. 사(奢)가 의미부이고 단(單)이 소리부이다. 독음은 정(丁)과 가(可)의 반절이다.

---

152) 고문자에서 奢金文 奢古陶文 등으로 그렸다. 大(큰 대)가 의미부고 者(놈 자)가 소리부로, 奢侈(사치)하다는 뜻을 그렸는데, 물건을 필요보다 많이(大) 삶는(者, 煮의 본래 글자)다는 의미를 담았다. 이로부터 낭비하다, 교만하다, 크다, 많다, 과분하다 등의 뜻이 나왔다.

## 제399부수
## 399 ■ 항(亢)부수

**6620**

### 亢: 亢: **목 항**: **亠-총4획**: **kàng**

原文

亢: 人頸也. 从大省, 象頸脈形. 凡亢之屬皆从亢. 頏, 亢或从頁. 古郎切.

飜譯

'사람의 목(人頸)'을 말한다. 대(大)의 생략된 모습이 의미부이고, 목의 경맥(頸脈) 모습을 그렸다.[153] 항(亢)부수에 귀속된 글자들은 모두 항(亢)이 의미부이다. 항(頏)은 항(亢)의 혹체자인데, 혈(頁)로 구성되었다. 독음은 고(古)와 랑(郎)의 반절이다.



**6621**

### 𡕒: 𡕒: **목 꼿꼿한 모양 항**: **亠-총11획**: **gǎng**

原文

𡕒: 直項莽𡕒皃. 从亢从夋. 夋, 倨也. 亢亦聲. 岡朗切.

飜譯

'목을 꼿꼿이 세우고 자존심을 세우며 거만해 하는 모습(直項莽𡕒皃)'을 말한다. 항(亢)이 의미부이고 준(夋)도 의미부이다. 준(夋)은 '거만하다(倨)'라는 뜻이다. 항(亢)은 소리부도 겸한다. 독음은 강(岡)과 랑(朗)의 반절이다.

---

153) 고문자에서 甲骨文 金文 簡牘文 등으로 그렸다. 자원에 대해서는 이견이 많지만, 갑골문을 보면 사람의 정면 모습(大)과 발 사이로 비스듬한 획이 더해졌음은 분명하다. 『설문해자』에서는 "사람의 목을 그렸다"라고 했고, 곽말약은 높은 곳에 선 사람을 그렸다고 했지만, 차꼬(죄수의 발에 채우던 형구)를 찬 사람의 모습이라는 설이 원래의 자형에 근접해 보인다. 그래서 亢은 죄수가 차꼬를 찬 채 형벌을 당당하게 견뎌내듯, 버티다, 저항하다, 맞서다 등의 의미가 있다.

## 제400부수
## 400 ■ 도(夲)부수

**6622**

夲: 夲: **나아갈 도**: 大-총5획: tāo

原文

夲: 進趣也. 从大从十. 大十, 猶兼十人也. 凡夲之屬皆从夲. 讀若滔. 土刀切.

飜譯

'빨리 나아가다(進趣)'라는 뜻이다. 대(大)가 의미부이고 십(十)도 의미부이다. 대(大)와 십(十)으로 구성된 것은 열 명을 겸하다는 뜻과 같다.[154] 도(夲)부수에 귀속된 글자들은 모두 도(夲)가 의미부이다. 도(滔)와 같이 읽는다. 독음은 토(土)와 도(刀)의 반절이다.

**6623**

㚏: 㚏: **빠를 홀**: 十-총11획: hū

原文

㚏: 疾也. 从夲卉聲. 拜从此. 呼骨切.

飜譯

'빠르다(疾)'라는 뜻이다. 도(夲)가 의미부이고 훼(卉)가 소리부이다. 배(拜)자가 이 글자로 구성되었다. 독음은 호(呼)와 골(骨)의 반절이다.

154) 『단주』에서는 이렇게 말했다. "이는 도(夲)자가 대(大)와 십(十)으로 구성된 의미를 설명한 것이다. 즉 그 빠르기가 열 명의 능력을 겸한 것과 같다는 뜻이다.(言其進之疾, 如兼十人之能也.)"

**6624**

**𡕒: 㬥: 급할 포: 日-총17획: bào**

原文

𡕒: 疾有所趨也. 从日出夲廾之. 薄報切.

飜譯

'신속하고 재빨리 나아가다(疾有所趨)'라는 뜻이다. 해(日)가 나오자(出) 두 손을 받들고(廾) 재빨리 나아가다(夲)는 의미를 담았다.155) 독음은 박(薄)과 보(報)의 반절이다.

**6625**

**𡙇: 𡙇: 미쁠 윤: 屮-총12획: yǔn**

原文

𡙇: 進也. 从夲从屮, 允聲. 『易』曰 : "𡙇升大吉." 余準切.

飜譯

'나아가다(進)'라는 뜻이다. 도(夲)가 의미부이고 좌(屮)도 의미부이며, 윤(允)이 소리부이다. 『역·승괘(升卦)』에서 "앞으로 나아가고 또 높은 곳에 이르게 되니, 대길하리라(𡙇升大吉)"라고 했다. 독음은 여(余)와 준(準)의 반절이다.

---

155) 고문자에서 𡕒 簡牘文 등으로 그렸다. 원래는 日(날 일)과 出(날 출)과 廾(두 손 마주잡을 공)과 米(쌀 미)로 구성된 㬥으로 써, 해(日)가 나오자(出) 벼(米)를 두 손으로 들고(廾) 말리는 모습을 그려 '강한 햇살'을 나타냈는데, 米가 氺(水의 변형)로 변하고 전체 자형도 조금 변해 지금처럼 되었다. 이후 강렬하다는 의미로부터 '포악하다'는 뜻으로 쓰이게 되자 원래 뜻은 다시 日을 더한 曝(쬘 폭)으로 분화했다. 햇빛에 말리다나 폭로하다는 뜻으로 쓰일 때에는 '폭'으로, '사납다'나 '포악하다'나 '횡포' 등을 뜻할 때에는 '포'로 구분해 읽었다. 하지만 暴力(폭력), 暴言(폭언), 暴炎(폭염), 暴風(폭풍), 暴行(폭행) 등과 같이 '사납다'는 뜻인데도 습관적으로 '폭'으로 읽음에 유의해야 한다. 『설문해자』에서는 日과 出과 収(손들 공)과 米로 구성된 㬥로 썼고, 고문체에서는 日이 의미부고 麃(큰사슴 포)가 소리부인 구조로 썼다.

**6626**

**: 奏: 아뢸 주: 大-총9획: zòu**

原文

: 奏進也. 从夲从廾从屮. 屮, 上進之義. , 古文. , 亦古文. 則候切.

飜譯

'아뢰러 앞으로 나아가다(奏進)'라는 뜻이다. 도(夲)가 의미부이고 공(廾)도 의미부이고 좌(屮)도 의미부이다. 좌(屮)는 '윗사람에게 올리다(上進)'라는 뜻이다.[156] 주()는 고문체이다. 주()도 고문체이다. 독음은 칙(則)과 후(候)의 반절이다.

**6627**

**: 皋(皐): 부르는 소리 고: 白-총10획: gāo**

原文

: 气皋白之進也. 从夲从白. 『禮』: 祝曰皋, 登謌曰奏. 故皋奏皆从夲. 『周禮』曰: "詔來鼓皋舞." 皋, 告之也. 古勞切.

飜譯

'하얗게 가득한 안개가 위로 올라가다(气皋白之進)'라는 뜻이다. 도(夲)가 의미부이고 백(白)도 의미부이다. 『예』(『의례』)에서 '축문을 읽는 사람이 소리를 늘어트려 혼백을 불러들이는 것(祝)을 고(皋)라 하고, 당에 올라가서 노래를 바치는 것(登謌)을 주(奏)라고 한다. 그래서 고(皋)와 주(奏)자가 모두 도(夲)로 구성되었다.[157] 『주례·춘

156) 고문자에서 簡牘文 등으로 그렸다. 원래는 夲(나아갈 도)와 廾(두 손 마주잡을 공)과 屮(떡잎 날 철)로 구성되었는데, 예서 이후 지금의 자형이 되었다. 어떤 물체(屮)를 두 손으로 받들고(廾) 앞으로 나아가는(夲) 모습에서 '나아가 아뢰다'는 뜻을 그렸고, 이로부터 바치다, 演奏(연주)하다 등의 뜻이 나왔다.

157) 고문자에서 簡牘文 등으로 그렸다. 원래는 白(흰 백)이 의미부이고 夲(나갈 도)가 소리부인 皋로 썼는데 자형이 조금 변해 지금처럼 되었다. 신 앞에 나아가(夲) 수확한 곡물을 바치면서 '축원함(白)'을 말했다. 지금은 皋가 皐의 속자가 되었다. 달리 口(입 구)를 더한 嗥(고함지를 호)로 쓰기도 한다. 달리 嘷로 쓰기도 한다.

관·악사(樂師)』에서 "사람들에게 알려서 북을 치게 하고, 춤추는 사람들을 들어오게 하라(詔來鼓皋舞)"라고 했는데, 고(皋)는 '알리다(告之)'라는 뜻이다. 독음은 고(古)와 로(勞)의 반절이다.

## 제401부수
## 401 ■ 호(夰)부수

**6628**

**夰: 夰: 놓을 호·고: 大-총5획: gǎo**

原文

夰: 放也. 从大而八分也. 凡夰之屬皆从夰. 古老切.

飜譯

'내치다(放)'라는 뜻이다. 대(大)가 의미부이고 팔(八)은 나누다(分)라는 뜻이다. 호(夰)부수에 귀속된 글자들은 모두 호(夰)가 의미부이다. 독음은 고(古)와 로(老)의 반절이다.

**6629**

**界: 界: 눈을 들어 놀랄 구: 目-총15획: jù**

原文

界: 舉目驚界然也. 从夰从䀠, 䀠亦聲. 九遇切.

飜譯

'눈을 치켜들어 놀라 하는 모양(舉目驚界然)'을 말한다. 호(夰)가 의미부이고 구(䀠)도 의미부인데, 구(䀠)는 소리부도 겸한다. 독음은 구(九)와 우(遇)의 반절이다.

**6630**

**奡: 奡: 오만할 오: 大-총12획: ào**

原文

奡: 嫚也. 从百从夰, 夰亦聲. 『虞書』曰: "若丹朱奡." 讀若傲. 『論語』: "奡湯舟." 五到切.

飜譯

'업신여기다(嫚)'라는 뜻이다. 수(百)가 의미부이고 호(夰)도 의미부인데, 호(夰)는 소리부도 겸한다. 『서·우서(虞書)·익직(益稷)』에서 "단주(丹朱)처럼 오만하지 [마십시오]"라고 했다. 오(傲)와 같이 읽는다. 『논어·헌문(憲問)』에서 "오(奡)는 배를 끌어당길 만큼 힘이 셌다(湯舟)"라고 했다.158) 독음은 오(五)와 도(到)의 반절이다.

**6631**

**昦: 昦: 밝을 호: 日-총9획: hào**

原文

昦: 春爲昦天, 元气昦昦. 从日、夰, 夰亦聲. 胡老切.

飜譯

'봄(春)을 호천(昦天)이라 하는데, 원기(元气)가 온 천하에 가득할 때이다(昦昦). 일(日)과 호(夰)가 모두 의미부인데, 호(夰)는 소리부도 겸한다. 독음은 호(胡)와 로(老)의 반절이다.

제10권

**6632**

**臦: 臦: 놀라 달아날 광: 臣-총17획: guàng**

原文

臦: 驚走也. 一曰往來也. 从夰、臦. 『周書』曰: "伯臦." 古文臦, 古文囧字. 具往切.

飜譯

'놀라 달아나다(驚走)'라는 뜻이다. 일설에는 '오고 가다(往來)'라는 뜻이라고도 한다.

---

158) 원문은 이렇다. 남궁적(南宮適)이 공자께 여쭈었다. "예(羿)는 활쏘기에 능했고, 오(奡)는 배를 띄워 싸우는 수전에 능했지만, 모두 제 명에 죽지 못했습니다. 그러나 우(禹)와 직(稷)은 직접 농사를 지었으나 천하를 가졌습니다." 공자께서 아무런 답도 하지 않으셨다. 남궁적이 나가자, 공자께서 말씀하셨다. "군자 같은 사람이구나. 덕을 숭상하는 사람 같구나!(南宮適問於孔子曰 : '羿善射, 奡蕩舟, 俱不得其死然, 禹、稷躬稼而有天下.' 夫子不答. 南宮適出, 子曰 : '君子哉若人! 尚德哉若人!')"

호(夰)와 광(䀠)이 모두 의미부이다. 『주서(周書)』(『고문상서·경명(冏命)』)에서 "백광(伯𡗃)"이라고 했다.[159] 광(𡗃)은 광(䀠)의 고문체이며, 경(冏)의 고문체이다. 독음은 구(具)와 왕(往)의 반절이다.

159) 백광(伯𡗃)은 백경(伯冏)을 말하는데, 주(周) 목왕(穆王) 때의 대신이었다. 목왕이 그를 태부장(太仆長)에 임명하여 주위사람들을 이끌도록 했다. 역사 기록에 의하면 목왕이 백경을 임명할 때 내린 책서(策書)가 바로 『상서·경명(冏命)』이라고 한다. 『상서』는 오래된 경전이라 판본이 다양한데, 「경명(冏命)」편은 매씨(梅氏)의 위고문(僞古文) 『상서』의 한 편인 것으로 알려졌다. 그러나 현행 『상서』의 대부분에서는 이 「경명」편을 수록하고 있다.

## 제402부수
## 402 ■ 대(大)부수

**6633**

**大: 大: 클 대: 大-총3획: dà**

原文

大: 籒文大, 改古文. 亦象人形. 凡大之屬皆从大. 他達切.

飜譯

'주문(籒文)으로 대(大)자인데, 고문(古文)을 고쳐 쓴 것이다. 이 또한 사람의 모양을 형상했다.[160] 대(大)부수에 귀속된 글자들은 모두 대(大)가 의미부이다. 독음은 타(他)와 달(達)의 반절이다.

**6634**

**奕: 奕: 클 혁: 大-총9획: yì**

原文

奕: 大也. 从大亦聲. 『詩』曰: "奕奕梁山." 羊益切.

飜譯

'크다(大)'라는 뜻이다. 대(大)가 의미부이고, 역(亦)이 소리부이다.[161] 『시·대아·한혁(韓

---

160) 고문자에서 甲骨文 金文 古陶文 簡牘文 石刻古文 등으로 그렸다. 팔과 다리를 벌린 사람의 정면 모습을 그렸는데, 사람의 측면 모습을 그린 人(사람 인)과는 달리 크고 위대한 사람을 말한다. 이로부터 크다, 偉大(위대)하다는 뜻이, 다시 면적, 수량, 나이, 힘, 강도 등이 큰 것을 말했고, 정도가 심하다, 중요하다는 뜻도 나왔다. 또 상대를 존중할 때나 아버지를 지칭할 때도 쓰인다.

161) 大(큰 대)가 의미부고 亦(또 역)이 소리부로, 대단히 크다(大)는 뜻을 그렸고, 이후 奕奕(혁혁)에서처럼 '뛰어나다'는 뜻이 나왔다.

奕)』에서 "높고 큰 양산(奕奕梁山)"이라고 노래했다. 독음은 양(羊)과 익(益)의 반절이다.

**6635**

**奘:** 奘: **클 장**: 大-총10획: zàng

原文

奘: 駔大也. 从大从壯, 壯亦聲. 徂朗切.

飜譯

'준마처럼 크다(駔大)'라는 뜻이다. 대(大)가 의미부이고 장(壯)도 의미부인데, 장(壯)은 소리부도 겸한다. 독음은 조(徂)와 랑(朗)의 반절이다.

**6636**

**臭:** 臭: **광택 고·윤택 택**: 大-총8획: gǎo

原文

臭: 大白、澤也. 从大从白. 古文以爲澤字. 古老切.

飜譯

'너무나 흰색(大白)'을 말하며, '윤택이 나다(澤)'라는 뜻이다. 대(大)가 의미부이고 백(白)도 의미부이다. 택(澤)자의 고문체이다. 독음은 고(古)와 로(老)의 반절이다.

**6637**

**奚:** 奚: **어찌 해**: 大-총10획: xī

原文

奚: 大腹也. 从大, 𦃃省聲. 𦃃, 籒文系字. 胡雞切.

飜譯

'커다란 배(大腹)'를 말한다. 대(大)가 의미부이고, 계(𦃃)의 생략된 부분이 소리부이다. 계(𦃃)는 계(系)의 주문이다.[162] 독음은 호(胡)와 계(雞)의 반절이다.

**6638**

**耎: 耎: 가냘플 연: 而-총9획: ruǎn**

原文

耎: 稍前大也. 从大而聲. 讀若畏偄. 而沇切.

飜譯

'점차 앞쪽으로 갈수록 커지다(稍前大)[앞이 뒤보다 크다]'라는 뜻이다. 대(大)가 의미부이고 이(而)가 소리부이다. 외난(畏偄)의 난(偄)과 같이 읽는다. 독음은 이(而)와 연(沇)의 반절이다.

**6639**

**奰: 奰: 큰 모양 언: 大-총16획: yàn**

原文

奰: 大皃. 从大𠱠聲. 或曰拳勇字. 一曰讀若傿. 乙獻切.

飜譯

'커다란 모양(大皃)'을 말한다. 대(大)가 의미부이고 권(𠱠)이 소리부이다. 혹자는 권용(拳勇: 완력이 강함)의 권(拳)자와 같다고 여긴다. 일설에는 언(傿)과 같이 읽는다고도 한다. 독음은 을(乙)과 헌(獻)의 반절이다.



162) 고문자에서 甲骨文 金文 簡牘文 등으로 그렸다. 爪(손톱 조)와 幺(작을 요)와 大(큰 대)로 구성되어, 사람(大)을 줄(幺)로 묶어 손(爪)으로 끌며 일을 시키는 '여자 노예'를 그렸다. 이후 '어찌'라는 의문사로 가차되면서 본래의 뜻은 상실했다.

**6640**

**𡙡: 奰: 장대할 비: 大-총24획: bì**

原文

𡙡: 壯大也. 从三大三目. 二目爲䀠, 三目爲奰, 益大也. 一曰迫也. 讀若『易』虙羲氏. 『詩』曰: "不醉而怒謂之奰." 平祕切.

飜譯

'장대하다(壯大)'라는 뜻이다. 세 개의 대(大)와 세 개의 목(目)으로 구성되었다. 눈(目)이 두 개 모이면 권(䀠)이고, 눈이 세 개 모이면 비(奰)가 되는데, 더욱 크다(益大)라는 뜻이다. 일설에는 '다그치다(迫)'라는 뜻이라고도 한다. 『역·계사(繫辭)』에서 말한 '복희씨(虙羲氏)'의 '복(虙)'과 같이 읽는다. 『시·대아·탕(蕩)』에서 "취하지 않고서도 성을 내는 것(不醉而怒)을 비(奰)라고 한다"라고 했다.[163] 독음은 평(平)과 비(祕)의 반절이다.

---

163) "內奰于中國(안으로 온 나라 사람이 성을 내어)"에 대한 『모전』의 해석에 나오는 말이다. 『단주』에서 이렇게 말했다 "『시』에서 술에 취하지도 않았는데 화를 내는 것(不醉而怒)을 비(奰)라고 한다. 『대아(大雅)·탕(蕩)』에 나오는 '內奰于中國'에 대해 『모전(毛傳)』에서 술에 취하지도 않았는데 화를 내는 것(不醉而怒)을 비(奰)라고 한다고 했는데, 장대하다(壯)나 다그치다(迫)는 의미와 비슷하다."

## 제403부수
## 403 ▪ 부(夫)부수

**6641**

**:** 夫: **지아비 부**: 大-**총4획**: **fū**

原文

: 丈夫也. 从大, 一以象簪也. 周制以八寸爲尺, 十尺爲丈. 人長八尺, 故曰丈夫. 凡夫之屬皆从夫. 甫無切.

飜譯

'성인 남성(丈夫)'을 말한다. 대(大)가 의미부이고, 일(一)은 비녀(簪)를 상징한다. 주(周)나라 때의 제도에서는 8치(寸)가 1자(尺)였고, 10자(尺)가 1장(丈)이었다. 사람의 키가 8자(尺)이므로, 그래서 장부(丈夫)라 불렀다.164) 부(夫)부수에 귀속된 글자들은 모두 부(夫)가 의미부이다. 독음은 보(甫)와 무(無)의 반절이다.

**6642**

**:** 規: **법 규**: 見-**총11획**: **guī**

原文

: 有法度也. 从夫从見. 居隨切.

飜譯

---

164) 고문자에서 甲骨文 金文 古陶文 盟書 簡牘文 石刻古文 등으로 그렸다. 大(큰 대)와 一(한 일)로 구성되어, 사람의 정면 모습(大)에 비녀를 상징하는 가로획(一)을 더해, 비녀 꽂은 '성인' 남성을 그렸다. 고대 중국에서는 남자도 어른이 되면 머리에다 비녀를 꽂았고, 이로부터 '성인 남자', '지아비'라는 의미를 갖게 되었다. 또 고대 한어에서는 발어사나 어말 조사로 쓰이기도 했다.

'법도를 갖추었다(有法度)'라는 뜻이다. 부(夫)가 의미부이고 견(見)도 의미부이다.[165] 독음은 거(居)와 수(隨)의 반절이다.

**6643**

**𫟈: 㚘: 함께 갈 반: 大-총8획: bàn**

原文

𫟈: 竝行也. 从二夫. 輦字从此. 讀若伴侶之伴. 薄旱切.

飜譯

'나란히 함께 가다(竝行)'라는 뜻이다. 두 개의 부(夫)로 구성되었다. 련(輦)자가 이 글자로 구성되었다.[166] 반려(伴侶)의 반(伴)과 같이 읽는다. 독음은 박(薄)과 한(旱)의 반절이다.

---

165) 夫(지아비 부)와 見(볼 견)으로 구성되어, 法規(법규)나 規則(규칙)을 말하는데, 성인 남성(夫)이 보는(見) 것이 바로 당시 사회의 잣대이자 '법규'였음을 말해 준다. 일찍부터 정착 농경을 시작해 경험이 중시되었던 고대 중국에서는 나이 든 성인의 지혜를 최고의 판단 준거로 인식했다. 그래서 성인이 된 남성(夫)이 보고(見) 판단하는 것, 그것을 당시 사람들은 그들이 따라야 할 사회의 法度(법도)이자 규범으로 생각되었으며, 그 결과 規에는 法度나 典範(전범)이라는 뜻이 생겼고, 이후 일정한 규격대로 정확하게 원을 그려 내는 '그림쇠'를 뜻하기도 했다.

166) 고문자에서 [고문자] 金文 등으로 썼다. 車(수레 거·차)와 㚘(함께 갈 반)으로 구성되어, 두 사람이나 걸이 대(㚘)로 수레(車)를 끄는 모습으로부터 '손수레'를 말했는데, 진한 시대 이후 제왕과 왕후가 타는 수레를 특별히 지칭하게 되었다. 간화자에서는 辇으로 쓴다.

## 제404부수
## 404 ■ 립(立)부수

**6644**

**立: 立: 설 립: 立-총5획: lì**

原文

立: 住也. 从大立一之上. 凡立之屬皆从立. 力入切.

飜譯

'살다(住)'라는 뜻이다. 대(大)가 의미부이고 일(一) 위에 서 있는 모습이다.[167] 립(立)부수에 귀속된 글자들은 모두 립(立)이 의미부이다. 독음은 력(力)과 입(入)의 반절이다.

**6645**

**竦: 竦: 임할 리: 立-총13획: lì**

原文

竦: 臨也. 从立从隶. 力至切.

飜譯

'임하다(臨)'라는 뜻이다. 립(立)이 의미부이고 이(隶)도 의미부이다. 독음은 력(力)과 지(至)의 반절이다.

---

167) 고문자에서 [glyphs]甲骨文 [glyphs]金文 [glyphs]古陶文 [glyphs]簡牘文 등으로 그렸다. 땅(一) 위로 팔을 벌리고 선 사람(大)의 모습으로부터 '서다'의 의미를 그렸으며, 이로부터 자리하다, 멈추다, 설치하다, 제정하다, 결정하다, 존재하다, 드러내다 등의 뜻이 나왔다.

**6646**

**竱:** 竱: **포갤 퇴**: 立-**총13획**: **duì**

原文

竱: 磊竱, 重聚也. 从立臺聲. 丁罪切.

飜譯

'뢰퇴(磊竱)를 말하는데, 중첩되어 쌓이다(重聚)'라는 뜻이다. 립(立)이 의미부이고 순(臺)이 소리부이다. 독음은 정(丁)과 죄(罪)의 반절이다.

**6647**

**端:** 端: **바를 단**: 立-**총14획**: **duān**

原文

端: 直也. 从立耑聲. 多官切.

飜譯

'곧다(直)'라는 뜻이다. 립(立)이 의미부이고 단(耑)이 소리부이다.[168] 독음은 다(多)와 관(官)의 반절이다.

**6648**

**竱:** 竱: **같을 전**: 立-**총16획**: **zhuǎn**

原文

竱: 等也. 从立專聲. 『春秋國語』曰: "竱本肇末." 旨兖切.

飜譯

'같다(等)'는 뜻이다. 립(立)이 의미부이고 전(專)이 소리부이다. 『춘추국어』(『국어·제

168) 立(설 립)이 의미부이고 耑(시초 단)이 소리부로, 몸을 꼿꼿하게(耑) 세운 사람(立)에서 端正(단정)하다는 의미를 그렸고, 이로부터 바르다, 공정하다, 정직하다 등의 뜻이 나왔고 그런 사람을, 또 사물의 한쪽 끝을 지칭하기도 했다.

어(齊語)』)에서 "그 근본을 가지런히 하게 되면, 그 끝도 가지런히 된다(竴本肇末)" 라고 했다. 독음은 지(旨)와 연(兖)의 반절이다.

**6649**

**竦: 竦: 삼갈 송: 立-총12획: sǒng**

原文

竦: 敬也. 从立从束. 束, 自申束也. 息拱切.

飜譯

'공경하다(敬)'라는 뜻이다. 립(立)이 의미부이고 속(束)도 의미부이다. 속(束)은 '스스로를 단속하다(自申束)'라는 뜻이다. 독음은 식(息)과 공(拱)의 반절이다.

**6650**

**竫: 竫: 편안할 정: 立-총13획: jìng**

原文

竫: 亭安也. 从立爭聲. 疾郢切.

飜譯

'편안하고 안정되다(亭安)'라는 뜻이다. 립(立)이 의미부이고 쟁(爭)이 소리부이다. 독음은 질(疾)과 영(郢)의 반절이다.

**6651**

**靖: 靖: 편안할 정: 靑-총13획: jìng**

原文

靖: 立竫也. 从立青聲. 一曰細皃. 疾郢切.

飜譯

'편안하게 서 있을 때 용모가 안정되다(立竫)'라는 뜻이다. 립(立)이 의미부이고 청

(青)이 소리부이다. 일설에는 '세세한 모양(細皃)'을 말한다고도 한다. 독음은 질(疾)과 영(郢)의 반절이다.

**6652**

**竢**: 竢: **기다릴 사**: 立-**총12획**: **sì**

原文

竢: 待也. 从立矣聲. 䇃, 或从巳. 牀史切.

飜譯

'기다리다(待)'라는 뜻이다. 립(立)이 의미부이고 의(矣)가 소리부이다. 사(䇃)는 혹체자인데, 사(巳)로 구성되었다. 독음은 상(牀)과 사(史)의 반절이다.

**6653**

**竘**: 竘: **다듬을 구**: 立-**총10획**: **jǔ, qǔ**

原文

竘: 健也. 一曰匠也. 从立句聲. 讀若齲. 『逸周書』有竘匠. 丘羽切.

飜譯

'건장하다(健)'라는 뜻이다. 일설에는 '장인(匠)'을 말한다고도 한다. 립(立)이 의미부이고 구(句)가 소리부이다. 우(齲)와 같이 읽는다. 『일주서(逸周書)』에 '구장(竘匠)'이라는 말이 있다.[169] 독음은 구(丘)와 우(羽)의 반절이다.

**6654**

**竵**: 竵: **바르지 않을 화**: 立-**총18획**: **wāi**

原文

169) 『단주』에서 구장(竘匠)은 아마도 『주서(周書) 제71편에 나오는 말일 텐데, 정확한 의미는 연구를 해보아야 한다고 했다.

竵: 不正也. 从立咼聲. 火鼃切.

譯

'바르지 않다(不正)'라는 뜻이다. 립(立)이 의미부이고 과(咼)가 소리부이다. 독음은 화(火)와 와(鼃)의 반절이다.

**6655**

**竭: 竭: 다할 갈: 立-총14획: jié**

原文

竭: 負舉也. 从立曷聲. 渠列切.

譯

'등에 짐을 짊어지다(負舉)'라는 뜻이다. 립(立)이 의미부이고 갈(曷)이 소리부이다.[170] 독음은 거(渠)와 렬(列)의 반절이다.



**6656**

**竢: 竢: 서서 기다릴 수: 頁-총17획: xū**

原文

竢: 待也. 从立須聲. 𥪝, 或从芻聲. 相俞切.

譯

'기다리다(待)'라는 뜻이다. 립(立)이 의미부이고 수(須)가 소리부이다. 수(𥪝)는 혹체자인데, 추(芻)가 소리부이다. 독음은 상(相)과 유(俞)의 반절이다.

170) 立(설 립)이 의미부이고 曷(어찌 갈)이 소리부로, 목이 말라 입을 크게 벌리고(曷) 선 사람(立)으로부터 기력이 소진한 상태를 그렸으며, 물이 마르다, 소진하다, 다하다, 없다, 사라지다 등의 뜻이 나왔다. 달리 水(물 수)로 구성된 渴(목마를 갈)과 같이 쓰기도 한다.

**6657**

**𥪻: 𥪻: 약하게 서 있는 모습 라: 立-총18획: luò, nuò**

原文

𥪻: 痿也. 从立𣎆聲. 力臥切.

飜譯

'위축되어 저리고 마비가 되다(痿)'라는 뜻이다. 립(立)이 의미부이고 라(𣎆)가 소리부이다. 독음은 력(力)과 와(臥)의 반절이다.

**6658**

**竣: 竣: 마칠 준: 立-총12획: jùn**

原文

竣: 偓竣也. 从立夋聲. 『國語』曰: "有司已事而竣." 七倫切.

飜譯

'앉아 쉬다(偓竣)'라는 뜻이다.[171] 립(立)이 의미부이고 준(夋)이 소리부이다.[172] 『국어·제어(齊語)』에서 "일을 주관하는 사람은 자신의 일을 마치고서야 물러나 쉬었다(有司已事而竣)"라고 했다. 독음은 칠(七)과 륜(倫)의 반절이다.

---

171) 『단주』에서 '偓竣也'는 '居也'가 되어야 한다고 하면서 이렇게 말했다. "각 판본에서 '偓竣也'라고 하면서 해설자들이 '악전(偓佺: 옛날 전설상의 신선)'을 말한다고 했는데 지금 바로잡는다. 시(尸)부수에서 거(居)는 쪼그리고 앉다는 뜻(蹲也)이라고 했고, 족(足)부수에서도 거(居)는 쪼그리고 앉다는 뜻이라고 했다(蹲也). 곽박의 『산해경주』와 서광(徐廣)의 『사기음의(史記音義)』에서 모두 준(踆)은 준(蹲)의 고자라고 했다. 『설문』에서 말한 준(竣)은 아마도 준(蹲)과 독음이나 의미가 같을 것이다. 그런데도 거(居)가 거(倨)로 잘못 변하고, 거(倨)가 악(偓)으로 잘못 변했으며, 여기에 준(竣)자가 덧붙여졌으며, 앞에 들어가야 할 것이 뒤로 들어가 드디어 '偓竣'이 되어버렸다. 고대 문헌에서 잘못 변해 바로 잡아야 하는 예들이 이런 식으로 존재한다. 그래서 학자들은 신중하게 깊이 생각해야 하며, 마음으로 그 깊은 내용을 잘 알아야만 한다. 『광운(廣韵)』에서도 거(倨)를 말한다고 했는데, 이도 거(居)가 거(倨)로 잘못 변했음의 증거가 된다." 그렇게 되면 '쪼그리고 앉다'는 뜻이 된다.

172) 立(설 립)이 의미부고 夋(천천히 걷는 모양 준)이 소리부로, 물러나다, 완성하다 등의 뜻이 있는데, 뛰어난(夋) 공적을 세워(立) 임무를 완성하고 물러난다는 뜻을 담았다.

**6659**

**竦: 竦: 귀신 보고 움찍 하는 모양 복: 立-총13획: fú**

原文

竦: 見鬼彪皃. 从立从录. 录, 籒文彪字. 讀若虙羲氏之虙. 房六切.

飜譯

'마치 귀신을 본 듯 움찔하는 모양(見鬼彪皃)'을 말한다. 립(立)이 의미부이고 록(录)도 의미부이다. 록(录)은 매(彪)의 주문(籒文)체이다. 복희씨(虙羲氏)의 복(虙)과 같이 읽는다. 독음은 방(房)과 륙(六)의 반절이다.

**6660**

**䇞: 䇞: 놀라는 모양 작: 立-총13획: què**

原文

䇞: 驚皃. 从立昔聲. 七雀切.

飜譯

'놀라는 모양(驚皃)'을 말한다. 립(立)이 의미부이고 석(昔)이 소리부이다. 독음은 칠(七)과 작(雀)의 반절이다.

**6661**

**竨: 竨: 비틀거릴 비·오뚝 선 모양 파: 立-총13획: bà**

原文

竨: 短人立竨竨皃. 从立卑聲. 傍下切.

飜譯

'키 작은 사람이 우뚝 선 모양(短人立竨竨皃)'을 말한다. 립(立)이 의미부이고 비(卑)가 소리부이다. 독음은 방(傍)과 하(下)의 반절이다.

**6662**

**𥪰: 竲: 지붕이 없는 높은 누각 증: 立-총17획: céng**

原文

𥪰: 北地高樓無屋者. 从立曾聲. 七耕切.

飜譯

'북방 지역의 지붕이 없는 높은 누각(北地高樓無屋者)'을 말한다. 립(立)이 의미부이고 증(曾)이 소리부이다. 독음은 칠(七)과 경(耕)의 반절이다.

## 제405부수
## 405 ■ 병(竝)부수

**6663**

**竝: 竝: 아우를 병: 立-총10획: bìng**

原文

竝: 併也. 从二立. 凡竝之屬皆从竝. 蒲迥切.

譯譯

'[사람이] 나란히 서다(併)'라는 뜻이다. 두 개의 립(立)으로 구성되었다.173) 병(竝)부수에 귀속된 글자들은 모두 병(竝)이 의미부이다. 독음은 포(蒲)와 형(迥)의 반절이다.

**6664**

**普: 替: 쇠퇴할 체: 白-총15획: tì**

原文

普: 廢, 一偏下也. 从竝白聲. 普, 或从曰. 朁, 或从兟从曰. 臣鉉等曰: 今俗作替, 非是. 他計切.

譯譯

'폐기하다(廢)'는 뜻인데, '[나란히 선 두 사람 중] 한 사람이 아래로 치우치다(一偏下)'라는 뜻이다. 병(竝)이 의미부이고 백(白)이 소리부이다. 체(普)는 혹체자인데, 왈(曰)

173) 고문자에서 [고문자 자형] 甲骨文 [고문자 자형] 金文 [고문자 자형] 盟書 [고문자 자형] 簡牘文 등으로 그렸다. 두 개의 立(설 립)으로 구성되어, 두 사람이 나란히 선(立) 모습을 그렸고, 이로부터 나란하다, 竝列(병렬), '아우르다', 합병 등의 뜻이 나왔다. 이후 속자에서는 필획을 합하여 並(아우를 병), 幷(아우를 병)으로 쓰기도 한다. 간화자에서는 并으로 쓴다.

로 구성되었다. 체(䠢)는 혹체자인데, 신(兟)도 의미부이고 왈(曰)도 의미부이다. 신(臣) 서현 등은 이렇게 생각합니다. "오늘날의 세속에서는 체(替)로 쓰는데, 이는 옳지 않습니다." 독음은 타(他)와 계(計)의 반절이다.

# 제406부수
# 406 ■ 신(囟)부수

**6665**

**囟: 囟: 정수리 신: 口-총6획: xìn**

原文

囟: 頭會, 𡿺蓋也. 象形. 凡囟之屬皆从囟. 膟, 或从肉、宰. 𠫼, 古文囟字. 息進切.

飜譯

'정수리의 백회(頭會)[숫구멍][174)]'를 말하는데, '대뇌의 덮개(𡿺蓋)'을 말한다. 상형이다. 신(囟)부수에 귀속된 글자들은 모두 신(囟)이 의미부이다. 신(膟)은 혹체자인데, 육(肉)과 재(宰)로 구성되었다. 신(𠫼)은 신(囟)의 고문체이다. 독음은 식(息)과 진(進)의 반절이다.

**6666**

**巤: 巤: 목 갈기 렵: 巛-총15획: liē**

原文

巤: 毛巤也. 象髮在囟上及毛髮巤巤之形. 此與籒文子字同. 良涉切.

飜譯

'갈기 털(毛巤)'을 말한다. 정수리 위에서 자라난 털이 흔들리는 모습(象髮在囟上及毛髮巤巤之形)을 형상했다. 이 글자는 자(子)자의 주문체와 같다. 독음은 량(良)과 섭(涉)의 반절이다.

174) 신생아의 좌우의 두정골과 후두린 사이에 생긴 삼각형의 천문을 말한다.

**6667**

: 膍: **배꼽 비**: 比-**총10획**: pí

原文

: 人臍也. 从囟, 囟, 取气通也; 从比聲. 房脂切.

飜譯

'사람의 배꼽(人臍)'을 말한다. 신(囟)이 의미부인데, 신(囟)은 [배꼽은 정수리와 마찬가지로] 기가 통하는 곳이라는 의미를 취했다. 비(比)가 소리부이다. 독음은 방(房)과 지(脂)의 반절이다.

## 제407부수
## 407 ■ 사(思)부수

**6668**

: 思: **생각할 사**: 心-**총9획**: sī

原文

: 容也. 从心囟聲. 凡思之屬皆从思. 息兹切.

飜譯

'모든 것을 받아들이다(容)'라는 뜻이다.175) 심(心)이 의미부이고 신(囟)이 소리부이다.176) 사(思)부수에 귀속된 글자들은 모두 사(思)가 의미부이다. 독음은 식(息)과 자

---

175) 『단주』에서는 '容也'가 '睿也'가 되어야 한다고 하면서 이렇게 말했다. "각 판본에서 '容也'라고 했는데, 아마도 복생(伏生)의 『상서(尙書)』에서 생각하다(思心)는 것을 용(容)이라 한다고 한 말을 갖고 해설한 것으로 보인다. 지금 바로 잡는다. 외모는 공손해야 하고, 말은 이치를 따라야 하며, 보는 것은 밝아야 하고, 듣는 것은 분명해야 하고, 생각하는 것은 슬기로워야 한다.(皃曰恭, 言曰從, 視曰明, 聽曰聰, 思心曰容.)라고 했는데, 이 다섯 가지의 덕을 두고 한 말이다. 공손함으로써 외모를 설명하고, 따라야 함으로써 말을 설명하고, 밝고 분명한 것으로써 보고 듣는 것을 설명한 것으로 볼 수가 없다.(非可以恭釋皃, 以從釋言, 以明聰釋視聽也.) 곡(谷)부수에서 예(睿)는 깊이 파서 내처럼 흐르게 하다(深通川)는 뜻이라고 했는데, 예(睿)자를 가져와 봇도랑을 파내서 큰 내에 이르게 하다(畎澮距川)는 뜻으로 풀이했다. 이로부터 의미가 파생되어 깊이 통달한 것(深通)을 모두 예(睿)라고 하게 되었다. 사(思)와 예(睿)는 쌍성 관계인데, 이는 문(門)과 문(捫), 호(戶)와 호(護), 발(髮)과 발(拔)과 같은 예에 속한다. 이로써 사(思)를 풀이한 것은 능히 깊이 통달할 수 있기 때문임을 알 수 있다. 『상서대전(尙書大傳)』에서 사심(思心)을 5번째에 나열하고서는, 생각하되 깊이 받아들이지 않는다면 이는 성인이 아니다(思心之不容, 是謂不聖.)라고 하였다. 유향(劉向)과 동중서(董仲舒), 반고(班固) 등은 모두 관대함(寬)으로 용(容)의 뜻을 풀이했다. 이는 『고문상서(古文尙書)』에서 말한 '五曰思', '思曰睿'가 판본에 따라 다름을 알 수 있다. 상세한 것은 내(단옥재)가 편찬한 『고문상서찬이(古文尙書撰異)』를 참조하기 바란다."

176) 고문자에서 古陶文 簡牘文 帛書 古璽文 등으로 그렸다. 田(밭 전)과 心(마음 심)으로 구성되어, 농작물(田)의 생산성을 높이고자 깊은 생각(心)을 다하다는 뜻을 담았으며, 이로부터 생각하다, 思索(사색), 思惟(사유), 思想(사상), 그리워하다 등의 뜻이 나왔다. 원래는 사람의 머리통을 그린 囟(정수리 신)과 심장을 그린 心(마음

(兹)의 반절이다.

**6669**

**:** 慮: **생각할 려**: 心-총15획: lǜ

原文

: 謀思也. 从思虍聲. 良據切.

飜譯

'어떻게 도모할 지를 생각하다(謀思)'라는 뜻이다. 사(思)가 의미부이고 호(虍)가 소리부이다.[177] 독음은 량(良)과 거(據)의 반절이다.

---

심)으로 구성되어, '생각'이 머리와 심장 즉 가슴에서 나오는 것으로 생각했다. 이후 한나라 때의 예서체에 들면서 囟이 형체가 유사한 田(밭 전)으로 변했는데, 이는 농경을 중심으로 삼았던 중국인들이 논밭(田)에서 나는 농작물의 생산성을 높이고자 갖은 마음과 생각(心)을 다 쏟아 고민하는 모습을 반영했다.

177) 고문자에서  金文  簡牘文 등으로 그렸다. 思(생각할 사)가 의미부이고 虍(범 호)가 소리부로, 무슨 일을 꾸미려고 생각하다는 뜻인데, 호랑이(虍)를 만나 빠져나갈 궁리를 생각하다(思)는 뜻을 담았다. 금문에서는 思가 의미부이고 呂(등뼈·음률 려)가 소리부인 구조로 쓰기도 했다. 간화자에서는 思를 心(마음 심)으로 줄인 虑로 쓴다.

## 제408부수
## 408 ■ 심(心)부수

**6670**

**: 心: 마음 심: 心-총4획: xīn**

原文

: 人心, 土藏, 在身之中. 象形. 博士說以爲火藏. 凡心之屬皆从心. 息林切.

飜譯

'사람의 심장(人心)을 말하는데, [오행에서] 토(土)에 해당하는 장기이며, 몸의 중심을 이룬다.'178) 상형이다. 박사(博士)들의 해설에 의하면, [심장은] 화(火)에 속하는 장기가 되어야 한다고 한다.179) 심(心)부수에 귀속된 글자들은 모두 심(心)이 의미부이다. 독음은 식(息)과 림(林)의 반절이다.

---

178) 허신 당시의 한나라에서는 오장(五臟)을 오행(五行)과 연결시키는 것이 유행했다. 한나라 당시의 학문은 금문학파와 고문학파로 나뉘었는데, 그에 따라 배합 결과도 달랐다. 당시의 금문학파는 심(心)을 화(火)에, 간(肝)을 목(木)에, 비(脾)를 토(土)에, 폐(肺)를 금(金)에, 신(腎)을 수(水)에 배합시켰으나, 허신이 속한 고문학파에서는 심(心)을 토(土)에, 간(肝)을 금(金)에, 비(脾)를 목(木)에, 폐(肺)를 화(火)에, 신(腎)을 수(水)에 배합시켜 차이를 보인다.

179) 고문자에서 甲骨文 金文 古陶文 簡牘文 古璽文 石刻古文 등으로 그렸다. 갑골문에서 심장의 실제 모습을 그대로 그렸는데, 안쪽은 심장의 판막을 바깥쪽은 대동맥을 그렸다. 소전체까지는 심장의 모습을 잘 유지했으나 예서 이후로 잘 알아볼 수 없게 변해버렸다. 편방으로 쓰일 때에는 忄(⺗)으로 써 글자의 균형을 고려했다. 『설문해자』에서는 심장(心)을 음양오행 중 土(토)에 해당하는 장기라고 했다. 『설문해자』를 지은 許愼(허신)은 당시의 금문(今文)학자들과는 달리 우리 몸의 五臟(오장) 중 肝(간)을 金(금), 脾(비)를 木(목), 腎(신)을 水(수), 肺(폐)를 火(화), 心을 土에 속하는 것으로 간주했다. 고대 중국인들은 思(생각할 사)나 想(생각할 상)에서처럼 사람의 생각이 머리가 아닌 심장에서 나온다고 생각했다. 그래서 心으로 구성된 한자들은 대부분 사상·감정이나 심리 활동과 관련되어 있으며, 그 때문에 사람의 성품도 마음에서 결정된다고 생각했다.

**6671**

## 息: **숨 쉴 식**: 心-총10획: xī

原文

: 喘也. 从心从自, 自亦聲. 相即切.

飜譯

'헐떡거리며 가삐 숨을 쉬다(喘)'라는 뜻이다. 심(心)이 의미부이고 자(自)도 의미부인데, 자(自)는 소리부도 겸한다.180) 독음은 상(相)과 즉(即)의 반절이다.

**6672**

## 情: **뜻 정**: 心-총11획: qíng

原文

: 人之陰气有欲者. 从心青聲. 疾盈切.

飜譯

'사람의 욕망으로, 음에 속하는 기운이다(人之陰气有欲者).'181) 심(心)이 의미부이고 청(青)이 소리부이다.182) 독음은 질(疾)과 영(盈)의 반절이다.

---

180) 고문자에서 金文 簡牘文 古璽文 등으로 그렸다. 自(스스로 자)와 心(마음 심)으로 구성되어, '숨을 쉬다'는 뜻인데, 심장(心)에서 시작된 숨이 코(自)로 나오는 모습을 형상화했다. 이는 폐와 코가 가장 주요한 호흡기라고 생각할 수 있지만, 심장(心)이 펄떡펄떡 뛰면서 거친 숨을 코(自)로 내몰아 쉬는 모습을 상상하게 한다. 그래서 休息(휴식)은 내몰아 쉬는 숨(息)을 가라앉혀 쉬게 하다(休)는 뜻이다.

181) 『단주』에서는 이렇게 주석을 달았다. "동중서(董仲舒)는 '정(情)이라는 것은 사람의 욕망(人之欲)이다. 사람의 욕망을 정이라 하는 것은 제도로 절제되는 것이 아니기 때문이다.'라고 했다. 『예기(禮記)』에서는 '무엇을 사람의 정이라고 하는가? 희(喜), 노(怒), 애(哀), 구(懼), 애(愛), 오(惡), 욕(欲)이 그것이다. 이 일곱 가지는 배우지 않고서도 할 수 있는 것이다.'라고 했다. 『좌전(左傳)』에서는 '백성들이 가진 호(好), 오(惡), 희(喜), 노(怒), 애(哀), 락(樂)의 감정은 육기(六氣)에서 생겨난다.'라고 했다. 『효경원신계(孝經援神契)』에서는 '성(性)은 양(陽)에서 생겨나 이치로서 갈무리하고, 정(情)은 음(陰)에서 생겨나 사념을 붙들어 맨다.'라고 하였다."

182) 고문자에서 簡牘文 등으로 그렸다. 心(마음 심)이 의미부고 青(푸를 청)이 소리부로, 깨

**6673**

**性: 性: 성품 성: 心-총8획: xìng**

原文

性: 人之陽气性善者也. 从心生聲. 息正切.

飜譯

'사람의 선량한 본성으로, 양에 속하는 기운이다(人之陽气性善者也).' 심(心)이 의미부이고 생(生)이 소리부이다.183) 독음은 식(息)과 정(正)의 반절이다.

**6674**

**志: 志: 뜻 지: 心-총7획: zhì**

原文

志: 意也. 从心之聲. 職吏切.

飜譯

'뜻(意)'을 말한다. 심(心)이 의미부이고 지(之)가 소리부이다.184) 독음은 직(職)과 리(吏)의 반절이다.

---

끗하고 순수한(靑) 마음(心)에서 우러나오는 '정'을 말하며, 이로부터 愛情(애정), 情況(정황), 狀況(상황) 등의 뜻이 나왔다.

183) 고문자에서 [古文字]金文 [古文字]簡牘文 등으로 그렸다. 心(마음 심)이 의미부고 生(날 생)이 소리부로, 사람의 본성을 말하는데, 사람이 태어나면서부터 갖는 천성적인(生) 마음(心)이 바로 '性品(성품)'임을 보여준다. 이후 天性(천성)이나 사물의 本性(본성), 생명, 性情(성정) 등의 뜻이 나왔고, 명사 뒤에 놓여 사상 감정이나 생활 태도, 일정한 범주 등을 나타내는 접미사로 쓰인다.

184) 고문자에서 [古文字]金文 [古文字]古陶文 [古文字]盟書 [古文字]簡牘文 [古文字]古璽文 등으로 그렸다. 원래는 心(마음 심)이 의미부고 之(갈 지)가 소리부인 구조로, 마음(心)이 가는(之) 그것이 '뜻'임을 그렸다. 이후 心이 의미부고 士(선비 사)가 소리부로 바뀌어, 선비(士) 같은 마음(心)이라는 의미를 강조했다. 이후 의지, 표지, 잊지 않다 등의 뜻이 나왔으며, 현대 중국에서는 誌(기록할 지)의 간화자로도 쓰인다.

**6675**

: 意: **뜻 의**: 心-**총13획**: **yì**

原文

: 志也. 从心察言而知意也. 从心从音. 於記切.

飜譯

'뜻(志)'을 말한다. 마음(心)으로 다른 사람의 말을 살피면 그 뜻을 알 수 있다는 의미이다. 심(心)이 의미부이고 음(音)도 의미부이다.185) 독음은 어(於)와 기(記)의 반절이다.

**6676**

: 恉: **뜻 지**: 心-**총9획**: **zhǐ**

原文

: 意也. 从心旨聲. 職雉切.

飜譯

'뜻(意)'을 말한다. 심(心)이 의미부이고 지(旨)가 소리부이다. 독음은 직(職)과 치(雉)의 반절이다.

**6677**

: 悳: **덕 덕**: 心-**총12획**: **dé**

原文

: 外得於人, 内得於己也. 从直从心. , 古文. 多則切.

---

185) 고문자에서 簡牘文 등으로 그렸다. 心(마음 심)과 音(소리 음)으로 구성되어, 마음(心)의 소리(音)가 '뜻'이자 '의지'임을 그려냈으며, 이로부터 생각하다, 마음속에 담아두다, 내심, 감정, 意味(의미) 등의 뜻이 나왔다.

飜譯

'밖으로는 다른 사람에게서 얻어지고, 안으로는 자신에게서 얻어 지는 것(外得於人, 內得於己)이 덕이다.' 직(直)이 의미부이고 심(心)도 의미부이다.[186] 덕(悳)은 고문체이다. 독음은 다(多)와 칙(則)의 반절이다.

**6678**

**應: 應: 응할 응: 心-총17획: yīng**

原文

應: 當也. 从心雁聲. 於陵切.

飜譯

'마땅하다, 당연하다(當)'라는 뜻이다. 심(心)이 의미부이고 응(雁)이 소리부이다.[187] 독음은 어(於)와 릉(陵)의 반절이다.

---

186) 고문자에서 [고문자] 甲骨文 [고문자] 金文 [고문자] 古陶文 [고문자] 盟書 [고문자] 簡牘文 등으로 그렸다. 원래 彳(조금 걸을 척)이 의미부이고 直(곧을 직)이 소리부로, 길을 갈(彳) 때 곁눈질하지 않고 똑바로(直) 보다는 의미를 그렸는데, 이후 心(마음 심)이 더해져 지금의 자형이 되었다. 그렇게 되자 의미도 '똑바른(直) 마음(心)'이라는 도덕성을 강조하게 되었고, 도덕의 지향점이 德이라는 것을 형상적으로 보여주게 되었다.
달리 直과 心이 상하구조로 이루어진 悳(덕 덕)으로 쓰기도 한다. 혹자는 "다니는 길(彳 또는 行)에다 '직(直: 곧다)'이 더해진 글자로, 길을 곧게 만들어 놓으면 말이나 마차가 빨리 다닐 수 있다는 의미를 담았다. 이러한 길을 만드는 것은 칭찬받아야 할 '재덕(才德: 재주와 덕)'이었다. 이후 '심성과 덕행이 높은 것'을 지칭하게 되었는데, 이 때문에 심(心)이나 인(人) 혹은 언(言)이 더해졌다."라고 해석하기도 한다.(허진웅, 2021)

187) 고문자에서 [고문자] 金文 [고문자] 簡牘文 [고문자] 石刻古文 등으로 그렸다. 心(마음 심)이 의미부고 雁(매 응, 鷹의 옛날 글자)이 소리부로, 마땅하다, '응당'이라는 뜻이다. 응당 어떻게 해야 한다는 것은 마음(心)에서의 동의가 이루어져야 하는 심리활동이기에 心이 의미부로 채택되었다. 이후 상대에 대한 심리적 反應(반응), 나아가 對應(대응) 등의 뜻이 생겼다. 금문에서는 應으로, 소전에서는 疒(병들어 기댈 녁)으로 구성된 癮으로 썼으며, 간화자에서는 雁을 간단하게 줄인 应으로 쓴다.

**6679**

**愼: 愼: 삼갈 신: 心-총13획: shèn**

原文

愼: 謹也. 从心眞聲. 㥲, 古文. 時刃切.

飜譯

'삼가다(謹)'라는 뜻이다. 심(心)이 의미부이고 진(眞)이 소리부이다.[188] 신(㥲)은 고문체이다. 독음은 시(時)와 인(刃)의 반절이다.

**6680**

**忠: 忠: 충성 충: 心-총8획: zhōng**

原文

忠: 敬也. 从心中聲. 陟弓切.

飜譯

'공경하다(敬)'라는 뜻이다. 심(心)이 의미부이고 중(中)이 소리부이다.[189] 독음은 척(陟)과 궁(弓)의 반절이다.

**6681**

**愨: 愨: 삼갈 각: 心-총14획: què**

---

188) 고문자에서 金文 簡牘文 등으로 그렸다. 心(마음 심)이 의미부고 眞(참 진)이 소리부로, 조심하다는 뜻인데, 점복을 칠 때의 진실 된(眞) 마음(心)처럼 신중하고 삼가야 함을 말한다. 간화자에서는 慎으로 쓴다. 달리 昚, 㥲 등으로도 쓴다.

189) 고문자에서 金文 古陶文 簡牘文 古璽文 등으로 그렸다. 心(마음 심)이 의미부고 中(가운데 중)이 소리부로, 어느 한 쪽으로도 치우치지 않은(中) 공평무사한 원칙을 견지하는 마음(中)이 바로 '충'이라는 뜻을 담았다. 이로부터 충성, 충심 등의 뜻이 나왔고, 孝(효)와 짝을 이루어 유가의 중요한 철학 개념이 되었다.

原文

: 謹也. 从心嗀聲. 苦角切.

飜譯

'삼가다(謹)'라는 뜻이다. 심(心)이 의미부이고 각(嗀)이 소리부이다. 독음은 고(苦)와 각(角)의 반절이다.

**6682**

: 懇: **아름다울 막**: 心-**총20획**: miǎo

原文

: 美也. 从心貌聲. 莫角切.

飜譯

'아름답다(美)'라는 뜻이다. 심(心)이 의미부이고 모(貌)가 소리부이다. 독음은 막(莫)과 각(角)의 반절이다.

**6683**

: 快: **쾌할 쾌**: 心-**총7획**: kuài

原文

: 喜也. 从心夬聲. 苦夬切.

飜譯

'기뻐하다(喜)'라는 뜻이다. 심(心)이 의미부이고 쾌(夬)가 소리부이다.[190] 독음은 고(苦)와 쾌(夬)의 반절이다.

---

190) 고문자에서 簡牘文 등으로 그렸다. 心(마음 심)이 의미부고 夬(터놓을 쾌)가 소리부로, 마음(心)이 기쁨을 말하며, 이로부터 愉快(유쾌)하다, 편안하다, 기쁘다, 爽快(상쾌)하다, 신속하다, 건방지다 등의 뜻이 나왔다.

**6684**

: 愷: **즐거울 개**: 心-총13획: kǎi

原文

: 樂也. 从心豈聲. 苦亥切.

飜譯

'즐겁다(樂)'라는 뜻이다. 심(心)이 의미부이고 기(豈)가 소리부이다. 독음은 고(苦)와 해(亥)의 반절이다.

**6685**

: 㥦: **해할 협**: 心-총13획: qiè, xiá, xiǎn

原文

: 快心. 从心匧聲. 苦叶切.

飜譯

'즐거운 마음(快心)'을 말한다. 심(心)이 의미부이고 협(匧)이 소리부이다. 독음은 고(苦)와 협(叶)의 반절이다.

**6686**

: 念: **생각할 념**: 心-총8획: niàn

原文

: 常思也. 从心今聲. 奴店切.

飜譯

'항상 생각하다(常思)'라는 뜻이다. 심(心)이 의미부이고 금(今)이 소리부이다.[191] 독

191) 고문자에서 金文 簡牘文 石刻古文 등으로 그렸다. 心(마음 심)이 의미부이고 今(이제 금)이 소리부로, 그리워하다, 생각하다, 念頭(염두)에 두다는 뜻인데, 언제나 마음에 두는 지금(今)의 마음(心)이 바로 그리워함이자 생각임을 보여주고 있다. 이후 마음

음은 노(奴)와 점(店)의 반절이다.

**6687**

**㤔**: 怤: **생각할 부**: 心-총9획: fū

原文

㤔: 思也. 从心付聲. 甫無切.

翻譯

'생각하다(思)'라는 뜻이다. 심(心)이 의미부이고 부(付)가 소리부이다. 독음은 보(甫)와 무(無)의 반절이다.

**6688**

**憲**: 憲: **법 헌**: 心-총16획: xiàn

原文

憲: 敏也. 从心从目, 害省聲. 許建切.

翻譯

'민첩하다(敏)'라는 뜻이다. 심(心)이 의미부이고 목(目)도 의미부이며, 해(害)의 생략된 부분이 소리부이다.[192] 독음은 허(許)와 건(建)의 반절이다.

---

으로 생각하며 읽는 것이 '공부'임을 강조하여 '공부'라는 뜻까지 가지게 되었다. 달리 口(입 구)를 더한 唸(글 소리 내어 욀 념)으로 쓰기도 한다.

192) 고문자에서 [金文 자형] 金文 [甲骨文 자형] 甲骨文 등으로 그렸다. 금문에서 선명한 모습의 눈(目·목)과 눈 위로는 투구 같은 모양이 그려졌고 아랫부분은 心(마음 심)이다. 心은 경우에 따라서는 더해지지 않은 때도 있어 자형을 구성하는 결정적인 요소는 아닌 것으로 보인다. 『설문해자』에서는 憲을 두고 "纇敏(영민)함을 뜻하며 心과 目이 의미부고 害의 생략된 모습이 소리부이다"라고 했지만 그다지 설득력이 있어 보이지는 않는다. 금문의 자형에 근거한다면 쓴 冠(관)에 장식물이 늘어져 눈을 덮은 모습이 憲이며, 이 때문에 화려한 장식을 단 冕旒冠(면류관)이 원래 뜻이고, 이로부터 '덮다'나 '드리우다'는 뜻이 생긴 것으로 추정할 수 있다. 憲은 이후 온 세상을 덮는다는 뜻에서 어떤 중요한 법령을 公表(공표)하다는 뜻도 생겼다. 그리고 憲에 心이 더해진 것은 세상 사람들이 마음으로 복종할 수 있는 그러한 법령이어야 한다는 뜻에서였

**6689**

**𢡫: 憕: 마음 편할 징: 心–총15획: chéng**

原文

𢡫: 平也. 从心登聲. 直陵切.

飜譯

'마음이 편안하다(平)'라는 뜻이다. 심(心)이 의미부이고 등(登)이 소리부이다. 독음은 직(直)과 릉(陵)의 반절이다.

**6690**

**戁: 戁: 두려워할 난: 心–총23획: nǎn**

原文

戁: 敬也. 从心難聲. 女版切.

飜譯

'공경하다(敬)'라는 뜻이다. 심(心)이 의미부이고 난(難)이 소리부이다. 독음은 녀(女)와 판(版)의 반절이다.

**6691**

**忻: 忻: 기뻐할 흔: 心–총7획: xīn**

原文

忻: 闓也. 从心斤聲. 『司馬法』曰 : "善者, 忻民之善, 閉民之惡." 許斤切.

飜譯

'열다(闓)'라는 뜻이다. 심(心)이 의미부이고 근(斤)이 소리부이다. 『사마법(司馬法)』

---

을 것이다. 이후 떠나다, 법령, 헌법 등의 뜻이 나왔다. 간화자에서는 宀(집 면)이 의미부고 先(먼저 선)이 소리부인 宪으로 쓴다.

에 의하면, "가장 훌륭한 통치는 백성들의 선함을 열어 주고, 백성들의 악함을 틀어막는 것이다(善者, 忻民之善, 閉民之惡)"라고 했다. 독음은 허(許)와 근(斤)의 반절이다.

**6692**

**𢝉: 憅: 더딜 종: 心-총12획: zhòng**

原文

𢝉: 遟也. 从心重聲. 直隴切.

飜譯

'더디다(遟)'라는 뜻이다. 심(心)이 의미부이고 중(重)이 소리부이다. 독음은 직(直)과 롱(隴)의 반절이다.

**6693**

**𢞁: 惲: 도타울 운: 心-총12획: yùn**

原文

𢞁: 重厚也. 从心軍聲. 於粉切.

飜譯

'중후하다(重厚)'라는 뜻이다. 심(心)이 의미부이고 군(軍)이 소리부이다. 독음은 어(於)와 분(粉)의 반절이다.

**6694**

**𢥞: 惇: 도타울 돈: 心-총11획: dūn**

原文

𢥞: 厚也. 从心𦎫聲. 都昆切.

飜譯

'두텁다, 도탑다(厚)'라는 뜻이다. 심(心)이 의미부이고 순(𦎫)이 소리부이다. 독음은 도(都)와 곤(昆)의 반절이다.

**6695**

**忼: 忼: 강개할 강: 心-총7획: kāng**

原文

忼: 慨也. 从心亢聲. 一曰『易』“忼龍有悔”. 苦浪切.

飜譯

‘개탄하다(慨)’라는 뜻이다. 심(心)이 의미부이고 항(亢)이 소리부이다. 일설에는 『역·건괘(乾卦)』에 “최고 높은 위치에 놓인 용은 후회하리라(忼龍有悔)”에서처럼 ‘높다’라는 뜻이 있다고도 한다. 독음은 고(苦)와 랑(浪)의 반절이다.

**6696**

**慨: 慨: 분개할 개: 心-총14획: kǎi**

原文

慨: 忼慨, 壯士不得志也. 从心既聲. 古漑切.

飜譯

‘강개함(忼慨)’을 말하는데, ‘장부가 뜻을 얻지 못하다(壯士不得志)’라는 뜻이다. 심(心)이 의미부이고 기(既)가 소리부이다.[193] 독음은 고(古)와 개(漑)의 반절이다.

**6697**

**悃: 悃: 정성 곤: 心-총10획: kǔn**

原文

悃: 愊也. 从心困聲. 苦本切.

193) 心(마음 심)이 의미부이고 既(이미 기)가 소리부로, 분개한 마음(心) 상태를 말하며, 이로부터 분개한 모습이나 격양된 모습 등을 뜻하게 되었다.

飜譯

'성심을 다하다(悃)'라는 뜻이다. 심(心)이 의미부이고 곤(困)이 소리부이다. 독음은 고(苦)와 본(本)의 반절이다.

**6698**

**愊: 愊: 답답할 핍·정성 픽: 心-총12획: bì**

原文

愊: 誠志也. 从心畐聲. 芳逼切.

飜譯

'성심(誠志)'을 말한다. 심(心)이 의미부이고 핍(畐)이 소리부이다. 독음은 방(芳)과 핍(逼)의 반절이다.



**6699**

**愿: 愿: 삼갈 원: 心-총14획: yuàn**

原文

愿: 謹也. 从心原聲. 魚怨切.

飜譯

'삼가다(謹)'라는 뜻이다. 심(心)이 의미부이고 원(原)이 소리부이다.194) 독음은 어(魚)와 원(怨)의 반절이다.

**6700**

**慧: 慧: 슬기로울 혜: 心-총15획: huì**

194) 고문자에서 愿石刻古文 등으로 그렸다. 心(마음 심)이 의미부고 原(근원 원)이 소리부로, 마음(心)이 진실 되고 마음으로 조심함을 말한다. 현대 중국에서는 좌우구조로 된 願(원할 원)의 간화자로도 쓰인다.

原文

慧: 儇也. 从心彗聲. 胡桂切.

飜譯

'슬기롭다(儇)'라는 뜻이다. 심(心)이 의미부이고 혜(彗)가 소리부이다.[195] 독음은 호(胡)와 계(桂)의 반절이다.

**6701**

**憭: 憭: 총명할 료: 心-총15획: liǎo**

原文

憭: 慧也. 从心尞聲. 力小切.

飜譯

'지혜(慧)'를 말한다. 심(心)이 의미부이고 료(尞)가 소리부이다. 독음은 력(力)과 소(小)의 반절이다.

**6702**

**恔: 恔: 쾌할 교: 心-총9획: xiáo**

原文

恔: 憭也. 从心交聲. 下交切.

飜譯

'총명하다(憭)'라는 뜻이다. 심(心)이 의미부이고 교(交)가 소리부이다. 독음은 하(下)와 교(交)의 반절이다.

---

195) 고문자에서 簡牘文 등으로 그렸다. 心(마음 심)이 의미부고 彗(비 혜)가 소리부로, 총명하다는 뜻이다. 혜성(彗)처럼 반짝이는 지혜를 가졌다는 뜻에서 '슬기롭다'는 의미가 나왔고, 슬기와 지혜는 심장에서 나온다는 뜻에서 心이 더해졌다.

**6703**

**𢡪: 㥲: 고요할 예: 疒-총16획: yì**

原文

𢡪: 靜也. 从心瘱聲. 於計切.

飜譯

'고요하다(靜)'라는 뜻이다. 심(心)이 의미부이고 협(瘱)이 소리부이다. 독음은 어(於)와 계(計)의 반절이다.

**6704**

**悊: 悊: 공경할 철: 心-총11획: zhé**

原文

悊: 敬也. 从心折聲. 陟列切.

飜譯

'공경하다(敬)'라는 뜻이다. 심(心)이 의미부이고 절(折)이 소리부이다. 독음은 척(陟)과 렬(列)의 반절이다.

**6705**

**悰: 悰: 즐길 종: 心-총11획: cóng**

原文

悰: 樂也. 从心宗聲. 藏宗切.

飜譯

'즐거워하다(樂)'라는 뜻이다. 심(心)이 의미부이고 종(宗)이 소리부이다. 독음은 장(藏)과 종(宗)의 반절이다.

**6706**

**𢙓: 恬: 편안할 념: 心-총9획: tián**

原文

𢙓: 安也. 从心, 甛省聲. 徒兼切.

飜譯

'편안하다(安)'라는 뜻이다. 심(心)이 의미부이고, 첨(甛)의 생략된 부분이 소리부이다. 독음은 도(徒)와 겸(兼)의 반절이다.

**6707**

**𢘽: 恢: 넓을 회: 心-총9획: huī**

原文

𢘽: 大也. 从心灰聲. 苦回切.

飜譯

'마음이 넓다(大)'라는 뜻이다. 심(心)이 의미부이고 회(灰)가 소리부이다.[196] 독음은 고(苦)와 회(回)의 반절이다.

**6708**

**𢚀: 恭: 공손할 공: 心-총10획: gōng**

原文

𢚀: 肅也. 从心共聲. 俱容切.

飜譯

'엄숙하다(肅)'라는 뜻이다. 심(心)이 의미부이고 공(共)이 소리부이다.[197] 독음은 구

196) 고문자에서 [古文字]簡牘文 등으로 그렸다. 心(마음 심)이 의미부고 灰(재 회)가 소리부로, 마음(心)이 넓다는 뜻인데, 가슴(心)이 재(灰)가 되도록 참는 넓은 마음이라는 의미를 담았다.

197) 고문자에서 [古文字]金文 [古文字]帛書 [古文字]石刻古文 등으로 그렸다. 心(마음 심)이 의미부이고 共(함

(俱)와 용(容)의 반절이다.

6709

**𢡟: 憼: 공경할 경: 心-총17획: jǐng**

原文

𢡟: 敬也. 从心从敬, 敬亦聲. 居影切.

飜譯

'공경하다(敬)'라는 뜻이다. 심(心)이 의미부이고 경(敬)도 의미부인데, 경(敬)은 소리부도 겸한다. 독음은 거(居)와 영(影)의 반절이다.

6710

**恕: 恕: 용서할 서: 心-총10획: shù**

原文

恕: 仁也. 从心如聲. 㣽, 古文省. 商署切.

飜譯

'인자하다(仁)'라는 뜻이다. 심(心)이 의미부이고 여(如)가 소리부이다.198) 서(㣽)는 고문체인데, 생략된 모습이다. 독음은 상(商)과 서(署)의 반절이다.

6711

**怡: 怡: 기쁠 이: 心-총8획: yí**

原文

께 공)이 소리부로, 함께(共) 할 수 있는 마음(心)을 뜻하는데, 모두가 함께할 수 있으려면 상대를 존중하고 자신을 낮추는 겸허하고 '恭遜(공손)한' 마음이 필요하기 때문이다. 이후 존중하다, 뜻을 받들어 시행하다 등의 뜻이 나왔다.

198) 心(마음 심)이 의미부고 如(같을 여)가 소리부로, 용서하다, 관용을 베풀다는 뜻인데, 원래의 타고난 마음(心)처럼(如) 하는 것이 바로 '용서'임을 그렸다.

제10권

怡: 和也. 从心台聲. 與之切.

飜譯

'조화롭다(和)'라는 뜻이다. 심(心)이 의미부이고 이(台)가 소리부이다. 독음은 여(與)와 지(之)의 반절이다.

**6712**

慈: 慈: **사랑할 자**: 心-총13획: cí

原文

慈: 愛也. 从心兹聲. 疾之切.

飜譯

'사랑하다(愛)'라는 뜻이다. 심(心)이 의미부이고 자(兹)가 소리부이다.[199] 독음은 질(疾)과 지(之)의 반절이다.

**6713**

忯: 忯: **믿을 지**: 心-총7획: qí

原文

忯: 愛也. 从心氏聲. 巨支切.

飜譯

'사랑하다(愛)'라는 뜻이다. 심(心)이 의미부이고 씨(氏)가 소리부이다. 독음은 거(巨)와 지(支)의 반절이다.

---

199) 고문자에서 金文 등으로 그렸다. 心(마음 심)이 의미부고 兹(이 자)가 소리부로, 마음(心)을 한없이 불려(兹) 남에게 베푸는 자애로운 '사랑(愛)'을 말하며, 이로부터 위에서 아래로 베푸는 사랑을 지칭하였고, 어머니의 비유로 쓰였다.

6714

**𢡿: 憢: 근심하지 않을 이: 心-총13획: yí, yǐ**

原文

𢡿: 恀憢, 不憂事也. 从心虒聲. 讀若移. 移尔切.

飜譯

'지이(恀憢)'를 말하는데, '일에 대해 걱정하지 않다(不憂事)'라는 뜻이다. 심(心)이 의미부이고 사(虒)가 소리부이다. 이(移)와 같이 읽는다. 독음은 이(移)와 이(尔)의 반절이다.

6715

**𢖶: 恮: 삼갈 전: 心-총9획: quān**

原文

𢖶: 謹也. 从心全聲. 此緣切.

飜譯

'삼가다(謹)'라는 뜻이다. 심(心)이 의미부이고 전(全)이 소리부이다. 독음은 차(此)와 연(緣)의 반절이다.



6716

**恩: 恩: 은혜 은: 心-총10획: ēn**

原文

恩: 惠也. 从心因聲. 烏痕切.

飜譯

'은혜롭다(惠)'라는 뜻이다. 심(心)이 의미부이고 인(因)이 소리부이다.[200] 독음은 오

200) 心(마음 심)이 의미부고 因(인할 인)이 소리부로, 은혜가 원래 뜻인데, 마음(心)으로 의지할(因·인) 수 있는 존재라는 뜻에서 '은혜로움'의 의미를 그렸다. 이로부터 恩惠(은혜)는 물론 총

(烏)와 흔(痕)의 반절이다.

**6717**

**懘: 懘: 고달플 제: 心-총15획: dì**

原文

懘: 高也. 一曰極也. 一曰困劣也. 从心帶聲. 特計切.

飜譯

'높다(高)'라는 뜻이다. 일설에는 '한계에 이르다(極)'라는 뜻이라고도 한다. 일설에는 '고달프다(困劣)'라는 뜻이라고도 한다. 심(心)이 의미부이고 대(帶)가 소리부이다. 독음은 특(特)과 계(計)의 반절이다.

**6718**

**憖: 憖: 억지로 은: 心-총16획: yìn**

原文

憖: 問也. 謹敬也. 从心猌聲. 一曰說也. 一曰甘也. 『春秋傳』曰: "昊天不憖." 又曰: "兩君之士皆未憖." 魚覲切.

飜譯

'묻다(問)'라는 뜻이다.[201] '삼가 공경하다(謹敬)'라는 뜻이다. 심(心)이 의미부이고 은(猌)이 소리부이다. 일설에는 '기뻐하다(說)'라는 뜻이라고도 한다. 또 일설에는 '달다(甘)'라는 뜻이라고도 한다. 『춘추전』(『좌전』 문공 13년, B.C. 614)에서 "높고 높은 하늘은 따지지 않는다(昊天不憖)"라고 했다. 또 "두 나라의 장사들이 모두 원하지 않았다(兩君之士皆未憖)"라고 했다. 독음은 어(魚)와 근(覲)의 반절이다.

---

애, 사랑하는 사람 등의 뜻이 나왔다.

201) 『단주』에서 '問也'는 '긍(肎)'이 되어야 한다면서 이렇게 말했다. "각 판본에서는 '問也'라고 했는데, 『옥편(玉篇)』에서는 '閒也'로 되었으며, 『좌전음의(左傳音義)』에서 인용한 『자림(字林)』에서도 '閒也'로 되었다. 간(閒)은 긍(肎)의 오류이고, 문(問)은 간(閒)의 오류이다." 그렇게 되면 '마음에 맞다'로 해석된다.

**6719**

**懬: 懬: 넓을 광: 心-총19획: xìng, kuàng**

原文

懬: 闊也. 一曰廣也, 大也. 一曰寬也. 从心从廣, 廣亦聲. 苦謗切.

飜譯

'넓게 트이다(闊)'라는 뜻이다. 일설에는 '넓다(廣), 크다(大)'라는 뜻이라고도 한다. 일설에는 '관대하다(寬)'라는 뜻이라고도 한다. 심(心)이 의미부이고 광(廣)도 의미부인데, 광(廣)은 소리부도 겸한다. 독음은 고(苦)와 방(謗)의 반절이다.

**6720**

**悈: 悈: 신칙할 계: 心-총10획: jiè**

原文

悈: 飾也. 从心戒聲. 『司馬法』曰: "有虞氏悈於中國." 古拜切.

飜譯

'삼가 경계하다(飾)'라는 뜻이다. 심(心)이 의미부이고 계(戒)가 소리부이다. 『사마법(司馬法)』에서 "유우씨는 나라의 한가운데서 삼가 경계하였다(有虞氏悈於中國)"라고 했다. 독음은 고(古)와 배(拜)의 반절이다.

**6721**

**㥯: 㥯: 삼갈 은: 心-총14획: yǐn**

原文

㥯: 謹也. 从心㣽聲. 於靳切.

飜譯

'삼가다(謹)'라는 뜻이다. 심(心)이 의미부이고 은(㣽)이 소리부이다. 독음은 어(於)와 근(靳)의 반절이다.

**6722**

**𢝊: 慶: 경사 경: 心-총15획: qìng**

原文

𢝊: 行賀人也. 从心从夊. 吉禮以鹿皮爲贄, 故从鹿省. 丘竟切.

飜譯

'가서 다른 사람을 축하해 주다(行賀人)'라는 뜻이다. 심(心)이 의미부이고 치(夊)도 의미부이다. 길례(吉禮) 때에는 사슴 가죽(鹿皮)을 폐백(贄)으로 삼는다. 그래서 록(鹿)의 생략된 부분이 의미부가 되었다.[202] 독음은 구(丘)와 경(竟)의 반절이다.

**6723**

**愃: 愃: 쾌할 선·너그러울 훤: 心-총12획: xuǎn**

原文

愃: 寬嫺心腹皃. 从心宣聲. 『詩』曰 : "赫兮愃兮." 況晚切.

飜譯

'마음이 너그럽고 우아한 모양(寬嫺心腹皃)'을 말한다. 심(心)이 의미부이고 선(宣)이 소리부이다. 『시·위풍·기오(淇奧)』에서 "훤하고 의젓하시니(赫兮愃兮)"라고 노래했다.

---

202) 고문자에서 金文 古陶文 簡牘文 古璽文 등으로 그렸다. 금문에서는 文(글월 문)과 鹿(사슴 록)으로 구성되어 무늬(文) 든 사슴(鹿) 가죽을 말했는데, 이후 사슴(鹿)이 머리와 몸통부분(声·록)과 뒷다리(夊·치)로 분리되고 文 대신 心(마음 심)이 들어가 지금의 자형이 되었다. 고대 중국에서는 결혼 축하 선물로 무늬가 든 아름다운 사슴 가죽을 가져가던 전통이 있었는데, 이로부터 慶事(경사), 축하하다, 慶祝(경축)하다는 뜻이 나왔다. 사슴 가죽은 중국 신화에서 인류 탄생의 시조가 되는 복희와 여와가 교접할 때 사용했던 상징물이었기에 이런 전통이 생겼다. 이후 무늬를 뜻하는 文이 마음을 뜻하는 心으로 바뀌어 그런 축하가 마음(心)으로부터 우러나와야 함을 표현했다. 간화자에서는 간단하게 줄인 庆으로 쓴다.

독음은 황(況)과 만(晩)의 반절이다.

**6724**

**𢘍: 愻: 따를 손: 心-총14획: sùn**

原文

𢘍: 順也. 从心孫聲. 『唐書』曰 : "五品不愻." 蘇困切.

飜譯

'순종하다(順)'라는 뜻이다. 심(心)이 의미부이고 손(孫)이 소리부이다. 『서·당서(唐書)·요전(堯典)』에서 "다섯 가지 윤리를 따르지 않고 있소(五品不愻)"라고 했다.[203] 독음은 소(蘇)와 곤(困)의 반절이다.

**6725**

**𡫸: 㥶: 막힐 색: 心-총22획: sè**

原文

𡫸: 實也. 从心, 塞省聲. 『虞書』曰 : "剛而㥶." 先則切.

飜譯

'충실하다(實)'라는 뜻이다. 심(心)이 의미부이고, 색(塞)의 생략된 부분이 소리부이다. 『서·우서(虞書)·고요모(皐陶謨)』에서 "강직하고도 충실하도다(剛而㥶)"라고 했다. 독음은 선(先)과 칙(則)의 반절이다.

**6726**

**𢛦: 恂: 정성 순: 心-총9획: xún**

原文

203) 오품(五品)은 보통 부자(父子), 군신(君臣), 부부(夫婦), 장유(長幼), 붕우(朋友) 등 다섯 가지 부류 간의 윤리적 관계를 말한다. 오륜(五倫)이나 오상(五常)이나 오교(五教) 등과 같은 개념이다.

恂: 信心也. 从心旬聲. 相倫切.

飜譯

'믿음이 있는 마음(信心)'을 말한다. 심(心)이 의미부이고 순(旬)이 소리부이다. 독음은 상(相)과 륜(倫)의 반절이다.

**6727**

**忱: 忱: 정성 침: 心-총7획: chén**

原文

忱: 誠也. 从心冘聲. 『詩』曰 : "天命匪忱." 氏任切.

飜譯

'정성(誠)'을 말한다. 심(心)이 의미부이고 유(冘)가 소리부이다. 『시·대아·탕(蕩)』에서 "[하늘이 백성들을 낳으셨으나] 하늘의 명은 믿고 있을 수만 있는 것은 아니라네(天命匪忱)"라고 노래했다.[204] 독음은 씨(氏)와 임(任)의 반절이다.

**6728**

**惟: 惟: 생각할 유: 心-총11획: wéi**

原文

惟: 凡思也. 从心隹聲. 以追切.

飜譯

'생각하다(凡思)'라는 뜻이다.[205] 심(心)이 의미부이고 추(隹)가 소리부이다. 독음은 이(以)와 추(追)의 반절이다.

---

204) 『단주』에서 심(忱)에 대해 이렇게 말했다. "『시(詩)』에서 '天命匪忱'이라 했고, 「대아·탕(蕩)」에서 '天生烝民, 其命匪諶'이라 했는데, 『모전』에서 심(諶)은 성(誠)과 같다고 했다. 허신은 심(諶)을 심(忱)으로 적었으니 이 둘이 호용(互用)된 증거이다."

205) 범(凡)은 대강을 나타내는 말로, 범칭을 나타내므로, 굳이 해석하지 않아도 된다.

**6729**

**懷: 懷: 품을 회: 心-총19획: huái**

原文

懷: 念思也. 从心褱聲. 戶乖切.

飜譯

'생각하다(念思)'라는 뜻이다. 심(心)이 의미부이고 회(褱)가 소리부이다.[206] 독음은 호(戶)와 괴(乖)의 반절이다.

**6730**

**惀: 惀: 생각할 론: 心-총11획: lún**

原文

惀: 欲知之皃. 从心侖聲. 盧昆切.

飜譯

'[어떤 것을] 알고자 하는 모양(欲知之皃)'을 말한다. 심(心)이 의미부이고 륜(侖)이 소리부이다. 독음은 로(盧)와 곤(昆)의 반절이다.

**6731**

**想: 想: 생각할 상: 心-총13획: xiǎng**

原文

想: 冀思也. 从心相聲. 息兩切.

飜譯

'기대하면서 생각하다(冀思)'라는 뜻이다. 심(心)이 의미부이고 상(相)이 소리부이

206) 心(마음 심)이 의미부고 褱(품을 회)가 소리부로, 가슴(心) 속에 품고 있는(褱) 생각을 말했는데, 품다, 가슴 앞 등의 뜻으로 확장되었다. 간화자에서는 褱를 不(아닐 불)로 간단하게 줄여 怀로 쓴다.

다.[207] 독음은 식(息)과 량(兩)의 반절이다.

**6732**

**㒸忄: 憽: 사려 깊을 수: 心-총12획: cuì, qiàn, suì**

原文

㒸忄: 深也. 从心豕聲. 徐醉切.

飜譯

'깊이 생각하다(深)'라는 뜻이다. 심(心)이 의미부이고 수(豕)가 소리부이다. 독음은 서(徐)와 취(醉)의 반절이다.

**6733**

**慉: 慉: 기를 휵: 心-총13획: xù**

原文

慉: 起也. 从心畜聲. 『詩』曰 : "能不我慉." 許六切.

飜譯

'일으켜주다(起)'라는 뜻이다. 심(心)이 의미부이고 축(畜)이 소리부이다. 『시·패풍·곡풍(谷風)』에서 "그런데도 나를 좋아하지 않고(能不我慉)"라고 노래했다.[208] 독음은 허(許)와 륙(六)의 반절이다.

---

207) 心(마음 심)이 의미부고 相(서로 상)이 소리부로, 마음(心)으로 자세히 살피며(相) '생각함'을 말하며, 이로부터 사고하다, 사색하다, 그리워하다, 희망하다, 추측하다, 想像(상상)하다 등의 뜻이 나왔다.

208) 금본에서는 '능불아휵(能不我慉)'이 '불아능휵(不我能慉)'으로 되었다. 『단주』에서 이렇게 말했다. "『시·빈풍(邶風)·곡풍(谷風)』의 『전(傳)』에서 휵(慉)은 일으키다(興)는 뜻이라고 했는데, 기(起)와 흥(興)의 뜻이 같다. 금본(今本)의 『전』에서 양육하다(養)는 뜻이라고 했는데 이는 잘못된 것이다. 『소아(小雅)·료아(蓼莪)』의 『전(箋)』에서 축(畜)은 일으키다(起)는 뜻이라고 했다. 이는 '나를 어루만져주고 나를 일으켜주네(拊我畜我)'라고 했을 때의 축(畜)이며, 바로 휵(慉)의 가차자이다."

6734

**䕲: 意: 가득 찰 억: 心-총16획: yì**

原文

䕲: 滿也. 从心啻聲. 一曰十萬曰啻. 𢡄, 籒文省. 於力切.

飜譯

'가득하다(滿)'라는 뜻이다. 심(心)이 의미부이고 억(啻)이 소리부이다. 일설에는 '10만을 1억이라 한다(十萬曰啻)'고도 한다. 억(𢡄)은 주문체인데, 생략된 모습이다. 독음은 어(於)와 력(力)의 반절이다.

6735

**悹: 悹: 근심할 관: 心-총12획: guàn**

原文

悹: 憂也. 从心官聲. 古玩切.

飜譯

'근심하다(憂)'라는 뜻이다. 심(心)이 의미부이고 관(官)이 소리부이다. 독음은 고(古)와 완(玩)의 반절이다.

6736

**憀: 憀: 의뢰할 료: 心-총14획: liáo**

原文

憀: 憀然也. 从心翏聲. 洛蕭切.

飜譯

'마음이 쓸쓸하다(憀然)'라는 뜻이다. 심(心)이 의미부이고 료(翏)가 소리부이다. 독음은 락(洛)과 소(蕭)의 반절이다.

**6737**

**憠: 愙: 공경할 각: 心-총13획: kè**

原文

憠: 敬也. 从心客聲. 『春秋傳』曰 : "以陳備三愙." 苦各切.

飜譯

'공경하다(敬)'라는 뜻이다. 심(心)이 의미부이고 객(客)이 소리부이다. 『춘추전』(『좌전』 양공 25년, B.C. 548)에서 "[순임금이 후손인 우알보(虞閼父)를] 진나라 제후로 책봉함으로써 세 후손들이 모두 제후로 봉해졌습니다.(以陳備三愙.)"라고 했다.[209] 독음은 고(苦)와 각(各)의 반절이다.

**6738**

**㥮: 㥮: 얼음 얼 송: 心-총13획: sǒng**

原文

㥮: 懼也. 从心, 雙省聲. 『春秋傳』曰 : "駟氏㥮." 息拱切.

飜譯

'두려워하다(懼)'라는 뜻이다. 심(心)이 의미부이고, 쌍(雙)의 생략된 부분이 소리부이다. 『춘추전』(『좌전』 소공 19년, B.C. 523)에서 "사씨(駟氏) 집안사람들이 두려워했다(㥮)"라고 했다. 독음은 식(息)과 공(拱)의 반절이다.

---

209) 삼각(三愙)은 삼각(三恪)으로도 쓰는데, 『단주』에서는 이렇게 말했다. "이는 옛날 『춘추좌씨전(春秋左氏)』의 설로, 주(周)나라에서 하(夏)나라와 은(殷)나라의 왕족 후손을 상공(上公)으로 삼았는데, 황제(黃帝)와 요(堯)와 순(舜)의 후손을 삼각(三恪)이라 한다." 그러나 두예의 주석에서는 우(虞), 하(夏), 주(周)의 후손을 말한다고 했다. 곧 주(周)나라 무왕(武王)이 우(虞)나라 후손을 진(陳)나라에, 하(夏)나라 후손을 기(杞)나라에, 은(殷)나라 후손을 송(宋)나라에 봉하여 그들 조상의 제사를 잇게 하였다고 하는데, 이는 제왕(帝王)이 선왕(先王)을 공경하는 일의 상징으로 쓰인다.

**6739**

**懼: 懼: 두려워할 구: 心-총21획: jù**

原文

懼: 恐也. 从心瞿聲. 㥥, 古文. 其遇切.

飜譯

'두려워하다(恐)'라는 뜻이다. 심(心)이 의미부이고 구(瞿)가 소리부이다.[210] 구(㥥)는 고문체이다. 독음은 기(其)와 우(遇)의 반절이다.

**6740**

**怙: 怙: 믿을 호: 心-총8획: hù**

原文

怙: 恃也. 从心古聲. 矦古切.

飜譯

'믿다(恃)'라는 뜻이다. 심(心)이 의미부이고 고(古)가 소리부이다. 독음은 후(矦)와 고(古)의 반절이다.

**6741**

**恃: 恃: 믿을 시: 心-총9획: shì**

原文

恃: 賴也. 从心寺聲. 時止切.

飜譯

'의지하다(賴)'라는 뜻이다. 심(心)이 의미부이고 사(寺)가 소리부이다. 독음은 시(時)

---

210) 고문자에서 㥥金文 懼簡牘文 등으로 그렸다. 心(마음 심)이 의미부이고 瞿(볼 구)가 소리부로, 마음(心)이 놀라 눈이 동그래져(瞿) 두려워하는 모습을 그렸다. 이후 瞿는 소리부를 具(갖출 구)로 바뀌어 惧(두려워할 구)로 쓰기도 했는데, 간화자에서도 惧로 쓴다.

와 지(止)의 반절이다.

**6742**

**𢡱**: 慒: **생각할 종**: 心-총14획: cáo, cóng

原文

𢡱: 慮也. 从心曹聲. 藏宗切.

飜譯

'생각하다(慮)'라는 뜻이다. 심(心)이 의미부이고 조(曹)가 소리부이다. 독음은 장(藏)과 종(宗)의 반절이다.

**6743**

**悟**: 悟: **깨달을 오**: 心-총10획: wù

原文

悟: 覺也. 从心吾聲. 𢘑, 古文悟. 五故切.

飜譯

'깨닫다(覺)'라는 뜻이다. 심(心)이 의미부이고 오(吾)가 소리부이다. 오(𢘑)는 오(悟)의 고문체이다. 독음은 오(五)와 고(故)의 반절이다.

**6744**

**憮**: 憮: **어루만질 무**: 心-총15획: wǔ

原文

憮: 愛也. 韓鄭曰憮. 一曰不動. 从心無聲. 文甫切.

飜譯

'사랑하다(愛)'라는 뜻이다. 한(韓)과 정(鄭) 지역에서는 이를 무(憮)라 한다.211) 일설

211) 『단주』에서 이렇게 말했다. "『방언(方言)』에서 극(亟), 린(憐), 무(憮), 엄(俺)은 사랑하다(愛)

에는 ‘움직이지 않다(不動)’라는 뜻이라고도 한다. 심(心)이 의미부이고 무(無)가 소리부이다. 독음은 문(文)과 보(甫)의 반절이다.

**6745**

**㤅: 㤅: 사랑 애: 心-총8획: ài**

原文

㤅: 惠也. 从心旡聲. 㤅, 古文. 烏代切.

飜譯

‘은혜를 베풀다(惠)’라는 뜻이다. 심(心)이 의미부이고 선(旡)이 소리부이다.[212] 애(㤅)는 고문체이다. 독음은 오(烏)와 대(代)의 반절이다.

**6746**

**㥠: 㥠: 슬기 서: 心-총12획: xǔ**

原文

㥠: 知也. 从心胥聲. 私呂切.

‘지혜(知)’를 말한다. 심(心)이 의미부이고 서(胥)가 소리부이다. 독음은 사(私)와 려

---

는 뜻이다. 송(宋), 위(衛), 빈(邠)과 도(陶) 사이에서는 무(憮)라 하는데, 혹은 엄(俺)이라 하기도 한다. 또 한(韓)과 정(鄭) 사이에서는 무(憮)라 한다. 『이아·석고(釋詁)』에서는 무(憮)는 어루만지다(撫)는 뜻이라고 했다.”

212) 고문자에서 金文 簡牘文 등으로 그렸다. 원래는 旡(목멜 기)와 心(마음 심)과 夂(뒤져서 올 치)로 구성되어, 머리를 돌려(旡) 남을 생각하는 마음(心)을 실천하는(夂) 것이 바로 ‘사랑’임을 그려냈다. 금문에서는 旡와 心으로 구성되었으나, 이후 실천성을 강조하기 위해 夂가 더해져 지금의 자형이 되었다. 남에 대해 가지는 진실한 마음과 사랑이 원래 뜻이며, 이로부터 은혜를 베풀다, 좋아하다, 흠모하다, 아끼다의 뜻이, 또 사랑하는 사람, 남녀 간의 사랑 등을 지칭하게 되었다. 달리 㤅로 쓰기도 하며, 간화자에서는 心과 夂를 友(벗 우)로 줄여 爱로 쓴다.

(呂)의 반절이다.

**6747**

**慰: 慰: 위로할 위: 心-총15획: wèi**

原文

慰: 安也. 从心尉聲. 一曰恚怒也. 於胃切.

飜譯

'마음을 편안하게 해 주다(安)'라는 뜻이다. 심(心)이 의미부이고 위(尉)가 소리부이다. 일설에는 '화를 내다(恚怒)'라는 뜻이라고도 한다. 독음은 어(於)와 위(胃)의 반절이다.

**6748**

**慗: 慗: 삼갈 취: 心-총16획: cuì**

原文

慗: 謹也. 从心敕聲. 讀若毳. 此芮切.

飜譯

'삼가다(謹)'라는 뜻이다. 심(心)이 의미부이고 체(敕)가 소리부이다. 취(毳)와 같이 읽는다. 독음은 차(此)와 예(芮)의 반절이다.

**6749**

**篙: 篙: 젓가락 주: 竹-총17획: chóu**

原文

篙: 篙箸也. 从心筥聲. 直由切.

飜譯

'주저(篙箸), 즉 주저하다'라는 뜻이다. 심(心)이 의미부이고 주(筥)가 소리부이다. 독음은 직(直)과 유(由)의 반절이다.

**6750**

**㣙: 怞: 밝을 주·근심할 유: 心-총8획: zhòu**

原文

㣙: 朗也. 从心由聲. 『詩』曰: "憂心且怞." 直又切.

飜譯

'밝다(朗)'라는 뜻이다.213) 심(心)이 의미부이고 유(由)가 소리부이다. 『시·소아·고종(鼓鐘)』에서 "마음은 시름에 서글퍼지네(憂心且怞)"라고 노래했다.214) 독음은 직(直)과 우(又)의 반절이다.

**6751**

**㥄: 㥄: 어루만질 무: 心-총12획: wǔ**

原文

㥄: 㥄, 撫也. 从心某聲. 讀若侮. 亡甫切.

飜譯

'무(㥄)는 어루만지다(撫)'라는 뜻이다. 심(心)이 의미부이고 모(某)가 소리부이다. 모(侮)와 같이 읽는다. 독음은 망(亡)과 보(甫)의 반절이다.

**6752**

**忞: 忞: 힘쓸 민: 心-총8획: mín**

原文

忞: 彊也. 从心文聲. 『周書』曰: "在受德忞." 讀若旻. 武巾切.

---

213) 『단주』에서는 '朗也'를 '朖也'로 고치고서는 아마도 '恨也(원망하다)'의 오류일 것이라고 했다.
214) 금본에서는 주(怞)가 추(妯)로 되었다.

飜譯

'강해지려고 힘쓰다(彊)'라는 뜻이다.215) 심(心)이 의미부이고 문(文)이 소리부이다. 『서·주서(周書)·입정(立政)』에서 "아, 수덕[즉 주(紂)왕]이여, 온 힘을 다해 강해지려 하는구나(在受德忞)"라고 했다.216) 민(旻)과 같이 읽는다. 독음은 무(武)와 건(巾)의 반절이다.

**6753**

**𢝊: 慔: 힘쓸 모: 心-총14획: mù**

原文

𢝊: 勉也. 从心莫聲. 莫故切.

飜譯

'힘쓰다(勉)'라는 뜻이다. 심(心)이 의미부이고 막(莫)이 소리부이다. 독음은 막(莫)과 고(故)의 반절이다.

**6754**

**𢙁: 愐: 힘쓸 면: 心-총12획: miǎn**

原文

𢙁: 勉也. 从心面聲. 弥殄切.

飜譯

'힘쓰다(勉)'라는 뜻이다. 심(心)이 의미부이고 면(面)이 소리부이다. 독음은 미(弥)와 진(殄)의 반절이다.

---

215) 『단주』에서는 각 판본에 자면(自勉)이라는 두 글자가 빠졌다고 하면서 '自勉彊也'로 고쳤다. 『운회(韵會)』에 그렇게 되어 있고, 『유편』과 『운회』에서도 그렇다고 했다.
216) 수덕(受德)은 상나라 주왕(紂王) 제신(帝辛)의 자이다. 그는 총명하고 용맹했기 때문에 그의 아버지 제을(帝乙)이 특별히 그를 아꼈고 그에게 수덕(受德)이라는 자를 지어 주었다고 한다.

**6755**

**𢘙: 怈: 익힐 설: 心-총9획: yì**

原文

𢘙: 習也. 从心曳聲. 余制切.

飜譯

'익히다(習)'라는 뜻이다. 심(心)이 의미부이고 예(曳)가 소리부이다. 독음은 여(余)와 제(制)의 반절이다.

**6756**

**懋: 懋: 힘쓸 무: 心-총17획: mào**

原文

懋: 勉也. 从心楙聲. 『虞書』曰 : "時惟懋哉." 𢙀, 或省. 莫候切.

飜譯

'힘쓰다(勉)'라는 뜻이다. 심(心)이 의미부이고 무(楙)가 소리부이다. 『서·우서(虞書)·요전(堯典)』에서 "[이 직무를 맡으면] 시도 때도 없이 노력해야 할 것이리라(時惟懋哉)"라고 했다. 무(𢙀)는 혹체자인데, 생략된 모습이다. 독음은 막(莫)과 후(候)의 반절이다.

**6757**

**慔: 慔: 그리워할 모: 心-총15획: mù**

原文

慔: 習也. 从心莫聲. 莫故切.

飜譯

'[흠모하여] 따라 배우다(習)'라는 뜻이다. 심(心)이 의미부이고 막(莫)이 소리부이다.[217] 독음은 막(莫)과 고(故)의 반절이다.

**6758**

**悛: 悛: 고칠 전: 心-총10획: quān**

原文

悛: 止也. 从心夋聲. 此緣切.

飜譯

'[잘못을 뉘우쳐] 그만두다(止)'라는 뜻이다. 심(心)이 의미부이고 준(夋)이 소리부이다. 독음은 차(此)와 연(緣)의 반절이다.

**6759**

**㥏: 㥏: 방자할 퇴·느슨할 대: 心-총11획: diàn, tuì**

原文

㥏: 肆也. 从心隶聲. 他骨切.

飜譯

'방자하다(肆)'라는 뜻이다. 심(心)이 의미부이고 대(隶)가 소리부이다. 독음은 타(他)와 골(骨)의 반절이다.

**6760**

**懙: 懙: 걸음걸이가 점잖을 여: 心-총18획: yú, yǔ**

原文

懙: 趣步懙懙也. 从心與聲. 余呂切.

---

217) 고문자에서 金文 등으로 그렸다. 心(마음 심)이 의미부고 莫(없을 막)이 소리부로, 어떤 일을 마음(心)으로 무한정(莫) 좋아해 그리워함을 말하며, 이로부터 欽慕(흠모)하다, 그리워하다는 뜻이 나왔다.

飜譯

'빨리 걷지만 걸음걸이가 점잖다(趣步𢡚𢡚)'라는 뜻이다. 심(心)이 의미부이고 여(與)가 소리부이다. 독음은 여(余)와 려(呂)의 반절이다.

**6761**

**慆: 慆: 기뻐할 도: 心—총13획: tāo**

原文

慆: 說也. 从心舀聲. 土刀切.

飜譯

'기뻐하다(說)'라는 뜻이다. 심(心)이 의미부이고 요(舀)가 소리부이다. 독음은 토(土)와 도(刀)의 반절이다.

**6762**

**懕: 懕: 편안할 염: 心—총17획: yān**

原文

懕: 安也. 从心厭聲. 『詩』曰 : "懕懕夜飮." 於鹽切.

飜譯

'편안하다(安)'라는 뜻이다. 심(心)이 의미부이고 염(厭)이 소리부이다. 『시·소아담로(湛露)』에서 "흐뭇한 술자리 밤에 벌어졌으니(懕懕夜飮)"라고 노래했다.[218] 독음은 어(於)와 염(鹽)의 반절이다.

**6763**

**憺: 憺: 편안할 담: 心—총16획: dàn**

---

218) 금본에서는 염(懕)이 염(厭)으로 되었다.

原文

憺: 安也. 从心詹聲. 徒敢切.

飜譯

'편안하다(安)'라는 뜻이다. 심(心)이 의미부이고 첨(詹)이 소리부이다. 독음은 도(徒)와 감(敢)의 반절이다.

**6764**

怕: 怕: **두려워할 파**: 心-**총8획**: **pà**

原文

怕: 無爲也. 从心白聲. 匹白切.

飜譯

'억지로 하지 않다(無爲)'라는 뜻이다. 심(心)이 의미부이고 백(白)이 소리부이다. 독음은 필(匹)과 백(白)의 반절이다.

**6765**

恤: 恤: **구휼할 휼**: 心-**총9획**: **xù**

原文

恤: 憂也. 收也. 从心血聲. 辛聿切.

飜譯

'걱정하다(憂)'라는 뜻이다. '거두어들이다(收)'라는 뜻이다. 심(心)이 의미부이고 혈(血)이 소리부이다.[219] 독음은 신(辛)과 율(聿)의 반절이다.

219) 고문자에서 簡牘文 등으로 그렸다. 心(마음 심)이 의미부고 血(피 혈)이 소리부로, 마음(心)으로 걱정해 주다는 뜻이며, 이로부터 동정하다, 구제하다의 뜻이 나왔다. 달리 心 대신 貝(조개 패)가 들어간 賉(구휼할 휼)로도 쓰는데, 재물(貝)을 보내어 救恤(구휼)하는 것을 말한다. 또 임금이나 아버지가 주는 상을 지칭하기도 한다.

6766

**忓: 忓: 방해할 간: 心-총6획: gān**

原文

忓: 極也. 从心干聲. 古寒切.

飜譯

'극도로 피곤하게 하다(極)'라는 뜻이다.[220] 심(心)이 의미부이고 간(干)이 소리부이다. 독음은 고(古)와 한(寒)의 반절이다.

6767

**懽: 懽: 기뻐할 환: 心-총21획: huān**

原文

懽: 喜㰻也. 从心雚聲. 『爾雅』曰: "懽懽愮愮, 憂無告也." 古玩切.

飜譯

'기뻐하다(喜㰻)'라는 뜻이다. 심(心)이 의미부이고 관(雚)이 소리부이다. 『이아석훈(釋訓)』에서 "환환(懽懽)과 요요(愮愮)는 걱정스럽지만 하소연 할 데가 없다(憂無告也)라는 뜻이다"라고 했다. 독음은 고(古)와 완(玩)의 반절이다.

6768

**慪: 慪: 기쁠 우: 心-총12획: yú**

原文

慪: 懽也. 琅邪朱虛有慪亭. 从心禺聲. 噳俱切.

飜譯

'기뻐하다(懽)'라는 뜻이다. 낭야(琅邪)군 주허(朱虛)현에 우정(慪亭)이 있다. 심(心)

220) 『단주』에서 이렇게 말했다. "극(極)은 집의 가장 높은 꼭대기(屋之高處)를 말한다. 간(干)은 범하다(犯)는 뜻이다. 그래서 간(忓)은 아랫사람이 윗사람을 범하다(以下犯上)는 뜻이다."

이 의미부이고 우(禺)가 소리부이다. 독음은 우(噳)와 구(俱)의 반절이다.

**6769**

**𢡆: 惄: 허출할 녁: 心-총12획: nì**

原文

𢡆: 飢餓也. 一曰憂也. 从心叔聲. 『詩』曰: "惄如朝飢." 奴歷切.

飜譯

'굶주리다(飢餓)'라는 뜻이다. 일설에는 '걱정하다(憂)'라는 뜻이라고도 한다. 심(心)이 의미부이고 숙(叔)이 소리부이다. 『시·주남·여분(汝墳)』에서 "주린 아침의 음식처럼 그리웠네(惄如朝飢)"라고 노래했다.[221] 독음은 노(奴)와 력(歷)의 반절이다.

**6770**

**𢝿: 㥢: 고달플 갹: 心-총12획: jǐ**

原文

𢝿: 勞也. 从心卻聲. 其虐切.

飜譯

'피로하다(勞)'라는 뜻이다. 심(心)이 의미부이고 각(卻)이 소리부이다. 독음은 기(其)와 학(虐)의 반절이다.

**6771**

**憸: 憸: 간사할 섬: 心-총16획: xiān**

---

221) 『단주』에서 이렇게 말했다. "『시(詩)』에서 '惄如輖飢'라 했는데, 주(輖)자를 각 판본에서는 조(朝)로 적었는데 이는 잘못이다. 지금 이인보(李仁甫)의 판본에 근거해 바로 잡는다. 『모전(毛傳)』에서 주(輖)는 조(朝)와 같다고 했다. 그렇다면 주(輖)는 조(朝)의 가차자이다. 「주남(周南)·여분(汝墳)」에 나오는 말이다."

原文

𢡛: 憸詖也. 憸利於上, 佞人也. 从心僉聲. 息廉切.

飜譯

'간사하고 치우치다(憸詖)'라는 뜻이다. 얄팍하고 부정한 방법으로 윗사람에게 알랑거리고 아첨하는 것을 말한다(憸利於上, 佞人也). 심(心)이 의미부이고 첨(僉)이 소리부이다. 독음은 식(息)과 렴(廉)의 반절이다.

**6772**

**𢡛: 愒: 쉴 게: 心-총12획: qì**

原文

𢡛: 息也. 从心曷聲. 去例切.

飜譯

'쉬다(息)'라는 뜻이다. 심(心)이 의미부이고 갈(曷)이 소리부이다. 독음은 거(去)와 례(例)의 반절이다.

**6773**

**𢡛: 憃: 어리석을 찬·잠들 훌·잠깰 할: 心-총16획: tuì, xù, hū**

原文

𢡛: 精戇也. 从心毳聲. 千短切.

飜譯

'면밀하지만 외고집스럽다(精戇)'라는 뜻이다.[222] 심(心)이 의미부이고 취(毳)가 소리부이다. 독음은 천(千)과 단(短)의 반절이다.

222) 『단주』에서는 '精戇也'라고 풀이한 것은 근거를 찾지 못했다고 하면서, 『옥편(玉篇)』과 『광운(廣韵)』에 의하면 찬(憃)을 깊이 잠들다(寢熟)는 뜻이라고 했다.

**6774**

**: 悪: 아첨할 섬: 心-총9획: xiān**

原文

: 疾利口也. 从心从冊. 『詩』曰 : "相時悪民." 息廉切.

飜譯

'입맛에 맞는 말을 교묘히 잘 하다(疾利口)'라는 뜻이다. 심(心)이 의미부이고 책(冊)도 의미부이다. 『시』[223]에서 "교묘히 말 잘하는 백성들을 수시로 자세히 살핀다네(相時悪民)."라고 노래했다. 독음은 식(息)과 렴(廉)의 반절이다.

**6775**

**: 急: 급할 급: 心-총9획: jí**

原文

: 褊也. 从心及聲. 居立切.

飜譯

'편협하다(褊)'라는 뜻이다. 심(心)이 의미부이고 급(及)이 소리부이다.[224] 독음은 거(居)와 립(立)의 반절이다.

**6776**

**: 辡: 근심할 변: 心-총18획: biǎn**

---

223) 『단주』에서 이렇게 말했다. "이 말은 『시』에 없다. 다만 『상서(尙書)·반경(般庚)』(上)에서 '相時憸民'이라 했다. 『집운(集韵)』에서 『설문』을 인용하여 「상서(商書)」에서 '相時悪民'이라 하였다 했으니, 어찌 정도(丁度) 등이 본 것이 잘못되었겠는가?"

224) 고문자에서 簡牘文 등으로 그렸다. 원래는 心(마음 심)이 의미부이고 及(미칠 급)이 소리부로, 자형이 약간 변해 지금의 자형이 되었다. 마음(心)이 어떤 걱정에 이르다(及)는 뜻으로부터 '躁急(조급)하다'는 의미를 그렸고, 이로부터 急迫(급박)하다, 요긴하다, 중요시하다 등의 뜻이 나왔다.

原文

𢡘: 憂也. 从心辡聲. 一曰急也. 方沔切.

飜譯

'걱정하다(憂)'라는 뜻이다. 심(心)이 의미부이고 변(辡)이 소리부이다. 일설에는 '조급해하다(急)'라는 뜻이라고도 한다. 독음은 방(方)과 면(沔)의 반절이다.

**6777**

**恆: 㥛: 급할 극꾸밀 적: 心-총12획: jí, kè, sù**

原文

恆: 疾也. 从心亟聲. 一曰謹重皃. 己力切.

飜譯

'빠르다(疾)'라는 뜻이다. 심(心)이 의미부이고 극(亟)이 소리부이다. 일설에는 '삼가고 신중한 모습(謹重皃)'을 말한다고도 한다. 독음은 기(己)와 력(力)의 반절이다.

**6778**

**懁: 懁: 성급할 환: 心-총16획: xuān**

原文

懁: 急也. 从心睘聲. 讀若絹. 古縣切.

飜譯

'성급하다(急)'라는 뜻이다. 심(心)이 의미부이고 경(睘)이 소리부이다. 견(絹)과 같이 읽는다. 독음은 고(古)와 현(縣)의 반절이다.

**6779**

**悻: 悻: 어길 형: 心-총10획: xìng**

原文

𢡋: 恨也. 从心巠聲. 胡頂切.

飜譯

'원망하다(恨)'라는 뜻이다. 심(心)이 의미부이고 경(巠)이 소리부이다. 독음은 호(胡)와 정(頂)의 반절이다.

**6780**

**𢡋: 慈: 급할 현: 心-총12획: xián**

原文

慈: 急也. 从心从弦, 弦亦聲. 河南密縣有慈亭. 胡田切.

飜譯

'성급하다(急)'라는 뜻이다. 심(心)이 의미부이고 현(弦)도 의미부인데, 현(弦)은 소리부도 겸한다. 하남(河南)군 밀현(密縣)에 현정(慈亭)이 있다. 독음은 호(胡)와 전(田)의 반절이다.

**6781**

**慓: 慓: 날랠 표: 心-총14획: piāo**

原文

慓: 疾也. 从心票聲. 敷沼切.

飜譯

'빠르다(疾)'라는 뜻이다. 심(心)이 의미부이고 표(票)가 소리부이다. 독음은 부(敷)와 소(沼)의 반절이다.

**6782**

**懦: 懦: 나약할 나: 心-총17획: nuò**

原文

懦: 駑弱者也. 从心需聲. 人朱切.

飜譯

'나약한 사람(駑弱者)'을 말한다.225) 심(心)이 의미부이고 수(需)가 소리부이다. 독음은 인(人)과 주(朱)의 반절이다.

**6783**

**恁: 恁: 생각할 임: 心-총10획: nèn, nín**

原文

恁: 下齎也. 从心任聲. 如甚切.

飜譯

'의기소침하다(下齎)'라는 뜻이다.226) 심(心)이 의미부이고 임(任)이 소리부이다. 독음은 여(如)와 심(甚)의 반절이다.

**6784**

**忒: 忒: 어길 특: 心-총9획: tè**

原文

忒: 失常也. 从心代聲. 他得切.

飜譯

'정상적이지 않다(失常)'라는 뜻이다. 심(心)이 의미부이고 대(代)가 소리부이다. 독음은 타(他)와 득(得)의 반절이다.



225) 『단주』에서는 '노약자(駑弱者)'의 '자(者)'자는 삭제되어야 한다고 했다. 그리고 노(駑)는 노(奴)가 되어야 하는데, 『설문』에는 노마(奴馬)라고는 했지만 노(駑)자는 실려 있지 않다고 했다.
226) 『단주』에서 '하재야(下齎也)'는 들어보지 못한 말이라고 했다.

**6785**

**怚: 怚: 교만할 저: 心-총8획: jù**

原文

怚: 驕也. 从心且聲. 子去切.

飜譯

‘교만하다(驕)’라는 뜻이다. 심(心)이 의미부이고 차(且)가 소리부이다. 독음은 자(子)와 거(去)의 반절이다.

**6786**

**悒: 悒: 근심할 읍: 心-총10획: yì**

原文

悒: 不安也. 从心邑聲. 於汲切.

飜譯

‘불안하다(不安)’라는 뜻이다. 심(心)이 의미부이고 읍(邑)이 소리부이다. 독음은 어(於)와 급(汲)의 반절이다.

**6787**

**悆: 悆: 잊을 여: 心-총11획: yù**

原文

悆: 忘也. 嘾也. 从心余聲. 『周書』曰: “有疾不悆.” 悆, 喜也. 羊茹切.

飜譯

‘잊어버리다(忘)’라는 뜻이다.[227] ‘가득 삼키다(嘾)’라는 뜻이다.[228] 심(心)이 의미부

227) 『단주』에서 ‘忘也’에 대해 “이러한 의미가 있다는 것은 들어보지 못했다. 아마도 잘못된 글자일 것이다.”라고 했다.
228) 『단주』에서 이렇게 말했다. “담(嘾)은 깊이 머금다(含深)라는 뜻인데, 깊이 머금다(含深)는

이고 여(余)가 소리부이다. 『서·주서(周書)·금등(金縢)』에서 "[무왕께서] 병이 있으니 잊지 말라(有疾不悆)"라고 했다. 여(悆)는 기뻐하다(喜)라는 뜻이다. 독음은 양(羊)과 여(茹)의 반절이다.

**6788**

**忒: 忒: 변할 특: 心-총7획: tè**

原文

忒: 更也. 从心弋聲. 他得切.

飜譯

'바꾸다(更)'라는 뜻이다. 심(心)이 의미부이고 익(弋)이 소리부이다. 독음은 타(他)와 득(得)의 반절이다.

**6789**

**憪: 憪: 즐길 한: 心-총15획: xián**

原文

憪: 愉也. 从心閒聲. 戶閒切.

飜譯

'마음이 즐겁다(愉)'라는 뜻이다. 심(心)이 의미부이고 한(閒)이 소리부이다. 독음은 호(戶)와 한(閒)의 반절이다.



것은 욕심이 심하다(欲之甚)는 뜻이다. 『회남자·수무훈(修務訓)』에 대한 고유의 주석에서 담서(憛悇)는 탐욕을 말한다(貪欲也)고 했다. 가의(賈誼)의 『신서(新書)·권학편(勸學篇)』에서 서담(悇憛)이라 했고, 「흉노편(匈奴篇)」에서도 서담(悇憛)이라 했다. 내 생각은 이렇다. 담(嘾)과 서(慓), 서(悆)와 서(悇)는 모두 고금자에 해당한다. 그래서 서담(悇憛)은 담서(憛悇)와 같다. 『광아(廣雅)』에서의 말처럼 서담(悇憛)이 걱정을 품다(懷憂)는 뜻이라면 이는 파생 의미일 것이다. 즉 없는 것을 구하려 하고 그런 것을 잃으려 하지 않음을 말한다."

**6790**

**愉: 愉: 즐거울 유: 心-총12획: yú**

原文

愉: 薄也. 从心俞聲. 『論語』曰 : "私覿, 愉愉如也." 羊朱切.

飜譯

'즐거워하다(薄)'라는 뜻이다.229) 심(心)이 의미부이고 유(俞)가 소리부이다.230) 『논어·향당(鄉黨)』에서 "사적으로 만나보았더니 그의 안색이 즐겁더구나(私覿, 愉愉如也)"라고 했다. 독음은 양(羊)과 주(朱)의 반절이다.

**6791**

**懱: 懱: 업신여길 멸: 心-총18획: miè**

原文

懱: 輕易也. 从心蔑聲. 『商書』曰 : "以相陵懱." 莫結切.

飜譯

'가벼이 여기다(輕易)'라는 뜻이다. 심(心)이 의미부이고 멸(蔑)이 소리부이다. 『상서(商書)』에서 "서로 능멸하는구나(以相陵懱)"라고 했다.231) 독음은 막(莫)과 결(結)의 반절이다.

229) 『단주』에서는 '薄也'는 전사과정에서 '樂'자가 빠진 것으로 '薄樂也'가 되어야 하며, 천박한 즐거움(淺薄之樂)을 뜻한다고 했다. 단옥재는 또 "박(薄)의 본래 뜻은 임박(林薄), 잠박(蠶薄)인데 이후 천박(淺泊)의 의미로 가차되었다. 『시·당풍(唐風)』에서 '他人是愉'라고 했는데, 『전(傳)』에서 유(愉)는 즐겁다(樂)는 뜻이라고 했다. 『예기』에서도 '有和氣者, 必有愉色.(온화한 기운이 있는 자는 반드시 부드러운 빛이 있다.)'이라 했는데, 이런 것들이 유(愉)의 본래 의미일 것이다."라고 했다.

230) 心(마음 심)이 의미부고 俞(점점 유)가 소리부인 좌우구조로, 즐겁다, 기쁘다, 마음이 느긋하다 등의 뜻을 가지는데, 마음(心)이 점점 나아지다(俞)는 뜻을 담았다.

231) 『단주』에서 『상서(商書)』에서 '以相陵懱'이라고 했는데, 지금의 『상서』에는 이 말이 없다고 했고, 릉(陵)자는 윗자리에 있으면서 아랫사람을 능멸하지 않는다(在上位不陵下)는 뜻의 릉(陵)자로 읽어야 한다고 했다.

**6792**

**愚: 愚: 어리석을 우: 心-총13획: yú**

原文

愚: 戇也. 从心从禺. 禺, 猴屬, 獸之愚者. 麌俱切.

號譯

'어리석다(戇)'라는 뜻이다. 심(心)이 의미부이고 우(禺)도 의미부이다.232) 우(禺)는 '원숭이의 일종인데 짐승 중에서 가장 우둔한 짐승이다(猴屬, 獸之愚者).' 독음은 우(麌)와 구(俱)의 반절이다.

**6793**

**戇: 戇: 어리석을 당: 心-총28획: zhuàng**

原文

戇: 愚也. 从心贛聲. 陟絳切.

號譯

'어리석다(愚)'라는 뜻이다. 심(心)이 의미부이고 당(贛)이 소리부이다. 독음은 척(陟)과 강(絳)의 반절이다.

**6794**

**㥒: 㥒: 간사할 채: 心-총11획: cǎi**

原文

㥒: 姦也. 从心采聲. 倉宰切.

232) 고문자에서 金文 등으로 그렸다. 心(마음 심)이 의미부고 禺(긴 꼬리 원숭이 우)가 소리부로, 원숭이(禺)처럼 단순한 생각(心)을 하는 존재라는 뜻으로부터 '어리석음'을 그려냈다. 이후 자신을 낮추는 겸양어로 쓰였다.

飜譯

'간사하다(姦)'라는 뜻이다. 심(心)이 의미부이고 채(采)가 소리부이다. 독음은 창(倉)과 재(宰)의 반절이다.

**6795**

**𢡖: 惷: 천치 창·용·어리석을 총·송·당: 心-총15획: chōng**

原文

𢡖: 愚也. 从心舂聲. 丑江切.

飜譯

'어리석다(愚)'라는 뜻이다. 심(心)이 의미부이고 용(舂)이 소리부이다. 독음은 축(丑)과 강(江)의 반절이다.

**6796**

**𢡗: 懝: 어리석을 애·헤아릴 의: 心-총17획: ài**

原文

𢡗: 騃也. 从心从疑, 疑亦聲. 一曰惶也. 五溉切.

飜譯

'어리석다(騃)'라는 뜻이다. 심(心)이 의미부이고 의(疑)도 의미부인데, 의(疑)는 소리부도 겸한다. 일설에는 '황송해하다(惶)'라는 뜻이라고도 한다. 독음은 오(五)와 개(溉)의 반절이다.

**6797**

**忮: 忮: 해칠 기: 心-총7획: zhì**

原文

忮: 很也. 从心支聲. 之義切.

飜譯

'말을 듣지 아니하다(很)'라는 뜻이다. 심(心)이 의미부이고 지(支)가 소리부이다. 독음은 지(之)와 의(義)의 반절이다.

**6798**

**悍: 悍: 사나울 한: 心-총10획: hàn**

原文

悍: 勇也. 从心旱聲. 侯旰切.

飜譯

'용감하다(勇)'라는 뜻이다. 심(心)이 의미부이고 한(旱)이 소리부이다. 독음은 후(侯)와 간(旰)의 반절이다.

**6799**

**態: 態: 모양 태: 心-총14획: tài**

原文

態: 意也. 从心从能. 㑷, 或从人. 他代切.

飜譯

'의태(意) 즉 심경'을 말한다.233) 심(心)이 의미부이고 능(能)도 의미부이다.234) 태

233) 『단주』에서는 각 판본에서 '意也'라고 하였는데, '意態也'가 되어야 한다고 하면서 태(態)자를 보충했다. 그리고 이렇게 말했다. "의태(意態)라는 것은 어떤 의지가 있으면 그러한 모습이 있게 마련이며(有是意因有是狀), 그래서 의태(意態)라고 한다. 이는 마치 말(詈)이라는 것이 뜻을 안에 담고 있으면서 말로 밖으로 발설한 것(意內而言外)으로, 어떤 의도가 있으면 그러한 말이 있는 것(有是意因有是言)과 같은 경우다. 의(意)는 의식(識)을 말한다."

234) 心(마음 심)이 의미부고 能(능할 능)이 소리부로, 상태나 정황, 모양, 자태 등을 말하는데, 이러한 것이 심리 상태(心)의 반영임을 말해준다. 『설문해자』에서는 회의구조로 보았으며, 청나라 때의 段玉裁(단옥재)도 마음(心) 속에 있는 재능(能)이 밖으로 드러나는 법이며, 이것이 모양이라고 해 회의구조로 설명했다. 하지만 桂馥(계복)은 能의 고대음이 耐(견딜 내)와 같다는데 근거해 能이 소리부라고 했다. 간화자에서는 态로 써, 心이 의미부고 太(클 태)가 소리

(𢜩)는 혹체자인데, 인(人)으로 구성되었다. 독음은 타(他)와 대(代)의 반절이다.

**6800**

**𢙾: 怪: 기이할 괴: 心-총8획: guài**

原文

𢙾: 異也. 从心圣聲. 古壞切.

飜譯

'기이하다(異)'라는 뜻이다. 심(心)이 의미부이고 골(圣)이 소리부이다.235) 독음은 고(古)와 괴(壞)의 반절이다.

**6801**

**𢡝: 惕: 방탕할 탕: 心-총15획: dàng**

原文

𢡝: 放也. 从心象聲. 徒朗切.

飜譯

'방탕하다(放)'라는 뜻이다. 심(心)이 의미부이고 상(象)이 소리부이다. 독음은 도(徒)와 랑(朗)의 반절이다.

**6802**

**慢: 慢: 게으를 만: 心-총14획: màn**

原文

---

부인 형성구조로 변했다.

235) 고문자에서 [고문자] 簡牘文 등으로 그렸다. 心(마음 심)이 의미부이고 圣(힘쓸 골)이 소리부로, 이상하게 느끼다(心)는 뜻이며, 이로부터 놀라다, 이상하다, 怪異(괴이)한 것 등의 뜻이, 다시 '비난하다', 대단하다 등의 뜻이 나왔다. 달리 圣을 在(있을 재)로 바꾼 恠로 쓰기도 한다.

㦟: 惰也. 从心曼聲. 一曰慢, 不畏也. 謀晏切.

飜譯

'게으르다(惰)'라는 뜻이다. 심(心)이 의미부이고 만(曼)이 소리부이다. 일설에는 '만(慢)은 두려워하지 않다(不畏)'라는 뜻이라고도 한다.236) 독음은 모(謀)와 안(晏)의 반절이다.

**6803**

怠: 怠: **게으름 태**: 心-총9획: dài

原文

怠: 慢也. 从心台聲. 徒亥切.

飜譯

'게으르다(慢)'라는 뜻이다. 심(心)이 의미부이고 태(台)가 소리부이다. 독음은 도(徒)와 해(亥)의 반절이다.

**6804**

懈: 懈: **게으를 해**: 心-총16획: xiè

原文

懈: 怠也. 从心解聲. 古隘切.

飜譯

'나태하다(怠)'라는 뜻이다. 심(心)이 의미부이고 해(解)가 소리부이다.237) 독음은 고(古)와 애(隘)의 반절이다.

---

236) 心(마음 심)이 의미부고 曼(끌 만)이 소리부로, 마음(心)이 늘어져(曼) 게으름을 말하며, 이로부터 가벼이 여기다, 교만하다, 느긋하다, 느슨하다 등의 뜻이 나왔다.

237) 고문자에서 [字形]金文 등으로 그렸다. 心(마음 심)이 의미부고 解(풀 해)가 소리부로, 게으르다는 뜻인데, 마음(心)이 풀어져(解) 해이함을 말한다. 이로부터 나태하다, 피곤하다, 풀어지다의 뜻도 나왔다.

**6805**

**𢡎: 惰: 게으를 타: 心-총15획: duò**

原文

𢡎: 不敬也. 从心, 𡐦省. 『春秋傳』曰: "執玉𢡎." 惰, 𢡎或省𠂤. 媠, 古文. 徒果切.

飜譯

'불경하다(不敬) 즉 무례하다'라는 뜻이다. 심(心)과 타(𡐦)의 생략된 모습이 모두 의미부이다.[238] 『춘추전』(『좌전』 희공 11년, B.C. 649)에서 "[진(晉)나라 혜공(惠公)이 주 왕실에서 예물로 보내온] 옥을 집어 들면서 무례한 기색을 보였다(執玉𢡎)"라고 했다. 타(惰)는 타(𢡎)의 혹체인데, 부(𠂤)가 생략된 모습이다. 타(媠)는 고문체이다. 독음은 도(徒)와 과(果)의 반절이다.

**6806**

**慫: 慫: 놀랄 종: 心-총14획: sǒng**

原文

慫: 驚也. 从心從聲. 讀若悚. 息拱切.

飜譯

'놀라다(驚)'라는 뜻이다. 심(心)이 의미부이고 종(從)이 소리부이다. 송(悚)과 같이 읽는다. 독음은 식(息)과 공(拱)의 반절이다.

**6807**

**怫: 怫: 발끈할 불: 心-총8획: fú**

---

238) 心(마음 심)이 의미부고 隋(수나라 수·제사고기 나머지 타)의 생략된 모습이 소리부로, 마음(心) 상태가 나태해 게으른 것을 말하며, 이로부터 공핍하다, 불경스럽다, (행동거지 등이) 가볍다 등의 뜻이 나왔다. 달리 女(여자 여)나 心(마음 심)으로 구성된 媠(게으를 타), 惰(게으를 타)로 쓰기도 한다.

原文

怫: 鬱也. 从心弗聲. 符弗切.

翻譯

'마음이 막혀 답답하다(鬱)'라는 뜻이다. 심(心)이 의미부이고 불(弗)이 소리부이다. 독음은 부(符)와 불(弗)의 반절이다.

**6808**

忦: 忦: **마음 놓을 개**: 心-**총8획**: **xiè, jiá**

原文

忦: 忽也. 从心介聲. 『孟子』曰: "孝子之心不若是忦." 呼介切.

翻譯

'소홀히 하다(忽)'라는 뜻이다. 심(心)이 의미부이고 개(介)가 소리부이다. 『맹자·만장(萬章)』에서 "효자의 마음을 가졌다면 이렇게 소홀하지는 않을 것이다(孝子之心不若是忦)"라고 했다. 독음은 호(呼)와 개(介)의 반절이다.

**6809**

忽: 忽: **소홀히 할 홀**: 心-**총8획**: **hū**

原文

忽: 忘也. 从心勿聲. 呼骨切.

翻譯

'깜박 잊어버리다(忘)'라는 뜻이다. 심(心)이 의미부이고 물(勿)이 소리부이다.[239] 독음은 호(呼)와 골(骨)의 반절이다.

239) 고문자에서 [金文] 金文 등으로 그렸다. 心(마음 심)이 의미부고 勿(말 물)이 소리부로, 마음(心)에 두지 않고(勿) '잊어버리다'는 뜻이다. 또 잊어버렸다가 갑자기 생각나다는 뜻에서 '갑자기'라는 의미도 나왔다.

**6810**

: 忘: **잊을 망**: 心**—총7획: wàng**

原文

: 不識也. 从心从亡, 亡亦聲. 武方切.

飜譯

'기억하지 못하다(不識)'라는 뜻이다. 심(心)이 의미부이고 망(亡)도 의미부인데, 망(亡)은 소리부도 겸한다.240) 독음은 무(武)와 방(方)의 반절이다.

**6811**

: 懣: **잊을 만**: 心**—총14획: mán**

原文

: 忘也. 懣兜也. 从心㒼聲. 毋官切.

飜譯

'잊어버리다(忘)'라는 뜻이다. '흐리멍덩하다(懣兜)'라는 뜻이다. 심(心)이 의미부이고 만(㒼)이 소리부이다. 독음은 무(毋)와 관(官)의 반절이다.

**6812**

: 恣: **방자할 자**: 心**—총10획: zì**

原文

: 縱也. 从心次聲. 資四切.

---

240) 고문자에서 金文 簡牘文 등으로 그렸다. 心(마음 심)이 의미부고 亡(망할 망)이 소리부인 상하구조로, 잊다, 마음에 두지 않다, 버리다는 뜻인데, 마음(心)에서 사라져 없어지다(亡)는 뜻을 담았다.

飜譯

'방종 즉 제멋대로 행동하여 거리낌이 없다(縱)'라는 뜻이다. 심(心)이 의미부이고 차(次)가 소리부이다.241) 독음은 자(資)와 사(四)의 반절이다.

**6813**

**愓: 愓: 빠를 상·방자할 탕: 心-총12획: dàng**

原文

愓: 放也. 从心昜聲. 一曰平也. 徒朗切.

飜譯

'방종함(放)'을 말한다. 심(心)이 의미부이고 양(昜)이 소리부이다. 일설에는 '공평하다(平)'라는 뜻이라고도 한다. 독음은 도(徒)와 랑(朗)의 반절이다.

**6814**

**憧: 憧: 그리워할 동: 心-총15획: chōng**

原文

憧: 意不定也. 从心童聲. 尺容切.

飜譯

'마음이 안정되지 못하다(意不定)'라는 뜻이다. 심(心)이 의미부이고 동(童)이 소리부이다. 독음은 척(尺)과 용(容)의 반절이다.

**6815**

**悝: 悝: 근심할 리·농할 회: 心-총10획: kuī**

原文

241) 心(마음 심)이 의미부고 次(버금 차)가 소리부로, 제멋대로 하는(次) 마음(心)을 말하며, 이로부터 放恣(방자)하다, 방임하다, 만족하다 등의 뜻이 나왔다.

悝: 啁也. 从心里聲.『春秋傳』有孔悝. 一曰病也. 苦回切.

飜譯

'비웃다(啁)'라는 뜻이다. 심(心)이 의미부이고 리(里)가 소리부이다.『춘추전』(『좌전』 애공 15년, B.C. 480)에 공회(孔悝)[242]라는 인물이 등장한다. 일설에는 '병들다(病)'라는 뜻이라고도 한다. 독음은 고(苦)와 회(回)의 반절이다.

**6816**

憰: 憰: **속일 휼**: 心-총15획: **yué**

原文

憰: 權詐也. 从心矞聲. 古穴切.

飜譯

'권모술수를 부리다, 즉 속이다(權詐)'라는 뜻이다. 심(心)이 의미부이고 율(矞)이 소리부이다. 독음은 고(古)와 혈(穴)의 반절이다.

**6817**

恇: 恇: **거짓말할 광**: 心-총11획: **kuáng, guàng**

原文

恇: 誤也. 从心狂聲. 居況切.

飜譯

'잘못되게 하다(誤)'라는 뜻이다. 심(心)이 의미부이고 광(狂)이 소리부이다. 독음은 거(居)와 황(況)의 반절이다.

---

242) 공회(孔悝)는 위(衛)나라의 대부로, 공어(孔圉: 孔文子)의 아들이다. 위(衛) 장공(莊公) 괴외(蒯聵)의 생질이다. 괴외(蒯聵)가 귀국한 후 임금의 자리에 오르고자 공회(孔悝)를 끼고서 자신의 세력을 키워 정변을 일으켰다. 자로(子路)가 이 과정에서 죽고 말았다. 위(衛) 출공(出公) 희첩(姬輒)은 망명했고, 괴외가 왕 자리에 올랐는데 그가 위(衛) 장공(莊公)이다. 위 장공은 공회의 도움에 감사하며 명문이 새겨진 솥을 선물했다고 한다.

**6818**

: 怳: **멍할 황**: 心-총8획: huǎng

原文

: 狂之皃. 从心, 況省聲. 許往切.

飜譯

'미친 모양(狂之皃)'을 말한다. 심(心)이 의미부이고, 황(況)의 생략된 부분이 소리부이다. 독음은 허(許)와 왕(往)의 반절이다.

**6819**

: 恑: **변할 궤**: 心-총9획: guǐ

原文

: 變也. 从心危聲. 過委切.

飜譯

'속이다(變)'라는 뜻이다. 심(心)이 의미부이고 위(危)가 소리부이다. 독음은 과(過)와 위(委)의 반절이다.

**6820**

: ⿰忄巂: **두 마음 가질 휴**: 心-총21획: xié

原文

: 有二心也. 从心巂聲. 戶圭切.

飜譯

'두 마음을 가지다(有二心)'라는 뜻이다. 심(心)이 의미부이고 휴(巂)가 소리부이다. 독음은 호(戶)와 규(圭)의 반절이다.

**6821**

**悸: 悸: 두근거릴 계: 心-총11획: jì**

原文

悸: 心動也. 从心季聲. 其季切.

飜譯

'마음이 움직이다(心動)'라는 뜻이다. 심(心)이 의미부이고 계(季)가 소리부이다. 독음은 기(其)와 계(季)의 반절이다.

**6822**

**憿: 憿: 요행 요: 心-총16획: jiāo**

原文

憿: 幸也. 从心敫聲. 古堯切.

飜譯

'다행(幸)'이라는 뜻이다. 심(心)이 의미부이고 교(敫)가 소리부이다. 독음은 고(古)와 요(堯)의 반절이다.

**6823**

**懖: 懖: 임의로 할 괄: 心-총18획: guā**

原文

懖: 善自用之意也. 从心銛聲. 『商書』曰: "今汝懖懖." 𦗏, 古文从耳. 古活切.

飜譯

'제멋대로 쓰기를 좋아하다(善自用之意)'라는 뜻이다. 심(心)이 의미부이고 섬(銛)이 소리부이다. 『서·상서(商書)·반경(盤庚)』에서 "지금 너희들은 정말 제멋대로구나(今汝懖懖)"라고 했다. 괄(𦗏)은 고문체인데, 이(耳)로 구성되었다. 독음은 고(古)와 활(活)의 반절이다.

**6824**

**𢙍: 忨: 탐할 완: 心-총7획: wàn**

原文

𢙍: 貪也. 从心元聲. 『春秋傳』曰: "忨歲而潵日." 五換切.

飜譯

'탐하다(貪)'라는 뜻이다. 심(心)이 의미부이고 원(元)이 소리부이다. 『춘추전』(『좌전』 소공 원년, B.C. 541)에서 "흐르는 세월을 탐하더니 남은 세월에 목말라 하는구나(忨歲而潵日)"라고 했다. 독음은 오(五)와 환(換)의 반절이다.

**6825**

**𢡨: 惏: 떨릴 림·탐할 람: 心-총11획: lán**

原文

𢡨: 河内之北謂貪曰惏. 从心林聲. 盧含切.

飜譯

'하내(河內)군의 북쪽 지역에서는 탐하는 것(貪)을 림(惏)이라 한다.' 심(心)이 의미부이고 림(林)이 소리부이다. 독음은 로(盧)와 함(含)의 반절이다.

**6826**

**𢠳: 懜: 어리석을 몽: 心-총17획: měng**

原文

𢠳: 不明也. 从心夢聲. 武亘切.

飜譯

'분명하지 못하다(不明)'라는 뜻이다. 심(心)이 의미부이고 몽(夢)이 소리부이다. 독음은 무(武)와 긍(亘)의 반절이다.

**6827**

**愆:** 愆: **허물 건**: 心—총13획: qiān

原文

愆: 過也. 从心衍聲. [illegible], 或从寒省. [illegible], 籒文. 去虔切.

飜譯

'과오 즉 잘못(過)'을 말한다. 심(心)이 의미부이고 연(衍)이 소리부이다. 건([illegible])은 혹체자인데, 한(寒)의 생략된 모습이다. 건([illegible])은 주문체이다. 독음은 거(去)와 건(虔)의 반절이다.

**6828**

**慊:** 慊: **찐덥지 않을 겸**: 心—총13획: qiàn, què

原文

慊: 疑也. 从心兼聲. 戶兼切.

飜譯

'의심하다(疑)'라는 뜻이다. 심(心)이 의미부이고 겸(兼)이 소리부이다. 독음은 호(戶)와 겸(兼)의 반절이다.

**6829**

**惑:** 惑: **미혹할 혹**: 心—총12획: huò

原文

惑: 亂也. 从心或聲. 胡國切.

飜譯

'마음이 혼란스럽다(亂)'라는 뜻이다. 심(心)이 의미부이고 혹(或)이 소리부이다.[243] 독음은 호(胡)와 국(國)의 반절이다.

**6830**

: 怋: **민망할 민**: 心-**총8획**: mín

原文

: 惽也. 从心民聲. 呼昆切.

飜譯

'마음이 어지럽다(惽)'라는 뜻이다. 심(心)이 의미부이고 민(民)이 소리부이다. 독음은 호(呼)와 곤(昆)의 반절이다.

**6831**

: 怓: **어지러울 노**: 心-**총8획**: náo

原文

: 亂也. 从心奴聲. 『詩』曰: "以謹惽怓." 女交切.

飜譯

'마음이 혼란스럽다(亂)'라는 뜻이다. 심(心)이 의미부이고 노(奴)가 소리부이다. 『시·대아민로(民勞)』에서 "다투기 잘하는 자들 근신시키며(以謹惽怓)"라고 노래했다. 독음은 녀(女)와 교(交)의 반절이다.

**6832**

: 惷: **어수선할 준**: 心-**총13획**: chǔn

原文

: 亂也. 从心春聲. 『春秋傳』曰: "王室日惷惷焉." 一曰厚也. 尺允切.

---

243) 고문자에서 金文 古陶文 簡牘文 古璽文 등으로 그렸다. 心(마음 심)이 의미부고 或(혹시 혹)이 소리부로, 혹시(或)라도 미련을 가지며 미혹되는 마음(心)을 말하며, 이로부터 疑惑(의혹), 어지럽다 등의 뜻이 나왔다.

飜譯

'마음이 혼란스럽다(亂)'라는 뜻이다. 심(心)이 의미부이고 춘(春)이 소리부이다. 『춘추전』(『좌전』 소공 24년, B.C. 518)에서 "왕실이 날이 갈수록 혼란스러워 지는구나(王室日惷惷焉)"라고 했다. 일설에는 '두텁다(厚)'라는 뜻이라고도 한다. 독음은 척(尺)과 윤(允)의 반절이다.

**6833**

**惛: 惛: 어리석을 혼: 心-총11획: hūn**

原文

惛: 不憭也. 从心昏聲. 呼昆切.

飜譯

'총명하지 않다(不憭)'라는 뜻이다. 심(心)이 의미부이고 혼(昏)이 소리부이다.[244] 독음은 호(呼)와 곤(昆)의 반절이다.

**6834**

**忥: 忥: 고요할 희: 心-총8획: xì**

原文

忥: 癡皃. 从心气聲. 許旣切.

飜譯

'멍청한 모양(癡皃)'을 말한다. 심(心)이 의미부이고 기(气)가 소리부이다. 독음은 허(許)와 기(旣)의 반절이다.

**6835**

**䡜: 䡜: 잠꼬대 위: 心-총19획: wèi**

244) 心(마음 심)이 의미부고 昏(어두울 혼)이 소리부로, 마음(心)이 흐려(昏) 분명하지 못하고 어리석음을 말한다.

原文

𢡱: 寱言不慧也. 从心衛聲. 于歲切.

飜譯

'의미가 분명하지 못한 꿈에서 하는 잠꼬대(寱言不慧)'를 말한다. 심(心)이 의미부이고 위(衛)가 소리부이다. 독음은 우(于)와 세(歲)의 반절이다.

6836

**憒**: 憒: **심란할 궤**: 心-총15획: kuì

原文

憒: 亂也. 从心貴聲. 胡對切.

飜譯

'마음이 혼란스럽다(亂)'라는 뜻이다. 심(心)이 의미부이고 귀(貴)가 소리부이다. 독음은 호(胡)와 대(對)의 반절이다.



6837

**忌**: 忌: **꺼릴 기**: 心-총7획: jì

原文

忌: 憎惡也. 从心己聲. 渠記切.

飜譯

'증오하다(憎惡)'라는 뜻이다. 심(心)이 의미부이고 기(己)가 소리부이다.[245] 독음은 거(渠)와 기(記)의 반절이다.

---

245) 고문자에서 [glyphs]金文 [glyphs]古陶文 [glyphs]簡牘文 등으로 그렸다. 心(마음 심)이 의미부이고 己(몸 기)가 소리부로, 자신의 몸(己)과 마음(心)에서 꺼리고 싫어하는 것을 말하며, 이로부터 증오하다, 원한을 가지다, 시기하다 등의 뜻이 나왔고, 다시 피하다, 禁忌(금기) 등의 뜻도 나왔다. 달리 惎로 쓰기도 한다.

**6838**

𢗗: 忿: **성낼 분**: 心–총8획: fèn

原文

𢗗: 悁也. 从心分聲. 敷粉切.

飜譯

'성을 내다(悁)'라는 뜻이다. 심(心)이 의미부이고 분(分)이 소리부이다.[246] 독음은 부(敷)와 분(粉)의 반절이다.

**6839**

悁: 悁: **성낼 연**: 心–총10획: yuān

原文

悁: 忿也. 从心肙聲. 一曰憂也. 𢛃, 籒文. 於緣切.

飜譯

'성을 내다(忿)'라는 뜻이다. 심(心)이 의미부이고 연(肙)이 소리부이다. 일설에는 '걱정하다(憂)'라는 뜻이라고도 한다. 연(𢛃)은 주문체이다. 독음은 어(於)와 연(緣)의 반절이다.

**6840**

黎: 黎: **한할 리**: 心–총19획: lí

原文

黎: 恨也. 从心黎聲. 一曰怠也. 郎尸切.

---

246) 고문자에서 [古字]古陶文 [古字]簡牘文 등으로 그렸다. 心(마음 심)이 의미부고 分(나눌 분)이 소리부로, 성내다, 분노하다는 뜻인데, 심리적(心) 안정상태가 분열되어(分) 화가 나다는 뜻을 담았다.

飜譯

'원망스럽게 생각하다(恨)'라는 뜻이다. 심(心)이 의미부이고 리(黎)가 소리부이다. 일설에는 '게으르다(怠)'라는 뜻이라고도 한다. 독음은 랑(郎)과 시(尸)의 반절이다.

**6841**

: 恚: **성낼 에**: 心**–총10획: huì**

原文

: 恨也. 从心圭聲. 於避切.

飜譯

'원망스럽게 생각하다(恨)'라는 뜻이다. 심(心)이 의미부이고 규(圭)가 소리부이다. 독음은 어(於)와 피(避)의 반절이다.

**6842**

: 怨: **원망할 원**: 心**–총9획: yuàn**

原文

: 恚也. 从心夗聲. , 古文. 於願切.

飜譯

'성을 내다(恚)'라는 뜻이다. 심(心)이 의미부이고 원(夗)이 소리부이다.247) 원()은 고문체이다. 독음은 어(於)와 원(願)의 반절이다.

**6843**

: 怒: **성낼 노**: 心**–총9획: nù**

---

247) 고문자에서 簡牘文 石刻古文 등으로 그렸다. 心(마음 심)이 의미부고 夗(누워 뒹굴 원)이 소리부로, 원망하는 마음(心)을 말하며, 이로부터 원한을 가지다, 슬퍼하다, 哀怨(애원·슬프게 원망하다)하다, 비웃다 등의 뜻이 나왔다. 달리 惌으로 쓰기도 한다.

原文

𢘓: 恚也. 从心奴聲. 乃故切.

飜譯

'성을 내다(恚)'라는 뜻이다. 심(心)이 의미부이고 노(奴)가 소리부이다.[248] 독음은 내(乃)와 고(故)의 반절이다.

**6844**

**𢡍: 憝: 원망할 대: 心-총16획: duì**

原文

𢡍: 怨也. 从心敦聲. 『周書』曰: "凡民罔不憝." 徒對切.

飜譯

'원망하다(怨)라는 뜻이다. 심(心)이 의미부이고 돈(敦)이 소리부이다. 『서·주서(周書)·강고(康誥)』에서 "모든 백성들 중 원망하지 않는 이가 없도다(凡民罔不憝)"라고 했다. 독음은 도(徒)와 대(對)의 반절이다.

**6845**

**慍: 慍: 성낼 온: 心-총13획: yùn**

原文

慍: 怒也. 从心昷聲. 於問切.

飜譯

'성을 내다(怒)'라는 뜻이다. 심(心)이 의미부이고 온(昷)이 소리부이다. 독음은 어(於)와 문(問)의 반절이다.

---

248) 고문자에서 簡牘文 石刻篆文 등으로 그렸다. 心(마음 심)이 의미부이고 奴(종 노)가 소리부로, 분노하다는 뜻인데, 노비(奴)들의 마음속 깊이 자리한 분한 마음(心)을 말한다. 이로부터 나무라다, 기세가 등등하다, 맹렬하다 등의 뜻도 나왔다.

**6846**

**: 惡: 악할 악: 心-총12획: è**

原文

: 過也. 从心亞聲. 烏各切.

飜譯

'과오(過)'를 말한다. 심(心)이 의미부이고 아(亞)가 소리부이다.[249] 독음은 오(烏)와 각(各)의 반절이다.

**6847**

**: 憎: 미워할 증: 心-총15획: zēng**

原文

: 惡也. 从心曾聲. 作滕切.

飜譯

'증오하다(惡)'라는 뜻이다. 심(心)이 의미부이고 증(曾)이 소리부이다.[250] 독음은 작(作)과 등(滕)의 반절이다.

**6848**

**: 怖: 노할 패·기뻐하지 않을 발: 心-총7획: pèi**

---

249) 고문자에서 簡牘文 등으로 그렸다. 心(마음 심)이 의미부고 亞(버금 아)가 소리부로, '미워하다'는 뜻인데, 亞는 시신을 안치하던 墓室(묘실)을 그린 것으로 알려져 있는데, 시신에 대한 두려움이나 거리낌 등으로부터 '흉측하다'나 '싫어하다'는 뜻이 담긴 것으로 추정된다. 이 때문에 惡을 "싫어하는(亞) 마음(心)"으로 풀이할 수 있고, 여기서 다시 善惡(선악)에서처럼 '나쁘다'는 뜻이 생긴 것으로 추정할 수 있다. 다만, 미워하다는 뜻으로 쓰일 때에는 憎惡(증오)에서처럼 '오'로 구분해 읽는다. 간화자에서는 亞를 亚로 줄인 恶으로 쓴다.

250) 心(마음 심)이 의미부고 曾(일찍 증)이 소리부로, 憎惡(증오)하다, 미워하다는 뜻인데, 미워하는 마음(心)이 겹겹이 쌓였음(曾)을 반영했다.

原文

怖: 恨怒也. 从心市聲. 『詩』曰 : "視我怖怖." 蒲昧切.

飜譯

'원통하여 성을 내다(恨怒)'라는 뜻이다. 심(心)이 의미부이고 불(市)이 소리부이다. 『시·소아백화(白華)』에서 "나를 거들떠보지도 않네(視我怖怖)"라고 노래했다.[251] 독음은 포(蒲)와 매(昧)의 반절이다.

**6849**

**忍: 忍: 성낼 의: 心-총6획: yì**

原文

忍: 怒也. 从心刀聲. 讀若顡. 李陽冰曰 : "刀非聲, 当从刈省." 魚既切.

飜譯

'성을 내다(怒)'라는 뜻이다. 심(心)이 의미부이고 도(刀)가 소리부이다. 의(顡)와 같이 읽는다. 이양빙(李陽冰)은 "도(刀)는 소리부가 아니다. 당연히 예(刈)의 생략된 모습이 소리부여야 한다."라고 했다. 독음은 어(魚)와 기(既)의 반절이다.

**6850**

**㥞: 㥞: 마음이 편치 않을 휴·원한 해: 心-총12획: xié**

251) 금본에서 패패(怖怖)가 매매(邁邁)로 되었다. 『단주』에서 이렇게 말했다. "「소아·백화(白華)」에서 '念子懆懆, 視我邁邁.(애타도록 그대 그리거늘, 나를 거들떠보지도 않네.)'라고 했는데, 『모전(毛傳)』에서 매매(邁邁)는 즐거워하지 않음(不悅)을 말한다고 했다. 『석문(釋文)』에서 『한시(韓詩)』와 『설문(說文)』에서는 모두 패패(怖怖)로 적었다. 『한시(韓詩)』에서 '마음에 즐거워하지 아니하다는 뜻이다(意不悅好也)'고 했고, 허신도 '원통하여 화가 나다는 뜻이다(很怒也)'고 했다. 금본 『설문』에서는 흔(很)을 한(恨)으로 적었는데, 흔(很)이 더 적당해 보인다. 매(邁)는 패(怖)의 가차자이다. 『한시』나 『설문』이 없었더라면 『모시』의 해석은 이해할 수가 없었을 것이다. 허신이 『모시』를 존중하면서도 삼가시(三家詩)를 버리지 않았음을 알 수 있는 대목이다." 매매(邁邁)를 『시집전』에서는 '거들떠보지도 않는 모양'이라고 풀이했다.

原文

㥦: 怨恨也. 从心彖聲. 讀若膎. 戶佳切.

飜譯

'원망스럽게 생각하다(怨恨)'라는 뜻이다. 심(心)이 의미부이고 단(彖)이 소리부이다. 해(膎)와 같이 읽는다. 독음은 호(戶)와 가(佳)의 반절이다.

**6851**

恨: 恨: **한할 한**: 心-**총9획**: **hèn**

原文

恨: 怨也. 从心艮聲. 胡艮切.

飜譯

'원망하다(怨)'라는 뜻이다. 심(心)이 의미부이고 간(艮)이 소리부이다.[252] 독음은 호(胡)와 간(艮)의 반절이다.

**6852**

懟: 懟: **원망할 대**: 心-**총18획**: **duì**

原文

懟: 怨也. 从心對聲. 丈淚切.

飜譯

'원망하다(怨)'라는 뜻이다. 심(心)이 의미부이고 대(對)가 소리부이다. 독음은 장(丈)과 루(淚)의 반절이다.

252) 心(마음 심)이 의미부고 艮(어긋날 간)이 소리부로, 서로 노려보며(艮) 원망하는 마음(心)을 말하며, 이로부터 怨恨(원한)을 가지다, 원수처럼 보다, 유감스럽다의 뜻이 나왔다.

**6853**

**:** 悔: **뉘우칠 회**: 心-총10획: huǐ

原文

: 悔恨也. 从心每聲. 荒內切.

飜譯

'후회하며 뉘우치다(悔恨)'라는 뜻이다. 심(心)이 의미부이고 매(每)가 소리부이다.253) 독음은 황(荒)과 내(內)의 반절이다.

**6854**

**:** 憘: **약간 성낼 체**: 心-총12획: chì

原文

: 小怒也. 从心喜聲. 充世切.

飜譯

'약간 성을 내다(小怒)'라는 뜻이다. 심(心)이 의미부이고 희(喜)가 소리부이다. 독음은 충(充)과 세(世)의 반절이다.

**6855**

**:** 怏: **원망할 앙**: 心-총8획: yàng

原文

253) 고문자에서 金文 簡牘文 등으로 그렸다. 心(마음 심)이 의미부고 每(매양 매)가 소리부로, 후회하고 뉘우침을 말한다. 어머니(每)에 대한 마음(心)은 다 자라고 철이 들어서야 뒤늦게 느끼게 되는 법, 어머니의 깊은 마음을 잘 헤아리지 못했음을 후회하고 뉘우치다는 뜻을 반영했다. 每는 母(어미 모)에서 분화한 글자로, 비녀를 꽂은 성인 여성을 그렸는데, 단독으로 쓰일 때에는 '매양'으로만 쓰이고 원래 뜻은 사라졌으나, 敏(민첩할 민) 같은 합성자에서는 '어미'의 뜻이 남아 있다.

怏: 不服, 懟也. 从心央聲. 於亮切.

飜譯

'불복하여 원망하다(不服, 懟)'라는 뜻이다. 심(心)이 의미부이고 앙(央)이 소리부이다. 독음은 어(於)와 량(亮)의 반절이다.

**6856**

懣: 懣: **번민할 만**: 心-총18획: mèn

原文

懣: 煩也. 从心从滿. 莫困切.

飜譯

'번민하다(煩)'라는 뜻이다. 심(心)이 의미부이고 만(滿)도 의미부이다. 독음은 막(莫)과 곤(困)의 반절이다.

**6857**

憤: 憤: **결낼 분**: 心-총15획: fèn

原文

憤: 懣也. 从心賁聲. 房吻切.

飜譯

'번민하다(懣)'라는 뜻이다. 심(心)이 의미부이고 분(賁)이 소리부이다.[254] 독음은 방(房)과 문(吻)의 반절이다.

**6858**

悶: 悶: **번민할 민**: 心-총12획: mèn

---

254) 心(마음 심)이 의미부고 賁(클 분)이 소리부로, '성내다'는 뜻인데, 응어리진 마음(心)이 크게 분출하다(賁)는 뜻을 담았다.

原文

悶: 懣也. 从心門聲. 莫困切.

飜譯

'번민하다(懣)'라는 뜻이다. 심(心)이 의미부이고 문(門)이 소리부이다.[255] 독음은 막(莫)과 곤(困)의 반절이다.

**6859**

惆: 惆: **실심할 추**: 心−**총11획**: **chóu**

原文

惆: 失意也. 从心周聲. 敕鳩切.

飜譯

'실의하다(失意)'라는 뜻이다. 심(心)이 의미부이고 주(周)가 소리부이다. 독음은 칙(敕)과 구(鳩)의 반절이다.

**6860**

悵: 悵: **슬퍼할 창**: 心−**총11획**: **chàng**

原文

悵: 望恨也. 从心長聲. 丑亮切.

飜譯

'바랬으나 실현되지 않아 한탄하다(望恨)'라는 뜻이다. 심(心)이 의미부이고 장(長)이 소리부이다. 독음은 축(丑)과 량(亮)의 반절이다.

---

255) 고문자에서 悶簡牘文 등으로 그렸다. 心(마음 심)이 의미부고 門(문 문)이 소리부로, 닫힌 門처럼 마음(心)이 '답답함'을 말하며, 이로부터 煩悶(번민)하다, 우매하다, 밀폐하다 등의 뜻이 나왔다.

**6861**

**𢡅: 愾: 성낼 개: 心-총13획: xì**

原文

𢡅: 大息也. 从心从氣, 氣亦聲. 『詩』曰 : “愾我寤歎.” 許旣切.

飜譯

‘탄식하다(大息)’라는 뜻이다. 심(心)이 의미부이고 기(氣)도 의미부인데, 기(氣)는 소리부도 겸한다. 『시·조풍·하천(下泉)』에서 “푸우 하고 자다 깨어 탄식하네(愾我寤歎)”라고 노래했다.[256] 독음은 허(許)와 기(旣)의 반절이다.

**6862**

**𢡅: 懆: 근심할 조: 心-총16획: cǎo**

原文

懆: 愁不安也. 从心喿聲. 『詩』曰 : “念子懆懆.” 七早切.

飜譯

‘걱정이 되어 불안해하다(愁不安)’라는 뜻이다. 심(心)이 의미부이고 소(喿)가 소리부이다. 『시·소아·백화(白華)』에서 “애타도록 그대 그리거늘(念子懆懆)”이라고 노래했다. 독음은 칠(七)과 조(早)의 반절이다.

**6863**

**愴: 愴: 슬퍼할 창: 心-총13획: chuàng**

原文

愴: 傷也. 从心倉聲. 初亮切.

飜譯

256) 금본에서는 탄(歎)이 탄(嘆)으로 되었다.

'슬퍼하다(傷)'라는 뜻이다. 심(心)이 의미부이고 창(倉)이 소리부이다. 독음은 초(初)와 량(亮)의 반절이다.

**6864**

**怛: 怛: 슬플 달: 心-총8획: dá**

原文

怛: 憯也. 从心旦聲. 㥁, 或从心在旦下.『詩』曰:"信誓㥁㥁." 得案切.

飜譯

'슬퍼하다(憯)'라는 뜻이다. 심(心)이 의미부이고 단(旦)이 소리부이다. 달(㥁)은 혹체자인데, 심(心)이 단(旦) 아래쪽에 놓인 모습이다.『시』에서 "분명히 약속하고 진실하게 맹세했네(信誓㥁㥁)"라고 노래했다.257) 독음은 득(得)과 안(案)의 반절이다.

**6865**

**憯: 憯: 슬퍼할 참: 心-총15획: cǎn**

原文

憯: 痛也. 从心朁聲. 七感切.

飜譯

'아파하다(痛)'라는 뜻이다. 심(心)이 의미부이고 참(朁)이 소리부이다. 독음은 칠(七)과 감(感)의 반절이다.

**6866**

**慘: 慘: 참혹할 참: 心-총14획: cǎn**

---

257)『단주』에서 이렇게 말했다. "이는『시·위풍(衛風)·망(氓)』의『전(傳)』에 나오는 문장이다. 내 생각은 이렇다.『시』에서 '신서단단(信誓旦旦)'이라 했고,『전(傳)』에서 '신서단단연(信誓㥁㥁然)'이라고 하면서 단(旦)은 바로 단(㥁)의 가차자라고 했다.『전(箋)』에서도 이는 걱정하고 애를 쓰다(懇惻款誠)는 뜻이라고 했다.……단단(㥁㥁) 다음에 '연(然)'자가 들어가야 한다."

原文

慘: 毒也. 从心參聲. 七感切.

飜譯

'해악을 끼치다(毒)'라는 뜻이다. 심(心)이 의미부이고 참(參)이 소리부이다.258) 독음은 칠(七)과 감(感)의 반절이다.

**6867**

**悽: 悽: 슬퍼할 처: 心-총11획: qī**

原文

悽: 痛也. 从心妻聲. 七稽切.

飜譯

'아파하다(痛)'라는 뜻이다. 심(心)이 의미부이고 처(妻)가 소리부이다.259) 독음은 칠(七)과 계(稽)의 반절이다.

**6868**

**恫: 恫: 상심할 통: 心-총9획: tōng**

原文

恫: 痛也. 一曰呻吟也. 从心同聲. 他紅切.

飜譯

'아파하다(痛)'라는 뜻이다. 일설에는 '신음하다(呻吟)'라는 뜻이라고도 한다. 심(心)이 의미부이고 동(同)이 소리부이다. 독음은 타(他)와 홍(紅)의 반절이다.

258) 心(마음 심)이 의미부고 參(석 삼·삼성 참·간여할 참)이 소리부로, 마음(心)이 비참하고 끔찍함을 말하며, 이로부터 지독하다, 얼굴을 찌푸리다, 고민하다 등의 뜻도 나고 정도가 많음을 지칭하게 되었다. 간화자에서는 參을 参으로 줄여 惨으로 쓴다.

259) 心(마음 심)이 의미부고 妻(아내 처)가 소리부로, 슬퍼하다는 뜻인데, 가부장제에서 시집살이를 심하게 하는 아내(妻)의 마음(心)이 바로 '슬픔'이자 비통함의 상징임을 그렸다. 현대 중국의 간화자에서는 凄(쓸쓸할 처)에 통합되었다.

**6869**

**: 悲: 슬플 비: 心-총12획: bēi**

原文

: 痛也. 从心非聲. 府眉切.

飜譯

'아파하다(痛)'라는 뜻이다. 심(心)이 의미부이고 비(非)가 소리부이다.[260] 독음은 부(府)와 미(眉)의 반절이다.

**6870**

**: 惻: 슬퍼할 측: 心-총12획: cè**

原文

: 痛也. 从心則聲. 初力切.

飜譯

'아파하다(痛)'라는 뜻이다. 심(心)이 의미부이고 칙(則)이 소리부이다. 독음은 초(初)와 력(力)의 반절이다.

**6871**

**: 惜: 아낄 석: 心-총11획: xī**

原文

: 痛也. 从心昔聲. 思積切.

飜譯

'아파하다(痛)'라는 뜻이다. 심(心)이 의미부이고 석(昔)이 소리부이다. 독음은 사(思)

260) 心(마음 심)이 의미부고 非(아닐 비)가 소리부로, 비통하고 애통한 마음(心)을 말하는데, 슬픔이라는 것이 정상적이지 않은(非) 특별한 마음(心)의 상태임을 반영했다.

와 적(積)의 반절이다.

**6872**

**憫: 愍: 근심할 민: 心-총13획: mǐn**

原文

憫: 痛也. 从心敃聲. 眉殞切.

飜譯

'아파하다(痛)'라는 뜻이다. 심(心)이 의미부이고 민(敃)이 소리부이다. 독음은 미(眉)와 운(殞)의 반절이다.

**6873**

**慇: 慇: 괴로워할 은: 心-총14획: yīn**

原文

慇: 痛也. 从心殷聲. 於巾切.

飜譯

'아파하다(痛)'라는 뜻이다. 심(心)이 의미부이고 은(殷)이 소리부이다. 독음은 어(於)와 건(巾)의 반절이다.

**6874**

**悘: 悘: 탄식하는 소리 의: 心-총12획: yī**

原文

悘: 痛聲也. 从心依聲. 『孝經』曰: "哭不悘." 於豈切.

飜譯

'아파하는 소리(痛聲)'를 말한다. 심(心)이 의미부이고 의(依)가 소리부이다. 『효경(孝經)·상친(喪親)』에서 "곡을 하되 곡소리가 나서는 아니 된다(哭不悘)"라고 했다. 독음은 어(於)와 기(豈)의 반절이다.

**6875**

**𢡎: 憪: 있을 간: 竹-총18획: jiǎn**

原文

𢡎: 憪, 存也. 从心, 簡省聲. 讀若簡. 古限切.

飜譯

'간(憪)은 보존케 하다(存)'라는 뜻이다.[261] 심(心)이 의미부이고, 간(簡)의 생략된 부분이 소리부이다. 간(簡)과 같이 읽는다. 독음은 고(古)와 한(限)의 반절이다.

**6876**

**慅: 慅: 흔들릴 소: 心-총13획: sāo**

原文

慅: 動也. 从心蚤聲. 一曰起也. 穌遭切.

飜譯

'[마음이] 흔들리다(動)'라는 뜻이다. 심(心)이 의미부이고 조(蚤)가 소리부이다. 일설에는 '일어나다(起)'라는 뜻이라고도 한다. 독음은 소(穌)와 조(遭)의 반절이다.

**6877**

**感: 感: 느낄 감: 心-총13획: gǎn**

---

261) 『단주』에서 각 판본에서 '憪存也'로 되었는데 '憪憪, 在也.'로 바로잡는다고 하면서 이렇게 말했다. "『이아·석훈(釋訓)』에서 '존존(存存)과 간간(憪憪)은 있다(在)라는 뜻이다'라고 했다. 허신의 해석은 여기서 왔다. 그러나 오늘날의 『이아』에서는 '존존(存存)과 맹맹(萌萌)은 있다는 뜻이다(在也)'로 되어 있고, 곽박의 주석에서는 '어디서 왔는지 모르겠다(未見所出)'라고 했다." 『이아소』에서는 이렇게 말했다. "존재함을 말한다. 『역·계사(繫辭)』(上)에서 '成性存存(성품을 이루어 보존하고 있다)'이라고 했다. 맹맹(萌萌)은 『자서』에 맹(懜)으로 되었고, 『설문』에서는 맹(儚)으로 적었는데, 곽박은 '출전을 알 수 없다'라고 하였다."

原文

感: 動人心也. 从心咸聲. 古禫切.

韻譯

'사람의 마음을 움직이다(動人心)'라는 뜻이다. 심(心)이 의미부이고 함(咸)이 소리부이다.262) 독음은 고(古)와 담(禫)의 반절이다.

**6878**

**忧: 忧: 가슴 설렐 우: 心-총7획: yōu**

原文

忧: 不動也. 从心尤聲. 讀若祐. 于救切.

韻譯

'마음이 움직이지 않다(不動)'라는 뜻이다.263) 심(心)이 의미부이고 우(尤)가 소리부이다. 우(祐)와 같이 읽는다. 독음은 우(于)와 구(救)의 반절이다.

**6879**

**惄: 惄: 원수 구: 心-총12획: qiú**

原文

惄: 怨仇也. 从心咎聲. 其久切.

韻譯

'원수를 원망하다(怨仇)'라는 뜻이다. 심(心)이 의미부이고 구(咎)가 소리부이다. 독음은 기(其)와 구(久)의 반절이다.

262) 心(마음 심)이 의미부이고 咸(다 함)이 소리부로, 감동을 뜻하는데, 함께(咸) 느끼는 감정(心)이 '感動(감동)'임을 말한다. 이후 感應(감응), 感謝(감사), 感慨(감개), 感染(감염) 등의 뜻이 나왔다.

263) 『단주』에서는 각 판본에서 '不動也'로 되었는데, 『옥편(玉篇)』에서 '心動也'라 했고, 『광운(廣韵)』에서도 '動也'라고 했기에, '心動也'로 바로잡는다고 했다. 그렇게 되면 '마음이 움직이다'는 뜻이 된다.

**6880**

**愪**: 愪: **근심할 운**: 心-총13획: yún

原文

愪: 憂皃. 从心員聲. 王分切.

飜譯

'걱정하는 모양(憂皃)'을 말한다. 심(心)이 의미부이고 원(員)이 소리부이다. 독음은 왕(王)과 분(分)의 반절이다.

**6881**

**怮**: 怮: **근심할 유**: 心-총8획: yōu

原文

怮: 憂皃. 从心幼聲. 於虯切.

飜譯

'걱정하는 모양(憂皃)'을 말한다. 심(心)이 의미부이고 유(幼)가 소리부이다. 독음은 어(於)와 규(虯)의 반절이다.

**6882**

**忦**: 忦: **근심할 개·한할 개**: 心-총7획: yè

原文

忦: 憂也. 从心介聲. 五介切.

飜譯

'걱정하다(憂)'라는 뜻이다. 심(心)이 의미부이고 개(介)가 소리부이다. 독음은 오(五)와 개(介)의 반절이다.

**6883**

**恙: 恙: 근심 양: 心-총10획: yàng**

原文

恙: 憂也. 从心羊聲. 余亮切.

飜譯

'걱정하다(憂)'라는 뜻이다. 심(心)이 의미부이고 양(羊)이 소리부이다. 독음은 여(余)와 량(亮)의 반절이다.

**6884**

**惴: 惴: 두려워할 췌: 心-총12획: zhuì**

原文

惴: 憂懼也. 从心耑聲. 『詩』曰: "惴惴其慄." 之瑞切.

飜譯

'걱정이 되어 두려워하다(憂懼)'라는 뜻이다. 심(心)이 의미부이고 단(耑)이 소리부이다. 『시·진풍·황조(黃鳥)』에서 "두려움에 떨었으리라(惴惴其慄)"라고 노래했다. 독음은 지(之)와 서(瑞)의 반절이다.

**6885**

**慇: 慇: 근심할 순: 心-총16획: qióng**

原文

慇: 憂也. 从心鈞聲. 常倫切.

飜譯

'걱정하다(憂)'라는 뜻이다. 심(心)이 의미부이고 균(鈞)이 소리부이다. 독음은 상(常)과 륜(倫)의 반절이다.

**6886**

**㤙: 怲: 근심할 병: 心-총8획: bǐng**

原文

㤙: 憂也. 从心丙聲. 『詩』曰 : "憂心怲怲." 兵永切.

飜譯

'걱정하다(憂)'라는 뜻이다. 심(心)이 의미부이고 병(丙)이 소리부이다. 『시·소아·규변(頍弁)』에서 "마음의 시름 그지없더니(憂心怲怲)"라고 노래했다. 독음은 병(兵)과 영(永)의 반절이다.

**6887**

**惔: 惔: 탈 담: 心-총11획: tán**

原文

惔: 憂也. 从心炎聲. 『詩』曰 : "憂心如惔." 徒甘切.

飜譯

'걱정하다(憂)'라는 뜻이다. 심(心)이 의미부이고 염(炎)이 소리부이다. 『시·소아·절피남산(節彼南山)』에서 "마음이 시름으로 애타고 있지만(憂心如惔)"이라고 노래했다. 독음은 도(徒)와 감(甘)의 반절이다.

**6888**

**惙: 惙: 근심할 철: 心-총11획: chuò**

原文

惙: 憂也. 从心叕聲. 『詩』曰 : "憂心惙惙." 一曰意不定也. 陟劣切.

飜譯

'걱정하다(憂)'라는 뜻이다. 심(心)이 의미부이고 철(叕)이 소리부이다. 『시·소남·초충(草蟲)』에서 "시름 가득한 마음 어수선하네(憂心惙惙)"라고 노래했다. 일설에는 '뜻을 정하지 못하다(意不定)'라는 뜻이라고도 한다. 독음은 척(陟)과 렬(劣)의 반절이다.

**6889**

**𢤹: 慯: 근심할 상: 心-총14획: shāng**

原文

𢤹: 憂也. 从心, 殤省聲. 式亮切.

飜譯

'걱정하다(憂)'라는 뜻이다. 심(心)이 의미부이고, 상(殤)의 생략된 부분이 소리부이다. 독음은 식(式)과 량(亮)의 반절이다.

**6890**

**愁: 愁: 시름 수: 心-총13획: chóu**

原文

愁: 憂也. 从心秋聲. 士尤切.

飜譯

'걱정하다(憂)'라는 뜻이다. 심(心)이 의미부이고 추(秋)가 소리부이다.[264] 독음은 사(士)와 우(尤)의 반절이다.

**6891**

**㥾: 㥾: 근심할 닉: 心-총13획: nì**

原文

㥾: 憂皃. 从心弱聲. 讀與惄同. 奴歷切.

264) 心(마음 심)이 의미부고 秋(가을 추)가 소리부로, 걱정이나 시름을 말하며, 이로부터 처량함이나 원망의 뜻이 나왔는데, 스산한 가을(秋) 바람처럼 처량한 마음(心)이라는 의미를 담았다.

飜譯

‘걱정하는 모양(憂皃)’을 말한다. 심(心)이 의미부이고 약(弱)이 소리부이다. 녁(惄)과 같이 읽는다. 독음은 노(奴)와 력(歷)의 반절이다.

**6892**

: 惂: **근심할 감**: 心-총11획: kǎn

原文

: 憂困也. 从心臽聲. 苦感切.

飜譯

‘근심에 걱정을 하다(憂困)’라는 뜻이다. 심(心)이 의미부이고 함(臽)이 소리부이다. 독음은 고(苦)와 감(感)의 반절이다.

**6893**

: 悠: **멀 유**: 心-총11획: yōu

原文

: 憂也. 从心攸聲. 以周切.

飜譯

‘걱정하다(憂)’라는 뜻이다. 심(心)이 의미부이고 유(攸)가 소리부이다.[265] 독음은 이

---

265) 고문자에서 簡牘文 등으로 그렸다. 心(마음 심)이 의미부고 攸(바 유)가 소리부로, 물이 유유히 흐르는 모습에서 길다, 멀다의 뜻이 나왔고, 멀리 생각하는 마음(心)에서 ‘근심하다’는 뜻이 나왔다. 유(攸)는 고문자에서 甲骨文 金文 古陶文 簡牘文 繹山刻石 등으로 그렸다. 금문에 의하면 攸는 攴(칠 복)과 人(사람 인)과 水(물 수)로 구성되어 손에 솔처럼 생긴 나무막대를 쥐고(攴) 사람(人)의 등을 물(水)로 ‘씻는’ 모습을 그려 ‘씻다’가 원래 뜻이고, 목욕재계를 위한 행위라는 뜻에서 ‘닦다’는 뜻이 나왔는데, 水가 세로획으로 변해 지금의 자형이 되었다. 이후 ‘…하는 바’라는 문법소로 쓰이게 되자, 원래 뜻은 다시 彡(터럭 삼)을 더해 지금의 修가 되었다.

(以)와 주(周)의 반절이다.

**6894**

**悴:** 悴: **파리할 췌**: 心—총11획: cuī

原文

悴: 憂也. 从心卒聲. 讀與『易』萃卦同. 秦醉切.

飜譯

'걱정하다(憂)'라는 뜻이다. 심(心)이 의미부이고 졸(卒)이 소리부이다. 『역』 '췌괘(萃卦)'의 췌(萃)와 같이 읽는다. 독음은 진(秦)과 취(醉)의 반절이다.

**6895**

**慁:** 慁: **근심할 흔**: 心—총14획: hùn

原文

慁: 憂也. 从心圂聲. 一曰擾也. 胡困切.

飜譯

'걱정하다(憂)'라는 뜻이다. 심(心)이 의미부이고 환(圂)이 소리부이다. 일설에는 '어지럽다(擾)'라는 뜻이라고도 한다. 독음은 호(胡)와 곤(困)의 반절이다.

**6896**

**𢡃:** 𢡃: **근심할 리**: 心—총15획: lí

原文

𢡃: 楚潁之閒謂憂曰𢡃. 从心𠩺聲. 力至切.

飜譯

'초(楚)와 영(潁) 사이 지역에서는 우(憂)를 리(𢡃)라고 한다.' 심(心)이 의미부이고 리(𠩺)가 소리부이다. 독음은 력(力)과 지(至)의 반절이다.

**6897**

**忬**: 忬: **근심할 후**: 心-**총6획**: **xū**

原文

忬: 憂也. 从心于聲. 讀若吁. 況于切.

飜譯

'걱정하다(憂)'라는 뜻이다. 심(心)이 의미부이고 우(于)가 소리부이다. 우(吁)와 같이 읽는다. 독음은 황(況)과 우(于)의 반절이다.

**6898**

**忡**: 忡: **근심할 충**: 心-**총7획**: **chōng**

原文

忡: 憂也. 从心中聲. 『詩』曰: "憂心忡忡." 敕中切.

飜譯

'걱정하다(憂)'라는 뜻이다. 심(心)이 의미부이고 중(中)이 소리부이다. 『시·소남·초충(草蟲)』[266]에서 "시름 가득한 마음 뒤숭숭하네(憂心忡忡)"라고 노래했다. 독음은 칙(敕)과 중(中)의 반절이다.

**6899**

**悄**: 悄: **근심할 초**: 心-**총10획**: **qiǎo**

原文

悄: 憂也. 从心肖聲. 『詩』曰: "憂心悄悄." 親小切.

飜譯

'걱정하다(憂)'라는 뜻이다. 심(心)이 의미부이고 초(肖)가 소리부이다. 『시·패풍·백주

---

266) 『시·소아·출거(出車)』에도 보인다.

(柏舟)』 등에서 "시름은 그지없어(憂心悄悄)"라고 노래했다. 독음은 친(親)과 소(小)의 반절이다.

**6900**

**慽: 慽: 근심할 척: 心-총14획: qī**

原文

慽: 憂也. 从心戚聲. 倉歷切.

飜譯

'걱정하다(憂)'라는 뜻이다. 심(心)이 의미부이고 척(戚)이 소리부이다. 독음은 창(倉)과 력(歷)의 반절이다.

**6901**

**𢝊: 𢝊: 근심할 우: 心-총13획: yōu**

原文

𢝊: 愁也. 从心从頁. 於求切.

飜譯

'근심하다(愁)'라는 뜻이다. 심(心)이 의미부이고 혈(頁)도 의미부이다. 독음은 어(於)와 구(求)의 반절이다.

**6902**

**患: 患: 근심 환: 心-총11획: huàn**

原文

患: 憂也. 从心上貫吅, 吅亦聲. 𢙎, 古文从關省. 𢝨, 亦古文患. 胡丱切.

飜譯

'걱정하다(憂)'라는 뜻이다. 심(心)자 위로 훤(吅)이 관통된 모습이다. 훤(吅)은 소리부도 겸한다.267) 환(㦿)은 고문체인데, 관(關)의 생략된 모습으로 구성되었다. 환(㤺)도 환(患)의 고문체이다. 독음은 호(胡)와 관(丱)의 반절이다.

**6903**

**㤮: 恇: 겁낼 광: 心-총9획: kuāng**

原文

㤮: 怯也. 从心、匡, 匡亦聲. 去王切.

飜譯

'겁을 내다(怯)'라는 뜻이다. 심(心)과 광(匡)이 모두 의미부인데, 광(匡)은 소리부도 겸한다. 독음은 거(去)와 왕(王)의 반절이다.

**6904**

**㥦: 㥦: 생각하는 모양 협: 心-총11획: qiè, qù**

原文

㥦: 思皃. 从心夾聲. 苦叶切.

飜譯

'생각하는 모양(思皃)'을 말한다. 심(心)이 의미부이고 협(夾)이 소리부이다. 독음은 고(苦)와 협(叶)의 반절이다.

**6905**

**懾: 懾: 두려워할 섭: 心-총21획: shè**

原文

267) 고문자에서 [고문자 자형] 簡牘文 등으로 그렸다. 心(마음 심)이 의미부고 串(꿸 천)이 소리부로, 꼬챙이(串)가 심장(心)을 찌르는 것과 같은 아픔이나 고통을 말하며, 이로부터 걱정거리, 병, 재앙 등의 뜻이 나왔다.

懾: 失气也. 从心聶聲. 一曰服也. 之涉切.

譯解

'기운을 잃다(失气)'라는 뜻이다. 심(心)이 의미부이고 섭(聶)이 소리부이다. 일설에는 '복종하다(服)'라는 뜻이라고도 한다. 독음은 지(之)와 섭(涉)의 반절이다.

**6906**

**憚: 憚: 꺼릴 탄: 心-총15획: dān**

原文

憚: 忌難也. 从心單聲. 一曰難也. 徒案切.

譯解

'어려운 것을 꺼려하다(忌難)'라는 뜻이다. 심(心)이 의미부이고 단(單)이 소리부이다. 일설에는 '어렵다(難)'라는 뜻이라고도 한다.[268] 독음은 도(徒)와 안(案)의 반절이다.



**6907**

**悼: 悼: 슬퍼할 도: 心-총11획: dào**

原文

悼: 懼也. 陳楚謂懼曰悼. 从心卓聲. 徒到切.

譯解

'두려워하다(懼)'라는 뜻이다. 진(陳)과 초(楚) 지역에서는 구(懼)를 도(悼)라 한다. 심(心)이 의미부이고 탁(卓)이 소리부이다.[269] 독음은 도(徒)와 도(到)의 반절이다.

---

268) 心(마음 심)이 의미부고 單(홑 단)이 소리부로, 꺼리다는 뜻인데, 전쟁(單, 戰과 통함)에 대한 두려운 마음(心)이라는 의미를 담았다. 간화자에서는 單을 单으로 간단히 줄여 惮으로 쓴다.

269) 心(마음 심)이 의미부이고 卓(높을 탁)이 소리부로, 죽은 사람에 대한 애통한 마음을 말하는데, 떠나가는 사람을 버리는(卓) 마음(心)이라는 뜻을 담았다. 이로부터 슬퍼하다, 추념하다, 두려워하다는 뜻이 나왔으며, 옛날 시호법에서 일찍 죽은 자에게 붙이는 호칭으로도 쓰였다.

**6908**

**恐: 恐: 두려울 공: 心-총10획: kǒng**

原文

恐: 懼也. 从心巩聲. 志, 古文. 丘隴切.

飜譯

'두려워하다(懼)'라는 뜻이다. 심(心)이 의미부이고 공(巩)이 소리부이다.270) 공(志)은 고문체이다. 독음은 구(丘)와 롱(隴)의 반절이다.

**6909**

**慴: 慴: 두려워할 습: 心-총14획: shè**

原文

慴: 懼也. 从心習聲. 讀若疊. 之涉切.

飜譯

'두려워하다(懼)'라는 뜻이다. 심(心)이 의미부이고 습(習)이 소리부이다. 첩(疊)과 같이 읽는다. 독음은 지(之)와 섭(涉)의 반절이다.

**6910**

**怵: 怵: 두려워할 출: 心-총8획: chù**

原文

怵: 恐也. 从心术聲. 丑律切.

---

270) 고문자에서 金文 古陶文 簡牘文 등으로 그렸다. 心(마음 심)이 의미부이고 巩(알 공)이 소리부로, 흙을 다질 때 나는(巩) 큰 소리처럼 마음(心)이 쿵덕거리며 놀라거나 두려운 상태를 말한다. 갑골문에서 心(마음 심)이 의미부이고 工(장인 공)이 소리부이던 구조가 금문에 들면서 손에 공구를 쥔 모습을 그린 巩으로 바뀌어 이러한 의미를 더욱 형상적으로 그렸다. 이로부터 놀라다, 무서워하다, 걱정하다 등의 뜻이 나왔으며, 혹시, '아마도'라는 뜻으로도 쓰였다.

飜譯

'두려워하다(恐)'라는 뜻이다. 심(心)이 의미부이고 술(术)이 소리부이다. 독음은 축(丑)과 률(律)의 반절이다.

**6911**

**𢡱: 惕: 두려워할 척: 心-총11획: tì**

原文

𢡱: 敬也. 从心易聲. 𢥳, 或从狄. 他歷切.

飜譯

'공경하다(敬)'라는 뜻이다. 심(心)이 의미부이고 역(易)이 소리부이다. 척(𢥳)은 혹체자인데, 적(狄)으로 구성되었다. 독음은 타(他)와 력(歷)의 반절이다.

**6912**

**𢘐: 恭: 떨 공: 心-총9획: gǒng, qióng**

原文

𢘐: 戰慄也. 从心共聲. 戶工切.

飜譯

'전율하다(戰慄)'라는 뜻이다. 심(心)이 의미부이고 공(共)이 소리부이다. 독음은 호(戶)와 공(工)의 반절이다.

**6913**

**𢘆: 恢: 괴로울 해: 心-총9획: hài**

原文

𢘆: 苦也. 从心亥聲. 胡槩切.

飜譯

'괴로워하다(苦)'라는 뜻이다. 심(心)이 의미부이고 해(亥)가 소리부이다. 독음은 호(胡)와 개(槩)의 반절이다.

**6914**

**𢖓: 惶: 두려워할 황: 心-총12획: huáng**

原文

𢖓: 恐也. 从心皇聲. 胡光切.

飜譯

'두려워하다(恐)'라는 뜻이다. 심(心)이 의미부이고 황(皇)이 소리부이다. 독음은 호(胡)와 광(光)의 반절이다.

**6915**

**𢙾: 悑: 두려워할 포: 心-총10획: bù**

原文

𢙾: 惶也. 从心甫聲. 𢘅, 或从布聲. 普故切.

飜譯

'두려워하다(惶)'라는 뜻이다. 심(心)이 의미부이고 보(甫)가 소리부이다. 포(𢘅)는 혹체자인데, 포(布)가 소리부이다. 독음은 보(普)와 고(故)의 반절이다.

**6916**

**𢡱: 慹: 두려워할 집: 心-총15획: zhí**

原文

𢡱: 悑也. 从心執聲. 之入切.

飜譯

'두려워하다(悑)'라는 뜻이다. 심(心)이 의미부이고 집(執)이 소리부이다. 독음은 지(之)와 입(入)의 반절이다.

**6917**

**𢥍: 㦸: 두려워할 집: 心-총17획: qì, jì, kuài**

原文

𢥍: 悑也. 从心毄聲. 苦計切.

飜譯

'두려워하다(悑)'라는 뜻이다. 심(心)이 의미부이고 격(毄)이 소리부이다. 독음은 고(苦)와 계(計)의 반절이다.

**6918**

**𢙵: 憊: 고달플 비: 心-총14획: bèi**

原文

𢙵: 㦸也. 从心葡聲. 𤸎, 或从疒. 蒲拜切.

飜譯

'고달파하다(㦸)'라는 뜻이다. 심(心)이 의미부이고 비(葡)가 소리부이다. 비(𤸎)는 혹체자인데, 녁(疒)으로 구성되었다. 독음은 포(蒲)와 배(拜)의 반절이다.

**6919**

**惎: 惎: 해칠 기: 心-총12획: jì**

原文

惎: 毒也. 从心其聲. 『周書』曰: "來就惎惎." 渠記切.

飜譯

‘해를 끼치다(毒)’라는 뜻이다. 심(心)이 의미부이고 기(其)가 소리부이다. 『서·주서(周書)·진서(秦誓)』에서 “오기만 하면 해를 끼치는구나(來就惎惎)”라고 했다.[271] 독음은 거(渠)와 기(記)의 반절이다.

**6920**

恥: **부끄러워할 치**: 心-**총10획**: **chǐ**

原文

辱也. 从心耳聲. 敕里切.

飜譯

‘수치로 여기다(辱)’라는 뜻이다. 심(心)이 의미부이고 이(耳)가 소리부이다.[272] 독음은 칙(敕)과 리(里)의 반절이다.

**6921**

㥏: **부끄러울 전**: 心-**총11획**: **tiǎn**

原文

青徐謂慙曰㥏. 从心典聲. 他典切.

飜譯

‘청주(青)와 서주(徐) 지역에서는 참(慙: 부끄러워하다)을 전(㥏)이라 한다.’ 심(心)이

---

271) 『단주』에서 오늘날의 『상서(尙書)』에 이런 말은 보이지 않으며, 아마도 「진서(秦誓)」에 나오는 ‘未就予忌’가 아닐까 생각한다. 감히 확정할 수는 없지만 분명 오류일 것이라고 했다.

272) 고문자에서 簡牘文 등으로 그렸다. 心(마음 심)이 의미부이고 耳(귀 이)가 소리부로, 부끄러워하다, 수치스럽게 여기다는 뜻인데, 수치는 마음(心)으로부터 느끼며 수치를 당하면 귀(耳)가 붉어진다는 의미를 그렸다. 고대 중국에서 수치심이 생기면 귀뿌리가 붉어진다고도 하며, 귀를 가리키는 손짓은 수치스런 행동을 하지 말라는 뜻이기도 하여, 귀는 수치의 상징이었다. 달리 耳가 의미부이고 止(발 지)가 소리부인 耻로 쓰기도 하는데, 간화자에서는 耻에 통합되었다.

의미부이고 전(典)이 소리부이다. 독음은 타(他)와 전(典)의 반절이다.

**6922**

**忝: 忝: 욕보일 첨: 心-총8획: miǎn, tiǎn**

原文

忝: 辱也. 从心天聲. 他點切.

飜譯

'수치로 여기다(辱)'라는 뜻이다. 심(心)이 의미부이고 천(天)이 소리부이다. 독음은 타(他)와 점(點)의 반절이다.

**6923**

**慙: 慙: 부끄러울 참: 心-총15획: cǎn**

原文

慙: 媿也. 从心斬聲. 昨甘切.

飜譯

'부끄러워하다(媿)'라는 뜻이다. 심(心)이 의미부이고 참(斬)이 소리부이다.[273] 독음은 작(昨)과 감(甘)의 반절이다.

**6924**

**恧: 恧: 부끄러울 뉵: 心-총10획: nǜ**

原文

恧: 慙也. 从心而聲. 女六切.

273) 心(마음 심)이 의미부고 斬(벨 참)이 소리부로, 거열형(斬)에 처할 정도로 부끄러운 심리적(心) 상태라는 뜻을 담았으며, 달리 慚(부끄러울 참)으로 쓰기도 하며, 간화자에서는 좌우구조로 된 惭으로 쓴다.

飜譯

'부끄러워하다(慙)'라는 뜻이다. 심(心)이 의미부이고 이(而)가 소리부이다. 독음은 녀(女)와 륙(六)의 반절이다.

**6925**

**𢙐: 怍: 부끄러워할 작: 心-총8획: zuò**

原文

𢙐: 慙也. 从心, 作省聲. 在各切.

飜譯

'부끄러워하다(慙)'라는 뜻이다. 심(心)이 의미부이고, 작(作)의 생략된 부분이 소리부이다. 독음은 재(在)와 각(各)의 반절이다.

**6926**

**憐: 憐: 불쌍히 여길 련: 心-총15획: lián**

原文

憐: 哀也. 从心粦聲. 落賢切.

飜譯

'슬퍼하다(哀)'라는 뜻이다. 심(心)이 의미부이고 린(粦)이 소리부이다.[274] 독음은 락(落)과 현(賢)의 반절이다.

**6927**

**𢡆: 㦁: 울 련: 心-총15획: lián**

---

274) 心(마음 심)이 의미부이고 粦(도깨비 불 린)이 소리부로, 가련하게 여기는 마음(心)을 말하며, 이로부터 불쌍히 여기다, 아끼다, 사랑하다 등의 뜻이 나왔다. 간화자에서는 소리부 粦를 令(명령 령)으로 대체한 怜로 쓴다.

原文

㦁: 泣下也. 从心連聲. 『易』曰 : "泣涕㦁如." 力延切.

飜譯

'울어 눈물이 떨어지다(泣下)'라는 뜻이다. 심(心)이 의미부이고 련(連)이 소리부이다. 『역』에서 "울어서 눈물이 줄줄 흘러내리네(泣涕㦁如)"라고 했다. 독음은 력(力)과 연(延)의 반절이다.

**6928**

忍: 忍: **참을 인**: 心-**총7획**: **rěn**

原文

忍: 能也. 从心刃聲. 而軫切.

飜譯

'인내하다(能)'라는 뜻이다. 심(心)이 의미부이고 인(刃)이 소리부이다.[275] 독음은 이(而)와 진(軫)의 반절이다.

**6929**

㥍: 㥍: **연마할 미**: 心-**총12획**: **mǐ, miǎn**

原文

㥍: 厲也. 一曰止也. 从心弭聲. 讀若沔. 弥兖切.

飜譯

'갈고 닦다(厲)'라는 뜻이다. 일설에는 '그치다(止)'라는 뜻이라고도 한다. 심(心)이 의미부이고 미(弭)가 소리부이다. 면(沔)과 같이 읽는다. 독음은 미(弥)와 연(兖)의 반절이다.

---

275) 고문자에서 [古文字] 簡牘文 등으로 그렸다. 心(마음 심)이 의미부고 刃(날 인)이 소리부로, 참다, 인내하다, 견디다는 뜻인데, 칼날(刃)의 아픔을 견뎌내는 마음(心)이라는 뜻을 담았다.

**6930**

**忞: 㣻: 징계할 애: 心-총6획: yì**

原文

忞: 懲也. 从心乂聲. 魚肺切.

飜譯

'징계하다(懲)'라는 뜻이다. 심(心)이 의미부이고 예(乂)가 소리부이다. 독음은 어(魚)와 자(肺)의 반절이다.

**6931**

**懲: 懲: 혼날 징: 心-총19획: chéng**

原文

懲: 㣻也. 从心徵聲. 直陵切.

飜譯

'징계하다(㣻)'라는 뜻이다. 심(心)이 의미부이고 징(徵)이 소리부이다. 독음은 직(直)과 릉(陵)의 반절이다.

**6932**

**憬: 憬: 깨달을 경: 心-총15획: jǐng**

原文

憬: 覺寤也. 从心景聲. 『詩』曰: "憬彼淮夷." 俱永切.

飜譯

'깨닫다(覺寤)'라는 뜻이다. 심(心)이 의미부이고 경(景)이 소리부이다. 『시·노송·반수(泮水)』에서 "각성한 회 땅의 이민족들(憬彼淮夷)"이라고 노래했다. 독음은 구(俱)와 영(永)의 반절이다.

**6933**

**𢤧: 慵: 게으를 용: 心-총14획: yōng**

原文

𢤧: 嬾也. 从心庸聲. 蜀容切.

飜譯

'게으르다(嬾)'라는 뜻이다. 심(心)이 의미부이고 용(庸)이 소리부이다. 독음은 촉(蜀)와 용(容)의 반절이다. [신부]

**6934**

**𢙳: 悱: 표현 못할 비: 心-총11획: fěi**

原文

𢙳: 口悱悱也. 从心非聲. 敷尾切.

飜譯

'말로 표현해 내지 못하다(口悱悱)'라는 뜻이다. 심(心)이 의미부이고 비(非)가 소리부이다. 독음은 부(敷)와 미(尾)의 반절이다. [신부]

**6935**

**𢘌: 怩: 부끄러워할 니: 心-총8획: ní**

原文

𢘌: 忸怩, 慙也. 从心尼聲. 女夷切.

飜譯

'뉵니(忸怩)'를 말하는데, '부끄러워하다(慙)'라는 뜻이다. 심(心)이 의미부이고 니(尼)가 소리부이다. 독음은 녀(女)와 이(夷)의 반절이다. [신부]

제10권

**6936**

**篆: 惉: 팰 첨: 心-총12획: chān**

原文

篆: 惉懘, 煩聲也. 从心沾聲. 尺詹切.

飜譯

'첨체(惉懘)'를 말하는데, '괴로워 내는 소리(煩聲)'를 말한다. 심(心)이 의미부이고 첨(沾)이 소리부이다. 독음은 척(尺)과 첨(詹)의 반절이다. [신부]

**6937**

**篆: 懘: 가락 맞지 않을 체: 心-총18획: dié**

原文

篆: 惉懘也. 从心滯聲. 尺制切.

飜譯

'천체(惉懘) 즉 괴로워 내는 소리'를 말한다. 심(心)이 의미부이고 체(滯)가 소리부이다. 독음은 척(尺)과 제(制)의 반절이다. [신부]

**6938**

**篆: 懇: 정성 간: 心-총17획: kěn**

原文

篆: 悃也. 从心豤聲. 康恨切.

飜譯

'정성(悃)'을 말한다. 심(心)이 의미부이고 간(豤)이 소리부이다.[276] 독음은 강(康)과 한(恨)의 반절이다. [신부]

---

276) 土(흙 토)가 의미부이고 豤(간절할 간)이 소리부로, 간절하고(豤) 정성이 든 성실한 마음(心)을 말하며, 이로부터 진실하다, 부탁하다의 뜻이 나왔다.

**6939**

: 忖: **헤아릴 촌**: 心—**총6획**: **cùn**

原文

: 度也. 从心寸聲. 倉本切.

飜譯

'헤아리다(度)'라는 뜻이다. 심(心)이 의미부이고 촌(寸)이 소리부이다. 독음은 창(倉)과 본(本)의 반절이다. [신부]

**6940**

: 怊: **슬플 초**: 心—**총8획**: **chāo**

原文

: 悲也. 从心召聲. 敕宵切.

飜譯

'슬퍼하다(悲)'라는 뜻이다. 심(心)이 의미부이고 소(召)가 소리부이다. 독음은 칙(敕)과 소(宵)의 반절이다. [신부]

**6941**

: 慟: **서럽게 울 통**: 心—**총14획**: **tòng**

原文

: 大哭也. 从心動聲. 徒弄切.

飜譯

'크게 울다(大哭)'라는 뜻이다. 심(心)이 의미부이고 동(動)이 소리부이다. 독음은 도(徒)와 롱(弄)의 반절이다. [신부]

**6942**

**惹: 惹: 이끌 야: 心-총13획: rě**

原文

惹: 亂也. 从心若聲. 人者切.

飜譯

'마음이 어지럽다(亂)'라는 뜻이다. 심(心)이 의미부이고 약(若)이 소리부이다. 독음은 인(人)과 자(者)의 반절이다. [신부]

**6943**

**恰: 恰: 마치 흡: 心-총9획: qià**

原文

恰: 用心也. 从心合聲. 苦狹切.

飜譯

'마음을 쓰다(用心)'라는 뜻이다. 심(心)이 의미부이고 합(合)이 소리부이다.277) 독음은 고(苦)와 협(狹)의 반절이다. [신부]

**6944**

**悌: 悌: 공경할 제: 心-총10획: tì**

原文

悌: 善兄弟也. 从心弟聲. 經典通用弟. 特計切.

飜譯

'형제간에 잘 지내다(善兄弟)'라는 뜻이다. 심(心)이 의미부이고 제(弟)가 소리부이다. 경전(經典)에서는 제(弟)로 통용된다.278) 독음은 특(特)과 계(計)의 반절이다. [신부]

---

277) 心(마음 심)이 의미부고 合(합할 합)이 소리부로, 마음(心)이 합쳐진(合) 것으로 恰似(흡사)함을 그렸다.

6945

**懌: 懌: 기뻐할 역: 心-총16획: yì**

原文

懌: 說也. 从心睪聲. 經典通用釋. 羊益切.

飜譯

'기뻐하다(說)'라는 뜻이다. 심(心)이 의미부이고 역(睪)이 소리부이다. 경전(經典)에서는 석(釋)으로 통용된다. 독음은 양(羊)과 익(益)의 반절이다. [신부]

278) 心(마음 심)이 의미부고 弟(아우 제)가 소리부로, 동생(弟)이 형에 대해 가져야 하는 마음(心)을 말하며, 이로부터 그런 덕목과 공경함, 화합함의 뜻이 나왔다.

## 제409부수
## 409 ■ 쇄(惢)부수

**6946**

**惢: 惢: 꽃술 쇄: 心-총12획: suǒ**

原文

惢: 心疑也. 从三心. 凡惢之屬皆从惢. 讀若『易』"旅瑣瑣". 才規切. 又, 才累切.

飜譯

'마음으로 의심하다(心疑)'라는 뜻이다. 세 개의 심(心)으로 구성되었다. 쇄(惢)부수에 귀속된 글자들은 모두 쇄(惢)가 의미부이다. 『역·여괘(旅卦)』(초육효)에서 말한 "여쇄쇄(旅瑣瑣)"의 쇄(瑣)와 같이 읽는다. 독음은 재(才)와 규(規)의 반절이다. 또 재(才)와 루(累)의 반절이다.

**6947**

**縈: 繠: 드리워질 예: 糸-총18획: yì**

原文

縈: 垂也. 从惢糸聲. 如壘切.

飜譯

'드리우다(垂)'라는 뜻이다. 쇄(惢)가 의미부이고 멱(糸)이 소리부이다.[279] 독음은 여(如)와 루(壘)의 반절이다.

---

279) 멱(糸)을 소리부로 보기는 어렵다. 그래서 『단주』에서도 이의 구조를 '从惢糸聲'으로 보지 않고 쇄(惢)와 멱(糸)이 모두 의미부인 '从惢糸'의 구조로 보았다. 그리고 이렇게 말했다. "각 판본에서 멱(糸) 다음에 '성(聲)'자가 더 들었는데, 지금 삭제한다. 이는 회의자이다. 멱(糸)이 실로 매서 아래로 드리우게 하는 것이기 때문이다(所以系而垂之也). 이 글자를 멱(糸)부수에 넣지 않은 것은 쇄(惢)가 더 중요하기 때문이다. 쇄(惢)는 소리부도 겸한다."

완역설문해자
제11권
(상)

## 제410부수
## 410 ■ 수(水)부수

**6948**

**𣱱: 水: 물 수: 水-총4획: shuǐ**

原文

𣱱: 準也. 北方之行. 象衆水並流, 中有微陽之气也. 凡水之屬皆从水. 式軌切.

翻譯

'평평하다(準)'라는 뜻이다.[1] 오행 중 북방(北方)을 대표한다. 여러 갈래 물이 모여 흐르는 모습을 그렸는데, 중간 부분은 감추어져 있는 양의 기운(微陽之气)[2]을 상징한다.[3] 수(水)부수에 귀속된 글자들은 모두 수(水)가 의미부이다. 독음은 식(式)과 궤(軌)의 반절이다.

---

1) 『단주』에서 이렇게 말했다. "『석명(釋名)』에서 수(水)는 준(準)과 같다고 했는데, 준(準)은 평평하다는 뜻이다(平也). 세상에서 물보다 더 평평한 것은 없다(天下莫平於水). 그래서 장인들은 나라를 세울 때 반드시 땅부터 평평하게 고른다(故匠人建國必水地)."

2) '미양(微陽)'은 약한 양의 기운을 말한다. 『단주』에서는 이렇게 말했다. "화(火)는 밖이 양이고 안이 음이며(外陽內陰), 수(水)는 밖이 음이고 안이 양이다(外陰內陽). [수(水)자의] 중간 획은 그 양을 그렸다.(中畫象其陽). 미양(微陽)이라고 한 것은 양이 안에 있다는 말이다(陽在內也). 미(微)는 은(隱: 숨다)과 같은 뜻이다. 수(水)자의 자형이 감괘(坎卦: ☵)와 비슷한 모습을 했다."

3) 고문자에서 甲骨文 金文 古陶文 簡牘文 帛書 古璽文 등으로 그렸다. 굽이쳐 흐르는 물을 그렸다. 그래서 水(물 수)는 '물'이나 물이 모여 만들어진 강이나 호수, 또 물과 관련된 동작을 비롯해 모든 액체로 그 의미가 확장되었다. 하지만 중국에서 '물'은 단순히 물리적 존재로서의 물의 의미를 넘어선다. "최고의 선은 물과 같다(上善若水: 상선약수)"라고 한 노자의 말이 아니더라도, 治(다스릴 치)나 法(법 법)에서처럼 물은 언제나 남이 꺼리는 낮은 곳으로 흐르며 모든 것을 포용하는, 사람이 살아가야 할 도리를 담은 지극히 철리적인 존재로 인식되었다.

**6949**

: 汃: **물결치는 소리 팔**: 水-**총5획**: **bīn**

原文

: 西極之水也. 从水八聲. 『爾雅』曰: "西至汃國, 謂四極." 府巾切.

飜譯

'서방의 가장 끝 쪽에 있는 물(西極之水)'을 말한다. 수(水)가 의미부이고 팔(八)이 소리부이다. 『이아(爾雅)·석지(釋地)』에서 "서쪽으로 팔국(汃國)에 이르게 되는데, 그곳을 사극(四極)이라 한다."[4]라고 했다. 독음은 부(府)와 건(巾)의 반절이다.

**6950**

: 河: **강 이름 하**: 水-**총8획**: **hé**

原文

: 水. 出焞煌塞外昆侖山, 發原注海. 从水可聲. 乎哥切.

飜譯

'강 이름(水)[황하]'이다. 돈황(焞煌) 변새 밖의 곤륜산(昆侖山)에서 발원하여, 평원을 거쳐 바다로 흘러든다. 수(水)가 의미부이고 가(可)가 소리부이다.[5] 독음은 호(乎)와

---

4) 『이아』에서 "동쪽으로는 태원(大遠, 泰遠)에 이르고, 서쪽으로는 빈국(邠國)에 이르고, 남쪽으로는 복연(濮鉛)에 이르고, 북쪽으로는 축률(祝栗)에 이르는데, 이를 사극(四極)이라 한다."라고 했다. 『이아주』에서는 "모두 매우 멀리 있는 사방의 나라이름이다."라고 했고, 『이아소』에서는 "이는 구주(九州) 바깥의 사방 끝에 멀리 있는 나라의 명칭과 그 인성과 기품(氣稟)이 같지 않음을 풀이했다."라고 했다. 이처럼 금본 『이아』에서는 팔(汃)이 빈(邠)으로 되었는데, 『단주』에서 이렇게 말했다. "『경전석문』에서는 '빈(邠)은 본래 빈(豳)으로 적는데, 『설문』에서는 팔(汃)로 적었는데, 같은 글자이다. 피(彼)와 빈(貧)의 반절이다.' 내 생각은 이렇다. 팔(汃)을 빈(豳)으로 적은 것은 독음의 오류이다. 빈(邠)으로 적은 것은 더욱 속음을 따른 것이다." 그렇다면 팔(汃)로 적는 것이 옳다.

5) 고문자에서 甲骨文 金文 古陶文 簡牘文 古璽文 등으로 그렸다. 水(물 수)가 의미부고 可(옳을 가)가 소리부로, 원래 黃河(황하)를 지칭하는 고유명사였는데, 이후 '강'의 통칭이 되었다. 북쪽의 몽골어에서 온 외

가(哥)의 반절이다.

6951

**𣴏: 泑: 잿물 유: 水-총8획: yǒu**

原文

𣴏: 澤. 在昆侖下. 从水幼聲. 讀與蚴同. 於糾切.

飜譯

'못 이름(澤)[유택]'이다. 곤륜산(昆侖) 아래에 있다. 수(水)가 의미부이고 유(幼)가 소리부이다. 유(蚴)와 똑같이 읽는다. 독음은 어(於)와 규(糾)의 반절이다.

6952

**𣸧: 涷: 소나기 동: 水-총11획: dōng**

原文

𣸧: 水. 出發鳩山, 入於河. 从水東聲. 德紅切.

飜譯

'강 이름(水)[동수]'이다. 발구산(發鳩山)[6]에서 발원하여 황하(河)로 흘러든다. 수(水)가 의미부이고 동(東)이 소리부이다. 독음은 덕(德)와 홍(紅)의 반절이다.



6953

**𣸣: 涪: 물거품 부: 水-총11획: fú**

---

래어로 알려졌으며, 그 때문에 지금도 북쪽의 黃河 유역에 있는 강들은 '河'로 이름 붙여진 경우가 일반적이다. 이외에도 銀河(은하), 강가를 뜻하였고, 강의 신인 河伯(하백)을 지칭하기도 했다.

6) 산서성 장치시(長治市) 장자현성(長子縣城) 서쪽 약 25킬로미터 지점에 있으며, 험준한 3개의 주봉으로 이루어져 있다. 옛날 중국신화에서 공공(共工)과 전욱(顓頊)이 제위를 다툴 때 공공이 화가 나서 불주산(不周山)을 들이받아 하늘을 받치던 기둥이 부러져 땅과 끊어지게 되었고, 하늘은 서북으로 기울고, 땅은 동남쪽이 덜 차게 되었다는 그 산으로 알려져 있다.

原文

涪: 水. 出廣漢剛邑道徼外, 南入漢. 从水音聲. 縛牟切.

飜譯

'강 이름(水)[부수]'이다. 광한(廣漢)군 강읍도(剛邑道)[7] 변방 지역에서 발원하여 남쪽으로 한수(漢)로 흘러든다. 수(水)가 의미부이고 부(音)가 소리부이다. 독음은 박(縛)과 모(牟)의 반절이다.

**6954**

**潼: 潼: 강 이름 동: 水-총15획: tóng**

原文

潼: 水. 出廣漢梓潼北界, 南入墊江. 从水童聲. 徒紅切.

飜譯

'강 이름(水)[동수]'이다. 광한(廣漢)군 재동(梓潼)의 북쪽 경계에서 발원하여 남쪽으로 점강(墊江)으로 흘러든다. 수(水)가 의미부이고 동(童)이 소리부이다. 독음은 도(徒)와 홍(紅)의 반절이다.

**6955**

**江: 江: 강 강: 水-총6획: jiāng**

---

7) 단옥재는 강읍도(剛邑道)를 강저도(剛氐道)의 잘못으로 보았다. 그는 이렇게 말했다. "『한서·지리지』에서 '광한군(廣漢郡) 강저도(剛氐道)'라고 했고, 「군국지(郡國志)」에서는 광한은 국도위에 속하는데(廣漢屬國都尉), 음평도(陰平道), 전저도(甸氐道), 강저도(剛氐道)를 거느린다고 했다. 강저(剛氐)를 여기서는 강읍(剛邑)이라 적었는데 오류로 보인다. 「백관공경표(百官公卿表)」에 의하면, 열후의 식읍(列侯所食縣)을 국(國)이라 하고, 태황우(皇大后), 황후(皇后), 공주(公主)의 식읍을 읍(邑)이라 하며, 이민족들이 땅을 도(道)라고 한다(有蠻夷曰道)고 했다. 그렇다면 「지리지」와 「군국지」 등에서 말한 전저도(甸氐道), 강저도(剛氐道), 전저도(湔氐道)는 그곳이 모두 저족(氐)이 사는 곳이어서 도(道)라 불렀던 것이다." 강저도(剛氐道)는 서한 고조(高帝) 6년(B.C. 201)에 설치되었는데, 지금의 사천성 평무현(平武縣)에 있었다.

原文

: 水. 出蜀湔氐徼外㟭山, 入海. 从水工聲. 古雙切.

飜譯

'강 이름(水)[장강]'이다. 촉(蜀)군의 전저(湔氐) 교외의 민산(㟭山)에서 발원하여, 바다(海)로 흘러든다. 수(水)가 의미부이고 공(工)이 소리부이다.[8] 독음은 고(古)와 쌍(雙)의 반절이다.

**6956**

: 沱: **물 이름 타**: 水-**총8획**: **tuó**

原文

: 江別流也. 出㟭山東, 別爲沱. 从水它聲. 徒何切.

飜譯

'장강의 지류(江別流)[타수]'이다. 민산(㟭山) 동쪽에서 발원하여 따로 타수(沱)를 이룬다. 수(水)가 의미부이고 타(它)가 소리부이다. 독음은 도(徒)와 하(何)의 반절이다.

**6957**

: 浙: **강 이름 절**: 水-**총10획**: **zhè**

8) 고문자에서 金文 古陶文 簡牘文 古璽文 등으로 그렸다. 水(물 수)가 의미부이고 工(장인 공)이 소리부로, 도구(工)로 흙을 다져 물길(水)을 다스려야 하는 것이 '강'임을 그렸다. 江은 일찍부터 중국에서 가장 길고 큰 강인 長江(장강)을 지칭하는 고유명사로 쓰였는데, 이후 '강'을 지칭하는 일반적인 명사가 되었다. 그러나 江은 중국의 고유어가 아니라 원래 남아시아어에서 온 외래어로 알려졌으며, 그 때문에 남쪽의 長江 유역에 있는 강들은 黃河(황하) 유역의 강들이 河(강 하)로 이름 붙여진 것과 대조적으로 '江'으로 이름 붙여진 경우가 일반적이다. 음역과정에서 工(장인 공)을 소리부로 채택된 것은, 황토 흙을 다지는 도구를 그린 工으로 흙을 다져 강둑을 쌓아 강의 범람을 막던 모습이 반영되었기 때문이다. 또 주나라 때의 나라 이름으로도 쓰이는데, 嬴(영)씨 성의 나라였으며 하남성 正陽(정양)현 서남쪽에 있었고, 주나라 襄王(양왕) 23년에 楚(초) 나라에 멸망했다.

原文

浙: 江. 水東至會稽山陰爲浙江. 从水折聲. 旨熱切.

飜譯

'강 이름(江)[절강]'이다.[9] 동쪽으로 흘러 회계(會稽)군 산음(山陰)현에 이르면 절강(浙江)이 된다. 수(水)가 의미부이고 절(折)이 소리부이다. 독음은 지(旨)와 열(熱)의 반절이다.

**6958**

**涐: 涐: 강 이름 아: 水-총10획: é**

原文

涐: 水. 出蜀汶江徼外, 東南入江. 从水我聲. 五何切.

飜譯

'강 이름(水)[아수]'이다. 촉(蜀)군의 문강(汶江) 교외에서 발원하여, 동남쪽으로 장강(江)으로 흘러든다. 수(水)가 의미부이고 아(我)가 소리부이다. 독음은 오(五)와 하(何)의 반절이다.

**6959**

**湔: 湔: 씻을 전: 水-총12획: jiān**

原文

湔: 水. 出蜀郡緜虒玉壘山, 東南入江. 从水前聲. 一曰手瀚之. 子仙切.

飜譯

'강 이름(水)[전수]'이다. 촉군(蜀郡)의 면사(緜虒)현의 옥루산(玉壘山)에서 발원하여

9) 앞뒤 다른 예들과 비교해 볼 때 '강 이름이다'라고 할 때는 '수(水)'라고 했다. 그런데 여기서는 강(江)이라고 했다. 그렇다면 이는 뒷문장과 이어져 "江水東至會稽山陰爲浙"이 되어야 할 것 같다. 그렇게 되면 "장강이 동쪽으로 흘러 회계(會稽)군 산음(山陰)현에 이르면 절강(浙江)이 된다."로 번역될 수 있다.

동남쪽으로 장강(江)으로 흘러든다. 수(水)가 의미부이고 전(前)이 소리부이다. 일설에는 '손으로 물건을 씻다(手瀚之)'라는 뜻이라고도 한다. 독음은 자(子)와 선(仙)의 반절이다.

**6960**

**沬: 沫: 거품 말: 水-총8획: mò**

原文

沬: 水. 出蜀西徼外, 東南入江. 从水末聲. 莫割切.

飜譯

'강 이름(水)[말수]'이다. 촉(蜀) 지방 서쪽 교외에서 발원하여 동남으로 장강(江)으로 흘러든다. 수(水)가 의미부이고 말(末)이 소리부이다.[10] 독음은 막(莫)과 할(割)의 반절이다.

**6961**

**溫: 溫: 따뜻할 온: 水-총13획: wēn**

原文

溫: 水. 出犍爲涪, 南入黔水. 从水昷聲. 烏魂切.

飜譯

'강 이름(水)[온수]'이다. 건위(犍爲)군 부(涪)현에서 발원하여 남쪽으로 검수(黔水)로 흘러든다.[11] 수(水)가 의미부이고 온(昷)이 소리부이다.[12] 독음은 오(烏)와 혼(魂)의

10) 水(물 수)가 의미부고 末(끝 말)이 소리부로, 물(水)의 끝(末) 부분인 표면에 나타나는 '거품'을 말하며, 사천성에 있는 大渡河(대도하)를 지칭하는 이름으로도 쓰였다.

11) 『단주』에서는 이렇게 말했다. "건(犍)은 왕씨(王氏)의 송본(宋本)에 근거할 때 목(木)으로 구성된 건(楗)으로 되었다. 『예석』에 의하면, 한나라 비석에서는 건위(犍爲)가 모두 건위(楗爲)로 표기되었다. 이것이 옳다. 각 판본에서 부(涪)로 적은 것은 잘못이므로, 부(符)로 고친다. 『한서·지리지』에서 건위군(犍爲郡)의 부(符)에서 '온수(溫水)는 남쪽으로 흘러 폐(鄨)에 이르러 겸수(黚水)로 흘러든다. 겸수(黚水)도 남쪽으로 흘러 폐(鄨)에 이르러 장강(江)으로 흘러든다고

반절이다.

**6962**

**灊: 灊: 땅 이름 첨·물 이름 심: 水-총21획: qián**

原文

灊: 水. 出巴郡宕渠, 西南入江. 从水鬵聲. 昨鹽切.

飜譯

'강 이름(水)[심수]'이다. 파군(巴郡)의 탕거(宕渠)현에서 발원하여 서남쪽으로 장강(江)으로 흘러든다.[13] 수(水)가 의미부이고 심(鬵)이 소리부이다. 독음은 작(昨)과 염(鹽)의 반절이다.

**6963**

**沮: 沮: 막을 저: 水-총8획: jǔ, jù**

原文

沮: 水. 出漢中房陵, 東入江. 从水且聲. 子余切.

飜譯

'강 이름(水)[저수]'이다. 한중(漢中)군 방릉(房陵)현에서 발원하여 동쪽으로 장강(江)으로 흘러든다. 수(水)가 의미부이고 차(且)가 소리부이다.[14] 독음은 자(子)와 여(余)

---

했다." 지금 중국에서는 건위군(犍爲郡)으로 쓰고, 거기에 속한 현의 하나가 부현(符縣)이다.

12) 고문자에서 石刻古文 등으로 그렸다. 水(물 수)가 의미부고 昷(어질 온)이 소리부로, 원래는 강 이름으로 犍爲符(건위부)에서 발원하여 남쪽으로 흘러 黚水(검수)로 흘러들어 간다. 이후 따뜻한(昷) 물(水)이라는 의미로부터, 온천물은 물론 溫暖(온난)에서처럼 따뜻함의 일반적인 개념까지 지칭하였으며 마음 상태의 溫柔(온유)함도 뜻하게 되었다.

13) 『단주』에서 파군(巴郡) 탕거(宕渠)현은 "지금의 순경부(順慶府) 거현(渠縣) 동북쪽 70리 되는 곳에 탕거성(宕渠城)이 있는데 그곳이다."라고 했다. 지금의 지명으로는 사천성 달주(達州) 거현(渠縣) 동북쪽의 삼회진(三匯鎮: 巴河와 州河가 渠江에 합쳐지는 곳)이다.

14) 고문자에서 甲骨文 金文 簡牘文 등으로 그렸다. 水(물 수)가 의미부고 且(또 차)

의 반절이다.

**6964**

**滇**: 滇: **성할 전**: 水-총13획: **diān**

原文

滇: 益州池名. 从水眞聲. 都年切.

飜譯

'익주(益州)에 있는 못 이름(池名)[전지]'이다. 수(水)가 의미부이고 진(眞)이 소리부이다. 독음은 도(都)와 년(年)의 반절이다.

**6965**

**涂**: 涂: **도랑 도**: 水-총10획: **tú**

原文

涂: 水. 出益州牧靡南山, 西北入澠. 从水余聲. 同都切.

飜譯

'강 이름(水)[도수]'이다. 익주(益州)군 목비(牧靡)현의 남산(南山)에서 발원하여 서북쪽으로 민강(澠)으로 흘러든다. 수(水)가 의미부이고 여(余)가 소리부이다.[15] 독음은 동(同)과 도(都)의 반절이다.

---

가 소리부로, '저지하다'는 뜻인데, 강(水)과 같은 지형지물과 조상(且, 祖의 원래 글자)의 힘으로 적의 침입 등을 '막다'는 뜻을 담았다. 또 강 이름으로 쓰여 산서성, 산동성, 호북성 등에 있는 강을 지칭하기도 한다.

15) 고문자에서 [고문자 자형] 甲骨文 [고문자 자형] 金文 [고문자 자형] 古陶文 [고문자 자형] 簡牘文 [고문자 자형] 古璽文 등으로 그렸다. 水(물 수)가 의미부이고 余(나 여)가 소리부로, 임시 막사(余)가 지어진 길가로 물(水)이 넘치지 않게 한 도랑(涂)을 말한다. 현대 중국에서는 塗(진흙 도)의 간화자로도 쓰인다.

**6966**

: 沅: **강 이름 원**: 水-**총7획**: **yuán**

原文

: 水. 出牂牁故且蘭, 東北入江. 从水元聲. 愚袁切.

飜譯

'강 이름(水)[원수]'이다. 장가(牂牁)군의 옛날 차란(且蘭)현에서 발원하여, 동북쪽으로 장강(江)으로 흘러든다. 수(水)가 의미부이고 원(元)이 소리부이다. 독음은 우(愚)와 원(袁)의 반절이다.

**6967**

: 淹: **담글 엄**: 水-**총11획**: **yān**

原文

: 水. 出越巂徼外, 東入若水. 从水奄聲. 英廉切.

飜譯

'강 이름(水)[엄수]'이다. 월휴(越巂)의 교외에서 발원하여 동쪽으로 약수(若水)로 흘러든다.[16] 수(水)가 의미부이고 엄(奄)이 소리부이다. 독음은 영(英)과 렴(廉)의 반절이다.

**6968**

: 溺: **빠질 닉**: 水-**총13획**: **nì, niào**

---

16) 월휴군(越巂郡)은 달리 월휴군(越嶲郡)이나 월휴군(越雟郡)으로 적기도 하는데, 한 무제 원정(元鼎) 6년(B.C. 111)에 공도국(邛都國)을 정벌한 후 설치한 고대 지명이다. 치소(治所)는 공도현(邛都縣, 지금의 사천성 西昌 동남쪽)에 있었다. 서한 후기 때에는 익주자사부(益州刺史部)에 귀속되었으며, 왕망(王莽) 때에는 월휴(越巂)를 집휴(集巂)로 고치기도 했다. 양(梁)나라 때 휴주(巂州)가 설치되었으며, 수와 당나라 때에는 월휴군(越巂郡)이라는 옛날 이름으로 되돌아갔으나 당나라 말에 남조(南詔)에 귀속되었다.

溺: 水. 自張掖刪丹西, 至酒泉合黎, 餘波入于流沙. 从水弱聲. 桑欽所說. 而灼切.

飜譯

'강 이름(水)'이다. 장액(張掖)군 산단(刪丹)현 서쪽에서 발원하여 주천(酒泉)에 이르러 려강(黎)에 합쳐지고, 나머지 일부(餘波)는 유사(流沙)로 흘러들어 간다. 수(水)가 의미부이고 약(弱)이 소리부이다.17) 상흠(桑欽)18)의 학설이다. 독음은 이(而)와 작(灼)의 반절이다.

**6969**

**洮: 洮: 씻을 조: 水-총9획: táo**

原文

洮: 水. 出隴西臨洮, 東北入河. 从水兆聲. 土刀切.

飜譯

'강 이름(水)[조수]'이다. 농서(隴西)군 임조(臨洮)현에서 발원하여 동북쪽으로 황하(河)로 흘러든다. 수(水)가 의미부이고 조(兆)가 소리부이다. 독음은 토(土)와 도(刀)의 반절이다.

**6970**

**涇: 涇: 통할 경: 水-총10획: jīng**

---

17) 고문자에서 甲骨文 古陶文 등으로 그렸다. 水(물 수)가 의미부이고 弱(약할 약)이 소리부로, 물(水)에 빠지다, 익사하다, 직책을 잃다 등의 뜻이 있다. 감숙성 북부에 있는 張掖河(장액하)를 말하기도 하는데, 달리 黑河(흑하)로 부르기도 한다. 달리 氼으로 써 물(水) 속으로 들어가다(入)는 의미를 직접적으로 표현하기도 했다.

18) 상흠(桑欽, 생몰연대 미상)은 동한 때의 사람으로 자가 군장(君長)이고 하남(河南) 낙양(洛陽) 사람이다. 중국의 137개 주요 강에 대한 상세한 지리 정보를 기록한 『수경(水經)』의 저자이다. 이 책은 이후 북위(北魏) 때의 역도원(酈道元)이 주석을 달아 『수경주(水經注)』가 되었는데, 중국 최고의 지리서가 되었다. 상흠은 어려서부터 학문에 매진하여 저술에 힘썼다고 하며, 특히 평릉(平陵) 출신 도혼(塗渾)에게 『모시(毛詩)』를 배웠으며, 『고문상서(古文尚書)』에 정통했다고 알려져 있다.

原文

涇: 水. 出安定涇陽开頭山, 東南入渭. 雝州之川也. 从水巠聲. 古靈切.

飜譯

'강 이름(水)[경수]'이다. 안정(安定)군 경양(涇陽)현의 견두산(开頭山)에서 발원하여, 동남쪽으로 위수(渭)로 흘러든다. 옹주(雝州)에 있는 하천 이름(川)이다. 수(水)가 의미부이고 경(巠)이 소리부이다. 독음은 고(古)와 령(靈)의 반절이다.

**6971**

渭: 渭: **강 이름 위**: 水-**총12획**: **wèi**

原文

渭: 水. 出隴西首陽渭首亭南谷, 東入河. 从水胃聲. 杜林說. 『夏書』以爲出鳥鼠山. 雝州浸也. 云貴切.

飜譯

'강 이름(水)[위수]'이다. 농서(隴西)군 수양(首陽)현 위수정(渭首亭)의 남쪽 계곡에서 발원하여 동쪽으로 황하(河)로 흘러든다. 수(水)가 의미부이고 위(胃)가 소리부이다. 두림(杜林)의 학설이다. 『서·하서(夏書)·우공(禹貢)』에서는 "오서산(鳥鼠山)에서 발원한다고 했다." 옹주침(雝州浸)이다.[19] 독음은 운(云)과 귀(貴)의 반절이다.

**6972**

漾: 漾: **출렁거릴 양**: 水-**총14획**: **yàng**

原文

漾: 水. 出隴西相道, 東至武都爲漢. 从水羕聲. 瀁, 古文从養. 余亮切.

---

19) 『단주』에서 이렇게 말했다. 옹주침야(雝州浸也)는 "『주례·직방씨(職方氏)』에 나오는 말인데, 정현의 주석에서 침(浸)은 둑을 쌓아 만든 관개를 할 수 있는 물길을 말한다(可以爲陂灌漑者)고 했다."

飜譯

'강 이름(水)'이다. 농서(隴西)군 상도(相道)현에서 발원하여, 동쪽으로 무도(武都)에 이르러 한수(漢)로 흘러든다. 수(水)가 의미부이고 양(羕)이 소리부이다. 양(瀁)은 고문체인데, 양(養)으로 구성되었다. 독음은 여(余)와 량(亮)의 반절이다.

**6973**

**漢: 漢: 한수 한: 水-총14획: hàn**

原文

漢: 漾也. 東爲滄浪水. 从水, 難省聲. 㵄, 古文. 呼旰切.

飜譯

'양수(漾)'를 말한다. 동쪽 부분은 창랑수(滄浪水)가 된다. 수(水)가 의미부이고, 난(難)의 생략된 모습이 소리부이다.[20] 한(㵄)은 고문체이다. 독음은 호(呼)와 간(旰)의 반절이다.

**6974**

**浪: 浪: 물결 랑: 水-총10획: làng**

原文

浪: 滄浪水也. 南入江. 从水良聲. 來宕切.

飜譯

'창랑수(滄浪水)'를 말한다.[21] 남쪽으로 장강(江)으로 흘러든다. 수(水)가 의미부이고

---

20) 고문자에서 金文 古陶文 등으로 그렸다. 水(물 수)가 의미부고 難(어려울 난)의 생략된 모습이 소리부로, 漢水(한수)를 말하는데, 장강의 가장 긴 지류로 섬서성 寧強(녕강)현에서 발원하여 호북성을 거쳐 武漢(무한)시에서 장강으로 흘러든다. 또 중국의 한나라를 지칭하며, 이로부터 중국의 최대 민족인 한족을, 다시 중국의 상징이 되었다. 또 남자를 부르는 말로 쓰이며, 일부 방언에서는 남편을 지칭하기도 한다. 간화자에서는 오른쪽 부분을 간단한 부호 又(또 우)로 줄여 汉으로 쓴다.

21) 이 강이 어디에 있었는지에 대해서는 한수(漢水), 한수의 지류인 균수(均水), 한수(漢水)의 하

량(良)이 소리부이다. 독음은 래(來)와 탕(宕)의 반절이다.

**6975**

**沔: 沔: 물 흐를 면·머리 감을 목: 水-총7획: miǎn**

原文

沔: 水. 出武都沮縣東狼谷, 東南入江. 或曰入夏水. 从水丏聲. 彌兖切.

飜譯

'강 이름(水)[면수]'이다. 도무(武都)군 저현(沮縣)의 동랑곡(東狼谷)에서 발원하여 동남쪽으로 장강(江)으로 흘러든다. 혹은 하수(夏水)로 흘러든다고도 한다. 수(水)가 의미부이고 면(丏)이 소리부이다. 독음은 미(彌)와 연(兖)의 반절이다.

**6976**

**湟: 湟: 해자 황: 水-총12획: huáng**

原文

湟: 水. 出金城臨羌塞外, 東入河. 从水皇聲. 乎光切.

飜譯

'강 이름(水)[황수]'이다.[22] 금성(金城)군 임강(臨羌)현의 변새에서 발원하여, 동쪽으로 황하(河)로 흘러든다. 수(水)가 의미부이고 황(皇)이 소리부이다. 독음은 호(乎)와 광(光)의 반절이다.

---

류, 하수(夏水) 등 이설이 많다. 『맹자·이루(離婁)』(상)에서 말한, 어린 아이들의 노래에 "창랑의 물이 맑으면 갓끈을 씻고, 창랑의 물이 흐리면 발을 씻지요.(滄浪之水清兮, 可以濯我纓; 滄浪之水濁兮, 可以濯我足.)"라고 한 그 강으로 알려져 있다.

22) 황수(湟水)는 황하 상류의 중요한 지류로, 청해성 동부에 있다. 청해성 해안현(海晏縣) 경내의 포호도산(包呼圖山)에서 발원하여 청해성 대통(大通)의 달발산(達阪山)과 랍척산(拉脊山) 사이의 세로로 협곡을 관통하여 우장수계(羽狀水系)에 이른다. 주요 지류로는 대통하(大通河)와 약수하(藥水河) 등이 있다. 청해성, 감숙성을 거치는데 감숙성의 영정현(永靖縣)과 청해성의 민화현(民和縣) 사이에서 황하로 흘러든다.

**6977**

**汧**: 汧: **강 이름 견**: 水-**총9획**: **qiān**

原文

汧: 水. 出扶風汧縣西北, 入渭. 从水幵聲. 苦堅切.

飜譯

'강 이름(水)'이다. 부풍(扶風)군 견현(汧縣)의 서북쪽에서 발원하여 위수(渭)로 흘러든다. 수(水)가 의미부이고 견(幵)이 소리부이다. 독음은 고(苦)와 견(堅)의 반절이다.

**6978**

**澇**: 澇: **큰 물결 로**: 水-**총15획**: **lào**

原文

澇: 水. 出扶風鄠, 北入渭. 从水勞聲. 魯刀切.

飜譯

'강 이름(水)'이다. 부풍(扶風)군 호(鄠)현에서 발원하여 북쪽으로 위수(渭)로 흘러든다. 수(水)가 의미부이고 로(勞)가 소리부이다. 독음은 로(魯)와 도(刀)의 반절이다.

**6979**

**漆**: 漆: **옻 칠**: 水-**총14획**: **qī**

原文

漆: 水. 出右扶風杜陵岐山, 東入渭. 一曰入洛. 从水桼聲. 親吉切.

飜譯

'강 이름(水)[칠수]'이다. 우부풍(右扶風)군 두릉(杜陵)현 기산(岐山)에서 발원하여 동쪽으로 위수(渭)로 흘러든다. 일설에는 낙수(洛)로 흘러든다고도 한다. 수(水)가 의미부이고 칠(桼)이 소리부이다. 독음은 친(親)과 길(吉)의 반절이다.

**6980**

**滻: 滻: 강 이름 산: 水-총14획: chǎn**

原文

滻: 水. 出京兆藍田谷, 入霸. 从水產聲. 所簡切.

飜譯

'강 이름(水)[산수]'이다. 경조(京兆)군 남전(藍田)현의 계곡에서 발원하여, 패수(霸)로 흘러든다. 수(水)가 의미부이고 산(產)이 소리부이다. 독음은 소(所)와 간(簡)의 반절이다.

**6981**

**洛: 洛: 강 이름 락: 水-총9획: luò**

原文

洛: 水. 出左馮翊歸德北夷界中, 東南入渭. 从水各聲. 盧各切.

飜譯

'강 이름(水)[낙수]'이다.[23] 좌풍익(左馮翊)군 귀덕(歸德)현 북쪽의 이민족 경계 지역에서 출발하여, 동남으로 위수(渭)로 흘러든다. 수(水)가 의미부이고 각(各)이 소리부이다. 독음은 로(盧)와 각(各)의 반절이다.

**6982**

**淯: 淯: 강 이름 육: 水-총11획: yù**

原文

淯: 水. 出弘農盧氏山, 東南入海. 从水育聲. 或曰出酈山西. 余六切.

---

23) 여기서 말하는 낙수(洛水)는 북낙수(北洛水)를 말한다. 경수(涇水)와 함께 위하(渭河)의 큰 지류로, 섬서성에 있으며, 위하의 하류에서 만나 황하로 흘러든다. 하남성 낙양에 있는 낙하(洛河)와 구분하기 위해 북낙수라 한다.

飜譯

‘강 이름(水)[육수]’이다. 홍농(弘農)군 노씨산(盧氏山)에서 발원하여 동남으로 바다(海)로 흘러든다. 수(水)가 의미부이고 육(育)이 소리부이다. 혹은 여산(酈山)의 서쪽에서 나온다고도 한다. 독음은 여(余)와 륙(六)의 반절이다.

**6983**

: 汝: **너 여**: 水-**총6획**: **rǔ**

原文

: 水. 出弘農盧氏還歸山, 東入淮. 从水女聲. 人渚切.

飜譯

‘강 이름(水)[여수]’이다. 홍농(弘農)군 노씨(盧氏)현 환귀산(還歸山)에서 발원하여, 동쪽으로 회수(淮)로 흘러든다. 수(水)가 의미부이고 여(女)가 소리부이다. 독음은 인(人)과 저(渚)의 반절이다.

**6984**

: 潩: **물 이름 이**: 水-**총15획**: **yì**

原文

: 水. 出河南密縣大隗山, 南入潁. 从水異聲. 与職切.

飜譯

‘강 이름(水)[이수]’이다. 하남(河南)군 밀현(密縣) 대외산(大隗山)에서 발원하여 남쪽으로 영수(潁)로 흘러든다. 수(水)가 의미부이고 이(異)가 소리부이다. 독음은 여(与)와 직(職)의 반절이다.

**6985**

: 汾: **클 분**: 水-**총7획**: **fén**

제11권

原文

: 水. 出太原晉陽山, 西南入河. 从水分聲. 或曰出汾陽北山, 冀州浸. 符分切.

飜譯

‘강 이름(水)[분수]’이다. 태원(太原)군 진양(晉陽)현의 산지에서 발원하여 서남쪽으로 황하(河)로 흘러든다. 수(水)가 의미부이고 분(分)이 소리부이다. 혹자는 분양(汾陽)현의 북쪽 산지에서 나온다고도 하며, 기주(冀州)의 연못이름(浸)이다.[24] 독음은 부(符)와 분(分)의 반절이다.

**6986**

: 澮: **봇도랑 회**: 水–**총16획: huì**

原文

: 水. 出霍山, 西南入汾. 从水會聲. 古外切.

飜譯

‘강 이름(水)[회수]’이다. 확산(霍山)에서 발원하여, 서남쪽으로 분수(汾)로 흘러든다. 수(水)가 의미부이고 회(會)가 소리부이다. 독음은 고(古)와 외(外)의 반절이다.

**6987**

: 沁: **스며들 심**: 水–**총7획: qìn**

原文

: 水. 出上黨羊頭山, 東南入河. 从水心聲. 七鴆切.

飜譯

‘강 이름(水)[심수]’이다. 상당(上黨)군 양두산(羊頭山)에서 발원하여 동남쪽으로 황하(河)로 흘러든다. 수(水)가 의미부이고 심(心)이 소리부이다. 독음은 칠(七)과 짐(鴆)의 반절이다.

---

24) 기주침(冀州浸) 역시 『주례·직방씨(職方氏)』에 나오는 말이다.

6988

**沾: 沾: 더할 첨: 水-총8획: zhān**

原文

沾: 水. 出壺關, 東入淇. 一曰沾, 益也. 从水占聲. 他兼切.

飜譯

'강 이름(水)[첨수]'이다. 호관(壺關)현에서 발원하여, 동쪽으로 기수(淇)로 흘러든다. 일설에는 '첨(沾)은 더하다(益)라는 뜻이다'라고도 한다. 수(水)가 의미부이고 점(占)이 소리부이다. 독음은 타(他)와 겸(兼)의 반절이다.

6989

**潞: 潞: 강 이름 로: 水-총15획: lù**

原文

潞: 冀州浸也. 上黨有潞縣. 从水路聲. 洛故切.

飜譯

'기주에 있는 연못이름(冀州浸)'이다. 상당(上黨)군 유로현(有潞縣)에 있다. 수(水)가 의미부이고 로(路)가 소리부이다. 독음은 락(洛)과 고(故)의 반절이다.

6990

**漳: 漳: 강 이름 장: 水-총14획: zhāng**

原文

漳: 濁漳, 出上黨長子鹿谷山, 東入清漳. 清漳, 出沾山大要谷, 北入河. 南漳, 出南郡臨沮. 从水章聲. 諸良切.

飜譯

'탁장수(濁漳)'를 말하는데, 상당(上黨)군 장자(長子)현의 녹곡산(鹿谷山)에서 발원하여 동쪽으로 청장수(淸漳)로 흘러든다. 청장수(淸漳)는 첨산(沾山)의 대요곡(大要谷)에서 발원하여 북쪽으로 황하(河)로 흘러든다. 남장산(南漳)은 남군(南郡)의 임저(臨沮)현에서 발원한다. 수(水)가 의미부이고 장(章)이 소리부이다. 독음은 제(諸)와 량(良)의 반절이다.

**6991**

**淇: 淇: 강 이름 기: 水-총11획: qí**

原文

淇: 水. 出河内共北山, 東入河. 或曰出隆慮西山. 从水其聲. 渠之切.

飜譯

'강 이름(水)[기수]'이다. 하내(河内)군의 공북산(共北山)에서 발원하여, 동쪽으로 황하(河)로 흘러든다. 혹자는 융려(隆慮)현의 서산(西山)에서 발원한다고도 한다. 수(水)가 의미부이고 기(其)가 소리부이다. 독음은 거(渠)와 지(之)의 반절이다.

**6992**

**蕩: 蕩: 쓸어버릴 탕: 水-총16획: dàng**

原文

蕩: 水. 出河内蕩陰, 東入黃澤. 从水募聲. 徒朗切.

飜譯

'강 이름(水)[탕수]'이다. 하내(河内)군 탕음(蕩陰)현에서 발원하여, 동쪽으로 황현에 있는 못(黃澤)으로 흘러든다. 수(水)가 의미부이고 탕(募)이 소리부이다. 독음은 도(徒)와 랑(朗)의 반절이다.

**6993**

**沇: 沇: 강 이름 연: 水-총7획: yǎn**

原文

㳄: 水. 出河東東垣王屋山, 東爲泲. 从水允聲. 㕣, 古文沇. (臣鉉等曰 : 口部已有, 此重出.) 以轉切.

飜譯

'강 이름(水)[연수]'이다. 하동(河東)군 동원(東垣)현의 왕옥산(王屋山)에서 발원하여, 동쪽으로 제수(泲)로 흘러든다. 수(水)가 의미부이고 윤(允)이 소리부이다. 연(㕣)은 연(沇)의 고문체이다. (신(臣) 서현 등은 이렇게 생각합니다. "구(口)부수에 이미 이 글자가 있는데, 여기서 중복 출현하였습니다.") 독음은 이(以)와 전(轉)의 반절이다.

**6994**

**泲: 泲: 강 이름 제: 水-총8획: jǐ**

原文

泲: 沇也. 東入于海. 从水𠂔聲. 子礼切.

飜譯

'연수(沇)'를 말한다.25) 동쪽으로 바다(海)로 흘러든다. 수(水)가 의미부이고 자(𠂔)가 소리부이다. 독음은 자(子)와 례(礼)의 반절이다.

**6995**

**洈: 洈: 물 이름 위: 水-총9획: wéi**

原文

洈: 水. 出南郡高城洈山, 東入繇. 从水危聲. 過委切.

飜譯

'강 이름(水)[위하]'이다. 남군(南郡) 고성(高城)현의 위산(洈山)에서 발원하여, 동쪽

25) 제(泲)는 제(濟)와 같아 제수(濟水)를 말한다. 장강(长江), 황하(黄河), 회수(淮河)와 함께 중국 4대 강의 하나이다. 하남성 제원시(濟源市) 왕옥산(王屋山)에서 발원하여 동쪽으로 흘러 산동성 동부에 이르러 황해로 흘러든다. 하도는 여러 차례 바뀌어 상세한 것은 잘 알 수가 없다.

으로 요수(繇)로 흘러든다. 수(水)가 의미부이고 위(危)가 소리부이다. 독음은 과(過)와 위(委)의 반절이다.

**6996**

**𣸈:** 溠: **강 이름 자사차**: 水-총13획: zhā

原文

𣸈: 水. 在漢南. 从水差聲. 荊州浸也. 『春秋傳』曰: "脩涂梁溠." 側駕切.

飜譯

'강 이름(水)[자수]'이다. 한수의 남쪽(漢南)에 있다. 수(水)가 의미부이고 차(差)가 소리부이다. 형주(荊州)에 있는 연못이름(浸)이다. 『춘추전』(『좌전』 장공 4년, B.C. 690)에서 "[영윤(令尹) 투기(鬭祁)와 막오(莫敖) 굴중(屈重)이] 도로를 닦으며 전진하면서 자수[26]에다 교량을 설치했다(脩涂梁溠)"라고 했다. 독음은 측(側)과 가(駕)의 반절이다.

**6997**

**𣹔:** 洭: **땅 이름 광**: 水-총9획: kuāng

原文

𣹔: 水. 出桂陽縣盧聚山, 洭浦關爲桂水. 从水匡聲. 去王切.

飜譯

'강 이름(水)'이다. 계양현(桂陽縣)의 노취산(盧聚山)에서 발원하여, 광포관(洭浦關)에 이르면 계수(桂水)가 된다. 수(水)가 의미부이고 광(匡)이 소리부이다. 독음은 거(去)와 왕(王)의 반절이다.

**6998**

**𤄃:** 潓: **물결 혜**: 水-총15획: huì

26) 호북성 북명산에서 발원하는 부공하(扶恭河)를 말한다.

原文

潓: 水. 出廬江, 入淮. 从水惠聲. 胡計切.

飜譯

'강 이름(水)'이다. 려강(廬江)군에서 발원하여 회수(淮)로 흘러든다. 수(水)가 의미부이고 혜(惠)가 소리부이다. 독음은 호(胡)와 계(計)의 반절이다.

**6999**

**灌: 灌: 물 댈 관: 水-총21획: guàn**

原文

灌: 水. 出廬江雩婁, 北入淮. 从水雚聲. 古玩切.

飜譯

'강 이름(水)'이다. 려강(廬江)군 우루(雩婁)현에서 발원하여, 북쪽으로 회수(淮)로 흘러든다. 수(水)가 의미부이고 관(雚)이 소리부이다.[27] 독음은 고(古)와 완(玩)의 반절이다.

**7000**

**漸: 漸: 점점 점: 水-총14획: jiàn**

原文

漸: 水. 出丹陽黟南蠻中, 東入海. 从水斬聲. 慈冉切.

飜譯

'강 이름(水)'이다. 단양(丹陽)군 이(黟)현 남쪽 이민족 지역에서 발원하여, 동으로 바다로 흘러든다. 수(水)가 의미부이고 참(斬)이 소리부이다.[28] 독음은 자(慈)와 염

---

27) 고문자에서 灌 簡牘文 등으로 그렸다. 水(물 수)가 의미부이고 雚(황새 관)이 소리부로, 논밭 등에 물(水)을 대는 것을 말하며, 사람의 이동을 비유하기도 한다. 또 옛날 신에게 제사 지내고 술을 땅에 뿌리던 의식을 말하기도 한다.

28) 고문자에서 漸 古陶文 등으로 그렸다. 水(물 수)가 의미부고 斬(벨 참)이 소리부로, 강(水) 이름으로, 丹陽(단양)군 黟(이)현 남쪽 변경에서 나와 동쪽으로 흘러 바다로 들어간다. 이후

(冉)의 반절이다.

**7001**

**泠: 泠: 깨우칠 령: 水-총8획: líng**

原文

泠: 水. 出丹陽宛陵, 西北入江. 从水令聲. 郎丁切.

飜譯

'강 이름(水)'이다. 단양(丹陽)군 완릉(宛陵)현에서 발원하여, 서북쪽으로 장강(江)으로 흘러든다. 수(水)가 의미부이고 령(令)이 소리부이다. 독음은 랑(郎)과 정(丁)의 반절이다.

**7002**

**滻: 滻: 물 이름 비: 水-총17획: pái, pài**

原文

滻: 水. 在丹陽. 从水箄聲. 匹卦切.

飜譯

'강 이름(水)'이다. 단양(丹陽)군에 있다. 수(水)가 의미부이고 비(箄)가 소리부이다. 독음은 필(匹)과 괘(卦)의 반절이다.

**7003**

**溧: 溧: 강 이름 률: 水-총13획: lì**

原文

溧: 水. 出丹陽溧陽縣. 从水栗聲. 力質切.

---

'나아가다', '漸次(점차)' 등의 뜻으로 쓰였다. 간화자에서는 渐으로 쓴다.

飜譯

'강 이름(水)'이다. 단양(丹陽)군 율양현(溧陽縣)에서 발원한다. 수(水)가 의미부이고 률(栗)이 소리부이다. 독음은 력(力)과 질(質)의 반절이다.

**7004**

**湘: 湘: 강 이름 상: 水-총12획: xiāng**

原文

湘: 水. 出零陵陽海山, 北入江. 从水相聲. 息良切.

飜譯

'강 이름(水)'이다. 형릉(零陵)현의 양해산(陽海山)에서 발원하여, 북쪽으로 장강(江)으로 흘러든다. 수(水)가 의미부이고 상(相)이 소리부이다.[29] 독음은 식(息)과 량(良)의 반절이다.

**7005**

**汨: 汨: 강 이름 멱·빠질 골: 水-총7획: gǔ**

原文

汨: 長沙汨羅淵, 屈原所沈之水. 从水, 冥省聲. 莫狄切.

飜譯

'장사(長沙)의 멱라강(汨羅淵)'을 말하는데, 굴원(屈原)이 빠져 죽은 강(所沈之水)이다.[30] 수(水)가 의미부이고, 명(冥)의 생략된 부분이 소리부이다. 독음은 막(莫)과 적

---

29) 고문자에서 [字形]金文 [字形]簡牘文 등으로 그렸다. 水(물 수)가 의미부고 相(서로 상)이 소리부로, 강 이름이다. 광서 장족 자치구에서 발원하여 동정호로 흘러드는 호남성 최대의 강이며, 호남성의 약칭으로도 쓰인다.

30) 굴원(屈原)은 중국 전국시대의 정치가이자 비극시인이다. 학식이 뛰어나 초나라 회왕(懷王)의 좌도(左徒: 左相)의 중책을 맡아, 내정·외교에서 활약하기도 했다. 작품은 한부(漢賦)에 영향을 주었고, 문학사에서 뿐만 아니라 오늘날에도 높이 평가된다. 주요 작품에는 『어부사(漁父辭)』 등이 있다.(『두산백과』)

(狄)의 반절이다.

**7006**

**溱: 溱: 많을 진: 水-총13획: zhēn**

原文

溱: 水. 出桂陽臨武, 入匯. 从水秦聲. 側詵切.

飜譯

'강 이름(水)'이다. 계양(桂陽)군 임무(臨武)현에서 발원하여, 회수(匯)로 흘러든다. 수(水)가 의미부이고 진(秦)이 소리부이다. 독음은 측(側)과 선(詵)의 반절이다.

**7007**

**深: 深: 깊을 심: 水-총11획: shēn**

原文

深: 水. 出桂陽南平, 西入營道. 从水罙聲. 式針切.

飜譯

'강 이름(水)'이다. 계양(桂陽)군 남평(南平)현에서 발원하여, 서쪽으로 영도(營道)현으로 흘러들어간다. 수(水)가 의미부이고 심(罙)이 소리부이다.[31] 독음은 식(式)과 침(針)의 반절이다.

**7008**

**潭: 潭: 깊을 담: 水-총15획: tán**

---

31) 고문자에서 [古文字]金文 [古文字] 簡牘文 등으로 그렸다. 원래는 水(물 수)가 소리부이고 罙(깊을 삼)이 소리부로, 중국 호남성의 桂陽郡(계양군) 南平(남평)에서 흘러나와 서쪽으로 흘러 營道縣(영도현)으로 흘러드는 강(水) 이름이었으나, 이후 '깊다'는 뜻으로 쓰였으며, 이로부터 깊이, 시간상으로 오래되다, 정도가 심하다, 색깔 등이 진하다 등의 뜻도 나왔다.

原文

潭: 水. 出武陵鐔成玉山, 東入鬱林. 从水覃聲. 徒含切.

飜譯

'강 이름(水)'이다. 무릉(武陵)군 심성(鐔成)현의 옥산(玉山)에서 발원하여, 동쪽으로 울림(鬱林)군으로 흘러든다.32) 수(水)가 의미부이고 담(覃)이 소리부이다.33) 독음은 도(徒)와 함(含)의 반절이다.

**7009**

油: 油: **기름 유**: 水−**총8획**: **yóu**

原文

油: 水. 出武陵孱陵西, 東南入江. 从水由聲. 以周切.

飜譯

'강 이름(水)'이다. 무릉(武陵)군 잔릉(孱陵)현 서쪽에서 발원하여, 동남쪽으로 장강(江)으로 흘러든다. 수(水)가 의미부이고 유(由)가 소리부이다.34) 독음은 이(以)와 주(周)의 반절이다.



---

32) 『단주』에서 이렇게 말했다. "동입울림(東入鬱林)의 임(林)자는 덧보태어진 것이므로 삭제되어야 옳다. 세속 사람들이 울(鬱)이 강 이름인 줄 몰라 그렇게 되었다. 『한서·지리지』에 의하면 광수(洭水)도 울(鬱)로 흘러들고, 이수(離水)도 울(鬱)로 흘러든다고 했는데, 모두 첨림강(沾林)이다." 또 『단주』에서는 옥산(玉山)에 대해서도 왕산(王山)이라 해 놓고서는 "『집운』의 인용서는 옥(玉), 『운회(韵會)』의 인용에서는 오(五), 『한서·지리지』에서는 옥(玉)이라 했는데, 어떤 것을 따라야 할지 모르겠다."라고 했다.

33) 고문자에서 金文 등으로 그렸다. 水(물 수)가 의미부이고 覃(미칠 담)이 소리부로, 원래는 武陵(무릉)군 鐔成(심성)현 玉山(옥산)에서 발원하여 동쪽으로 흘러 鬱林(울림)군으로 흘러드는 강을 지칭했으나, 이후 물(水)이 깊은(覃) 연못을 말했다.

34) 水(물 수)가 의미부고 由(**말미암을 유**)가 소리부로, 강(水)의 이름으로, 武陵(**무릉**)군 孱陵(**잔릉**)현 서쪽에서 나와 동남쪽으로 흘러 장강으로 흘러드는 강을 말했다. 이후 피마자의 즙을 말했고, 이로부터 '기름'을 통칭하게 되었다.

**7010**

**灠:** 濆: **물 이름 매·멱**: 水–**총15획: mì**

原文

濆: 水. 出豫章艾縣, 西入湘. 从水買聲. 莫蟹切.

飜譯

'강 이름(水)'이다. 예장(豫章)군 애현(艾縣)에서 발원하여, 서쪽으로 상강(湘)으로 흘러든다. 수(水)가 의미부이고 매(買)가 소리부이다. 독음은 막(莫)과 해(蟹)의 반절이다.

**7011**

**湞:** 湞: **물 이름 정**: 水–**총12획: zhēn**

原文

湞: 水. 出南海龍川, 西入溱. 从水貞聲. 陟盈切.

飜譯

'강 이름(水)'이다. 남해(南海)군 용천(龍川)현에서 발원하여, 서쪽으로 진수(溱)로 흘러든다. 수(水)가 의미부이고 정(貞)이 소리부이다. 독음은 척(陟)과 영(盈)의 반절이다.

**7012**

**溜:** 溜: **방울져 떨어질 류**: 水–**총15획: liù**

原文

溜: 水. 出鬱林郡. 从水留聲. 力救切.

飜譯

'강 이름(水)'이다. 울림군(鬱林郡)에서 발원한다. 수(水)가 의미부이고 류(留)가 소리부이다. 독음은 력(力)과 구(救)의 반절이다.

**7013**

**灢: 瀷: 강 이름 익: 水-총20획: yì**

原文

灢: 水. 出河南密縣, 東入潁. 从水翼聲. 與職切.

飜譯

'강 이름(水)[익수]'이다. 하남(河南)군 밀현(密縣)에서 발원하여, 동쪽으로 영수(潁)로 흘러든다. 수(水)가 의미부이고 익(翼)이 소리부이다. 독음은 여(與)와 직(職)의 반절이다.

**7014**

**潕: 潕: 물마를 무: 水-총15획: wǔ**

原文

潕: 水. 出南陽舞陽, 東入潁. 从水無聲. 文甫切.

飜譯

'강 이름(水)[무수]'이다. 남양(南陽)군 무양(舞陽)현에서 발원하여, 동쪽으로 영수(潁)로 흘러든다. 수(水)가 의미부이고 무(無)가 소리부이다. 독음은 문(文)과 보(甫)의 반절이다.

**7015**

**澂: 滶: 노닐 오: 水-총14획: áo**

原文

澂: 水. 出南陽魯陽, 入城父. 从水敖聲. 五勞切.

飜譯

'강 이름(水)[오수]'이다. 남양(南陽)군 노양(魯陽)현에서 발원하여, 성보(城父)로 흘러든다. 수(水)가 의미부이고 오(敖)가 소리부이다. 독음은 오(五)와 로(勞)의 반절이다.

**7016**

瀙: 瀙: **물 이름 친**: 水-총19획: qìn

原文

瀙: 水. 出南陽舞陽中陽山, 入潁. 从水親聲. 七吝切.

飜譯

'강 이름(水)[친수]'이다. 남양(南陽)군 무양(舞陽)현의 중양산(中陽山)에서 발원하여, 영수(潁)로 흘러든다. 수(水)가 의미부이고 친(親)이 소리부이다. 독음은 칠(七)과 린(吝)의 반절이다.

**7017**

淮: 淮: **강 이름 회**: 水-총11획: huái

原文

淮: 水. 出南陽平氏桐柏大復山, 東南入海. 从水隹聲. 戶乖切.

飜譯

'강 이름(水)[회수]'이다. 남양(南陽)군 평씨(平氏)현 동백(桐柏)의 대복산(大復山)에서 발원하여, 동남쪽으로 바다(海)로 흘러든다. 수(水)가 의미부이고 추(隹)가 소리부이다.35) 독음은 호(戶)와 괴(乖)의 반절이다.

**7018**

滍: 滍: **강 이름 치**: 水-총13획: zhǐ

原文

---

35) 고문자에서 甲骨文 金文 古陶文 등으로 그렸다. 水(물 수)와 隹(새 추)로 구성되어, 강(水)의 이름인 淮水를 말하는데, 길이가 1천 킬로미터에 이르는 중국에서 세 번째로 긴 강이다. 그 지역이 새(隹)를 숭상하여 토템으로 삼던 모습을 반영했다.

渚: 水. 出南陽魯陽堯山, 東北入汝. 从水耑聲. 直几切.

飜譯

'강 이름(水)[치수]'이다. 남양(南陽)군 노양(魯陽)현의 요산(堯山)에서 발원하여, 동북으로 여수(汝)로 흘러든다. 수(水)가 의미부이고 치(耑)가 소리부이다. 독음은 직(直)과 궤(几)의 반절이다.

**7019**

**澧: 澧: 강 이름 례: 水-총16획: lǐ**

原文

澧: 水. 出南陽雉衡山, 東入汝. 从水豊聲. 盧啓切.

飜譯

'강 이름(水)[례수]'이다. 남양(南陽)군 치형산(雉衡山)에서 나와 동으로 여수(汝水)로 흘러든다. 수(水)가 의미부이고 풍(豊)이 소리부이다. 독음은 로(盧)와 계(啓)의 반절이다.

**7020**

**溳: 溳: 강 이름 운: 水-총13획: yún**

原文

溳: 水. 出南陽蔡陽, 東入夏水. 从水員聲. 王分切.

飜譯

'강 이름(水)[운수]'이다. 남양(南陽)군 채양(蔡陽)현에서 발원하여, 동쪽으로 하수(夏水)로 흘러든다. 수(水)가 의미부이고 원(員)이 소리부이다. 독음은 왕(王)과 분(分)의 반절이다.

**7021**

**𣸣: 淠: 강 이름 비: 水-총11획: pèi**

原文

𣸣: 水. 出汝南弋陽垂山, 東入淮. 从水畀聲. 匹備切.

飜譯

'강 이름(水)[비수]'이다. 여남(汝南)군 익양(弋陽)현의 수산(垂山)에서 발원하여, 동쪽으로 회수(淮)로 흘러든다. 수(水)가 의미부이고 비(畀)가 소리부이다. 독음은 필(匹)과 비(備)의 반절이다.

**7022**

**澺: 澺: 강 이름 억: 水-총16획: yì**

原文

澺: 水. 出汝南上蔡黑閭澗, 入汝. 从水意聲. 於力切.

飜譯

'강 이름(水)'이다. 여남(汝南)군 상채(上蔡)현의 흑려(黑閭) 계곡에서 발원하여, 여수(汝)로 흘러든다. 수(水)가 의미부이고 의(意)가 소리부이다. 독음은 어(於)와 력(力)의 반절이다.

**7023**

**洬: 洬: 물 이름 세: 水-총9획: xì, náo**

原文

洬: 水. 出汝南新郪, 入潁. 从水囟聲. 穌計切.

飜譯

'강 이름(水)[세수]'이다. 여남(汝南)군 신처(新郪)현에서 발원하여, 영수(潁)로 흘러든다. 수(水)가 의미부이고 신(囟)이 소리부이다. 독음은 소(穌)와 계(計)의 반절이다.

7024

**灈: 灈: 물 이름 구: 水-총21획: qú**

原文

灈: 水. 出汝南吳房, 入瀙. 从水瞿聲. 其俱切.

飜譯

'강 이름(水)[구수]'이다. 여남(汝南)군 오방(吳房)현에서 발원하여, 친수(瀙)로 흘러든다. 수(水)가 의미부이고 구(瞿)가 소리부이다. 독음은 기(其)와 구(俱)의 반절이다.

7025

**潁: 潁: 강 이름 영: 水-총15획: yǐng**

原文

潁: 水. 出潁川陽城乾山, 東入淮. 从水頃聲. 豫州浸. 余頃切.

飜譯

'강 이름(水)[영수]'이다. 영천(潁川)군 양성(陽城)현의 건산(乾山)에서 발원하여, 동쪽으로 회수(淮)로 흘러든다. 수(水)가 의미부이고 경(頃)이 소리부이다. 예주(豫州)에 있는 연못이름(浸)이다. 독음은 여(余)와 경(頃)의 반절이다.

7026

**洧: 洧: 강 이름 유: 水-총9획: wěi**

原文

洧: 水. 出潁川陽城山, 東南入潁. 从水有聲. 榮美切.

飜譯

'강 이름(水)[유수]'이다. 영천(潁川)군 양성산(陽城山)에서 발원하여, 동남쪽으로 영수(潁)로 흘러든다. 수(水)가 의미부이고 유(有)가 소리부이다. 독음은 영(榮)과 미

(美)의 반절이다.

**7027**

**灚: 濦: 강 이름 은: 水-총17획: yǐn, yìn**

原文

灚: 水. 出潁川陽城少室山, 東入潁. 从水㥯聲. 於謹切.

飜譯

'강 이름(水)[은수]'이다. 영천(潁川)군 양성(陽城)현 소실산(少室山)에서 발원하여, 동쪽으로 영수(潁)로 흘러든다. 수(水)가 의미부이고 은(㥯)이 소리부이다. 독음은 어(於)와 근(謹)의 반절이다.

**7028**

**𣸈: 濄: 강 이름 과: 水-총16획: guō**

原文

𣸈: 水. 受淮陽扶溝浪湯渠, 東入淮. 从水過聲. 古禾切.

飜譯

'강 이름(水)[과수]'이다. 회양(淮陽)군 부구(扶溝)현의 낭탕거(浪湯渠)를 받아들여, 동쪽으로 회수(淮)로 흘러든다. 수(水)가 의미부이고 과(過)가 소리부이다. 독음은 고(古)와 화(禾)의 반절이다.

**7029**

**泄: 泄: 샐 설: 水-총8획: xiè**

原文

泄: 水. 受九江博安洵波, 北入氐. 从水世聲. 余制切.

飜譯

'강 이름(水)[설수]'이다. 구강(九江)군 박안(博安)현의 순파(洵波)를 받아들여, 북쪽으로 저수(氐)로 흘러든다.[36] 수(水)가 의미부이고 세(世)가 소리부이다. 독음은 여(余)와 제(制)의 반절이다.

**7030**

**𣲖: 汳: 물 이름 변: 水-총7획: biàn**

原文

𣲖: 水. 受陳留浚儀陰溝, 至蒙爲雝水, 東入于泗. 从水反聲. 皮變切.

飜譯

'강 이름(水)[변수]'이다. 진류(陳留)군 준의(浚儀)현의 음구(陰溝)에서 발원하여, 몽(蒙)현에 이르면 옹수(雝水)가 되는데, 동쪽으로 사수(泗)로 흘러든다. 수(水)가 의미부이고 반(反)이 소리부이다. 독음은 피(皮)와 변(變)의 반절이다.

**7031**

**潧: 潧: 물 이름 증: 水-총15획: zhēn**

原文

潧: 水. 出鄭國. 从水曾聲. 『詩』曰: "潧與洧, 方渙渙兮." 側詵切.

飜譯

36) 『단주』에서 이렇게 말했다 "여기서 말한 박안(博安)은 『수경(水經)』에서의 언급과 일치한다. 순파(洵波)는 작피(芍陂)가 되어야 할 것이며, 저(氐)는 비(比)가 되어야 할 것이다. 『수경(水經)』에서 이렇게 말했다. '설수(泄水)는 박안현(博安縣)에서 나와 북으로 작피(芍陂)의 서쪽을 지나 비수(沘水)와 합류한다. 다시 서북쪽으로 흘러 회수(淮水)로 흘러든다.' 『수경주』에서는 이렇게 말했다. 박안현(博安縣)은 『한서·지리지』에서 말한 박향현(博鄉縣)을 말한다. 설수(泄水)는 현의 위쪽에서 비수(沘水)를 마보천(麻步川)에서 만난다. 서북쪽으로 유계(濡谿)를 지나가기 때문에 유수(濡水)라 부른다. 유계(濡谿)는 안례현(安豐縣)을 좁게 지난다. 북쪽으로 흘러 비강(淠)으로 흘러드는데, 거기를 유수구(濡須口)라 부르기도 한다."

'강 이름(水)[증수]'이다. 정나라 땅(鄭國)에서 발원한다. 수(水)가 의미부이고 증(曾)이 소리부이다. 『시·정풍·진유(溱洧)』에서 "증수와 유수는 넘실넘실 흐르고 있는데(潧與洧, 方渙渙兮)"라고 노래했다.37) 독음은 측(側)과 선(詵)의 반절이다.

**7032**

**𣻂: 淩: 달릴 릉: 水-총11획: líng**

原文

𣻂: 水. 在臨淮. 从水夌聲. 力膺切.

飜譯

'강 이름(水)[릉수]'이다. 임회(臨淮)군에 있다. 수(水)가 의미부이고 릉(夌)이 소리부이다. 독음은 력(力)과 응(膺)의 반절이다.

**7033**

**濮: 濮: 강 이름 복: 水-총17획: pú**

原文

濮: 水. 出東郡濮陽, 南入鉅野. 从水僕聲. 博木切.

飜譯

'강 이름(水)[복수]'이다. 동군(東郡)의 복양(濮陽)현에서 발원하여, 남쪽으로 거야(鉅野) 연못으로 흘러든다. 수(水)가 의미부이고 복(僕)이 소리부이다. 독음은 박(博)과 목(木)의 반절이다.

---

37) 금본에서는 증(潧)이 진(溱)으로 되었다. 『단주』에서 이렇게 말했다. "『시·정풍(鄭風)』에서는 진(溱)과 인(人)은 압운하였다. 그렇다면 증(潧)이 되어서는 아니 된다. 『한서·지리지』에서는 정수(鄭水)를 진(溱)이라 적었고, 월수(粵水)를 진(秦)이라 적었다. 또 『방여기요(方輿紀要)』에서는 '옛날 『지리지』를 인용하여 진(溱)은 심(尋)과 독음이 같다. 그래서 『수경주』에서는 관협(觀峽)을 진협(秦峽)이라 부르기도 한다.'고 했다. 그렇다면 이는 진수(溱水)를 진국(秦國)의 진(秦)과 같이 읽어야 한다는 증거이다. 앞의 『한서·지리지』에서 말한 진(秦)은 고자이다."

7034

**灤: 濼: 강 이름 락: 水-총18획: luò**

原文

灤: 齊魯閒水也. 从水樂聲. 『春秋傳』曰 : “公會齊侯于濼.” 盧谷切.

飜譯

‘제(齊)와 노(魯) 사이에 있는 강이름(水)[락수]’이다. 수(水)가 의미부이고 악(樂)이 소리부이다. 『춘추전』(『좌전』 환공 18년, B.C. 694)에서 “노나라 환공이 제나라 제후와 낙수에서 회합했다(公會齊侯于濼)”라고 했다. 독음은 로(盧)와 곡(谷)의 반절이다.

7035

**漷: 漷: 물 부딪쳐 흐를 곽: 水-총14획: kuò**

原文

漷: 水. 在魯. 从水郭聲. 苦郭切.

飜譯

‘강 이름(水)[곽수]’이다. 노나라 땅(魯)에 있다. 수(水)가 의미부이고 곽(郭)이 소리부이다. 독음은 고(苦)와 곽(郭)의 반절이다.

7036

**淨: 淨: 깨끗할 정: 水-총11획: jìng**

原文

淨: 魯北城門池也. 从水爭聲. 士耕切.

飜譯

‘노나라 도성의 북쪽 성문에 있는 해자(魯北城門池)’를 말한다. 수(水)가 의미부이고 쟁(爭)이 소리부이다.[38] 독음은 사(士)와 경(耕)의 반절이다.

제11권

**7037**

**𣽎: 濕: 축축할 습: 水-총17획: shī**

原文

𣽎: 水. 出東郡東武陽, 入海. 从水㬎聲. 桑欽云: 出平原高唐. 他合切.

飜譯

'강 이름(水)[습수]'이다. 동군(東郡) 동무양(東武陽)현에서 발원하여, 바다(海)로 흘러든다. 수(水)가 의미부이고 습(㬎)이 소리부이다.[39] 상흠(桑欽)에 의하면, 평원(平原)군 고당(高唐)현에서 발원한다고 한다. 독음은 타(他)와 합(合)의 반절이다.

**7038**

**泡: 泡: 거품 포: 水-총8획: pāo**

原文

泡: 水. 出山陽平樂, 東北入泗. 从水包聲. 匹交切.

飜譯

'강 이름(水)[포수]'이다. 산양(山陽)군 평락(平樂)현에서 발원하여, 동북으로 사수(泗)로 흘러든다. 수(水)가 의미부이고 포(包)가 소리부이다.[40] 독음은 필(匹)과 교(交)의 반절이다.

---

38) 水(물 수)가 의미부고 爭(다툴 쟁)이 소리부로, 물이 다투어(爭) 쟁취해야 할 속성이 맑고 깨끗한 것임을 표현했다. 간화자에서는 爭을 争으로 간단히 줄인 净으로 쓴다.

39) 고문자에서 甲骨文 金文 簡牘文 등으로 그렸다. 水(물 수)가 의미부고 㬎(드러날 현)이 소리부로, 원래는 강(水) 이름으로 東郡(동군)의 東武陽(동무양)에서 출원하여 바다로 들어가는 강을 말했는데, 이후 물(水)이 스며들어 축축함을 말했다. 간화자에서는 소리부 㬎을 간단하게 줄여 湿으로 쓴다.

40) 水(물 수)가 의미부고 包(쌀 포)가 소리부로, 점막에 둘러싸여 둥그렇게(包) 만들어 지는 물(水) 거품을 말하며, 이후 물의 거품처럼 생긴 것의 범칭이 되었다.

**7039**

**菏: 菏: 무 하: 艸–총12획: hé**

原文

菏: 菏澤水. 在山陽胡陵.『禹貢』: “浮于淮泗, 達于菏.” 从水苛聲. 古俄切.

飜譯

‘하택수(菏澤水)’를 말한다. 산양(山陽)군 호릉(胡陵)현에 있다.『우공(禹貢)』에서 “[조공을 실은 배가] 회수와 사수를 거쳐 하택으로 들어간다(浮于淮泗, 達于菏)”라고 하였다. 수(水)가 의미부이고 가(苛)가 소리부이다. 독음은 고(古)와 아(俄)의 반절이다.

**7040**

**泗: 泗: 물 이름 사: 水–총8획: sì**

原文

泗: 受泲水, 東入淮. 从水四聲. 息利切.

飜譯

‘[사수를 말하는데] 제수(泲水)를 받아들여, 동으로 회수(淮)로 흘러든다.’[41] 수(水)가 의미부이고 사(四)가 소리부이다. 독음은 식(息)과 리(利)의 반절이다.

**7041**

**洹: 洹: 강 이름 원: 水–총9획: huán**

原文

洹: 水. 在齊魯閒. 从水亘聲. 羽元切.

41) 『단주』에서 이렇게 말했다. “사수(泗水)는 동남쪽으로 흘러 휴릉(睢陵)에서 회수(淮水)로 흘러든다. 6개의 군(郡)을 거쳐 1,110리를 흐른다. 또 노(魯)나라 변현(卞縣)에 대한 기술에서, 사수(泗水)는 본 현의 북쪽을 나가 서남쪽으로 흘러 방여(方與)에 이르러 제수(泲水)로 흘러든다. 3개의 군(郡)을 거쳐 500리를 흐른다고 했다.”

飜譯

'강 이름(水)[원수]'이다. 제(齊)와 노(魯) 사이에 있다. 수(水)가 의미부이고 선(亘)이 소리부이다. 독음은 우(羽)와 원(元)의 반절이다.

**7042**

灉: 灉: **강 이름 옹**: 水-총21획: yōng

原文

灉: 河灉水. 在宋. 从水雝聲. 於容切.

飜譯

'하옹수(河灉水)'를 말하는데, 송(宋) 땅에 있다. 수(水)가 의미부이고 옹(雝)이 소리부이다. 독음은 어(於)와 용(容)의 반절이다.

**7043**

澶: 澶: **멀 단·물 고요할 전**: 水-총16획: chán

原文

澶: 澶淵水. 在宋. 从水亶聲. 市連切.

飜譯

'단연수(澶淵水)'를 말하는데, 송(宋) 땅에 있다. 수(水)가 의미부이고 단(亶)이 소리부이다. 독음은 시(市)와 련(連)의 반절이다.

**7044**

洙: 洙: **강 이름 수**: 水-총9획: zhū

原文

洙: 水. 出泰山蓋臨樂山, 北入泗. 从水朱聲. 市朱切.

飜譯

'강 이름(水)[수수]'이다. 태산(泰山)군 개(蓋)현의 임락산(臨樂山)에서 발원하여, 북쪽으로 사수(泗)로 흘러든다. 수(水)가 의미부이고 주(朱)가 소리부이다. 독음은 시(市)와 주(朱)의 반절이다.

**7045**

**𣳚: 沭: 내 이름 술: 水-총8획: shù**

原文

𣳚: 水. 出青州浸. 从水术聲. 食聿切.

飜譯

'강 이름(水)[술수]'이다. 청주(青州) 지방에 있는 연못이름(浸)이다. 수(水)가 의미부이고 술(术)이 소리부이다. 독음은 식(食)과 율(聿)의 반절이다.

**7046**

**𣲖: 沂: 물 이름 기: 水-총7획: yí**

原文

𣲖: 水. 出東海費東, 西入泗. 从水斤聲. 一曰沂水, 出泰山蓋青州浸. 魚衣切.

飜譯

'강 이름(水)[기수]'이다. 동해(東海)군 비(費)현의 동쪽에서 발원하여, 서쪽으로 사수(泗)로 흘러든다. 수(水)가 의미부이고 근(斤)이 소리부이다. 일설에는 '기수(沂水)를 말하며, 태산(泰山)군 개(蓋)현에서 흘러나오는 청주(青州)에 있는 연못이름(浸)이라고도 한다. 독음은 어(魚)와 의(衣)의 반절이다.

**7047**

**洋: 洋: 바다 양: 水-총9획: yáng**

原文

洋: 水. 出齊臨朐高山, 東北入鉅定. 从水羊聲. 似羊切.

飜譯

'강 이름(水)[양수]'이다. 제(齊)군 임구(臨朐)현의 고산(高山)에서 발원하여, 동북으로 거정호(鉅定湖)로 흘러든다. 수(水)가 의미부이고 양(羊)이 소리부이다.[42] 독음은 사(似)와 양(羊)의 반절이다.

**7048**

**濁: 濁: 흐릴 탁: 水-총16획: zhuó**

原文

濁: 水. 出齊郡厲嬀山, 東北入鉅定. 从水蜀聲. 直角切.

飜譯

'강 이름(水)[탁수]'이다. 제군(齊郡) 려(厲)현의 규산(嬀山)에서 발원하여, 동북으로 거정호(鉅定湖)로 흘러든다. 수(水)가 의미부이고 촉(蜀)이 소리부이다. 독음은 직(直)과 각(角)의 반절이다.

**7049**

**漑: 漑: 물 댈 개: 水-총14획: gài**

原文

漑: 水. 出東海桑瀆覆甑山, 東北入海. 一曰灌注也. 从水旣聲. 古代切.

飜譯

'강 이름(水)[개수]'이다. 동해(東海)군 상독(桑瀆)현의 복증산(覆甑山)에서 발원하여

---

42) 고문자에서 [glyphs] 甲骨文 [glyph] 古陶文 등으로 그렸다. 水(물 수)가 의미부고 羊(양 양)이 소리부로, 강(水) 이름을 말한다. 『설문해자』에서 齊(제)나라 臨朐(임구)의 高山(고산)에서 흘러나와 동북쪽으로 흘러 鉅定(거정)으로 흘러들어 간다고 했다. 이후 큰 강이라는 뜻에서 '바다'라는 뜻도 갖게 되었으며, 바다 건너의 나라라는 뜻에서 외국, 외국 것, 외국 돈, 현대화된 것 등을 지칭한다.

동북으로 바다(海)로 흘러든다. 일설에는 '논밭에 물을 대다(灌注)'라는 뜻이라고도 한다. 수(水)가 의미부이고 기(旣)가 소리부이다. 독음은 고(古)와 대(代)의 반절이다.

**7050**

**濰: 濰: 강 이름 유: 水-총17획: wéi**

原文

濰: 水. 出琅邪箕屋山, 東入海. 徐州浸. 『夏書』曰: "濰、淄其道." 从水維聲. 以追切.

飜譯

'강 이름(水)[유수]'이다. 낭야(琅邪)군 기(箕)현 옥산(屋山)에서 발원하여, 동쪽으로 바다(海)로 흘러든다. 서주(徐州)에 있는 연못이름(浸)이다. 『서·하서(夏書)·우공(禹貢)』에서 "유수(濰水)와 치수(淄水)의 물길을 뚫었다"라고 했다. 수(水)가 의미부이고 유(維)가 소리부이다. 독음은 이(以)와 추(追)의 반절이다.

**7051**

**浯: 浯: 강 이름 오: 水-총10획: wú**

原文

浯: 水. 出琅邪靈門壺山, 東北入濰. 从水吾聲. 五乎切.

飜譯

'강 이름(水)[오수]'이다. 낭야(琅邪)군 영문(靈門)현의 호산(壺山)에서 발원하여, 동북으로 유수(濰)로 흘러든다. 수(水)가 의미부이고 오(吾)가 소리부이다. 독음은 오(五)와 호(乎)의 반절이다.

**7052**

**汶: 汶: 내 이름 문: 水-총7획: wèn**

原文

汶: 水. 出琅邪朱虛東泰山, 東入濰. 从水文聲. 桑欽說: 汶水出泰山萊蕪, 西南入泲. 亡運切.

飜譯

'강 이름(水)[문수]'이다. 낭야(琅邪)군 주허(朱虛)현 동쪽의 태산(泰山)에서 발원하여, 동으로 유수(濰)로 흘러든다. 수(水)가 의미부이고 문(文)이 소리부이다. 상흠(桑欽)에 의하면, 문수(汶水)는 태산(泰山)의 래무(萊蕪)에서 발원하여, 서남쪽으로 자수(泲)로 흘러든다고 한다. 독음은 망(亡)과 운(運)의 반절이다.

**7053**

**治: 治: 다스릴 치: 水-총8획: zhì**

原文

治: 水. 出東萊曲城陽丘山, 南入海. 从水台聲. 直之切.

飜譯

'강 이름(水)[치수]'이다. 동래(東萊)군 곡성(曲城)현의 양구산(陽丘山)에서 발원하여, 남쪽으로 바다(海)로 흘러든다. 수(水)가 의미부이고 태(台)가 소리부이다.43) 독음은 직(直)과 지(之)의 반절이다.

**7054**

**浸: 寖: 잠길 침: 宀-총13획: jìn**

原文

浸: 水. 出魏郡武安, 東北入呼沱水. 从水㝳聲. 㝳, 籒文寑字. 子鴆切.

---

43) 고문자에서 治 治 簡牘文 등으로 그렸다. 水(물 수)가 의미부고 台(별 태)가 소리부로, 원래는 강(水)의 이름으로, 東萊(동래)군 曲城(곡성)현 陽丘山(양구산)에서 나와 남쪽으로 흘러 바다로 들어가는 강을 말했다. 이후 물길(水)을 다스리다는 뜻으로 쓰였고, 다시 사람도 물길을 다스리듯 해야 한다는 뜻에서 政治(정치)의 뜻이 나왔다.

飜譯

'강 이름(水)[침수]'이다. 위군(魏郡) 무안(武安)현에서 발원하여, 동북으로 호타수(呼沱水)로 흘러든다. 수(水)가 의미부이고 침(䨻)이 소리부이다. 침(䨻)은 침(寑)의 주문(籒文)체이다. 독음은 자(子)와 짐(鴆)의 반절이다.

7055

**𣹢: 湡: 강 이름 우: 水-총12획: yú**

原文

𣹢: 水. 出趙國襄國之西山, 東北入寖. 从水禺聲. 噳俱切.

飜譯

'강 이름(水)[우수]'이다. 조나라(趙國)와 양나라(襄國)의 서산(西山)에서 발원하여, 동북으로 침수(寖)로 흘러든다. 수(水)가 의미부이고 우(禺)가 소리부이다. 독음은 우(噳)와 구(俱)의 반절이다.

7056

**𣻢: 㴲: 물 이름 사: 水-총13획: sī**

原文

𣻢: 水. 出趙國襄國, 東入湡. 从水虒聲. 息移切.

飜譯

'강 이름(水)[사수]'이다. 조나라(趙國)와 양나라(襄國)에서 발원하여, 동쪽으로 우수(湡)로 흘러든다. 수(水)가 의미부이고 사(虒)가 소리부이다. 독음은 식(息)과 이(移)의 반절이다.

7057

**𣸧: 渚: 물 가 저: 水-총12획: zhǔ**



제
11
권

原文

渚: 水. 在常山中丘逢山, 東入湡. 从水者聲. 『爾雅』曰: "小洲曰渚." 章与切.

飜譯

'강 이름(水)[저수]'이다. 상산(常山)군 중구(中丘)현의 봉산(逢山)에서 발원하여, 동쪽으로 우수(湡)로 흘러든다. 수(水)가 의미부이고 자(者)가 소리부이다. 『이아석수(釋水)』에서 "작은 모래톱(小洲)을 저(渚)라고 한다"라고 했다.44) 독음은 장(章)과 여(与)의 반절이다.

**7058**

**洨: 洨: 강 이름 효: 水-총9획: xiáo**

原文

洨: 水. 出常山石邑井陘, 東南入于泜. 从水交聲. 郝國有洨縣. 下交反.

飜譯

'강 이름(水)[효수]'이다. 상산(常山)군 석읍(石邑)현 정경산(井陘)에서 발원하여, 동남쪽으로 저수(泜)로 흘러든다. 수(水)가 의미부이고 교(交)가 소리부이다. 패국(郝國)에 효현(洨縣)이 있다. 독음은 하(下)와 교(交)의 반절이다.

**7059**

**濟: 濟: 건널 제: 水-총17획: jǐ**

原文

濟: 水. 出常山房子贊皇山, 東入泜. 从水齊聲. 子礼切.

飜譯

'강 이름(水)[제수]'이다. 상산(常山)군 방자(房子)현의 찬황산(贊皇山)에서 발원하여,

---

44) 고문자에서 簡牘文 등으로 그렸다. 水(물 수)가 의미부고 者(놈 자)가 소리부로, 물(水) 속의 작은 모래톱을 말하며, 이후 海島(해도)나 물 가 등을 지칭했다.

동쪽으로 저수(泜)로 흘러든다. 수(水)가 의미부이고 제(齊)가 소리부이다. 독음은 자(子)와 례(礼)의 반절이다.

**7060**

**泜: 泜: 강 이름 지·저·치: 水-총8획: zhī**

原文

泜: 水. 在常山. 从水氐聲. 直尼切.

飜譯

'강 이름(水[지수])'이다. 상산(常山)군에 있다. 수(水)가 의미부이고 저(氐)가 소리부이다. 독음은 직(直)과 니(尼)의 반절이다.

**7061**

**濡: 濡: 젖을 유: 水-총17획: rú**

原文

濡: 水. 出涿郡故安, 東入漆涑. 从水需聲. 人朱切.

飜譯

'강 이름(水)[유수]'이다. 탁군(涿郡) 고안(故安)현에서 발원하여, 동쪽으로 칠속수(漆涑水)로 흘러든다. 수(水)가 의미부이고 수(需)가 소리부이다.45) 독음은 인(人)과 주(朱)의 반절이다.

**7062**

**灅: 灅: 강 이름 류·루: 水-총21획: lěi**

原文

45) 고문자에서 簡牘文 등으로 그렸다. 水(물 수)가 의미부고 需(구할 수)가 소리부로, 목욕재계하는 제사장(需)에 水를 더하여 물(水)에 몸이 젖음을 표현했다.

灅: 水. 出右北平浚靡, 東南入庚. 从水壘聲. 力軌切.

飜譯

'강 이름(水)[류수]'이다. 우북평(右北平)군 준미(浚靡)현에서 발원하여, 동남쪽으로 경수(庚)로 흘러든다. 수(水)가 의미부이고 루(壘)가 소리부이다. 독음은 력(力)과 궤(軌)의 반절이다.

**7063**

**沽: 沽: 팔 고: 水-총8획: gū**

原文

沽: 水. 出漁陽塞外, 東入海. 从水古聲. 古胡切.

飜譯

'강 이름(水)[고수]'이다. 어양(漁陽)군의 변새 밖에서 발원하여, 동쪽으로 바다(海)로 흘러든다. 수(水)가 의미부이고 고(古)가 소리부이다. 독음은 고(古)와 호(胡)의 반절이다.

**7064**

**沛: 沛: 늪 패: 水-총7획: pèi**

原文

沛: 水. 出遼東番汗塞外, 西南入海. 从水巿聲. 普蓋切.

飜譯

'강 이름(水)[패수]'이다. 요동(遼東)군 번한(番汗)현의 변새 밖에서 발원하여, 서남쪽으로 바다(海)로 흘러든다. 수(水)가 의미부이고 불(巿)이 소리부이다. 독음은 보(普)와 개(蓋)의 반절이다.

**7065**

**浿: 浿: 강 이름 패: 水-총10획: pèi**

原文

涀: 水. 出樂浪鏤方, 東入海. 从水貝聲. 一曰出涀水縣. 普拜切.

飜譯

'강 이름(水)[패수]'이다. 낙랑(樂浪)군 누방(鏤方)현에서 발원하여, 동쪽으로 바다(海)로 흘러든다. 수(水)가 의미부이고 패(貝)가 소리부이다. 일설에는 '패수현(涀水縣)에서 발원한다.'라고도 한다.46) 독음은 보(普)와 배(拜)의 반절이다.

**7066**

**瀤: 瀤: 내 이름 회: 水-총19획: huái**

原文

瀤: 北方水也. 从水褱聲. 戶乖切.

飜譯

'북방에 있는 강 이름(北方水)[회수]'이다. 수(水)가 의미부이고 회(褱)가 소리부이다. 독음은 호(戶)와 괴(乖)의 반절이다.

---

46) 『단주』에서 이렇게 말했다. "패수(涀水)는 낙랑(樂浪)의 누방(鏤方)에서 흘러나와 동쪽으로 바다로 흘러든다. 낙랑(樂浪)의 독음은 낙랑(洛郞)이다. 낙랑군(樂浪郡)의 누방(鏤方)은 『한서』와 『후한서』의 두 「지리지」에서 동일한데, 누방(鏤方)에 대해서는 들어보지 못했다. 『한서·지리지』는 낙랑군(樂浪郡) 패수현(涀水縣)에서, 패수(涀水)는 서쪽으로 흘러 증(增) 땅에 이르러 바다로 흘러든다고 했다. 『수경(水經)』에서는 패수(涀水)는 낙랑(樂浪)의 누방(鏤方)에서 흘러나와 동남쪽을 지나 패현(涀縣)에 이르고, 동쪽으로 흘러 바다로 들어간다고 했다. 역도원(酈道元)의 『수경주(水經注)』에서 근거한 『한서·지리지』가 옳고, 『설문』과 『수경』은 옳지 않다. 역도원은 그 강이 서쪽으로 흘러 조선에 있던 옛날의 낙랑(樂浪) 즉 낙랑이 통치하던 곳을 지나 서북쪽으로 흐른다. 그래서 『지리지』에서 패수(涀水)는 서쪽으로 흐르다가 증(增) 땅에 이르러 바다로 흘러든다고 했던 것이다. 패수(涀水)는 지금의 조선의 대통강(大通江)으로, 평양성(平壤城) 북쪽에 있다. 평양성은 옛날의 왕검성(王險城)인데, 한나라 때의 조선현(朝鮮縣)이다. 『수서(隋書)』에서 평양성(平壤城)은 남쪽으로 패수(涀水)를 면하고 있다고 했다.……일설에는 '패수현(涀水縣)에서 발원한다.'라고 했는데, 이는 『한서·지리지』에 근거한 언급이다. 패수현(涀水縣)에 대해서는 들어 보지 못했다."

**7067**

**灅: 灅: 강 이름 루: 水-총24획: lěi**

原文

灅: 水. 出鴈門陰館累頭山, 東入海. 或曰治水也. 从水靁聲. 力追切.

飜譯

'강 이름(水)[루수]'이다. 안문(鴈門)군 음관(陰館)현의 누두산(累頭山)에서 발원하여, 동쪽으로 바다(海)로 흘러든다. 혹자는 '물길을 다스리다(治水)'라는 뜻이라고도 한다. 수(水)가 의미부이고 루(靁)가 소리부이다. 독음은 력(力)과 추(追)의 반절이다.

**7068**

**澽: 澽: 물 이름 사: 水-총14획: jū**

原文

澽: 水. 出北地直路西, 東入洛. 从水虘聲. 側加切.

飜譯

'강 이름(水)[사수]'이다. 북지(北地)군 직로(直路)현 서쪽에서 발원하여, 동쪽으로 낙수(洛)로 흘러든다. 수(水)가 의미부이고 차(虘)가 소리부이다. 독음은 측(側)과 가(加)의 반절이다.

**7069**

**泒: 泒: 옛 물 이름 고: 水-총8획: gū**

原文

泒: 水. 起雁門葰人戍夫山, 東北入海. 从水瓜聲. 古胡切.

飜譯

'강 이름(水)[고수]'이다. 안문(雁門)군 준인(葰人)현 수부산(戍夫山)에서 기원하여, 동북쪽으로 바다(海)로 흘러든다. 수(水)가 의미부이고 과(瓜)가 소리부이다. 독음은 고(古)와 호(胡)의 반절이다.

**7070**

**滱: 滱: 땅 이름 구: 水-총14획: kòu**

原文

滱: 水. 起北地靈丘, 東入河. 从水寇聲. 滱水卽漚夷水, 并州川也. 苦候切.

飜譯

'강 이름(水)'이다. 북지(北地)군 영구(靈丘)현에서 발원하여, 동쪽으로 황하(河)로 흘러든다. 수(水)가 의미부이고 구(寇)가 소리부이다. 구수(滱水)는 바로 구이수(漚夷水)를 말하는데, 병주에 있는 강 이름(并州川)이다. 독음은 고(苦)와 후(候)의 반절이다.

**7071**

**淶: 淶: 강 이름 래: 水-총11획: lái**

原文

淶: 水. 起北地廣昌, 東入河. 从水來聲. 并州浸. 洛哀切.

飜譯

'강 이름(水)[래수]'이다. 북지(北地)군 광창(廣昌)현에서 발원하여, 동쪽으로 황하(河)로 흘러든다. 수(水)가 의미부이고 래(來)가 소리부이다. 병주에 있는 연못 이름(并州浸)이다. 독음은 락(洛)과 애(哀)의 반절이다.

**7072**

**泥: 泥: 진흙 니: 水-총8획: ní**

原文

泥: 水. 出北地郁郅北蠻中. 从水尼聲. 奴低切.

飜譯

'강 이름(水)[니수]'이다. 북지(北地)군 욱질(郁郅)현의 북방 이민족 지역에서 발원한다. 수(水)가 의미부이고 니(尼)가 소리부이다.[47] 독음은 노(奴)와 저(低)의 반절이다.

**7073**

**湳:** 湳: **강 이름 남**: 水-**총12획**: **nǎn**

原文

湳: 西河美稷保東北水. 从水南聲. 乃感切.

飜譯

'서하(西河)군 미직(美稷)현의 보루 동북쪽을 흐르는 강 이름[남수]'이다. 수(水)가 의미부이고 남(南)이 소리부이다. 독음은 내(乃)와 감(感)의 반절이다.

**7074**

**漹:** 漹: **강 이름 언**: 水-**총14획**: **yān**

原文

漹: 水. 出西河中陽北沙, 南入河. 从水焉聲. 乙乾切.

飜譯

'강 이름(水)[언수]'이다. 서하(西河)군 중양(中陽)현 북쪽사막(北沙) 지역에서 발원하여, 남쪽으로 황하(河)로 흘러든다. 수(水)가 의미부이고 언(焉)이 소리부이다. 독음은 을(乙)과 건(乾)의 반절이다.

**7075**

**涶:** 涶: **침 타**: 水-**총12획**: **tuō**

原文

---

47) 水(물 수)가 의미부이고 尼(중 니)가 소리부로, 원래는 중원 북부의 郁郅(군질)에서 발원하는 강 이름을 지칭했으나, 이후 물(水)이 섞여 끈적끈적한(尼) '진흙'을 말했다.

涶: 河津也. 在西河西. 从水垂聲. 土禾切.

飜譯

'황하의 나루터 이름(河津)'이다. 서하(西河)군의 서쪽에 있다. 수(水)가 의미부이고 수(垂)가 소리부이다. 독음은 토(土)와 화(禾)의 반절이다.

**7076**

澦: 澦: **물 출렁거리는 모양 여**: 水-**총23획**: **yú**

原文

澦: 水也. 从水旟聲. 以諸切.

飜譯

'강 이름(水[여수])'이다. 수(水)가 의미부이고 여(旟)가 소리부이다. 독음은 이(以)와 제(諸)의 반절이다.

**7077**

洵: 洵: **참으로 순**: 水-**총9획**: **xún**

原文

洵: 過水中也. 从水旬聲. 相倫切.

飜譯

'[순수를 말하는데] 과수(過水)의 지류(中)'이다. 수(水)가 의미부이고 순(旬)이 소리부이다. 독음은 상(相)과 륜(倫)의 반절이다.

**7078**

涻: 涻: **물 이름 사**: 水-**총11획**: **shè**

原文

涻: 水. 出北囂山, 入邙澤. 从水舍聲. 始夜切.

飜譯

'강 이름(水)[사수]'이다. 북효산(北嚻山)에서 발원하여, 망택(邙澤)으로 흘러든다. 수(水)가 의미부이고 사(舍)가 소리부이다. 독음은 시(始)와 야(夜)의 반절이다.

**7079**

**㲼:** 汈: **끈적거릴 인**: 水-**총6획: niàn, rěn, xiàn**

原文

㲼: 水也. 从水刃聲. 乃見切.

飜譯

'강 이름(水)[인수]'이다. 수(水)가 의미부이고 인(刃)이 소리부이다. 독음은 내(乃)와 견(見)의 반절이다.

**7080**

**淔:** 淔: **물 이름 칙**: 水-**총11획: chì**

原文

淔: 水也. 从水直聲. 恥力切.

飜譯

'강 이름(水)[칙수]'이다. 수(水)가 의미부이고 직(直)이 소리부이다. 독음은 치(恥)와 력(力)의 반절이다.

**7081**

**淁:** 淁: **강 이름 첩**: 水-**총11획: qiè**

原文

淁: 水也. 从水妾聲. 七接切.

飜譯

'강 이름(水)[첩수]'이다. 수(水)가 의미부이고 첩(妾)이 소리부이다. 독음은 칠(七)과 접(接)의 반절이다.

**7082**

**涺: 涺: 물 이름 거: 水-총11획: jū**

原文

涺: 水也. 从水居聲. 九魚切.

飜譯

'강 이름(水)[거수]'이다. 수(水)가 의미부이고 거(居)가 소리부이다. 독음은 구(九)와 어(魚)의 반절이다.

**7083**

**⿰氵臮: ⿰氵臮: 물 이름 기: 水-총15획: jì**

原文

⿰氵臮: 水也. 从水臮聲. 其冀切.

飜譯

'강 이름(水)[기수]'이다. 수(水)가 의미부이고 기(臮)가 소리부이다. 독음은 기(其)와 기(冀)의 반절이다.

**7084**

**沋: 沋: 물 흐르는 소리 우: 水-총7획: yóu**

原文

沋: 水也. 从水尤聲. 羽求切.

飜譯

'강 이름(水)[우수]'이다. 수(水)가 의미부이고 우(尤)가 소리부이다. 독음은 우(羽)와 구(求)의 반절이다.

**7085**

**㴔:** 洇: **잠길 인**: 水-총9획: yīn

原文

㴔 : 水也. 从水因聲. 於眞切.

飜譯

'강 이름(水)[인수]'이다. 수(水)가 의미부이고 인(因)이 소리부이다. 독음은 어(於)와 진(眞)의 반절이다.

**7086**

**淉:** 淉: **물 이름 과**: 水-총11획: guǒ

原文

淉: 水也. 从水果聲. 古火切.

飜譯

'강 이름(水)[과수]'이다. 수(水)가 의미부이고 과(果)가 소리부이다. 독음은 고(古)와 화(火)의 반절이다.

**7087**

**漬:** 湏: **물 쇄**: 水-총13획: suǒ

原文

湏: 水也. 从水負聲. 讀若瑣. 穌果切.

飜譯

'강 이름(水)[쇄수]'이다. 수(水)가 의미부이고 쇄(負)가 소리부이다. 쇄(瑣)와 같이 읽는다. 독음은 소(穌)와 과(果)의 반절이다.

**7088**

**:** 浝: **강 이름 방**: 水-총10획: máng

原文

: 水也. 从水尨聲. 莫江切.

飜譯

'강 이름(水)[방수]'이다. 수(水)가 의미부이고 방(尨)이 소리부이다. 독음은 막(莫)과 강(江)의 반절이다.

**7089**

**:** 湩: **진한 술 유·물 이름 누**: 水-총11획: gòu, nǒu

原文

: 水也. 从水乳聲. 乃后切.

飜譯

'강 이름(水)[누수]'이다. 수(水)가 의미부이고 유(乳)가 소리부이다. 독음은 내(乃)와 후(后)의 반절이다.

**7090**

**:** 汷: **물 이름 종**: 水-총6획: zhōng

原文

: 水也. 从水夂聲. 夂, 古文終. 職戎切.

飜譯

'강 이름(水)[종수]'이다. 수(水)가 의미부이고 종(夂)이 소리부이다. 종(夂)은 종(終)의 고문체이다.[48] 독음은 직(職)과 융(戎)의 반절이다.

---

48) 동(冬)자의 윗부분을 말한다. 제11권(하) 7478-冬([illegible])자의 해석을 참조하라. .

**7091**

**𣲾:** 洦: **얕은 물 백**: 水-**총9획**: **pò**

原文

𣲾: 淺水也. 从水百聲. 匹白切.

飜譯

'얕은 물(淺水)'을 말한다.[49][50] 수(水)가 의미부이고 백(百)이 소리부이다. 독음은 필(匹)과 백(白)의 반절이다.

**7092**

**𣲾:** 汘: **물 천**: 水-**총6획**: **qiān**

原文

𣲾: 水也. 从水千聲. 倉先切.

飜譯

'강 이름(水)[천수]'이다. 수(水)가 의미부이고 천(千)이 소리부이다. 독음은 창(倉)과 선(先)의 반절이다.

---

49) 『단주』에서 이렇게 말했다. "『설문』에서 백(洦)으로 적었고, 예서체에서 박(泊)으로 적었는데, 고금자(古今字)에 해당한다. 견(犬)부수의 박(狛)자에서 천박(淺泊)이라고 할 때의 박(泊)과 같이 읽는다고 했다. 물이 얕으면 정자를 세우기가 쉽다. 그래서 박(泊)에 정박(停泊)이라는 뜻이 있게 되었다. 천(淺)은 박(薄)으로 적기도 한다. 그래서 박(泊) 또한 후박(厚薄)이라고 할 때의 박(薄)자로도 쓰인다. 또 담박(憺怕)의 박(怕)자로도 쓰인다.

50) 앞뒤에 계속 '강 이름'이 등장하는 것으로 보아, 이 또한 강 이름을 말한 것으로도 볼 수 있다. 그렇게 되면 '천수(淺水)'를 말하는 것으로, 풀이해 볼만 하지만, 천수(淺水)에 대한 구체적 정보는 찾을 수가 없다. 이 때문에 『단주』에서도 이렇게 말한바 있다. "백인성(栢人城)의 북쪽에 작은 물길이 하나 있는데, 그 지역 사람들도 이름을 알지 못했다. 이후 성의 서문에 있던 「서정비(徐整碑)」를 읽어보니 '백류동지(洦流東指)'라는 말이 있었는데, 내 생각에는 여기서의 백(洦)은 박(泊)의 옛글자가 아닌가 싶다. 박(泊)은 물이 얕은 모양을 말한다(淺水貌). 이 강은 이름이 없었기 때문에 얕은 모습을 보고 그대로 말한 것일 것이다(此水無名, 直以淺貌目之). 아니면 바로 백강을 지칭한 것일지도 모를 일이다(當卽以洦爲名乎)."

7093

**洍: 洍: 강 이름 사: 水-총9획: sì**

原文

洍: 水也. 从水臣聲. 『詩』曰: "江有洍." 詳里切.

飜譯

'강 이름(水)[사수]'이다. 수(水)가 의미부이고 이(臣)가 소리부이다. 『시·소남·강유사(江有汜)』에서 "장강에는 사수 있는데(江有洍)"라고 노래했다.[51] 독음은 상(詳)과 리(里)의 반절이다.

7094

**澥: 澥: 바다 이름 해: 水-총16획: xiè**

原文

澥: 郣澥, 海之別也. 从水解聲. 一說: 澥即澥谷也. 胡買切.

飜譯

'발해(郣澥)'를 말하는데, '큰 바다의 별칭(海之別)'이다.[52] 수(水)가 의미부이고 해(解)가 소리부이다. 일설에는, '해(澥)는 해곡(澥谷)을 말한다'고도 한다.[53] 독음은

51) 김학주는 "강수는 갈라졌다 다시 합쳐지는데"라고 해석했다. 「모전」에서도 사(汜)를 "강물이 갈라졌다 다시 합치는 것"이라 풀이했다. 『단주』에서 이렇게 말했다. "『시』에서 '강유사(江有洍)'라고 했는데, 이는 삼가시(三家詩)에 근거한 것일 것이다. 허신의 아래의 문장에서 '강유사(江有汜)'를 인용했는데, 이는 『모시(毛詩)』이다. 그리고 사수(汜水)는 나뉘어져 다시 물로 들어간다고 했다. 이는 '강유사)江有汜)'를 증명해주는 말이다. 이들은 전주의 관계이다. 수(洍)는 강이름이라고 했는데, 이는 '강유사(江有洍)를 증명해 주는 말이다. 이들은 가차 관계이다."

52) 『단주』에서 이렇게 말했다. "『한서』와 『자허부음의(子虛賦音義)』에서 발해(勃澥)는 바다의 갈래 이름이다. 「제도부(齊都賦)」의 주석에서 바닷가(海旁)를 발(勃)이라 하고 물이 끊기는 것(斷水)을 해(澥)라고 한다고 했다……일설에는 해(澥)는 바로 해곡(澥谷)을 말한다고도 한다. 『집운』과 『유편(類篇)』에서는 모두 '一曰澥谷也'라고 했는데, 이는 또 다른 의미를 말한 것이다."

53) 해곡(澥谷)은 곤륜산(昆仑山)의 북쪽에 있는 계곡을 말하는데, 해곡(解谷), 해곡(嶰谷) 등으로 쓰기도 한다.

호(胡)와 매(買)의 반절이다.

**7095**

: 漠: **사막 막**: 水-**총14획: mò**

原文

: 北方流沙也. 一曰淸也. 从水莫聲. 慕各切.

飜譯

'북방에 있는 사막(北方流沙)'을 말한다. 일설에는 '물이 맑다(淸)'라는 뜻이라고도 한다. 수(水)가 의미부이고 막(莫)이 소리부이다.54) 독음은 모(慕)와 각(各)의 반절이다.

**7096**

: 海: **바다 해**: 水-**총10획: hǎi**

原文

: 天池也. 以納百川者. 从水每聲. 呼改切.

飜譯

'천지(天池) 즉 자연적으로 만들어진 큰 연못'을 말한다. 모든 강을 받아들이는 존재이다. 수(水)가 의미부이고 매(每)가 소리부이다.55) 독음은 호(呼)와 개(改)의 반절이다.

---

54) 水(물 수)가 의미부고 莫(없을 막)이 소리부로, 사막을 말하는데, 물(水)이 없는(莫) 곳이라는 뜻을 담았다. 이후 넓고 크다, 적막하다, 냉담하다 등의 뜻도 나왔다.

55) 고문자에서 金文 簡牘文 등으로 그렸다. 水(물 수)가 의미부고 每(매양 매)가 소리부로, 모든 하천이 흘러들어 가는 곳인 '바다'를 말하는데, 물(水)에게서 어머니(每) 같은 존재가 '바다'임을 그렸다. 이후 바다처럼 큰 호수나 못, 혹은 수많은 사람이나 사물, 사방 주위, 온 사람에게 알리는 광고 등을 지칭하기도 했다. 달리 상하구조로 된 𣴴로 쓰기도 한다.

7097

**溥: 溥: 넓을 부: 水—총13획: pǔ**

原文

溥: 大也. 从水尃聲. 滂古切.

譯

'크다(大)'라는 뜻이다. 수(水)가 의미부이고 부(尃)가 소리부이다. 독음은 방(滂)과 고(古)의 반절이다.

7098

**灊: 灊: 물 많이 모여들 암: 水—총20획: ǎn**

原文

灊: 水大至也. 从水闇聲. 乙感切.

譯

'물이 크게 모여들다(水大至)'라는 뜻이다. 수(水)가 의미부이고 암(闇)이 소리부이다. 독음은 을(乙)과 감(感)의 반절이다.

7099

**洪: 洪: 큰물 홍: 水—총9획: hóng**

原文

洪: 洚水也. 从水共聲. 戶工切.

譯

'홍수(洚水)'를 말한다. 수(水)가 의미부이고 공(共)이 소리부이다.[56] 독음은 호(戶)와 공(工)의 반절이다.

56) 水(물 수)가 의미부고 共(함께 공)이 소리부로, '홍수'를 말한다. 이로부터 '크다'는 뜻도 나왔는데, 모두가 함께(共) 손을 맞잡고 막아야 하는 큰물(水) 즉 洪水(홍수)임을 그렸다.

**7100**

**洚: 洚: 큰물 홍·내릴 강: 水-총9획: hóng, jiàng**

原文

洚: 水不遵道. 一曰下也. 从水夅聲. 戶工切.

飜譯

'물이 물길을 따라 흐르지 않다(水不遵道)'라는 뜻이다. 일설에는 '내려가다(下)'라는 뜻이라고도 한다. 수(水)가 의미부이고 강(夅)이 소리부이다. 독음은 호(戶)와 공(工)의 반절이다.

**7101**

**衍: 衍: 넘칠 연: 行-총9획: yǎn**

原文

衍: 水朝宗于海也. 从水从行. 以淺切.

飜譯

'제후가 천자를 찾아뵙듯 모든 물이 바다로 세차게 흘러들다(水朝宗于海)'라는 뜻이다. 수(水)가 의미부이고 행(行)도 의미부이다.[57] 독음은 이(以)와 천(淺)의 반절이다.

**7102**

**淖: 淖: 조수 조: 水-총11획: cháo**

原文

淖: 水朝宗于海. 从水, 朝省. 直遙切.

飜譯

57) 水(물 수)와 行(갈 행)으로 구성되어, 물길대로 흘러야 할 물(水)이 길(行)로 '넘쳐흐르는' 것을 말하며, 이로부터 넘치다, 많다, 흩어지다, 관대하다의 뜻이 나왔다.

'제후가 천자를 찾아뵙듯 모든 물이 바다로 세차게 흘러들다(水朝宗于海)'라는 뜻이다. 수(水)와 조(朝)의 생략된 모습이 모두 의미부이다. 독음은 직(直)과 요(遙)의 반절이다.

**7103**

**𣿰: 濥: 물줄기 인: 水-총17획: yìn**

原文

𣿰: 水脈行地中濥濥也. 从水寅聲. 弋刃切.

飜譯

'수맥이 땅속을 흘러 잘 보이지 않는 것(水脈行地中濥濥)[땅속으로 흐르는 물줄기]'을 말한다. 수(水)가 의미부이고 인(寅)이 소리부이다. 독음은 익(弋)과 인(刃)의 반절이다.

**7104**

**滔: 滔: 물 넘칠 도: 水-총13획: tāo**

原文

滔: 水漫漫大皃. 从水舀聲. 土刀切.

飜譯

'물이 가득하여 큰 모양(水漫漫大皃)'을 말한다. 수(水)가 의미부이고 요(舀)가 소리부이다. 독음은 토(土)와 도(刀)의 반절이다.

**7105**

**涓: 涓: 시내 연: 水-총10획: juān**

原文

涓: 小流也. 从水肙聲. 『爾雅』曰 : "汝爲涓." 古玄切.

飜譯

'작은 내(小流) 즉 시내'를 말한다. 수(水)가 의미부이고 연(肙)이 소리부이다. 『이아 석수(釋水)』에서 "여수는 [원수에서 갈라져 나온] 시내에 해당한다(汝爲涓)"라고 했다.[58] 독음은 고(古)와 현(玄)의 반절이다.

**7106**

**𣶒: 混: 섞을 혼: 水-총11획: hùn**

原文

𣶒: 豊流也. 从水昆聲. 胡本切.

飜譯

'성대하게 흐르는 물줄기(豊流)'를 말한다. 수(水)가 의미부이고 곤(昆)이 소리부이다.[59] 독음은 호(胡)와 본(本)의 반절이다.

**7107**

**潒: 潒: 세찰 상·편할 탕: 水-총15획: xiàng**

原文

潒: 水潒瀁也. 从水象聲. 讀若蕩. 徒朗切.

飜譯

'물이 세차다(水潒瀁)'라는 뜻이다. 수(水)가 의미부이고 상(象)이 소리부이다. 탕(蕩)과 같이 읽는다. 독음은 도(徒)와 랑(朗)의 반절이다.

58) 『단주』에서 이렇게 말했다. "연연(涓涓)은 가늘고 작은 지류를 말한다. 『이아』에서 여수가 시냇물이 된다(汝爲涓)라고 했는데, 「석수(釋水)」에 보인다. 또한 큰 물길이 흘러나와 작은 물길이 된 것을 말하기도 한다. 곽박의 판본에서는 분(濆)으로 적었는데, 잘못되었다. 분(濆)은 물가의 낭떠러지를 말한다(水厓也)."

59) 水(물 수)가 의미부고 昆(형 곤)이 소리부로, 『설문해자』에서 "물(水)이 많이 흐르다는 뜻이다"라고 했는데, 많은 물이 흐르게 되면 각지에서 흘러나온 갖가지 물들이 서로 '뒤섞여야' 가능했기에 섞이다는 뜻이 나왔다. 이후 흐리멍덩하다, 구차하게 지내다는 뜻도 나왔다. 현대 중국에서는 溷(뒷간 혼)의 간화자로도 쓰인다.

7108

**湁 : 漦: 흐를 시: 水-총15획: chí**

原文

漦 : 順流也. 一日水名. 从水𠩺聲. 俟甾切.

飜譯

'순방향으로 흐르다(順流)'라는 뜻이다. 일설에는 '강 이름(水名)'을 말한다고도 한다. 수(水)가 의미부이고 리(𠩺)가 소리부이다. 독음은 사(俟)와 치(甾)의 반절이다.

7109

**汭 : 汭: 물굽이 예: 水-총7획: ruì**

原文

汭 : 水相入也. 从水从内, 内亦聲. 而銳切.

飜譯

'물길이 서로 합쳐지다(水相入)'라는 뜻이다. 수(水)가 의미부이고 내(内)도 의미부인데, 내(内)는 소리부도 겸한다. 독음은 이(而)와 예(銳)의 반절이다.

7110

**潚 : 潚: 빠를 숙: 水-총15획: sù**

原文

潚 : 深清也. 从水肅聲. 子叔切.

飜譯

'[물이] 깊고 맑다(深清)'라는 뜻이다. 수(水)가 의미부이고 숙(肅)이 소리부이다. 독음은 자(子)와 숙(叔)의 반절이다.

제11권

**7111**

**: 演: 멀리 흐를 연: 水-총14획: yǎn**

原文

: 長流也. 一曰水名. 从水寅聲. 以淺切.

飜譯

'길게 멀리 흐르다(長流)'라는 뜻이다. 일설에는 '강 이름(水名)'을 말한다고도 한다. 수(水)가 의미부이고 인(寅)이 소리부이다. 독음은 이(以)와 천(淺)의 반절이다.

**7112**

**: 渙: 흩어질 환: 水-총12획: huàn**

原文

: 流散也. 从水奐聲. 呼貫切.

飜譯

'물길이 흩어지다(流散)'라는 뜻이다. 수(水)가 의미부이고 환(奐)이 소리부이다. 독음은 호(呼)와 관(貫)의 반절이다.

**7113**

**: 泌: 샘물 흐르는 모양 필·비: 水-총8획: bì**

原文

: 俠流也. 从水必聲. 兵媚切.

飜譯

'좁은 곳을 흐르다(俠流)'라는 뜻이다. 수(水)가 의미부이고 필(必)이 소리부이다. 독음은 병(兵)과 미(媚)의 반절이다.

**7114**

**𣹟: 活: 살 활: 水-총9획: huó**

原文

𣹟: 水流聲. 从水𠯑聲. 𣽋, 𣹟或从聒. 古活切.

飜譯

'물이 [콸콸] 흐르는 소리(水流聲)'를 말한다. 수(水)가 의미부이고 괄(𠯑)이 소리부이다.[60] 활(𣽋)은 활(𣹟)의 혹체자인데, 괄(聒)로 구성되었다. 독음은 고(古)와 활(活)의 반절이다.

**7115**

**湝: 湝: 물 출렁출렁 흐를 개: 水-총12획: jiē**

原文

湝: 水流湝湝也. 从水皆聲. 一曰湝湝, 寒也. 『詩』曰: "風雨湝湝." 古諧切.

飜譯

'물이 가득하여 출렁출렁하다(水流湝湝)'라는 뜻이다. 수(水)가 의미부이고 개(皆)가 소리부이다. 일설에는 '개개(湝湝)는 춥다(寒)'라는 뜻이라고도 한다. 『시』에서 "비바람 쌀쌀히 몰아치는데(風雨湝湝)"라고 노래했다.[61] 독음은 고(古)와 해(諧)의 반절이다.



60) 水(물 수)가 의미부고 舌(혀 설)이 소리부로, 살다, 생존하다, 살아있다, 활발하다는 뜻이다. 원래는 水가 의미부고 𠯑(입 막을 괄)이 소리부인 𣹟(입 막을 괄)로 써 물(水)이 흘러감을 말했는데, 𠯑이 舌로 변해 지금의 자형이 되었으며, 혀(舌)에 수분(水)이 더해지면 부드럽고 원활하게 '살아나' 잘 움직인다는 뜻을 그렸다.

61) "풍우개개(風雨湝湝)"라는 말은 보이지 않고, 『시·정풍·풍우(風雨)』에 "풍우처처(風雨淒淒)"라는 말이 보이는데, 『모전』에서 "처(淒)는 차가운 바람을 말한다(寒風也)"라고 하여 허신이 말한 다른 뜻인 '차갑다(寒)'와 통한다. 『단주』에서도 오늘날 「정풍」에는 "풍우처처(風雨淒淒)"라는 말만 있는데, 아마도 삼가시를 채택한 것이 아닐까 한다고 했다.

**7116**

**滾:** 泫: **빛날 현**: 水-**총8획: xuàn**

原文

滾: 湝流也. 从水玄聲. 上黨有泫氏縣. 胡畎切.

飜譯

'물이 출렁거리며 흐르다(湝流)'라는 뜻이다. 수(水)가 의미부이고 현(玄)이 소리부이다. 상당(上黨)군에 현씨현(泫氏縣)이 있다. 독음은 호(胡)와 견(畎)의 반절이다.

**7117**

**滮:** 滮: **물 흐르는 모양 표**: 水-**총11획: biāo**

原文

滮: 水流皃. 从水, 彪省聲. 『詩』曰: "滮沱北流." 皮彪切.

飜譯

'물이 흐르는 모양(水流皃)'을 말한다. 수(水)가 의미부이고, 표(彪)의 생략된 부분이 소리부이다. 『시·소아·백화(白華)』에서 "표타 물은 북쪽으로 흐르는데(滮沱北流)"라고 노래했다.[62] 독음은 피(皮)와 표(彪)의 반절이다.

**7118**

**淢:** 淢: **빨리 흐를 역**: 水-**총11획: yù**

原文

淢: 疾流也. 从水或聲. 子逼切.

---

62) 금본에는 "표지북류(滮池北流)"로 되었다. 『단주』에서 이렇게 말했다. "『모전』에서 표(滮)는 흐르는 모양을 말한다(流貌). 수(水)가 의미부이고 표(彪)의 생략된 모습이 소리부인데, 예서체에서는 생략하지 않았다. 『시』에서 표지북류(滮池北流)라 했는데, 송나라 때의 판본에서 지(池)를 타(沱)로 적었는데, 옳지 않다."

譯解

'물이 빠르게 흐르다(疾流)'라는 뜻이다. 수(水)가 의미부이고 혹(或)이 소리부이다. 독음은 자(子)와 핍(逼)의 반절이다.

**7119**

**瀏: 瀏: 맑을 류: 水-총18획: liú**

原文

瀏: 流清皃. 从水劉聲. 『詩』曰: "瀏其清矣." 力久切.

譯解

'물 흐름이 맑은 모양(流清皃)'을 말한다. 수(水)가 의미부이고 류(劉)가 소리부이다. 『시·정풍·진유(溱洧)』에서 "파랗게 맑은데(瀏其清矣)"라고 노래했다. 독음은 력(力)과 구(久)의 반절이다.

**7120**

**濊: 濊: 깊을 예: 水-총20획: huò**

原文

濊: 礙流也. 从水薉聲. 『詩』云: "施罟濊濊." 呼括切.

譯解

'물이 방해를 받으며 흐르다(礙流)'라는 뜻이다. 수(水)가 의미부이고 예(薉)가 소리부이다. 『시·위풍·석인(碩人)』에서 "철썩철썩 걷어 올리는 고기 그물에서는(施罟濊濊)"이라고 노래했다. 독음은 호(呼)와 괄(括)의 반절이다.

**7121**

**滂: 滂: 비 퍼부을 방: 水-총13획: pāng**

原文

滂: 沛也. 从水旁聲. 普郎切.

‘비가 퍼붓다(沛)’라는 뜻이다. 수(水)가 의미부이고 방(旁)이 소리부이다. 독음은 보(普)와 랑(郎)의 반절이다.

**7122**

**汪:** 汪: **넓을 왕**: 水-**총7획**: **wāng**

原文

汪: 深廣也. 从水王聲. 一曰汪, 池也. 烏光切.

飜譯

‘물길이 깊고 넓다(深廣)’라는 뜻이다. 수(水)가 의미부이고 왕(王)이 소리부이다. 일설에는 ‘왕(汪)은 못(池)을 말한다’라고도 한다. 독음은 오(烏)와 광(光)의 반절이다.

**7123**

**漻:** 漻: **맑을 류·깊을 료·변할 력**: 水-**총14획**: **liáo**

原文

漻: 清深也. 从水翏聲. 洛蕭切.

飜譯

‘물이 맑고 깊다(清深)’라는 뜻이다. 수(水)가 의미부이고 료(翏)가 소리부이다. 독음은 락(洛)과 소(蕭)의 반절이다.

**7124**

**泚:** 泚: **맑을 차·자·체**: 水-**총8획**: **cǐ**

原文

泚: 清也. 从水此聲. 千礼切.

---

3126 완역 『설문해자』

**飜譯**

'물이 맑다(淸)'라는 뜻이다. 수(水)가 의미부이고 차(此)가 소리부이다. 독음은 천(千)과 례(礼)의 반절이다.

**7125**

**況: 況: 하물며 황: 水-총8획: kuàng**

**原文**

況: 寒水也. 从水兄聲. 許訪切.

**飜譯**

'차가운 물(寒水)'을 말한다. 수(水)가 의미부이고 형(兄)이 소리부이다.[63] 독음은 허(許)와 방(訪)의 반절이다.

**7126**

**沖: 沖: 빌 충: 水-총7획: chōng**

**原文**

沖: 涌搖也. 从水、中. 讀若動. 直弓切.

**飜譯**

'요동치다(涌搖)'라는 뜻이다. 수(水)와 중(中)이 모두 의미부이다. 동(動)과 같이 읽는다.[64] 독음은 직(直)과 궁(弓)의 반절이다.

---

63) 고문자에서 甲骨文 등으로 그렸다. 水(물 수)가 의미부고 兄(맏 형)이 소리부로, 『옥편(玉篇)』에서는 况으로 써 얼음(冫·빙)처럼 차가운 물을 말했는데, 이후 '하물며'라는 부사로 가차되었고, 冫이 형체가 비슷한 氵(水)로 변해 다시 況이 되었다. 간화자에서는 『옥편』에서처럼 况으로 쓴다.

64) 고문자에서 甲骨文 金文 古璽文 등으로 그렸다. 水(물 수)가 의미부고 中(가운데 중)이 소리부로, 물(水)이 용솟음치며 요동침을 말했으며, 이후 '비다'는 뜻까지 나왔다. 『옥편』에서부터 水를 冫(얼음 빙)으로 줄여 冲(빌 충)으로 쓰기도 하는데, 간화자에서도 冲으로 쓴다.

**7127**

**: 汎: 뜰 범: 水-총6획: fàn**

原文

: 浮皃. 从水凡聲. 孚梵切.

飜譯

'물에 떠 있는 모양(浮皃)'을 말한다. 수(水)가 의미부이고 범(凡)이 소리부이다.65) 독음은 부(孚)와 범(梵)의 반절이다.

**7128**

**: 沄: 소용돌이칠 운: 水-총7획: yún**

原文

: 轉流也. 从水云聲. 讀若混. 王分切.

飜譯

'회전하며 흐르다(轉流)'라는 뜻이다. 수(水)가 의미부이고 운(云)이 소리부이다. 혼(混)과 같이 읽는다. 독음은 왕(王)과 분(分)의 반절이다.

**7129**

**: 浩: 클 호: 水-총10획: hào**

原文

: 澆也. 从水告聲. 『虞書』曰 : "洪水浩浩." 胡老切.

飜譯

---

65) 水(물 수)가 의미부고 凡(무릇 범)이 소리부로, 돛(凡, 帆의 원래 글자)을 단 배가 물(水)에 뜬 모습을 형상화했다. 물에 뜨다가 원래 뜻이며, 이로부터 액체, 기체, 연기 등이 가득 떠 다니다는 뜻이 나왔다. 달리 氾으로 쓰기도 한다.

'큰물(澆)'을 말한다. 수(水)가 의미부이고 고(告)가 소리부이다. 『서·우서(虞書)·당서(唐書)』에서 "홍수가 [하늘에 닿을 듯이 높이 불어] 질펀하다(洪水浩浩)"라고 했다. 독음은 호(胡)와 로(老)의 반절이다.

**7130**

**沆: 沆: 넓을 항: 水-총7획: hàng**

原文

沆: 莽沆, 大水也. 从水亢聲. 一曰大澤皃. 胡朗切.

飜譯

'망항(莽沆)'을 말하는데, '홍수(大水)'를 말한다. 수(水)가 의미부이고 항(亢)이 소리부이다. 일설에는 '넓고 넓은 호수의 모양(大澤皃)'을 말한다고도 한다. 독음은 호(胡)와 랑(朗)의 반절이다.

**7131**

**泬: 泬: 내뿜을 혈: 水-총8획: xuè**

原文

泬: 水从孔穴疾出也. 从水从穴, 穴亦聲. 呼穴切.

飜譯

'물이 구멍 속에서 빠른 속도로 콸콸 뿜어져 나오다(水从孔穴疾出)'라는 뜻이다. 수(水)가 의미부이고 혈(穴)도 의미부인데, 혈(穴)은 소리부도 겸한다. 독음은 호(呼)와 혈(穴)의 반절이다.

**7132**

**濞: 濞: 물소리 비: 水-총17획: bì**

原文

濞: 水暴至聲. 从水鼻聲. 匹備切.

'물이 맹렬하게 몰려오는 소리(水暴至聲)'를 말한다. 수(水)가 의미부이고 비(鼻)가 소리부이다. 독음은 필(匹)과 비(備)의 반절이다.

**7133**

**灂: 灂: 옻칠할 작·물소리 착: 水-총21획: zhuó**

原文

灂: 水小聲. 从水爵聲. 士角切.

飜譯

'가는 물이 잔잔하게 흐르는 소리(水小聲)'를 말한다. 수(水)가 의미부이고 작(爵)이 소리부이다. 독음은 사(士)와 각(角)의 반절이다.

**7134**

**潝: 潝: 빨리 흐르는 소리 흡: 水-총15획: xì**

原文

潝: 水疾聲. 从水翕聲. 許及切.

飜譯

'물이 빠르게 흐르는 소리(水疾聲)'를 말한다. 수(水)가 의미부이고 흡(翕)이 소리부이다. 독음은 허(許)와 급(及)의 반절이다.

**7135**

**滕: 滕: 물 솟을 등: 水-총15획: téng**

原文

滕: 水超涌也. 从水朕聲. 徒登切.

飜譯

'물이 솟구쳐 오르다(水超涌)'라는 뜻이다. 수(水)가 의미부이고 짐(朕)이 소리부이다.66) 독음은 도(徒)와 등(登)의 반절이다.

**7136**

潏: 潏: **샘솟을 휼·물 흐르는 모양 율·모래톱 술**: 水-**총15획: yù**

原文

潏: 涌出也. 一曰水中坻, 人所爲, 爲潏. 一曰潏, 水名, 在京兆杜陵. 从水矞聲. 古穴切.

飜譯

'물이 용솟음치다(涌出)'라는 뜻이다. 일설에는 '물길 가운데 있는 모래섬으로 인공적으로 만든 것(水中坻, 人所爲.)을 휼(潏)이라 한다.'라고 했다. 또 일설에는 '휼(潏)은 강 이름(水名)으로, 경조(京兆)의 두릉(杜陵)현에 있다'고도 한다. 수(水)가 의미부이고 율(矞)이 소리부이다. 독음은 고(古)와 혈(穴)의 반절이다.

**7137**

洸: 洸: **물 용솟음할 광**: 水-**총9획: guāng**

原文

洸: 水涌光也. 从水从光, 光亦聲. 『詩』曰 : "有洸有潰." 古黃切.

飜譯

'물이 용솟음칠 때의 반짝임(水涌光)'을 말한다. 수(水)가 의미부이고 광(光)도 의미부인데, 광(光)은 소리부도 겸한다. 『시·패풍·곡풍(谷風)』에서 "우악스럽고 퉁명스럽

---

66) 고문자에서 金文 古陶文 등으로 그렸다. 水(물 수)가 의미부이고 朕(나 짐)이 소리부로, 물(水)이 용솟음치는 것을 말한다. 朕은 갑골문에서 두 손(廾)으로 불(火)을 들고 배(舟)를 수리하는 모습인데, 배가 파손되거나 구멍이 나 물이 들어 수리하는 모습으로 생각된다. 배에 구멍이 나 물이 펑펑 솟구치며 들어오는 모습을 상상한다면 소리부로 쓰인 朕도 의미의 결정에 일정 정도 관여하고 있다고 할 수 있다.

게(有洸有潰)"라고 노래했다. 독음은 고(古)와 황(黃)의 반절이다.

**7138**

波: **물결 파**: 水-**총8획: bō**

原文

水涌流也. 从水皮聲. 博禾切.

飜譯

'물이 용솟음치며 세차게 흘러가다(水涌流)'라는 뜻이다. 수(水)가 의미부이고 피(皮)가 소리부이다.67) 독음은 박(博)과 화(禾)의 반절이다.

**7139**

澐: **큰 물결 일 운**: 水-**총15획: yún**

原文

江水大波謂之澐. 从水雲聲. 王分切.

飜譯

'강물의 큰 물결(江水大波)을 운(澐)이라 한다.' 수(水)가 의미부이고 운(雲)이 소리부이다. 독음은 왕(王)과 분(分)의 반절이다.

**7140**

瀾: **물결 란**: 水-**총20획: lán**

原文

大波爲瀾. 从水闌聲. , 瀾或从連. 臣鉉等曰 : 今俗音力延切. 洛干切.

---

67) 고문자에서 古陶文 簡牘文 古璽文 등으로 그렸다. 水(물 수)가 의미부고 皮(가죽 피)가 소리부로, 물(水)의 표면(皮)에 이는 '물결'을 말하며, 이로부터 물이 흐르다, 파도를 일으키다는 뜻이 나왔고, 심한 분쟁이나 분란(風波·풍파)을 비유하게 되었다.

飜譯

'큰 물결(大波)을 난(瀾)이라 한다.' 수(水)가 의미부이고 란(闌)이 소리부이다. 란(漣)은 란(瀾)의 혹체자인데, 련(連)으로 구성되었다. 신(臣) 서현 등은 이렇게 생각합니다. "오늘날의 속음에서는 력(力)과 연(延)의 반절로 읽습니다." 독음은 락(洛)과 간(干)의 반절이다.

**7141**

**淪: 淪: 물놀이 륜: 水-총11획: lún**

原文

淪: 小波爲淪. 从水侖聲. 『詩』曰 : "河水清且淪漪." 一曰没也. 力迍切.

飜譯

'작은 물결(小波)을 륜(淪)이라 한다.' 수(水)가 의미부이고 륜(侖)이 소리부이다. 『시·위풍·벌단(伐檀)』에서 "황하 물 맑게 잔물결 지우고 있네(河水清且淪漪)"라고 노래했다. 일설에는 '물에 빠지다(没)'라는 뜻이라고도 한다. 독음은 력(力)과 둔(迍)의 반절이다.

**7142**

**漂: 漂: 떠돌 표: 水-총14획: piāo**

原文

漂: 浮也. 从水票聲. 匹消切.

飜譯

'물에 뜨다(浮)'라는 뜻이다. 수(水)가 의미부이고 표(票)가 소리부이다.[68] 독음은 필(匹)과 소(消)의 반절이다.

68) 水(물 수)가 의미부고 票(불똥 튈 표)가 소리부로, 물(水)에 위로 불꽃 날리듯(票) 가볍게 떠다니다는 뜻이다. 이로부터 漂流(표류)하다, 유랑하다, 날리다의 뜻이 나왔고, 가벼운 모양, 높고 먼 모양 등을 지칭하게 되었다.

**7143**

**涥: 浮: 뜰 부: 水-총10획: fú**

原文

涥: 氾也. 从水孚聲. 縛牟切.

飜譯

'물이 넘쳐 퍼지다(氾)'라는 뜻이다. 수(水)가 의미부이고 부(孚)가 소리부이다.[69] 독음은 박(縛)과 모(牟)의 반절이다.

**7144**

**濫: 濫: 퍼질 람: 水-총17획: làn**

原文

濫: 氾也. 从水監聲. 一曰濡上及下也. 『詩』曰: "觱沸濫泉." 一曰清也. 盧瞰切.

飜譯

'물이 넘쳐 퍼지다(氾)'라는 뜻이다. 수(水)가 의미부이고 감(監)이 소리부이다. 일설에는 '위쪽을 적신 것이 아래쪽으로까지 미치다(濡上及下)'라는 뜻이라고도 한다. 『시·소아채숙(采菽)』에서 "솟아오르는 샘물 가에서(觱沸濫泉)"라고 노래했다. 일설에는 '물이 맑다(清)'라는 뜻이라고도 한다.[70] 독음은 로(盧)와 감(瞰)의 반절이다.

**7145**

**氾: 氾: 넘칠 범: 水-총5획: fàn**

---

69) 고문자에서 浮金文 孚簡牘文 등으로 그렸다. 水(물 수)가 의미부고 孚(미쁠 부)가 소리부로, 물(水)에 뜨는(孚) 것을 말한다. 이로부터 물에 떠다니는 것, 고정되지 않고 유동적인 것 등의 뜻이 나왔다.

70) 금본에서는 필불람천(觱沸濫泉)이 필불함천(觱沸檻泉)으로 되었다.

原文

氾: 濫也. 从水㔾聲. 孚梵切.

飜譯

'물이 넘쳐 퍼지다(濫)'라는 뜻이다. 수(水)가 의미부이고 절(㔾)이 소리부이다. 독음은 부(孚)와 범(梵)의 반절이다.

**7146**

泓: 泓: **깊을 홍**: 水-**총8획**: **hóng**

原文

泓: 下深皃. 从水弘聲. 烏宏切.

飜譯

'[물이] 아래로 깊은 모양(下深皃)'을 말한다. 수(水)가 의미부이고 홍(弘)이 소리부이다. 독음은 오(烏)와 굉(宏)의 반절이다.

**7147**

湋: 湋: **물돌아 흐를 위**: 水-**총12획**: **wéi**

原文

湋: 回也. 从水韋聲. 羽非切.

飜譯

'물이 소용돌이치다(回)'라는 뜻이다. 수(水)가 의미부이고 위(韋)가 소리부이다. 독음은 우(羽)와 비(非)의 반절이다.

**7148**

測: 測: **잴 측**: 水-**총12획**: **cè**

原文

𣶒: 深所至也. 从水則聲. 初側切.

飜譯

'물이 이르는 깊이[를 재다](深所至)'라는 뜻이다.[71] 수(水)가 의미부이고 칙(則)이 소리부이다. 독음은 초(初)와 측(側)의 반절이다.

**7149**

湍: 湍: **여울 단**: 水-**총12획**: **tuān**

原文

湍: 疾瀨也. 从水耑聲. 他耑切.

飜譯

'물이 세차게 흐르는 곳(疾瀨)[여울]'을 말한다. 수(水)가 의미부이고 단(耑)이 소리부이다. 독음은 타(他)와 단(耑)의 반절이다.

**7150**

淙: 淙: **물소리 종**: 水-**총11획**: **cóng**

原文

淙: 水聲也. 从水宗聲. 藏宗切.

飜譯

'물소리(水聲)'를 말한다. 수(水)가 의미부이고 종(宗)이 소리부이다. 독음은 장(藏)과 종(宗)의 반절이다.

---

71) 『단주』에서 이렇게 말했다. "물이 이르는 깊이(深所至)를 측(測)이라 하는데, 물이 이르는 깊이를 재는 것(度其深所至)도 측(測)이라 한다. 이는 얕지 않은 것(不淺)도 심(深)이라 하고, 그 깊이를 재는 것(度深)도 심(深)이라 하는 것과 같다. 오늘날에 이르러 파생 의미만 쓰이고 본래 의미는 가려지고 말았다."

**7151**

**𤅣: 激: 물결 부딪쳐 흐를 격: 水-총16획: jī**

原文

𤅣: 水礙衺疾波也. 从水敫聲. 一曰半遮也. 古歷切.

飜譯

'물이 장애물을 만나 비껴가며 급하게 물결을 일으키며 흐르다(水礙衺疾波)'라는 뜻이다. 수(水)가 의미부이고 교(敫)가 소리부이다. 일설에는 '반쯤 가리다(半遮)'라는 뜻이라고도 한다. 독음은 고(古)와 력(歷)의 반절이다.

**7152**

**洞: 洞: 골 동: 水-총9획: dòng**

原文

洞: 疾流也. 从水同聲. 徒弄切.

飜譯

'[물살이] 급하게 흐르다(疾流)'라는 뜻이다. 수(水)가 의미부이고 동(同)이 소리부이다.[72] 독음은 도(徒)와 롱(弄)의 반절이다.

**7153**

**𤅩: 潘: 큰 물결 번: 水-총21획: fān**

原文

𤅩: 大波也. 从水旛聲. 孚袁切.

72) 水(물 수)가 의미부이고 同(한 가지 동)이 소리부로, 물(水)이 같은(同) 방향으로 빠르게 흐름을 말하며, 이로부터 빠르다, 꿰뚫어보다, 통찰하다는 뜻이 나왔다. 또 물이 세차게 흘러 만든 '구멍'이라는 뜻도 나왔고, 중국 남부 소수민족의 촌락 단위를 말했으며, 한국에서는 기초 행정단위로 쓰인다.

飜譯

‘큰 물결(大波)’을 말한다. 수(水)가 의미부이고 번(旛)이 소리부이다. 독음은 부(孚)와 원(袁)의 반절이다.

**7154**

**𣶬: 洶: 물살 세찰 흉: 水-총9획: xiōng**

原文

𣶬: 涌也. 从水匈聲. 許拱切.

飜譯

‘물이 용솟음치다(涌)’라는 뜻이다. 수(水)가 의미부이고 흉(匈)이 소리부이다.[73] 독음은 허(許)와 공(拱)의 반절이다.

**7155**

**涌: 涌: 샘솟을 용: 水-총10획: yǒng**

原文

涌: 滕也. 从水甬聲. 一曰涌水, 在楚國. 余隴切.

飜譯

‘물이 위로 솟구치다(滕)’라는 뜻이다. 수(水)가 의미부이고 용(甬)이 소리부이다. 일설에는 ‘용수(涌水)를 말하는데, 초(楚)나라 땅에 있다.’라고도 한다. 독음은 여(余)와 롱(隴)의 반절이다.

73) 水(물 수)가 의미부고 匈(오랑캐 흉)이 소리부로, 물살(水)이 세차다는 뜻이다. 이로부터 물결이 용솟음치다, 소리가 크다, 기세가 등등하다 등의 뜻이 나왔는데, 새 생명이 돋아나듯(凶) 분탕질 치는 물(水)의 모습을 담았다. 간화자에서는 匈을 凶(흉할 흉)으로 줄여 汹으로 쓴다.

**7156**

**(篆字): 湁: 샘솟을 칩: 水-총12획: lì**

原文

(篆字): 湁湒, 鬻也. 从水拾聲. 丑入切.

飜譯

'칩집(湁湒)'을 말하는데, '솥에서 물이 끓어오르는 듯 물이 약하게 솟구치며 흐르다(鬻)'라는 뜻이다.[74] 수(水)가 의미부이고 습(拾)이 소리부이다. 독음은 축(丑)과 입(入)의 반절이다.

**7157**

**(篆字): 涳: 물 곧게 흐를 공: 水-총11획: kōng**

原文

(篆字): 直流也. 从水空聲. 苦江切.

飜譯

'직선으로 흐르다(直流)'라는 뜻이다. 수(水)가 의미부이고 공(空)이 소리부이다. 독음은 고(苦)와 강(江)의 반절이다.

**7158**

**(篆字): 汋: 삶을 작: 水-총6획: zhuó**

原文

---

74) 『단주』에서 이렇게 말했다. "「상림부(上林賦)」에서 '潏潏淈淈, 湁潗鼎沸.(콸콸 용솟음치다가도 천천히 흐르는 물길은, 솥 속에서 부글부글 끓어오르는 듯하네.)'이라고 했는데, 『색은(索隱)』에서 「주성잡자(周成雜字)」를 인용하여 칩집(湁潗)은 물이 끓는 모양(水沸之貌)이라고 했다. 집(潗)은 집(湒)과 같은데, 집(湒)은 또 비가 내리다(雨下)는 뜻이다. 그래서 여기에 맞지 않는다(故不類廁於此). 비(沸)는 고금자(古今字)에 해당한다. 정비(鼎沸)는 솥에 불을 때 물이 끓어오르듯 솟구치며 흐르는 것을 말한다.(水之流如爨鼎沸也)."

汋: 激水聲也. 从水勺聲. 井一有水、一無水, 謂之瀱汋. 市若切.

飜譯

'물결이 세게 부딪히는 소리(激水聲)'를 말한다. 수(水)가 의미부이고 작(勺)이 소리부이다. 우물(井)에 때로는 물이 고였다가 때로는 물이 말랐다 하는 것을 계작(瀱汋)이라 한다. 독음은 시(市)와 약(若)의 반절이다.

**7159**

**瀱: 瀱: 우물물 계: 水-총20획: jì**

原文

瀱: 井一有水、一無水, 謂之瀱汋. 从水罽聲. 居例切.

飜譯

'우물에 때로는 물이 고였다가 때로는 물이 말랐다가 하는 것(井一有水, 一無水.)을 계작(瀱汋)이라 한다.' 수(水)가 의미부이고 계(罽)가 소리부이다. 독음은 거(居)와 례(例)의 반절이다.

**7160**

**渾: 渾: 흐릴 혼: 水-총12획: hún**

原文

渾: 混流聲也. 从水軍聲. 一曰洿下皃. 戶昆切.

飜譯

'물이 한데 뒤섞여 흐르는 소리(混流聲)'를 말한다. 수(水)가 의미부이고 군(軍)이 소리부이다. 일설에는 '더러운 물이 가라앉은 모양(洿下皃)'을 말한다.[75] 독음은 호(戶)와 곤(昆)의 반절이다.

---

75) 水(물 수)가 의미부고 軍(군사 군)이 소리부로, 큰 물결(水)이 용솟음치면서 흐르는 모양을 말하며, 이로부터 뒤섞이다, 混濁(혼탁)하다 등의 뜻이 나왔다. 간화자에서는 軍을 军으로 줄여 浑으로 쓴다.

**7161**

**𤅊: 洌: 맑을 렬: 水-총9획: liè**

原文

𤅊: 水清也. 从水列聲.『易』曰 : "井洌, 寒泉, 食." 良辪切.

飜譯

'물이 맑다(水清)'라는 뜻이다. 수(水)가 의미부이고 렬(列)이 소리부이다.『역·정괘(井卦)』(구오효)에서 "우물물이 맑고, 샘물은 차서, 마실 수 있다(井洌, 寒泉, 食.)"라고 했다. 독음은 량(良)과 설(辪)의 반절이다.

**7162**

**𣹊: 淑: 맑을 숙: 水-총11획: shū**

原文

𣹊: 清湛也. 从水叔聲. 殊六切.

飜譯

'물이 맑고 깊다(清湛)'라는 뜻이다. 수(水)가 의미부이고 숙(叔)이 소리부이다. 독음은 수(殊)와 륙(六)의 반절이다.

**7163**

**𣽏: 溶: 질펀히 흐를 용: 水-총13획: róng**

原文

𣽏: 水盛也. 从水容聲. 余隴切.

飜譯

'물이 가득하다(水盛)'라는 뜻이다. 수(水)가 의미부이고 용(容)이 소리부이다. 독음은 여(余)와 롱(隴)의 반절이다.

**7164**

**灃: 澂: 맑을 징: 水-총15획: chéng**

原文

灃: 清也. 从水, 徵省聲. 直陵切.

飜譯

'물이 맑다(清)'라는 뜻이다. 수(水)가 의미부이고, 징(徵)의 생략된 부분이 소리부이다. 독음은 직(直)과 릉(陵)의 반절이다.

**7165**

**淸: 清: 맑을 청: 水-총11획: qīng**

原文

淸: 朖也. 澂水之皃. 从水青聲. 七情切.

飜譯

'물이 투명하다(朖)'라는 뜻이다. '물이 맑아 밑이 들여다보이는 모양(澂水之皃)'을 말한다. 수(水)가 의미부이고 청(青)이 소리부이다.[76] 독음은 칠(七)과 정(情)의 반절이다.

**7166**

**湜: 湜: 물 맑을 식: 水-총12획: shí**

原文

76) 고문자에서 淸清簡牘文 등으로 그렸다. 水(물 수)가 의미부고 青(푸를 청)이 소리부로, 물(水)이 깨끗하여(青) 맑고 명징함을 말한다. 이로부터 다른 불순물이 들지 않은 순수하고 정결함을 뜻하게 되었고, 분명하다, 조용하다, 깨끗하다, 청렴하다의 뜻도 나왔다. 또 왕조 이름으로 1644~1911년까지 존속했으며 北京(북경)에 수도를 두었다.

湜: 水清底見也. 从水是聲. 『詩』曰 : "湜湜其止." 常職切.

飜譯

'물이 맑아 바닥까지 보이다(水清底見)'라는 뜻이다. 수(水)가 의미부이고 시(是)가 소리부이다. 『시·패풍·곡풍(谷風)』에서 "파랗게 맑을 때가 있다네요(湜湜其止)"라고 노래했다. 독음은 상(常)과 직(職)의 반절이다.

**7167**

**潣: 潣: 물 졸졸 흘러내릴 민: 水-총15획: mǐn**

原文

潣: 水流浼浼皃. 从水閔聲. 眉殞切.

飜譯

'물이 졸졸 흐르는 모양(水流浼浼皃)'을 말한다. 수(水)가 의미부이고 민(閔)이 소리부이다. 독음은 미(眉)와 운(殞)의 반절이다.

**7168**

**滲: 滲: 스밀 삼: 水-총14획: shèn**

原文

滲: 下漉也. 从水參聲. 所禁切.

飜譯

'아래로 물이 새 나가다(下漉)'라는 뜻이다. 수(水)가 의미부이고 참(參)이 소리부이다.[77] 독음은 소(所)와 금(禁)의 반절이다.

---

77) 水(물 수)가 의미부고 參(석 삼·삼성 참·간여할 참)이 소리부로, 어떤 틈이라도 비집고 드는 (參) 물(水)의 속성을 그렸다.

제11권

**7169**

**:** 潿: **땅 이름 위**: 水-**총15획: wéi**

原文

: 不流濁也. 从水圍聲. 羽非切.

飜譯

'흐르지 않는 탁한 물(不流濁)'을 말한다. 수(水)가 의미부이고 위(圍)가 소리부이다. 독음은 우(羽)와 비(非)의 반절이다.

**7170**

**:** 溷: **어지러울 혼**: 水-**총13획: hùn**

原文

: 亂也. 一曰水濁皃. 从水圂聲. 胡困切.

飜譯

'어지럽다(亂)'라는 뜻이다. 일설에는 '물이 혼탁한 모양(水濁皃)'을 말한다고도 한다. 수(水)가 의미부이고 환(圂)이 소리부이다.[78] 독음은 호(胡)와 곤(困)의 반절이다.

**7171**

**:** 淈: **흐릴 굴**: 水-**총11획: gǔ**

原文

: 濁也. 从水屈聲. 一曰滒泥. 一曰水出皃. 古忽切.

飜譯

---

78) 고문자에서 古陶文 등으로 그렸다. 水(물 수)가 의미부고 圂(뒷간 혼)이 소리부로, '뒷간'을 말하는데, 원래 圂으로 써 돼지(豕)가 우리(口·위) 속에 갇힌 모습을 그렸다. 돼지우리는 항상 배설물 등으로 축축하기에 水(물 수)를 더해 의미를 강화했다. 간화자에서는 混(섞을 혼)에 통합되었다.

‘물이 탁하다(濁)’라는 뜻이다. 수(水)가 의미부이고 굴(屈)이 소리부이다. 일설에는 ‘진창(滒泥)’을 말한다고도 한다. 또 일설에는 ‘물이 흘러가는 모양(水出皃)’을 말한다고도 한다. 독음은 고(古)와 홀(忽)의 반절이다.

7172

**𣶒: 漩: 도래샘 선: 水-총10획: xuán**

原文

𣶒: 回泉也. 从水, 旋省聲. 似沿切.

飜譯

‘빙 돌아서 흐르는 샘물(回泉) 즉 도래샘’을 말한다. 수(水)가 의미부이고, 선(旋)의 생략된 부분이 소리부이다. 독음은 사(似)와 연(沿)의 반절이다.

7173

**𣿣: 漼: 깊은 모양 최: 水-총14획: cuǐ**

原文

漼: 深也. 从水崔聲. 『詩』曰 : “有漼者淵.” 七罪切.

飜譯

‘물이 깊다(深)’라는 뜻이다. 수(水)가 의미부이고 최(崔)가 소리부이다. 『시·소아소변(小弁)』에서 “깊은 연못가에는(有漼者淵)”이라고 노래했다. 독음은 칠(七)과 죄(罪)의 반절이다.

7174

**淵: 淵: 못 연: 水-총11획: yuān**

原文

淵: 回水也. 从水, 象形. 左右, 岸也. 中象水皃. 𣶒, 淵或省水. 𡆮, 古文从口、水. 烏玄切.

飜譯

'소용돌이치는 물(回水)'을 말한다. 수(水)가 의미부이고, 상형이다. 오른쪽과 왼쪽은 기슭(岸)을 그렸고, 중간(中)은 물의 모양을 그렸다.79) 연(𣶒)은 연(淵)의 혹체자인데, 수(水)가 생략된 모습이다. 연(㘨)은 고문체인데, 위(口)와 수(水)로 구성되었다. 독음은 오(烏)와 현(玄)의 반절이다.

**7175**

**濔: 濔: 치렁치렁할 니·미: 水-총17획: nǐ**

原文

濔: 滿也. 从水爾聲. 奴礼切.

飜譯

'물이 가득 차다(滿)'라는 뜻이다. 수(水)가 의미부이고 이(爾)가 소리부이다. 독음은 노(奴)와 례(礼)의 반절이다.

**7176**

**澹: 澹: 담박할 담: 水-총16획: dàn**

原文

澹: 水搖也. 从水詹聲. 徒濫切.

飜譯

'물결이 흔들리다(水搖)'라는 뜻이다. 수(水)가 의미부이고 첨(詹)이 소리부이다. 독

79) 고문자에서 [glyph]甲骨文 [glyph] [glyph] [glyph]金文 [glyph]簡牘文 등으로 그렸다. 水(물 수)가 의미부고 𣶒(못 연)이 소리부로, '못'을 말한다. 원래는 𣶒(㘨)으로 써 물(水)을 가두어 놓은(口) 연못을 말했는데 이후 다시 水를 더해 淵이 되었다. 깊은 연못이 원래 뜻이고, 심오함을 뜻하기도 했다. 이후 물이 한곳으로 모이는 곳이 연못이라는 뜻에서 사람이나 물자가 모이는 곳을 말하기도 했다. 『설문』에서처럼 㘨으로 쓰기도 한다. 간화자에서는 𣶒을 간단하게 줄여 渊으로 쓴다.

음은 도(徒)와 람(濫)의 반절이다.

7177

**灊: 潯: 물 가 심: 水-총15획: xún**

原文

灊: 旁深也. 从水尋聲. 徐林切.

飜譯

'물 가 쪽이 깊다(旁深)'라는 뜻이다. 수(水)가 의미부이고 심(尋)이 소리부이다. 독음은 서(徐)와 림(林)의 반절이다.

7178

**泙: 泙: 물소리 평: 水-총8획: píng**

原文

泙: 谷也. 从水平聲. 符兵切.

飜譯

'계곡(谷)'을 말한다. 수(水)가 의미부이고 평(平)이 소리부이다. 독음은 부(符)와 병(兵)의 반절이다.

7179

**泏: 泏: 물 흘러나올 출: 水-총8획: chù**

原文

泏: 水皃. 从水出聲. 讀若窋. 竹律切.

飜譯

'물이 흘러나오는 모양(水皃)'을 말한다. 수(水)가 의미부이고 출(出)이 소리부이다. 줄(窋)과 같이 읽는다. 독음은 죽(竹)과 률(律)의 반절이다.

**7180**

**灊: 灊: 물 이를 천: 水-총20획: quán**

原文

灊: 水至也. 从水薦聲. 讀若尊. 又在甸切.

飜譯

'물이 이르다(水至)'라는 뜻이다. 수(水)가 의미부이고 천(薦)이 소리부이다. 존(尊)과 같이 읽는다. 독음은 또 재(在)와 전(甸)의 반절이다.

**7181**

**滴: 滴: 젖을 적: 水-총18획: dí**

原文

滴: 土得水沮也. 从水豴聲. 讀若麴. 竹隻切.

飜譯

'흙과 물이 섞여 진흙이 되다(土得水沮)'라는 뜻이다. 수(水)가 의미부이고 지(豴)가 소리부이다. 적(麴)과 같이 읽는다. 독음은 죽(竹)과 척(隻)의 반절이다.

**7182**

**滿: 滿: 찰 만: 水-총14획: mǎn**

原文

滿: 盈溢也. 从水㒼聲. 莫旱切.

飜譯

'물이 차서 넘치다(盈溢)'라는 뜻이다. 수(水)가 의미부이고 만(㒼)이 소리부이다.[80]

80) 고문자에서 滿古陶文 등으로 그렸다. 水(물 수)가 의미부고 㒼(평평할 만)이 소리부로, 물(水)이 넘칠 정도로 가득 찬 것을 말하며, 이로부터 가득 채우다, 충만, 飽滿(포만) 등의 뜻이

독음은 막(莫)과 한(旱)의 반절이다.

**7183**

**滑: 滑: 미끄러울 활: 水-총13획: huá**

原文

滑: 利也. 从水骨聲. 戶八切.

飜譯

'물이 잘 소통되다(利)'라는 뜻이다. 수(水)가 의미부이고 골(骨)이 소리부이다.[81] 독음은 호(戶)와 팔(八)의 반절이다.

**7184**

**濇: 濇: 껄끄러울 색: 水-총16획: sè**

原文

濇: 不滑也. 从水嗇聲. 色立切.

飜譯

'물이 잘 소통되지 못하다(不滑)'라는 뜻이다. 수(水)가 의미부이고 색(嗇)이 소리부이다. 독음은 색(色)과 립(立)의 반절이다.

**7185**

**澤: 澤: 못 택: 水-총16획: zé**

原文

澤: 光潤也. 从水睪聲. 丈伯切.

---

나왔다.

81) 고문자에서 [古文字]簡牘文 등으로 그렸다. 水(물 수)가 의미부고 骨(뼈 골)이 소리부로, 매끄럽다는 뜻인데, 반들반들한 뼈(骨)에 물이 떨어졌을 때의 '미끄러움'이라는 뜻을 반영했다. 이후 스케이트나 스키를 타다, 狡猾(교활)하다 등의 뜻도 나왔다.

飜譯

‘광택이 나다(光潤)’라는 뜻이다. 수(水)가 의미부이고 역(睪)이 소리부이다.[82] 독음은 장(丈)과 백(伯)의 반절이다.

**7186**

: 淫: **음란할 음**: 水-**총11획**: **yín**

原文

: 侵淫隨理也. 从水㸒聲. 一曰久雨爲淫. 余箴切.

飜譯

‘무늬 결을 따라 점차 스며들다(侵淫隨理)’라는 뜻이다. 수(水)가 의미부이고 음(㸒)이 소리부이다. 일설에는 ‘비가 오랫동안 오는 것(久雨)을 음(淫)이라 한다’라고도 한다.[83] 독음은 여(余)와 잠(箴)의 반절이다.

**7187**

: 瀸: **적실 첨**: 水-**총20획**: **jiān**

原文

: 漬也. 从水韱聲. 『爾雅』曰 : “泉一見一否爲瀸.” 子廉切.

飜譯

‘담그다(漬)’라는 뜻이다. 수(水)가 의미부이고 섬(韱)이 소리부이다. 『이아·석수(釋

---

82) 고문자에서 古璽文 石刻古文 등으로 그렸다. 水(물 수)가 의미부고 睪(엿볼 역)이 소리부로, 광택이 나다가 원래 뜻인데, 흐르지 않고 고여 있는 물(水)은 잔잔하여 햇살을 반사해 광택이 난다는 뜻을 담았다. 이후 ‘못’이나 ‘沼澤(소택)’의 일반적인 지칭이 되었고, 은혜나 恩澤(은택) 등의 뜻도 나왔다. 간화자에서는 睪을 㚔으로 간단하게 줄여 泽으로 쓴다.

83) 고문자에서 簡牘文 石刻古文 등으로 그렸다. 水(물 수)가 의미부고 㸒(가까이할 음)이 소리부로, 물(水)이 스며들어 결을 따라 흐름을 말한다. 일설에는 오랫동안 비가 오는 것을 말한다고도 한다.

水)』에서 "샘물이 때로는 나왔다가 때로는 말랐다 하는 것(泉一見一否)을 첨(瀸)이라 한다"라고 했다.[84] 독음은 자(子)와 렴(廉)의 반절이다.

**7188**

泆: **끓을 일**: 水-총8획: yì

原文

: 水所蕩泆也. 从水失聲. 夷質切.

飜譯

'물이 세차게 출렁이다(水所蕩泆)'라는 뜻이다. 수(水)가 의미부이고 실(失)이 소리부이다. 독음은 이(夷)와 질(質)의 반절이다.

**7189**

潰: **무너질 궤**: 水-총15획: kuì

原文

: 漏也. 从水貴聲. 胡對切.

飜譯

'물이 새다(漏)'라는 뜻이다. 수(水)가 의미부이고 귀(貴)가 소리부이다. 독음은 호(胡)와 대(對)의 반절이다.

**7190**

沴: **해칠 려**: 水-총8획: lì

原文

: 水不利也. 从水㐱聲. 『五行傳』曰: "若其沴作." 郎計切.

---

84) 『이아소』에서 "어떤 때는 나오다가 어떤 때는 나오지 않아 말라버리는 샘을 말했다. 물의 양이 적음을 말한다."라고 했다.

飜譯

'물이 잘 소통되지 않다(水不利)'라는 뜻이다. 수(水)가 의미부이고 진(㐱)이 소리부이다. 『홍범(洪範)·오행전(五行傳)』에서 "여섯 가지 기운이 서로 해치게 된다(若其沴作)"라고 했다.[85] 독음은 랑(郎)과 계(計)의 반절이다.

**7191**

: 淺: **얕을 천**: 水-**총11획**: qiǎn

原文

: 不深也. 从水戔聲. 七衍切.

飜譯

'물이 깊지 않다(不深)'라는 뜻이다. 수(水)가 의미부이고 전(戔)이 소리부이다.[86] 독음은 칠(七)과 연(衍)의 반절이다.

**7192**

: 沚: **섬 지**: 水-**총9획**: zhǐ

原文

: 水暫益且止, 未減也. 从水寺聲. 直里切.

飜譯

'물이 잠시 늘어났다가 멈추어 있으나 줄지도 않는 것(水暫益且止, 未減.)'을 말한

---

85) 『단주』에서 이렇게 말했다. "「오행전(五行傳)」에서 '若其沴作'이라고 했는데, 기(其)는 육(六)이 되어야 한다. 잘못된 글자이다. 「오행전(五行傳)」은 복생(伏生)의 『홍범(洪範)·오행전(五行傳)』을 말한다. '若六沴作'은 『홍범·오행전』에 보이는 글이다. 정현에 의하면, 여(沴)는 진(殄)과 같다고 했고, 복건(服虔)은 여(沴)는 해(害)와 같다고 했다. 사마표(司馬彪)는 「오행전」의 이 말을 인용하여 기운이 서로를 상하게 하는 것(氣之相傷)을 여(沴)라고 한다고 했다."

86) 고문자에서 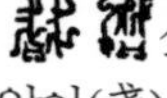 金文 등으로 그렸다. 水(물 수)가 의미부고 戔(쌓일 전)이 소리부로, 물(水)이 많지 않아(戔) '깊지 않음'을 말하며, 상하 혹은 내외간의 거리가 짧음도 뜻하게 되었다. 간화자에서는 戔을 戋으로 간단하게 줄인 浅으로 쓴다.

다. 수(水)가 의미부이고 사(寺)가 소리부이다. 독음은 직(直)과 리(里)의 반절이다.

7193

**渻: 渻: 내 이름 성: 水-총12획: shěng**

原文

渻: 少減也. 一曰水門. 又, 水出丘前謂之渻丘. 从水省聲. 息并切.

飜譯

'물이 조금씩 줄어들다(少減)'라는 뜻이다. 일설에는 '수문(水門)'을 말한다고도 한다. 또 '물이 구릉 앞부분에서 나오는 것(水出丘前)을 성구(渻丘)라고도 한다.' 수(水)가 의미부이고 성(省)이 소리부이다. 독음은 식(息)과 병(并)의 반절이다.

7194

**淖: 淖: 진흙 뇨: 水-총11획: nào**

原文

淖: 泥也. 从水卓聲. 奴教切.

飜譯

'진흙(泥)'을 말한다. 수(水)가 의미부이고 탁(卓)이 소리부이다. 독음은 노(奴)와 교(教)의 반절이다.

7195

**濢: 濢: 눅눅할 취: 水-총17획: cuì, zuì**

原文

濢: 小溼也. 从水翠聲. 遵誄切.

飜譯

'조금 습하다(小溼)'라는 뜻이다. 수(水)가 의미부이고 취(翠)가 소리부이다. 독음은 준(遵)과 뢰(誄)의 반절이다.

**7196**

**溽: 溽: 무더울 욕: 水-총13획: rù**

原文

溽: 溼暑也. 从水辱聲. 而蜀切.

飜譯

'무덥다(溼暑)'라는 뜻이다. 수(水)가 의미부이고 욕(辱)이 소리부이다. 독음은 이(而)와 촉(蜀)의 반절이다.

**7197**

**涅: 涅: 개흙 열·앙금흙 날: 水-총10획: niè**

原文

涅: 黑土在水中也. 从水从土, 日聲. 奴結切.

飜譯

'물속에 든 검은 흙(黑土在水中) 즉 개흙'을 말한다. 수(水)가 의미부이고 토(土)도 의미부이고, 일(日)이 소리부이다. 독음은 노(奴)와 결(結)의 반절이다.

**7198**

**滋: 滋: 불을 자: 水-총12획: zī**

原文

滋: 益也. 从水兹聲. 一曰滋水, 出牛飲山白陘谷, 東入呼沱. 子之切.

飜譯

'불어나다(益)'라는 뜻이다. 수(水)가 의미부이고 자(兹)가 소리부이다. 일설에는 '자수(滋水)를 말한다고도 하는데, 우음산(牛飲山)의 백경곡(白陘谷)에서 발원하여 동으로 호타하(呼沱)로 흘러든다.' 독음은 자(子)와 지(之)의 반절이다.

**7199**

**𣶸: 涺: 검푸를 홀: 水-총11획: wěn, hū**

原文

𣶸: 青黑色. 从水曶聲. 呼骨切.

飜譯

'검푸른 색(青黑色)'을 말한다. 수(水)가 의미부이고 물(曶)이 소리부이다. 독음은 호(呼)와 골(骨)의 반절이다.

**7200**

**浥: 浥: 젖을 읍: 水-총10획: yì**

原文

浥: 溼也. 从水邑聲. 於及切.

飜譯

'축축하다(溼)'라는 뜻이다. 수(水)가 의미부이고 읍(邑)이 소리부이다. 독음은 어(於)와 급(及)의 반절이다.

**7201**

**沙: 沙: 모래 사: 水-총7획: shā**

原文

沙: 水散石也. 从水从少. 水少沙見. 楚東有沙水. 𣲡, 譚長說: 沙或从尐. 尐, 子結切. 所加切.

飜譯

'물에 의해 부서진 돌(水散石)[모래]'을 말한다. 수(水)가 의미부이고 소(少)도 의미부이다. 물이 줄어들면 모래가 드러난다. 초(楚)나라 땅 동쪽에 사수(沙水)가 있다.[87] 사(𣲡)는 담장(譚長)의 설에 의하면, 사(沙)의 혹체자인데, 절(屮)로 구성되었다. 절(屮)의 독음은 자(子)와 결(結)의 반절이다. [사(沙)의] 독음은 소(所)와 가(加)의 반절이다.

**7202**

**瀨: 瀨: 여울 뢰: 水-총19획: lài**

原文

瀨: 水流沙上也. 从水賴聲. 洛帶切.

飜譯

'물이 모래위로 흐르다(水流沙上)'라는 뜻이다. 수(水)가 의미부이고 뢰(賴)가 소리부이다. 독음은 락(洛)과 대(帶)의 반절이다.

**7203**

**濆: 濆: 뿜을 분: 水-총15획: fén**

原文

濆: 水厓也. 从水賁聲. 『詩』曰: "敦彼淮濆." 符分切.

飜譯

'물 가(水厓)'를 말한다. 수(水)가 의미부이고 분(賁)이 소리부이다. 『시·대아·상무(常武)』에서 "회수 가에서 치고 죽이고 하며(敦彼淮濆)"라고 노래했다.[88] 독음은 부

---

87) 고문자에서 [古文字] 金文 [古文字] 古陶文 [古文字] 簡牘文 등으로 그렸다. 水(물 수)가 의미부고 少(적을 소)가 소리부로, 물(水) 가에 있는 작은(少) 모래알을 말하며, 이로부터 모래톱이나 沙洲(사주), 사막 등의 뜻이 나왔다. 물 가의 작은 모래알이라는 뜻에서 매우 가늘고 작은 입자나 사물을 뜻하기도 한다. 달리 石(돌 석)으로 구성된 砂(모래 사)로 쓰기도 한다.

88) 돈피회분(敦彼淮濆)이 금본에서는 포돈회분(鋪敦淮濆)으로 되었다. 『단주』에서 이렇게 말했다 "『시·대아』의 포돈회분(鋪敦淮濆)에 대해 『전(傳)』에서 분(濆)은 낭떠러지(厓)를 말한다고 했다. 「주남(周南)」에서 준피여분(遵彼汝墳)이라 했는데, 『전』에서 분(墳)은 큰 둑(大防)을 말한다고 했다. 그렇다면 분(濆)과 분(墳)은 확연하게 차이가 남을 알 수 있다." 그리고 돈피회

(符)와 분(分)의 반절이다.

**7204**

**𣸈: 涘: 물 가 사: 水-총10획: sì**

原文

𣸈: 水厓也. 从水矣聲. 『周書』曰 : "王出涘." 牀史切.

飜譯

'물 가(水厓)'를 말한다. 수(水)가 의미부이고 의(矣)가 소리부이다. 『주서(周書)』[89]에서 "왕께서 배에서 나와 강의 언덕으로 올라가셨다(王出涘)"라고 했다. 독음은 상(牀)과 사(史)의 반절이다.

**7205**

**𣲢: 汻: 물 이름 오: 水-총7획: hǔ**

原文

𣲢: 水厓也. 从水午聲. 呼古切.

飜譯

'물 가(水厓)'를 말한다. 수(水)가 의미부이고 오(午)가 소리부이다. 독음은 호(呼)와

---

분(敦彼淮濆)에서의 돈피(敦彼)는 "당연히 포돈(鋪敦)의 오류이다. 이에 대해 『전(箋)』에서는 진둔(陳屯) 즉 '진을 치다'는 뜻이다."라고 했다.

89) 『단주』에서 이렇게 말했다. "『주서』에서 '王出涘'라 했는데, 『시·주송(周頌)·사문(思文)』의 전(箋)에서 '무왕이 맹진을 건너는데, 흰 물고기들이 뛰어올라 배속으로 들었다. 강의 언덕으로 올라가셔서 료 제사를 드렸다(武王渡孟津, 白魚躍入于舟, 出涘以燎.)'라고 했다. 『정의(正義)』에서는 「대서(大誓)」에서 이렇게 말했다. '4월, 태자 발(發)께서 올라가 필(畢)에서 제사를 드렸다. 그리고 내려가 맹진(孟津)에 이르렀다. 태자 발께서 배에 올라탔다. 강 가운데로 가는데, 흰 물고기들이 왕자의 배 속으로 뛰어들었다. 태자께서 꿇어 앉아 물고기를 잡으셨다. 강 언덕으로 나와 료 제사를 올렸다(出涘以燎之).' 지금의 『금문상서(今文尙書)』와 『고문상서(古文尙書)』 모두에 「대서(大誓)」편이 들어 있는데, 이는 매이(枚頤)가 산정한 판본의 「대서(大誓)」편이 아니다. 허신이 인용한 「대서(大誓)」는 총 3번인데, 나머지는 수(手)부수와 복(攴)부수에 보인다."

고(古)의 반절이다.

**7206**

**氿**: 氿: **샘 궤**: 水-**총5획: guǐ**

原文

氿: 水厓枯土也. 从水九聲. 『爾雅』曰 : "水醮曰氿." 居洧切.

飜譯

'물 가의 마른 흙(水厓枯土)'을 말한다. 수(水)가 의미부이고 구(九)가 소리부이다. 『이아·석수(釋水)』에서 "물이 마른 곳(水醮)을 궤(氿)라 한다"라고 했다.[90] 독음은 거(居)와 유(洧)의 반절이다.

**7207**

**漘**: 漘: **물 가 순**: 水-**총14획: chún**

原文

漘: 水厓也. 从水脣聲. 『詩』曰 : "寘河之漘." 常倫切.

飜譯

'물 가(水厓)'를 말한다. 수(水)가 의미부이고 순(脣)이 소리부이다. 『시·위풍·벌단(伐檀)』에서 "황하 가에 놓고 보니(寘河之漘)"라고 노래했다.[91] 독음은 상(常)과 륜(倫)의 반절이다.

**7208**

**浦**: 浦: **개 포**: 水-**총10획: pǔ**

---

90) 금본 『이아』에서는 궤(氿)를 궤(厬)로 적었다.

91) 금본에서는 치하지순(寘河之漘)이 치지하지순혜(寘之河之漘兮)로 되었다. 『단주』에서 이렇게 말했다. "『시』에서 말한 치하지순(寘河之漘)을 『집운(集韵)』과 『유편(類篇)』에서는 모두 '하상유제(河上有諸)'라고 했으며, 『운회(韵會)에서도 마찬가지이다."

原文

浦: 瀕也. 从水甫聲. 滂古切.

飜譯

'물 가(瀕)'라는 뜻이다. 수(水)가 의미부이고 보(甫)가 소리부이다.92) 독음은 방(滂)과 고(古)의 반절이다.

**7209**

沚: 沚: **물 가 지**: 水-총7획: zhǐ

原文

沚: 小渚曰沚. 从水止聲. 『詩』曰: "于沼于沚." 諸市切.

飜譯

'작은 모래톱(小渚)을 지(沚)라 한다.' 수(水)가 의미부이고 지(止)가 소리부이다. 『시·소남·채빈(采蘋)』에서 "못 가에서 물 가에서(于沼于沚)"라고 노래했다. 독음은 제(諸)와 시(市)의 반절이다.

**7210**

沸: 沸: **끓을 비**: 水-총8획: fèi

原文

沸: 澤沸, 濫泉. 从水弗聲. 分勿切.

飜譯

'필비(滭沸)'를 말하는데, '물이 끓어오르듯 샘물이 솟아올라 넘치다(濫泉)'라는 뜻이다. 수(水)가 의미부이고 불(弗)이 소리부이다.93) 독음은 분(分)과 물(勿)의 반절이다.

---

92) 고문자에서 [고문자 자형] 簡牘文 등으로 그렸다. 水(물 수)가 의미부고 甫(클 보)가 소리부로, 채소밭(甫)처럼 넓게 형성된 물 가(水)를 말하며, 이로부터 강가나 바닷가라는 뜻이 나왔다.

93) 水(물 수)가 의미부고 弗(아닐 불)이 소리부로, '물이 끓다'는 뜻인데, 물이 끓으면 물(水)이 아닌(弗) 기체의 상태로 변한다는 뜻을 반영했다. 이로부터 물이 끓다, 물이 끓어오르다, 물이

**7211**

: 潨: **물들이 총**: 水-**총15획: cōng, zòng**

原文

: 小水入大水曰潨. 从水从眾. 『詩』曰 : "鳧鷖在潨." 徂紅切.

飜譯

'작은 물이 큰물로 흘러들어가는 것(小水入大水)을 총(潨)이라 한다.' 수(水)가 의미부이고 중(眾)도 의미부이다. 『시·대아·부예(鳧鷖)』에서 "물오리와 갈매기가 합수머리에 노는데(鳧鷖在潨)"라고 노래했다. 독음은 조(徂)와 홍(紅)의 반절이다.

**7212**

: 派: **물갈래 파**: 水-**총9획: pài**

原文

: 別水也. 从水从𠂢, 𠂢亦聲. 匹賣切.

飜譯

'갈라진 물줄기(別水) 즉 지류'를 말한다. 수(水)가 의미부이고 파(𠂢)도 의미부인데, 파(𠂢)는 소리부도 겸한다. 독음은 필(匹)과 매(賣)의 반절이다.

**7213**

: 汜: **지류 사**: 水-**총6획: sì**

原文

: 水別復入水也. 一曰汜, 窮瀆也. 从水巳聲. 『詩』曰: "江有汜." 詳里切.

飜譯

---

용솟음치다 등의 뜻이 나왔다.

‘주류에서 갈라진 지류가 다시 합쳐지다(水別復入水)’라는 뜻이다. 일설에는 ‘사(汜)는 끝이 막힌 도랑(窮瀆)’을 말한다고도 한다. 수(水)가 의미부이고 사(巳)가 소리부이다. 『시·소남·강유사(江有汜)』에서 “장강에 사수 있는데(江有汜) [큰 강물도 작은 강물과 함께 흐르네]”라고 노래했다. 독음은 상(詳)과 리(里)의 반절이다.

**7214**

**𣶒: 湀: 물이 솟아 흐를 규: 水-총12획: kuí**

原文

𣶒: 湀辟, 深水處也. 从水癸聲. 求癸切.

飜譯

‘규벽(湀辟)’을 말하는데, ‘물이 깊은 곳(深水處)’을 말한다. 수(水)가 의미부이고 계(癸)가 소리부이다. 독음은 구(求)와 계(癸)의 반절이다.

**7215**

**濘: 濘: 진창 녕: 水-총17획: nìng**

原文

濘: 滎濘也. 从水寧聲. 乃定切.

飜譯

‘형녕(滎濘) 즉 아주 작은 물길’을 말한다. 수(水)가 의미부이고 녕(寧)이 소리부이다. 독음은 내(乃)와 정(定)의 반절이다.

**7216**

**滎: 滎: 실개천 형: 水-총14획: xíng**

原文

滎: 絕小水也. 从水, 熒省聲. 戶扃切.

飜譯

‘대단히 작은 물길(絕小水)’을 말한다. 수(水)가 의미부이고, 형(熒)의 생략된 부분이 소리부이다.[94] 독음은 호(戶)와 경(扃)의 반절이다.

**7217**

**洼: 洼: 웅덩이 와: 水-총9획: wā**

原文

洼: 深池也. 从水圭聲. 一佳切.

飜譯

‘깊은 연못(深池)’을 말한다. 수(水)가 의미부이고 규(圭)가 소리부이다. 독음은 일(一)과 가(佳)의 반절이다.

**7218**

**漥: 漥: 웅덩이 와: 水-총14획: wā**

原文

漥: 淸水也. 一曰窊也. 从水窐聲. 一穎切.

飜譯

‘맑은 물(淸水)’을 말한다. 일설에는 ‘움푹 꺼진 땅(窊)’을 말한다고도 한다. 수(水)가 의미부이고 규(窐)가 소리부이다. 독음은 일(一)과 영(穎)의 반절이다.

**7219**

**潢: 潢: 웅덩이 황: 水-총15획: huáng**

---

94) 고문자에서 古陶文 등으로 그렸다. 水(물 수)가 의미부고 榮(꽃 영)의 생략된 모습이 소리부로, 폭이 매우 좁고 작은 개천(水)을 말한다. 또 하남성에 있는 강 이름으로 쓰여 滎水(형수)를, 못 이름으로 쓰여 滎澤(형택)을 말한다. 간화자에서는 윗부분의 炏(불 성할 개)를 艹(풀 초)로 줄여 荥으로 쓴다.

原文

潢: 積水池. 从水黃聲. 乎光切.

飜譯

'물을 가두어 두는 연못(積水池)'을 말한다. 수(水)가 의미부이고 황(黃)이 소리부이다. 독음은 호(乎)와 광(光)의 반절이다.

**7220**

沼: 沼: **늪 소**: 水-**총8획**: **zhǎo**

原文

沼: 池水. 从水召聲. 之少切.

飜譯

'작은 연못(池水)'을 말한다.[95] 수(水)가 의미부이고 소(召)가 소리부이다. 독음은 지(之)와 소(少)의 반절이다.

**7221**

湖: 湖: **호수 호**: 水-**총12획**: **hú**

原文

湖: 大陂也. 从水胡聲. 揚州浸, 有五湖. 浸, 川澤所仰以灌漑也. 戶吳切.

飜譯

'큰 호수(大陂)'를 말한다.[96] 수(水)가 의미부이고 호(胡)가 소리부이다. 양주(揚州)

95) 『단주』에서 이렇게 말했다. "「소남(召南)」의 『전(傳)』에서 소(沼)는 못을 말한다(池也)고 했는데, 장읍(張揖)의 『광아(廣雅)』에서도 마찬가지이다. 그러나 현응(玄應)의 『중경음의(衆經音義)』에서 인용한 것에서는 두 번 모두 '작은 못을 말한다(小池也)'고 했다.

96) 『단주』에서 '大陂也'에 대해 이렇게 말했다. "부(阜)부수에서 피(陂)에 대해 일설에는 못을 말한다(一曰池也)라고 했다. 그렇다면 대피(大陂)는 큰 못을 말한다(大池也). 옛날 말에 '홍극(鴻隙·汝南에 있던 지명)의 대피(大陂)'라는 말이 있고. '汪汪若千頃陂(망망대해처럼 광대함)'라는 말도 있는데, 모두 커다란 못을 말한다(大池也). 지(池)는 물이 모이는 곳(鍾水)인데, 호

지역에는 물이 범람하여 만들어진 다섯 개의 대표적 호수(五湖)가 있다. 물이 범람하여 만들어진 호수(浸)는 내와 연못이 기대어 관개를 가능하게 하는 곳(川澤所仰以灌漑)이다.[97] 독음은 호(戶)와 오(吳)의 반절이다.

**7222**

**汥: 汥: 물 나뉘어 흐를 지: 水-총7획: zhī**

原文

汥: 水都也. 从水支聲. 章移切.

飜譯

'물을 가두어 모으다(水都)'라는 뜻이다. 수(水)가 의미부이고 지(支)가 소리부이다. 독음은 장(章)과 이(移)의 반절이다.

**7223**

**洫: 洫: 봇도랑 혁: 水-총9획: xù**

原文

洫: 十里爲成. 成閒廣八尺、深八尺謂之洫. 从水血聲. 『論語』曰: "盡力于溝洫." 況逼切.

飜譯

'가로 세로 사방 십리(里) 되는 것을 성(成)이라 하는데, 성(成) 사이로 너비가 8자(尺), 깊이가 8자(尺)로 된 도랑을 혁(洫)이라 한다.' 수(水)가 의미부이고 혈(血)이 소리부이다. 『논어·태백(泰伯)』에서 "있는 힘을 다해 봇도랑을 뚫는다(盡力于溝洫)"라고 했다. 독음은 황(況)과 핍(逼)의 반절이다.

---

(湖)는 물이 매우 많이 모여 있는 큰 호수를 말한다."

97) 고문자에서 [金文 자형]金文 [簡牘文 자형]簡牘文 등으로 그렸다. 水(물 수)가 의미부고 胡(턱밑 살 호)가 소리부로, 물(水)을 저장하는 호수를 말한다. 또 호남성과 호북성을 뜻하거나, 절강성의 湖州(호주)시를 지칭하기도 한다.

**7224**

**溝: 溝: 봇도랑 구: 水-총13획: gōu**

原文

溝: 水瀆. 廣四尺、深四尺. 从水冓聲. 古侯切.

飜譯

'봇물을 대거나 빼도록 만든 도랑(水瀆), 즉 봇도랑'을 말한다. 너비가 4자(尺), 깊이가 4자(尺)이다. 수(水)가 의미부이고 구(冓)가 소리부이다.[98] 독음은 고(古)와 후(侯)의 반절이다.

**7225**

**瀆: 瀆: 도랑 독: 水-총18획: dú**

原文

瀆: 溝也. 从水賣聲. 一曰邑中溝. 徒谷切.

飜譯

'도랑(溝)'을 말한다. 수(水)가 의미부이고 매(賣)가 소리부이다. 일설에는 '성읍 속에 있는 도랑(邑中溝)'을 말한다고도 한다. 독음은 도(徒)와 곡(谷)의 반절이다.

**7226**

**渠: 渠: 도랑 거: 水-총12획: qú**

原文

---

98) 고문자에서 溝簡牘文 등으로 그렸다. 水(물 수)가 의미부이고 冓(짤 구)가 소리부로, 논에 물(水)을 잘 댈 수 있도록 이리저리 구조물(冓)처럼 파 놓은 도랑이나 그렇게 생긴 구조물을 말하며, 물을 대듯 소통하다는 뜻도 나왔다. 간화자에서는 소리부인 冓를 勾(굽을 구)로 바꾼 沟로 쓴다.

渠: 水所居. 从水, 榘省聲. 彊魚切.

飜譯

'물을 가두어 두는 곳(水所居)'을 말한다. 수(水)가 의미부이고, 구(榘)의 생략된 부분이 소리부이다. 독음은 강(彊)과 어(魚)의 반절이다.

**7227**

瀶: 瀶: **골짜기 림**: 水-**총20획: lín**

原文

瀶: 谷也. 从水臨聲. 讀若林. 一曰寒也. 力尋切.

飜譯

'골짜기(谷)'를 말한다. 수(水)가 의미부이고 림(臨)이 소리부이다. 림(林)과 같이 읽는다. 일설에는 '춥다(寒)'라는 뜻이라고도 한다. 독음은 력(力)과 심(尋)의 반절이다.

**7228**

湄: 湄: **물 가 미**: 水-**총12획: méi**

原文

湄: 水艸交爲湄. 从水眉聲. 武悲切.

飜譯

'수초가 자라나는 물 가(水艸交)[물과 풀이 만나는 곳]를 미(湄)라고 한다.' 수(水)가 의미부이고 미(眉)가 소리부이다. 독음은 무(武)와 비(悲)의 반절이다.

**7229**

洐: 洐: **도랑물 내려갈 행**: 水-**총9획: xíng**

原文

洐: 溝水行也. 从水从行. 戶庚切.

譯註
'도랑물이 내려가다(溝水行)'라는 뜻이다. 수(水)가 의미부이고 행(行)도 의미부이다. 독음은 호(戶)와 경(庚)의 반절이다.

7230

澗: 澗: 계곡의 시내 간: 水-총15획: jiàn

原文

澗: 山夾水也. 从水閒聲. 一曰澗水, 出弘農新安, 東南入洛. 古莧切.

譯註

'계곡 사이의 시냇물(山夾水)'을 말한다. 수(水)가 의미부이고 간(閒)이 소리부이다.[99] 일설에는 '간수(澗水)를 말하는데[100], 홍농(弘農)군 신안(新安)현에서 발원하여, 동남쪽의 낙수(洛)로 흘러든다.'라고도 한다. 독음은 고(古)와 환(莧)의 반절이다.

7231

澳: 澳: 깊을 오: 水-총16획: ào

原文

澳: 隈, 厓也. 其內曰澳, 其外曰隈. 从水奧聲. 於六切.

譯註

'외(隈)를 말하는데, 물 가의 낭떠러지(厓)'라는 뜻이다. 안쪽을 오(澳), 바깥쪽을 외(隈)라고 한다.[101] 수(水)가 의미부이고 오(奧)가 소리부이다. 독음은 어(於)와 륙(六)

99) 水(물 수)가 의미부이고 閒(사이 간)이 소리부로, 계곡의 중간(閒)으로 물(水·수)이 흘러 만들어진 '시내'를 말하며, 달리 水 대신 石(돌 석)이 들어간 磵(계곡의 시내 간)으로 쓰기도 한다.

100) 간수(澗水)는 하남성 낙양의 서쪽에 있는 신안현(新安縣) 남쪽의 백석산(白石山)에 있다. 『산해경』에서 "백석(白石)이라는 산(山)이 있는데 혜수(惠水)가 그곳의 남쪽에서 발원하여 동남쪽의 낙수(洛水)로 흘러든다. 간수(澗水)는 그곳의 북쪽에서 발원하여 북쪽의 곡(谷)으로 흘러든다. 세상에서는 이 산을 광양산(廣陽山)이라 하고 이 물을 적안수(赤岸水)라 하는데 달리 석자간(石子澗)이라고도 한다."고 했다.

의 반절이다.

**7232**

: 澩: **잦은 샘 학**: 水-총17획: xué

原文

: 夏有水, 冬無水, 曰澩. 从水, 學省聲. 讀若學. ⿰氵學, 澩或不省. 胡角切.

譯註

'여름이 되면 물이 나오다가, 겨울이 되면 마르는 샘(夏有水, 冬無水.)을 학(澩)이라 한다.' 수(水)가 의미부이고, 학(學)의 생략된 부분이 소리부이다. 학(學)과 같이 읽는다. 학(⿰氵學)은 학(澩)의 혹체자인데, 생략되지 않은 모습이다. 독음은 호(胡)와 각(角)의 반절이다.

**7233**

: ⿰氵鷬: **물에 적셨다 말릴 한**: 水-총25획: tān

原文

: 水濡而乾也. 从水鷬聲. 『詩』曰 : "⿰氵鷬其乾矣." 灘, 俗⿰氵鷬从隹. 呼旰切.

譯註

'물에 젖었다가 마르다(水濡而乾)'라는 뜻이다. 수(水)가 의미부이고 탄(鷬)이 소리부이다. 『시·왕풍·중곡유퇴(中谷有蓷)』에서 "[골짜기에 익모초 있는데] 가뭄에 말라 있네(⿰氵鷬其乾矣)"라고 노래했다.[102] 한(灘)은 한(⿰氵鷬)의 속체인데, 추(隹)로 구성되었다.

---

101) 『단주』에서는 외(隈)와 애(厓)를 나누지 않고, 이렇게 말했다. "물 가의 낭떠러지를 말한다(隈厓也). 강 낭떠러지의 안쪽을 오(澳)라 하고, 강 낭떠러지의 바깥쪽을 국(鞫)이라 하는데, 국(鞫)을 옛날에는 외(隈)로 적었다. 그래서 지금 바로 잡는다. 『이아』에서 애(厓)와 안(岸)에 대해 설명하면서, 오(隩)와 외(隈)는 낭떠러지(厓)를 말하는데, 안쪽을 오(隩), 바깥쪽을 국(鞫)이라 한다고 했다. 곽박은 주석에서 외(隈)자는 낭떠러지의 위에 속한 부분을, 애(厓)자는 낭떠러지의 아래에 속한 부분으로 풀이하고, 이로써 허신의 말을 바로 잡았다. 하지만 곽박의 해설이 틀렸다."

독음은 호(呼)와 간(旰)의 반절이다.

**7234**

**𣲢: 汕: 오구 산: 水-총6획: shàn**

原文

𣲢: 魚游水皃. 从水山聲. 『詩』曰:"蒸然汕汕." 所晏切.

飜譯

'물고기가 물에서 노니는 모양(魚游水皃)'을 말한다. 수(水)가 의미부이고 산(山)이 소리부이다. 『시·소아·남유가어(南有嘉魚)』에서 "[남녘엔 좋은 물고기들이] 득실득실 헤엄치네(蒸然汕汕)"라고 노래했다. 독음은 소(所)와 안(晏)의 반절이다.

**7235**

**𣲙: 決: 터질 결: 水-총7획: jué**

原文

𣲙: 行流也. 从水从夬. 廬江有決水, 出於大別山. 古穴切.

飜譯

'[물꼬를 터] 물길이 흘러가게 하다(行流)'라는 뜻이다. 수(水)가 의미부이고 쾌(夬)도 의미부이다.[103] 노강(廬江)에 결수(決水)가 있는데, 대별산(大別山)에서 발원한다.[104] 독음은 고(古)와 혈(穴)의 반절이다.

---

102) 금본에서는 한(灘)이 한(暵)으로 되었다.

103) 고문자에서 𣲙簡牘文 등으로 그렸다. 水(물 수)가 의미부이고 夬(터놓을 쾌·깍지 결)가 소리부로, 물(水)이 터져(夬) 저장되었던 곳으로부터 쏟아져 나감을 말한다. 속자나 간화자에서는 水를 冫(얼음 빙)으로 바꾼 决로 쓴다. 『옥편(玉篇)』에서부터 보인다.

104) 대별상(大別山)은 안휘성, 호북성, 하남성의 경계에 걸쳐 있는 산으로, 서쪽으로는 동백산(桐柏山), 동쪽으로는 곽산(霍山, 혹은 皖山)과 장팔령(張八嶺)을 접하는, 동서 길이가 380킬로미터, 남북 폭이 약 175킬로미터에 이르는 산이다. 평균 해발은 500~800미터에 이르며, 장강과 회수의 분수령이 되는 산이다.

7236

灤: 灤: **새어 흐를 란**: 水-**총23획**: luán

原文

灤: 漏流也. 从水䜌聲. 洛官切.

飜譯

'물이 새어 흐르다(漏流)'라는 뜻이다. 수(水)가 의미부이고 련(䜌)이 소리부이다. 독음은 락(洛)과 관(官)의 반절이다.

7237

滴: 滴: **물방울 적**: 水-**총14획**: dī

原文

滴: 水注也. 从水啻聲. 都歷切.

飜譯

'물을 대다(水注)'라는 뜻이다. 수(水)가 의미부이고 시(啻)가 소리부이다. 독음은 도(都)와 력(歷)의 반절이다.

7238

注: 注: **물 댈 주**: 水-**총8획**: zhù

原文

注: 灌也. 从水主聲. 之戍切.

飜譯

'물을 대다(灌)'라는 뜻이다. 수(水)가 의미부이고 주(主)가 소리부이다. 독음은 지(之)와 수(戍)의 반절이다.

7239

**渋: 渋: 물 댈 옥: 水-총11획: wò**

原文

渋: 漑灌也. 从水芺聲. 烏鵠切.

飜譯

'관개(漑灌) 즉 논밭에 물을 대다'라는 뜻이다. 수(水)가 의미부이고 요(芺)가 소리부이다. 독음은 오(烏)와 곡(鵠)의 반절이다.

7240

**澘: 澘: 방죽 책: 水-총11획: zé**

原文

澘: 所以攡水也. 从水昔聲. 『漢律』曰: "及其門首洒澘." 所責切.

飜譯

'둘러싸 물길을 막아주는 방죽(所以攡水)'을 말한다. 수(水)가 의미부이고 석(昔)이 소리부이다. 한나라 때의 법률(漢律)에서 "다른 사람의 집 앞에다 방죽을 만드는 것[을 금지했다](及其門首洒澘)"라고 했다. 독음은 소(所)와 책(責)의 반절이다.



7241

**澨: 澨: 물 가 서: 水-총16획: shì**

原文

澨: 埤增水邊土. 人所止者. 从水筮聲. 『夏書』曰: "過三澨." 時制切.

飜譯

'물 가에다 흙을 더하여 방죽을 쌓아 사람들이 살 수 있도록 한 곳(埤增水邊土. 人所止者)'을 말한다. 수(水)가 의미부이고 서(筮)가 소리부이다. 『서·하서(夏書)·우공(禹貢)』에서 "삼서수를 지나 [대별산에 이른다](過三澨)[105]"라고 했다. 독음은 시(時)

와 제(制)의 반절이다.

**7242**

**津: 津: 나루 진: 水-총9획: jīn**

原文

津: 水渡也. 从水𦘔聲. 𦨈, 古文津从舟从淮. 將鄰切.

飜譯

'물을 건너는 곳(水渡)[나루]'을 말한다. 수(水)가 의미부이고 진(𦘔)이 소리부이다.106) 진(𦨈)은 진(津)의 고문체인데, 주(舟)도 의미부이고 회(淮)도 의미부이다. 독음은 장(將)과 린(鄰)의 반절이다.

**7243**

**淜: 淜: 걸어서 물 건널 빙: 水-총11획: bēng**

原文

淜: 無舟渡河也. 从水朋聲. 皮冰切.

飜譯

'배 없이 걸어서 강을 건너다(無舟渡河)'라는 뜻이다. 수(水)가 의미부이고 붕(朋)이 소리부이다. 독음은 피(皮)와 빙(冰)의 반절이다.

---

105) 강 이름으로 지금의 호북성 천문시(天門市) 남쪽에 있으며, 한천(漢川)을 경유하여 한수(漢水)로 흘러든다.

106) 고문자에서 金文 古陶文 簡牘文 등으로 그렸다. 水(물 수)와 聿(붓 율)로 구성되어 배를 타고 물을 건너는 모습을 그렸다. 갑골문에서는 손에 삿대를 쥐고 배 위에 선 사람의 모습을 그려 '강을 건너다'나 강을 건너는 곳(나루터)의 의미를 그렸고, 금문에서는 淮(강이름 회)와 舟(배 주)로 구성되어 배(舟)를 타고 건너는 강이 회수(淮)임을 구체화했다. 소전체 이후 水가 의미부이고 𦘔(붓을 꾸밀 진)이 소리부인 구조로 변했다가, 예서 이후 지금의 자형이 되었다. 현대에 들어서는 침이나 분비물, 물에 젖어 촉촉하다는 뜻도 가진다.

7244

**𣸣: 潢: 나루 횡: 水-총19획: héng**

原文

𣸣: 小津也. 从水横聲. 一曰以船渡也. 戶孟切.

飜譯

'작은 나루(小津)'를 말한다. 수(水)가 의미부이고 횡(横)이 소리부이다. 일설에는 '배를 타고 물을 건너다(以船渡)'라는 뜻이라고도 한다. 독음은 호(戶)와 맹(孟)의 반절이다.

7245

**泭: 泭: 떼 부: 水-총8획: fū**

原文

泭: 編木以渡也. 从水付聲. 芳無切.

飜譯

'[나무로 엮은] 뗏목을 타고 물을 건너다(編木以渡)'라는 뜻이다. 수(水)가 의미부이고 부(付)가 소리부이다. 독음은 방(芳)과 무(無)의 반절이다.

7246

**渡: 渡: 건널 도: 水-총12획: dù**

原文

渡: 濟也. 从水度聲. 徒故切.

飜譯

'건너다(濟)'라는 뜻이다. 수(水)가 의미부이고 도(度)가 소리부이다.[107] 독음은 도

107) 고문자에서 渡簡牘文 등으로 그렸다. 水(물 수)가 의미부이고 度(법도 도·잴 탁)가 소리부

(徒)와 고(故)의 반절이다.

7247

**𣴼: 沿: 따를 연: 水-총8획: yán**

原文

𣴼: 緣水而下也. 从水㕣聲. 『春秋傳』曰: "王沿夏." 与專切.

飜譯

'물길을 따라서 내려가다(緣水而下)'라는 뜻이다. 수(水)가 의미부이고 연(㕣)이 소리부이다.108) 『춘추전』(『좌전』 소공 13년, B.C. 529)에서 "왕께서 하수를 따라 내려가셨다(王沿夏)109)"라고 했다. 독음은 여(与)와 전(專)의 반절이다.

7248

**𣵀: 泝: 거슬러 올라갈 소: 水-총8획: sù**

原文

𣵀: 逆流而上曰㴑洄. 㴑, 向也. 水欲下違之而上也. 从水㡿聲. 𣽏, 㴑或从朔. 桑故切.

飜譯

'역류해서 위로 올라가는 것(逆流而上)을 소회(㴑洄)라 한다. 소(㴑)는 향하다(向)라는 뜻이다. 물은 내려가려 하는데 이를 거슬러 위로 올라가다(水欲下違之而上)라는 뜻이다.' 수(水)가 의미부이고 척(㡿)이 소리부이다.110) 소(𣽏)는 소(㴑)의 혹체자인

---

로, 물(水)을 '건너다'는 뜻이며, 이로부터 나루터, 통과하다 등의 뜻도 나왔다.

108) 水(물 수)가 의미부고 㕣(산 속의 늪 연)이 소리부로, 강(水)가를 따라 내려가다는 뜻으로부터 따르다, 이어받다, 沿岸(연안) 등의 뜻이 나왔고, '길을 따라가다'의 뜻도 나왔다. 달리 沿으로 적기도 한다.

109) 하수(夏水)는 고대 강 이름이다. 『수경주(水經注)』에 의하면, 오늘날 장강의 지류로서, 초기에는 하수(夏水)라 불렀다가 한나라 때에는 한수(漢水)로 불렸는데 하수(夏水)라는 이름도 함께 사용하였다.

데, 삭(朔)으로 구성되었다. 독음은 상(桑)과 고(故)의 반절이다.

**7249**

**: 洄: 거슬러 올라갈 회: 水-총9획: huí**

原文

: 溯洄也. 从水从回. 戶灰切.

飜譯

'소회(溯洄) 즉 물을 거슬러 올라가다'라는 뜻이다. 수(水)가 의미부이고 회(回)도 의미부이다.[111] 독음은 호(戶)와 회(灰)의 반절이다.

**7250**

**: 泳: 헤엄칠 영: 水-총8획: yǒng**

原文

: 潛行水中也. 从水永聲. 爲命切.

飜譯

'물속으로 들어가서 앞으로 나아가다(潛行水中)[헤엄치다]'라는 뜻이다. 수(水)가 의미부이고 영(永)이 소리부이다.[112] 독음은 위(爲)와 명(命)의 반절이다.

110) 水(물 수)가 의미부고 朔(초하루 삭)이 소리부로, 물(水)을 거슬러 올라감을 말한다. 달리 가다는 뜻을 강조하여 辵(쉬엄쉬엄 갈 착)을 더한 遡(거슬러 올라갈 소)나 거스르다는 뜻을 강조한 斥(물리칠 척)을 쓴 泝(거슬러 올라갈 소)로 쓰기도 한다. 현대 중국에서는 遡의 간화자로도 쓰인다.

111) 고문자에서 金文 簡牘文 등으로 그렸다. 갑골문에서 물이 소용돌이치는 모양을 그렸고, 이로부터 回轉(회전), 돌다, 돌아가다, 회신하다 등의 뜻이 나왔다. 이후 이슬람 족(回族·회족)을 지칭하는 말로도 쓰였으며, 현대 중국어에서는 사건의 횟수를 나타내는 단위사로도 쓰였다. 그러자 원래의 뜻은 水(물 수)를 더한 洄(물이 빙빙 돌 회)로 분화했다. 달리 囘, 囬, 廻 등으로 쓰기도 한다.

112) 고문자에서 甲骨文 金文 盟書 石刻古文 등으로 그렸다. 원래 사람(人)이 강(水·수)에서 수영하는 모습을 그렸다. 길게 이어진 물줄기의

**7251**

**灊**: 灊: **자맥질 할 잠**: 水-**총15획**: **qián**

原文

灊: 涉水也. 一曰藏也. 一曰漢水爲灊. 从水朁聲. 昨鹽切.

飜譯

'물을 건너다(涉水)'라는 뜻이다. 일설에는 '감추다(藏)'라는 뜻이라고도 한다. 일설에는 '한수(漢水)를 잠(灊)이라 부르기도 한다'라고도 한다. 수(水)가 의미부이고 참(朁)이 소리부이다.113) 독음은 작(昨)과 염(鹽)의 반절이다.

**7252**

**淦**: 淦: **배에 괸 물 감**: 水-**총11획**: **gàn**

原文

淦: 水入船中也. 一曰泥也. 从水金聲. 汵, 淦或从今. 古暗切.

飜譯

'물이 배 안으로 스며들다(水入船中)'라는 뜻이다. 일설에는 '진흙(泥)'을 말한다고도 한다. 수(水)가 의미부이고 금(金)이 소리부이다. 감(汵)은 감(淦)의 혹체자인데, 금(今)으로 구성되었다. 독음은 고(古)와 암(暗)의 반절이다.

---

모습에서 長久(장구)하다나 永遠(영원)의 의미로 쓰이게 되었고, 그러자 원래 의미는 다시 水를 더해 泳(헤엄칠 영)으로 분화했다. 금문에서는 의미부 永에 소리부 羊(양 양)을 더한 구조인 羕(강이 길 양)으로 쓰기도 했다.

113) 고문자에서 𤅂 𤅂古璽文 등으로 그렸다. 水(물 수)가 의미부고 朁(일찍이 참)이 소리부로, 물(水)을 건너다는 뜻이다. 일설에는 감추다는 뜻이라고도 하고, 漢水(한수)를 달리 부르는 말이라고도 한다. 간화자에서는 朁을 替(쇠퇴할 체)로 간단하게 바꾸어 潜으로 쓴다.

7253

**氾: 泛: 뜰 범: 水-총8획: fàn**

原文

氾: 浮也. 从水乏聲. 孚梵切.

飜譯

'[물 위에] 뜨다(浮)'라는 뜻이다. 수(水)가 의미부이고 핍(乏)이 소리부이다.[114] 독음은 부(孚)와 범(梵)의 반절이다.

7254

**汓: 汓: 헤엄칠 수: 水-총6획: qiú**

原文

汓: 浮行水上也. 从水从子. 古或以汓爲没. 泅, 汓或从囚聲. 似由切.

飜譯

'물 위로 떠서 가다(浮行水上)'라는 뜻이다. 수(水)가 의미부이고 자(子)도 의미부이다. 옛날에는 수(汓)를 물에 빠지다(没)라는 뜻이라고도 했다. 수(泅)는 수(汓)의 혹체자인데, 수(囚)가 소리부이다. 독음은 사(似)와 유(由)의 반절이다.

제
11
권

7255

**砅: 砅: 징검다리 례: 石-총9획: lì**

原文

砅: 履石渡水也. 从水从石. 『詩』曰: "深則砅." 濿, 砅或从厲. 力制切.

114) 고문자에서 氾 簡牘文 등으로 그렸다. 水(물 수)가 의미부고 乏(가난할 핍)이 소리부로, 물(水)에 뜨다는 뜻이며, 기체나 운무 등이 가득 끼어 있다는 뜻도 나왔다. 또 배 등이 떠 다니다는 뜻도 나왔고 배로 운송하는 것을 지칭하기도 했다. 달리 汎(뜰 범)으로 쓰기도 한다.

飜譯

'돌을 밟고 물을 건너다(履石渡水)'라는 뜻이다. 수(水)가 의미부이고 석(石)도 의미부이다. 『시·패풍·포유고엽(匏有苦葉)』에서 "깊으면 옷 입은 채 건너고(深則砅)"라고 노래했다.[115] 례(濿)는 례(砅)의 혹체자인데, 려(厲)로 구성되었다. 독음은 력(力)과 제(制)의 반절이다.

**7256**

**𣿟: 湊: 모일 주: 水-총12획: còu**

原文

𣿟: 水上人所會也. 从水奏聲. 倉奏切.

飜譯

'사람들이 물위에서 회합하는 장소(水上人所會)'를 말한다. 수(水)가 의미부이고 주(奏)가 소리부이다. 독음은 창(倉)과 주(奏)의 반절이다.

**7257**

**湛: 湛: 즐길 담·잠길 잠: 水-총12획: zhàn**

原文

湛: 没也. 从水甚聲. 一曰湛水, 豫章浸. 𣽈, 古文. 宅減切.

飜譯

'물에 빠지다(没)'라는 뜻이다. 수(水)가 의미부이고 심(甚)이 소리부이다.[116] 일설에

115) 금본에서는 례(砅)가 려(厲)로 되었다. 또 김학주는 "옷을 입은 채 물을 건너는 것"이라는 『모전』의 해석에 근거하여 "깊으면 옷 입은 채 건너고"로 번역하여 다음구의 "얕으면 옷 걷고 건너지"와 맞추었다. 그러나 깊다고 옷을 입은 채 건넌다는 것은 생각해 볼 문제이다. 례(砅)가 '물'에 '돌'을 놓아 만든 '징검다리'임을 생각할 때, 옷을 걷고 건너지 못할 정도의 깊은 물은 '징검다리'로 건너다는 것이 더 합리적인 해석일 것이다.

116) 고문자에서 [古文字] [古文字]金文 [古文字]簡牘文 등으로 그렸다. 水(물 수)가 의미부이고 甚(심할 심)이 소리부로, 깊은 맛을 내는 오디(甚, 椹의 원래 글자)의 즙(水)을 맛있게 먹는다는 뜻에서

는 '담수(湛水)는 예장(豫章)에 있는 연못(浸)'이라고도 한다.117) 담(𣻆)은 고문체이다. 독음은 댁(宅)과 감(減)의 반절이다.

**7258**

**湮: 湮: 잠길 인: 水-총12획: yīn**

原文

湮: 没也. 从水垔聲. 於眞切.

飜譯

'물에 빠지다(没)'라는 뜻이다. 수(水)가 의미부이고 인(垔)이 소리부이다. 독음은 어(於)와 진(眞)의 반절이다.

**7259**

**休: 休: 빠질 닉: 水-총6획: nì**

原文

休: 没也. 从水从人. 奴歷切.

飜譯

'물에 빠지다(没)'라는 뜻이다. 수(水)가 의미부이고 인(人)도 의미부이다. 독음은 노(奴)와 력(歷)의 반절이다.

**7260**

**没: 沒: 가라앉을 몰: 水-총7획: mò**

---

'즐기다'의 뜻이 나왔다.

117) 『단주』에서 이렇게 말했다. "일설에는 담수를 말한다고도 한다. 예주에 있는 연못이다(一曰湛水, 豫州浸.)가 되어야 한다. 주(州)를 각 판본에서는 장(章)으로 적었는데, 지금 『한서·지리지』 주(注)와 『집운(集韵)』에서 인용한 것에 근거해 바로 잡는다."

原文

𣳚: 沈也. 从水从㲻. 莫勃切.

飜譯

'물에 가라앉다(沈)'라는 뜻이다. 수(水)가 의미부이고 몰(㲻)도 의미부이다. 독음은 막(莫)과 발(勃)의 반절이다.

**7261**

**𣹟**: 渨: **잠길 외**: 水-**총12획**: **wēi**

原文

𣹟: 没也. 从水畏聲. 烏恢切.

飜譯

'물에 빠지다(没)'라는 뜻이다. 수(水)가 의미부이고 외(畏)가 소리부이다. 독음은 오(烏)와 회(恢)의 반절이다.

**7262**

**𣽉**: 滃: **구름 일 옹**: 水-**총13획**: **wěng**

原文

𣽉: 雲气起也. 从水翁聲. 烏孔切.

飜譯

'구름이나 기운이 일다(雲气起)'라는 뜻이다. 수(水)가 의미부이고 옹(翁)이 소리부이다. 독음은 오(烏)와 공(孔)의 반절이다.

**7263**

**𣵀**: 泱: **끝없을 앙**: 水-**총8획**: **yāng**

原文

𣲵: 滃也. 从水央聲. 於良切.

飜譯

'구름이나 기운이 일다(滃)'라는 뜻이다. 수(水)가 의미부이고 앙(央)이 소리부이다. 독음은 어(於)와 량(良)의 반절이다.

7264

𣲵: 淒: **쓸쓸할 처**: 水-**총11획**: **qī**

原文

淒: 雲雨起也. 从水妻聲. 『詩』曰: "有渰淒淒." 七稽切.

飜譯

'비구름이 일다(雲雨起)'라는 뜻이다. 수(水)가 의미부이고 처(妻)가 소리부이다. 『시·소아대전(大田)』에서 "구름이 뭉게뭉게 일더니(有渰淒淒)"라고 노래했다. 독음은 칠(七)과 계(稽)의 반절이다.

7265

渰: 渰: **비구름 일 엄**: 水-**총12획**: **yǎn**

原文

渰: 雲雨皃. 从水弇聲. 衣檢切.

飜譯

'비구름이 이는 모양(雲雨皃)'을 말한다. 수(水)가 의미부이고 엄(弇)이 소리부이다. 독음은 의(衣)와 검(檢)의 반절이다.

7266

溟: 溟: **어두울 명**: 水-**총13획**: **míng**

原文

𣶤: 小雨溟溟也. 从水冥聲. 莫經切.

飜譯

'가랑비가 내리다(小雨溟溟)'라는 뜻이다. 수(水)가 의미부이고 명(冥)이 소리부이다. 독음은 막(莫)과 경(經)의 반절이다.

**7267**

**𣶤: 涑: 가랑비 내리는 모양 색·젖을 지: 水-총9획: zì**

原文

𣶤: 小雨零皃. 从水朿聲. 所責切.

飜譯

'가랑비가 내리는 모양(小雨零皃)'을 말한다. 수(水)가 의미부이고 자(朿)가 소리부이다. 독음은 소(所)와 책(責)의 반절이다.

**7268**

**𣶤: 瀑: 폭포 폭·포: 水-총18획: bào**

原文

𣶤: 疾雨也. 一曰沫也. 一曰瀑, 資也. 从水暴聲. 『詩』曰: "終風且瀑." 平到切.

飜譯

'[갑자기 내리는] 소나기(疾雨)'를 말한다. 일설에는 '거품(沫)'을 말한다고도 한다. 또 일설에는 폭(瀑)은 '천둥(資)'을 말한다고도 한다.[118] 수(水)가 의미부이고 폭(暴)이 소리부이다. 『시·패풍·종풍(終風)』에서 "바람이 사납게 몰아치듯 하다가도(終風且瀑)"라고 노래했다.[119] 독음은 평(平)과 도(到)의 반절이다.

118) 『단주』에서 이렇게 말했다. "일설에는 포(瀑)가 구름비를 내리는 뜻이다(霣也)라고 하였는데, 우(雨)부수에서 운(霣)은 비가 내리다는 뜻이다(雨也)고 했다. 제(齊) 지역 사람들은 우뢰(靁)를 운(霣)이라 한다."

**7269**

**澍:** 澍: **단비 주**: 水-**총15획**: **zhù**

原文

澍: 時雨, 澍生萬物. 从水尌聲. 常句切.

飜譯

'때에 맞게 내리는 비(時雨)'를 말하는데, 만물에게 단비를 내려 자라나게 한다(澍生萬物). 수(水)가 의미부이고 주(尌)가 소리부이다. 독음은 상(常)과 구(句)의 반절이다.

**7270**

**湒:** 湒: **비 올 즙·집**: 水-**총12획**: **jí**

原文

湒: 雨下也. 从水咠聲. 一曰沸涌皃. 姊入切.

飜譯

'비가 내리다(雨下)'라는 뜻이다. 수(水)가 의미부이고 집(咠)이 소리부이다. 일설에는 '물이 끓어오르는 모양(沸涌皃)'을 말한다고도 한다. 독음은 자(姊)와 입(入)의 반절이다.

**7271**

**濨:** 濨: **장마 자**: 水-**총16획**: **cí**

原文

濨: 久雨涔資也. 一曰水名. 从水資聲. 才私切.

飜譯

119) 금본에서는 포(瀑)가 포(暴)로 되었다.

'오래 내린 비로 물이 쌓이다(久雨涔資)'라는 뜻이다. 일설에는 '강 이름(水名)'이라고도 한다. 수(水)가 의미부이고 자(資)가 소리부이다. 독음은 재(才)와 사(私)의 반절이다.

**7272**

潦: **큰비 료**: 水—**총15획**: lǎo

原文

雨水大皃. 从水寮聲. 盧皓切.

飜譯

'빗방울이 큰 모양(雨水大皃)'을 말한다. 수(水)가 의미부이고 료(寮)가 소리부이다. 독음은 로(盧)와 호(皓)의 반절이다.

**7273**

濩: **퍼질 호·낙숫물 떨어질 확**: 水—**총17획**: huò

原文

雨流霤下. 从水蒦聲. 胡郭切.

飜譯

'빗물이 처마에서 떨어지다(雨流霤下)'라는 뜻이다. 수(水)가 의미부이고 확(蒦)이 소리부이다. 독음은 호(胡)와 곽(郭)의 반절이다.

**7274**

涿: **들을 탁**: 水—**총11획**: zhuó

原文

流下滴也. 从水豖聲. 上谷有涿縣. 𣅻, 奇字涿从日、乙. 竹角切.

**飜譯**

'흘러내리는 빗방울(流下滴)'을 말한다. 수(水)가 의미부이고 축(豖)이 소리부이다. 상곡(上谷)군에 탁현(涿縣)이 있다. 탁(旫)은 탁(涿)의 기자체인데, 일(日)과 을(乙)로 구성되었다. 독음은 죽(竹)과 각(角)의 반절이다.

**7275**

**: 瀧: 비 올 롱: 水-총19획: lóng**

**原文**

: 雨瀧瀧皃. 从水龍聲. 力公切.

**飜譯**

'가는 비가 몽롱하게 내리는 모양(雨瀧瀧皃)'을 말한다. 수(水)가 의미부이고 룽(龍)이 소리부이다. 독음은 력(力)과 공(公)의 반절이다.

**7276**

**: 渿: 물 쏟을 내: 水-총12획: nài**

**原文**

: 沛之也. 从水柰聲. 奴帶切.

**飜譯**

'비가 쏟아지듯 내리다(沛之)'라는 뜻이다.120) 수(水)가 의미부이고 내(柰)가 소리부이다. 독음은 노(奴)와 대(帶)의 반절이다.

120) 『단주』에서는 문장이 이상하다 하여 '渿沛也'라고 하면서 『옥편(玉篇)』에서도 그렇게 되어 있다고 했다. 그러나 내패(渿沛)가 무슨 뜻인지 알 수 없다고 했다. 어떤 판본에서는 '沛之'라고 적었는데, 『광운』, 『집운』, 『유편(類篇)』 등이 그렇게 되었다. 이 역시 들어보지 못한 단어라고 했다.

7277

**滈: 滈: 장마 호: 水-총13획: hào**

原文

滈: 久雨也. 从水高聲. 乎老切.

飜譯

'오랫동안 내리는 비(久雨)[장마]'를 말한다. 수(水)가 의미부이고 고(高)가 소리부이다. 독음은 호(乎)와 로(老)의 반절이다.

7278

**漊: 漊: 비 지적지적할 루: 水-총14획: lóu**

原文

漊: 雨漊漊也. 从水婁聲. 一曰汝南謂飲酒習之不醉爲漊. 力主切.

飜譯

'비가 지적지적 내리다(雨漊漊)'라는 뜻이다. 수(水)가 의미부이고 루(婁)가 소리부이다. 일설에는 '여남(汝南) 지역에서는 술 마시는 것에 습관이 되어 잘 취하지 않는 것(飲酒習之不醉)을 루(漊)라고 한다'라고도 한다. 독음은 력(力)과 주(主)의 반절이다.

7279

**溦: 溦: 이슬비 미: 水-총13획: wēi**

原文

溦: 小雨也. 从水, 微省聲. 無非切.

飜譯

'이슬비(小雨)'를 말한다. 수(水)가 의미부이고 미(微)의 생략된 부분이 소리부이다. 독음은 무(無)와 비(非)의 반절이다.

**7280**

**濛: 濛: 가랑비 올 몽: 水-총17획: méng**

原文

濛: 微雨也. 从水蒙聲. 莫紅切.

飜譯

'보슬비(微雨)'를 말한다. 수(水)가 의미부이고 몽(蒙)이 소리부이다. 독음은 막(莫)과 홍(紅)의 반절이다.

**7281**

**沈: 沈: 가라앉을 침·성 심: 水-총7획: shěn, shén**

原文

沈: 陵上滈水也. 从水冘聲. 一曰濁黕也. 直深切.

飜譯

'큰 언덕 움푹한 곳에 물이 고이다(陵上滈水)'라는 뜻이다. 수(水)가 의미부이고 유(冘)가 소리부이다. 일설에는 '탁한 오물 찌꺼기(濁黕)'를 말한다고도 한다.[121] 독음은 직(直)과 심(深)의 반절이다.

**7282**

**洅: 洅: 소리 내어 퍼질 재: 水-총9획: zuǐ**

原文

洅: 雷震洅洅也. 从水再聲. 作代切.

---

121) 고문자에서 甲骨文 金文 古陶文 등으로 그렸다. 水(물 수)가 의미부고 冘(머뭇거릴 유)가 소리부로, 물에 '가라앉히다'는 뜻이다. 갑골문에서는 소나 양 등 희생이 강물(水)에 빠진(冘) 모습인데, 소나 양을 강에 '빠트려' 산천에 제사를 지내던 모습을 그렸다. 간화자에서는 沉으로 쓴다.

飜譯

'우레 소리가 진동하다(雷震洅洅)'라는 뜻이다. 수(水)가 의미부이고 재(再)가 소리부이다. 독음은 작(作)과 대(代)의 반절이다.

**7283**

**𣶒**: 淊: **흙탕 함**: 水-총11획: hàn

原文

𣶒: 泥水淊淊也. 一曰繅絲湯也. 从水臽聲. 胡感切.

飜譯

'진흙이 서로 엉기다(泥水淊淊)'라는 뜻이다. 일설에는 '고치실을 삶을 때 쓰는 끓인 물(繅絲湯)'을 말한다고도 한다. 수(水)가 의미부이고 함(臽)이 소리부이다. 독음은 호(胡)와 감(感)의 반절이다.

**7284**

**𣸉**: 涵: **젖을 함**: 水-총13획: hán

原文

𣸉: 水澤多也. 从水圅聲. 『詩』曰: "僭始旣涵." 胡男切.

飜譯

'못에 물이 많다(水澤多)'라는 뜻이다. 수(水)가 의미부이고 함(圅)이 소리부이다. 『시·소아교언(巧言)』에서 "[어지러움이 처음 생겨나는 것은] 남을 모함하는데서 시작되어 자라난다네(僭始旣涵)"라고 노래했다. 독음은 호(胡)와 남(男)의 반절이다.

**7285**

**𣽀**: 澤: **젖을 여**: 水-총13획: rù

原文

渪: 漸溼也. 从水挐聲. 人庶切.

飜譯

'점차 젖어 축축해지다(漸溼)'라는 뜻이다. 수(水)가 의미부이고 나(挐)가 소리부이다. 독음은 인(人)과 서(庶)의 반절이다.

**7286**

**瀀: 瀀: 어살 우: 水-총18획: yōu**

原文

瀀: 澤多也. 从水憂聲. 『詩』曰: "旣瀀旣渥." 於求切.

飜譯

'[비가 많이 와서] 못물이 늘어나다(澤多)'라는 뜻이다. 수(水)가 의미부이고 우(憂)가 소리부이다. 『시·소아·신남산(信南山)』에서 "넉넉하고 윤택해지고(旣瀀旣渥)"라고 노래했다. 독음은 어(於)와 구(求)의 반절이다.

**7287**

**涔: 涔: 괸 물 잠: 水-총10획: cén**

原文

涔: 潰也. 一曰涔陽渚, 在郢中. 从水岑聲. 鉏箴切.

飜譯

'무너지다(潰)'라는 뜻이다. 일설에는 '잠양저(涔陽渚)를 말하는데, 영(郢) 땅에 있다'라고 한다. 수(水)가 의미부이고 잠(岑)이 소리부이다. 독음은 서(鉏)와 잠(箴)의 반절이다.

**7288**

**漬: 漬: 담글 지: 水-총14획: zì**

原文

漬: 漚也. 从水責聲. 前智切.

飜譯

'담그다(漚)'라는 뜻이다. 수(水)가 의미부이고 책(責)이 소리부이다. 독음은 전(前)과 지(智)의 반절이다.

**7289**

**漚**: 漚: **담글 구**: 水-총14획: òu

原文

漚: 久漬也. 从水區聲. 烏候切.

飜譯

'오랫동안 담가 두다(久漬)'라는 뜻이다. 수(水)가 의미부이고 구(區)가 소리부이다. 독음은 오(烏)와 후(候)의 반절이다.

**7290**

**浞**: 浞: **젖을 착**: 水-총10획: zhuó

原文

浞: 濡也. 从水足聲. 士角切.

飜譯

'젖[게 하]다(濡)'라는 뜻이다. 수(水)가 의미부이고 족(足)이 소리부이다. 독음은 사(士)와 각(角)의 반절이다.

**7291**

**渥**: 渥: **두터울 악**: 水-총12획: wò

原文

渥: 霑也. 从水屋聲. 於角切.

飜譯

'젖다(霑)'라는 뜻이다. 수(水)가 의미부이고 옥(屋)이 소리부이다. 독음은 어(於)와 각(角)의 반절이다.

**7292**

**㴾:** 㴾: **물댈 각·물소리 혹:** 水—**총13획: què**

原文

㴾: 灌也. 从水隺聲. 口角切.

飜譯

'물을 대다(灌)'라는 뜻이다. 수(水)가 의미부이고 각(隺)이 소리부이다. 독음은 구(口)와 각(角)의 반절이다.

**7293**

**洽:** 洽: **윤택하게 할 흡:** 水—**총9획: qià**

原文

洽: 霑也. 从水合聲. 矦夾切.

飜譯

'젖다(霑)'라는 뜻이다. 수(水)가 의미부이고 합(合)이 소리부이다. 독음은 후(矦)와 협(夾)의 반절이다.

**7294**

**濃:** 濃: **짙을 농:** 水—**총16획: nóng**

原文

濃: 露多也. 从水農聲. 『詩』曰 : “零露濃濃.” 女容切.

飜譯

‘이슬이 많다(露多)’라는 뜻이다. 수(水)가 의미부이고 농(農)이 소리부이다.[122] 『시·소아료소(蓼蕭)』에서 “이슬이 축축이 내리네(零露濃濃)”라고 노래했다. 독음은 녀(女)와 용(容)의 반절이다.

**7295**

瀌: 瀌: **눈 퍼부을 표**: 水-**총18획**: **biāo**

原文

瀌: 雨雪瀌瀌. 从水麃聲. 甫嬌切.

飜譯

‘비나 눈이 퍼붓다(雨雪瀌瀌)’라는 뜻이다. 수(水)가 의미부이고 포(麃)가 소리부이다. 독음은 보(甫)와 교(嬌)의 반절이다.

**7296**

濂: 濂: **물 질척질척할 렴**: 水-**총13획**: **lián**

原文

濂: 薄水也. 一曰中絕小水. 从水兼聲. 力鹽切.

飜譯

‘얇게 얼은 물(薄水)’을 말한다. 일설에는 ‘중간에 [얼어 물길이] 끊긴 곳에서 흘러나오는 시내(中絕小水)’를 말한다고도 한다. 수(水)가 의미부이고 겸(兼)이 소리부이다.[123] 독음은 력(力)과 염(鹽)의 반절이다.

---

122) 水(물 수)가 의미부이고 農(농사 농)이 소리부로, 액체(水)의 농도가 진함(農)을 말하며, 이로부터 두텁다, 정도가 심하다 등의 뜻도 나왔다. 간화자에서는 소리부인 農을 农으로 줄인 浓으로 쓴다.

**7297**

**泐: 泐: 돌 갈라질 륵: 水-총8획: lè**

原文

泐: 水石之理也. 从水从阞. 『周禮』曰: “石有時而泐.” 盧則切.

飜譯

‘물에 잠긴 돌의 무늬 결(水石之理)’을 말한다. 수(水)가 의미부이고 륵(阞)도 의미부이다. 『주례·고공기·총서(總序)』에서 “돌도 때때로 그 무늬 결 때문에 갈라지기도 한다(石有時而泐)”라고 했다. 독음은 로(盧)와 칙(則)의 반절이다.

**7298**

**滯: 滯: 막힐 체: 水-총14획: zhì**

原文

滯: 凝也. 从水帶聲. 直例切.

飜譯

‘얼어붙다(凝)[응고되다]’라는 뜻이다. 수(水)가 의미부이고 대(帶)가 소리부이다.[124] 독음은 직(直)과 례(例)의 반절이다.



123) 『단주』에서는 이 설명 다음에 ‘又曰淹也’라는 4글자를 보충해 넣고서는, 조이도(晁以道: 즉 晁說之, 1059~1129, 호는 景迂로 송나라 때의 制墨 장인이자 經學家였다)에 의하면 당나라 때 판본에서는 이 4자가 들어 있었다고 했다. 또 양상선(楊上善: 隋와 初唐 때의 인물로, 93세까지 살았다고 하며, 정사에는 기록이 없으나 관직이 太子文學에 이르렀으며, 『黃帝內經太素』 30권을 지었다고 한다.)의 『소문(素問)』 주에서 렴(溓)은 물이 잔잔한 것을 말한다(水靜也)고 했는데, 이 의미와 비슷하다. 엄(淹)자에 이런 뜻이 설명되지 않아 보충해 둔다고 했다.

124) 水(물 수)가 의미부고 帶(띠 대)가 소리부로, ‘막히다’는 뜻이다. 띠처럼 넓고 길게(帶) 흐르는 강물(水)은 무엇에 막힌 듯 천천히 느리게 흐르기 마련이고 언뜻 보면 마치 서로 엉기어(凝) 정지해 있는 듯한데, 이 때문에 ‘막히다’, 정체되다, 흐르지 않다 등의 뜻이 나왔다. 간화자에서는 帶를 带로 줄인 滞로 쓴다.

**7299**

**𣲙: 汦: 붙을 지: 水-총7획: chí**

原文

𣲙: 著止也. 从水氏聲. 直尼切.

飜譯

'달라붙어 [흐르는 것이] 멈추다(著止)'라는 뜻이다. 수(水)가 의미부이고 씨(氏)가 소리부이다. 독음은 직(直)과 니(尼)의 반절이다.

**7300**

**𤄷: 𤄷: 물 찢어져서 흩어져 나갈 괵: 水-총18획: guó**

原文

𤄷: 水裂去也. 从水虢聲. 古伯切.

飜譯

'물이 갈라져 흐르다(水裂去)'라는 뜻이다. 수(水)가 의미부이고 괵(虢)이 소리부이다.[125] 독음은 고(古)와 백(伯)의 반절이다.

**7301**

**澌: 澌: 다할 사: 水-총15획: sī**

原文

澌: 水索也. 从水斯聲. 息移切.

飜譯

'물이 다하다(水索)'라는 뜻이다. 수(水)가 의미부이고 사(斯)가 소리부이다. 독음은 식(息)과 이(移)의 반절이다.

125) 『자휘보(字彙補)』에서 '표(滮)와 같은데 물이 흐르는 모습을 말하며(水流皃), 수(水)가 의미부이고 호(彪)의 생략된 모습이 소리부이다.'라고 했다.

**7302**

**𣲜: 汔: 거의 흘: 水—총6획: qì**

原文

𣲜: 水涸也. 或曰泣下. 从水气聲. 『詩』曰: "汔可小康." 許訖切.

飜譯

'물이 마르다(水涸)'라는 뜻이다. 혹자는 '눈물이 흘러내리다(泣下)'라는 뜻이라고도 한다. 수(水)가 의미부이고 기(气)가 소리부이다. 『시·대아민로(民勞)』에서 "[백성들 매우 수고로우니] 제발 편케 하여 주시기를(汔可小康)"이라고 노래했다. 독음은 허(許)와 흘(訖)의 반절이다.

**7303**

**𣸣: 涸: 물마를 학: 水—총11획: hé**

原文

𣸣: 渴也. 从水固聲. 讀若狐貈之貈. 𣸣, 涸亦从水、鹵、舟. 下各切.

飜譯

'물이 마르다(渴)'라는 뜻이다. 수(水)가 의미부이고 고(固)가 소리부이다. 호학(狐貈)의 학(貈)과 같이 읽는다. 학(𣸣)은 학(涸)인데, 수(水)와 노(鹵)와 주(舟)로 구성되었다. 독음은 하(下)와 각(各)의 반절이다.

**7304**

**𣴎: 消: 사라질 소: 水—총10획: xiāo**

原文

𣴎: 盡也. 从水肖聲. 相幺切.

飜譯

'다 없어지다(盡)'라는 뜻이다. 수(水)가 의미부이고 초(肖)가 소리부이다.[126] 독음은 상(相)과 요(幺)의 반절이다.

**7305**

: 潐: **잦을 초**: 水-**총15획**: jiào

原文

: 盡也. 从水焦聲. 子肖切.

飜譯

'다 없어지다(盡)'라는 뜻이다. 수(水)가 의미부이고 초(焦)가 소리부이다. 독음은 자(子)와 초(肖)의 반절이다.

**7306**

: 渴: **목마를 갈**: 水-**총12획**: kě

原文

: 盡也. 从水曷聲. 苦葛切.

飜譯

'다 없어지다(盡)'라는 뜻이다. 수(水)가 의미부이고 갈(曷)이 소리부이다.[127] 독음은 고(苦)와 갈(葛)의 반절이다.

---

126) 水(물 수)가 의미부고 肖(닮을 초)가 소리부로, 물(水)이 수증기처럼 작은(肖) 크기의 물방울로 변하여 '사라져' 없어짐을 말하며, 이로부터 사라지다, 消失(소실)되다, 제거하다, 줄어들다, 消費(소비)하다 등의 뜻이 나왔다.

127) 고문자에서 金文 古璽文 등으로 그렸다. 水(물 수)가 의미부이고 曷(어찌 갈)이 소리부로, 목이 말라 입을 크게 벌리고(曷) 물(水)을 애타게 그리는 모습을 그렸다. 이로부터 '목이 마르다', '급박하다', '渴望(갈망)' 등의 뜻이 나왔으며, 消渴病(소갈병)을 지칭하기도 한다. 달리 竭(다할 갈)과 같이 쓰기도 한다.

7307

**𣹕: 漮: 빌 강: 水-총14획: kāng**

原文

𣹕: 水虛也. 从水康聲. 苦岡切.

飜譯

'물 가운데가 비다(水虛)'라는 뜻이다. 수(水)가 의미부이고 강(康)이 소리부이다. 독음은 고(苦)와 강(岡)의 반절이다.

7308

**溼: 溼: 축축할 습: 水-총13획: shī**

原文

溼: 幽溼也. 从水; 一, 所以覆也, 覆而有土, 故溼也. 㬎省聲. 失入切.

飜譯

'막혀서 축축해지다(幽溼)'라는 뜻이다. 수(水)가 의미부이고, 가로획[一]은 덮개를 상징한다. 위가 덮여 있고 그 아래로 흙이 있어 축축해진다는 뜻이다. 습(㬎)의 생략된 부분이 소리부이다. 독음은 실(失)과 입(入)의 반절이다.

7309

**湆: 湆: 축축해질 읍: 水-총12획: qì**

原文

湆: 幽溼也. 从水音聲. 去急切.

飜譯

'막혀서 축축해지다(幽溼)'라는 뜻이다. 수(水)가 의미부이고 음(音)이 소리부이다. 독음은 거(去)와 급(急)의 반절이다.

**7310**

**洿: 洿: 웅덩이 오: 水-총9획: wū**

原文

洿: 濁水不流也. 一曰窳下也. 从水夸聲. 哀都切.

飜譯

'탁한 물이 고여서 흐르지 않다(濁水不流)'라는 뜻이다. 일설에는 '움푹 꺼져 내려가다(窳下)'라는 뜻이라고도 한다. 수(水)가 의미부이고 과(夸)가 소리부이다. 독음은 애(哀)와 도(都)의 반절이다.

**7311**

**浼: 浼: 더럽힐 매: 水-총10획: měi**

原文

浼: 汙也. 从水免聲. 『詩』曰: "河水浼浼." 『孟子』曰: "汝安能浼我?" 武辠切.

飜譯

'더럽히다(汙)'라는 뜻이다. 수(水)가 의미부이고 면(免)이 소리부이다. 『시·패풍·신대(新臺)』에서 "황하 물은 평평하네(河水浼浼)"라고 노래했다.128) 『맹자·공손추(公孫丑)』(상)에서 "너는 어찌하여 나를 더럽히는가?(汝安能浼我?)"라고 했다. 독음은 무(武)와 죄(辠)의 반절이다.

128) 매매(浼浼)에 대해 『모전』에서는 "물과 땅이 거의 같은 높이로 평평한 것"을 말한다고 했다. 『단주』에서는 이렇게 보충했다. "『시』에서 '하수매매(河水浼浼·황하 물은 질펀하고)'라고 했는데, 「패풍(邶風)·신대(新臺)」의 글이다. 『모전(毛傳)』에서 매매(浼浼)는 물이 땅의 높이와 비슷하게 평평하다는 뜻이다(平地也)라고 했다. 내 생각에, 매매(浼浼)는 미미(亹亹)와 같다. 예를 들어 '亹亹文王(부지런히 힘쓰시는 문왕)'은 바로 '勉勉文王'과 같다. 『문선(文選)·오도부(吳都賦)』에서 '淸流亹亹(맑은 물길 질펀하고)'이라 했는데, 이선은 『한시(韓詩)』를 인용하여 미미(亹亹)는 물이 흘러 들어오는 모양을 말한다(水流進皃)라고 했다. 이는 필시 『모시』에서 말한 매매(浼浼)의 다른 필사법일 것이다. 지금 이선의 주에서는 매(亹)가 한 글자가 빠졌는데, 이는 옳지 않다. 허신은 『시』의 이 말을 인용하여 가차의미로 보았다."

7312

**汙: 汙: 더러울 오: 水-총6획: wū**

原文

汙: 薉也. 一曰小池爲汙. 一曰涂也. 从水于聲. 烏故切.

飜譯

'더럽다(薉)'라는 뜻이다. 일설에는 '작은 연못(小池)을 우(汙)라 한다'고도 한다. 또 일설에는 '도랑(涂)'을 말한다고도 한다. 수(水)가 의미부이고 우(于)가 소리부이다. 독음은 오(烏)와 고(故)의 반절이다.

7313

**湫: 湫: 다할 추: 水-총12획: jiǎo**

原文

湫: 隘, 下也. 一曰有湫水, 在周地.『春秋傳』曰: "晏子之宅秋隘." 安定朝那有湫泉. 从水秋聲. 子了切.

飜譯

'좁다(隘)'라는 뜻이다. '낮다(下)'라는 뜻이다. 일설에는 '추수(湫水)를 말하는데, 주(周) 나라 땅에 있다'라고도 한다.『춘추전』(『좌전』 소공 3년, B.C. 539)에서 "안자(晏子)의 집이 추애(秋隘), 즉 좁고 낮았다"라고 했다. 안정(安定)군 조나(朝那)현에 추천(湫泉)이 있다. 수(水)가 의미부이고 추(秋)가 소리부이다. 독음은 자(子)와 료(了)의 반절이다.

7314

**潤: 潤: 젖을 윤: 水-총15획: rùn**

原文

潤: 水曰潤下. 从水閏聲. 如順切.

'물(水)의 특성은 만물을 윤택하게 하고 아래로 흐르는 것이다(潤下).' 수(水)가 의미부이고 윤(閏)이 소리부이다.[129] 독음은 여(如)와 순(順)의 반절이다.

**7315**

**: 準: 수준기 준: 水-총13획: zhŭn**

原文

: 平也. 从水隼聲. 之允切.

飜譯

'[기울지 않고] 평평함(平)'을 말한다. 수(水)가 의미부이고 준(隼)이 소리부이다. 독음은 지(之)와 윤(允)의 반절이다.

**7316**

**: 汀: 물 가 정: 水-총5획: tīng**

原文

: 平也. 从水丁聲. 𣲷, 汀或从平. 他丁切.

飜譯

'[기울지 않고] 평평함(平)'을 말한다. 수(水)가 의미부이고 정(丁)이 소리부이다. 정(𣲷)은 정(汀)의 혹체자인데, 평(平)으로 구성되었다. 독음은 타(他)와 정(丁)의 반절이다.

**7317**

**: 沑: 물결 뉴·진흙 육: 水-총7획: róu**

129) 水(물 수)가 의미부고 閏(윤달 윤)이 소리부로, 물(水)에 적셔져 점차 습윤해짐을 말하며, 이로부터 恩澤(은택)이나 薰陶(훈도: 덕으로 사람의 품성이나 도덕을 가르쳐 선으로 나아가게 함) 등의 뜻이 나왔다.

原文

狃: 水吏也. 又, 溫也. 从水丑聲. 人九切.

翻譯

'물결(水吏)'을 말한다.130) 또 '따뜻하다(溫)'라는 뜻이라고도 한다. 수(水)가 의미부이고 축(丑)이 소리부이다. 독음은 인(人)과 구(九)의 반절이다.

**7318**

**瀵: 瀵: 물 스며들 분: 水-총20획: fèn**

原文

瀵: 水浸也. 从水糞聲. 『爾雅』曰: "瀵, 大出尾下." 方問切.

翻譯

'물이 스며들다(水浸)'라는 뜻이다.131) 수(水)가 의미부이고 분(糞)이 소리부이다. 『이아·석수(釋水)』에서 "분(瀵)은 바닥에서 크게 용솟음쳐 나오는 샘(大出尾下)을 말한다"라고 했다.132) 독음은 방(方)과 문(問)의 반절이다.

**7319**

**漼: 漼: 새로울 최: 水-총16획: cuǐ**

原文

130) 『단주』에서 전대흔(錢大昕)에 의하면 리(吏)는 당연히 문(文)이 되어야 한다고 했다. 그렇다면 '물결의 무늬'가 된다.

131) 『단주』에서는 '水漫也'가 되어야 한다고 하면서 이렇게 말했다. "만(漫)을 각 판본에서 침(浸)으로 적었는데 지금 『집운(集韻)』에 근거해 바로잡는다. 또 『설문』의 수(水)부수에 만(漫)자가 없기 때문에 여기서의 만(漫)은 만(曼)이 되어야 할 것이다. 만(曼)은 끌어당기다(引)는 뜻이다. 분(瀵)은 물이 들어와 넘치는 것을 말한다(水之引而愈出也). 만(曼)과 분(瀵)은 독음도 비슷하다." 그렇게 되면 '물이 흘러넘쳐 질펀하다'라는 뜻이 된다.

132) 『이아주』에서 "지금 하동(河東)군 분음(汾陰)현에 물구멍이 있는데, 수레바퀴 정도의 크기이다. 거기서 물이 솟구쳐 나오는데 그 깊이가 한도 없어 분(瀵)이라 한다. 좌풍익(左馮翊)군 합양(郃陽)현에도 이러한 분(瀵)이 있는데, 마찬가지이다."라고 했다.

𣾰: 新也. 从水辠聲. 七辠切.

飜譯

'[물빛이] 새롭다(新)'라는 뜻이다. 수(水)가 의미부이고 죄(辠)가 소리부이다. 독음은 칠(七)과 죄(辠)의 반절이다.

**7320**

**瀞: 瀞: 맑을 정: 水-총19획: jìng**

原文

瀞: 無垢薉也. 从水靜聲. 疾正切.

飜譯

'찌꺼기나 때가 없다(無垢薉)[맑다]'라는 뜻이다. 수(水)가 의미부이고 정(靜)이 소리부이다. 독음은 질(疾)과 정(正)의 반절이다.

**7321**

**濊: 濊: 닦아 없앨 말: 水-총18획: mò**

原文

濊: 拭滅皃. 从水蔑聲. 莫達切.

飜譯

'닦아 없애는 모양(拭滅皃)'을 말한다. 수(水)가 의미부이고 멸(蔑)이 소리부이다. 독음은 막(莫)과 달(達)의 반절이다.

**7322**

**泧: 泧: 큰물 월: 水-총8획: yuè**

原文

泧: 濊泧也. 从水戉聲. 讀若椒樧之樧. 火活切.

---

飜譯

'닦아 없애다(濊滅)'라는 뜻이다. 수(水)가 의미부이고 월(戉)이 소리부이다. 초살(椒榝: 아첨꾼)의 살(榝)과 같이 읽는다. 독음은 화(火)와 활(活)의 반절이다.

**7323**

**洎: 洎: 물 부을 계: 水-총9획: jì**

原文

洎: 灌釜也. 从水自聲. 其冀切.

飜譯

'가마솥에 물을 붓다(灌釜)'라는 뜻이다. 수(水)가 의미부이고 자(自)가 소리부이다. 독음은 기(其)와 기(冀)의 반절이다.

**7324**

**湯: 湯: 넘어질 탕: 水-총12획: tāng**

原文

湯: 熱水也. 从水昜聲. 土郎切.

飜譯

'뜨거운 물(熱水)'을 말한다. 수(水)가 의미부이고 양(昜)이 소리부이다.[133] 독음은 토(土)와 랑(郎)의 반절이다.

---

133) 고문자에서 [古文字形]金文 [古文字形]古陶文 [古文字形]簡牘文 [古文字形]帛書 [古文字形]古璽文 [古文字形]石刻古文 등으로 그렸다. 水(물 수)가 의미부고 昜(볕 양)이 소리부로, 햇볕처럼(昜, 陽의 원래 글자) 뜨거운 국물(水)을 말한다. 이로부터 뜨겁게 끓이다의 뜻도 나왔으며, 탕을 지칭하기도 한다. 간화자에서는 昜을 𠃓으로 간단하게 줄여 汤으로 쓴다.

제11권

**7325**

**𣸹**: 渜: **목욕물 난**: 水-**총12획**: nuán, nuàn

原文

𣸹: 湯也. 从水耎聲. 乃管切.

飜譯

'뜨거운 물(湯)'을 말한다. 수(水)가 의미부이고 연(耎)이 소리부이다. 독음은 내(乃)와 관(管)의 반절이다.

**7326**

**𣲳**: 洝: **더운물 안**: 水-**총9획**: àn

原文

𣲳: 渜水也. 从水安聲. 烏旰切.

飜譯

'뜨거운 물(渜水)'을 말한다. 수(水)가 의미부이고 안(安)이 소리부이다. 독음은 오(烏)와 간(旰)의 반절이다.

**7327**

**洏**: 洏: **삶을 이**: 水-**총9획**: ér

原文

洏: 洝也. 一曰煑孰也. 从水而聲. 如之切.

飜譯

'뜨거운 물(洝)'을 말한다. 일설에는 '푹 익히다(煑孰)'라는 뜻이라고도 한다. 수(水)가 의미부이고 이(而)가 소리부이다. 독음은 여(如)와 지(之)의 반절이다.

7328

**涗: 涗: 잿물 세: 水-총10획: shuì**

原文

涗: 財溫水也. 从水兌聲. 『周禮』曰: "以涗漚其絲." 輸芮切.

飜譯

'미지근한 물(財溫水)'을 말한다.[134] 수(水)가 의미부이고 태(兌)가 소리부이다. 『주례·고공기·황씨(㡆氏)』에서 "미지근한 물로 비단실을 담근다(以涗漚其絲)"라고 했다. 독음은 수(輸)와 예(芮)의 반절이다.

7329

**涫: 涫: 끓을 관: 水-총11획: guàn**

原文

涫: 鬻也. 从水官聲. 酒泉有樂涫縣. 古丸切.

飜譯

'끓[이]다(鬻)'라는 뜻이다. 수(水)가 의미부이고 관(官)이 소리부이다. 주천(酒泉)군에 낙관현(樂涫縣)이 있다. 독음은 고(古)와 환(丸)의 반절이다.

7330

**涾: 涾: 솟아 넘칠 답: 水-총11획: tà**

原文

涾: 涫溢也. 今河朔方言謂沸溢爲涾. 从水沓聲. 徒合切.

飜譯

'끓어올라 넘치다(涫溢)'라는 뜻이다. 지금의 하삭(河朔)[135] 방언(方言)에서는 비익

134) 왕균의 『구두』에서 "재(財)는 재(才)의 가차자이며, 재온(財溫)은 그다지 뜨겁지 않다(不太熱也)라는 말이다"라고 했다.

(沸溢: 끓어 넘치는 것)을 답(涾)이라 한다. 수(水)가 의미부이고 답(沓)이 소리부이다. 독음은 도(徒)와 합(合)의 반절이다.

**7331**

**汏: 汏: 일 대: 水-총6획: dà**

原文

汏: 淅灡也. 从水大聲. 代何切.

飜譯

'쌀을 일다(淅灡)'라는 뜻이다. 수(水)가 의미부이고 대(大)가 소리부이다. 독음은 대(代)와 하(何)의 반절이다.

**7332**

**灡: 灡: 물 이름 간: 水-총21획: jiǎn**

原文

灡: 淅也. 从水簡聲. 古限切.

飜譯

'쌀을 일다(淅)'라는 뜻이다. 수(水)가 의미부이고 간(簡)이 소리부이다. 독음은 고(古)와 한(限)의 반절이다.

**7333**

**淅: 淅: 쌀 일 석: 水-총11획: xī**

原文

---

135) 하삭(河朔)은 지역 이름인데, 옛날에는 황하(黃河) 이북 지역을 말했다. 예컨대, 『송사(宋史)·지리지(地理志)』에서 "황하 이북 지역은 폭이 2천리나 되는데 평탄하여 아무런 험준한 지형이 없다.(河朔幅員二千里, 地平夷無險阻.)"라고 한 것이 그렇다.

淅: 汏米也. 从水析聲. 先擊切.

飜譯

'쌀을 일다(汏米)'라는 뜻이다. 수(水)가 의미부이고 석(析)이 소리부이다. 독음은 선(先)과 격(擊)의 반절이다.

**7334**

**滰: 滰: 거를 경: 水-총14획: jìng**

原文

滰: 浚乾漬米也. 从水竟聲. 『孟子』曰: "夫子去齊, 滰淅而行." 其兩切.

飜譯

'물에 담가 불려 놓은 쌀을 건져 말리다(浚乾漬米)'라는 뜻이다. 수(水)가 의미부이고 경(竟)이 소리부이다. 『맹자·만장(萬章)』(하)에서 "공자께서 제나라를 떠나실 때, 이미 담가 놓았던 쌀을 건져서 말려 가셨다(夫子去齊, 滰淅而行.)"라고 했다. 독음은 기(其)와 량(兩)의 반절이다.

**7335**

**溲: 溲: 오줌 수: 水-총12획: sǒu**

原文

溲: 浸渶也. 从水叜聲. 疏有切.

飜譯

'담가 놓았던 쌀을 건져 다시 물을 뿌리다(浸渶)'라는 뜻이다.[136] 수(水)가 의미부이

136) 『단주』에서는 '渶汏也'가 되어야 한다고 하면서, 요태(渶汏)를 각 판본에서는 침요(浸沃)라 적었는데, 지금 『국어보음(國語補音)』의 송간본(宋刊本)에 근거해 바로 잡는다고 했다. 그리고 이렇게 말했다. "요태(沃汏)는 물을 섞어 묽게 하여 술로 거르다(澆沃而汏酒之)는 뜻인데, 오늘날 말하는 면(麪)이 바로 그것이다. 『의례·사우례(士虞禮)』에서 '명제수주(明齊溲酒: 새 물로 빚은 술)'라 했는데 주석에서 명제(明齊)는 새 물(新水)을 말하는데, 새로운 물로 이 술을 빚다는 뜻(以新水溲釀此酒也)이라고 했다, 그렇다면 수(溲)는 바로 요태(沃汏)라는 뜻이다."

고 수(叜)가 소리부이다. 독음은 소(疏)와 유(有)의 반절이다.

**7336**

**浚: 깊을 준: 水-총10획: jùn**

原文

浚: 杼也. 从水夋聲. 私閏切.

譯

'얕게 하다(杼)'라는 뜻이다.137) 수(水)가 의미부이고 준(夋)이 소리부이다. 독음은 사(私)와 윤(閏)의 반절이다.

**7337**

**瀝: 거를 력: 水-총19획: lì**

原文

瀝: 浚也. 从水歷聲. 一曰水下滴瀝. 郎擊切.

譯

'걸러내다(浚)'라는 뜻이다. 수(水)가 의미부이고 력(歷)이 소리부이다. 일설에는 '물이 아래로 뚝뚝 떨어지다(水下滴瀝)'라는 뜻이라고도 한다. 독음은 랑(郎)과 격(擊)의 반절이다.

**7338**

**漉: 거를 록: 水-총14획: lù**

---

137) 『단주』에서 이렇게 말했다. "서(抒)는 읍(挹: 떠내다)이라는 뜻인데, 물속에서 퍼내다는 뜻이다. 『춘추(春秋)』의 경문(經文)에서 준주(浚洙)라 한 것을 『맹자』에서는 '使浚井(우물을 파게 했다)'이라 했고, 『좌전』에서는 '浚我以生(나의 재산을 퍼내서 목숨을 살렸다)'이라 했는데 의미는 모두 같다. 퍼낸 즉 깊어진다(浚之則深). 그래서 「소변(小弁)」의 『전』에서 준(浚)은 깊다는 뜻이다(深也)라고 했다."

原文

漉: 浚也. 从水鹿聲. 盧谷切.

飜譯

'걸러내다(浚)'라는 뜻이다. 수(水)가 의미부이고 록(鹿)이 소리부이다. 독음은 로(盧)와 곡(谷)의 반절이다.

**7339**

**潘: 潘: 뜨물 반: 水-총15획: pān**

原文

潘: 淅米汁也. 一曰水名, 在河南滎陽. 从水番聲. 普官切.

飜譯

'쌀을 일 때 생기는 물(淅米汁) 즉 뜨물'을 말한다. 일설에는 '강 이름(水名)으로 하남(河南)군 형양(滎陽)현에 있다'라고도 한다. 수(水)가 의미부이고 번(番)이 소리부이다. 독음은 보(普)와 관(官)의 반절이다.

**7340**

**瀾: 灡: 뜨물 란: 水-총24획: lán**

原文

灡: 潘也. 从水蘭聲. 洛干切.

飜譯

'쌀뜨물(潘)'을 말한다. 수(水)가 의미부이고 란(蘭)이 소리부이다. 독음은 락(洛)과 간(干)의 반절이다.

**7341**

**泔: 泔: 뜨물 감: 水-총8획: gān**

原文

: 周謂潘曰泔. 从水甘聲. 古三切.

飜譯

'주(周) 지역에서는 쌀뜨물(潘)을 감(泔)이라 한다.' 수(水)가 의미부이고 감(甘)이 소리부이다. 독음은 고(古)와 삼(三)의 반절이다.

**7342**

: 滫: **뜨물 수**: 水-**총14획**: **xiǔ**

原文

: 久泔也. 从水脩聲. 息流切.

飜譯

'오래된 뜨물(久泔)'을 말한다. 수(水)가 의미부이고 수(脩)가 소리부이다. 독음은 식(息)과 류(流)의 반절이다.

**7343**

: 澱: **앙금 전**: 水-**총16획**: **diàn**

原文

: 滓滋也. 从水殿聲. 堂練切.

飜譯

'앙금(滓滋)'을 말한다. 수(水)가 의미부이고 전(殿)이 소리부이다. 독음은 당(堂)과 련(練)의 반절이다.

**7344**

: 淤: **진흙 어**: 水-**총11획**: **yū**

原文

淤: 澱滓, 濁泥. 从水於聲. 依據切.

飜譯

'앙금(澱滓)'을 말하며, '탁한 진흙(濁泥)'을 말한다. 수(水)가 의미부이고 어(於)가 소리부이다. 독음은 의(依)와 거(據)의 반절이다.

**7345**

**滓: 滓: 찌끼 재: 水-총13획: zǐ**

原文

滓: 澱也. 从水宰聲. 阻史切.

飜譯

'앙금(澱)'을 말한다. 수(水)가 의미부이고 재(宰)가 소리부이다. 독음은 조(阻)와 사(史)의 반절이다.

**7346**

**淰: 淰: 흐릴 심: 水-총11획: niǎn, shěn**

原文

淰: 濁也. 从水念聲. 乃忝切.

飜譯

'탁하다(濁)'라는 뜻이다. 수(水)가 의미부이고 념(念)이 소리부이다. 독음은 내(乃)와 첨(忝)의 반절이다.

**7347**

**瀹: 瀹: 데칠 약: 水-총20획: yuè**

原文

: 漬也. 从水龠聲. 以灼切.

飜譯

'물에 담가 두다(漬)'라는 뜻이다. 수(水)가 의미부이고 약(龠)이 소리부이다. 독음은 이(以)와 작(灼)의 반절이다.

**7348**

: 灑: **술 거를 초**: 水-총20획: **jiǎo**

原文

: 釃酒也. 一曰浚也. 从网从水, 焦聲. 讀若『夏書』"天用勦絕". 子小切.

飜譯

'술을 거르다(釃酒)'라는 뜻이다. 일설에는 '이슬처럼 맑다(浚)'라는 뜻이라고도 한다. 망(网)이 의미부이고 수(水)도 의미부이고, 초(焦)가 소리부이다. 『서·하서(夏書)·감서(甘誓)』에서 "천용초절(天用勦絕·하늘은 이로써 국운을 끊어버렸네)"의 초(勦)와 같이 읽는다. 독음은 자(子)와 소(小)의 반절이다.

**7349**

: 漀: **그릇에 물 따를 경**: 水-총15획: **qīng, qìng**

原文

: 側出泉也. 从水殸聲. 殸, 籀文磬字. 去挺切.

飜譯

'옆으로 흘러나오는 샘(側出泉)'을 말한다. 수(水)가 의미부이고 성(殸)이 소리부이다. 성(殸)은 경(磬)의 주문(籀文)체이다. 독음은 거(去)와 정(挺)의 반절이다.

**7350**

**[篆]: 湑: 거를 서: 水-총12획: xǔ**

原文

[篆]: 茜酒也. 一曰浚也. 一曰露皃. 从水胥聲. 『詩』曰: "有酒湑我." 又曰: "零露湑兮." 私呂切.

飜譯

'술을 거르다(茜酒)'라는 뜻이다. 일설에는 '긁어 파내다(浚)'라는 뜻이라고도 한다. 또 일설에는 '이슬이 맺힌 모양(露皃)'을 말한다고도 한다. 수(水)가 의미부이고 서(胥)가 소리부이다. 『시·소아벌목(伐木)』에서 "술 있으면 거르고(有酒湑我)"라고 노래했다. 또 『시·소아육소(蓼蕭)』에서 "이슬이 촉촉이 내리네(零露湑兮)"라고 노래했다. 독음은 사(私)와 려(呂)의 반절이다.

**7351**

**[篆]: 湎: 빠질 면: 水-총12획: miǎn**

原文

[篆]: 沈於酒也. 从水面聲. 『周書』曰 : "罔敢湎于酒." 彌兗切.

飜譯

'술에 탐닉하다(沈於酒)'라는 뜻이다. 수(水)가 의미부이고 면(面)이 소리부이다. 『서·주서(周書)·주고(酒誥)』에서 "감히 술에 탐닉해 살지 말라(罔敢湎于酒)"라고 했다. 독음은 미(彌)와 연(兗)의 반절이다.

**7352**

**[篆]: 𤅢: 초 장: 爿-총12획: jiāng**

原文

[篆]: 酢𤅢也. 从水, 將省聲. [篆], 古文𤅢省. 即良切.

飜譯

‘식초(酢漿)’를 말한다. 수(水)가 의미부이고, 장(將)의 생략된 부분이 소리부이다. 장([illegible])은 장(漿)의 고문체인데, 생략된 모습이다. 독음은 즉(即)과 량(良)의 반절이다.

**7353**

**涼: 涼: 서늘할 량: 水-총11획: liáng**

原文

涼: 薄也. 从水京聲. 呂張切.

飜譯

‘담박한 술(薄)’을 말한다.[138] 수(水)가 의미부이고 경(京)이 소리부이다. 독음은 려(呂)와 장(張)의 반절이다.

**7354**

**淡: 淡: 묽을 담: 水-총11획: dàn**

原文

淡: 薄味也. 从水炎聲. 徒敢切.

---

138) 『단주』에서 이렇게 말했다. “량(涼)자를 여기에다 배열한 것은 육음(六飲)의 량(涼)이 장(漿)과 비슷했기 때문이다. 정사농(鄭司農, 즉 鄭衆)은 량(涼)을 두고 물을 술에 타는 것이다(以水和酒也)라고 했다. 정중이 말한 량(涼)은 오늘날 식은 죽이나 식은 밥에 물을 타는 것과 같은 것이다(寒粥若糗飯襍水也). 허신이 량(涼)에 대해 담박하다(薄也)는 뜻이라고 했는데, 아마도 박(薄)자 다음에 주(酒)자가 빠진 것일 것이다. 술을 물에 탔기 때문에(以水和酒) 그래서 박주(薄酒)가 된다. 이는 정중의 학설을 사용한 것이다. 이후 모든 ‘엷은 것(薄)’을 부르게 되었다. 예컨대 직량선배(職涼善背)나 괵다량덕(虢多涼德)이 그런데, 모장이나 두예는 모두 량(涼)을 박(薄)으로 풀이한 것이 그것이다. 얇으면 추운 법이다(薄則生寒). 그래서 다시 춥다(寒)라는 뜻이 생겨났다. 예컨대 북풍기량(北風其涼)이 그렇다. 그리하여 『자림(字林)』에 이르러서는 량(涼)은 약간 차가운 것을 말한다(微寒也)라고 하였고, 당나라 때의 은경순(殷敬順, 當塗縣의 縣丞을 역임했고 『열자』에 주석을 달았다)이 이를 인용했다. 『당운(廣韻)』이나 『옥편(玉篇)』에서도 모두 량(凉)은 량(涼)의 속자라고 했다. 그러나 『집운(集韻)』에 이르러서는 량(凉)자를 독립시키고, 박한(薄寒)을 량(凉)이라 한다고 주석을 달았다.”

飜譯

'담박한 맛(薄味)'을 말한다. 수(水)가 의미부이고 염(炎)이 소리부이다.[139] 독음은 도(徒)와 감(敢)의 반절이다.

**7355**

**涒: 涒: 클 군: 水-총10획: tūn**

原文

涒: 食已而復吐之. 从水君聲. 『爾雅』曰: "太歲在申曰涒灘." 他昆切.

飜譯

'다 먹었다가 다시 토해내다(食已而復吐之)'라는 뜻이다. 수(水)가 의미부이고 군(君)이 소리부이다. 『이아석천(釋天)』에서 "목성이 신(申)에 해당하는 위치에 놓일 때(太歲在申)를 군탄(涒灘)이라 한다"[140]라고 하였다. 독음은 타(他)와 곤(昆)의 반절이다.

**7356**

**澆: 澆: 물 댈 요: 水-총15획: jiāo**

原文

澆: 渼也. 从水堯聲. 古堯切.

飜譯

'국에 밥을 말다(渼)'라는 뜻이다.[141] 수(水)가 의미부이고 요(堯)가 소리부이다. 독

139) 고문자에서 甲骨文 등으로 그렸다. 水(물 수)가 의미부이고 炎(불 탈 염)이 소리부로, 타오르는 불(炎)에 물(水)이 더해지면 식고 약해진다는 뜻에서 묽고 담백함과 담담함을 그렸다. 이로부터 싱겁다의 뜻이 나왔고, 손님이 많지 않은 비수기를 뜻하기도 했다.

140) 군탄(涒灘)은 고대 갑자에서 신(申)에 대응하는 12지지의 하나인데, 『이아』에서 이렇게 말했다. "태세(太歲) 즉 목성이 인(寅)에 있을 때를 섭제격(攝提格), 묘(卯)에 있을 때를 단알(單閼), 진(辰)에 있을 때를 집서(執徐), 사(巳)에 있을 때를 태황락(大荒落), 오(午)에 있을 때를 돈장(敦牂), 미(未)에 있을 때를 협흡(協洽), 신(申)에 있을 때를 군탄(涒灘), 유(酉)에 있을 때를 작악(作噩), 술(戌)에 있을 때를 엄무(閹茂), 해(亥)에 있을 때를 대연헌(大淵獻), 자(子)에 있을 때를 곤돈(困敦), 축(丑)에 있을 때를 적분약(赤奮若)이라 한다."라고 했다.

음은 고(古)와 요(堯)의 반절이다.

**7357**

**液: 液: 진 액: 水-총11획: yè**

原文

液: 𦹒也. 从水夜聲. 羊益切.

飜譯

'점액(𦹒)'을 말한다. 수(水)가 의미부이고 야(夜)가 소리부이다.[142] 독음은 양(羊)과 익(益)의 반절이다.

**7358**

**汁: 汁: 즙 즙: 水-총5획: zhī**

原文

汁: 液也. 从水十聲. 之入切.

飜譯

'점액(液)'을 말한다. 수(水)가 의미부이고 십(十)이 소리부이다. 독음은 지(之)와 입(入)의 반절이다.

**7359**

**滒: 滒: 진창 가: 水-총13획: gē**

原文

滒: 多汁也. 从水哥聲. 讀若哥. 古俄切.

141) 왕균의 『구두』에서, 국에 밥을 마는 것을 찬(饡)이라 하고, 이것이 요(澆)의 본래 뜻이라고 했다.

142) 水(물 수)가 의미부고 夜(밤 야)가 소리부로, 血液(혈액)이나 唾液(타액)에서처럼 液體(액체)를 말하며, 얼음이 녹아 물로 변하는 것을 말했다. 이로부터 용해되다는 뜻도 나왔다.

飜譯
'즙이 많다(多汁)'라는 뜻이다. 수(水)가 의미부이고 가(哥)가 소리부이다. 가(哥)와 같이 읽는다. 독음은 고(古)와 아(俄)의 반절이다.

**7360**

灝: 灝: **넓을 호**: 水-총24획: hào

原文
灝: 豆汁也. 从水顥聲. 乎老切.

飜譯
'콩을 갈아 만든 즙(豆汁)[콩국]'을 말한다. 수(水)가 의미부이고 호(顥)가 소리부이다. 독음은 호(乎)와 로(老)의 반절이다.

**7361**

溢: 溢: **넘칠 일**: 水-총13획: yì

原文
溢: 器滿也. 从水益聲. 夷質切.

飜譯
'그릇에 가득 차다(器滿)'라는 뜻이다. 수(水)가 의미부이고 익(益)이 소리부이다.143) 독음은 이(夷)와 질(質)의 반절이다.

**7362**

洒: 洒: **물을 뿌릴 쇄·세**: 水-총9획: sǎ, xǐ

143) 水(물 수)가 의미부고 益(더할 익)이 소리부로, 그릇에 물이 넘치는 모습을 그린 益에 다시 水를 더하여 물이 넘침을 강조한 글자이다. 이로부터 넘치다, 범람하다, 가득 차다 등의 뜻이 나왔다.

原文

洒: 滌也. 从水西聲. 古文爲灑埽字. 先禮切.

飜譯

'씻다(滌)'라는 뜻이다. 수(水)가 의미부이고 서(西)가 소리부이다. 고문체에서는 쇄소(灑埽)라고 할 때의 쇄(灑)자로 사용한다. 독음은 선(先)과 례(禮)의 반절이다.

**7363**

**滌: 滌: 씻을 척: 水-총14획: dí**

原文

滌: 洒也. 从水條聲. 徒歷切.

飜譯

'씻다(洒)'라는 뜻이다. 수(水)가 의미부이고 조(條)가 소리부이다. 독음은 사(徒)와 력(歷)의 반절이다.

**7364**

**濈: 濈: 화목할 즙: 水-총16획: jí**

原文

濈: 和也. 从水戢聲. 阻立切.

飜譯

'조화롭다(和)'라는 뜻이다. 수(水)가 의미부이고 집(戢)이 소리부이다. 독음은 조(阻)와 립(立)의 반절이다.

**7365**

**瀋: 瀋: 즙 심: 水-총18획: shěn**

原文

瀋: 汁也. 从水審聲. 『春秋傳』曰 : “猶拾瀋.” 昌枕切.

飜譯

‘즙(汁)’을 말한다. 수(水)가 의미부이고 심(審)이 소리부이다. 『춘추전』(『좌전』 애공 3년, B.C. 492)에서 “[아무런 대비도 없이 갑자기 백관들로 하여금 불길을 잡도록 하는 것은] 땅에 흘린 국물을 주워 담게 하는 것과 같습니다.(猶拾瀋)”라고 했다. 독음은 창(昌)과 침(枕)의 반절이다.

**7366**

**㳽: 渳: 물의 형용 미: 水-총12획: mǐ**

原文

㳽: 飲也. 从水弭聲. 緜婢切.

飜譯

‘마시다(飲)’라는 뜻이다. 수(水)가 의미부이고 미(弭)가 소리부이다. 독음은 면(緜)과 비(婢)의 반절이다.

**7367**

**潠: 潠: 마실 선: 水-총17획: suō, shàn, shuài**

原文

潠: 飲歃也. 一曰吮也. 从水算聲. 衫洽切.

飜譯

‘들이 마시다(飲歃)’라는 뜻이다. 일설에는 ‘핥다(吮)’라는 뜻이라고도 한다. 수(水)가 의미부이고 산(算)이 소리부이다. 독음은 삼(衫)과 흡(洽)의 반절이다.

**7368**

**㵞: 潄: 양치질할 수: 水-총14획: shù**

原文

㵞: 盪口也. 从水欶聲. 所右切.

飜譯

'입을 헹구다(盪口)'라는 뜻이다. 수(水)가 의미부이고 수(欶)가 소리부이다. 독음은 소(所)와 우(右)의 반절이다.

**7369**

**泂: 泂: 멀 형: 水-총8획: jiǒng**

原文

泂: 滄也. 从水冋聲. 戶褧切.

飜譯

'서늘하다(滄)'라는 뜻이다.144) 수(水)가 의미부이고 경(冋)이 소리부이다. 독음은 호(戶)와 경(褧)의 반절이다.

**7370**

**滄: 滄: 찰 창: 水-총13획: cāng**

原文

滄: 寒也. 从水倉聲. 七岡切.

飜譯

---

144) 『단주』에서 이렇게 말했다. "서늘하다는 이 의미를 세속에서는 빙(仌)으로 구성된 형(冋)으로 쓴다. 『옥편』이나 『광운』에서 모두 형(冋)의 뜻을 차갑다(冷)라고 한 것이 그것이다. 『시경·대아』에 '泂酌彼行潦(저 멀리 길가에 흐르는 물을 떠서)'라는 말이 나오는데, 『모전』에서 형(泂)은 멀다는 뜻이다(遠也)고 했다. 여기서는 형(泂)이 형(迥, 멀다)의 가차자임을 보여준다."

‘차다(寒)’라는 뜻이다. 수(水)가 의미부이고 창(倉)이 소리부이다. 독음은 칠(七)과 강(岡)의 반절이다.

**7371**

**⿰氵靚:** ⿰氵靚: **차가울 정**: 水-**총18획**: jìng, qìng

原文

⿰氵靚: 冷寒也. 从水靚聲. 七定切.

飜譯

‘차갑다(冷寒)’라는 뜻이다. 수(水)가 의미부이고 정(靚)이 소리부이다. 독음은 칠(七)과 정(定)의 반절이다.

**7372**

**淬:** 淬: **담금질할 쉬**: 水-**총11획**: cuì

原文

淬: 滅火器也. 从水卒聲. 七内切.

飜譯

‘불에 달군 칼 등의 열을 식히는 담금질 기구(滅火器)’를 말한다. 수(水)가 의미부이고 졸(卒)이 소리부이다. 독음은 칠(七)과 내(內)의 반절이다.

**7373**

**沐:** 沐: **머리 감을 목**: 水-**총7획**: mù

原文

沐: 濯髮也. 从水木聲. 莫卜切.

飜譯

‘머리를 감다(濯髮)’라는 뜻이다. 수(水)가 의미부이고 목(木)이 소리부이다.[145] 독음은 막(莫)과 복(卜)의 반절이다.

**7374**

**𣴎: 沬: 땅 이름 매: 水-총8획: mèi**

原文

𣴎: 洒面也. 从水未聲. 湏, 古文沬从頁. 荒內切.

飜譯

'얼굴을 씻다(洒面)'라는 뜻이다. 수(水)가 의미부이고 미(未)가 소리부이다. 매(湏)는 매(沬)의 고문체인데, 혈(頁)로 구성되었다. 독음은 황(荒)과 내(內)의 반절이다.

**7375**

**𣹟: 浴: 목욕할 욕: 水-총10획: yù**

原文

𣹟: 洒身也. 从水谷聲. 余蜀切.

飜譯

'몸을 씻다(洒身)'라는 뜻이다. 수(水)가 의미부이고 곡(谷)이 소리부이다.[146] 독음은 여(余)와 촉(蜀)의 반절이다.

---

145) 고문자에서 [古文字] 甲骨文 [古文字] 簡牘文 등으로 그렸다. 水(물 수)가 의미부고 木(나무 목)이 소리부로, 沐浴(목욕)을 말하는데, 나무(木)로 이루어진 숲(林) 속을 흐르는 물(水)에 '머리를 감는 것'을 말한다. 이와 대를 이루는 浴은 흐르는 계곡(谷) 물(水)에 '몸 전체를 씻는 것'을 구분하여 말했다.

146) 고문자에서 [古文字] 浴 簡牘文 [古文字] 帛書 등으로 그렸다. 水(물 수)가 의미부고 谷(골 곡)이 소리부로, 목욕하다는 뜻이며, 계곡(谷)의 흐르는 물(水)에 자신의 몸을 내맡기고 몸을 씻으며 정신을 가다듬는 모습을 담았다. 또 중국 서부의 고대 민족인 土谷渾(토욕혼)을 지칭하기도 한다.

**7376**

**:** 澡: **씻을 조**: 水-**총16획**: **zǎo**

原文

: 洒手也. 从水喿聲. 子皓切.

飜譯

'손을 씻다(洒手)'라는 뜻이다. 수(水)가 의미부이고 소(喿)가 소리부이다.147) 독음은 자(子)와 호(皓)의 반절이다.

**7377**

**:** 洗: **씻을 세·깨끗할 선**: 水-**총9획**: **xiǎn**

原文

: 洒足也. 从水先聲. 穌典切.

飜譯

'발을 씻다(洒足)'라는 뜻이다. 수(水)가 의미부이고 선(先)이 소리부이다.148) 독음은 소(穌)와 전(典)의 반절이다.

**7378**

**:** 汲: **길을 급**: 水-**총7획**: **jí**

原文

: 引水於井也. 从水从及, 及亦聲. 居立切.

---

147) 고문자에서 簡牘文 등으로 그렸다. 水(물 수)가 의미부고 喿(울 소)가 소리부로, 물(水)로 손을 씻다는 뜻이며, 이후 목욕하다는 뜻으로 의미가 확장되었다.

148) 水(물 수)가 의미부고 先(먼저 선)이 소리부로, 발을 내밀어(先) 물(水)로 '씻다'는 뜻이었는데, '씻다'는 일반적인 의미로 확장되었으며, 사진을 현상하다는 뜻도 생겼다. 또 성씨로도 쓰인다.

'우물에서 물을 긷다(引水於井)'라는 뜻이다. 수(水)가 의미부이고 급(及)도 의미부인데, 급(及)은 소리부도 겸한다.[149] 독음은 거(居)와 립(立)의 반절이다.

**7379**

**𣽷**: 淳: **순박할 순**: 水-**총11획**: **chún**

原文

𣽷: 渌也. 从水𦎧聲. 常倫切.

飜譯

'거르다(渌)'라는 뜻이다. 수(水)가 의미부이고 순(𦎧)이 소리부이다.[150] 독음은 상(常)과 륜(倫)의 반절이다.

**7380**

**淋**: 淋: **물 뿌릴 림**: 水-**총11획**: **lín**

原文

淋: 以水沃也. 从水林聲. 一曰淋淋, 山下水皃. 力尋切.

飜譯

'물로 뿌리다(以水沃)'라는 뜻이다. 수(水)가 의미부이고 림(林)이 소리부이다. 일설에는 '림림(淋淋)은 산에서 물이 내려오는 모양(山下水皃)을 말한다'라고도 한다. 독음은 력(力)과 심(尋)의 반절이다.

---

149) 水(물 수)가 의미부이고 及(미칠 급)이 소리부로, 물(水)이 있는 곳으로 가(及) 물을 긷다는 뜻이며, 이로부터 끌어당기다, 인도하다의 뜻도 나왔다.

150) 고문자에서 淳簡牘文 등으로 그렸다. 水(물 수)가 의미부고 享(드릴 향)이 소리부로, 종묘의 제사 때 쓰는(享) 술(水)이라는 의미를 그렸으며, 이로부터 진하다, 맛이 깊다, 순수하다, 淳朴(순박)하다 등의 뜻이 나왔다. 달리 𣽷으로 쓰기도 한다.

7381

**渫**: 渫: **칠 설**: 水-**총12획**: xiè

原文

渫: 除去也. 从水枼聲. 私列切.

飜譯

'[우물이나 하천 바닥의 물을] 제거하다(除去)'라는 뜻이다. 수(水)가 의미부이고 엽(枼)이 소리부이다. 독음은 사(私)와 렬(列)의 반절이다.

7382

**澣**: 澣: **빨래할 한**: 水-**총20획**: huàn

原文

澣: 濯衣垢也. 从水榦聲. 浣, 澣或从完. 胡玩切.

飜譯

'옷의 때를 씻어내다(濯衣垢)'라는 뜻이다. 수(水)가 의미부이고 한(榦)이 소리부이다. 한(浣)은 한(澣)의 혹체자인데, 완(完)으로 구성되었다. 독음은 호(胡)와 완(玩)의 반절이다.

7383

**濯**: 濯: **씻을 탁**: 水-**총17획**: zhuó

原文

濯: 澣也. 从水翟聲. 直角切.

飜譯

'빨래하다(澣)'라는 뜻이다. 수(水)가 의미부이고 적(翟)이 소리부이다.[151] 독음은 직

---

151) 고문자에서 濯金文 등으로 그렸다. 水(물 수)가 의미부고 翟(꿩 적)이 소리부로, 물(水)에

(直)과 각(角)의 반절이다.

**7384**

**涑: 涑: 헹굴 속: 水-총10획: sù**

原文

涑: 瀚也. 从水束聲. 河東有涑水. 速侯切.

飜譯

'빨래하다(瀚)'라는 뜻이다. 수(水)가 의미부이고 속(束)이 소리부이다.152) 하동(河東)군에 속수(涑水)가 있다. 독음은 속(速)과 후(侯)의 반절이다.

**7385**

**潎: 潎: 빨리 흐를 폐·별: 水-총15획: pì**

原文

潎: 於水中擊絮也. 从水敝聲. 匹蔽切.

飜譯

'흐르는 물에 헌 옷을 두드려 씻다(於水中擊絮)'라는 뜻이다. 수(水)가 의미부이고 폐(敝)가 소리부이다. 독음은 필(匹)과 폐(蔽)의 반절이다.

**7386**

**瀧: 瀧: 바를 롱·룡·몽: 土-총13획: lǒng**

原文

씻다, 빨다는 뜻이다.

152) 水(물 수)가 의미부고 束(묶을 속)이 소리부로, 물(水)로 입을 '헹구다'는 뜻이다. 또 산서성 서남부에 있는 황하 강 지류인 강 이름으로도 쓰인다. 달리 漱(양치질할 수)나 潄(양치질할 수)로 쓰기도 한다.

𣽡: 涂也. 从水从土, 尨聲. 讀若隴. 亡江切.

飜譯

'[진흙을] 바르다(涂)'라는 뜻이다. 수(水)가 의미부이고 토(土)도 의미부이며, 방(尨)이 소리부이다. 롱(隴)과 같이 읽는다. 독음은 망(亡)과 강(江)의 반절이다.

**7387**

**灑: 灑: 뿌릴 쇄: 水-총22획: sǎ**

原文

灑: 汛也. 从水麗聲. 山豉切.

飜譯

'물을 뿌리다(汛)'라는 뜻이다. 수(水)가 의미부이고 려(麗)가 소리부이다.[153] 독음은 산(山)과 시(豉)의 반절이다.

**7388**

**汛: 汛: 물 뿌릴 신: 水-총6획: xùn**

原文

汛: 灑也. 从水卂聲. 息晉切.

飜譯

'물을 뿌리다(灑)'라는 뜻이다. 수(水)가 의미부이고 신(卂)이 소리부이다. 독음은 식(息)과 진(晉)의 반절이다.

153) 水(물 수)가 의미부고 麗(고울 려)가 소리부로, 물(水)을 땅에다 뿌리다가 원래 뜻인데, 물(水)을 '뿌릴' 때 햇빛을 받아 화려하게(麗) 빛나는 모습을 형상화했다. 이후 '던지다'는 뜻이 나왔고, 다시 통쾌하다, (성격 등이) 시원시원하다 등의 뜻이 나왔다. 간화자에서는 소리부 麗를 西(서녘 서)로 바꾼 洒로 쓴다.

제11권

**7389**

**染: 染: 물들일 염: 木-총9획: rǎn**

原文

染: 以繒染爲色. 从水杂聲. 而琰切.

飜譯

'비단에 염색을 하여 색깔을 입히다(以繒染爲色)'라는 뜻이다. 수(水)가 의미부이고 잡(杂)이 소리부이다.154) 독음은 이(而)와 염(琰)의 반절이다.

**7390**

**泰: 泰: 클 태: 水-총10획: tài**

原文

泰: 滑也. 从廾从水, 大聲. 夳, 古文泰. 他蓋切.

飜譯

'미끄럽다(滑)'라는 뜻이다. 공(廾)이 의미부이고 수(水)도 의미부이며, 대(大)가 소리부이다.155) 태(夳)는 태(泰)의 고문체이다. 독음은 타(他)와 개(蓋)의 반절이다.

**7391**

**灩: 灩: 더러울 염·섬: 水-총19획: yán**

原文

154) 水(물 수)가 의미부고 杂(섞일 잡)이 소리부로, 나무(木)에서 채취한 염료를 여러 번(九·구) 물(水)에 담가 물들이는(染色·염색) 모습을 그렸으며, 이로부터 染色하다, 染料(염료), 영향을 주다, 感染(감염)되다 등의 뜻이 나왔다.

155) 고문자에서 古陶文 石刻古文 등으로 그렸다. 원래 水(물 수)와 廾(두 손 마주잡을 공)이 의미부고 大(큰 대)가 소리부였는데, 예서 이후 지금의 자형으로 바뀌었다. 두 손(廾)으로 물(水)을 건져 올렸을 때 손가락 사이로 물이 크게(大) 빠져나가는 모습을 형상화했으며, 이로부터 '대단히', '크다' 등의 뜻이 나왔다.

灩: 海岱之閒謂相汙曰灩. 从水閻聲. 余廉切.

飜譯

'발해(海)와 태산(岱) 사이 지역에서는 상우(相汙·서로 더럽히다)를 염(灩)이라 한다.' 수(水)가 의미부이고 염(閻)이 소리부이다. 독음은 여(余)와 렴(廉)의 반절이다.

**7392**

**灒: 灒: 땀 뿌릴 찬: 水-총22획: zàn**

原文

灒: 汙灑也. 一曰水中人. 从水贊聲. 則旰切.

飜譯

'오수를 뿌리다(汙灑)'라는 뜻이다. 일설에는 '물을 사람에게 뿌리다(水中人)'라는 뜻이라고도 한다. 수(水)가 의미부이고 찬(贊)이 소리부이다. 독음은 칙(則)과 간(旰)의 반절이다.

**7393**

**愁: 愁: 근심하는 모양 수·초·추: 水-총16획: chóu**

原文

愁: 腹中有水气也. 从水从愁, 愁亦聲. 士尤切.

飜譯

'배속에 수기가 들어 있다(腹中有水气)'라는 뜻이다. 수(水)가 의미부이고 추(愁)도 의미부인데, 수(愁)는 소리부도 겸한다. 독음은 사(士)와 우(尤)의 반절이다.

**7394**

**湩: 湩: 젖 동: 水-총12획: dòng**

原文

湩: 乳汁也. 从水重聲. 多貢切.

飜譯

'젖(乳汁)'을 말한다. 수(水)가 의미부이고 중(重)이 소리부이다. 독음은 다(多)와 공(貢)의 반절이다.

**7395**

**洟: 洟: 콧물 이: 水-총9획: yí**

原文

洟: 鼻液也. 从水夷聲. 他計切.

飜譯

'콧물(鼻液)'을 말한다. 수(水)가 의미부이고 이(夷)가 소리부이다. 독음은 타(他)와 계(計)의 반절이다.

**7396**

**潸: 潸: 눈물 흐를 산: 水-총15획: shān**

原文

潸: 涕流皃. 从水, 散省聲. 『詩』曰: "潸焉出涕." 所姦切.

飜譯

'눈물이 흐르는 모습(涕流皃)'을 말한다. 수(水)가 의미부이고, 산(散)의 생략된 모습이 소리부이다. 『시·소아대동(大東)』에서 "줄줄 눈물만 흐르네(潸焉出涕)"라고 노래했다. 독음은 소(所)와 간(姦)의 반절이다.

**7397**

**汗: 汗: 땀 한: 水-총6획: hàn**

原文

汗: 人液也. 从水干聲. 矦旰切.

飜譯

'사람의 땀(人液)'을 말한다. 수(水)가 의미부이고 간(干)이 소리부이다.[156] 독음은 후(矦)와 간(旰)의 반절이다.

**7398**

**泣: 泣: 울 읍: 水-총8획: qì**

原文

泣: 無聲出涕曰泣. 从水立聲. 去急切.

飜譯

'소리 없이 눈물을 흘리며 우는 것(無聲出涕)을 읍(泣)이라 한다.' 수(水)가 의미부이고 립(立)이 소리부이다.[157] 독음은 거(去)와 급(急)의 반절이다.

**7399**

**涕: 涕: 눈물 체: 水-총10획: tì**

原文

涕: 泣也. 从水弟聲. 他禮切.

飜譯

'소리 없이 눈물을 흘리다(泣)'라는 뜻이다. 수(水)가 의미부이고 제(弟)가 소리부이다.[158] 독음은 타(他)와 례(禮)의 반절이다.

---

156) 水(물 수)가 의미부고 干(방패 간)이 소리부로, '땀'을 말하는데, 몸(干)에 흐르는 물(水)이라는 의미를 담았다. 또 중국 북방 민족의 우두머리를 일컫는 '칸'(可汗·가한)의 음역자로도 쓰였다.

157) 水(물 수)가 의미부고 立(설 립)이 소리부로, 소리 없이 혹은 낮은 소리로 눈물(水)을 흘리며 우는 것을 말하며, 이로부터 슬프다는 뜻도 나왔다.

**7400**

**湅: 湅: 누일 련: 水-총12획: liàn**

原文

湅: 瀟也. 从水柬聲. 郎甸切.

飜譯

'쌀을 일 듯 비단실을 삶아 가려내다(瀟)'라는 뜻이다. 수(水)가 의미부이고 간(柬)이 소리부이다. 독음은 랑(郎)과 전(甸)의 반절이다.

**7401**

**讞: 瀍: 논죄할 얼: 水-총23획: niè**

原文

讞: 議辠也. 从水、獻. 與法同意. 魚列切.

飜譯

'죄의 경중을 의논하다(議辠)'라는 뜻이다. 수(水)와 헌(獻)이 모두 의미부이다. 법(法)과 같은 의미이다. 독음은 어(魚)와 렬(列)의 반절이다.

**7402**

**渝: 渝: 달라질 투: 水-총12획: yú**

原文

渝: 變汙也. 从水俞聲. 一曰渝水, 在遼西臨俞, 東出塞. 羊朱切.

飜譯

---

158) 고문자에서 [金文] 金文 [簡牘文] 簡牘文 등으로 그렸다. 水(물 수)가 의미부고 弟(아우 제)가 소리부로, 눈물(水)을 말하며, 이후 울다, 콧물, 콧물을 훔치다 등의 뜻이 나왔다.

'더러운 물로 변하다(變汙)'라는 뜻이다. 수(水)가 의미부이고 유(俞)가 소리부이다. 일설에는 '유수(渝水)를 말하는데, 요서(遼西)군 임유(臨俞)현에서 발원하여, 동쪽으로 국경으로 흘러간다.'라고도 한다. 독음은 양(羊)과 주(朱)의 반절이다.

**7403**

**減: 減: 덜 감: 水-총12획: jiǎn**

原文

減: 損也. 从水咸聲. 古斬切.

飜譯

'덜어내다(損)'라는 뜻이다. 수(水)가 의미부이고 함(咸)이 소리부이다.[159] 독음은 고(古)와 참(斬)의 반절이다.

**7404**

**滅: 滅: 멸망할 멸: 水-총13획: miè**

原文

滅: 盡也. 从水烕聲. 亡列切.

飜譯

'다하다(盡)'라는 뜻이다. 수(水)가 의미부이고 멸(烕)이 소리부이다.[160] 독음은 망(亡)과 렬(列)의 반절이다.

---

159) 水(물 수)가 의미부이고 咸(다 함)이 소리부로, 물(水)이 줄다는 뜻에서 줄다, 減少(감소)하다는 뜻이 나왔다. 이후 氵(水)를 冫(얼음 빙)으로 바꾼 减(덜 감)으로 쓰기도 했다.

160) 이는 '从水威聲'이 되어야 옳다. 멸(滅)은 고문자에서 簡牘文 石刻古文 등으로 그렸다. 水(물 수)가 의미부고 威(멸망할 멸)이 소리부로, 물(水)로 불을 꺼(威) 완전히 불씨를 없애다는 뜻으로부터 '완전히 없어지다', 끝나다 등의 뜻이 나왔다. 간화자에서는 灭로 쓰는데, 불(火)의 위를 무엇인가로 덮어버린 모습이다.

제11권

**7405**

**漕**: 漕: **배로 실어 나를 조**: 水-**총14획: cáo**

原文

漕: 水轉轂也. 一曰人之所乘及船也. 从水曹聲. 在到切.

飜譯

'물길로 곡식을 운반하다(水轉轂)'라는 뜻이다. 일설에는 '사람이 타는 배(人之所乘及船)'를 말한다고도 한다. 수(水)가 의미부이고 조(曹)가 소리부이다. 독음은 재(在)와 도(到)의 반절이다.

**7406**

**泮**: 泮: **학교 반**: 水-**총8획: pàn**

原文

泮: 諸侯鄕射之宮, 西南爲水, 東北爲牆. 从水从半, 半亦聲. 普半切.

飜譯

'제후(諸侯)들이 향사의 예를 배우는 학교(鄕射之宮)를 말하는데, 서남쪽은 물(水)로, 동북쪽은 담(牆)으로 되었다.' 수(水)가 의미부이고 반(半)도 의미부인데, 반(半)은 소리부도 겸한다. 독음은 보(普)와 반(半)의 반절이다.

**7407**

**漏**: 漏: **샐 루**: 水-**총14획: lòu**

原文

漏: 以銅受水, 刻節, 晝夜百刻. 从水扇聲. 盧后切.

飜譯

'[물시계를 말한다.] 동으로 만든 기물에 물을 받고, 마디를 새겨 양을 측정하는데, 주야로 1백 개의 마디를 새겼다.(以銅受水, 刻節, 晝夜百刻.)' 수(水)가 의미부이고 루

(屚)가 소리부이다.[161] 독음은 로(盧)와 후(后)의 반절이다.

**7408**

**澒: 澒: 수은 홍: 水-총15획: hòng**

原文

澒: 丹沙所化, 爲水銀也. 从水項聲. 呼孔切.

飜譯

'단사가 변해서 되는 것으로 수은이라 부른다.(丹沙所化, 爲水銀.)' 수(水)가 의미부이고 항(項)이 소리부이다. 독음은 호(呼)와 공(孔)의 반절이다.

**7409**

**洴: 苹: 부평초 평: 艸-총12획: píng**

原文

洴: 苹也. 水艸也. 从水、苹, 苹亦聲. 薄經切.

飜譯

'부평초(苹)[개구리밥]'를 말한다. 물풀(水艸)을 말한다. 수(水)와 평(苹)이 모두 의미부인데, 평(苹)은 소리부도 겸한다. 독음은 박(薄)과 경(經)의 반절이다.

제
11
권

**7410**

**濊: 濊: 깊을 예·물 많은 모양 회·막힐 활: 水-총16획: huì**

原文

---

161) 고문자에서 屚 屚簡牘文 등으로 그렸다. 水(물 수)가 의미부이고 屚(샐 루)가 소리부로, 빗물(雨)이 집(尸) 아래로 떨어지듯(屚) 좁은 구멍으로 물을 일정한 속도로 떨어지게 하고 그 분량을 재어 시간을 계산하게 한 장치를 말한다. 『설문해자』에서는 "구리로 된 용기에 물을 받는데, 눈금이 새겨져 있고, 하루의 길이를 1백 개의 눈금으로 구분했다."라고 했다.

濊: 水多皃. 从水歲聲. 呼會切.

飜譯

'물이 많은 모양(水多皃)'을 말한다. 수(水)가 의미부이고 세(歲)가 소리부이다. 독음은 호(呼)와 회(會)의 반절이다.

**7411**

**汩: 汩: 흐를 율·빠질 골: 水-총7획: gǔ**

原文

汩: 治水也. 从水曰聲. 于筆切.

飜譯

'물길을 다스리다(治水)'라는 뜻이다. 수(水)가 의미부2이고 왈(曰)이 소리부이다. 독음은 우(于)와 필(筆)의 반절이다.

**7412**

**瀼: 瀼: 이슬 많을 양: 水-총20획: ráng**

原文

瀼: 露濃皃. 从水襄聲. 汝羊切.

飜譯

'이슬이 많은 모양(露濃皃)'을 말한다. 수(水)가 의미부이고 양(襄)이 소리부이다. 독음은 여(汝)와 양(羊)의 반절이다. [신부]

**7413**

**漙: 漙: 이슬 많을 단: 水-총14획: tuán**

原文

漙: 露皃. 从水專聲. 度官切.

飜譯

'이슬이 내린 모양(露皃)'을 말한다. 수(水)가 의미부이고 전(專)이 소리부이다. 독음은 도(度)와 관(官)의 반절이다. [신부]

**7414**

**汍: 汍: 눈물 흐르는 모양 환: 水-총6획: wán**

原文

汍: 泣淚皃. 从水丸聲. 胡官切.

飜譯

'울어 눈물이 흐르는 모양(泣淚皃)'을 말한다. 수(水)가 의미부이고 환(丸)이 소리부이다. 독음은 호(胡)와 관(官)의 반절이다. [신부]

**7415**

**泯: 泯: 망할 민: 水-총8획: mǐn**

原文

泯: 滅也. 从水民聲. 武盡切.

飜譯

'멸망하다(滅)'라는 뜻이다. 수(水)가 의미부이고 민(民)이 소리부이다. 독음은 무(武)와 진(盡)의 반절이다. [신부]

**7416**

**瀣: 瀣: 이슬 기운 해: 水-총19획: xiè**

原文

瀣: 沆瀣, 气也. 从水, 𩐁省聲. 胡介切.

‘항해(沆瀣)’를 말하는데, ‘[이슬의] 기운(气)’을 말한다. 수(水)가 의미부이고, 해(䪥)의 생략된 모습이 소리부이다. 독음은 호(胡)와 개(介)의 반절이다. [신부]

**7417**

瀘: 瀘: **강 이름 로**: 水-총19획: lú

原文

瀘: 水名. 从水盧聲. 洛乎切.

飜譯

‘강 이름(水名)’이다. 수(水)가 의미부이고 로(盧)가 소리부이다. 독음은 락(洛)과 호(乎)의 반절이다. [신부]

**7418**

瀟: 瀟: **강 이름 소**: 水-총19획: xiāo

原文

瀟: 水名. 从水蕭聲. 相邀切.

飜譯

‘강 이름(水名)’이다. 수(水)가 의미부이고 소(蕭)가 소리부이다. 독음은 상(相)과 요(邀)의 반절이다. [신부]

**7419**

瀛: 瀛: **바다 영**: 水-총19획: yíng

原文

瀛: 水名. 从水嬴聲. 以成切.

飜譯

'강 이름(水名)'이다. 수(水)가 의미부이고 영(嬴)이 소리부이다. 독음은 이(以)와 성(成)의 반절이다. [신부]

**7420**

**滁:** 滁: **강 이름 저**: 水-총13획: chú

原文

滁: 水名. 从水除聲. 直魚切.

飜譯

'강 이름(水名)'이다. 수(水)가 의미부이고 제(除)가 소리부이다. 독음은 직(直)과 어(魚)의 반절이다. [신부]

**7421**

**洺:** 洺: **강 이름 명**: 水-총9획: míng

原文

洺: 水名. 从水名聲. 武并切.

飜譯

'강 이름(水名)'이다. 수(水)가 의미부이고 명(名)이 소리부이다. 독음은 무(武)와 병(并)의 반절이다. [신부]

**7422**

**潺:** 潺: **물 흐르는 소리 잔**: 水-총15획: chán

原文

潺: 水聲. 从水孱聲. 昨閑切.

‘물이 흐르는 소리(水聲)’를 말한다. 수(水)가 의미부이고 잔(孱)이 소리부이다. 독음은 작(昨)과 한(閑)의 반절이다. [신부]

**7423**

湲: 湲: **물 흐를 원**: 水-총12획: yuán

原文

湲: 潺湲, 水聲. 从水爰聲. 王權切.

飜譯

‘잔원(潺湲)’을 말하는데, ‘물 흐르는 소리(水聲)’를 말한다. 수(水)가 의미부이고 원(爰)이 소리부이다. 독음은 왕(王)과 권(權)의 반절이다. [신부]

**7424**

濤: 濤: **큰 물결 도**: 水-총17획: tāo

原文

濤: 大波也. 从水壽聲. 徒刀切.

飜譯

‘큰 물결(大波)’을 말한다. 수(水)가 의미부이고 수(壽)가 소리부이다. 독음은 도(徒)와 도(刀)의 반절이다. [신부]

**7425**

漵: 漵: **개 서**: 水-총14획: xù

原文

漵: 水浦也. 从水敘聲. 徐吕切.

譯解

'물 가(水浦)'를 말한다. 수(水)가 의미부이고 서(敍)가 소리부이다. 독음은 서(徐)와 려(呂)의 반절이다. [신부]

**7426**

**[篆]: 港: 항구 항: 水-총12획: gǎng**

原文

[篆]: 水派也. 从水巷聲. 古項切.

譯解

'물의 갈래(水派)'를 말한다. 수(水)가 의미부이고 항(巷)이 소리부이다.[162] 독음은 고(古)와 항(項)의 반절이다. [신부]

**7427**

**[篆]: 瀦: 웅덩이 저: 水-총19획: zhū**

原文

[篆]: 水所亭也. 从水豬聲. 陟魚切.

譯解

'물이 고여 머무르는 곳(水所亭)'을 말한다. 수(水)가 의미부이고 저(豬)가 소리부이다. 독음은 척(陟)과 어(魚)의 반절이다. [신부]

**7428**

**[篆]: 瀰: 큰물 미: 水-총24획: mí**

原文

162) 水(물 수)가 의미부고 巷(거리 항)이 소리부로, 항구를 말하는데, 물길(水)이 닿아있는 거리(巷)라는 의미를 담았다. 또 홍콩(Hong Kong)의 한자 이름인 香港(향항)의 줄임형으로도 쓰인다.

: 大水也. 从水镾聲. 武移切.

譯譯

'큰 물(大水)'을 말한다. 수(水)가 의미부이고 미(镾)가 소리부이다. 독음은 무(武)와 이(移)의 반절이다. [신부]

**7429**

: 淼: **물 아득할 묘**: 水–**총12획: miǎo**

原文

: 大水也. 从三水. 或作渺. 亡沼切.

譯譯

'큰 물(大水)'을 말한다. 세 개의 수(水)로 구성되었다. 간혹 묘(渺)로 적기도 한다. 독음은 망(亡)과 소(沼)의 반절이다. [신부]

**7430**

: 潔: **깨끗할 결**: 水–**총15획: jié**

原文

: 瀞也. 从水絜聲. 古屑切.

譯譯

'맑다(瀞)'라는 뜻이다. 수(水)가 의미부이고 혈(絜)이 소리부이다.[163] 독음은 고(古)와 설(屑)의 반절이다. [신부]

**7431**

: 浹: **두루 미칠 협**: 水–**총10획: jiā**

163) 水(물 수)가 의미부이고 絜(헤아릴 혈)이 소리부로, 물(水)처럼 깨끗함(絜)을 말하며, 이로부터 깨끗하다, 純潔(순결)하다, 潔白(결백)하다, 簡潔(간결)하다 등의 뜻이 나왔다. 간화자에서는 소리부 絜을 吉(길할 길)로 바꾼 洁로 쓴다.

原文

浹: 洽也. 从也. 从水夾聲. 子協切.

飜譯

'윤택하게 하다(洽)'라는 뜻이다. '따르다(从)'라는 뜻이다. 수(水)가 의미부이고 협(夾)이 소리부이다. 독음은 자(子)와 협(協)의 반절이다. [신부]

**7432**

**溘: 溘: 갑자기 합: 水-총13획: kè**

原文

溘: 奄忽也. 从水盍聲. 口苔切.

飜譯

'갑자기(奄忽)'라는 뜻이다. 수(水)가 의미부이고 합(盍)이 소리부이다. 독음은 구(口)와 답(荅)의 반절이다. [신부]

**7433**

**潠: 潠: 뿜을 손: 水-총15획: xùn**

原文

潠: 含水噴也. 从水巽聲. 穌困切.

飜譯

'물을 머금고 있다가 뿜어내다(含水噴)'라는 뜻이다. 수(水)가 의미부이고 손(巽)이 소리부이다. 독음은 소(穌)와 곤(困)의 반절이다. [신부]

**7434**

**涯: 涯: 물 가 애: 水-총11획: yá**

原文

涯： 水邊也. 从水从厓, 厓亦聲. 魚羈切.

‘물 가(水邊)’를 말한다. 수(水)가 의미부이고 애(厓)도 의미부인데, 애(厓)는 소리부도 겸한다. 독음은 어(魚)와 기(羈)의 반절이다.

완역설문해자
제11권
(하)

## 제411부수
## 411 ■ 추(沝)부수

**7435**

: 沝: **두 갈래 강 추**: 水—총8획: zhuǐ

原文

: 二水也. 闕. 凡沝之屬皆从沝. 之壘切.

飜譯

'두 갈래 강(二水)'을 말한다. 상세한 내용은 알 수 없어 비워 둔다(闕). 추(沝)부수에 귀속된 글자들은 모두 추(沝)가 의미부이다. 독음은 지(之)와 루(壘)의 반절이다.

**7436**

: 㳅: **흐를 류**: 水—총13획: liú

原文

: 水行也. 从沝、㐬. 㐬, 突忽也. , 篆文从水. 力求切.

飜譯

'물이 흘러가다(水行)'라는 뜻이다. 추(沝)와 류(㐬)가 모두 의미부이다. 류(㐬)는 '신속하다(突忽)'라는 뜻이다. 류()는 전서체인데, 수(水)로 구성되었다. 독음은 력(力)과 구(求)의 반절이다.

**7437**

: 𣻈: **건널 섭**: 水—총15획: shè

原文

: 徒行厲水也. 从沝从步. , 篆文从水. 時攝切.

'도보로 걸어서 물을 건너다(徒行厲水)'라는 뜻이다. 추(沝)가 의미부이고 보(步)도 의미부이다. 섭(涉)은 전서체인데, 수(水)로 구성되었다. 독음은 시(時)와 섭(攝)의 반절이다.

## 제412부수
## 412 ■ 빈(頻)부수

**7438**

**頻: 瀕: 물 가 빈: 水-총19획: bīn**

原文

頻: 水厓. 人所賓附, 頻蹙不前而止. 从頁从涉. 凡頻之屬皆从頻. 符眞切.

飜譯

'물 가(水厓)'를 말한다. 사람들이 이곳까지 걸어가 이르게 되면 [물을 건널 걱정이 되어] 얼굴을 찌푸리고 멈추어 선다.(人所賓附, 頻蹙不前而止.) 혈(頁)이 의미부이고 섭(涉)도 의미부이다. 빈(頻)부수에 귀속된 글자들은 모두 빈(頻)이 의미부이다.[164] 독음은 부(符)와 진(眞)의 반절이다.

**7439**

**顰: 顰: 찡그릴 빈: 頁-총24획: pín**

原文

顰: 涉水顰蹙. 从頻卑聲. 符眞切.

飜譯

'물을 건너려다 [걱정이 되어] 얼굴을 찌푸리다(涉水顰蹙)'라는 뜻이다. 빈(頻)이 의미부이고 비(卑)가 소리부이다. 독음은 부(符)와 진(眞)의 반절이다.

---

164) 빈(瀕)자의 구조를 "혈(頁)이 의미부이고 섭(涉)도 의미부이다"라고 해 놓고 이를 부수자로 설정하여 "凡頻之屬皆从頻"이라 한 것은 『설문』의 체례와 맞지 않아 보인다. 그래서 단옥재의 지적처럼 "凡瀕之屬皆从瀕"이 되어야 옳을 것이다.

## 제413부수
## 413 ■ 견(𡿨)부수

**7440**

**𡿨 : 𡿨 : 도랑 견: 巛-총1획: quǎn**

原文

𡿨 : 水小流也. 『周禮』: "匠人爲溝洫, 梠廣五寸, 二梠爲耦; 一耦之伐, 廣尺、深尺, 謂之𡿨." 倍𡿨謂之遂; 倍遂曰溝; 倍溝曰洫; 倍洫曰巜. 凡𡿨之屬皆从𡿨. 𤰝, 古文𡿨从田从川. 畎, 篆文𡿨从田犬聲. 六畎爲一畝. 姑泫切.

飜譯

'작은 물길(水小流) 즉 도랑'을 말한다. 『주례·고공기·장인(匠人)』에서 "장인은 논밭 사이의 도랑을 만든다(匠人爲溝洫). 1사(梠)의 너비(廣)가 5치(寸)인데, 2사(梠)를 우(耦)라고 한다. 1우(耦)의 너비로 땅을 파는데(伐), 너비가 1자(尺), 깊이가 1자(尺)되는 것을 견(𡿨)이라 한다."라고 했다. 견(𡿨)의 2배를 수(遂)라고 하며, 수(遂)의 2배를 구(溝)라고 하며, 구(溝)의 2배를 혁(洫)이라 하며, 혁(洫)의 2배를 괴(巜)라고 한다. 견(𡿨)부수에 귀속된 글자들은 모두 견(𡿨)이 의미부이다. 견(𤰝)은 견(𡿨)의 고문체인데, 전(田)이 의미부이고 천(川)도 의미부이다. 견(畎)은 견(𡿨)의 전서체인데, 전(田)이 의미부이고 견(犬)이 소리부이다. 6견(畎)이 1무(畝)가 된다. 독음은 고(姑)와 현(泫)의 반절이다.

# 제414부수
# 414 ■ 괴(巜)부수

7441

**巜: 巜: 큰 도랑 괴: 巛-총2획: kuài**

原文

巜: 水流澮澮也. 方百里爲巜, 廣二尋, 深二仞. 凡巜之屬皆从巜. 古外切.

飜譯

'물이 콸콸하고 소리를 내며 흐르다(水流澮澮)'라는 뜻이다. 사방 1백 리(里) 되는 땅에 괴(巜)를 내는데, 너비는 2심(尋), 깊이는 2인(仞)이다. 괴(巜)부수에 귀속된 글자들은 모두 괴(巜)가 의미부이다. 독음은 고(古)와 외(外)의 반절이다.

7442

**粼: 粼: 물 맑을 린: 米-총14획: lín**

原文

粼: 水生厓石閒粼粼也. 从巜粦聲. 力珍切.

飜譯

'산기슭의 돌 사이에서 흘러나온 물의 맑은 모양(水生厓石閒粼粼)'을 말한다. 괴(巜)가 의미부이고 린(粦)이 소리부이다. 독음은 력(力)과 진(珍)의 반절이다.

## 제415부수
## 415 ■ 천(川)부수

**7443**

**巛: 川: 내 천: 巛-총3획: chuān**

原文

巛: 貫穿通流水也. 『虞書』曰: "濬く巜, 距川." 言深く巜之水會爲川也. 凡川之屬皆从川. 昌緣切.

飜譯

'관통하여 물을 흐르게 하다(貫穿通流水)'라는 뜻이다. 『서·우서(虞書)·고요모(皐陶謨)』에서 "견(く: 작은 도랑)과 괴(巜: 큰 도랑)를 뚫어, 하나의 큰 내(川)가 되게 한다."라고 했는데, 작은 도랑과 큰 도랑을 깊이 뚫고 이들이 모여 내를 이루게 한다는 뜻이다.165) 천(川)부수에 귀속된 글자들은 모두 천(川)이 의미부이다. 독음은 창(昌)과 연(緣)의 반절이다.

**7444**

**巠: 巠: 물줄기 경: 土-총7획: jīng**

原文

巠: 水脈也. 从川在一下. 一, 地也. 壬省聲. 一曰水冥巠也. 坙, 古文巠不省. 古靈切.

---

165) 고문자에서 甲骨文 金文 帛書 簡牘文 등으로 그렸다. 갑골문에서 양쪽의 강 언덕 사이로 흐르는 물(水·수)을 그려 '강'을 형상화했다. 川은 원래의 '강'이라는 기본 개념 이외에도, 강 주위로 넓게 펼쳐진 '평야'를 뜻한다. 강은 문화권을 경계 짓는 지리적 요소이기도 하지만 다른 문화와의 교류와 교통이 '강'을 따라 이루어졌다는 점에서 '소통'의 의미까지 가지는데, 巡(돌 순)이 이를 말해 준다. 또 四川省(사천성)을 뜻하여 이를 줄여 부르는 말로도 쓰인다.

飜譯

‘수맥(水脈)’을 말한다. 천(川)이 가로획[一] 아래에 놓인 모습이다. 가로획(一)은 땅(地)을 뜻한다. 정(壬)의 생략된 모습이 소리부이다. 일설에는 ‘물길이 성대한 모습(水冥巠)’을 말한다고도 한다. 경(𡿦)은 경(巠)의 고문체인데, 생략되지 않은 모습이다. 독음은 고(古)와 령(靈)의 반절이다.

**7445**

**巟: 巟: 망할 황: 巛-총6획: huāng**

原文

巟: 水廣也. 从川亡聲. 『易』曰 : “包巟用馮河.” 呼光切.

飜譯

‘망망하도록 물이 넓다(水廣)’라는 뜻이다. 천(川)이 의미부이고 망(亡)이 소리부이다. 『역·태괘(泰卦)』에서 “조롱박이 크고 넓으니 그것으로 허리에 매고 강을 건너리라(包巟用馮河)”라고 했다. 독음은 호(呼)와 광(光)의 반절이다.

**7446**

**𡿧: 𡿧: 물 흐를 역: 巛-총11획: huò**

原文

𡿧: 水流也. 从川或聲. 于逼切.

飜譯

‘물이 흐르다(水流)’라는 뜻이다. 천(川)이 의미부이고 혹(或)이 소리부이다. 독음은 우(于)와 핍(逼)의 반절이다.

**7447**

**𡿧: 㒵: 물 흐를 율: 巛-총7획: yù**

原文

𡿧: 水流也. 从川曰聲. 于筆切.

飜譯

'물이 흐르다(水流)'라는 뜻이다. 천(川)이 의미부이고 왈(曰)이 소리부이다. 독음은 우(于)와 필(筆)의 반절이다.

**7448**

**𡿪: 巟: 물 흐르는 모양 렬: 巛-총6획: liè**

原文

𡿪: 水流巟巟也. 从川, 列省聲. 良辥切.

飜譯

'물이 갈라져 흐르다(水流巟巟)'라는 뜻이다. 천(川)이 의미부이고, 렬(列)의 생략된 모습이 소리부이다. 독음은 량(良)과 설(辥)의 반절이다.

**7449**

**邕: 邕: 화할 옹: 邑-총10획: yōng**

原文

邕: 四方有水, 自邕城池者. 从川从邑. 𡿶, 籒文邕. 於容切.

飜譯

'사방으로 물이 있어, 스스로 성을 둘러싼 해자를 이룬 것(四方有水, 自邕城池者.)을 말한다.' 천(川)이 의미부이고 읍(邑)도 의미부이다. 옹(𡿶)은 옹(邕)의 주문체이다. 독음은 어(於)와 용(容)의 반절이다.

**7450**

**: 巛: 재앙 재: 巛–총4획: zāi**

原文

: 害也. 从一雝川. 『春秋傳』曰 : "川雝爲澤, 凶." 祖才切.

飜譯

'수해(害)'를 말한다. 일(一)이 천(川) 가운데 갇힌 모습이다.166) 『춘추전』(『좌전』 선공 12년, B.C. 597)에서 "흐르는 강물이 막혀 가기 어려운 소택으로 변하는 것은 흉할 징조이다.(川雝爲澤, 凶.)"라고 했다. 독음은 조(祖)와 재(才)의 반절이다.

**7451**

**: 侃: 강직할 간: 人–총8획: kǎn**

原文

: 剛直也. 从㐰, 㐰, 古文信; 从川, 取其不舍晝夜. 『論語』曰: "子路侃侃如也." 空旱切.

飜譯

'강직하다(剛直)'라는 뜻이다. 신(㐰)이 의미부인데, 신(㐰)은 신(信)의 고문체이다. 천(川)도 의미부인데, 주야를 가리지 않고 흐름을 의미한다.167) 『논어·선진(先進)』에

---

166) 고문자에서 甲骨文 簡牘文 등으로 그렸다. 火(불 화)가 의미부고 巛(재앙 재)가 소리부로, 홍수(巛)와 가뭄이나 화재(火)에 의한 '재앙'이나 재해나 불행을 뜻하는데, 巛에서 분화한 글자이다. 자신을 지켜주고 편히 쉴 수 있는 공간이자 안식처인 집이 물에 떠내려가고 불에 타버리는 것이 '재앙'임을 그렸으며, 그것을 강조하기 위해 巛 대신 宀(집 면)이 들어간 灾(재앙 재)로 쓰기도 했다. 또 巛 대신 𢦏(다칠 재)가 들어간 烖로 쓰기도 하여 전쟁(𢦏)에 의한 재앙을 강조하기도 했으며, 菑(묵정밭 치)로 써 홍수(巛)에 밭(田·전)의 농작물(艸·초)이 다 황폐했음을 표현하기도 했다. 간화자에서는 灾로 쓴다.

167) 고문자에서 金文 盟書 등으로 그렸다. 금문에서 人(사람 인)과 口(입 구)와 彡(터럭 삼)으로 이루어졌는데, 소전체에 들면서 彡이 川(내 천)으로 변해 지금의 자형이 되었다. 사람(人)의 말(口)이 격조 있고 멋져야 함(彡)을 말했으며, 이로부터 당당하게 말하다는 뜻이, 다시 강직하다는 뜻이 나왔다. 달리 偘(강직할 간)으로 쓰기도 한다.

서 "자로는 정말 강직하구나(*子路侃侃如也*)"라고 했다. 독음은 공(空)과 한(旱)의 반절이다.

**7452**

**𡿧: 州: 고을 주: 巛-총6획: zhōu**

原文

𡿧: 水中可居曰州, 周遶其旁, 从重川. 昔堯遭洪水, 民居水中高土, 或曰九州. 『詩』曰: "在河之州." 一曰州, 疇也. 各疇其土而生之. 𡿨, 古文州. 職流切.

飜譯

'강 가운데 살 수 있는 곳(水中可居)을 주(州)라고 한다.' 그 사방 주위를 물이 둘러싸고 있기에, 천(川)이 중복되어 표현되었다.168) 옛날, 요(堯) 임금이 홍수를 만났을 때, 백성들이 강 물 속의 높은 땅에서 살았는데, 혹자는 이곳을 구주(九州)169)라 불렀다. 『시·주남·관저(關雎)』에서 "황하의 섬 속에서 울고 있네(在河之州)"라고 노래했다. 일설에는 '주(州)는 주(疇)와 같아 밭두둑'을 말한다고도 한다. 각각 그 땅에 두둑을 만들어 살아가기 때문이다. 주(𡿨)는 주(州)의 고문체이다. 독음은 직(職)과 류(流)의 반절이다.

---

168) 고문자에서 甲骨文 金文 簡牘文 帛書 古璽文 등으로 그렸다. 굽이쳐 흐르는 강(川) 사이로 형성된 '모래톱'을 그렸는데, 이전에는 큰 강을 경계로 행정구획이 결정되었기에 九州(구주)에서처럼 행정단위로 쓰였고, 그러자 원래의 뜻은 水를 더한 洲(섬 주)로 분화했다.

169) 구주(九州)는 고대중국의 행정구역으로 기주(冀州), 연주(兗州), 청주(靑州), 서주(徐州), 양주(揚州), 형주(荊州), 예주(豫州), 양주(梁州), 옹주(雍州)를 말한다.

## 제416부수
## 416 ■ 천(泉)부수

**7453**

: 泉: **샘 천**: 水-총9획: quán

原文

: 水原也. 象水流出成川形. 凡泉之屬皆从泉. 疾緣切.

飜譯

'물이 흘러나오는 근원(水原)'을 말한다. 물이 흘러나와 내를 이루는 모습을 형상했다.[170] 천(泉)부수에 귀속된 글자들은 모두 천(泉)이 의미부이다. 독음은 질(疾)과 연(緣)의 반절이다.

**7454**

: ⿱緐泉: **샘물 반**: 水-총21획: fàn

原文

: 泉水也. 从泉緐聲. 讀若飯. 符萬切.

飜譯

'샘물(泉水)'을 말한다. 천(泉)이 의미부이고 번(緐)이 소리부이다. 반(飯)과 같이 읽는다. 독음은 부(符)와 만(萬)의 반절이다.

---

170) 고문자에서 甲骨文 古陶文 簡牘文 石篆文 등으로 그렸다. 갑골문에서 바위틈으로 솟아나는 물의 모습을 그렸는데, 자형이 조금 변하여 지금처럼 되었다. 그래서 '샘물'이 원래 뜻이며, 지하수를 지칭하기도 했다. 또 고대 중국인들은 황토 지대를 살아서 그랬는지 땅속에는 누런 강물이 흐르고 있으며 사람이 죽으면 그곳으로 간다고 생각했는데, 그곳을 黃泉(황천)이라 불렀다.

제11권

## 제417부수
## 417 ■ 천(灥)부수

**7455**

**灥: 灥: 많은 물줄기 천: 水-총27획: chuān, quán**

原文

灥: 三泉也. 闕. 凡灥之屬皆从灥. 詳遵切.

飜譯

'물이 흘러나오는 수많은 근원(三泉)'을 말한다. 구체적인 내용에 대해서는 알 수 없어 비워 둔다(闕). 천(灥)부수에 귀속된 글자들은 모두 천(灥)이 의미부이다. 독음은 상(詳)과 준(遵)의 반절이다.

**7456**

**驫: 厵: 근원 원: 厂-총29획: yuán**

原文

厵: 水泉夲也. 从灥出厂下. 原, 篆文从泉. 臣鉉等曰 : 今別作源, 非是. 愚袁切.

飜譯

'수원의 원천(水泉夲)'을 말한다. 샘(灥)이 언덕(厂) 아래로 나오는 모습을 그렸다.[171] 원(原)은 전서체인데, 천(泉)으로 구성되었다. 신(臣) 서현 등은 이렇게 생각합니다. "지금의 속세에서는 달리 원(源)으로 적는데, 이는 잘못된 것입니다." 독음은 우(愚)와 원(袁)의 반절이다.

---

171) 고문자에서 [고문자 자형]金文 [고문자 자형]古陶文 [고문자 자형]簡牘文 등으로 그렸다. 깎아지른 언덕(厂·엄)에서 물이 흘러나오는 모습(泉·천)을 그려 샘물의 '근원'을 말했고, 이로부터 원래의, 최초의, 가공을 거치지 않은 등의 뜻이 나왔다. 『설문해자』에서는 샘이 여럿이라는 뜻에서 3개의 泉으로 구성된 厵으로 썼는데, 이후 다시 줄어 지금처럼 되었다. 이후 原이 평원이라는 뜻으로 쓰이자 다시 水(물 수)를 더하여 源(근원 원)으로 분화했다.

## 제418부수
## 418 ■ 영(永)부수

**7457**

: 永: **길 영**: 水—**총5획**: **yǒng**

原文

: 長也. 象水巠理之長. 『詩』曰 : "江之永矣." 凡永之屬皆从永. 于憬切.

飜譯

'길다(長)'라는 뜻이다. 수맥이 길게 펼쳐져 있음을 말한다. 『시·주남·광한(廣漢)』에서 "장강은 길고도 길어서(江之永矣)"라고 노래했다.172) 영(永)부수에 귀속된 글자들은 모두 영(永)이 의미부이다. 독음은 우(于)와 경(憬)의 반절이다.

**7458**

: 羕: **강이 길 양**: 羊—**총12획**: **yàng**

原文

: 水長也. 从永羊聲. 『詩』曰 : "江之羕矣." 余亮切.

飜譯

'물길이 길다(水長)'라는 뜻이다. 영(永)이 의미부이고 양(羊)이 소리부이다. 『시·주남·광한(廣漢)』에서 "장강은 길고도 길어서(江之羕矣)"라고 노래했다.173) 독음은 여

---

172) 고문자에서 甲骨文 金文 盟書 石刻古文 등으로 그렸다. 원래 사람(人)이 강(水·수)에서 수영하는 모습을 그렸다. 길게 이어진 물줄기의 모습에서 長久(장구)하다나 永遠(영원)의 의미로 쓰이게 되었고, 그러자 원래 의미는 다시 水를 더해 泳(헤엄칠 영)으로 분화했다. 금문에서는 의미부 永에 소리부 羊(양 양)을 더한 구조인 羕(강이 길 양)으로 쓰기도 했다.

173) 『단주』에서 이렇게 말했다. "『시』에서 말한 '江之羕矣'의 양(羕)을 『모시』에서는 영(永)으로 적었지만 『한시(韓詩)』에서는 양(羕)으로 적었다. 고음은 같았다. 『문선(文選)·등루부(登樓賦)』에서 '川既漾而濟深(강의 물길은 길고 또 깊기도 하구나)'이라 했는데 이선의 주에서는 『한시

(余)와 량(亮)의 반절이다.

---

(韓詩)』를 인용하여 '江之漾矣(장강 물은 길어서)'라고 했다."

# 제419부수
## 419 ■ 파(𠂢)부수

**7459**

𠂢: 𠂢: **갈라질 파**: 丿-**총6획**: **pài**

原文

𠂢: 水之衺流, 别也. 从反永. 凡𠂢之屬皆从𠂢. 讀若稗縣. 匹卦切.

飜譯

'물이 굽어 흘러 지류를 이루다(水之衺流, 别.)'라는 뜻이다. 영(永)자를 좌우로 뒤집은 모습이다. 파(𠂢)부수에 귀속된 글자들은 모두 파(𠂢)가 의미부이다. 패현(稗縣)의 패(稗)와 같이 읽는다. 독음은 필(匹)과 괘(卦)의 반절이다.

**7460**

衇: 衇: **맥 맥**: 血-**총12획**: **mài**

原文

衇: 血理分衺行體者. 从𠂢从血. 脈, 衇或从肉. 䘑, 籒文. 莫獲切.

飜譯

'몸속에 갈래져서 굽어 흐르는 피의 물결(血理分衺行體者)'을 말한다. 파(𠂢)가 의미부이고 혈(血)도 의미부이다. 맥(脈)은 맥(衇)의 혹체자인데, 육(肉)으로 구성되었다. 맥(䘑)은 주문체이다. 독음은 막(莫)과 획(獲)의 반절이다.

**7461**

覛: 覛: **몰래 볼 맥·멱**: 見-**총13획**: **mì**

제11권

原文

覛: 衺視也. 从𠂢从見. 𥈥, 籒文. 莫狄切.

‘곁눈질로 보다(衺視)’라는 뜻이다. 파(𠂢)가 의미부이고 견(見)도 의미부이다. 맥(𥈥)은 주문체이다. 독음은 막(莫)과 적(狄)의 반절이다.

## 제420부수
## 420 ■ 곡(谷)부수

**7462**

### 谷: 谷: **골 곡**: 谷-**총7획**: **gǔ**

原文

谷: 泉出通川爲谷. 从水半見, 出於口. 凡谷之屬皆从谷. 古禄切.

飜譯

'샘에서 나와 내를 통과하면 계곡이 된다(泉出通川爲谷).' 물(水)이 절반 정도만 보이고 입구(口)에서 나오는 모습을 그렸다.174) 곡(谷)부수에 귀속된 글자들은 모두 곡(谷)이 의미부이다. 독음은 고(古)와 록(禄)의 반절이다.

**7463**

### 谿: 谿: **시내 계**: 谷-**총17획**: **xī**

---

174) 고문자에서 甲骨文 金文 古陶文 簡牘文 古璽文 石刻古文 등으로 그렸다. 윗부분은 水(물 수)의 일부가 생략된 모습이고 아랫부분의 口(입 구)는 입구를 상징하여, 물이 흘러나오되 아직 큰 물길을 이루지 못한 산에 있는 샘의 입구를 그렸다. 그래서 『설문해자』에서도 "물이 솟아 나와 내(川·천)로 통하는 곳을 谷이라 하며, 水의 반쪽 모습으로 구성되었다."라고 했다. 이처럼 谷은 내가 시작되는 산속 샘의 입구라는 뜻으로부터 산 사이로 우묵 들어간 '골짜기'를 의미하게 되었다. 골짜기는 '물길'이자 사람이 다니는 좁은 통로이기도 했으며, 깊게 팬 골짜기는 크고 텅 빈 공간으로 넉넉함과 수용을 상징하기도 했다. 그러나 크고 깊은 협곡에 빠져 적의 매복이라도 만나는 날이면 나아가지도 물러서지도 못한다는 뜻에서 進退維谷(진퇴유곡)처럼 困境(곤경)을 뜻하기도 하였다. 하지만, 谷의 자형에 유의해야 하는데, 윗부분이 물을 그렸기 때문에 사실은 갑골문에서처럼 아래위 획 모두 중간이 분리되어야 하는데, 예서에 들면서 지금처럼 되어 버렸다. 이와 반대로 아래위 획 모두 붙어 人(사람 인)처럼 되면 '입(口) 둘레로 난 굽이'를 뜻하는 '𧮫(웃을 각=㖾)'자가 되는데, 卻(물리칠 각), 㭰(새가 울 곡) 등은 이 글자로 구성되었다. 이처럼 谷은 계곡을 지칭하거나 계곡의 상징을 말한다.

原文

谿: 山瀆无所通者. 从谷奚聲. 苦兮切.

飜譯

'아직 내로 나가지 못한 산속의 작은 도랑(山瀆无所通者)'을 말한다. 곡(谷)이 의미부이고 해(奚)가 소리부이다.175) 독음은 고(苦)와 혜(兮)의 반절이다.

7464

**䜭: 䜭: 뚫린 골 활: 谷-총17획: huò**

原文

䜭: 通谷也. 从谷害聲. 呼括切.

飜譯

'뻥 뚫린 계곡(通谷)'을 말한다. 곡(谷)이 의미부이고 해(害)가 소리부이다. 독음은 호(呼)와 괄(括)의 반절이다.

7465

**谬: 䜍: 골 깊을 료: 谷-총18획: liáo**

原文

䜍: 空谷也. 从谷翏聲. 洛蕭切.

飜譯

'텅 빈 계곡(空谷)'을 말한다. 곡(谷)이 의미부이고 료(翏)가 소리부이다. 독음은 락(洛)과 소(蕭)의 반절이다.

---

175) 고문자에서 溪簡牘文 등으로 그렸다. 水(물 수)가 의미부이고 奚(어찌 해)가 소리부로, 골짜기를 흐르는 작은 내를 말하며, 이로부터 작은 길의 뜻도 나왔다. 원래 谿(시내 계)로 썼으나 『옥편(玉篇)』에서부터 의미부인 谷(골 곡)이 水로 대체되어 지금의 자형이 되었다.

**7466**

**𧯄: 𧯄: 크고 긴 골 롱: 谷–총23획: lóng**

原文

𧯄: 大長谷也. 从谷龍聲. 讀若聾. 盧紅切.

飜譯

'크고 긴 계곡(大長谷)'을 말한다. 곡(谷)이 의미부이고 룡(龍)이 소리부이다. 롱(聾)과 같이 읽는다. 독음은 로(盧)와 홍(紅)의 반절이다.

**7467**

**谹: 谹: 골짜기 울릴 횡: 谷–총11획: hóng**

原文

谹: 谷中響也. 从谷厷聲. 戶萌切.

飜譯

'골짜기가 울리다(谷中響)'라는 뜻이다. 곡(谷)이 의미부이고 굉(厷)이 소리부이다. 독음은 호(戶)와 맹(萌)의 반절이다.

**7468**

**㕡: 㕡: 밝을 예·천의 바닥을 깊이 파 올릴 준: 谷–총12획: jùn**

原文

㕡: 深通川也. 从谷从𣦵. 𣦵, 殘地; 阬坎意也. 『虞書』曰: "㕡畎澮距川." 濬, 㕡或从水. 𡽂, 古文㕡. 私閏切.

飜譯

'깊이 파서 시냇물로 통하도록 하다(深通川)'라는 뜻이다. 곡(谷)이 의미부이고 알(𣦵)도 의미부이다. 알(𣦵)은 땅을 파헤치다(殘地)라는 뜻이다. 그래서 예(㕡)는 '굴을 깊이 파다(阬坎)'라는 뜻이다. 『서·우서(虞書)·고요모(皐陶謨)』에서 "[아홉 개의 강

물을 터서 바다로 흘러들게 하고] 도랑과 운하를 깊이 파서 강으로 흘러들게 하였다(睿畎澮距川)"라고 했다. 예(濬)는 예(睿)의 혹체자인데, 수(水)로 구성되었다. 예(濬)는 예(睿)의 고문체이다. 독음은 사(私)와 윤(閏)의 반절이다.

**7469**

**谸: 谸: 푸를 천: 谷-총10획: qiān**

原文

谸: 望山谷谸谸青也. 从谷千聲. 倉絢切.

飜譯

'산골짜기의 나무들이 푸르다(望山谷谸谸青)'라는 뜻이다. 곡(谷)이 의미부이고 천(千)이 소리부이다. 독음은 창(倉)과 현(絢)의 반절이다.

## 제421부수
## 421 ■ 빙(仌)부수

**7470**

仌: 仌: **얼음 빙: 人-총4획: bīng**

原文

仌: 凍也. 象水凝之形. 凡仌之屬皆从仌. 筆陵切.

飜譯

'얼어붙다(凍)'라는 뜻이다. 물이 언 모습을 그렸다. 빙(仌)부수에 귀속된 글자들은 모두 빙(仌)이 의미부이다.176) 독음은 필(筆)과 릉(陵)의 반절이다.

**7471**

冰: 冰: **얼음 빙: 冫-총6획: bīng**

原文

冰: 水堅也. 从仌从水. 凝, 俗冰从疑. 魚陵切.

飜譯

'물이 얼어 단단하게 된 얼음(水堅)'을 말한다. 빙(仌)이 의미부이고 수(水)도 의미부이다.177) 빙(凝)은 빙(冰)의 속체인데, 의(疑)로 구성되었다. 독음은 어(魚)와 릉(陵)

176) 冫은 갑골문에서는 두 개의 얼음 덩어리를 그렸고, 금문에서는 얼음이 될 때 체적이 불어나 위로 부풀어 오른 모습을 형상화했다. 이후 얼음이 물에서 만들어짐을 강조하기 위해 다시 水(물 수)를 더해 冰(얼음 빙)이 되었고, 다시 氷으로 축약되었다. 물이 얼어 얼음이 되는 것, 즉 액체가 고체로 변하는 현상은 대단히 신비한 발견이었을 것이다. 그래서 이러한 변화를 표현할 글자가 필요했는데, 凝固(응고)에서의 凝(엉길 응)이 그것이다. 凝은 물인지 얼음(冫)인지 아직 의심(疑)이 가는 結氷(결빙)의 진행 단계를 말한 것으로 보인다. 이외에도 冫 부수에 귀속된 冬(겨울 동), 冶(불릴 야), 冷(찰 랭), 凉(서늘할 량) 등은 모두 얼음과 관련되어 있다.

177) 고문자에서 [金文 자형] 金文 등으로 그렸다. 水(물 수)가 의미부고 冫(얼음 빙)이 소리부로, 물(水)

의 반절이다.

**7472**

**𠗨: 凜: 소름끼칠 름: 冫-총18획: lǐn**

原文

𠗨: 寒也. 从仌廩聲. 力稔切.

飜譯

'차다(寒)'라는 뜻이다. 빙(仌)이 의미부이고 름(廩)이 소리부이다. 독음은 력(力)과 임(稔)의 반절이다.

**7473**

**凊: 凊: 서늘할 청·정: 冫-총10획: qìng**

原文

凊: 寒也. 从仌青聲. 七正切.

飜譯

'차다(寒)'라는 뜻이다. 빙(仌)이 의미부이고 청(青)이 소리부이다. 독음은 칠(七)과 정(正)의 반절이다.

**7474**

**凍: 凍: 얼 동: 冫-총10획: dòng**

原文

---

로부터 만들어진 얼음(冫)을 말했다. 갑골문에서는 두 개의 얼음 덩어리를 그렸고, 금문에서는 仌으로 적어 얼음이 될 때 체적이 불어나 위로 부풀어 오른 모습을 형상화했다. 이후 얼음이 물에서 만들어짐을 강조하기 위해 다시 水를 더해 冰(얼음 빙)이 되었고, 다시 축약되어 지금의 氷이 되었다.

凍: 仌也. 从仌東聲. 多貢切.

飜譯

'얼음(仌)'을 말한다. 빙(仌)이 의미부이고 동(東)이 소리부이다.[178] 독음은 다(多)와 공(貢)의 반절이다.

7475

**凌: 勝: 얼음 곳간 릉: 冫-총12획: líng**

原文

凌: 仌出也. 从仌朕聲. 『詩』曰: "納于勝陰." 凌, 勝或从夌. 力膺切.

飜譯

'얼음을 내 오는 곳(仌出)[얼음저장고]'을 말한다. 빙(仌)이 의미부이고 짐(朕)이 소리부이다. 『시·빈풍·칠월(七月)』에서 "[정월엔] 그것을 얼음 창고에 넣네(納于勝陰)"라고 노래했다. 릉(凌)은 릉(勝)의 혹체자인데, 릉(夌)으로 구성되었다. 독음은 력(力)과 응(膺)의 반절이다.

7476

**凘: 凘: 성엣장 시: 冫-총14획: sī**

原文

凘: 流仌也. 从仌斯聲. 息移切.

飜譯

'유빙(流仌) 즉 물 위에 떠내려가는 얼음덩이'를 말한다. 빙(仌)이 의미부이고 사(斯)가 소리부이다. 독음은 식(息)과 이(移)의 반절이다.

178) 冫(얼음 빙)이 의미부이고 東(동녘 동)이 소리부로, 물이 얼어 얼음(冫, 氷의 원래 글자)이 되는 것을 말하며, 이로부터 얼음, 凍傷(동상)을 입다 등의 뜻이 나왔다. 달리 涷으로도 쓰며, 간화자에서는 東을 东으로 줄여 쓴 冻으로 쓴다.

**7477**

**凋: 凋: 시들 조: 冫-총10획: diāo**

原文

凋: 半傷也. 从仌周聲. 都僚切.

飜譯

'거의 다 시들다(半傷)'라는 뜻이다. 빙(仌)이 의미부이고 주(周)가 소리부이다.179) 독음은 도(都)와 료(僚)의 반절이다.

**7478**

**冬: 冬: 겨울 동: 冫-총5획: dōng**

原文

冬: 四時盡也. 从仌从夂. 𠔼, 古文終字. 㫡, 古文冬从日. 都宗切.

飜譯

'사계절이 다하다(四時盡)'라는 뜻이다. 빙(仌)이 의미부이고 종(夂)도 의미부이다.180) 종(𠔼)은 종(終)의 고문체이다.181) 동(㫡)은 동(冬)의 고문체인데, 일(日)로 구성되었다. 독음은 도(都)와 종(宗)의 반절이다.

---

179) 冫(얼음 빙)이 의미부고 周(두루 주)가 소리부로, 시들다는 뜻인데, 빼곡히 자란 곡식(周)이 얼음(冫) 같은 서리를 맞아 시들어가는 모습을 반영했다. 현대 중국에서는 彫(새길 조)의 간화자로도 쓰인다.

180) 종(夂)을 『단주』에서는 종(舟)으로 고쳤다.

181) 고문자에서 甲骨文 金文 古陶文 簡牘文 石刻古文 등으로 그렸다. 이의 자원에 대해서는 설이 분분하나, 갑골문에서 실 양쪽 끝으로 매달린 베틀 북을 그렸다는 설이 대표적이다. 베틀 북은 베 짜기를 대표하고, 베 짜는 계절이 바로 '겨울'이다. 혹자는 가지 끝에 매달린 잎사귀라고 풀이하기도 한다. 이후 '겨울'이라는 의미를 명확하게 하고자 얼음(冫)을 더해 지금의 冬이 되었다. 또 끝이라는 의미를 강조하기 위해 糸(가는 실 멱)을 더해 終(끝날 종)으로 분화했다.

7479

**冶: 冶: 불릴 야: 冫-총7획: yě**

原文

冶: 銷也. 从仌台聲. 羊者切.

飜譯

'녹이다(銷)'라는 뜻이다. 빙(仌)이 의미부이고 태(台)가 소리부이다. 독음은 양(羊)과 자(者)의 반절이다.

7480

**滄: 滄: 찰 창: 冫-총12획: chuàng**

原文

滄: 寒也. 从仌倉聲. 初亮切.

飜譯

'차다(寒)'라는 뜻이다. 빙(仌)이 의미부이고 창(倉)이 소리부이다. 독음은 초(初)와 량(亮)의 반절이다.

**冷: 冷: 찰 랭: 冫-총7획: lěng**

原文

冷: 寒也. 从仌令聲. 魯打切.

飜譯

'차다(寒)'라는 뜻이다. 빙(仌)이 의미부이고 령(令)이 소리부이다.[182] 독음은 로(魯)와 타(打)의 반절이다.

제11권

---

182) 冫(얼음 빙)이 의미부이고 令(영 령)이 소리부로, 차다, 冷靜(냉정)하다, 冷冷(냉랭)하다 등의 뜻을 가지는데, 우두머리가 내리는 명령(令)은 얼음(冫)처럼 찬(冷) 것임을 그렸다.

**7482**

**𠗋**: 涵: **차가울 함**: 冫-**총10획**: **hán**

原文

𠗋: 寒也. 从仌圅聲. 胡男切.

飜譯

'차다(寒)'라는 뜻이다. 빙(仌)이 의미부이고 함(圅)이 소리부이다. 독음은 호(胡)와 남(男)의 반절이다.

**7483**

**𠘀**: 滭: **바람이 찰 필**: 冫-**총13획**: **bì, bié**

原文

𠘀: 風寒也. 从仌畢聲. 卑吉切.

飜譯

'바람이 차다(風寒)'라는 뜻이다. 빙(仌)이 의미부이고 필(畢)이 소리부이다. 독음은 비(卑)와 길(吉)의 반절이다.

**7484**

**𠗊**: 冹: **찰 불**: 冫-**총7획**: **fǎ, fǔ**

原文

𠗊: 一之日滭冹. 从仌犮聲. 分勿切.

飜譯

'정월에 바람이 차다(一之日滭冹)'라는 뜻이다.[183] 빙(仌)이 의미부이고 발(犮)이 소

183) '一之日'은 주력으로 정월을 말한다. 주나라는 건자(建子, 하나라의 월력으로 11월 즉 子月이 한해의 시작이 되는 역법), 하나라는 건인(建寅, 하나라 역법에서 정월)이다. 그래서 주력에서 정월은 하력으로 11월에 해당한다.

리부이다. 독음은 분(分)과 물(勿)의 반절이다.

**7485**

**𠗚:** 凓: **찰 률:** 冫**-총12획: lì**

原文

𠗚: 寒也. 从仌栗聲. 力質切.

飜譯

'차다(寒)'라는 뜻이다. 빙(仌)이 의미부이고 률(栗)이 소리부이다. 독음은 력(力)과 질(質)의 반절이다.

**7486**

**𪞷:** 瀨: **찰 뢰:** 冫**-총18획: lài**

原文

𪞷: 寒也. 从仌賴聲. 洛帶切.

飜譯

'차다(寒)'라는 뜻이다. 빙(仌)이 의미부이고 뢰(賴)가 소리부이다. 독음은 락(洛)과 대(帶)의 반절이다.

## 제422부수
## 422 ■ 우(雨)부수

7487

**雨: 雨: 비 우: 雨-총8획: yǔ**

原文

雨: 水从雲下也. 一象天, 冂象雲, 水靁其閒也. 凡雨之屬皆从雨. 𠕒, 古文. 王矩切.

飜譯

'물(水)이 구름(雲) 아래로 떨어지는 모양을 그렸다.' 가로획[一]은 하늘(天)을 상징하고, 경(冂)은 구름(雲)을 상징하며, [나머지는] 물(水)로, 그 사이로 비가 내리는 것을 뜻한다.184) 우(雨)부수에 귀속된 글자들은 모두 우(雨)가 의미부이다. 우(𠕒)는 고문체이다. 독음은 왕(王)과 구(矩)의 반절이다.

7488

**靁: 靁: 우레 뢰: 雨-총23획: léi**

原文

靁: 陰陽薄動靁雨, 生物者也. 从雨, 畾象回轉形. 㗊, 古文靁. 𩇓, 古文靁. 䨻, 籒文. 靁閒有回; 回, 靁聲也. 魯回切.

飜譯

---

184) 고문자에서 甲骨文 金文 古陶文 簡牘文 帛書 石刻古文 등으로 그렸다. 갑골문에서 하늘에서 떨어지는 '비'를 그렸는데, 자형이 변해 지금처럼 되었다. 농경을 주로 했던 고대 중국에서 '비'는 생존과 직결되었기에 雨가 기상을 대표하는 글자가 되었다. 특히 가뭄은 농사에 치명적이었기에 기우제에 관한 의미와도 자주 연결된다.

'음 기운과 양 기운이 서로 움직여 우레와 비를 만들고, 만물을 자라나게 하는 것(陰陽薄動靁雨, 生物者.)'을 말한다. 우(雨)가 의미부이고, 뢰(畾)는 회전하는 모습을 그렸다.185) 뢰(靁)는 뢰(靁)의 고문체이다. 뢰(靁)도 뢰(靁)의 고문체이다. 뢰(靁)는 뢰(靁)의 주문체인데, 사이에 회(回)가 들었다. 회(回)는 우레의 소리를 말한다. 독음은 로(魯)와 회(回)의 반절이다.

**7489**

**霣: 霣: 떨어질 운: 雨-총18획: yún**

原文

霣: 雨也. 齊人謂靁爲霣. 从雨員聲. 一曰雲轉起也. 䨦, 古文霣. 于敏切.

飜譯

'비가 내리다(雨)'라는 뜻이다. 제(齊) 지역 사람들은 우레(靁)를 운(霣)이라 한다. 우(雨)가 의미부이고 원(員)이 소리부이다. 일설에는 '구름이 피어오르다(雲轉起)'라는 뜻이라고도 한다. 운(䨦)은 운(霣)의 고문체이다. 독음은 우(于)와 민(敏)의 반절이다.

**7490**

**霆: 霆: 천둥소리 정: 雨-총15획: tíng**

原文

霆: 雷餘聲也鈴鈴. 所以挺出萬物. 从雨廷聲. 特丁切.

飜譯

185) 고문자에서 甲骨文 金文 簡牘文 등으로 그렸다. 雨(비 우)와 田(밭 전)으로 구성되었는데, 田은 천둥소리를 형상화한 것이 변한 자형이다. 원래는 번개 치는 모습을 그린 申(아홉째 지지 신)과 그때 나는 우렛소리를 형상한 여러 개의 田으로 구성되었는데, 이후 번개는 주로 비가 올 때 치기 때문에 申이 雨로 바뀌고, 田도 하나로 줄어 지금처럼 되었다. 우렛소리를 말하며, 우렛소리처럼 큰 소리를 지칭하기도 한다.

제11권

'우레의 여음으로 웅웅거리는 소리(霝餘聲也鈴鈴)'로, 만물을 자라나게 하는 것(所以挺出萬物)이다. 우(雨)가 의미부이고 정(廷)이 소리부이다. 독음은 특(特)과 정(丁)의 반절이다.

**7491**

**霅: 霅: 번개 칠 잡·비올 삽·빛날 합: 雨-총15획: zhà**

原文

霅: 霅霅, 震電皃. 一曰衆言也. 从雨, 譶省聲. 丈甲切.

飜譯

'잡잡(霅霅)은 벼락 천둥이 치는 모양(震電皃)'을 말한다. 일설에는 '말이 많다(衆言)'라는 뜻이라고도 한다. 우(雨)가 의미부이고, 답(譶)의 생략된 모습이 소리부이다. 독음은 장(丈)과 갑(甲)의 반절이다.

**7492**

**電: 電: 번개 전: 雨-총13획: diàn**

原文

電: 陰陽激燿也. 从雨从申. 䨚, 古文電. 堂練切.

飜譯

'음 기운과 양 기운이 서로 부딪혀 섬광을 뿜다(陰陽激燿)'라는 뜻이다. 우(雨)가 의미부이고 신(申)도 의미부이다.[186] 전(䨚)은 전(電)의 고문체이다. 독음은 당(堂)과 련(練)의 반절이다.

---

186) 고문자에서 金文 帛書 등으로 그렸다. 雨(비 우)가 의미부고 申(아홉째 지지 신)이 소리부로, 비(雨)가 올 때 하늘을 가르면서 번쩍이는 번개(申)를 말한다. 번개로부터 電氣(전기)를 뜻하게 되었고, 이후 電子(전자), 電報(전보), 感電(감전)되다 등의 뜻이 나왔다. 원래는 申으로만 썼는데, 申이 간지자로 쓰이자, 雨를 더해 電으로 분화했다. 간화자에서는 원래의 电으로 쓴다.

**7493**

**䨓: 震: 벼락 진: 雨-총15획: zhèn**

原文

䨓: 劈歷, 振物者. 从雨辰聲. 『春秋傳』曰: "震夷伯之廟." 𩆹, 籒文震. 章刃切.

飜譯

'벽력(劈歷) 즉 벼락'을 말하는데, 만물을 진동시키는 존재이다(振物者). 우(雨)가 의미부이고 진(辰)이 소리부이다.[187] 『춘추전』(『좌전』 희공 15년, B.C. 645)에서 "벼락이 [노나라의 신하인] 이백의 사당에 떨어졌다(震夷伯之廟)"라고 했다. 진(𩆹)은 진(辰)의 주문체이다. 독음은 장(章)과 인(刃)의 반절이다.

**7494**

**雪: 雪: 눈 설: 雨-총19획: xuě**

原文

雪: 凝雨, 說物者. 从雨彗聲. 相絕切.

飜譯

'비가 응결되어 만들어지는 것으로[188], 만물을 즐겁게 해주는 존재이다.(凝雨, 說物者.)' 우(雨)가 의미부이고 혜(彗)가 소리부이다.[189] 독음은 상(相)과 절(絕)의 반절이다.

---

187) 雨(비 우)가 의미부고 辰(지지 진·때 신)이 소리부로, 꿈쩍도 하지 않다가 먹이를 포착하는 순간 갑자기 육중한 몸을 움직이며 모래 먼지를 일으키는 조개(辰)의 인상적인 모습이 震을 만들어냈는데, 비(雨)가 올 때 우렛소리를 내며 천지를 뒤엎을 듯한 기세의 '벼락'은 물속에서의 조개의 격렬한 움직임에 다름 아니기 때문이다.

188) 『단주』에서는 빙(冰)을 각 판본에서는 응(凝)으로 적었는데 지금 '冰雨說物者也'로 바로 잡는다고 했다. 그리고 응(凝)은 빙(冰)의 속자라고 했다.

189) 고문자에서 甲骨文 등으로 그렸다. 갑골문에서는 雨(비 우)와 羽(깃 우)로 구성되어, 깃털(羽)처럼 사뿐사뿐 내려앉는(雨) '눈'을 그렸다. 소전체에서 雨와 彗(비 혜)로 구성되어 내린 눈을 비(彗)로 쓰는 모습으로 변했고, 해서에서는 손(又·우)만 남아 지금의 雪이 되었는데, 이로부터 제거하다, 雪辱(설욕)하다의 뜻이 나왔다.

**7495**

**霄: 霄: 하늘 소: 雨-총15획: xiāo**

原文

霄: 雨霓爲霄. 从雨肖聲. 齊語也. 相邀切.

飜譯

'눈덩어리가 내리는 것(雨霓)을 소(霄)라고 한다.' 우(雨)가 의미부이고 초(肖)가 소리부이다. 제(齊)나라 지역 말이다. 독음은 상(相)과 요(邀)의 반절이다.

**7496**

**霰: 霰: 싸라기눈 산·선: 雨-총24획: xiàn**

原文

霰: 稷雪也. 从雨散聲. 霓, 霰或从見. 穌甸切.

飜譯

'싸라기 눈(稷雪)'을 말한다. 우(雨)가 의미부이고 산(散)이 소리부이다.190) 산(霓)은 산(霰)의 혹체자인데, 견(見)으로 구성되었다. 독음은 소(穌)와 전(甸)의 반절이다.

**7497**

**雹: 雹: 누리 박: 雨-총13획: báo**

原文

雹: 雨冰也. 从雨包聲. 靁, 古文雹. 蒲角切.

飜譯

'우박(雨冰)'을 말한다. 우(雨)가 의미부이고 포(包)가 소리부이다. 박(靁)은 박(雹)의

190) 雨(비 우)가 의미부고 散(흩을 산)이 소리부로, 흩어져(散) 비(雨)처럼 내리는 '싸락눈'을 말한다.

고문체이다. 독음은 포(蒲)와 각(角)의 반절이다.

7498

**霝: 霝: 비올 령: 雨-총17획: líng**

原文

霝: 雨零也. 从雨, 吅象零形. 『詩』曰: "霝雨其濛." 郎丁切.

飜譯

'비가 내리다(雨零)'라는 뜻이다. 우(雨)가 의미부이고, 령(吅)은 비가 떨어지는 모양(零形)을 본떴다. 『시·빈풍·동산(東山)』에서 "보슬비 보슬보슬 내렸었네(霝雨其濛)"라고 노래했다. 독음은 랑(郎)과 정(丁)의 반절이다.

7499

**零: 零: 비 떨어질 락: 雨-총14획: luò**

原文

零: 雨零也. 从雨各聲. 盧各切.

飜譯

'비가 내리다(雨零)'라는 뜻이다. 우(雨)가 의미부이고 각(各)이 소리부이다. 독음은 로(盧)와 각(各)의 반절이다.

7500

**零: 零: 조용히 오는 비 령: 雨-총13획: líng**

原文

零: 餘雨也. 从雨令聲. 郎丁切.

飜譯

'서서히 내리는 비(餘雨)'라는 뜻이다. 우(雨)가 의미부이고 령(令)이 소리부이다. 독음은 랑(郎)과 정(丁)의 반절이다.

**7501**

**霹: 䨣: 비 뚝뚝 떨어질 사: 雨-총25획: sī, xiàn**

原文

霹: 小雨財客也. 从雨鮮聲. 讀若斯. 息移切.

飜譯

'가랑비가 막 내리기 시작하다(小雨財客)'라는 뜻이다. 우(雨)가 의미부이고 선(鮮)이 소리부이다. 사(斯)와 같이 읽는다. 독음은 식(息)과 이(移)의 반절이다.

**7502**

**霢: 霢: 가랑비 맥: 雨-총18획: mài**

原文

霢: 霢霂, 小雨也. 从雨脈聲. 莫獲切.

飜譯

'맥목(霢霂)'을 말하는데, '가랑비(小雨)'를 말한다. 우(雨)가 의미부이고 맥(脈)이 소리부이다. 독음은 막(莫)과 획(獲)의 반절이다.

**7503**

**霂: 霂: 가랑비 목: 雨-총15획: mù**

原文

霂: 霢霂也. 从雨沐聲. 莫卜切.

飜譯

'맥목(霢霂) 즉 가랑비'를 말한다. 우(雨)가 의미부이고 목(沐)이 소리부이다. 독음은 막(莫)과 복(卜)의 반절이다.

7504

**霰: 霰: 가랑비 산: 雨–총22획: suān**

原文

霰: 小雨也. 从雨酸聲. 素官切.

飜譯

'가랑비(小雨)'를 말한다. 우(雨)가 의미부이고 산(酸)이 소리부이다. 독음은 소(素)와 관(官)의 반절이다.

7505

**霰: 𩃼: 가랑비 삼: 雨–총16획: jiān**

原文

𩃼: 微雨也. 从雨𢦏聲. 又讀若芟. 子廉切.

飜譯

'보슬비(微雨)'를 말한다. 우(雨)가 의미부이고 첨(𢦏)이 소리부이다. 또 삼(芟)과 같이 읽기도 한다. 독음은 자(子)와 렴(廉)의 반절이다.

7506

**霊: 霘: 가랑비 중: 雨–총19획: zhōng**

原文

霘: 小雨也. 从雨眾聲. 『明堂月令』曰: "霘雨." 職戎切.

飜譯

'가랑비(小雨)'를 말한다. 우(雨)가 의미부이고 중(眾)이 소리부이다. 『예기·명당(明堂)·월령(月令)』에서 "가랑비가 내리다(霘雨)"라고 했다. 독음은 직(職)과 융(戎)의 반절이다.

**7507**

**霃: 霃: 날씨가 흐릴 침: 雨-총15획: chén**

原文

霃: 久陰也. 从雨沈聲. 直深切.

飜譯

'[날씨가] 오랫동안 흐리다(久陰)'라는 뜻이다. 우(雨)가 의미부이고 침(沈)이 소리부이다. 독음은 직(直)과 심(深)의 반절이다.

**7508**

**䨬: 䨬: 장마 렴: 雨-총18획: lián**

原文

䨬: 久雨也. 从雨兼聲. 力鹽切.

飜譯

'오랫동안 비가 계속 내리다(久雨)'라는 뜻이다. 우(雨)가 의미부이고 겸(兼)이 소리부이다. 독음은 력(力)과 염(鹽)의 반절이다.

**7509**

**霒: 䨡: 장마 함: 雨-총18획: hán**

原文

䨡: 久雨也. 从雨圅聲. 胡男切.

飜譯

'오랫동안 비가 계속 내리다(久雨)'라는 뜻이다. 우(雨)가 의미부이고 함(圅)이 소리부이다. 독음은 호(胡)와 남(男)의 반절이다.

7510

**霖: 霖: 장마 림: 雨-총16획: lín**

原文

霖: 雨三日已往. 从雨林聲. 力尋切.

飜譯

'비가 사흘 이상 내리는 것(雨三日已往)'을 말한다. 우(雨)가 의미부이고 림(林)이 소리부이다.191) 독음은 력(力)과 심(尋)의 반절이다.

7511

**霂: 霂: 장마 잠: 雨-총14획: yín, ái**

原文

霂: 霖雨也. 南陽謂霖霂. 从雨㐺聲. 銀箴切.

飜譯

'장맛비(霖雨)'를 말한다. 남양(南陽) 지역에서는 임잠(霖霂)이라 한다. 우(雨)가 의미부이고 중(㐺)이 소리부이다. 독음은 은(銀)과 잠(箴)의 반절이다.



7512

**霣: 霣: 빗소리 자: 雨-총18획: zī**

原文

霣: 雨聲. 从雨眞聲. 讀若資. 即夷切.

飜譯

'빗소리(雨聲)'를 말한다. 우(雨)가 의미부이고 진(眞)이 소리부이다. 자(資)와 같이

191) 雨(비 우)가 의미부이고 林(수풀 림)이 소리부로, 숲(林)처럼 쏟아지는 장맛비(雨)를 말하는데, 보통 3일 이상 연속해 내리는 비를 말했다. 이후 때에 맞추어 내리는 비를 말하기도 했고, 은혜나 음택의 비유로도 쓰였다.

읽는다. 독음은 즉(卽)과 이(夷)의 반절이다.

**7513**

**䨞: 䨞: 비 호·비오는 모양 우: 雨-총17획: yǔ, yù**

原文

䨞: 雨皃. 方語也. 从雨禹聲. 讀若禹. 王矩切.

飜譯

'비가 내리는 모양(雨皃)'을 말한다. 북방 지역의 말이다.[192] 우(雨)가 의미부이고 우(禹)가 소리부이다. 우(禹)와 같이 읽는다. 독음은 왕(王)과 구(矩)의 반절이다.

**7514**

**䨘: 䨘: 가랑비 첨: 雨-총21획: jiān**

原文

䨘: 小雨也. 从雨僉聲. 子廉切.

飜譯

'가랑비(小雨)'를 말한다. 우(雨)가 의미부이고 첨(僉)이 소리부이다. 독음은 자(子)와 렴(廉)의 반절이다.

**7515**

**霑: 霑: 젖을 점: 雨-총16획: zhān**

原文

霑: 雨䨟也. 从雨沾聲. 張廉切.

192) 『단주』에서 이렇게 말했다. "방언 어휘이다(方語也)라고 했는데, 방(方)자 앞에 북(北)자가 빠졌을 것이다. (그렇게 되면 '북방지역의 말'이라는 뜻이 된다.) 『집운(集韵)』에서 호(䨞)는 화(火)와 오(五)의 반절이다. 북방에서는 비(雨)를 호(䨞)라고 한다고 했는데, 여정(呂靜)의 학설이다."

飜譯

'비에 젖다(雨霑)'라는 뜻이다. 우(雨)가 의미부이고 첨(沾)이 소리부이다. 독음은 장(張)과 렴(廉)의 반절이다.

7516

**霥: 霥: 젖을 염: 雨-총17획: rǎn**

原文

霥: 濡也. 从雨染聲. 而琰切.

飜譯

'젖다(濡)'라는 뜻이다. 우(雨)가 의미부이고 염(染)이 소리부이다. 독음은 이(而)와 염(琰)의 반절이다.

7517

**霤: 霤: 낙숫물 류: 雨-총20획: liù**

原文

霤: 屋水流也. 从雨畱聲. 力救切.

飜譯

'처마에서 물이 흘러내리다(屋水流)'라는 뜻이다. 우(雨)가 의미부이고 류(畱)가 소리부이다. 독음은 력(力)과 구(救)의 반절이다.

7518

**屚: 屚: 샐 루: 尸-총11획: lòu**

原文

屚: 屋穿水下也. 从雨在尸下. 尸者, 屋也. 盧后切.

飜譯

'지붕에 구멍이 나 물이 새다(屋穿水下)'라는 뜻이다. 우(雨)가 시(尸) 아래에 놓인 모습이다. 시(尸)는 지붕(屋)을 말한다.193) 독음은 로(盧)와 후(后)의 반절이다.

**7519**

**䨣: 䨣: 비에 젖은 가죽 박: 雨-총17획: gé, gèng**

原文

䨣: 雨濡革也. 从雨从革. 讀若膊. 匹各切.

飜譯

'비에 젖은 가죽(雨濡革)'을 말한다. 우(雨)가 의미부이고 혁(革)도 의미부이다. 박(膊)과 같이 읽는다. 독음은 필(匹)과 각(各)의 반절이다.

**7520**

**霽: 霽: 갤 제: 雨-총22획: jì**

原文

霽: 雨止也. 从雨齊聲. 子計切.

飜譯

'비가 그치다(雨止)'라는 뜻이다. 우(雨)가 의미부이고 제(齊)가 소리부이다. 독음은 자(子)와 계(計)의 반절이다.

**7521**

**霋: 霋: 갤 처: 雨-총16획: qī**

193) 고문자에서 屚 屚簡牘文 등으로 그렸다. 水(물 수)가 의미부이고 屚(샐 루)가 소리부로, 빗물(雨)이 집(尸) 아래로 떨어지듯(屚) 좁은 구멍으로 물을 일정한 속도로 떨어지게 하고 그 분량을 재어 시간을 계산하게 한 장치를 말한다. 『설문해자』에서는 "구리로 된 용기에 물을 받는데, 눈금이 새겨져 있고, 하루의 길이를 1백 개의 눈금으로 구분했다."라고 했다. 달리 屚로도 쓴다.

原文

霋: 霽謂之霋. 从雨妻聲. 七稽切.

飜譯

'비가 그치는 것(霽)을 처(霋)라고 한다.' 우(雨)가 의미부이고 처(妻)가 소리부이다. 독음은 칠(七)과 계(稽)의 반절이다.

**7522**

**霩: 霩: 갤 확: 雨-총19획: huò**

原文

霩: 雨止雲罷皃. 从雨郭聲. 苦郭切.

飜譯

'비가 그치고 구름이 걷히는 모양(雨止雲罷皃)'을 말한다. 우(雨)가 의미부이고 곽(郭)이 소리부이다. 독음은 고(苦)와 곽(郭)의 반절이다.

**7523**

**露: 露: 이슬 로: 雨-총20획: lù**

原文

露: 潤澤也. 从雨路聲. 洛故切.

飜譯

'만물을 적셔 윤택하게 해주는 존재(潤澤)'이다. 우(雨)가 의미부이고 로(路)가 소리부이다.[194] 독음은 락(洛)과 고(故)의 반절이다.

---

194) 雨(비 우)가 의미부이고 路(길 로)가 소리부로, 비(雨)와 같이 하늘에서 내리는 '이슬'을 말하는데 이로부터 드러나다, 폭로하다의 뜻도 나왔다. 『설문해자』에서는 윤택하게 한다는 뜻이라고 했다. 이후 露天(노천)에서처럼 지붕이 없는 것을 말했고, 또 지표면에 그대로 드러나는 샘물이나 약재나 과즙을 이용해 만든 음료를 지칭하기도 했다.

**7524**

**霜: 霜: 서리 상: 雨-총17획: shuāng**

原文

霜: 喪也. 成物者. 从雨相聲. 所莊切.

飜譯

'상(喪)과 같아서 만물을 죽게 만드는 존재'이다. 또한 만물을 만들어 주는 존재이기도 하다(成物者). 우(雨)가 의미부이고 상(相)이 소리부이다. 독음은 소(所)와 장(莊)의 반절이다.

**7525**

**霚: 霚: 안개 무: 雨-총17획: wù**

原文

霚: 地气發, 天不應. 从雨敄聲. 雺, 籒文省. 亡遇切.

飜譯

'땅의 기운이 발하였으나 하늘이 받아 주지 않다(地气發, 天不應.)'라는 뜻이다. 우(雨)가 의미부이고 무(敄)가 소리부이다. 무(雺)는 주문체인데, 생략된 모습이다. 독음은 망(亡)과 우(遇)의 반절이다.

**7526**

**霾: 霾: 흙비 올 매: 雨-총22획: mái**

原文

霾: 風雨土也. 从雨貍聲. 『詩』曰: "終風且霾." 莫皆切.

飜譯

'바람이 불어 흙비가 내리다(風雨土)'라는 뜻이다. 우(雨)가 의미부이고 리(貍)가 소리부이다. 『시·패풍·종풍(終風)』에서 "바람 불며 흙비 날리듯 하는데(終風且霾)"라고 노래했다. 독음은 막(莫)과 개(皆)의 반절이다.

7527

**霿: 霿: 하늘에 안개 자욱할 몽: 雨-총22획: méng**

原文

霿: 天气下, 地不應, 曰霿. 霿, 晦也. 从雨瞀聲. 莫弄切.

飜譯

'하늘의 기운이 내려왔으나 땅이 받아주지 않는 것(天气下, 地不應.)을 몽(霿)이라 한다.' 몽(霿)은 '캄캄하다(晦)'라는 뜻이다. 우(雨)가 의미부이고 무(瞀)가 소리부이다. 독음은 막(莫)과 롱(弄)의 반절이다.

7528

**霓: 霓: 무지개 예: 雨-총16획: ní**

原文

霓: 屈虹, 青赤, 或白色, 陰气也. 从雨兒聲. 五雞切.

飜譯

'무지개(屈虹)'를 말하는데, 푸르고 붉은색이다. 간혹 흰색도 있다. 음의 기운이 만들어 낸 것이다. 우(雨)가 의미부이고 아(兒)가 소리부이다.[195] 독음은 오(五)와 계(雞)의 반절이다.

7529

**霸: 霸: 차가울 점: 雨-총19획: diàn, zhí**

195) 雨(비 우)가 의미부고 兒(아이 아)가 소리부로, 기상 현상(雨)의 하나인 '무지개'나 彩雲(채운)을 말하며, 황혼 때의 기운이라는 뜻도 나왔고 이 때문에 군주 곁에서 아첨하는 간신의 비유로도 쓰였다. 또 네온사인을 지칭하기도 한다. 달리 蜺로도 쓴다.

原文

霸: 寒也. 从雨執聲. 或曰: 早霜. 讀若『春秋傳』"墊阨". 都念切.

飜譯

'차다(寒)'라는 뜻이다. 우(雨)가 의미부이고 집(執)이 소리부이다. 혹자는 '일찍 내린 서리(早霜)'를 말한다고도 한다. 『춘추전』(성공 6년 등)에서 말한 "점애(墊阨)"의 점(墊)과 같이 읽는다. 독음은 도(都)와 념(念)의 반절이다.

**7530**

**雩: 雩: 기우제 우: 雨-총11획: yú**

原文

雩: 夏祭, 樂于赤帝, 以祈甘雨也. 从雨于聲. 雩, 或从羽. 雩, 羽舞也. 羽俱切.

飜譯

'여름에 지내는 제사(夏祭)'로, 적제(赤帝)에게 음악을 바치며, 감우(甘雨)를 내려 달라고 빈다. 우(雨)가 의미부이고 우(于)가 소리부이다. 우(雩)는 혹체자인데, 우(羽)로 구성되었다. 우(雩)는 깃털을 들고 추는 춤(羽舞)이다. 독음은 우(羽)와 구(俱)의 반절이다.

**7531**

**需: 需: 구할 수: 雨-총14획: xū**

原文

需: 須也. 遇雨不進, 止須也. 从雨而聲. 『易』曰: "雲上於天, 需." 相俞切.

飜譯

'기다리다(須)'라는 뜻이다. 비를 만나 갈 수 없으면 멈추어서 기다려야 한다는 뜻이다. 우(雨)가 의미부이고 이(而)가 소리부이다.[196] 『역·수괘(需卦)』(상전)에서 "구름이

196) 雨(비 우)와 而(말 이을 이)로 구성되었는데, 而는 大(큰 대)가 잘못 변한 것이다. 원래는 목

하늘 꼭대기로 올라갔다는 것이 '수'괘의 의미이다(雲上於天, 需.)"라고 했다. 독음은 상(相)과 유(俞)의 반절이다.

7532

**霸: 霸: 물소리 우: 雨-총14획: yù**

原文

霸: 水音也. 从雨羽聲. 王矩切.

飜譯

'물이 흐르는 소리(水音)'를 말한다. 우(雨)가 의미부이고 우(羽)가 소리부이다. 독음은 왕(王)과 구(矩)의 반절이다.

7533

**霞: 霞: 놀 하: 雨-총17획: xiá**

原文

霞: 赤雲气也. 从雨叚聲. 胡加切.

飜譯

'붉은 구름으로 변한 기운(赤雲气)'을 말한다. 우(雨)가 의미부이고 가(叚)가 소리부이다.[197] 독음은 호(胡)와 가(加)의 반절이다. [신부]

---

욕재계하고 비(雨)를 내려달라고 하늘에 비는 제사장(大)의 모습으로부터 '구하다', '바라다'의 뜻을 그렸고, 이로부터 필요하다의 뜻이 나왔고, 갖추어야 할 것이라는 뜻에서 必需(필수) 등의 뜻이 나왔다. 이후 이런 제사장을 따로 표시하기 위해 人(사람 인)을 더한 儒(선비 유)가 만들어졌고, 이들이 지식의 대표 계층이라는 뜻에서 '학자'라는 의미가 나왔다. 그러한 학자들의 집단이 계파를 이루어 儒家(유가)가 되었고, 그들의 학문을 儒學(유학)이라 부르게 되었다.

197) 雨(비 우)가 의미부고 叚(빌 가)가 소리부로, '노을'을 말하는데, 하늘을 붉게(叚) 물들게 하는 기상현상(雨)이라는 뜻을 담았다.

**7534**

**霏: 霏: 눈 펄펄 내릴 비: 雨-총16획: fēi**

原文

霏: 雨雲皃. 从雨非聲. 芳非切.

飜譯

'비구름이 몰아치는 모양(雨雲皃)'을 말한다. 우(雨)가 의미부이고 비(非)가 소리부이다. 독음은 방(芳)과 비(非)의 반절이다. [신부]

**7535**

**霎: 霎: 가랑비 삽: 雨-총16획: shà**

原文

霎: 小雨也. 从雨妾聲. 山洽切.

飜譯

'가랑비(小雨)'를 말한다. 우(雨)가 의미부이고 첩(妾)이 소리부이다. 독음은 산(山)과 흡(洽)의 반절이다. [신부]

**7536**

**霸: 䨺: 구름이 짙게 깔린 모양 대: 雨-총22획: duì, wèng**

原文

䨺: 黮䨺雲黑皃. 从雨對聲. 徒對切.

飜譯

'검은 구름이 짙게 깔려 컴컴한 모양(黮䨺雲黑皃)'을 말한다. 우(雨)가 의미부이고 대(對)가 소리부이다. 독음은 도(徒)와 대(對)의 반절이다. [신부]

**7537**

**靄: 靄: 아지랑이 애: 雨-총24획: ǎi**

原文

靄: 雲皃. 从雨, 藹省聲. 於蓋切.

翻譯

'구름이 피어오르는 모양(雲皃)'을 말한다. 우(雨)가 의미부이고, 애(藹)의 생략된 모습이 소리부이다. 독음은 어(於)와 개(蓋)의 반절이다. [신부]

## 제423부수
## 423 ■ 운(雲)부수

7538

**雲: 雲: 구름 운: 雨-총12획: yún**

原文

雲: 山川气也. 从雨, 云象雲回轉形. 凡雲之屬皆从雲. 云, 古文省雨. 𠆸, 亦古文雲. 王分切.

飜譯

'산천의 기운(山川气)'을 말한다. 우(雨)가 의미부이고, 운(云)은 구름이 회전하는 모양(雲回轉形)을 형상했다.198) 운(雲)부수에 귀속된 글자들은 모두 운(雲)이 의미부이다. 운(云)은 고문체인데, 우(雨)가 생략된 모습이다. 운(𠆸)도 운(雲)의 고문체이다. 독음은 왕(王)과 분(分)의 반절이다.

7539

**霒: 霠: 그늘 음: 雨-총16획: yīn**

原文

霒: 雲覆日也. 从雲今聲. 侌, 古文或省. 㕦, 亦古文霒. 於今切.

飜譯

'구름이 해를 가리다(雲覆日)'라는 뜻이다. 운(雲)이 의미부이고 금(今)이 소리부이

198) 고문자에서 [고문자 자형] 甲骨文 [고문자 자형] 古陶文 [고문자 자형] 簡牘文 [고문자 자형] 古璽文 등으로 그렸다. 雨(비 우)가 의미부고 云(이를 운)이 소리부로, 비(雨)가 오기 전에 생기는 구름(云)을 말한다. 원래는 피어오르는 구름을 그린 云으로 썼는데, 이후 雨를 더해 지금의 자형이 되었고, 간화자에서는 다시 원래의 云으로 되돌아갔다. 구름이 원래 뜻이며, 구름처럼 모이다(雲集·운집)의 뜻도 나왔다.

다.[199] 음(侌)은 고문체인데, 간혹 생략된다. 음([illegible])도 음(霒)의 고문체이다. 독음은 어(於)와 금(今)의 반절이다.

199) 阜(언덕 부)가 의미부고 侌(응달 음)이 소리부인데, 구름에 가려 볕이 들지 않는(侌) 언덕(阜)이라는 뜻에서 '응달'을 말하며, 산의 북쪽과 강의 남쪽을 말하기도 한다. 이후 날이 흐리다, 음전극, 그림자, 음험하다, 음모 등의 뜻이 나왔다. 달리 黔, 霠 등으로 쓰며, 간화자에서는 侌을 月(달 월)로 바꾼 阴으로 써, 회의구조로 변했다.

## 제424부수
## 424 ■ 어(魚)부수

7540

**𩵋: 魚: 고기 어: 魚-총11획: yú**

原文

𩵋: 水蟲也. 象形. 魚尾與燕尾相似. 凡魚之屬皆从魚. 語居切.

顯譯

'물에 사는 동물(水蟲)[물고기]'을 말한다. 상형이다. 물고기의 꼬리(魚尾)가 제비의 꼬리(燕尾)와 비슷하게 생겼[기 때문에 아랫부분이 그렇게 그려졌]다.[200] 어(魚)부수에 귀속된 글자들은 모두 어(魚)가 의미부이다. 독음은 어(語)와 거(居)의 반절이다.

7541

**鰖: 鰖: 물고기 새끼 타: 魚-총23획: tuǒ, duò**

原文

鰖: 魚子已生者. 从魚, 憜省聲. 𩸿, 籒文. 徒果切.

顯譯

'알에서 이미 부화한 물고기 새끼(魚子已生者)'를 말한다. 어(魚)가 의미부이고, 타

---

200) 고문자에서 [古文字] 甲骨文 [古文字] 金文 [古文字] 古陶文 [古文字] 盟書 [古文字] 簡牘文 [古文字] 古璽文 등으로 그렸다. 갑골문에서 물고기의 입, 몸통과 지느러미와 비늘, 꼬리 등이 구체적으로 표현되었다. 예서에 들면서 꼬리가 灬(火·불 화)로 변했고, 현대 중국의 간화자에서는 다시 가로획으로 변해 鱼가 되었다. 그래서 '물고기'가 원래 뜻이고, 물고기를 잡는 행위는 물론 어부까지 뜻하기도 했는데, 이후 水(물 수)를 더한 漁(고기 잡을 어)로써 구분해 표시했다. 그래서 魚는 물고기의 종류, 고기잡이 행위와 관련되어 있으며, 물고기는 귀하고 맛난 음식의 대표였다.

(憜)의 생략된 모습이 소리부이다. 타(鱶)는 주문체이다. 독음은 도(徒)와 과(果)의 반절이다.

7542

**鮞: 鮞: 곤이 이: 魚-총17획: yī, ròu**

原文

鮞: 魚子也. 一曰魚之美者, 東海之鮞. 从魚而聲. 讀若而. 如之切.

飜譯

'물고기 새끼(魚子)'를 말한다.[201] 일설에는 '맛있는 물고기로 동해에서 난다(魚之美者, 東海之鮞.)'라고도 한다. 어(魚)가 의미부이고 이(而)가 소리부이다. 이(而)와 같이 읽는다. 독음은 여(如)와 지(之)의 반절이다.

7543

**魼: 魼: 가자미 허: 魚-총16획: qū**

原文

魼: 魚也. 从魚去聲. 去魚切.

飜譯

'물고기 이름(魚)[가자미]'이다. 어(魚)가 의미부이고 거(去)가 소리부이다. 독음은 거(去)와 어(魚)의 반절이다.



201) 『단주』에서 이렇게 말했다. "어자(魚子)는 미세하게 자란 물고기(成細魚者)를 말한다. 위에서 어자이생자(魚子已生者)라고 한 것은 알에서 막 부화한 것(初出卵)을 말한다. 그렇다면 여기서 말한 어자(魚子)는 미세하게 자란 물고기 새끼(成細魚)를 말한 것이다. 미세한 것을 보통 자(子)라고 불렀다. 예컨대 『국어·노어(魯語)』에서 어금곤이(魚禁鯤鮞)라고 했는데, 위소의 주석에서 곤(鯤)은 물고기의 알(魚子)을 말하고, 이(鮞)는 아직 제대로 자라지 못한 물고기(未成魚)를 말한다고 했다. 위소의 의미는 곤(鯤)은 알에서 아직 부화하지 않은 것(卵未孚者)을, 이(鮞)는 이미 부화했으나 물고기 형태를 아직 갖추지 못한 것(已孚而尙未成魚者)을 말한다."

**7544**

**鱋: 鰰: 고기 이름 납: 魚-총21획: nà**

原文

鱋: 魚. 似鼈, 無甲, 有尾, 無足, 口在腹下. 从魚納聲. 奴荅切.

飜譯

'물고기 이름(魚)[납어]'이다. '자라(鼈) 비슷한데, 딱지(甲)는 없고, 꼬리(尾)가 있으며, 발(足)이 없고, 입(口)이 배(腹) 아래에 있다. 어(魚)가 의미부이고 납(納)이 소리부이다. 독음은 노(奴)와 답(荅)의 반절이다.

**7545**

**鰨: 鰨: 가자미 탑: 魚-총21획: tǎ**

原文

鰨: 虛鰨也. 从魚㒓聲. 土盍切.

飜譯

'허탑(虛鰨) 즉 가자미'를 말한다. 어(魚)가 의미부이고 탑(㒓)이 소리부이다. 독음은 토(土)와 합(盍)의 반절이다.

**7546**

**鱒: 鱒: 송어 준: 魚-총23획: zùn**

原文

鱒: 赤目魚. 从魚尊聲. 慈損切.

飜譯

'눈이 붉은 적목어(赤目魚)'를 말한다. 어(魚)가 의미부이고 존(尊)이 소리부이다. 독음은 자(慈)와 손(損)의 반절이다.

**7547**

**鱗 : 鱗: 물고기 이름 린: 魚-총23획: lín**

原文

鱗 : 魚也. 从魚粦聲. 力珍切.

飜譯

'물고기 이름(魚)'이다. 어(魚)가 의미부이고 은(粦)이 소리부이다. 독음은 력(力)과 진(珍)의 반절이다.

**7548**

**鰫 : 鰫: 물고기 이름 용: 魚-총21획: róng**

原文

鰫 : 魚也. 从魚容聲. 余封切.

飜譯

'물고기 이름(魚)'이다. 어(魚)가 의미부이고 용(容)이 소리부이다. 독음은 여(余)와 봉(封)의 반절이다.

**7549**

**鰖 : 鰖: 물고기 이름 서: 魚-총20획: xū**

原文

鰖 : 魚也. 从魚胥聲. 相居切.

飜譯

'물고기 이름(魚)'이다. 어(魚)가 의미부이고 서(胥)가 소리부이다. 독음은 상(相)과 거(居)의 반절이다.

**7550**

**鮪: 鮪: 다랑어 유: 魚-총17획: yǒu**

原文

鮪: 鮥也. 『周禮』: "春獻王鮪." 从魚有聲. 榮美切.

譯

'다랑어(鮥)'를 말한다. 『주례·천관·어인(𩜁人)』에서 "봄에는 왕에게 다랑어를 바친다(春獻王鮪)"라고 했다. 어(魚)가 의미부이고 유(有)가 소리부이다. 독음은 영(榮)과 미(美)의 반절이다.

**7551**

**䱍: 䱍: 다랑어 긍: 魚-총20획: gèng**

原文

䱍: 鯍也. 『周禮』謂之䱍. 从魚恆聲. 古恒切.

譯

'다랑어(鯍)'를 말한다. 『주례』에서는 이를 긍(䱍)이라 했다. 어(魚)가 의미부이고 항(恆)이 소리부이다. 독음은 고(古)와 항(恒)의 반절이다.

**7552**

**鯍: 鯍: 다랑어 몽: 魚-총17획: méng**

原文

鯍: 䱍鯍也. 从魚巟聲. 武登切.

譯

'다랑어(䱍鯍)'를 말한다. 어(魚)가 의미부이고 황(巟)이 소리부이다. 독음은 무(武)와 등(登)의 반절이다.

7553

**鮥: 鮥: 작은 다랑어 락: 魚-총17획: luò**

原文

鮥: 叔鮪也. 从魚各聲. 盧各切.

飜譯

'작은 다랑어(叔鮪)'를 말한다. 어(魚)가 의미부이고 각(各)이 소리부이다. 독음은 로(盧)와 각(各)의 반절이다.

7554

**鯀: 鯀: 물고기 이름 곤: 魚-총18획: gǔn**

原文

鯀: 魚也. 从魚系聲. 古本切.

飜譯

'물고기 이름(魚)[곤어]'이다. 어(魚)가 의미부이고 계(系)가 소리부이다. 독음은 고(古)와 본(本)의 반절이다.

7555

**鰥: 鰥: 환어 환: 魚-총21획: guān**

原文

鰥: 魚也. 从魚眔聲. 李陽冰曰: "當从罤省." 古頑切.

飜譯

'물고기 이름(魚)[곤어]'이다. 어(魚)가 의미부이고 답(眔)이 소리부이다. 이양빙(李陽冰)에 의하면 "당연히 곤(罤)의 생략된 모습이 소리부여야 한다"라고 했다. 독음은 고(古)와 완(頑)의 반절이다.

**7556**

**鯉: 鯉: 잉어 리: 魚-총18획: lǐ**

原文

鯉: 鱣也. 从魚里聲. 良止切.

飜譯

'잉어(鱣)'를 말한다. 어(魚)가 의미부이고 리(里)가 소리부이다. 독음은 량(良)과 지(止)의 반절이다.

**7557**

**鱣: 鱣: 철갑상어 전: 魚-총24획: zhān**

原文

鱣: 鯉也. 从魚亶聲. 鱣, 籒文鱣. 張連切.

飜譯

'잉어(鯉)'를 말한다.[202] 어(魚)가 의미부이고 단(亶)이 소리부이다. 전(鱣)은 전(鱣)의 주문체이다. 독음은 장(張)과 련(連)의 반절이다.

**7558**

**鱄: 鱄: 물고기 이름 전: 魚-총22획: zhuǎn**

原文

鱄: 魚也. 从魚專聲. 旨兖切.

飜譯

202) 『단주』에서 이렇게 말했다. "『시경·위풍(衛風)』의 『모전(毛傳)』에서 전(鱣)은 잉어(鯉)를 말한다고 했다. 허신은 이에 근거했으며, 유(鮪)와 락(鮥)을 예로 삼았다. 이는 당연히 정현이 말했던 것처럼 큰 잉어(大鯉)라고 해야 할 것이다. 리(鯉)와 전(鱣)은 동류(同類)여서 차이가 없었을 것이다. 그것은 락(鮥)과 유(鮪)가 동류여서 차이가 없는 것과 같다."

'물고기 이름(魚)'이다. 어(魚)가 의미부이고 전(專)이 소리부이다. 독음은 지(旨)와 연(兗)의 반절이다.

**7559**

鮦: 鮦: **가물치 동**: 魚-**총17획**: tóng

原文

鮦: 魚名. 从魚同聲. 一曰鱶也. 讀若絝襱. 直隴切.

飜譯

'물고기 이름(魚名)'이다. 어(魚)가 의미부이고 동(同)이 소리부이다. 일설에는 '가물치(鱶)'를 말한다고도 한다. 고롱(絝襱: 바짓가랑이)이라고 할 때의 롱(襱)과 같이 읽는다. 독음은 직(直)과 롱(隴)의 반절이다.

**7560**

鱶: 鱶: **가물치 례**: 魚-**총32획**: lǐ

原文

鱶: 鮦也. 从魚蠡聲. 盧啓切.

飜譯

'가물치(鮦)'를 말한다. 어(魚)가 의미부이고 려(蠡)가 소리부이다. 독음은 로(盧)와 계(啓)의 반절이다.

**7561**

鱢: 鱢: **청어 루**: 魚-**총22획**: lóu, yú

原文

鱢: 魚名. 一名鯉, 一名鰜. 从魚婁聲. 洛侯切.

'물고기 이름(魚)'이다. 일명 리(鯉: 잉어)라고도 하고, 또 일명 겸(鰜: 넙치)을 말한다고도 한다. 어(魚)가 의미부이고 루(婁)가 소리부이다. 독음은 락(洛)과 후(侯)의 반절이다.

**7562**

**鰜: 鰜: 넙치 겸: 魚-총21획: jiān**

原文

鰜: 魚名. 从魚兼聲. 古甜切.

飜譯

'물고기 이름(魚)[넙치]'이다. 어(魚)가 의미부이고 겸(兼)이 소리부이다. 독음은 고(古)와 첨(甜)의 반절이다.

**7563**

**鯈: 鯈: 피라미 조: 魚-총18획: chóu**

原文

鯈: 魚名. 从魚攸聲. 直由切.

飜譯

'물고기 이름(魚)'이다. 어(魚)가 의미부이고 유(攸)가 소리부이다. 독음은 직(直)과 유(由)의 반절이다.

**7564**

**鋀: 鋀: 물고기 이름 두: 魚-총18획: tǒu**

原文

鋀: 魚名. 从魚豆聲. 天口切.

飜譯

'물고기 이름(魚)'이다. 어(魚)가 의미부이고 두(豆)가 소리부이다. 독음은 천(天)과 구(口)의 반절이다.

**7565**

鯾: 鯾: **방어 편**: 魚-**총20획: biān**

原文

鯾: 魚名. 从魚便聲. 鯿, 鯾又从扁. 房連切.

飜譯

'물고기 이름(魚)'이다. 어(魚)가 의미부이고 편(便)이 소리부이다. 편(鯿)은 편(鯾)의 또 다른 글자(又字)인데, 편(扁)으로 구성되었다.[203] 독음은 방(房)과 련(連)의 반절이다.

**7566**

魴: 魴: **방어 방**: 魚-**총15획: fáng**

原文

魴: 赤尾魚. 从魚方聲. 鰟, 魴或从旁. 符方切.

飜譯

'적미어(赤尾魚)'를 말한다. 어(魚)가 의미부이고 방(方)이 소리부이다. 방(鰟)은 방(魴)의 혹체자인데, 방(旁)으로 구성되었다. 독음은 부(符)와 방(方)의 반절이다.

**7567**

鱮: 鱮: **연어 서**: 魚-**총25획: xù**

---

203) '鯾又从扁'(鯾의 또 다른 글자인데 扁으로 구성되었다)은 『설문』의 체례에 잘 맞지 않다. 아마도 오류일 것이다. 그래서 『단주』에서는 혹자(或)의 오류일 것이라 보고서 '鯾或从扁'(鯾의 또 혹체자인데 扁으로 구성되었다)으로 고쳤다.

原文

鱮: 魚名. 从魚與聲. 徐呂切.

飜譯

'물고기 이름(魚)'이다. 어(魚)가 의미부이고 여(與)가 소리부이다. 독음은 서(徐)와 려(呂)의 반절이다.

**7568**

**鰱**: 鰱: **연어 련**: 魚-**총22획**: **lián**

原文

鰱: 魚名. 从魚連聲. 力延切.

飜譯

'물고기 이름(魚)'이다. 어(魚)가 의미부이고 련(連)이 소리부이다. 독음은 력(力)과 연(延)의 반절이다.

**7569**

**鮍**: 鮍: **오징어 피**: 魚-**총16획**: **pí**

原文

鮍: 魚名. 从魚皮聲. 敷羈切.

飜譯

'물고기 이름(魚)'이다. 어(魚)가 의미부이고 피(皮)가 소리부이다. 독음은 부(敷)와 기(羈)의 반절이다.

**7570**

**鮋**: 鮋: **황유어 유·요·욱**: 魚-**총16획**: **yǒu**

原文

⿰魚幼: 魚名. 从魚幼聲. 讀若幽. 於糾切.

飜譯

'물고기 이름(魚)'이다. 어(魚)가 의미부이고 유(幼)가 소리부이다. 유(幽)와 같이 읽는다. 독음은 어(於)와 규(糾)의 반절이다.

**7571**

**鮒: 鮒: 붕어 부: 魚-총16획: fù**

原文

鮒: 魚名. 从魚付聲. 符遇切.

飜譯

'물고기 이름(魚)'이다. 어(魚)가 의미부이고 부(付)가 소리부이다. 독음은 부(符)와 우(遇)의 반절이다.

**7572**

**⿰魚巠: ⿰魚巠: 방어 경: 魚-총18획: qíng**

原文

⿰魚巠: 魚名. 从魚巠聲. 仇成切.

飜譯

'물고기 이름(魚)'이다. 어(魚)가 의미부이고 경(巠)이 소리부이다. 독음은 구(仇)와 성(成)의 반절이다.

**7573**

**鰿: 鰿: 붕어 적: 魚-총21획: jì**

原文

鰿: 魚名. 从魚脊聲. 資昔切.

飜譯

'물고기 이름(魚)[붕어]'이다. 어(魚)가 의미부이고 척(脊)이 소리부이다. 독음은 자(資)와 석(昔)의 반절이다.

**7574**

**鱺: 鱺: 뱀장어 려·리: 魚-총30획: lí**

原文

鱺: 魚名. 从魚麗聲. 郎兮切.

飜譯

'물고기 이름(魚)'이다. 어(魚)가 의미부이고 려(麗)가 소리부이다. 독음은 랑(郎)과 혜(兮)의 반절이다.

**7575**

**鰻: 鰻: 뱀장어 만: 魚-총22획: mán**

原文

鰻: 魚名. 从魚曼聲. 母官切.

飜譯

'물고기 이름(魚)'이다. 어(魚)가 의미부이고 만(曼)이 소리부이다. 독음은 모(母)와 관(官)의 반절이다.

**7576**

**鱯: 鱯: 희고 큰 메기 화: 魚-총21획: hù**

原文

䲛: 魚名. 从魚蒦聲. 胡化切.

飜譯

'물고기 이름(魚)[큰 메기]'이다. 어(魚)가 의미부이고 확(蒦)이 소리부이다. 독음은 호(胡)와 화(化)의 반절이다.

**7577**

**䲹: 魾: 방어 비: 魚-총16획: pī**

原文

魾: 大鱯也. 其小者名鮡. 从魚丕聲. 敷悲切.

飜譯

'큰 메기(大鱯)'를 말한다. 작은 메기는 조(鮡)라고 부른다. 어(魚)가 의미부이고 비(丕)가 소리부이다. 독음은 부(敷)와 비(悲)의 반절이다.

**7578**

**鱧: 鱧: 가물치 례: 魚-총24획: lǐ**

原文

鱧: 鱯也. 从魚豊聲. 盧啓切.

飜譯

'큰 메기(鱯)'를 말한다. 어(魚)가 의미부이고 례(豊)가 소리부이다. 독음은 로(盧)와 계(啓)의 반절이다.

**7579**

**鰈: 鰈: 가물치 화: 魚-총19획: huà**

原文

鱯: 鱧也. 从魚果聲. 胡瓦切.

飜譯

'가물치(鱧)'를 말한다. 어(魚)가 의미부이고 과(果)가 소리부이다. 독음은 호(胡)와 와(瓦)의 반절이다.

**7580**

**鱨: 鱨: 동자개 상: 魚−총25획: cháng**

原文

鱨: 揚也. 从魚嘗聲. 市羊切.

飜譯

'잘 날아오르는 물고기(揚)'를 말한다. 어(魚)가 의미부이고 상(嘗)이 소리부이다. 독음은 시(市)와 양(羊)의 반절이다.

**7581**

**鱏: 鱏: 심어 심: 魚−총23획: xún**

原文

鱏: 魚名. 从魚覃聲. 傳曰: "伯牙鼓琴, 鱏魚出聽." 余箴切.

飜譯

'물고기 이름(魚)[심어: 철갑상어]'이다. 어(魚)가 의미부이고 담(覃)이 소리부이다. 전하는 말에, "백아가 거문고를 타면 심어도 튀어나와 들었다(伯牙鼓琴, 鱏魚出聽.)"고 한다. 독음은 여(余)와 잠(箴)의 반절이다.

**7582**

**鯢: 鯢: 도롱뇽 예: 魚−총19획: ní**

原文

鯢: 刺魚也. 从魚兒聲. 五雞切.

飜譯

'자어(剌魚)'를 말한다.[204] 어(魚)가 의미부이고 아(兒)가 소리부이다. 독음은 오(五)와 계(雞)의 반절이다.

**7583**

**鰼: 鰼: 미꾸라지 습: 魚-총22획: xí**

原文

鰼: 鰌也. 从魚習聲. 似入切.

飜譯

'미꾸라지(鰌)'를 말한다. 어(魚)가 의미부이고 습(習)이 소리부이다. 독음은 사(似)와 입(入)의 반절이다.

**7584**

**鰌: 鰌: 미꾸라지 추: 魚-총20획: qiū**

原文

鰌: 鰼也. 从魚酋聲. 七由切.

飜譯

'미꾸라지(鰼)'를 말한다. 어(魚)가 의미부이고 추(酋)가 소리부이다. 독음은 칠(七)과

204) 『단주』에서는 자(刺)는 랄(剌)의 오류로 '랄어(剌魚)'가 되어야 한다고 하면서 다음과 같이 주석했다. "랄어(剌魚)는 성격이 지랄 같은 물고기(乖剌之魚)를 말한다. 어린 아이같이 생겼으며 나무도 타고 오른다(其如小兒能緣木). 『사기』와 『한서』에서 말한 인어(人魚)가 이것이다. 『이아·석어(釋魚)』에서 예(鯢) 중에서 큰 것을 하(鰕)라고 한다고 했는데, 곽박의 주석에서, 예어(鯢魚)는 메기(鮎) 비슷한데, 발이 4개이고, 앞부분은 원숭이(獮猴) 같이 생겼고 뒷부분은 개(狗)처럼 생겼으며, 아이가 우는 것 같은 울음소리를 낸다. 큰 것은 8~9척(尺) 정도 되는데, 달리 하(鰕)라고 부른다고 했다."

유(由)의 반절이다.

**7585**

**鯇**: 鯇: **잉어 환·산천어 혼**: 魚-**총18획**: **huán, huǎn**

原文

鯇: 魚名. 从魚完聲. 戶版切.

飜譯

'물고기 이름(魚)'이다. 어(魚)가 의미부이고 완(完)이 소리부이다. 독음은 호(戶)와 판(版)의 반절이다.

**7586**

**魠**: 魠: **동자개 탁**: 魚-**총14획**: **tuó**

原文

魠: 哆口魚也. 从魚乇聲. 他各切.

飜譯

'입을 크게 벌리는 치구어(哆口魚)'를 말한다. 어(魚)가 의미부이고 탁(乇)이 소리부이다. 독음은 타(他)와 각(各)의 반절이다.

**7587**

**鮆**: 鮆: **갈치 제**: 魚-**총16획**: **cǐ**

原文

鮆: 飲而不食, 刀魚也. 九江有之. 从魚此聲. 徂礼切.

飜譯

'물만 마시고 다른 것은 먹지 않는 물고기(飲而不食)로, 칼처럼 생긴 물고기(刀魚) 즉 [민물에서 나는] 갈치'를 말한다. 구강(九江) 지역에 있다. 어(魚)가 의미부이고 차

(此)가 소리부이다. 독음은 조(徂)와 례(礼)의 반절이다.

7588

**鮀: 鮀: 모래무지 타: 魚-총16획: tuó**

原文

鮀: 鮎也. 从魚它聲. 徒何切.

翻譯

'메기(鮎)'를 말한다. 어(魚)가 의미부이고 타(它)가 소리부이다. 독음은 도(徒)와 하(何)의 반절이다.

7589

**鮎: 鮎: 메기 점: 魚-총16획: nián**

原文

鮎: 鰋也. 从魚占聲. 奴兼切.

翻譯

'메기(鰋)'를 말한다. 어(魚)가 의미부이고 점(占)이 소리부이다. 독음은 노(奴)와 겸(兼)의 반절이다.

7590

**鰋: 鰋: 메기 언: 魚-총18획: yǎn**

原文

鰋: 鮀也. 从魚旻聲. 鰋, 鰋或从匽. 於幰切.

翻譯

'메기(鮀)'를 말한다. 어(魚)가 의미부이고 안(旻)이 소리부이다. 언(鰋)은 언(鰋)의 혹체자인데, 언(匽)으로 구성되었다. 독음은 어(於)와 헌(幰)의 반절이다.

**7591**

**鮷: 鮷: 큰 메기 제: 魚-총18획: tí**

原文

鮷: 大鮎也. 从魚弟聲. 杜兮切.

飜譯

'큰 메기(大鮎)'를 말한다. 어(魚)가 의미부이고 제(弟)가 소리부이다. 독음은 두(杜)와 혜(兮)의 반절이다.

**7592**

**鱱: 鱱: 민어 뢰: 魚-총27획: lài, làn**

原文

鱱: 魚名. 从魚賴聲. 洛帶切.

飜譯

'물고기 이름(魚)'이다. 어(魚)가 의미부이고 뢰(賴)가 소리부이다. 독음은 락(洛)과 대(帶)의 반절이다.

**7593**

**⿰魚朁: ⿰魚朁: 물고기 이름 잠: 魚-총23획: cén, jīn**

原文

⿰魚朁: 魚名. 从魚朁聲. 鉏箴切.

飜譯

'물고기 이름(魚)'이다. 어(魚)가 의미부이고 참(朁)이 소리부이다. 독음은 서(鉏)와 잠(箴)의 반절이다.

**7594**

**鰫: 鰫: 물고기 이름 옹: 魚–총21획: wēng**

原文

鰫: 魚名. 从魚翁聲. 烏紅切.

飜譯

'물고기 이름(魚)'이다. 어(魚)가 의미부이고 옹(翁)이 소리부이다. 독음은 오(烏)와 홍(紅)의 반절이다.

**7595**

**鮥: 鮥: 물고기 이름 함·겸·도: 魚–총19획: xiàn**

原文

鮥: 魚名. 从魚臽聲. 尸賺切.

飜譯

'물고기 이름(魚)'이다. 어(魚)가 의미부이고 함(臽)이 소리부이다. 독음은 시(尸)와 잠(賺)의 반절이다.

**7596**

**鱖: 鱖: 쏘가리 궐: 魚–총23획: guì**

原文

鱖: 魚名. 从魚厥聲. 居衞切.

飜譯

'물고기 이름(魚)'이다. 어(魚)가 의미부이고 궐(厥)이 소리부이다. 독음은 거(居)와 위(衞)의 반절이다.

**7597**

**鰤: 鯫: 뱅어 추: 魚-총19획: qū**

原文

鰤: 白魚也. 从魚取聲. 士垢切.

飜譯

'백어(白魚) 즉 뱅어'를 말한다. 어(魚)가 의미부이고 취(取)가 소리부이다. 독음은 사(士)와 구(垢)의 반절이다.

**7598**

**鱓: 鱓: 드렁허리 선: 魚-총23획: shàn**

原文

鱓: 魚名. 皮可爲鼓. 从魚單聲. 常演切.

飜譯

'물고기 이름(魚)'이다. 가죽(皮)은 북(鼓)을 만들 수 있다. 어(魚)가 의미부이고 단(單)이 소리부이다. 독음은 상(常)과 연(演)의 반절이다.

**7599**

**鮸: 鮸: 참조기 면: 魚-총18획: miǎn**

原文

鮸: 魚名. 出薉邪頭國. 从魚免聲. 亡辨切.

飜譯

'물고기 이름(魚)'이다. 예맥(薉) 지방의 사두국(邪頭國)에서 난다.[205] 어(魚)가 의미

205) 『단주』에서 이렇게 말했다. "수(隋) 양제(煬帝)가 사방에 공물을 헌상하라고 명령하였는데, 각종 해산물들이 거의 빠짐없이 공납되었다(責貢四方, 海錯幾盡). 그중 첫 번째가 면어(鮸魚)였다. 내(단옥재) 생각은 이렇다. 오늘날 강소와 절강 사람들이 즐겨 먹는 바다 조기(黃花魚)

부이고 면(免)이 소리부이다. 독음은 망(亡)과 변(辨)의 반절이다.

**7600**

**鱝: 魵: 고기 이름 분: 魚-총15획: fén**

原文

鱝: 魚名. 出薉邪頭國. 从魚分聲. 符分切.

飜譯

'물고기 이름(魚)'이다. 예맥(薉) 지방의 야두국(邪頭國)에서 난다.206) 어(魚)가 의미부이고 분(分)이 소리부이다. 독음은 부(符)와 분(分)의 반절이다.

**7601**

**鱸: 鱸: 물고기 이름 로: 魚-총24획: lǔ**

原文

鱸: 魚名. 出樂浪潘國. 从魚虜聲. 郎古切.

---

가 그것이다. 말린 것을 백상(白鯗)이라 하는데, 바로 이 물고기를 말한다. 달리 석수어(石首魚)라고도 하는데, 대가리에 돌이 두 개 있기 때문에 그렇게 부른다. 허신은 예(薉)의 야두국(邪頭國)에서 난다고 했는데, 아마도 허신이 보았던 책에서 근거해 말했을 것이다. 「강부(江賦)」에 '鯼鮆順時而往還(조기와 갈치 때맞추어 되돌아오고)'이라는 시구가 있는데, 이의 주석에서 『자림』에 의하면 종어(鯼魚)는 남해(南海)에서 나는데 대가리에 돌이 들어 있다(頭中有石). 그래서 일명 석수(石首)라고 한다고 했다. 그렇다면 이 물고기는 또 종(鯼)이라 하며 남해(南海)에서도 난다는 사실을 알 수 있다."

206) 『단주』에서 이렇게 말했다. "『이아·석어(釋魚)』에서 분(魵)은 하(鰕)를 말한다고 했는데, 분어(魵魚)를 다른 이름으로 하어(鰕魚)라 하였음을 알 수 있다. 예(薉)의 야두국(邪頭國)에서 난다고 했는데, 진수(陳氏)의 『위지(魏志)』와 범엽(范氏)의 『후한서(後漢書)』의 「동이전(東夷傳)」에서 모두 '예국의 바다에서 반어피(연어껍데기)가 난다(濊國海出班魚皮)'라고 했다. 지금의 『일통지(一統志)·조선(朝鮮)』에서도 똑같이 말했다. 반어(班魚)는 바로 분어(魵魚)를 말한다. 곽박의 『이아주』에서도 예(穢)의 야두국(邪頭國)에서 난다고 했다. 이는 여씨(呂氏)의 『자림(字林)』에 보이는 말인데, 곽박은 단지 『자림(字林)』이라고만 했지 『설문(說文)』은 거론하지 않았다. 어찌 지엽적인 것만 좇다가 본질적인 것은 잃어버린 것이 아니겠는가!"

飜譯

'물고기 이름(魚)'이다. 낙랑(樂浪)의 진번국(眞潘國)에서 난다.[207] 어(魚)가 의미부이고 로(虜)가 소리부이다. 독음은 랑(郎)과 고(古)의 반절이다.

**7602**

**鰸: 鰸: 물고기 이름 구: 魚-총22획: qū**

原文

鰸: 魚名. 狀似蝦, 無足, 長寸, 大如叉股, 出遼東. 从魚區聲. 豈俱切.

飜譯

'물고기 이름(魚)'이다. 모습은 새우(蝦)를 닮았으나, 다리(足)가 없고, 길이는 1치(寸) 정도인데, 큰 것은 차고(叉股: 비녀의 갈라진 가지)처럼 생겼고, 요동(遼東) 지역에서 난다. 어(魚)가 의미부이고 구(區)가 소리부이다. 독음은 기(豈)와 구(俱)의 반절이다.

**7603**

**鯜: 鯜: 납자루 첩: 魚-총19획: qiè**

原文

鯜: 魚名. 出樂浪潘國. 从魚妾聲. 七接切.

飜譯

'물고기 이름(魚)'이다. 낙랑(樂浪)의 진번국(眞潘國)에서 난다. 어(魚)가 의미부이고 첩(妾)이 소리부이다. 독음은 칠(七)과 접(接)의 반절이다.

---

207) 『단주』에서 이렇게 말했다. "낙(樂)의 독음은 락(洛)이며, 랑(浪)의 독음은 랑(郎)이다. 낙랑(樂浪)의 번국(潘國)은 진번(眞番)을 말하는데, 번(番)의 독음은 번(潘)이다. 한사군(漢四郡)의 하나인 진번군은 지금 황해도 서흥군의 자비령(慈悲嶺) 이남 한강 이북의 땅에 있었다.

**7604**

**:** 鯆: **물고기 이름 패**: 魚-**총15획: bèi**

原文

: 魚名. 出樂浪潘國. 从魚市聲. 博蓋切.

飜譯

'물고기 이름(魚)'이다. 낙랑(樂浪)의 진번국(眞潘國)에서 난다. 어(魚)가 의미부이고 불(市)이 소리부이다. 독음은 박(博)과 개(蓋)의 반절이다.

**7605**

**:** 鮪: **돌고래 국·곡**: 魚-**총19획: jú**

原文

: 魚名. 出樂浪潘國. 从魚匊聲. 一曰鮪魚出江東, 有兩乳. 居六切.

飜譯

'물고기 이름(魚)'이다. 낙랑(樂浪)의 진번국(眞潘國)에서 난다. 어(魚)가 의미부이고 국(匊)이 소리부이다. 일설에는 '국어(鮪魚)는 강동(江東) 지역에서 나는데, 두 개의 젖을 갖고 있다(有兩乳)'라고도 한다. 독음은 거(居)와 륙(六)의 반절이다.

**7606**

**:** 魦: **문절망둑 사**: 魚-**총15획: shā**

原文

: 魚名. 出樂浪潘國. 从魚, 沙省聲. 所加切.

飜譯

'물고기 이름(魚)'이다. 낙랑(樂浪)의 진번국(眞潘國)에서 난다. 어(魚)가 의미부이고, 사(沙)의 생략된 모습이 소리부이다. 독음은 소(所)와 가(加)의 반절이다.

**7607**

**: 鱳: 동자개 력: 魚-총26획: lì**

原文

鱳: 魚名. 出樂浪潘國. 从魚樂聲. 盧谷切.

飜譯

'물고기 이름(魚)'이다. 낙랑(樂浪)의 진번국(真潘國)에서 난다. 어(魚)가 의미부이고 악(樂)이 소리부이다. 독음은 로(盧)와 곡(谷)의 반절이다.

**7608**

**: 鮮: 고울 선: 魚-총17획: xiān**

原文

鮮: 魚名. 出貉國. 从魚, 羴省聲. 相然切.

飜譯

'물고기 이름(魚)'이다. 예국(貉國)에서 난다.[208] 어(魚)가 의미부이고, 전(羴)의 생략된 모습이 소리부이다.[209] 독음은 상(相)과 연(然)의 반절이다.

**7609**

**: 鰅: 동자개 옹: 魚-총20획: yú**

---

208) 『단주』에서 이렇게 말했다. "여기서 말한 선(鮮)은 물고기 이름이다. 경전에서는 이를 신선(新鱻)이라고 할 때의 선(鱻)자로 가차하여 사용했다. 또 선소(尟少: 매우 적다)라고 할 때의 선(尟)자로도 가차하여 사용하였다. 그런 과정에서 본래 의미는 사라지고 말았다."

209) 고문자에서 金文 簡牘文 古璽文 등으로 썼다. 魚와 羊(양 양)의 결합으로 물고기의 新鮮(신선)함을 그렸는데, 魚는 해산물의 대표요 羊은 육고기의 대표로 이들 모두 '신선할' 때 고유의 맛을 낼 수 있었기 때문일 것이다. 이후 魚(고기 어)가 세 개 중첩된 鱻으로 써 신선한 고기는 때깔이 '곱고', 그런 고기는 '흔치 않은' 음식이었음을 나타냈다. 다만 '드물다'는 뜻은 따로 尠(尟·드물 선)으로 썼는데, 이는 대단히(甚·심) 적다(少·소), 정말(是·시) 드문(少) 존재라는 뜻을 담았다. 간화자에서는 鲜으로 쓴다.

原文

鰅: 魚名. 皮有文, 出樂浪東暆. 神爵四年, 初捕收輸考工. 周成王時, 揚州獻鰅. 从魚禺聲. 魚容切.

翻譯

'물고기 이름(魚)'이다. 껍질에 무늬가 있고, 낙랑(樂浪)군 동이(東暆)현에서 난다. [한나라 선제(宣帝)] 신작(神爵) 4년[210], 처음으로 잡아서 고공(考工)에 보냈다.[211] 주(周)나라 성왕(成王) 때에는 양주(揚州)에서 우(鰅)를 헌상했다고 한다. 어(魚)가 의미부이고 우(禺)가 소리부이다. 독음은 어(魚)와 용(容)의 반절이다.

**7610**

**鱅: 鱅: 전어 용: 魚-총22획: yóng**

原文

鱅: 魚名. 从魚庸聲. 蜀容切.

翻譯

'물고기 이름(魚)[전어]'이다. 어(魚)가 의미부이고 용(庸)이 소리부이다. 독음은 촉(蜀)와 용(容)의 반절이다.

**7611**

**鰂: 鰂: 오징어 즉: 魚-총20획: zéi**

原文

鰂: 烏鰂, 魚名. 从魚則聲. 鯽, 鰂或从即. 昨則切.

210) 신작(神爵, B.C. 61~B.C. 58)은 한나라 선제(宣帝)의 네 번째 연호인데, 신작 4년은 B.C. 58년이다.

211) 고공(考工)은 서한 때의 관직명인데, 무제(武帝) 태초(太初) 원년(104)에 소부(少府)에 소속된 관직이었던 고공실(考工室)에서 바뀐 이름이다. 무기와 활과 쇠뇌, 칼과 갑옷 등의 제조를 책임지는 관서로 인끈(綬)을 제작하여 보내는 일도 함께 맡았다. 거기에는 영(令), 좌승(左丞), 우승(右丞) 각 1인씩 배치되었다. 동한 때에는 태복(太仆)에 귀속되었다.

飜譯

'오즉(烏鰂) 즉 오징어'를 말하는데, 물고기 이름(魚)이다. 어(魚)가 의미부이고 칙(則)이 소리부이다. 즉(鯽)은 즉(鰂)의 혹체자인데, 즉(卽)으로 구성되었다. 독음은 작(昨)과 칙(則)의 반절이다.

**7612**

**鮐**: 鮐: **복 태**: 魚-**총16획**: **tái**

原文

鮐: 海魚名. 从魚台聲. 徒哀切.

飜譯

'바닷물고기 이름(海魚名)[복어]'이다. 어(魚)가 의미부이고 태(台)가 소리부이다. 독음은 도(徒)와 애(哀)의 반절이다.

**7613**

**鮊**: 鮊: **뱅어 백**: 魚-**총16획**: **bà**

原文

鮊: 海魚名. 从魚白聲. 旁陌切.

飜譯

'바닷물고기 이름(海魚名)'이다. 어(魚)가 의미부이고 백(白)이 소리부이다. 독음은 방(旁)과 맥(陌)의 반절이다.

**7614**

**鰒**: 鰒: **전복 복**: 魚-**총20획**: **fù**

原文

鰒: 海魚名. 从魚复聲. 蒲角切.

---

譯解

‘바닷물고기 이름(海魚名)[전복]’이다. 어(魚)가 의미부이고 복(复)이 소리부이다. 독음은 포(蒲)와 각(角)의 반절이다.

**7615**

**鮫: 鮫: 상어 교: 魚-총17획: jiāo**

原文

鮫: 海魚, 皮可飾刀. 从魚交聲. 古肴切.

譯解

‘바닷물고기(海魚)[상어]’로, 가죽은 칼집을 장식하는데 쓰인다. 어(魚)가 의미부이고 교(交)가 소리부이다. 독음은 고(古)와 효(肴)의 반절이다.

**7616**

**鱷: 鱷: 수고래 경·강: 魚-총24획: qíng, qìng, jīng**

原文

鱷: 海大魚也. 从魚畺聲. 『春秋傳』曰: “取其鱷鯢.” 鯨, 鱷或从京. 渠京切.

譯解

‘큰 바닷물고기(海大魚)[고래]’를 말한다. 어(魚)가 의미부이고 강(畺)이 소리부이다. 『춘추전』(『좌전』 선공 12년, B.C. 597)에서 “수코래나 암코래 같이 그렇게 흉학한 놈을 처단해야 한다(取其鱷鯢)”라고 했다. 경(鯨)은 경(鱷)의 혹체자인데, 경(京)으로 구성되었다. 독음은 거(渠)와 경(京)의 반절이다.

**7617**

**鯁: 鯁: 생선뼈 경: 魚-총18획: gěng**

原文

鯁: 魚骨也. 从魚更聲. 古杏切.

飜譯

'물고기의 뼈(魚骨)'를 말한다. 어(魚)가 의미부이고 경(更)이 소리부이다. 독음은 고(古)와 행(杏)의 반절이다.

**7618**

**鱗: 鱗: 비늘 린: 魚-총23획: lín**

原文

鱗: 魚甲也. 从魚粦聲. 力珍切.

飜譯

'물고기의 비늘(魚甲)'을 말한다. 어(魚)가 의미부이고 린(粦)이 소리부이다. 독음은 력(力)과 진(珍)의 반절이다.

**7619**

**鮏: 鮏: 비릴 성: 魚-총16획: xīng**

原文

鮏: 魚臭也. 从魚生聲. 桑經切.

飜譯

'생선의 비린내(魚臭)'를 말한다. 어(魚)가 의미부이고 생(生)이 소리부이다. 독음은 상(桑)과 경(經)의 반절이다.

**7620**

**鱢: 鱢: 비릴 소: 魚-총24획: shāo**

原文

鱢: 鮏臭也. 从魚喿聲. 『周禮』曰: "膳膏鱢." 穌遭切.

飜譯

'비린 냄새(鮏臭)'를 말한다. 어(魚)가 의미부이고 소(喿)가 소리부이다. 『주례·천관 포인(庖人)』에서 "기름지고 비린내 나는 생선을 요리한다(膳膏鱢)"라고 하였다. 독음은 소(穌)와 조(遭)의 반절이다.

**7621**

**鮨: 鮨: 젓갈 지: 魚-총17획: qí**

原文

鮨: 魚䏿醬也. 出蜀中. 从魚旨聲. 一曰鮪魚名. 旨夷切.

飜譯

'어육으로 만든 장(魚䏿醬)'을 말한다. 촉(蜀) 지역에서 난다. 어(魚)가 의미부이고 지(旨)가 소리부이다. 일설에는 '다랑어 이름(鮪魚名)'이라고도 한다. 독음은 지(旨)와 이(夷)의 반절이다.

**7622**

**鮺: 鮺: 생선젓 자: 魚-총18획: zǎ**

原文

鮺: 藏魚也. 南方謂之黔, 北方謂之鮺. 从魚, 差省聲. 側下切.

飜譯

'절인 생선(藏魚)'을 말한다. 남방 지역에서는 심(黔)이라 하고, 북방 지역에서는 자(鮺)라 한다. 어(魚)가 의미부이고, 차(差)의 생략된 모습이 소리부이다. 독음은 측(側)과 하(下)의 반절이다.

**7623**

**鮗: 鮗: 물고기 이름 잠: 魚-총15획: xín, qín**

原文

䲋: 鮺也. 一曰大魚爲鮺, 小魚爲䲋. 从魚今聲. 徂慘切.

飜譯

'자(鮺)와 같아, 절인 생선'을 말한다. 일설에는 '큰 생선을 절인 것을 자(鮺), 작은 생선을 절인 것을 심(䲋)이라 한다'고도 한다. 어(魚)가 의미부이고 금(今)이 소리부이다. 독음은 조(徂)와 참(慘)의 반절이다.

**7624**

**鮑: 鮑: 절인 어물 포: 魚-총16획: bào**

原文

鮑: 饐魚也. 从魚包聲. 薄巧切.

飜譯

'절여 삭힌 생선(饐魚)'을 말한다. 어(魚)가 의미부이고 포(包)가 소리부이다. 독음은 박(薄)과 교(巧)의 반절이다.

**7625**

**魿: 魿: 물고기 이름 령·비늘 린: 魚-총16획: líng**

原文

魿: 蟲連行紆行者. 从魚令聲. 郎丁切.

飜譯

'줄을 지어 빙빙 돌며 다니는 물고기(蟲連行紆行者)'를 말한다. 어(魚)가 의미부이고 령(令)이 소리부이다. 독음은 랑(郎)과 정(丁)의 반절이다.

**7626**

**鰕: 鰕: 새우 하: 魚-총20획: xiā**

原文

鰕: 魵也. 从魚叚聲. 乎加切.

飜譯

'새우(魵)'를 말한다. 어(魚)가 의미부이고 가(叚)가 소리부이다.[212] 독음은 호(乎)와 가(加)의 반절이다.

**7627**

**鰝: 鰝: 왕새우 호: 魚-총21획: hào**

原文

鰝: 大鰕也. 从魚高聲. 胡到切.

飜譯

'대하(大鰕) 즉 왕새우'를 말한다. 어(魚)가 의미부이고 고(高)가 소리부이다. 독음은 호(胡)와 도(到)의 반절이다.

**7628**

**鮋: 鮋: 준치 구: 魚-총19획: jiù**

原文

鮋: 當互也. 从魚咎聲. 其久切.

飜譯

'당호어(當互魚) 즉 준치'를 말한다.[213] 어(魚)가 의미부이고 구(咎)가 소리부이다.

---

212) 虾는 虫(벌레 충)이 의미부고 叚(빌 가)가 소리부로, '새우'를 말하는데, 구우면 붉게(叚) 변하는 갑각류 생물(虫)이라는 뜻을 담았다. 또 새우가 물속에 살기 때문에 어류로 인식되어 魚가 더해진 鰕(새우 하)로 쓰기도 하며, 간화자에서는 叚를 下(아래 하)로 바꾼 虾로 쓴다.

213) 준치는 준칫과의 바닷물고기이다. 밴댕이와 비슷한데 몸의 길이는 50cm 정도이고 옆으로 납작하며, 등은 어두운 청색, 배는 은백색이다. 살에는 가시가 많다. 한국, 일본, 중국 등지에 분포한다. 비슷한 말로 시어(鰣魚), 전어(箭魚), 조어(助魚), 준어(俊魚), 진어(眞魚) 등이 있다. (『표준국어대사전』)

독음은 기(其)와 구(久)의 반절이다.

**7629**

**䲳: 䲳: 큰 자개 항: 魚-총15획: háng**

原文

䲳: 大貝也. 一曰魚膏. 从魚亢聲. 讀若岡. 古郎切.

飜譯

'큰 조개(大貝)'를 말한다. 일설에는 '물고기로 만든 기름(魚膏)'을 말한다고도 한다. 어(魚)가 의미부이고 항(亢)이 소리부이다. 강(岡)과 같이 읽는다. 독음은 고(古)와 랑(郎)의 반절이다.

**7630**

**鮩: 鮩: 긴 맛조개 병: 魚-총16획: bǐng**

原文

鮩: 蚌也. 从魚丙聲. 兵永切.

飜譯

'펄조개(蚌)'를 말한다.[214] 어(魚)가 의미부이고 병(丙)이 소리부이다. 독음은 병(兵)과 영(永)의 반절이다.

**7631**

**鮚: 鮚: 대합 길: 魚-총17획: jí**

---

214) 펄조개는 석패과의 하나로, 껍데기의 길이는 10cm 정도이고 타원형으로 얇으며, 대개는 녹색 또는 황색의 방사상 무늬가 있다. 지역에 따라 몸의 형태가 다양하다. 못이나 늪 따위의 진흙에 사는데 한국, 일본, 중국 등지에 분포한다. 비슷한 말로 씹조개(Anodonta woodiana)가 있다.(『표준국어대사전』)

原文

鮚: 蚌也. 从魚吉聲. 漢律 : 會稽郡獻鮚醬. 巨乙切.

飜譯

'펄조개(蚌)'를 말한다. 어(魚)가 의미부이고 길(吉)이 소리부이다. 한나라 때의 법률(漢律)에 '회계군(會稽郡)에서는 조개로 만든 젓갈(鮚醬)을 헌상한다'라고 했다. 독음은 거(巨)와 을(乙)의 반절이다.

**7632**

**鮅: 鮅: 상피리 필: 魚-총16획: bì**

原文

鮅: 魚名. 从魚必聲. 毗必切.

飜譯

'물고기 이름(魚)'이다. 어(魚)가 의미부이고 필(必)이 소리부이다. 독음은 비(毗)와 필(必)의 반절이다.

**7633**

**鱹: 鱹: 물고기 이름 구: 魚-총29획: qú**

原文

鱹: 魚名. 从魚瞿聲. 九遇切.

飜譯

'물고기 이름(魚)'이다. 어(魚)가 의미부이고 구(瞿)가 소리부이다. 독음은 구(九)와 우(遇)의 반절이다.

**7634**

**鯸: 鯸: 복 후: 魚-총20획: hóu**

原文

鯸: 魚名. 从魚侯聲. 乎鉤切.

'물고기 이름(魚)'이다. 어(魚)가 의미부이고 후(侯)가 소리부이다. 독음은 호(乎)와 구(鉤)의 반절이다.

**7635**

**鯛: 鯛: 도미 조: 魚-총19획: diāo**

原文

鯛: 骨耑脃也. 从魚周聲. 都僚切.

飜譯

'뼈의 끝부분이 무른 물고기(骨耑脃)'를 말한다. 어(魚)가 의미부이고 주(周)가 소리부이다. 독음은 도(都)와 료(僚)의 반절이다.

**7636**

**鯙: 鯙: 가리 조: 魚-총19획: zhuó**

原文

鯙: 烝然鯙鯙. 从魚卓聲. 都教切.

飜譯

'물고기 새끼들이 떼를 지어 헤엄치다(烝然鯙鯙)'라는 뜻이다.[215] 어(魚)가 의미부이고 탁(卓)이 소리부이다. 독음은 도(都)와 교(教)의 반절이다.

---

215) 『단주』에서 이렇게 말했다. "내 생각에, 『시』에서 '南有嘉魚, 烝然罩罩.(남녘엔 좋은 물고기들이, 득실득실 펄떡이네.)'라고 했는데, 『전(傳)』에서 조(罩)는 통발(篧)을 말한다고 했다. 『모시음의(音義)』에서 조(罩)는 장(張)과 교(教)의 반절이라 했다. 여기서 『시』에서 '조조(鯙鯙)'라 했다고 하면서, 그 의미를 밝히지는 않았다. 『유편』과 『운회』에 이 글자는 실려 있지 않다."

**7637**

**鮁: 鮁: 고기 헤엄칠 발: 魚-총16획: bà**

原文

鮁: 鱣鮪鮁鮁. 从魚犮聲. 北末切.

飜譯

'철갑상어나 다랑어가 꼬리를 치며 헤엄치다(鱣鮪鮁鮁)'라는 뜻이다. 어(魚)가 의미부이고 발(犮)이 소리부이다. 독음은 북(北)과 말(末)의 반절이다.

**7638**

**鈇: 鈇: 방어 부: 魚-총12획: fū**

原文

鈇: 鯕魚. 出東萊. 从魚夫聲. 甫無切.

飜譯

'기어(鯕魚) 즉 방어'를 말한다. 동래(東萊)[216] 지역에서 난다. 어(魚)가 의미부이고 부(夫)가 소리부이다. 독음은 보(甫)와 무(無)의 반절이다.



**7639**

**鯕: 鯕: 방어 기: 魚-총19획: qí**

原文

鯕: 魚名. 从魚其聲. 渠之切.

216) 동래(東萊)는 중국의 고대 지명으로, 산동성 용구시(龍口市)의 옛 이름이다. 지금은 연대시(煙台市)의 옛 이름으로도 쓰인다. 혹자는 연대(煙台) 지역을 아울러 부르던 이름이라고도 한다. 용구시(龍口市)는 교동(膠東) 반도의 서북부에 위치하여 동쪽으로는 연대(煙台)와 접하고 남쪽으로는 청도(青島)와 인접하고, 북쪽으로는 대련(大連), 천진(天津), 진황도(秦皇島) 등과 바다를 사이에 두고 마주하고 있다.

'물고기 이름(魚)'이다. 어(魚)가 의미부이고 기(其)가 소리부이다. 독음은 거(渠)와 지(之)의 반절이다.

**7640**

**鮡: 鮡: 고기 이름 조: 魚-총17획: zhǎo**

原文

鮡: 魚名. 从魚兆聲. 治小切.

飜譯

'물고기 이름(魚)'이다. 어(魚)가 의미부이고 조(兆)가 소리부이다. 독음은 치(治)와 소(小)의 반절이다.

**7641**

**魤: 魤: 물고기 이름 화: 魚-총13획: huà**

原文

魤: 魚名. 从魚匕聲. 呼跨切.

飜譯

'물고기 이름(魚)'이다. 어(魚)가 의미부이고 화(匕)가 소리부이다. 독음은 호(呼)와 과(跨)의 반절이다.

**7642**

**鱻: 鱻: 생선 선: 魚-총33획: xiān**

原文

鱻: 新魚精也. 从三魚. 不變魚. 相然切.

飜譯

'신선한 생선으로 조리한 요리(新魚精)'를 말한다.[217] 세 개의 어(魚)로 구성되었는데, 생선의 선도가 변하지 않는다는 뜻이다. 독음은 상(相)과 연(然)의 반절이다.

**7643**

**鰈: 鰈: 가자미 접·탑: 魚-총20획: tà**

原文

鰈: 比目魚也. 从魚枼聲. 土盍切.

飜譯

'비목어(比目魚) 즉 가자미'를 말한다. 어(魚)가 의미부이고 엽(枼)이 소리부이다. 독음은 토(土)와 합(盍)의 반절이다. [신부]

**7644**

**魮: 魮: 문비조개 비: 魚-총15획: pí**

原文

魮: 文魮, 魚名. 从魚比聲. 房脂切.

飜譯

'문비(文魮)'를 말하는데, 물고기 이름이다. 어(魚)가 의미부이고 비(比)가 소리부이

---

217) 『단주』에서 이렇게 말했다. "정(精)은 오늘날의 청(鯖)자이다. 『광운(廣韵)』에서 생선을 삶고 음식을 구운 것(煮魚煎食)을 오후정(五侯鯖: 한나라 婁護가 王氏 五侯家에게 바친 진귀한 음식을 말하는데, 五侯는 漢 成帝의 母舅인 王譚, 王根, 王立, 王商, 王逢 등인데 같은 날에 제후로 봉해졌기에 五侯라 하며 鯖은 신선한 생선을 섞어 넣어 끓인 음식이다.)이라 한다. 전식(煎食)을 전육(煎肉)으로 쓰기도 하는데 이는 잘못된 것이다. 신선한 생선으로 만든 안주(肴)로 해야 할 것이다.……선명(鮮明)이나 신선(鮮新)이라 할 때 모두 선(鱻)으로 적어야 옳으나, 한나라 때부터 선(鮮)으로 선(鱻)을 대체하게 되었다. 예컨대, 『주례(周禮)』의 경문에서는 선(鱻)이라 적었는데, 주석에서는 선(鮮)으로 적은 것이 그 증거이다. 『설문』은 책 전체에서 가차자를 사용하지 않았다. 그러나 자(玼)자와 당(黨)자에서는 가차자를 사용했는데, 모두 학식이 얕은 사람들이 고친 결과이다. 지금은 선(鮮)이 유행하고 선(鱻)은 쓰이지 않게 되었다."

다. 독음은 방(房)과 지(脂)의 반절이다. [신부]

**7645**

**䲝: 鰩: 날치 요: 魚-총21획: yáo**

原文

䲝: 文鰩, 魚名. 从魚䍃聲. 余招切.

飜譯

'문요(文鰩) 즉 날치'를 말하는데, 물고기 이름이다. 어(魚)가 의미부이고 요(䍃)가 소리부이다. 독음은 여(余)와 초(招)의 반절이다. [신부]

## 제425부수
## 425 ■ 어(鱻)부수

**7646**

**鱻: 鱻: 두 마리의 물고기 어: 魚-총22획: yú, wú**

原文

鱻: 二魚也. 凡鱻之屬皆从鱻. 語居切.

飜譯

'물고기 두 마리(二魚)'를 말한다. 어(鱻)부수에 귀속된 글자들은 모두 어(鱻)가 의미부이다. 독음은 어(語)와 거(居)의 반절이다.

**7647**

**𩽹: 𩽹: 고기 잡을 어: 魚-총25획: yú**

原文

𩽹: 捕魚也. 从鱻从水. 漁, 篆文𩽹从魚. 語居切.

飜譯

'물고기를 잡다(捕魚)'라는 뜻이다. 어(鱻)가 의미부이고 수(水)도 의미부이다.[218] 어(漁)는 어(𩽹)의 전서체인데, 어(魚)로 구성되었다. 독음은 어(語)와 거(居)의 반절이다.

---

218) 고문자에서 甲骨文 金文 簡牘文 등으로 그렸다. 水(물 수)가 의미부고 魚(고기 어)가 소리부로, 물(水)에서 고기(魚)잡이를 하다는 뜻이며, 어부, 찾아 나서다, 차지하다 등의 뜻도 나왔다. 달리 魚가 둘 중복된 𩽹로 쓰기도 한다. 간화자에서는 魚를 鱼로 줄여 渔로 쓴다.

## 제426부수
## 426 ■ 연(燕)부수

**7648**

**燕**: 燕: **제비 연**: 火-총16획: yàn

原文

燕: 玄鳥也. 籋口, 布翄, 枝尾. 象形. 凡燕之屬皆从燕. 於甸切.

飜譯

'현조(玄鳥) 즉 제비'를 말한다. 족집게처럼 생긴 입(籋口), 베처럼 생긴 날개(布翄), 나뭇가지처럼 생긴 꼬리(枝尾)를 가졌다. 상형이다.219) 연(燕)부수에 귀속된 글자들은 모두 연(燕)이 의미부이다. 독음은 어(於)와 전(甸)의 반절이다.

---

219) 갑골문에서 [갑골문 자형], [갑골문 자형], [갑골문 자형] 등으로 그려, 크게 벌린 입과 머리와 세차게 날아오르는 날개와 꼬리를 갖춘 '제비'의 모습을 형상했다. 아직도 대체적인 모습을 간직하고 있으나, 예서체에 들면서 꼬리 부분이 네 점(灬)으로 변해 火(불 화)와 혼용되어 버렸다.

## 제427부수
## 427 ■ 룡(龍)부수

**7649**

**龖:** 龍: 용 룡: 龍-총16획: lóng

原文

龖: 鱗蟲之長. 能幽, 能明, 能細, 能巨, 能短, 能長; 春分而登天, 秋分而潛淵. 从肉, 飛之形, 童省聲. 凡龍之屬皆从龍. 力鍾切.

飜譯

'비늘을 가진 동물 중에서 최고이다(鱗蟲之長). 하늘을 캄캄하게 할 수도 있고(能幽), 밝게 할 수도 있고(能明), 가늘게 변할 수도 있고(能細), 거대하게 변할 수도 있고(能巨), 짧아질 수도 있고(能短), 길게 변할 수도 있다(能長). 춘분(春分)이 되면 하늘로 올라갔다가, 추분(秋分)이 되면 연못으로 내려와 숨는다.' 육(肉)이 의미부이고, [나머지는] 날아가는 모습을 그렸으며, 동(童)의 생략된 모습이 소리부이다.[220] 룡

---

220) 고문자에서 甲骨文 金文 古陶文 簡牘文 帛書 古璽文 등으로 그렸다. 갑골문에서 龍을 그렸는데, 뿔과 쩍 벌린 입과 곡선을 이룬 몸통이 특징적으로 표현되었다. 금문에서는 입 속에 이빨이 더해졌고, 소전체에서는 입이 肉(고기 육)으로 변해 지금의 자형이 대체로 갖추어졌다. 용을 두고 "비늘로 된 짐승의 대표이다. 숨어 몸을 드러내지 않을 수도 있고, 나타나 드러낼 수도 있다. 가늘게 할 수도 있고 크게 할 수도 있으며, 짧게 할 수도 있고 길게 할 수도 있다. 춘분이 되면 하늘로 올라가고, 추분이 되면 연못으로 내려와 잠긴다."라고 했다. 『설문해자』에서는 용을 이렇게 신비한 존재로 표현했는데, 용은 실존하는 동물이 아니라 상상 속의 동물이기 때문에 그랬을 것이다. 龍이 서구에서는 악의 화신으로 묘사되지만, 중국 등 동양에서는 더 없이 귀하고 좋은 길상의 존재로 여겨져, 황제의 상징이기도 하다. 임금의 얼굴을 龍顔(용안), 임금이 입는 옷을 龍袍(용포), 임금이 앉는 의자를 龍床(용상)이라 한다. 중국인들은 자신들을 스스로 '용의 후예'라고 표현한다. 용은 물과 관련되어 비를 내려주는 존재로 알려졌는데, 瀧(비 올 롱)은 용이 내리는 비를 형상적으로 그렸다. 이 때문에 기우제를 지낼 때 용을 만들어 강에 넣고, 虹(무지개 홍)이 갑골문에서 두 마리의 용이 연이어져 물을 빨아들이는 모습으로 표현

(龍)부수에 귀속된 글자들은 모두 룡(龍)이 의미부이다. 독음은 력(力)과 종(鍾)의 반절이다.

**7650**

**龗: 龗: 용 령: 龍-총33획: líng**

原文

龗: 龍也. 从龍霝聲. 郞丁切.

飜譯

'룡(龍)'을 말한다. 룡(龍)이 의미부이고 령(霝)이 소리부이다. 독음은 랑(郞)과 정(丁)의 반절이다.

**7651**

**龕: 龕: 감실 감: 龍-총22획: kān**

原文

龕: 龍皃. 从龍合聲. 口含切.

飜譯

'용의 모습(龍皃)'을 말한다. 룡(龍)이 의미부이고 합(合)이 소리부이다. 독음은 구(口)와 함(含)의 반절이다.

**7652**

**䶬: 䶬: 용의 등 갈기 견: 龍-총22획: jiān**

原文

---

되기도 했다. 龍으로 구성된 한자들은 모두 '용'을 뜻하거나 '용'이 갖는 이미지와 관련되어 크고 높다는 뜻을 가진다. 현대 중국의 간화자에서는 龍의 초서체를 해서체로 고친 龙으로 쓴다.

䶂: 龍耆脊上龕龕. 从龍幵聲. 古賢切.

飜譯

'용의 등에 빳빳하게 난 갈기(龍耆脊上龕龕)'를 말한다.221) 룡(龍)이 의미부이고 견(幵)이 소리부이다. 독음은 고(古)와 현(賢)의 반절이다.

**7653**

龖: 龖: **두 마리의 용 답**: 龍-**총32획: tà**

原文

龖: 飛龍也. 从二龍. 讀若沓. 徒合切.

飜譯

'날아오르는 용(飛龍)'을 말한다. 두 개의 룡(龍)으로 구성되었다. 답(沓)과 같이 읽는다. 독음은 도(徒)와 합(合)의 반절이다.

제11권

---

221) 『단주』에서 이렇게 말했다. "기(耆)는 늙다(老)는 뜻이다. 늙으면 등이 구부정해진다(老則脊隆). 그래서 등(脊)을 기(耆)라고도 하는데, 달리 기(鬐)로 적기도 한다. 말의 갈기(馬鬣)를 나타낼 때 이 글자를 사용한다. 룡(龍)이나 물고기(魚)의 등에 돌출된 것이 말갈기(馬鬣)처럼 생겼다. 「상림부(上林賦)」에서 '揵鰭掉尾(등지느러미 추켜세우고 꼬리 흔들어대네)'라고 했는데, 곽박은 기(鰭)가 등에 난 지느러미(背上鬣)를 말한다고 했다. 기(鰭) 또한 기(耆)의 금자(今字)이다. 섞어서 말하자면 기(耆)가 바로 등(脊)이고, 구분해서 말하자면 기(耆)는 등의 윗부분(脊上)이 된다. 견견(龕龕)은 용의 등 모양을 말한다(龍耆皃)."

## 제428부수
## 428 ■ 비(飛)부수

**7654**

**飛: 飛: 날 비: 飛-총9획: fēi**

原文

飛: 鳥翥也. 象形. 凡飛之屬皆从飛. 甫微切.

飜譯

'새가 날아오르다(鳥翥)'라는 뜻이다. 상형이다.[222] 비(飛)부수에 귀속된 글자들은 모두 비(飛)가 의미부이다. 독음은 보(甫)와 미(微)의 반절이다.

**7655**

**𩙣: 𩙣: 날개 익: 飛-총16획: yì**

原文

𩙣: 翄也. 从飛異聲. 翼, 篆文𩙣从羽. 與職切.

---

222) 고문자에서 金文 簡牘文 등으로 그렸다. 『설문해자』에서는 "새가 날갯짓하며 날아오르는 모습을 그렸다"라고 했다. 중심선은 몸체를, 아래는 양쪽으로 펼쳐진 새의 깃을, 윗부분은 머리와 새털을 형상화해, 하늘을 향해 세차게 날아오르는 새의 모습을 잘 그렸다. 이후 새는 물론 蟲飛(충비), 飛雲(비운), 飛煙(비연) 등과 같이 곤충, 구름, 연기 등이 날아오르는 것까지도 통칭하게 되었으며, 나아가 飛閣(비각·높은 전각)에서처럼 날아오를 듯 '높게' 지어진 건물을, 飛報(비보·급한 통지)처럼 날아갈 듯 '빠른' 모습을 뜻하기도 했다. 또 飛廉(비렴)은 고대 중국에서 바람을 관장하던 신을 말했는데, 이것을 우리말 '바람'의 어원으로 보기도 한다. 飛가 세차게 위로 날아오르는 것을 말한다면, 翔(빙빙 돌아 날 상)은 날갯짓(羽·우)을 하며 이리저리 빙빙 도는 것을 말하는데, 소리부로 쓰인 羊(양 양)을 한나라 때의 '석명'이라는 책에서는 사람이 이리저리 배회하다는 뜻의 佯(헤맬 양)과 같은 것으로 풀이했다. 또 蜚(바퀴 비)는 원래 곤충(虫·충)이 날아오르는(非·비, 飛의 아랫부분) 것을 말했지만, 종종 飛와 같이 쓰인다. 간화자에서는 날개 털 하나만 남긴 飞로 쓴다.

飜譯

'날개(翄)'를 말한다. 비(飛)가 의미부이고 이(異)가 소리부이다. 익(翼)은 익(𩙣)의 전서체인데, 우(羽)로 구성되었다. 독음은 여(與)와 직(職)의 반절이다.

## 제429부수
## 429 ■ 비(非)부수

**7656**

**非: 非: 아닐 비: 非-총8획: fēi**

原文

非: 違也. 从飛下翄, 取其相背. 凡非之屬皆从非. 甫微切.

飜譯

'위배하다(違)'라는 뜻이다. 비(飛)의 아랫부분 날개를 그렸는데, 서로 배치된 모습을 가져왔다.223) 비(非)부수에 귀속된 글자들은 모두 비(非)가 의미부이다. 독음은 보(甫)와 미(微)의 반절이다.

**7657**

**𩇯: 𩇯: 나눌 비: 非-총11획: fěi**

原文

𩇯: 別也. 从非己聲. 非尾切.

飜譯

'따로 나누다(別)'라는 뜻이다. 비(非)가 의미부이고 기(己)가 소리부이다. 독음은 비(非)와 미(尾)의 반절이다.

**7658**

223) 이의 자원에 대해서는 의견이 분분하지만, 『설문해자』에서는 "위배되다(違·위)는 뜻이며, 飛(날 비)자의 아랫부분 날개를 본떴다."라고 했다. 즉 날아가는 새의 모습을 그린 飛에서 머리와 몸통이 제외된 모습으로, 왼쪽은 왼쪽 날개를 오른쪽은 오른쪽 날개를 그렸으며, 양 날개가 서로 반대 방향으로 나란히 펼친 데서 '나란하다'와 '등지다'의 뜻이 나왔고, 다시 부정을 표시하는 단어로 쓰이게 되었다. 그래서 非로 구성된 글자들은 주로 '나란하다'와 '위배되다'의 두 가지 뜻을 가진다.

**靡: 靡: 쓰러질 미: 非-총19획: mǐ**

原文

靡: 披靡也. 从非麻聲. 文彼切.

飜譯

'나누어지며 쓰러지다(披靡)'라는 뜻이다. 비(非)가 의미부이고 마(麻)가 소리부이다.[224] 독음은 문(文)과 피(彼)의 반절이다.

**7659**

**靠: 靠: 기댈 고: 非-총15획: kào**

原文

靠: 相違也. 从非告聲. 苦到切.

飜譯

'서로 위배되다(相違)'라는 뜻이다. 비(非)가 의미부이고 고(告)가 소리부이다. 독음은 고(苦)와 도(到)의 반절이다.

**7660**

**陛: 陛: 감옥 폐: 阜-총14획: bī**

原文

陛: 牢也. 所以拘非也. 从非, 陛省聲. 邊兮切.

飜譯

'감옥(牢)'을 말한다. 잘못한 자들을 가두어 두는 곳이라는 뜻이다. 비(非)가 의미부이고, 폐(陛)의 생략된 모습이 소리부이다. 독음은 변(邊)과 혜(兮)의 반절이다.

---

224) 고문자에서 [古文字] 簡牘文 등으로 그렸다. 非(아닐 비)가 의미부고 麻(삼 마)가 소리부로, 곧게 높이 자란 삼(麻)이 양옆(非)으로 쓰러진 모습을 그렸으며, 이로부터 넘어지다, 쓰러지다, 물러나다, 순종하다, 좋다, 시작하다 등의 뜻이 나왔다.

## 제430부수
## 430 ■ 신(卂)부수

**7661**

**卂: 卂: 빨리 날 신: 十-총3획: xìn**

原文

卂: 疾飛也. 从飛而羽不見. 凡卂之屬皆从卂. 息晉切.

飜譯

'빠르게 날다(疾飛)'라는 뜻이다. 비(飛)자를 그렸으나 [빠르게 날아] 깃이 보이지 않는 모습이다. 신(卂)부수에 귀속된 글자들은 모두 신(卂)이 의미부이다. 독음은 식(息)과 진(晉)의 반절이다.

**7662**

**𦦂: 煢: 외로울 경: 火-총13획: qióng**

原文

𦦂: 回疾也. 从卂, 營省聲. 渠營切.

飜譯

'회전하며 빨리 날다(回疾)'라는 뜻이다. 신(卂)이 의미부이고, 영(營)의 생략된 모습이 소리부이다. 독음은 거(渠)와 영(營)의 반절이다.

지은이 **허신** 許愼

동한(東漢) 때의 여남(汝南)군 소릉(召陵)현 사람으로, 자는 숙중(叔重)이며, 당시 최고의 경학자이자 한자학자였다.

그의 저서 『설문해자(說文解字)』는 중국 최고의 한자 연구서로 알려져 있으며, 그에 의해 한자 연구의 이론적 기틀이 마련됐고, 부수의 창안, 육서설의 체계화 등도 그에 의해 이루어졌다. 또 『오경이의(五經異義)』, 『효경고문설(孝經古文說)』, 『회남자주(淮南子注)』 등을 지었다 하나 전하지 않는다.

옮긴이 **하영삼**

경남 의령 출생으로, 경성대학교 중국학과 교수, 한국한자연구소 소장, 인문한국플러스(HK+)사업단 단장, 세계한자학회(WACCS) 상임이사로 있다. 부산대학교 중문과를 졸업하고, 대만 정치대학에서 석.박사 학위를 취득했으며, 한자에 반영된 문화 특징을 연구하고 있다.

저서에 『한자어원사전』, 『100개 한자로 읽는 중국문화』, 『한자와 에크리튀르』, 『부수한자』, 『뿌리한자』, 『연상한자』, 『한자의 세계: 기원에서 미래까지』, 『제오유의 정리와 연구(第五游整理與硏究)』, 『한국한문자전의 세계』 등이 있고, 역서에 『중국 청동기 시대』(장광직), 『허신과 설문해자』(요효수), 『갑골학 일백 년』(왕우신 등), 『한어문자학사』(황덕관), 『한자 왕국』(세실리아 링퀴비스트, 공역), 『언어와 문화』(나상배), 『언어지리유형학』(하시모토 만타로), 『고문자학 첫걸음』), 『수사고신록(洙泗考信錄)』(최술, 공역), 『석명(釋名)』(유희, 선역), 『관당집림(觀堂集林)』(왕국유, 선역) 등이 있으며, "한국역대자전총서"(16책) 등을 공동 주편했다.